UTB 1317

Eine Arbeitsgemeinschaft der Verlage

Wilhelm Fink Verlag München
A. Francke Verlag Tübingen und Basel
Paul Haupt Verlag Bern · Stuttgart · Wien
Hüthig Fachverlage Heidelberg
Verlag Leske + Budrich GmbH Opladen
Lucius & Lucius Verlagsgesellschaft Stuttgart
Mohr Siebeck Tübingen
Quelle & Meyer Verlag Wiebelsheim
Ernst Reinhardt Verlag München und Basel
Ferdinand Schöningh Verlag Paderborn · München · Wien · Zürich
Eugen Ulmer Verlag Stuttgart
Vandenhoeck & Ruprecht Göttingen und Zürich
WUV Wien

UTB FÜR WISSEN SCHAFT

Eine Arbeitsgemeinschaft der Verlage

Wilhelm Fink Verlag München
A. Francke Verlag Tübingen und Basel
Paul Haupt Verlag Bern · Stuttgart · Wien
Hüthig Fachverlage Heidelberg
Verlag Leske + Budrich Opladen
Lucius & Lucius Verlagsgesellschaft Stuttgart
Mohr Siebeck Tübingen
C. F. Müller Verlag Heidelberg
Ernst Reinhardt Verlag München und Basel
Ferdinand Schöningh Verlag Paderborn · München · Wien · Zürich
Eugen Ulmer Verlag Stuttgart
Vandenhoeck & Ruprecht Göttingen und Zürich
WUV Wien

Jörn Altmann

Wirtschaftspolitik

Eine praxisorientierte Einführung

7., erweiterte und
völlig überarbeitete Auflage

371 Abbildungen

Lucius & Lucius · Stuttgart

Adresse des Autors:

Institut für Außenwirtschaft
Prof. Dr. Jörn Altmann
Universitätsstr. 150
44801 Bochum

1. Auflage 1985
2. Auflage 1986
3. Auflage 1989
4. Auflage 1990
1. Nachdruck 1991
2. Nachdruck 1991
5. Auflage 1992
6. Auflage 1995
7. Auflage 2000

Die Deutsche Bibliothek – CIP-Einheitsaufnahme

Altmann, Jörn:
Wirtschaftspolitik : eine praxisorientierte Einführung / Jörn Altmann.
7., erw. und völlig überarb. Aufl. – Stuttgart : Lucius und Lucius, 2000
(UTB für Wissenschaft : Uni-Taschenbücher ; 1317 : Wirtschaftswissenschaften)
ISBN 3-8252-1317-X
ISBN 3-8282-0127-X

Sabon 9/10 pt / Syntax
Gedruckt auf 60 g/qm Neoprint
Gesamtherstellung: Graph. Großbetrieb Friedr. Pustet, Regensburg
Umschlaggestaltung: Atelier Reichert, Stuttgart
Printed in Germany

0 1 2 3 4 5

UTB-Bestellnummer: ISBN 3-8252-1317-X

Für Sibylle, Fabian, Elisabeth und Horst

Vorwort zur 7. Auflage

Ein Lehrbuch über Wirtschaftspolitik zu schreiben, ist eine schwierige Aufgabe. Viele Probleme, die üblicherweise in spezialisierten Arbeiten behandelt werden, sind gleichzeitig für wirtschaftspolitische Überlegungen von Bedeutung. Die Schwierigkeit läßt sich auch folgendermaßen umreißen:

«Die Wissenschaft, sie ist und bleibt,
was einer ab vom andern schreibt.
Doch trotzdem ist, ganz unbestritten,
sie immer weiter fortgeschritten.

Der Leser, traurig aber wahr,
ist häufig unberechenbar:
Hat er nicht Lust, hat er nicht Zeit,
dann gähnt er: ‹Alles viel zu breit!›
Doch wenn er selber etwas sucht,
was ich, aus Raumnot, nicht verbucht,
wirft er voll Stolz sich in die Brust:
‹Aha, das hat er nicht gewußt!›
Man weiß, die Hoffnung wär' zum Lachen,
es allen Leuten recht zu machen.»

(Eugen Roth)

Dieses Buch versucht, zweierlei zu leisten:
Im Vordergrund steht die Ausrichtung auf Probleme, mit denen sich täglich Berührungspunkte ergeben können. Dem interessierten Leser soll damit eine Hilfestellung angeboten werden, die zum Teil sehr verflochtenen und oft schwer zugänglichen Zusammenhänge zu verstehen. Dies schließt auch die Klärung von Begriffen ein, die sich für den Nichtfachmann leicht zu einer unüberwindlichen oder abschreckenden Sprachbarriere auftürmen können.
Die pragmatische Orientierung wird ergänzt durch theoretische, aber allgemeinverständliche Erläuterungen, um Sinn und Zweck wirtschaftspolitischer Maßnahmen erfassen und beurteilen zu können. Dabei werden auch gegensätzliche Auffassungen nebeneinander gestellt, um unterschiedliche wirtschaftspolitische Strategien einordnen zu können.

Mein Dank gilt wiederum kritischen Lesern, die mir Hinweise auf Verbesserungsmöglichkeiten gegeben haben. Als Autor erliegt man leicht dem Wunschdenken, nun wirklich alles perfekt gemacht zu haben, um dann einzusehen, daß es doch immer wieder *noch* bessere Möglichkeiten gibt. Ich danke auch und insbesondere den vielen Lesern und Rezensenten, die mich darin bestärkt haben, daß die Konzentration dieses Buches richtig ist (der Ökonom erkennt dies natürlich auch am Markterfolg: Dieses Lehrbuch hat mittlerweile eine Gesamtauflage von 90 000 Exemplaren.

Bedanken möchte ich mich auch bei den vielen Mitarbeitern im Hause meines Verlegers Dr. von Lucius, die das Buch bei der Entstehung und Verbreitung betreut haben und betreuen. Stellvertretend für viele möchte ich insbesondere Frau **Bettina Schmidt** hervorheben, die für die technische Erstellung des Buches maßgeblich verantwortlich war.

Besonders danken möchte ich meinen eigenen Mitarbeitern, die mich beim Erstellen der 7., vollständig überarbeiteten und an verschiedenen Stellen erweiterten Auflage dieses Lehrbuchs unterstützt haben. Hervorzuhebende Zuarbeiten haben geleistet: Mitarbeiter des *Workshops «Konjunktur»* der Albert-Ludwigs-Universität Freiburg [**Eleonore Dietrich, Katharina Hampel,** Diplom-Volkswirt **Christoph Jelitto, Benedikt Langner, Till Neuscheler,** Diplom-Volkswirtin **Dorothea Schmidt, Konrad Stockmeier** (Kap. 1–6), Diplom-Volkswirt **Ari Ziegler**) (Kap. 1–6,11)], ferner Dr. **Silke Gehle** (Kap. 13, 14), Dr. **Urmila Goel** Kap. (Kap. 9, 15, 16), Dipl.-Volkswirtin **Karin Rinne** (Kap. 12), Dipl.-Volkswirt **Gerhard Spegel** (Kap. 10), Dipl.-Volkswirtin **Regine Steib** (Kap. 12, 13, 14) sowie Diplom-Betriebswirt **Martin Spreen** (Recherche und Technik, Register, Literaturhinweise).

Reutlingen, Dezember 1999 Jörn Altmann

Gliederungsübersicht

0. Zum Aufbau des Buches 1

I. Teil: Einführung

1. Wirtschaftspolitik und Wirtschaftsordnung 4

II. Teil: Wirtschaftspolitische Zielsetzungen

2. Wirtschaftswachstum und Konjunktur 38
3. Hoher Beschäftigungsstand 86
4. Stabilität des Preisniveaus 143
5. Außenwirtschaftliches Gleichgewicht 194
6. Einflußnahme auf die Verteilung 222
7. Umweltschutz 241
8. Weitere Zielsetzung der Wirtschaftspolitik 250

III. Teil: Wirtschaftspolitische Konzeptionen

9. Alternative Grundpositionen 255

IV. Teil: Wirtschaftspolitisches Instrumentarium und ausgewählte Politikfelder

10. Finanz- und Fiskalpolitik 283
11. Geld- und Kreditpolitik 356
12. Wechselkurs- und Währungspolitik 401
13. Außenhandelspolitik 490
14. Entwicklungspolitik 604

V. Teil: Besondere Probleme der Wirtschaftspolitik

15. Realisierung wirtschaftspolitischer Maßnahmen 631
16. Zielkonflikte 643

Schlußwort 653

Inhaltsverzeichnis

Vorwort VII

Gliederungsübersicht IX

Abbildungsverzeichnis XXI

0. Zum Aufbau des Buches 1

I. Teil: Einführung

1. Wirtschaftspolitik und Wirtschaftsordnung 4

1.1. Bereiche der Wirtschaftspolitik 4
1.1.1. Ziele und Maßnahmen 4
1.1.2. Wirtschaftspolitische Zielsetzungen 5
1.1.3. Wirtschaftspolitische Handlungsfelder und Instrumente 8

1.2. Wer ‹macht› Wirtschaftspolitik? 8
1.3. Marktwirtschaft und Wirtschaftsordnung 13
1.3.1. Wirtschaftsordnung und Wirtschaftssystem 13
1.3.2. Aktuelle Entwicklungen 15
1.3.2.1. Konvergenz der Wirtschaftsordnungen? 15
1.3.2.2. Die ordnungspolitische Revolution der 90er Jahre . . . 16
1.3.3. Marktwirtschaft als Zielvorgabe 17

1.4. Nationales, internationales und supranationales Recht . 21
1.4.1. Zusammenhang zwischen den Rechtsebenen 21
1.4.2. Supranationales Recht 21
1.4.2.1. Allgemeines Völkerrecht 21
1.4.2.2. Gemeinschaftsrecht 23
1.4.3. Nationales Recht 34
1.4.3.1. Geltungsbereich 34
1.4.3.2. Systematik 34
1.4.4. Völkervertragsrecht (Internationales Recht) 35

II. Teil: Wirtschaftspolitische Zielsetzungen

2. Wirtschaftswachstum und Konjunktur 38

2.1. Gründe für Wachstum 39
2.1.1. Wachstumsindikatoren 39
2.1.2. Argumente für Wachstum 42
2.1.3. Wachstum und Kapitalbildung 43
2.2. Angemessenes Wachstum 45
2.2.1. Argumente gegen Wachstum 46
2.2.2. Qualitatives Wachstum 47
2.2.3. Sektorales und regionales Wachstum 48

2.3. Stetiges Wachstum 50
2.3.1. Konjunkturschwankungen 50
2.3.1.1. Begriffe 50
2.3.1.2. Konjunkturzyklus 51
2.3.1.3. Kurz- und langfristige Zyklen 54
2.3.1.4. Konjunkturzyklen in Deutschland 57
2.3.2. Konjunkturtheorien 62
2.3.2.1. Einteilung 63
2.3.2.2. Multiplikator und Akzelerator 65
2.3.2.3. Einige Konjunkturerklärungen 69
2.3.3. Konjunkturindikatoren 71

2.4. Einige Aspekte der Neuen Wachstumstheorie 76
2.4.1. Grundsätzliche Vorbemerkungen 76
2.4.2. Eigenschaften von Produktionsfunktionen 77
2.4.3. Wachstumstheoretische Denkschulen 79

2.5. Exkurs: Die Asienkrise 82

2.6. Wachstumspolitische Perspektiven 85

3. Hoher Beschäftigungsstand 86

3.1. Produktionspotential 86
3.1.1. Auslastung des Produktionspotentials 87
3.1.2. Begrenzende Faktoren 89
3.1.3. Bestimmung des Produktionspotentials 89

3.2. Arbeitslosigkeit 91
3.2.1. Berechnung 93
3.2.2. Probleme der Berechnung 94

3.3. Ursachen von Arbeitslosigkeit . . . 100
3.3.1. Strukturelle Arbeitslosigkeit . . . 100
3.3.2. Konjunkturelle Arbeitslosigkeit . . . 104
3.3.3. Saisonale Arbeitslosigkeit . . . 106
3.3.4. Friktionelle Arbeitslosigkeit . . . 107
3.3.5. «Wohlstandsarbeitslosigkeit» . . . 108

3.4. Besondere Charakteristika des Arbeitsmarktes . . . 109
3.4.1. Existentielle Abhängigkeit vom Arbeitsmarkt . . . 109
3.4.2. Externe Lohnfortsetzung . . . 110
3.4.3. Preisbildung und Mindestlöhne . . . 110

3.5. Gesamtwirtschaftliche Kosten der Arbeitslosigkeit . . . 114

3.6. Exkurs: Tarifkonflikte . . . 116

3.7. Perspektiven der Arbeitslosigkeit . . . 118

3.8. Tendenzen der Beschäftigungspolitik . . . 123
3.8.1. Lohnpolitik . . . 123
3.8.1.1. Lohnkosten und Lohnstückkosten . . . 123
3.8.1.2. Lohneinkommen und Binnennachfrage . . . 129
3.8.1.3. Tariflöhne . . . 130
3.8.2. Arbeitszeitpolitik . . . 132
3.8.2.1. Verlängerung der Arbeitszeiten . . . 132
3.8.2.2. Flexibilisierung der Arbeitszeiten . . . 134
3.8.3. Arbeitsmarktpolitik . . . 137
3.8.3.1. Zweiter Arbeitsmarkt und Beschäftigungsprogramme . 137
3.8.3.2. Arbeitsvermittlung . . . 139
3.8.4. Finanzpolitische Maßnahmen . . . 143

4. Stabilität des Preisniveaus . . . 143

4.1. Definition von Inflation . . . 143

4.2. Erscheinungsformen der Inflation . . . 145
4.2.1. Schleichende, trabende und galoppierende Inflation . . 145
4.2.2. Offene und verdeckte Inflation . . . 148

4.3. Messung der Inflation . . . 151
4.3.1. Warenkorb und Preisindex . . . 151
4.3.2. Indexarten . . . 154
4.3.3. Datenerhebung . . . 154

4.4. Ursachen der Inflation . . . 161
4.4.1. Nachfragesog-Inflation . . . 161
4.4.2. Geldmengen-Inflation . . . 165

4.4.3. Kostendruck-Inflation 170
4.4.4. Angebotslücken-Inflation 175
4.4.5. Zusammenfassung 177

4.5. Folgen der Inflation 178

4.6. Wachstum durch Inflation? 186

4.7. Exkurs: Hyperinflation 188

5. Außenwirtschaftliches Gleichgewicht 194

5.1. Aufbau der Zahlungsbilanz 194

5.2. Zahlungsbilanzstatistik 198
5.2.1. Quellen 198
5.2.2. Erfassung und Bewertung 200
5.2.3. Buchungsprinzipien 203
5.2.3.1. «Restposten» 203
5.2.3.2. Auslandsposten 204
5.2.3.3. Buchungsbeispiele 206

5.3. Saldenbildung 207
5.3.1. Saldo der Leistungsbilanz 208
5.3.2. Konsequenzen von Leistungsbilanzstörungen 211
5.3.2.1. Leistungsbilanzdefizit 211
5.3.2.2. Leistungsbilanzüberschuß 213
5.3.3. Saldo der «Devisenbilanz» 215

5.4. Ursachen für Zahlungsbilanzstörungen 221

6. Einflußnahme auf die Verteilung 222

6.1. Einkommensverteilung 224
6.1.1. Funktionelle Verteilung 225
6.1.1.1. Lohn- und Gewinnquote 227
6.1.1.2. Bereinigte und unbereinigte Lohnquote 228
6.1.1.3. Brutto- und Nettolohnquote 229
6.1.1.4. Primär- und Sekundärverteilung 230
6.1.1.5. Aussagekraft von Lohn- und Gewinnquote 232
6.1.2. Personelle Verteilung 234

6.2. Vermögensverteilung 239

7. Umweltschutz 241

7.0. Vorbemerkung 241

7.1. Dimension der Umweltbelastung 241

7.2. Ökonomische Analyse 243
7.3. Einige Prinzipien und Instrumente 244
7.4. Beurteilungskriterien 245
7.5. Perspektiven 246
7.6. Internationaler Umweltschutz am Beispiel des Treibhauseffekts 247

8. Weitere Zielsetzung der Wirtschaftspolitik 250
8.1. Bildung und Forschung 251
8.2. Andere sozio-ökonomische Ziele 252
8.3. Sektorale und regionale Ziele 253

III. Teil: Wirtschaftspolitische Konzeptionen

9. Alternative Grundpositionen 255
9.1. Historische Vorläufer 255
9.2. Klassik und Keynes 257
9.3. Deutschland: von der (Neo-)Klassik zur Sozialen Marktwirtschaft 260
9.4. Nachfrage- oder Angebotspolitik 266
9.5. Monetarismus und Fiskalismus 272
9.6. Fazit und Schwerpunkte der aktuellen Diskussion . . . 276
9.6.1. Theorie-Schwachstellen 276
9.6.2. Konjunktur- und Beschäftigungsprogramme 277
9.6.3. Industriepolitik 279
9.6.4. Standort Deutschland und Flexibilisierung 281

IV. Teil: Wirtschaftspolitisches Instrumentarium und ausgewählte Politikfelder

10. Finanz- und Fiskalpolitik 283
10.1. Wandel der Aufgabenstellung 284
10.1.1. Hauptsächliche Funktionen 284
10.1.2. Exkurs: Fiskalpolitik im Mittelalter 288

10.2. Öffentliche Güter und Staatsquote 290
10.2.1. Öffentliche und private Güter 290
10.2.2. Staatsquoten 291
10.2.2.1. Ausgabenquote 291
10.2.2.2. Abgabenquote 295
10.2.2.3. Entwicklung der Staatsquote 296

10.3. Staatshaushalt und Staatsfinanzierung 299
10.3.1. Haushaltsplanung 299
10.3.1.1. Haushaltsstruktur 300
10.3.1.2. Zustandekommen des Haushalts 302
10.3.1.3. Haushaltsgrundsätze 304
10.3.1.4. Neben- und Schattenhaushalte 306
10.3.1.5. Mittelfristige Finanzplanung. 308
10.3.1.6. Planungs-, Koordinierungs- und Beratungsgremien . . 310
10.3.2. Steuerstruktur und Finanzausgleich 312
10.3.2.1. System des Finanzausgleichs 313
10.3.2.2. Reform des Finanzausgleichs 319

10.4. Finanz- und fiskalpolitische Ansatzpunkte 320
10.4.1. Budgetkonzepte 321
10.4.2. Haushalt und deutsches Stabilitätsgesetz 323
10.4.2.1. Entwicklung 323
10.4.2.2. Möglichkeiten 325
10.4.2.3. Kritik 327
10.4.3. Steuern und Steuerwirkungen 328
10.4.3.1. Einige Begriffe 328
10.4.3.2. Reaktionen auf Steuererhebung 329
10.4.3.3. Direkte und indirekte Steuern 329
10.4.3.4. Steuersatz und Steueraufkommen 330
10.4.3.5. Ausschöpfung des Steuerpotentials 332
10.4.3.6. Öffentliche Verschwendung 333

10.5. Staatsverschuldung 335
10.5.1. Ursachen der Staatsverschuldung 335
10.5.1.1. «Deficit Spending» 335
10.5.1.2. Strukturelle Verschuldung 336
10.5.1.3. Ursachen des strukturellen Defizits 338
10.5.2. Struktur der öffentlichen Verschuldung 344
10.5.3. Formen öffentlicher Verschuldung 346
10.5.4. Grenzen und Konsequenzen staatlicher Verschuldung . 350

11. Geld- und Kreditpolitik 356

11.1. Geldverfassung 356

11.2. Europäische Zentralbank und Geschäftsbankensystem 359
11.2.1. Organisation der Europäischen Zentralbank 359
11.2.2. Aufgaben der Europäischen Zentralbank 364
11.2.3. Geschäftsbankensystem 365

11.3. Geldschöpfung und Geldmenge 365
11.3.1. Geldschöpfung 365
11.3.2. Geldmengenkonzepte 369

11.4. Geldpolitische Strategien 371
11.4.1. Geldpolitische Zielsetzungen 371
11.4.2. Geldmengenpolitik 373
11.4.3. Zinspolitik 376
11.4.4. Liquiditätspolitik 377

11.5. Geldpolitisches Instrumentarium 378
11.5.1. Offenmarktgeschäfte 378
11.5.1.1. Kriterien 378
11.5.1.2. Hauptrefinanzierungsgeschäfte 381
11.5.1.3. Längerfristige Refinanzierungsgeschäfte 382
11.5.1.4. Feinsteuerungsoperationen 382
11.5.1.5. Strukturelle Operationen 383
11.5.1.6. Tenderverfahren und bilaterale Geschäfte 383
11.5.2. Ständige Fazilitäten 385
11.5.3. Mindestreserven 388

11.6. Geldmarkt und Leitzinsen 389
11.6.1. Begriff des Geldmarkts 389
11.6.2. Leitzinsen und Zinsstruktur 391

11.7. Exkurs: Offshore-Märkte 393

11.8. Gewinne der Europäischen Zentralbank und Staatshaushalt 398

11.9. Perspektiven der Geldpolitik 401

12. Wechselkurs- und Währungspolitik 401

12.1. Devisenmarkt 402
12.1.1. Wechselkursbegriffe 402
12.1.2. Devisenhandel 408
12.1.3. Kassa- und Termingeschäfte 413
12.1.3.1. Report und Deport 413
12.1.3.2. Devisenpensionsgeschäfte 415
12.1.3.3. Devisenoptionen 416

12.1.4. Dollar-Dominanz . . . 416
12.1.5. Exkurs: Zur Geschichte des Dollars . . . 419

12.2. Wechselkursbildung . . . 420
12.2.1. Einflußgrößen . . . 420
12.2.2. Wechselkurs-Theorien . . . 425

12.3.3. Wechselkurssysteme . . . 427
12.3.1. Flexible Wechselkurse . . . 427
12.3.2. Fixe Wechselkurse . . . 428
12.3.3. Blockfloaten (EWS II) . . . 432
12.3.4. Gespaltene und andere Wechselkurse . . . 434
12.3.5. Konvertibilität der Währung . . . 437
12.3.6. Währungsreformen . . . 438

12.4. Wechselkursänderungen . . . 439
12.4.1. Begriff . . . 439
12.4.2. Wirkungen . . . 440
12.4.2.1. Wirkungen auf die Leistungsbilanz . . . 440
12.4.2.2. Probleme . . . 442
12.4.2.3. Wirkungen auf die Terms-of-Trade . . . 444
12.4.2.4. Wirkungen auf die Beschäftigung . . . 444
12.4.2.5. Elastizitäten und J-Kurve . . . 445

12.5. Währungsintegration . . . 447
12.5.1. Fixe oder flexible Wechselkurse? . . . 447
12.5.2. Integrations-Strategien . . . 450
12.5.3. Integrations-Formen . . . 451
12.5.4. Optimale Währungsräume . . . 453
12.5.5. Exkurs: Die Franc-Zone . . . 454

12.6. Rückblick: EWS I . . . 458
12.6.1. Historischer Hintergrund . . . 458
12.6.2. Die ECU . . . 461
12.6.3. Der Interventionsmechanismus . . . 463
12.6.4. Das Kreditsystem . . . 467

12.7. Die Europäische Währungsunion . . . 469
12.7.1. Ausgangssituation . . . 469
12.7.2. Integrationsstufen . . . 470
12.7.3. Beitritt zur EWU: Die Konvergenzkriterien . . . 473
12.7.4. Euro-Aspekte für die Praxis . . . 478
12.7.4.1. Allgemeine Veränderungen . . . 481
12.7.4.2. Anpassung in den Unternehmen . . . 483
12.7.5. Gesamtwirtschaftliche Perspektiven . . . 485

12.8. Agrar-Wechselkurse . . . 489

13. Außenhandelspolitik . . . 490

13.1. Internationale Handelsverflechtungen . . . 491
13.1.1. Grobstruktur des Welthandels . . . 491
13.1.2. Zur Position der Bundesrepublik im Welthandel . . . 492
13.1.3. Die aktuelle Situation der Weltwirtschaft . . . 494

13.2. Ziele der Außenhandelspolitik . . . 497
13.2.1. Drei Erkenntnisse der Theorie . . . 498
13.2.2. Entwicklungen im Welthandel . . . 498
13.2.2.1. Außenhandelspolitische Konzeptionen . . . 498
13.2.2.2. Phasen im Welthandel . . . 500
13.2.2.3. Tendenzen im Welthandel . . . 501
13.2.3. Außenhandels- und Außenpolitik . . . 503

13.3. Gründe für Außenhandel . . . 506
13.3.1. Nichtverfügbarkeit von Gütern . . . 506
13.3.2. Kosten- und Preisunterschiede . . . 509
13.3.2.1. Faktor-Proportionen-Theorem . . . 510
13.3.2.2. Produkt-Zyklen . . . 513
13.3.2.3. Terms-of-Trade . . . 513
13.3.3. Importabhängigkeit und Importkonkurrenz . . . 514
13.3.4. Exportmotive . . . 516

13.4. Direktinvestitionen . . . 518

13.5. Exkurs: Einige Bemerkungen zur Außenhandelstheorie 520

13.6. Außenhandelsrecht . . . 522
13.6.1. Internationales Handelsrecht: GATT/WTO . . . 523
13.6.1.1. Entstehung . . . 523
13.6.1.2. Grundsätze . . . 524
13.6.1.3. Ausnahmen . . . 524
13.6.1.4. GATT-Verhandlungen . . . 525
13.6.2. Außenhandelsrecht der EU . . . 527
13.6.3. Nationales Außenwirtschaftsrecht . . . 528

13.7. Instrumente der Außenhandelspolitik . . . 529
13.7.1. Protektion . . . 529
13.7.1.1. Gründe für Protektion . . . 529
13.7.1.2 Tarifäre Protektion . . . 530
13.7.1.3 Nicht-tarifäre Protektion . . . 533
13.7.1.4. Folgen der Protektion . . . 539
13.7.1.5. Reaktionsmöglichkeiten . . . 542
13.7.2. Kooperation und Integration . . . 544
13.7.2.1. Entwicklung seit dem Zweiten Weltkrieg . . . 545
13.7.2.2. Ökonomische Wirkungen regionaler Integration . . . 552

13.7.2.3. Regionale Integration und Freihandelspostulat 567
13.7.2.4. Integrationsformen 569
13.7.2.5. GATT-rechtliche Stellung von Integrationsräumen . . . 586
13.7.2.6. Motive der regionalen Integration 587
13.7.2.7. Einige Strukturdaten 588
13.7.2.8. Erfolgsbedingungen der Integration 592

14. Entwicklungspolitik 604
14.1. Ausgangssituation 605
14.1.1. Die Akteure 605
14.1.2. Entwicklungs-Philosophien 606
14.1.3. Entwicklungs-Strategien 609
14.2. Problemursachen 610
14.2.1. Externe Ursachen 610
14.2.2. Interne Ursachen 614
14.3. Politik der Entwicklungszusammenarbeit 620
14.3.1. Internationale Entwicklungspolitik 622
14.3.2. Nationale Entwicklungspolitik 626
14.4. Perspektiven der Entwicklungspolitik 628

V. Teil: Besondere Probleme der Wirtschaftspolitik

15. Realisierung wirtschaftspolitischer Maßnahmen 631
15.1. Diagnose und Dosierung 631
15.2. Verzögerungen 632
15.2.1. «Lags» 632
15.2.2. Prognosen und Indikatoren 632
15.2.3. Regelmechanismen 638
15.2.4. Geld- und Finanzpolitik 639
15.3. Handlungsspielraum 641

16. Zielkonflikte 643
16.1. Phillipskurve und Stagflation 644
16.2. Weitere Zielkonflikte 650

Schlußwort 653
Vertiefende und ergänzende Literatur 654
Register 664

Abbildungsverzeichnis[1]

1. Wirtschaftspolitik und Wirtschaftsordnung

Abb. 1.1.2/1 Wirtschaftspolitisches Zielsystem 7
Abb. 1.2/1 Lobbyismus I 9
Abb. 1.2/2 Lobbyismus II 10/11
Abb. 1.3.1/1 Wirtschaftssysteme und Wirtschaftsordnungen I: nach Eucken 13
Abb. 1.3.1/2 Wirtschaftssysteme und Wirtschaftsordnungen II: nach Sombart 14
Abb. 1.4.1/1 Rechtsebenen 20
Abb. 1.4.2/1 Säulen der EU 25
Abb. 1.4.2/2 Schengener Abkommen 27
Abb. 1.4.2/3 Gemeinschaftsrecht und nationales Recht 29
Abb. 1.4.2/4 Rechtsharmonisierung 33

2. Wirtschaftswachstum und Konjunktur

Abb. 2.1.1/1 BSP und BIP 40
Abb. 2.1.1/2 Reales und nominales Inlandsprodukt 41
Abb. 2.1.2/1 Wachstum und Umverteilung 42
Abb. 2.1.2/2 Patentanmeldungen internationaler Anteile an den Patentanmeldungen insges. in % 45
Abb. 2.2.1/1 Maximales und angemessenes Wachstum 46
Abb. 2.2.3/1 Sektorale Strukturunterschiede 49
Abb. 2.2.3/2 Regionale Strukturunterschiede 49
Abb. 2.2.3/3 Argumente für und gegen Wachstum 50
Abb. 2.3.1/1 Schematischer Konjunkturzyklus 52
Abb. 2.3.1/2 «Abschwung» oder «Rezession»? 53
Abb. 2.3.1/3 Nachkriegs-Rezessionen 54
Abb. 2.3.1/4 Saisonale Schwankungen 55
Abb. 2.3.1/5 Lange Wellen der Weltkonjunktur 56
Abb. 2.3.1/6 Relatives Wachstum 58
Abb. 2.3.1/7 Konjunkturschwäche oder Rezession? 61
Abb. 2.3.2/1 Internationaler Konjukturzusammenhang 62
Abb. 2.3.2/2 Exportabhängigkeit der deutschen Industrie . . . 63
Abb. 2.3.2/3 Konjunkturschwankungen 64

[1] Eine Reihe von Abbildungen enthält Überschriften von Zeitungsmeldungen. Aus Gründen der Übersichtlichkeit wird dabei auf Quellenangaben verzichtet (u. a. FAZ, HB, SZ, ZEIT, Welt).

Abb. 2.3.2/4 Konjunkturkomponenten C + I 67
Abb. 2.3.2/5 Konjunkturkomponenten Ex – Im 67
Abb. 2.3.3/1 Daten zur Konjunkturentwicklung 72/73
Abb. 2.3.3/2 Frühindikator 74
Abb. 2.3.3/3 Konjunkturindikatoren 76
Abb. 2.5/1 Asienkrise 84

3. Hoher Beschäftigungsstand

Abb. 3.1.1/1 Produktionspotential 88
Abb. 3.1.3/1 Kapazitätsauslastung der Industrie 90
Abb. 3.1.3/2 Konjunktur und Arbeitsplätze 91
Abb. 3.1.3/3 Investitionsmotive 92
Abb. 3.1.3/4 Faktorsubstitution 92
Abb. 3.2/1 Entwicklung der Arbeitslosigkeit 93
Abb. 3.2.1/1 Unterschiede in der Berechnung der Arbeitslosenquote 95
Abb. 3.2.2/1 Verdeckte Arbeitslosigkeit 97
Abb. 3.2.2/2 Unterbeschäftigung 97
Abb. 3.2.2/3 Offene und verdeckte Arbeitslosigkeit 98/99
Abb. 3.2.2/4 Internationale Erfassungsmethoden 101
Abb. 3.3.1/1 Sektorale Arbeitslosigkeit 102
Abb. 3.3.1/2 Arbeitszeiten international 103/104
Abb. 3.3.1/3 Regionale Arbeitslosigkeit 105
Abb. 3.3.2/1 Offene Stellen 106
Abb. 3.3.3/1 Saisonale Arbeitslosigkeit 107
Abb. 3.3.5/1 Problemkriterien 109
Abb. 3.4.1/1 Job-Qualifikation 110
Abb. 3.4.2/1 Schwarzarbeit 111
Abb. 3.4.2/2 Der wahre Einkommensfortschritt – oder Reallohn 111
Abb. 3.4.2/3 Reallohnsenkung 112
Abb. 3.4.3/1 Keynesianischer Arbeitsmarkt 113
Abb. 3.5/1 Arbeitsmarktausgaben 115
Abb. 3.5/2 Gesamtwirtschaftliche Kosten der Arbeitslosigkeit 115
Abb. 3.6/1 Lohnrunden 117
Abb. 3.6/2 Tarifabschlüsse 118
Abb. 3.6/3 Tarifkonflikte 119
Abb. 3.6/4 Arbeitskämpfe international 120
Abb. 3.7/1 Arbeitslosigkeit in der EU 120
Abb. 3.7/2 Produktionsverlagerungen ins Ausland 121
Abb. 3.7/3 Szenarien der Arbeitslosigkeit 122

Abb. 3.8.1/1 Lohn(zusatz)kosten im internationalen Vergleich 125
Abb. 3.8.1/2 Arbeitskosten in Osteuropa 126
Abb. 3.8.1/3 Struktur der Lohnzusatzkosten 127
Abb. 3.8.1/4 Lohnstückkosten im internationalen Vergleich . 128
Abb. 3.8.1/5 Lohnzurückhaltung und Zahl der Erwerbstätigen 131
Abb. 3.8.2/1 Arbeitszeiten II 134
Abb. 3.8.2/2 Teilzeitarbeit 135
Abb. 3.8.2/3 Teilzeit-Lohnzusatzkosten 136
Abb. 3.8.3/1 Arbeitsmarktpolitische Instrumente 137/138
Abb. 3.8.3/2 Stimmen gegen den Zweiten Arbeitsmarkt . . . 139
Abb. 3.8.3/3 Arbeitsvermittlung 140
Abb. 3.8.3/4 Bündnis für Arbeit 142
Abb. 3.8.4/1 «Künstliche Beatmung von Arbeitsplätzen» . . 142

4. Stabilität des Preisniveaus

Abb. 4.1/1 Inflation in Deutschland 145
Abb. 4.2.1/1 Inflation international 147
Abb. 4.2.1/2 Trabende und galoppierende Inflation (1997) . 147
Abb. 4.2.2/1 Preisstops 148
Abb. 4.2.2/2 Verdeckte Inflation 149
Abb. 4.2.2/3 Höchstpreis 150
Abb. 4.2.2/4 Inflation und Angebot 150
Abb. 4.2.2/5 Preissprünge 151
Abb. 4.3.1/1 Gewichtung des Preisindex für die Lebenshaltung 152
Abb. 4.3.1/2 Preisindex und Inflationsrate 153
Abb. 4.3.2/1 Preisindizes 154
Abb. 4.3.2/2 Preisruhe 155
Abb. 4.3.3/1 Meldebogen zur monatlichen Statistik der Verbraucherpreise (Auszüge) 156/157
Abb. 4.3.3/2 Neuer Preisindex 159
Abb. 4.4.1/1 Nachfragesog-Inflation 161
Abb. 4.4.1/2 Nachfragesog 163
Abb. 4.4.1/3 Hamsterkäufe 164
Abb. 4.4.2/1 Umlaufgeschwindigkeiten des Geldes I 166
Abb. 4.4.2/2 Umlaufgeschwindigkeiten des Geldes II 167
Abb. 4.4.2/3 Zusammenhang von Geldmenge und Preisentwicklung 168
Abb. 4.4.2/4 Indirekte Steuern 169
Abb. 4.4.3/1 Kostendruck 170
Abb. 4.4.3/2 Lohnkostendruck 170

Abb. 4.4.3/3 Steuer- und Gebührenerhöhungen 171
Abb. 4.4.3/4 Administrierte Preise 172
Abb. 4.4.3/5 Lohn-Lohn-Spirale 173
Abb. 4.4.3/6 Importierte Stabilität 174
Abb. 4.4.4/1 Angebotslücken-Inflation 175
Abb. 4.4.4/2 Angebotslücken 176
Abb. 4.4.5/1 Inflationsarten und -ursachen 177
Abb. 4.5/1 Kaufkraft des Lohns I 179
Abb. 4.5/2 Kaufkraft des Lohns II 180/181
Abb. 4.5/3 Realzinsen 182
Abb. 4.5/4 Flucht in die Sachwerte 183
Abb. 4.5/5 Selbstbeschleunigung 184
Abb. 4.5/6 Staatseingriffe 186
Abb. 4.6/1 Mögliche Folgen der Inflation 187
Abb. 4.7/1 Hyperinflation in Deutschland 188
Abb. 4.7/2 Banknoten 189
Abb. 4.7/3 Briefporto 190
Abb. 4.7/4 Fischpreise 191
Abb. 4.7/5 Hyperinflation 192
Abb. 4.7/6 Währungsreform 192
Abb. 4.7/7 Störende Nullen 193

5. Außenwirtschaftliches Gleichgewicht

Abb. 5.1/1 Teilbilanzen der Zahlungsbilanz 195
Abb. 5.2/2 Hauptblöcke der Zahlungsbilanz 199
Abb. 5.2.1/1 Quellen der Zahlungsbilanzstatistik 201
Abb. 5.2.2/1 «Welt»-Leistungsbilanzen 203
Abb. 5.2.3/1 Wichtige Posten der Zahlungsbilanz 205
Abb. 5.2.3/2 Buchungsfälle 206
Abb. 5.3/1 «Ausgeglichene» Zahlungsbilanz 208
Abb. 5.3.1/1 Handelsbilanz 209
Abb. 5.3.1/2 Leistungsbilanz 209
Abb. 5.3.2/1 Importdruck 212
Abb. 5.3.2/2 Exportkonjunktur 213
Abb. 5.3.2/3 Folgen von Leistungsbilanz-Ungleichgewichten 214
Abb. 5.3.2/4 Leistungsbilanz: Überschüsse und Defizite . . . 215
Abb. 5.3.2/5 Energieimporte 215
Abb. 5.3.3/1 Kapitalbilanz 218/219
Abb. 5.3.3/2 Außenwirtschaftliches Gleichgewicht 220
Abb. 5.3.3/3 Saldenzusammenhang in der Zahlungsbilanz . 220
Abb. 5.4/1 Zahlungsbilanz 222

6. Einflußnahme auf die Verteilung

Abb. 6.1/1 Begriffe der Einkommensverteilung 225
Abb. 6.1.1/1 Lohn- und «Gewinn»-Einkommen 227
Abb. 6.1.1/2 Struktur der Beschäftigung (in Tsd.) 229
Abb. 6.1.1/3 Bereinigte und unbereinigte Lohnquoten 230
Abb. 6.1.1/4 Brutto- und Netto-Pro-Kopf-Lohnquote 231
Abb. 6.1.1/5 Von der Primärverteilung zur Sekundärverteilung. 233
Abb. 6.1.2/1 Lorenzkurve 234
Abb. 6.1.2/2 Einkommensverteilung. 235
Abb. 6.1.2/3 Einkommensklassen 236
Abb. 6.1.2/4 Sozio-ökonomische Verteilung I. 236
Abb. 6.1.2/5 Einkommensklassen 238
Abb. 6.1.2/6 Sozio-ökonomische Verteilung II 238
Abb. 6.2/1 Vermögensverteilung. 239

7. Umweltschutz

Abb. 7.1/1 Treibhauseffekt. 242
Abb. 7.6/1 Primärenergieverbrauch 248
Abb. 7.6/2 Änderungen der CO_2-Emmissionen in der EU . 249
Abb. 7.6/3 CO_2-Emmissionen 250

9. Alternative Grundpositionen

Abb. 9.3/1 Nachfragetheorie/Fiskalismus 260
Abb. 9.3/2 Angebotstheorie/Monetarismus 261
Abb. 9.4/1 Unternehmensgewinne und Fiskus 269
Abb. 9.4/2 Lohnnebenkosten 270
Abb. 9.4/3 Deregulierung? 270
Abb. 9.6.2/1 Konjunkturprogramme 278

10. Finanz- und Fiskalpolitik

Abb. 10.1/1 Budget-Konzepte 285
Abb. 10.2.1/1 Öffentliche Güter. 291
Abb. 10.2.2/1 Staatsquote 292
Abb. 10.2.2/2 Abgabenquote 293
Abb. 10.2.2/3 Staatsdiener I 294
Abb. 10.2.2/4 Was der Staat abzwackt 295
Abb. 10.2.2/5 Staatsquote 296
Abb. 10.2.2/6 Staatsdiener II 297
Abb. 10.2.2/7 Staatsdiener III 298

Abb. 10.2.2/8 Ausgabenkürzungen? 299
Abb. 10.3.1/1 Staatseinnahmen und -ausgaben 300
Abb. 10.3.1/2 Staatseinnahmen 301
Abb. 10.3.1/3 Bundeshaushalt 301
Abb. 10.3.1/4 Entstehung des Bundeshaushalts 303
Abb. 10.3.1/5 Finanzplan 309
Abb. 10.3.1/6 Steuerschätzung 311
Abb. 10.3.2/1 Ertragskompetenz nach Art. 106 GG 314
Abb. 10.3.2/2 Steuereinnahmen 315
Abb. 10.3.2/3 Finanzausgleich 316
Abb. 10.3.2/4 Kommunale Unterschiede 317
Abb. 10.3.2/5 Landkarte der Kaufkraft 319
Abb. 10.4.1/1 US-Staatsfinanzen 323
Abb. 10.4.2/1 Mögliche Maßnahmen nach dem Stabilitätsgesetz 325
Abb. 10.4.3/1 Erhöhung der Steuereinnahmen 329
Abb. 10.4.3/2 Laffer-Kurve 331
Abb. 10.4.3/3 Reformvorschlag 332
Abb. 10.4.3/4 Öffentliche Verschwendung 334
Abb. 10.4.3/5 Steuerreformen? 335
Abb. 10.5.1/1 Staatsverschuldung 337
Abb. 10.5.1/2 Folgekosten 339
Abb. 10.5.1/3 Subventionen I 340
Abb. 10.5.1/4 Subventionen II 341
Abb. 10.5.1/5 Bundesbankgewinne 344
Abb. 10.5.2/1 Schuldenstand 345
Abb. 10.5.2/2 Nettokreditaufnahme 346
Abb. 10.5.2/3 Länderschulden 347
Abb. 10.5.2/4 Staatsverschuldung international 347
Abb. 10.5.3/1 Zinsanpassung 349
Abb. 10.5.4/1 Schuldengrenze? 351
Abb. 10.5.4/2 Zinsbelastung 351
Abb. 10.5.4/3 Externe Verschuldung 352
Abb. 10.5.4/4 Gefahren der Staatsverschuldung 355

11. Geld- und Kreditpolitik

Abb. 11.1/1 Umrechnungskurse zum Euro 356
Abb. 11.1/2 Euroland vs. USA und Japan 357
Abb. 11.2.1/1 Organisation des ESZB und des EZB 360
Abb. 11.2.1/2 Prozentuale Anteile der nationalen Zentralbanken am EZB-Grundkapital 361
Abb. 11.2.1/3 Struktur der Bundesbank 362

Abb. 11.2.1/4 Hauptverwaltungen der Bundesbank 363
Abb. 11.2.3/1 Marktanteile im Bankensektor 366
Abb. 11.3.2/1 Geldmengenkonzepte der EZB 370
Abb. 11.3.2/2 Komponenten der EZB-Geldmenge M3 (in %) 371
Abb. 11.4.1/1 Harmonisierter Verbraucherpreisindex 373
Abb. 11.4.2/1 Geldmengenorientierte Strategie. 374
Abb. 11.4.2/2 Geldmenge M3 und die Preisentwicklung im Euro-Währungsgebiet 375
Abb. 11.4.2/3 Geldmengenziele der Bundesbank. 376
Abb. 11.5/1 Geldpolitische Instrumente der EZB 379
Abb. 11.5.1/1 Offenmarktgeschäfte und ständige Fazilitäten . 380
Abb. 11.5.1/2 Offenmarktgeschäfte und Tenderverfahren (I) . 384
Abb. 11.5.1/3 Offenmarktgeschäfte und Tenderverfahren (II). 386
Abb. 11.5.3/1 Mindestreserven 389
Abb. 11.6.2/1 Geldmarktzinssätze. 391
Abb. 11.6.2/2 Leitzinsen und Geldmärkte 393
Abb. 11.7/1 «Euro»-Geldmarktzinsen 396
Abb. 11.8/1 Bundesbankgewinne 400

12. Wechselkurs- und Währungspolitik

Abb. 12.1.1/1 Wechselkurs-Notierungen 404
Abb. 12.1.1/2 Umtauschkosten 405
Abb. 12.1.1/3 Eurofixing (20.04.99) 406
Abb. 12.1.1/4 Wechselkurs-Begriffe 407
Abb. 12.1.1/5 Exotische Währungen 409
Abb. 12.1.1/6 Cross-Rates 410
Abb. 12.1.2/1 Devisenhandel I. 410
Abb. 12.1.2/2 Devisenhandel II 411
Abb. 12.1.3/1 Devisen-Termin-Markt 414
Abb. 12.1.3/2 Währungsoptionen 417
Abb. 12.1.4/1 Fakturierung I 418
Abb. 12.1.4/2 Fakturierung II 419
Abb. 12.2.1/1 Wechselkursbeeinflussende Faktoren I 422
Abb. 12.2.1/2 Wechselkursbeeinflussende Faktoren II 423
Abb. 12.2.1/3 Politik-Einflüsse 424
Abb. 12.2.2/1 Kaufkraftvergleich 426
Abb. 12.2.2/2 Kaufkraft-Wechselkurs 426
Abb. 12.3.1./1 Prinzip flexibler Wechselkurse. 427
Abb. 12.3.1/2 Dollarkursschwankungen 428
Abb. 12.3.2/1 Prinzip fixer Wechselkurse. 430
Abb. 12.3.2/2 Stützungskäufe 430
Abb. 12.3.2/3 Stützungs-Verkäufe 431

Abb. 12.3.2/4 Markt-Kraft 432
Abb. 12.3.3/1 Blockfloaten I 433
Abb. 12.3.3/2 Blockfloaten II 434
Abb. 12.3.4/1 Gespaltene Wechselkurse 436
Abb. 12.3.5/1 Konvertibilität 437
Abb. 12.3.6/1 Kursverfall 438
Abb. 12.3.6/2 Währungsreform 439
Abb. 12.4.2/1 DM-Aufwertung 441
Abb. 12.4.2/2 Dollarraum 441
Abb. 12.4.2/3 Internationale Kapitalbewegungen 442
Abb. 12.4.2/4 Zusammenfassung der Wirkungen einer Wechselkursänderung 443
Abb. 12.4.2/5 Abwertungen 445
Abb. 12.4.2/6 J-Kurve 446
Abb. 12.5.1/1 DM-Dollar-Geschichte 448
Abb. 12.5.1/2 USD/EUR-Kursentwicklung 448
Abb. 12.5.1/3 Floating 449
Abb. 12.5.1/4 Wechselkurspolitik 451
Abb. 12.5.3/1 Währungsverbund 452
Abb. 12.5.3/2 Faktische Wechselkursunion 452
Abb. 12.5.3/3 Währungsunion 453
Abb. 12.5.5/1 Mitglieder der EWWU 455
Abb. 12.5.5/2 Franc-Zone 456
Abb. 12.6.1/1 Bretton-Woods-System 460
Abb. 12.6.2/1 ECU-Zusammensetzung 462
Abb. 12.6.2/2 ECU-Leitkurse 463
Abb. 12.6.2/3 ECU-Gewichtung. 463
Abb. 12.6.3/1 Das EWS in der Krise 464
Abb. 12.6.3/2 Bandbreiten-Erweiterung 464
Abb. 12.6.3/3 Kursfreigabe 465
Abb. 12.6.3/4 Berechnung der bilateralen Leitkurse 466
Abb. 12.6.3/5 Euro-Leitkurse im EWS II 467
Abb. 12.6.3/6 EWS-Leitkursänderungen 468
Abb. 12.7.2/1 Monetäre Intergrationsstufen 471
Abb. 12.7.2/2 ESZB und EZB 471
Abb. 12.7.2/3 Umrechnungskurse zum Euro 472
Abb. 12.7.2/4 Bilaterale Leitkurse der DM 472
Abb. 12.7.3/1 Konvergenzkriterien 475
Abb. 12.7.4/1 Der Euro 480
Abb. 12.7.5/1 Euro-Dollar-Kurs. 486
Abb. 12.8/1 Euro im Agrarmarkt 490

13. Außenhandelspolitik

Abb. 13.1.1/1 Welthandelsströme 491
Abb. 13.1.1/2 Regionale Exportanteile 493
Abb. 13.1.2/1 Importabhängigkeit der Bundesrepublik 494
Abb. 13.1.2/2 Branchen-Exportquoten 495
Abb. 13.1.2/3 Die größten Verkäufer auf dem Weltmarkt . . . 495
Abb. 13.1.2/4 Handelspartner der Bundesrepublik 496
Abb. 13.2.2/1 Schwellenländer 502
Abb. 13.2.2/2 Weltexport und Weltwirtschaftsleistung 503
Abb. 13.2.3/1 Handelssanktionen 504
Abb. 13.2.3/2 Außenpolitisch im Dienste der Wirtschaft . . . 506
Abb. 13.3.1/1 Exportabhängigkeit I 508
Abb. 13.3.1/2 Exportabhängigkeit II 509
Abb. 13.3.2/1 Internationale Arbeitskosten 511
Abb. 13.3.3/1 Importkonkurrenz 515
Abb. 13.3.3/2 Positive Importimpulse 515
Abb. 13.3.3/3 Importliberalisierung 515
Abb. 13.3.4/1 Exportmotive 516
Abb. 13.3.4/2 Fixkostendegression 517
Abb. 13.4/1 Standort Deutschland – Standort Ausland . . . 518
Abb. 13.4/2 Investitionsmotive 519
Abb. 13.4/3 Rangliste ausländischer Investoren in der Bundesrepublik 520
Abb. 13.7.1/1 Protektion 529
Abb. 13.7.1/2 Zollzwecke und Zollarten 531
Abb. 13.7.1/3 Nicht-tarifäre Handelshemmnisse 535
Abb. 13.7.1/4 Agrarprotektion 536
Abb. 13.7.1/5 Anti-Dumping-Zölle 537
Abb. 13.7.1/6 Exportsubventionen 537
Abb. 13.7.1/7 Protektionswirkungen 541
Abb. 13.7.1/8 Handelskriege 544
Abb. 13.7.2/1 Integrationsabkommen 553
Abb. 13.7.2/2 Grundlegende Daten zu einigen Integrationsräumen 554
Abb. 13.7.2/3 Positive Effekte der Integration 554
Abb. 13.7.2/4 Handelsumlenkung 555
Abb. 13.7.2/5 Bremsende Stimmen 562
Abb. 13.7.2/6 Probleme der europäischen Integration 563
Abb. 13.7.2/7 Magnetwirkungen der EU 565
Abb. 13.7.2/8 Zwischenstaatliche Kooperationen 570
Abb. 13.7.2/9 Präferenzabkommen 572
Abb. 13.7.2/10 Präferenzpyramide 574

Abb. 13.7.2/11 Assoziationsabkommen 576
Abb. 13.7.2/12 Freihandelszonen 578
Abb. 13.7.2/13 Zollunion 579
Abb. 13.7.2/14 Wirtschaftsgemeinschaft 581
Abb. 13.7.2/15 Wirtschafts-Bündnisse 583
Abb. 13.7.2/16 Integrationsformen 585
Abb. 13.7.2/17 Motive der regionalen Integration 588
Abb. 13.7.2/18 Anteil der jeweiligen Abkommen am Welthandel 589
Abb. 13.7.2/19 BIP in Mrd. $, aufgeteilt nach Sektoren 589
Abb. 13.7.2/20 Typisierung nach dem Entwicklungsniveau der Integrationspartner 590
Abb. 13.7.2/21 Integrationstiefe I. 591
Abb. 13.7.2/22 Integrationstiefe II 591
Abb. 13.7.2/23 Ökonomische Disparitäten 598
Abb. 13.7.2/24 Streitpunkte. 600

14. Entwicklungspolitik

Abb. 14.1.1/1 Internationale Einkommensverteilung 606
Abb. 14.1.1/2 Dreigeteilte Welt 607
Abb. 14.2.1/1 Internationale Verschuldung 610
Abb. 14.2.1/2 Schuldenlast der Dritten Welt 611
Abb. 14.2.1/3 Schuldenerlaß 612
Abb. 14.2.1/4 Umschuldungen. 613
Abb. 14.2.1/5 Exporthemmnisse. 613
Abb. 14.2.2/1 Bevölkerungswachstum in Tausend 614
Abb. 14.2.2/2 Erwartete Entwicklung der Bevölkerung ausgewählter Länder in Mio. (mittlere Prognose) . . 615
Abb. 14.2.2/3 Versorgungsproblem 616
Abb. 14.2.2/4 Arbeitskräftemangel 617
Abb. 14.2.2/5 Interne Konflikte 618
Abb. 14.2.2/6 Unverantwortliche Staatsführung 619
Abb. 14.3/1 Entwicklungshilfe-Ziel 620
Abb. 14.3/2 Entwicklungshilfe der Industrieländer 621
Abb. 14.3.1/1 Negative soziale Folgen 623
Abb. 14.3.1/2 «Anpassung» 624
Abb. 14.3.1/3 Good Governance 624
Abb. 14.3.2/1 Entwicklungshilfe-Erfolge 626
Abb. 14.3.2/2 Entwicklungshilfe I. 627
Abb. 14.3.2/3 Entwicklungshilfe II 627

15. Realisierung wirtschaftspolitischer Maßnahmen

Abb. 15.2.2/1 Frühindikator. 633
Abb. 15.2.2/2 Prognose und Wirklichkeit 1998 634
Abb. 15.2.2/3 Kursprognose. 635
Abb. 15.2.2/4 Wirtschaftsprognose für 1999. 636
Abb. 15.2.2/5 Prognosetechniken 637

16. Zielkonflikte

Abb. 16/1 Magisches Viereck: Alle Ziele verfehlt 643
Abb. 16.1/1 Phillips-Kurve (für Deutschland) 645
Abb. 16.2/1 Prognose-Effizienz 652

0. Zum Aufbau des Buches

Es ist ein weites Feld, das sich dem wirtschaftspolitisch Interessierten darbietet. Wenn man nicht allzu oberflächlich bleiben will, ist es im Hinblick auf den begrenzten Umfang eines Taschenlehrbuches unumgänglich, sich auf eine Auswahl wichtiger Themenkreise zu beschränken und eine Reihe anderer Gesichtspunkte einfach ‹abzuschneiden›. Eine wesentliche Beschränkung besteht schon darin, daß hier nur die staatliche Wirtschaftspolitik behandelt wird. Um Mißverständnissen vorzubeugen, ist hinzuzufügen, daß dieses Buch nicht zum Ziel hat, die Wirtschaftspolitik der Bundesrepublik zu analysieren. Vielmehr sollen ungeachtet seiner Praxisorientierung allgemeingültige und nicht unbedingt zeitraumbezogene Erkenntnisse vermittelt werden.

Als Erfahrungsobjekt für praktische Beispiele dient dabei vorrangig die Bundesrepublik Deutschland, auch mit ihren institutionellen Gegebenheiten. Die wirtschaftspolitischen Zusammenhänge, in die dieses Lehrbuch einführen soll, gelten jedoch nicht nur für die Bundesrepublik, sondern sind auf andere Volkswirtschaften übertragbar.

Um inhaltliche Überschneidungen und Wiederholungen auf ein Minimum zu reduzieren, wird in den einzelnen Abschnitten auf Zusammenhänge mit anderen Themenkreisen durch Verweise aufmerksam gemacht. Zusammen mit dem Register soll es dadurch ermöglicht werden, bestimmten Fragen auch ohne Durcharbeiten des ganzen Buches nachzugehen. Die Lesbarkeit soll möglichst wenig durch Fußnoten beeinträchtigt werden. Daher beschränken sich die Literaturhinweise am Ende des Buches auf Monographien, die problemlos im Buchhandel oder im Leihverkehr zugänglich sind; auf Verweise auf Aufsätze in Fachzeitschriften wird verzichtet.

Der folgende **I. Teil** legt einige wesentliche Grundlagen. Zunächst wird versucht, zwischen wirtschaftspolitischen **Zielen** und **Maßnahmen** abzugrenzen und darzulegen, wer Wirtschaftspolitik ‹macht›. Danach werden Zusammenhänge zwischen **Wirtschaftsordnung** und **Wirtschaftssystem** behandelt. Ein wichtiger Abschnitt ist 1.4 – prinzipiell auch für nichtökonomische Tatbestände –, in dem die Beziehungen zwischen **nationalem, supranationalem** und **internationalem Recht** dargestellt werden.

Die gesetzlichen Fundstellen des wirtschaftspolitischen Zielsystems, wie z.B. das Stabilitätsgesetz, enthalten keine Konkretisierung und Operationalisierung der wirtschaftspolitischen Ziele. Daher werden im **II. Teil** die wichtigsten, teilweise recht vage formulierten **wirtschaftspolitischen Zielsetzungen** inhaltlich präzisiert, Meßgrößen zur

Bestimmung der Zielerreichung dargestellt sowie Ursachen und Folgen von Zielabweichungen untersucht. Die Behandlung von Zielkonflikten erfolgt erst im V. Teil des Buches, weil sie sich teilweise auf Aspekte beziehen, die zunächst im III. und IV. Teil dargestellt werden.

Im **III. Teil** werden alternative **wirtschaftspolitische Konzeptionen** behandelt, die der Wirtschaftspolitik in der Praxis zugrunde liegen können. Die verschiedenen Konzepte, die auf politischer Ebene zwischen Anhängern und Kritikern zum Teil leidenschaftlich diskutiert werden, unterscheiden sich u. a. hinsichtlich der Rolle, die dem Staat im Wirtschaftsprozeß beigemessen wird, und konsequenterweise hinsichtlich der Auswahl und Handhabung der verschiedenen wirtschaftspolitischen Instrumente zur Beeinflussung der jeweils als vorrangig erachteten ökonomischen Variablen. Die Darstellung dieser grundlegenden Konzepte kann jedoch nicht am Anfang dieses Lehrbuches stehen, da zunächst einige Grundtatbestände und Zusammenhänge betrachtet werden sollten.

Der **IV. Teil** behandelt die Wirkungsweisen ausgewählter **wirtschaftspolitischer Instrumente** und Maßnahmen im Kontext wichtiger Politikfelder. Dabei stellt sich das systematische Problem, ob bestimmte Politikbereiche als Ziel oder als Instrument des wirtschaftspolitischen Handelns anzusehen sind. Ohne dieses Problem – nach eigener Einschätzung – befriedigend zu lösen (vgl. dazu auch Abschn. 1.1.3), werden die **Geldpolitik**, die **Finanz- und Fiskalpolitik**, die **Wechselkurs- und Währungspolitik** sowie die **Außenhandels- und Entwicklungspolitik** insbesondere unter instrumentalen und konzeptionellen Gesichtspunkten dargestellt.

Teil V geht auf besondere Probleme der Wirtschaftspolitik ein, u. a. auf die bereits angesprochenen **Zielkonflikte** und auf das **Dosierungsproblem** bei wirtschaftspolitischen Maßnahmen.

Um den Rahmen eines Taschenbuchs nicht zu sprengen, kann die Darstellung nicht bei allen Aspekten ausführlich in die Tiefe gehen, andere Aspekte müssen sogar weitgehend ausgeklammert werden – siehe Vorwort. Einige Ergänzungen finden sich in anderen Büchern des Autors: Der Band *Jörn Altmann, Volkswirtschaftslehre: Einführende Theorie mit praktischen Bezügen, UTB 1504, 5. Auflage, Stuttgart 1997,* geht u. a. ausführlich ein auf die **Wettbewerbspolitik** (Marktformen und Verhaltensweisen, Konzentration und Kartellrecht) sowie auf die **Agrarpolitik** (Marktordnungen im EG-Binnenmarkt, Agrarpreissysteme, Überschußprobleme). Daneben werden – neben vielen theoretischen Grundlagen – behandelt Berechnung, Interpretation und Kritik des **Sozialprodukts** (u. a. im Zusammenhang mit Schattenwirtschaft, Wachstum, Konjunktur und Inflation), der

Geldkreislauf (Geldarten, Geldschöpfung, Geldumlauf), die Theorie der **Marktpreisbildung** und die staatliche Beeinflussung des Preisbildungsprozesses (Preisstops und Lohnstops, u. a. im Hinblick auf Inflationswirkungen) und vieles mehr. Der Band *Jörn Altmann, Umweltpolitik, Stuttgart 1998,* ergänzt die Darstellung des wirtschaftspolitischen Zielsystems in Teil II dieses Buches. Für viele **internationale und weltwirtschaftliche Aspekte** sei ergänzend verwiesen auf den Band *Jörn Altmann, Außenwirtschaft für Unternehmen: Europäischer Binnenmarkt und Weltwirtschaft, UTB 1750 Stuttgart 1993,* der u. a. ausführlich auf die internationalen Rahmenbedingungen der Wirtschaftspolitik eingeht (Europäische Integration, EWWU, EU-Institutionen, OECD, GATT/WTO, IWF, Weltbank und andere internationale Institutionen, Organisationen und Abkommen) und die rechtlichen (Außenwirtschaftsrecht, Zollrecht) und unternehmenspolitischen Aspekte des Außenhandels eingeht (u. a. Finanzierungs-, Zahlungs- und Wechselkursrisiko). Dieser Band wurde ergänzt durch *Jörn Altmann/Margareta Kulessa (Hrsg.), Internationale Wirtschaftsorganisationen, UTB 2046, Stuttgart 1998.* Ein *Arbeitsbuch Volkswirtschaftslehre/Wirtschaftspolitik, UTB 1537, 3. Auflage, Stuttgart 1995,* mit 700 Verständnis- und Vertiefungsfragen, den entsprechenden Antworten, Erläuterungen und Lösungen sowie ergänzenden Schaubildern, Texten und Materialien rundet das Angebot ab. Das Manuskript des vorliegenden Bandes *Wirtschaftspolitik* wurde inhaltlich im April 1999 abgeschlossen.

I. Teil: Einführung

1. Wirtschaftspolitik und Wirtschaftsordnung

In einem Fachbuch ist es üblich, eingangs klarzustellen, wovon die Rede sein soll und wovon nicht: Kein Lehrbuch ohne Abgrenzung. An einer Definition des Begriffs **Wirtschaftspolitik** hat sich schon mancher versucht. Eine gehaltvolle Begriffsbestimmung müßte der Vielzahl von Aspekten Rechnung tragen, die für die Wirtschaftspolitik relevant sind. Hier soll kein weiterer Definitionsversuch am Anfang dieses Buches stehen, aber einige Anmerkungen sind erforderlich.

1.1. Bereiche der Wirtschaftspolitik

1.1.1. Ziele und Maßnahmen

Wirtschaftspolitik erstreckt sich auf die Durchführung von *Maßnahmen,* mit denen bestimmte ökonomische und soziale *Ziele* verwirklicht werden sollen. Daß überhaupt staatlicherseits eine Notwendigkeit für wirtschaftspolitisches Handeln besteht, ergibt sich aus der Feststellung, daß der autonome, private Wirtschaftsprozeß insgesamt nicht die gewünschten Resultate bringt. Dies ist natürlich ein Werturteil; wir werden dies gleich vertiefen. Die Abweichungen ergeben sich in verschiedener Hinsicht:

- Es ergeben sich gesamtwirtschaftliche Instabilitäten wie Rezessionen, Arbeitslosigkeit oder Inflation mit entsprechend negativen Effekten.
- Aus sozialpolitischen Überlegungen sollen bestimmte Effekte des Marktprozesses korrigiert werden, indem z. B. durch progressive Einkommensbesteuerung eine Umverteilung ermöglicht werden soll (u. a. Kindergeld, Wohngeld, Sozialhilfe).
- Bei vielen Gütern werden diejenigen, die ein bestimmtes Gut nicht bezahlen wollen (oder nicht bezahlen können), von der Nutzung ausgeschlossen *(Ausschlußprinzip).* Würde beispielsweise die Schul- und Hochschulausbildung zu kostendeckenden Preisen angeboten, könnten sich weite Kreise der Bevölkerung keine Ausbildung leisten, wie es

gegenwärtig möglich ist. Private Anbieter würden solche Güter zu nicht kostendeckenden Preisen oder gar kostenlos – wie es für eine breite Versorgung der Bevölkerung erforderlich ist – aber nicht anbieten. Folglich muß das Angebot durch staatliche Maßnahmen sichergestellt werden, z. B. durch Subventionen oder durch eigenes Angebot des Staates. Solche Güter werden dann nach dem *Umlageprinzip* z. B. durch Steuern oder Gebühren finanziert.

• Vielfach ergeben sich *negative externe Effekte* (externe Kosten): Diese werden durch privates Handeln verursacht, das anderen Bürgern oder der Allgemeinheit Kosten verursacht, ohne daß der Verursacher dafür selbst (kostenmäßig) zur Verantwortung gezogen wird, z. B. Umweltverschmutzung.

Die Festlegung der konkreten wirtschaftspolitischen **Ziele** erfolgt im Zuge der *politischen Willensbildung*: Das zu realisierende wirtschaftspolitische Zielsystem kann nicht objektiv ermittelt werden, sondern hängt von subjektiven, normativen Wertvorstellungen ab. Folglich läßt sich ausführlich darüber streiten, was richtig und was falsch ist. Dies gilt ebenso für den – logisch gesehen – nächsten Schritt: für die Auswahl der einzusetzenden **Instrumente** und der zu ergreifenden **Maßnahmen**.

Zwar gibt die *ökonomische Theorie* eine Reihe von Hinweisen, was unter dem Gesichtspunkt von Ursache und Wirkung richtig oder falsch ist: Zum Beispiel ist eine kräftige Lohnsteuererhöhung wohl kaum geeignet, einen Konsumschub auszulösen. Aber auch die Mittelauswahl und der Mitteleinsatz z. B. hinsichtlich Zeitpunkt und Dosierung ist eine subjektive Entscheidung, und die politische Praxis belehrt uns, daß man auch darüber sehr ausführlich streiten kann. Das wirtschaftliche Handeln ist daher ein permanenter **Entscheidungsprozeß**, in dem – wie bei jedem Entscheidungksproblem – die Phasen der *Planung* (alternative Ziele bzw. Instrumente), der *Entscheidung* (z. B. Zielprioritäten, Auswahl der Instrumente), der *Durchführung* (Einsatz der Instrumente) und der *Kontrolle* (Vergleich des erreichten mit dem angestrebten Zustand) durchlaufen werden.

1.1.2. Wirtschaftspolitische Zielsetzungen

Die in Deutschland verfolgten wirtschaftspolitischen Ziele sind keineswegs eine deutsche Erfindung, sondern in ihrem Kern ökonomische Standardziele, die sich aus ökonomischen Grundüberlegungen ableiten und in den allermeisten Staaten der Welt verfolgt werden; natürlich gibt es dabei Nuancen. Es gibt in Deutschland keine Rechtsnorm, in der das gesamte wirtschaftspolitische Zielsystem zusammenfassend dargestellt ist. Man muß dafür schon verschiedene Gesetze heranziehen, in erster Linie das Grundgesetz. Darin finden sich u. a. konkrete Bestimmungen bezüglich der Finanzpolitik sowie die Grundlagen für konkretisierende Normen auf der darunterliegenden Ebene der ‹normalen› Gesetze.

Von zentraler definitorischer Bedeutung für das wirtschaftspolitische Zielsystem der Bundesrepublik Deutschland ist dabei *das Gesetz zur Förderung der Stabilität und des Wachstums der Wirtschaft*, das sog. **Stabilitätsgesetz** von 1967. Wir werden verschiedentlich, u. a. ausführlicher in Abschn. 10.4.2, auf das Stabilitätsgesetz zurückkommen. Es enthält in seinem § 1 einen Zielkatalog, der als **Magisches Viereck** bekannt ist:

> «Bund und Länder haben bei ihren wirtschafts- und finanzpolitischen Maßnahmen die Erfordernisse des gesamtwirtschaftlichen Gleichgewichts zu beachten. Die Maßnahmen sind so zu treffen, daß sie im Rahmen der marktwirtschaftlichen Ordnung gleichzeitig zur Stabilität des Preisniveaus, zu einem hohen Beschäftigungsstand und außenwirtschaftlichem Gleichgewicht bei stetigem und angemessenem Wirtschaftswachstum beitragen.»

Der Zusatz ‹magisch› bezieht sich darauf, daß es kaum möglich ist, alle vier Ziele gleichzeitig zu verfolgen, sondern daß i. d. R. mindestens ein Ziel vernachlässigt werden muß. In Kapitel 16 (Zielkonflikte) wird dies vertieft werden. Die vier Ziele werden üblicherweise als **Stabilitätsziele** klassifiziert. Ob dies insgesamt haltbar ist, ist hier müßig; wir gehen an anderer Stelle darauf ein. Das magische Viereck wird durch weitere Zielsetzungen ergänzt, die sich aus anderen Gesetzen ergeben (vgl. Abb. 1.1.2/1). So postuliert das *Gesetz über die Bildung des Sachverständigenrats* von 1963 die ‹**Verbesserung der Verteilung von Einkommen und Vermögen**›. Ein weiteres Ziel ist der **Umweltschutz**. Seit 1. 7. 1994 ist er in Art. 20 a im Grundgesetz verankert, ebenso wie in den Verfassungen einiger Bundesländer. Insgesamt gibt es rd. 2000 umweltrelevante Rechtsnormen in Deutschland.

Der damalige **EWG-Vertrag** enthielt in Art. 2 (Aufgabe der Gemeinschaft) einen nicht nur ökonomischen Zielkatalog:

> «Aufgabe der Gemeinschaft ist es, durch die Errichtung eines Gemeinsamen Marktes und die schrittweise Annäherung der Wirtschaftspolitik der Mitgliedstaaten
> - eine harmonische Entwicklung des Wirtschaftslebens innerhalb der Gemeinschaft,
> - eine beständige und ausgewogene Wirtschaftsausweitung,

Abb. 1.1.2/1: Wirtschaftspolitisches Zielsystem

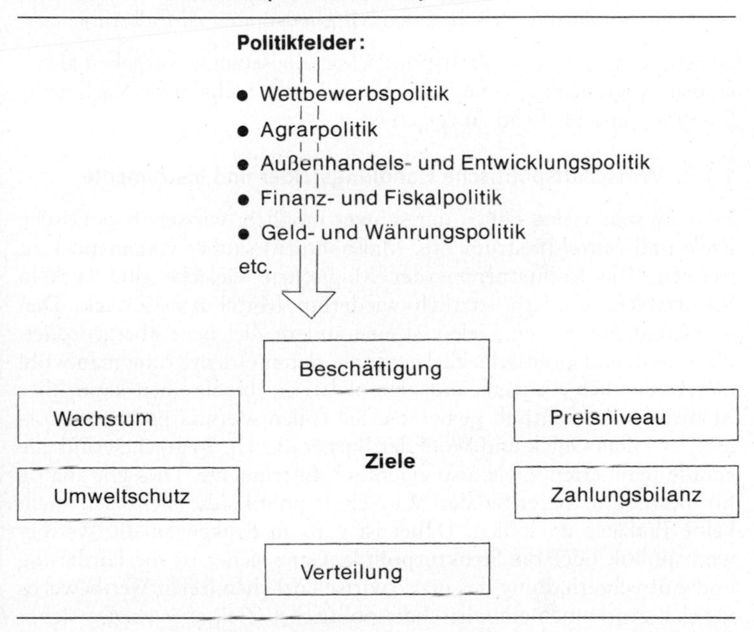

- eine große Stabilität,
- eine beschleunigte Hebung der Lebenshaltung und
- engere Beziehungen zwischen den Staaten zu fördern, die in dieser Gemeinschaft zusammengeschlossen sind.»

Durch die 1993 in Kraft getretenen **Maastrichter Verträge** wurde der **Vertrag über die Europäische Union** begründet (Abschn. 1.4.2.2). Art. 2 sieht in der Neufassung des Vertrages nun die allgemeinen Ziele der Europäischen Union darin,

- «eine harmonische und ausgewogene Entwicklung des Wirtschaftslebens innerhalb der Gemeinschaft,
- ein beständiges
- nichtinflationäres und
- umweltverträgliches Wachstum,
- einen hohen Grad an Konvergenz der Wirtschaftsleistungen,
- ein hohes Beschäftigungsniveau,
- ein hohes Maß an sozialem Schutz,
- die Hebung des Lebensstandards und der Lebensqualität,

- den wirtschaftlichen und sozialen Zusammenhalt und
- die Solidarität zwischen den Mitgliedstaaten zu fördern.»

Die so skizzierten wirtschaftspolitischen Zielsetzungen ergeben also – je nach Abgrenzung – ‹magische› Vier-, Fünf-, Sechs- oder Nochmehr-Ecke, wie anschließend zu zeigen ist.

1.1.3. Wirtschaftspolitische Handlungsfelder und Instrumente

Es ist in sehr vielen Fällen nur schwer möglich, wirtschaftspolitische *Ziele* und *Mittel* (Instrumente, Maßnahmen) sauber voneinander zu trennen. Die Komponenten der Magischen Vielecke sind ja kein Selbstzweck, sondern letztlich wiederum Mittel zum Zweck. Den wirtschaftspolitischen Zielen ist eine andere Zielebene übergeordnet, die gesellschaftspolitische Ziele enthält, deren Orientierung man wohl mit ‹freiheitlich›, ‹sozial› und ‹demokratisch› beschreiben kann (dies ist nicht parteipolitisch gemeint!). Sie sollen – etwas pathetisch formuliert – dem Glück und Wohl der Bürger dienen. So gesehen sind alle gerade definierten Ziele also eigentlich Instrumente. Dies gilt analog für bestimmte Bereiche der Wirtschaftspolitik, die sicherlich auch keine Endziele darstellen. Dabei ist z.B. zu denken an die Wettbewerbspolitik oder die Strukturpolitik. Ganz sicher ist die Förderung und Aufrechterhaltung des marktwirtschaftlichen freien Wettbewerbs für sich genommen ein wirtschaftspolitisches Ziel, aber ebenso sicher hat die Wettbewerbspolitik instrumentalen Charakter z.B. hinsichtlich der ‹Stabilitätsziele›. Ist sie also selbst Ziel oder hat sie instrumentalen Charakter, z.B. für die Strukturpolitik? Oder umgekehrt?

Es ist daher ausgesprochen schwer, systematisch sauber zwischen wirtschaftspolitischen Zielen und Instrumenten zu trennen. Eine konsistente Zielpyramide läßt sich objektiv nicht ableiten; dies wird grundsätzlich von Werturteilen geprägt sein. Wir werden daher auch gar nicht den Versuch unternehmen, ein umfassendes Zielsystem abzuleiten. Eindeutig instrumentalen Charakter allerdings haben Handlungsfelder, die man z.B. als Zinspolitik oder Steuerpolitik bezeichnet. Abschn. 1.4 wird verdeutlichen, wie mit dem Ziel-Mittel-Problem in diesem Buch umgegangen wird.

1.2. Wer ‹macht› Wirtschaftspolitik?

Der Willensbildungsprozeß hängt zusammen mit der Frage «Wer macht Wirtschaftspolitik?» Die Standardantwort ist meist: «Der Staat!» Dies ist zwar richtig, aber nicht vollständig. Der Staat auf

Bundes-, Länder- und Gemeindeebene ist ein wesentlicher Träger der Wirtschaftspolitik. Wirtschaftspolitische Impulse gehen aber auch von den **Parafisci** aus. Parafiskalische Institutionen verfolgen öffentliche Zwecke, verwalten sich selbst, verschaffen sich ihre Einnahmen durch Zwangsbeiträge, Gebühren oder Steuern, verfolgen aber keine Gewinnziele. Zu den Parafisci zählen u. a. die Sozialversicherungsträger, die Kirchen, die Bundesbank, berufsständische Kammern, aber auch die Technischen Überwachungsvereine (TÜV) u. v. a. Diese Träger der Wirtschaftspolitik werden ergänzt durch den Internationalen Währungsfonds oder die Europäische Union, welche die nationale Wirtschaftspolitik mit beeinflussen können. Wirtschaftspolitik ‹machen› auch die Sozialpartner, d. h. Gewerkschaften und Arbeitgeberverbände, sowie Interessenverbände. Damit wird deutlich, daß ‹Wirtschaftspolitik› nicht nur staatliche Wirtschaftspolitik bedeutet, sondern die Gesamtheit von Entscheidungen und Maßnahmen, die das wirtschaftliche Geschehen beeinflussen. Nicht zu vergessen ist schließlich auch der Einfluß von Beratungsgremien und Experten, welche die Entscheidung der eigentlichen Entscheidungsträger wesentlich mit- oder auch vorbestimmen können.

Der Einfluß inoffizieller Gestalter der Wirtschaftspolitik ist nicht zu unterschätzen, aber schwer abzuschätzen. Von besonderer Bedeutung sind sog. **Lobbyisten** (Abb. 1.2/1). Der Begriff hat oft einen leicht negativen Beigeschmack, doch ist der Lobbyismus im positiven Sinn ein integraler Bestandteil einer parlamentarischen Demokratie. Wer als Lobbyist fungiert, ist kaum abzugrenzen. Es gibt allerdings eine offizielle «Akkreditierungsliste», also eine Registrierung von Lobbyisten bei der Bundesregierung und beim Bundestag. Von den rund 2000 Verbänden und Konzernen in der Bundesrepublik sind die meisten mit Repräsentanten am Regierungssitz vertreten; dazu kommen eine große Zahl «freiberuflicher» Lobbyisten, die ihren Service als Dienstleistung vermarkten. Grob geschätzt gibt es rund 20mal mehr Lobbyisten, als Abgeordnete im Bundestag sitzen. Sie haben vielleicht mehr Einfluß als die jeweilige Opposition, wobei die Grenze zwischen sachlicher Beratung und interessenbedingter Beeinflussung fließend ist. Die Querverbindungen zwischen Regierung, Parlament, Verwaltungen und privater Wirtschaft sind immens. Sachverständige Fachvertreter werden bei Gesetzesvorlagen als Experten in Hearings und

Abb. 1.2/1: Lobbyismus I

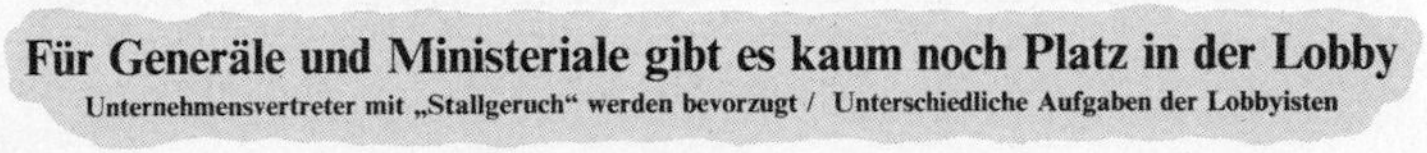

Für Generäle und Ministeriale gibt es kaum noch Platz in der Lobby

Unternehmensvertreter mit „Stallgeruch" werden bevorzugt / Unterschiedliche Aufgaben der Lobbyisten

Konferenzen gehört, Politiker wechseln in Führungspositionen oder als Lobbyisten in die Industrie, Verbandsvertreter sitzen im Bundestag, Parlamentarier üben Aufsichtsratsmandate aus, Verbände steuern auf Parteitagen Stimmenblöcke. Über die Kandidatenaufstellungen in den Wahlkreisen schließt sich der Kreis oft wieder; Spenden fließen direkt oder indirekt, zweckgebunden oder frei an die Parteien. Diese

Abb. 1.2/2: Lobbyismus II

„In Brüssel geht nichts ohne Interessenvertreter"

Unternehmen und Verbände brauchen Lobbyisten / Ergebnisse einer Umfrage

Auszüge aus einem FAZ-Bericht vom 13. 7. 1999 über eine Umfrage unter deutschen und österreichischen Verbänden (hier redaktionell leicht verändert; Konjunktive im Original)

Die meisten der kleineren Verbände in Deutschland und Österreich, die über kein eigenes Büro in Brüssel verfügen, sind mit der Arbeit der europäischen Dachverbände zufrieden. Allerdings wünschen sich viele eine verstärkte Vertretung in der Hauptstadt der Europäischen Institutionen. Damit sollen vor allem Kontakte zwischend dem Fachverband oder Unternehmen und den EU-Entscheidungsträgern aufgebaut und gepflegt werden.

Im Augenblick mag das Bild von „Brüssel" als dem Hort von Günstlingswirtschaft und Verwaltungsmängeln vorherrschen. Dennoch werden 70 Prozent aller Wirtschafts- und Sozialgesetze von den Europäischen Institutionen bestimmt. Die Verbände erwarten, daß die Bedeutung Brüssels als Standort für Lobbyistentätigkeit weiter zunehmen wird.

Neben dem Wunsch nach Beeinflussung der in Brüssel aufgestellten Regelungen und Rahmenbedingungen für die Wirtschaft (Richtlinien, Verordnungen, Normen) sei es verständlich, daß Unternehmen und ihre Dienstleister ein starkes Interessse daran haben, etwas von dem Subventionskuchen oder günstige Konditionen für die Aufnahme von Fremdkapital zu erhalten.

Bei den meisten Befragten stellt der europäische Dachverband in Brüssel die wichtigste Anlaufstelle dar für Informationen über EU-Angelegenheiten. Danach folgen Fachleute in der EU-Kommission sowie – soweit vorhanden – die jeweilige nationale Verbandsvertretung. Wichtig sei ebenfalls die deutsche Botschaft, die Brüsseler Vertretung des Bundesverbandes der deutschen Industrie sowie die Informationsbüros der Länder. Doch im Blick auf ihre speziellen Bedürf-

finanzieren ihre Etats zwischen 10 und 30 Prozent aus Parteispenden. Um Mißverständnissen vorzubeugen: All dies ist absolut legal, Ausnahmen bestätigen die Regel. Von zunehmender Bedeutung ist auch die Präsenz von Interessenvertretern in Brüssel, da supranationales Gemeinschaftsrecht in vielen Bereichen nationales Recht verdrängt (vgl. Abschn. 1.4.2). Abb. 1.2/2 verdeutlicht dies; die Interessenvertreter aus Drittländern umfassen dabei die 145 bei der EU akkre-

nisse blieben ihnen diese Stellen vieles schuldig: Es mangelt offenbar vor allem an einem schnellen Informationsfluß sowie an direkten Kontakten zwischen Fachverband und den zuständigen Kommissionsbeamten. Spezielle Informationswünsche von Fachverbänden könnten die Generalisten in den großen EU-Verbänden oftmals nicht befriedigen. Auch vergehe viel Zeit, bis Detailinformationen die oftmals verzweigte Verbandshierarchie passierten. Verbessert werden müßten auch die persönlichen Kontakte. Sie bildeten das A und O für eine erfolgreiche Lobbytätigkeit.

Dennoch planen nur wenige Verbände, in den nächsten Jahren eine eigenständige Vertretung in Brüssel aufzubauen. Allerdings wären die meisten der Befragten bereit, einem Dienstleister einen monatlichen Pauschalbetrag für Lobbytätigkeiten zu bezahlen, die auf ihre Interessen zugeschnitten wären: Pro Monat könnten sich die meisten vorstellen, bis zu 1500, mehrere bis 5000, einige sogar rund 15 000 DM zu bezahlen.

Dabei geht es nicht nur um die klassischen Lobbytätigkeiten wie Beschaffung von Informationen und die Beeinflussung von Gesetzesvorhaben. Viele Unternehmen und Verbände wünschen sich auch Unterstützung bei der Akquisition von EU-geförderten Projekten. Die Teilnahme an europäischen Programmen und Projekten ist in der Regel aufwendig: Projekte müssen geplant und in die Tat umgesetzt werden. Anträge oftmals auf Englisch stellen, Vorhaben nach den EU-Haushaltsregeln abrechnen und obendrein noch für grenzüberschreitende Vorhaben geeignete Partner im Ausland zu finden – das ist aufwendiger als eingespielte nationale Vorhaben und schrecke viele Interessenten ab, sich auch einmal auf das EU-Parkett zu begeben. Hier herrschen ungleiche Startbedingungen: Im Gegensatz zu kleineren Verbänden und mittelständischen Unternehmen verfügen große Unternehmen und Verbände oftmals über eine EU-Abteilung sowie sprach- und sachkundige EU-Fachleute. Kein Wunder, daß überdurchschnittlich viele private und öffentliche Großunternehmen und ihre Töchter etwa in den Genuß der EU-Forschungs- und Unternehmensförderung kommen.

ditierten Botschaften, Vertretungen amerikanischer und kanadischer Bundesstaaten sowie Handelskammern.

Lobbyisten pflegen ihr berufliches Image dadurch, daß sie sich nicht als Interessenvertreter, als Bittsteller verstehen, sondern als *Politikberater* und *Kommunikationsberater*. Das ist fachlich wohl auch in vielen Fällen erforderlich, denn die Sachkunde für politische Entscheidungen, die bestimmte Wirtschaftsbereiche betreffen, kann nicht immer hinreichend bei den Entscheidungsträgern in Regierung, Verwaltung und Parlament konzentriert sein. Umgekehrt sind viele Parlamentarier und ehemalige Beamte auch als *Firmenberater* tätig. Es dürfte deutlich werden, daß dieses Geflecht von Mandaten, Funktionen und Interessen nur sehr schwer zu durchschauen ist; auch Insider überblicken nur selten mehr als ihren speziellen Fachbereich. Es hat vielfältige Ansätze gegeben, hierfür eine rechtliche Struktur zu entwickeln, doch es ist meist bei Vorschlägen geblieben. Wir wollen dies hier nicht vertiefen.

Wirtschaftspolitik umfaßt also sowohl *staatliche* als auch *nichtstaatliche* Maßnahmen und Entscheidungen. Ganz allgemein werden die Verfassungsorgane und damit in Einklang staatliche Instanzen die Rahmenbedingungen setzen, innerhalb derer sich das konkrete Wirtschaften vollzieht. In den *staatlichen Kompetenzbereich* fallen insbesondere rechtliche Gegebenheiten wie die Eigentumsverfassung, das Steuerrecht oder das Arbeitsrecht (vgl. dazu anschließend Abschn. 1.3.1), aber auch inhaltliche Variablen wie das Zinsniveau oder der Wechselkurs der DM gegenüber ausländischen Währungen. Es dürfte aber auch klar sein, daß Wirtschaftspolitik nicht Selbstzweck ist: Zwar setzt Wirtschaftspolitik bei der Beeinflussung gesamtwirtschaftlicher (**makroökonomischer**) Größen an, doch vollzieht sich die eigentliche wirtschaftliche Aktivität auf der einzelwirtschaftlichen (**mikroökonomischen**) Ebene der Unternehmen und der privaten Haushalte, ergänzt durch staatliche Institutionen und ggf. Unternehmen. Für den *Erfolg* der konkreten wirtschaftlichen Aktivitäten sind die Rahmenbedingungen, die von der Wirtschaftspolitik gesetzt werden, jedoch nur notwendige, aber keine hinreichenden Bedingungen, denn wie es so schön heißt: Man kann das Pferd zwar zur Tränke führen, aber saufen muß es schon allein. In diesem Sinne werden wir uns in diesem Buch vorrangig, wenngleich nicht ausschließlich, mit den gesamtwirtschaftlichen Aspekten befassen. Auf mikroökonomische Aspekte kann i. d. R. nicht eingegangen werden; für einige Punkte können dabei die schon erwähnten, ergänzenden UTB-Lehrbücher des Autors *Volkswirtschaftslehre* und *Außenwirtschaft* für Unternehmen herangezogen werden.

1.3. Marktwirtschaft und Wirtschaftsordnung

1.3.1. Wirtschaftsordnung und Wirtschaftssystem

Als *Wirtschaftsordnung* bezeichnet man die Gesamtheit aller Regelungen, die das wirtschaftliche Geschehen in einer Volkswirtschaft gestalten und beeinflussen; wir werden dies gleich inhaltlich etwas präzisieren. Sprachlich besteht meist eine erhebliche Verwirrung – auch in der Literatur – hinsichtlich der Begriffe *Wirtschaftsordnung* und *Wirtschaftssystem*. Zwei hauptsächliche Versionen sind zu unterscheiden:

(1) Die wohl am meisten verwendete Unterscheidung zwischen Wirtschaftssystem und Wirtschaftsordnung geht auf **Walter Eucken** (1891–1950) zurück. Dabei wird zwischen zwei gegensätzlichen **Wirtschaftssystemen** unterschieden: der privatwirtschaftlich organisierten (freien) Marktwirtschaft und der Zentralverwaltungswirtschaft. Diese beiden – auch als Idealtypen bezeichneten – Modelle sind in reiner Form nie und nirgendwo realisiert worden. In der Realität ergaben sich jeweils **Wirtschaftsordnungen**, die den Idealbildern mehr oder weniger nahe kommen (Abb. 1.3.1/1). Dabei gibt es verschiedene Abstufungen, auf die im folgenden Abschnitt näher eingegangen wird. Hier sollen zunächst die Grundbegriffe definiert werden.

(2) Während bei Eucken die *Art der Planung* als wesentliches Unterscheidungskriterium gilt, versucht **Werner Sombart** (1863–

Abb. 1.3.1/1: Wirtschaftssysteme und Wirtschaftsordnungen I: nach Eucken

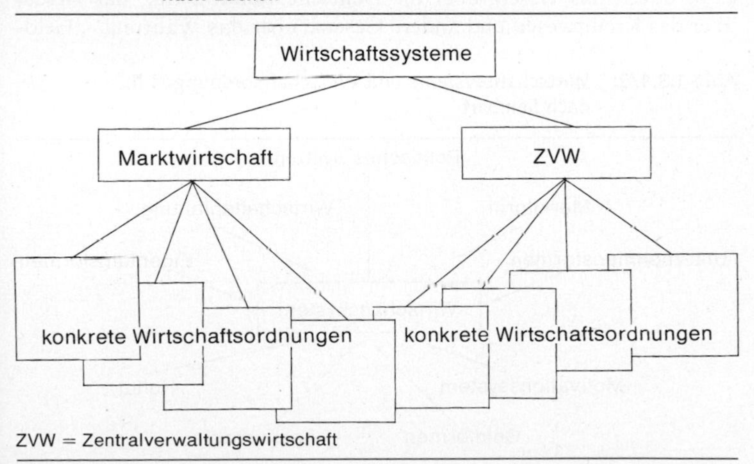

ZVW = Zentralverwaltungswirtschaft

1941) – zur Charakterisierung eines **Wirtschaftssystems** *alle* Einflüsse zu erfassen, die den Wirtschaftsablauf und die Wirtschaftsgesinnung bestimmen und kennzeichnen (vgl. Abb. 1.3.1/2). Hierzu zählen neben der Art der Wirtschaftsplanung und der Koordination der staatlichen und privaten Aktivitäten (z.B. durch den Marktmechanismus, Anweisungen, Wahlen oder Vereinbarungen) auch unterschiedliche Eigentumsformen (Privateigentum, Kollektiveigentum), Unternehmensformen, Motivationssysteme (z.B. Leistungsanreize, Zwang), Geldformen, die angewandte Technologie und die politische, soziale und kulturelle Rahmenordnung (man denke z.B. an das islamische Verzinsungsverbot). Ein so im Sombart'schen Sinne beschriebenes *Wirtschaftssystem* ist also – wenn man ein bestimmtes Land betrachtet – mit demselben Erfahrungsobjekt identisch, das Eucken für eben dieses Land als *Wirtschaftsordnung* bezeichnen würde. Offensichtlich ist der Ansatz von Sombart sehr viel umfassender als der von Eucken. Wir werden in diesem Buch grundsätzlich für konkrete Tatbestände den Begriff *Wirtschaftsordnung* verwenden.

Im Hinblick auf die rechtliche Verankerung von Wirtschaftsordnung/-system wird jedoch recht einheitlich von **Wirtschaftsverfassung** gesprochen. Sie entspricht auch in rechtlicher Hinsicht dem Verfassungsbegriff: In Deutschland werden im *Grundgesetz* wesentliche Rahmenbedingungen und Grundtatbestände des Wirtschaftens normiert, u.a. die Staatsordnung, die Freiheitsrechte und die Finanzbeziehungen zwischen den Gebietskörperschaften (Finanzverfassung). Auf der Ebene einfacher Gesetze wird die Geldverfassung geregelt (u.a. durch das Gesetz über die Deutsche Bundesbank, das Gesetz über das Kreditwesen und andere Gesetze über das Währungs-, Geld-

Abb. 1.3.1/2: Wirtschaftssysteme und Wirtschaftsordnungen II: nach Sombart

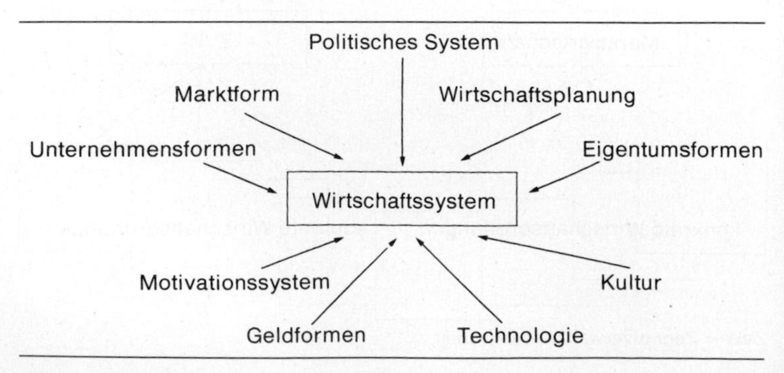

und Münzwesen), ferner die Wettbewerbsverfassung (u.a. durch das Gesetz gegen Wettbewerbsbeschränkungen) und die Arbeits- und Sozialverfassung (u.a. durch das Tarif-, Arbeits- und Sozialversicherungsrecht).

1.3.2. Aktuelle Entwicklungen

Der Wettbewerb der Wirtschaftssysteme hat sowohl wissenschaftlich als auch politisch eine lange Tradition. Nirgendwo auf der Welt gab und gibt es ein einziges Land, welches einem der beiden extremen Leitbilder Marktwirtschaft (in der klassischen Reinform) und Zentralverwaltungswirtschaft entsprach bzw. entspricht. Vielmehr gibt es eine große Vielfalt unterschiedlicher Wirtschaftsordnungen (Eucken) bzw. -systeme (Sombart), die sich mehr oder weniger deutlich dem einen oder anderen Extrembild annähern bzw. zuordnen lassen. Bereits vor der ordnungspolitischen Revolution der 90er Jahre (vgl. unten) gab es daher eine Diskussion darüber, ob nicht eine Tendenz zur Annäherung der Wirtschaftssysteme bestünde. Aus wissenschaftlicher Sicht gibt es dabei eine sehr umfassende Literatur, welche sowohl die verschiedenen Ordnungen beschreibt als auch jeweils nachzuweisen versucht, daß – je nach Standort – das eine Wirtschaftssystem dem anderen «nachweislich» überlegen ist. Die Macht des Faktischen mit dem «Sieg» der marktwirtschaftlichen Konzeption (vgl. die folgenden Ausführungen) ändert jedoch wenig an der Tatsache, daß eine marktwirtschaftliche Orientierung ein *Werturteil* ist.

1.3.2.1. Konvergenz der Wirtschaftsordnungen?

Aufgrund der Erfahrungen und Ausprägungen konkreter Wirtschaftsordnungen stellte die sog. **Konvergenztheorie** die These auf, daß sich die an Marktwirtschaft bzw. Zentralverwaltungswirtschaft orientierten Wirtschaftsordnungen mehr und mehr annähern und möglicherweise sogar ineinander übergehen (konvergieren). Im Rahmen marktwirtschaftlicher Ordnungen finden sich u.a. folgende zentralverwaltungswirtschaftliche Elemente: zunehmender staatlicher Einfluß, u.a. gemessen am Staatsanteil am Sozialprodukt (**Staatsquote**); staatliche Interventionen und Regulierungen in vielen Bereichen; direkte Eingriffe in die Preis- und Lohnbildung; zunehmend umfassendere, nicht mehr indikative staatliche Planung.

Umgekehrt fanden sich in zentralverwaltungswirtschaftlichen Ordnungen marktwirtschaftliche Elemente wie leistungsorientierte Lohnsysteme, zunehmende Bedeutung des Konsumbereichs in der staatlichen Planung, Anerkennung des Zinses als Kostenfaktor, Planung in

Geld- statt Mengengrößen. Ob es jemals tatsächlich zu einer Angleichung der Wirtschaftsordnungen gekommen wäre, ist höchst fraglich, weil neben wirtschaftlich-pragmatischen Überlegungen politische und ideologische Aspekte von ausschlaggebender Bedeutung sind. Immerhin waren historisch Annäherungstendenzen im ökonomischen Bereich erkennbar, wobei zu unterstellen ist, daß jeweils versucht wurde, bei Problemen, die mit ‹eigenen› Mitteln nicht lösbar sind, Anleihen beim ‹anderen› Wirtschaftssystem zu machen, um so die positiven Aspekte beider Wirtschaftssysteme (in unterschiedlicher Weise) miteinander zu kombinieren. Solche Wirtschaftsordnungen, die nicht mehr eindeutig dem einen oder anderen ‹reinen› Idealtyp zuzuordnen sind, bezeichnet man als **gemischte Wirtschaftsordnungen** *(‹mixed economies›)*. Beispiele finden bzw. fanden (hierzu gleich) sich in vielen Entwicklungsländern, aber auch in einigen Industrieländern.

Häufig findet man die *Gleichsetzung* von *Marktwirtschaft* und *Demokratie* auf der einen Seite und von *Zentralverwaltungswirtschaft* und *Diktatur* auf der anderen. Zwar kann man sagen, daß es günstig ist, wenn sich die Grundprinzipien von Wirtschafts- und Gesellschaftsordnung entsprechen, doch ist dies nicht in jedem Fall zwingend. So gibt es Beispiele diktatorisch geführter Staaten, die marktwirtschaftlich orientiert sind bzw. waren (so Chile unter Pinochet, zeitweise auch Argentinien), und andererseits kann die Entscheidung über einen zentralen Plan demokratisch legitimiert werden. Dieses Problem liegt aber außerhalb des Rahmens unserer einführenden Betrachtungen.

1.3.2.2. Die ordnungspolitische Revolution der 90er Jahre

Der Zusammenbruch des sog. «Ostblocks», d. h. der zentralverwaltungswirtschaftlich-sozialistischen Wirtschaftsordnungen löste eine Art Dominoeffekt aus:

Die ursprünglichen Ostblock-Länder waren im *Rat für gegenseitige Wirtschaftshilfe* (**RGW**) organisiert (englisch **COMECON**: *Council for Mutual Economic Cooperation*). Der RGW war 1949 gegründet worden, um ein Gegengewicht zum **Marshall-Plan**, dem *European Recovery Programme* (**ERP**) zu schaffen. Gründungsmitglieder waren die UdSSR, Bulgarien, Polen, Rumänien und Ungarn, später kamen Albanien, die DDR, die CSSR, die Mongolei, Kuba und Vietnam als Vollmitglieder hinzu; Afghanistan, Äthiopien, Angola, Laos, Mozambique und die Volksrepublik Jemen, bis 1966 auch China, hatten Beobachterstatus; mit Jugoslawien bestand ein Assoziierungsabkommen, mit Finnland, Guayana, Irak, Jamaika und Mexiko Kooperationsabkommen. Der RGW hat sich 1991 nach dem Zusammenbruch der UdSSR und dem Zerfall des Ostblocks als Institution aufgelöst. In den über 40 Jahren seines Bestehens hat der RGW viel Anschauungsmaterial dafür geliefert, welche Probleme sich bei dem Versuch ergeben, sehr heterogene Volkswirtschaften mit einem komplexen Planungssystem zu verzahnen.

Nach dem Zusammenbruch des RGW haben die ehemaligen Ostblockländer begonnen, ihre Wirtschaftsordnungen umzustrukturieren und sich am marktwirtschaftlichen Leitbild zu orientieren (sog. **Reformstaaten**). Die bisher von staatlichen Stellen ausgeübten Funktionen mußten bzw. müssen von privaten (oder neu zu strukturierenden staatlichen) Aktivitäten ersetzt werden, institutionell muß u. a. ein Bankensystem mit Geld- und Kreditmärkten und ein staatliches Finanzsystem mit einem Steuersystem und einem Länderfinanzausgleich aufgebaut werden. Ein derartiger Strukturwandel ist nicht in wenigen Jahren zu vollziehen und betrifft vor allem nicht nur die ökonomischen, sondern auch die politischen, sozialen, juristischen – praktisch alle Lebensbereiche. Dies belegen im eigenen Land auch die anhaltenden, massiven Probleme in den neuen deutschen Bundesländern, die ja auch nachhaltig auf die alten Bundesländer ausstrahlen.

Parallel zu den Kernländern des ehemaligen Ostblocks haben auch viele **Entwicklungsländer** erkennbar ihre Strategie verändert: Mit dem Wegfall planwirtschaftlich-sozialistischer Kapitalgeber und Handelspartner orientieren sich viele Entwicklungsländer neuerdings am marktwirtschaftlichen Konzept. Dabei geraten sie allerdings in eine harte Konkurrenz vor allem mit den osteuropäischen Ländern, denn aus westlicher Sicht sind die Beziehungen nach Osten heute oft sehr viel erfolgsversprechender als zum sog. Süden. Direktinvestitionen, Kapitalhilfe und technische Hilfe, die früher von Nord nach Süd flossen, gehen heute tendenziell eher nach Osten. Die Entwicklungsanstrengungen vieler Entwicklungsländer werden dadurch spürbar erschwert werden. Dies gilt ungeachtet der Auffassung des Autors, daß so manches Entwicklungsländerproblem auch nachhaltig intern (selbst) verschuldet worden ist. Externe Ursachen verschärfen die Situation zusätzlich. Diese These von der Eigenverantwortlichkeit der Entwicklungsländer, die keinesfalls externe Faktoren verharmlosen will, kann hier aber nicht vertieft werden.

1.3.3. Marktwirtschaft als Zielvorgabe

Das Stabilitätsgesetz gibt durch die Formulierung «im Rahmen der marktwirtschaftlichen Ordnung» in seinem o. a. Paragraphen 1 eine

Rahmenbedingung für die staatliche Wirtschaftspolitik vor. Dies ist insofern bemerkenswert, als das Grundgesetz der Bundesrepublik Deutschland in ordnungstheoretischer Hinsicht neutral ist: Es findet sich keinerlei Festlegung auf eine marktwirtschaftliche Wirtschaftsordnung. Aus vielen anderen Regelungen ergibt sich jedoch eine klare marktwirtschaftliche Orientierung, die u.a. ein zentralistisches, zentralplanerisches Konzept ausschließt: Zu denken ist dabei an die Garantie privaten Eigentums, Gewerbefreiheit, Handlungsfreiheit, Vereinigungsfreiheit, Freizügigkeit, die Festlegung auf einen ‹republikanischen, demokratischen und sozialen Rechtsstaat›, etc. Ende 1993 hat die Gemeinsame Verfassungskommission nochmals bekräftigt, daß die Soziale Marktwirtschaft nicht explizit im Grundgesetz verankert werden soll. Dies hat u.a. den Grund, daß der Begriff Soziale Marktwirtschaft rechtlich nicht eindeutig zu präzisieren ist und eine Reihe von Interpretationsmöglichkeiten zuläßt. Verfassungsrechtlich wäre dies also bedenklich.

Ohne der ausführlichen Betrachtung im Kap. 9 (Wirtschaftspolitische Konzeptionen) vorgreifen zu wollen, werden im folgenden einige Charakteristika der Sozialen Marktwirtschaft der Bundesrepublik Deutschland skizziert.

(1) Das Konzept einer **reinen Marktwirtschaft** bezieht sich prinzipiell auf eine Staats- und Gesellschaftsordnung, in der dem Staat nur Aufsichts- und Ordnungsfunktionen zukommen, während er sich jeglicher Beeinflussung des Wirtschaftsgeschehens enthält (sog. «Nachtwächterstaat» (polemisch) oder (gutmütig) «laissez-faire»-Wirtschaft. Der größtmöglichen Freiheit im Hinblick auf wirtschaftliche Gestaltungsmöglichkeiten steht dabei jedoch die Erfahrung gegenüber, daß in einem ‹ökonomischen Dschungelkampf› nicht jeder überleben kann.

(2) Der Staat übernahm daher neben der Ordnungsfunktion im Sinne einer Gestaltung der Rahmenbedingungen die Funktion der sozialen Absicherung und Umverteilung, um sozial untragbare ökonomische Ungleichheiten abzumildern. Vom Grundprinzip her enthält sich der Staat auch in einer **sozialen Marktwirtschaft** in diesem engeren Sinn (‹reine› soziale Marktwirtschaft) jeder weitergehenden Beeinflussung des Wirtschaftsgeschehens. Zwar gehen selbstverständlich von den Rahmenbedingungen her auch Einflüsse auf die konkreten wirtschaftlichen Handlungen aus, doch wird der Staat darüber hinaus nicht selbst ökonomisch aktiv.

(3) Aber auch eine soziale Marktwirtschaft im engeren Sinne wird mit dem Problem konfrontiert, daß im Gegensatz zur ökonomischen Theorie sich in der Praxis Krisen («Marktstörungen») nicht von selbst

behoben, sondern im Gegenteil eine Tendenz zu ständigen Ungleichgewichten bestand. Vor dem Hintergrund dieser Erkenntnis ist John Maynard Keynes' – für seine Zeit revolutionäre – Theorie der Staatseingriffe zu sehen, deren Grundprinzipien sich in modifizierter Form in der Weiterentwicklung der Marktwirtschaft zu einer sozialen Marktwirtschaft mit **Globalsteuerung** in der Bundesrepublik wiederfinden. In der Bundesrepublik erfolgte nach dem Zweiten Weltkrieg, unter dem Eindruck des Zentralismus des Dritten Reiches, eine konsequente Rückbesinnung auf die Prinzipien freier Marktwirtschaft, jedoch mit der Ergänzung, daß der Staat aus sozialer Verantwortung bestimmte Funktionen zu übernehmen hat, die privatwirtschaftlich nicht zu erfüllen sind. Daneben versucht der Staat, mit global wirkenden, also die gesamte Wirtschaft betreffenden Maßnahmen, Schwankungen des Wirtschaftsablaufs zu dämpfen, was unter der Bezeichnung **antizyklische** Wirtschaftspolitik geläufig ist. In diese Entwicklungsphase der sozialen Marktwirtschaft in der Bundesrepublik, die anfangs mit dem Namen Alfred Müller-Armack, Ludwig Erhard, und hinsichtlich der Komponente der **Globalsteuerung** mit Karl Schiller und Otto Schlecht verbunden ist, fällt auch die Verabschiedung des **Stabilitätsgesetzes** und die Bildung der damaligen **konzertierten Aktion**[1].

(4) Die heutige Wirtschaftsordnung der Bundesrepublik Deutschland enthält zusätzlich zu den bisherigen Komponenten **interventionistische Elemente**. Der Staat beschränkt sich nicht auf globale Maßnahmen, sondern greift punktuell und gezielt in einzelnen Sektoren der Wirtschaft regelnd bzw. steuernd ein («gelenkte Marktwirtschaft»). Dies gilt in augenfälliger Weise für die Marktordnung im Agrarbereich der Europäischen Gemeinschaft, aber auch für Interventionen im Bergbau, im Schiffbau oder in der Stahlindustrie. Wenn man die heutige Wirtschaftsordnung als ‹Soziale Marktwirtschaft› etikettiert, spiegelt sich darin auch ein Verständnis des Begriffs der sozialen Verantwortung des Staates wider, wonach der Staat nicht wirtschaftspolitisch abstinent sein und lediglich (passiv) sozial absichern soll, sondern auch den Wirtschaftsablauf (aktiv) mitgestaltet.

Die marktwirtschaftliche Ordnung der Bundesrepublik Deutschland wird – wie in anderen Ländern auch – durch rechtliche Regelungen definiert und abgesichert. Die konkrete Wirtschaftspolitik des Staates und die Aktivitäten aller privaten und staatlichen Akteure vollziehen sich innerhalb dieses rechtlichen Rahmens. Aufgrund der

[1] Begriff für eine zwischen den Sozialpartnern und dem Staat abgestimmte Wirtschaftspolitik. Als Institution ist die K. A. politisch gescheitert.

Abb. 1.4.1/1: Rechtsebenen

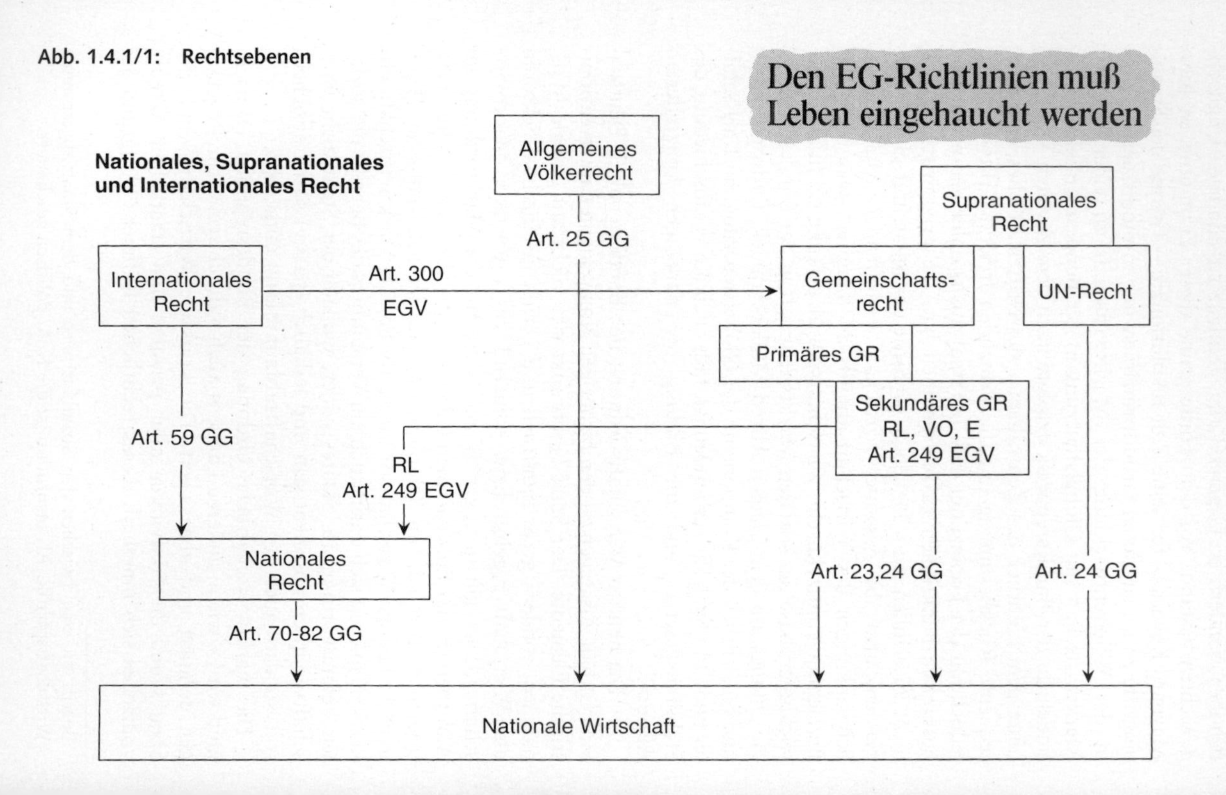

Mitgliedschaft in der **Europäischen Union** ergeben sich daraus eine Reihe von rechtlichen Besonderheiten, da das wirtschaftliche Geschehen – wie alle anderen Politikbereiche auch – nicht nur durch den deutschen Gesetzgeber geregelt werden kann, sondern auch durch Rechtsakte der Europäischen Union. Der folgende Abschnitt geht darauf ein und versucht, die Zusammenhänge zwischen den verschiedenen Rechtsebenen zu verdeutlichen.

1.4. Nationales, internationales und supranationales Recht

1.4.1. Zusammenhang zwischen den Rechtsebenen

Als **nationales Recht** sind die Normen zu verstehen, die aus der nationalen Rechtsetzung hervorgegangen sind. Im Fall der Bundesrepublik Deutschland sind dies die im jeweiligen parlamentarischen Gesetzgebungsverfahren verabschiedeten Bundes- und Landesgesetze und die sich daraus jeweils ableitenden Rechtsverordnungen.

Supranationales Recht ist solches Recht, das dem nationalen Recht übergeordnet ist, indem es nationales Recht ‹bricht›: Nationale Rechtsnormen, die dem supranationalen Recht entgegenstehen, sind dadurch automatisch nichtig (vgl. weiter unten). Zum supranationalen Recht zählt in unserem Zusammenhang vor allem das Recht der Europäischen Gemeinschaften (**Gemeinschaftsrecht**).

Internationales Recht (Spezielles Völkerrecht; **Völkervertragsrecht**) besteht aus Abkommen und Verträgen, denen die Bundesrepublik – bzw. die EU – beigetreten ist bzw. die sie unterzeichnet haben und die in jedem Falle, um auf nationaler oder supranationaler Ebene Rechtskraft zu erhalten, transformiert und ratifiziert werden müssen, beispielsweise ein internationales Umweltabkommen (vgl. Abschn. 1.4.4).

Damit ergibt sich der in der Abb. 1.4.1/1 dargestellte Aufbau der verschiedenen Rechtsebenen, die nicht nur für die Wirtschaft relevant sind.

1.4.2. Supranationales Recht

1.4.2.1. Allgemeines Völkerrecht

Die oberste Ebene bildet als supranationales Recht das zwingende, **allgemeine Völkerrecht.** Dieses umfaßt die rechtlichen Regeln für die Beziehungen zwischen den Staaten und internationalen Institutionen der Internationalen Staatengemeinschaft. Das Völkerrecht ist im wesentlichen ungeschriebenes **Gewohnheitsrecht** sowie formalisiertes

Völker-Vertragsrecht. Nur in einigen Bereichen ist das Völkergewohnheitsrecht formalisiert worden, so z. B. im Statut des *Internationalen Gerichtshofes* (**IGH**) in Den Haag, in der *UN-Seerechtskonvention* oder der *Wiener Vertragskonvention.*

Wichtige Regelungsbereiche des Allgemeinen Völkerrechts sind u. a. die Stellung der Staaten als Rechtssubjekte (beispielsweise die Möglichkeit, als Staat zu klagen oder verklagt zu werden), die Regelung der Hoheitsbereiche, die Rechte und Pflichten der Staaten untereinander (beispielsweise die Verpflichtung, geschlossene Verträge einzuhalten (*«pacta sunt servanda»*: Wiener Vertragskonvention), das Prinzip der Ratifizierung internationaler Abkommen, das Recht auf Hochseefischerei, das Recht der freien Durchfahrt von Handelsschiffen (Beschlagnahmung bedeutet Bruch des Völkerrechts), das Recht der Küstenstaaten am Festlandsockel, die Immunität von diplomatischen Vertretungen, Ersatzpflichten für völkerrechtliche Delikte, die allgemeinen Regeln der internationalen Gerichts- und Schiedsgerichtsbarkeit, etc.

Die allgemeinen Regeln des Völkerrechts sind gemäß Art. 25 GG *Bestandteil des Bundesrechts,* «...) gehen den Gesetzen vor und erzeugen Rechte und Pflichten unmittelbar für die Bewohner des Bundesgebietes.» Dies bezieht sich allerdings nicht bereits allgemein auf internationale Verträge – wie z. B. Handelsabkommen oder den WTO-Vertrag: Solche Regelungen des Völkervertragsrechts müssen auf die nationale Rechtsebene transformiert werden; vgl. dazu Abschn. 1.4.4 –, sondern vorrangig auf Aspekte der Menschenrechte sowie auf die Notwendigkeit, ggf. nationale Regelungen dem Völkerrecht anzupassen. Nach Art. 100 Abs. 2 GG muß im Zweifelsfall das Bundesverfassungsgericht entscheiden, ob eine Regel des allgemeinen Völkerrechts Bestandteil des Bundesrechts ist und ob sie folglich unmittelbare Rechte und Pflichten für den einzelnen erzeugt.

Nach Art. 23 und 24 GG können Hoheitsrechte auf supranationale Organe übertragen werden. In der Praxis sind diese Normen in zweierlei Hinsicht relevant:

Zum einen sind Hoheitsrechte auf die Organe der *Europäischen Gemeinschaft* übertragen worden. Im Dezember 1992 wurde der Art. 23 inhaltlich neu in das Grundgesetz aufgenommen (er tritt an die Stelle einer überholten Vorschrift über den Geltungsbereich des GG). Neu und besonders an dieser Norm ist die Feststellung, daß die Bundesrepublik Deutschland bei der Entwicklung der (politischen) Europäischen Union mitwirkt. Die dazu ggf. erforderliche Übertragung von Hoheitsrechten durch den Bund kann – das ist neu – nur durch Gesetz *mit Zustimmung des Bundesrates* erfolgen. Bundestag und Bundesrat wirken in Angelegenheiten der Europäischen Union mit.

Zum anderen hat der *UN-Sicherheitsrat*, der nur aus einigen UN-Mitgliedern besteht, nach Art. 24 GG hoheitsrechtliche Kompetenzen, indem er – gestützt auf Artikel 39–51 der UN-Charta – z. B. wirtschaftliche und militärische Sanktionen gegen Staaten verhängen kann, die eine Bedrohung für den Weltfrieden darstellen (konkrete Beispiele: Irak 1990, Lybien 1992, Serbien/Montenegro 1992). Derartige Beschlüsse sind für alle Mitgliedstaaten nach Art. 25 der UN-Carta verbindlich, müssen aber dessenungeachtet in nationale Maßnahmen bzw. Rechtsnormen umgesetzt werden, insbesondere, um sie mit nationalen Sanktionsmöglichkeiten bei Zuwiderhandlungen zu verknüpfen.

Das Grundgesetz ist insgesamt völkerrechtsfreundlich orientiert; u. a. unterwirft sich die Bundesrepublik gemäß Art. 24 Abs. 3 GG zur Regelung zwischenstaatlicher Streitigkeiten der internationalen Schiedsgerichtsbarkeit. Diese ist im internationalen Bereich institutionalisiert durch den **Internationalen Gerichtshof** (**IGH**) in Den Haag. Der IGH ist formal ein Organ der UNO, urteilt jedoch nicht im Namen der Vereinten Nationen. Er hat 15 Mitglieder verschiedener Staatsangehörigkeit, die von der UN-Vollversammlung und dem UN-Sicherheitsrat in getrennten Wahlgängen für jeweils neun Jahre bestimmt werden. Alle drei Jahre wird ein Drittel der Richter neu gewählt. Faktisch allerdings besteht ein regionaler Proporz, indem vier Richter aus Westeuropa kommen, zwei aus Osteuropa, einer aus den USA, zwei aus Südamerika und je drei aus Afrika und Asien.

Der Gerichtsbarkeit des IGH unterstehen nur Staaten, die sich dazu freiwillig bereiterklärt haben, so wie die Bundesrepublik in Art. 24 GG. Der IGH wurde z. B. 1992 von Lybien mit dem seitens des UN-Sicherheitsrates verhängten Embargo gegen das Land befaßt, oder 1986 wegen der Verminung von Häfen in Nicaragua durch die USA. Eine etwaige Verurteilung eines Staates durch den IGH hat jedoch praktisch keine Konsequenzen, abgesehen von moralischem Druck und dem Echo in der Presse. Insbesondere ziehen sich beklagte Staaten oft hinter die Behauptung zurück, daß der IGH keine Kompetenz zur Entscheidung bei politischen Differenzen habe.

1.4.2.2. Gemeinschaftsrecht

(1) Exkurs: Europäische Integration

Begrifflich und sachlich ergeben sich oft Unklarheiten hinsichtlich der Europäischen Integration. Die Grundlagen der Europäischen Integration wurden durch die **Gründungsverträge** der drei Gemeinschaften (Plural) gelegt; erstens die *Europäische Gemeinschaft für Kohle und Stahl* (**EGKS**; 1952; auch **Montanunion** genannt; «**Pariser Vertrag**»), zweitens die *Europäische Wirtschaftsgemeinschaft* (**EWG**; 1957) und drittens die *Europäische Atomgemeinschaft* (**EURATOM**; 1957; beide zusammen als «**Römische Verträge**» bezeichnet). Die ursprünglich vollständig getrennten drei Gemeinschaften fusionierten 1965 ihre Organe, so daß es seitdem nur noch einen Ministerrat, eine Kommission und ein Europäisches Parlament gibt («**Fusionsvertrag**»).

Durch Aufnahme neuer Mitglieder ist die Gemeinschaft in bisher drei Schritten erweitert worden:

- durch die **Norderweiterung** (Beitritt von Großbritannien, Irland und Dänemark; 1972),
- durch die **Süd-Erweiterung** (Beitritt von Griechenland (1981) und Spanien und Portugal; 1986) und
- durch die **EFTA-Erweiterung** (Ost-Erweiterung: Beitritt von Finnland, Österreich und Schweden; 1995) (vgl. auch Abschn. 13.7.2 zur Integration).

Zwei wichtige Änderungen bzw. Ergänzungen des *primären Gemeinschaftsrechts* – abgesehen von den Erweiterungen – sind seit der Gründung erfolgt:

• Durch die **Einheitliche Europäische Akte** (**EEA**; 1986, in Kraft seit 1987) wurde die Realisierung des *Gemeinsamen Binnenmarktes* zum 1. 1. 1993 beschlossen. Dadurch wurden verschiedene Bestimmungen des **EWGV** angepaßt und andere ergänzt (derartige Hinzufügungen ließen sich an den «Buchstaben-Artikel» erkennen, wie z. B. bei den Art. 130 a–y). Durch den **Vertrag von Amsterdam**, der den Maastricht-Vertrag 1997 durch einen **Stabilitätspakt** ergänzte, wurde der Gesamtvertrag redaktionell überarbeitet und alle Artikel fortlaufend neu durchnumeriert.

• Durch den *Vertrag über die Europäische Union* (**Vertrag von Maastricht; EUV**; 1992; in Kraft seit 1. 11. 1993) wurde eine über die ökonomische und monetäre Integration hinausgehende *politische Integration* beschlossen. Der ursprüngliche *Vertrag zur Gründung der Europäischen Wirtschaftsgemeinschaft (EWGV)* von 1957 wurde durch die Maastrichter Beschlüsse zum *Vertrag zur Gründung der Europäischen Gemeinschaft (EGV)*. Die Bestimmungen des bisherigen EWGV wurden in weiten Bereichen übernommen, jedoch in einigen Aspekten – den Maastrichter Beschlüssen entsprechend – modifiziert und ergänzt.

• Die 3. Stufe der Währungsunion auf der Basis des Vertrags von Maastricht begann am 1. 1. 1999 und wird bis Mitte 2002 abgeschlossen sein. Die Zollunion mit der Türkei ist seit 1995 in Kraft. Der vorhersehbare Beitritt assoziierter osteuropäischer Staaten (Osterweiterung) ist nur eine Frage der Zeit: Die Tschechische Republik, Estland, Polen, Slowenien, Ungarn und Zypern sind bereits zu Verhandlungen eingeladen worden. Mit verschiedenen Staaten und Staatengruppen führt die EU bilaterale Freihandelsgespräche (MERCOSUR, Mexiko, Kanada, Südafrika); mit den USA wird eine Transatlantische Partnerschaft erörtert.

Die Europäische Union steht durch den Maastricht-Vertrag nunmehr auf zwei zentralen Säulen (Abb. 1.4.2/1). Die erste Säule besteht aus den nach wie vor weiterbestehenden drei Gemeinschaften, wobei die bisherige Europäische Wirtschaftsgemeinschaft (EWG) nunmehr Europäische Gemeinschaft heißt (EG) (und der EWGV in EGV umbenannt wurde). Diese wurde – dem Vertrag von Maastricht entsprechend – zum 1. 1. 1999 durch eine **Währungsunion** ergänzt.

Abb. 1.4.2/1: Säulen der EU

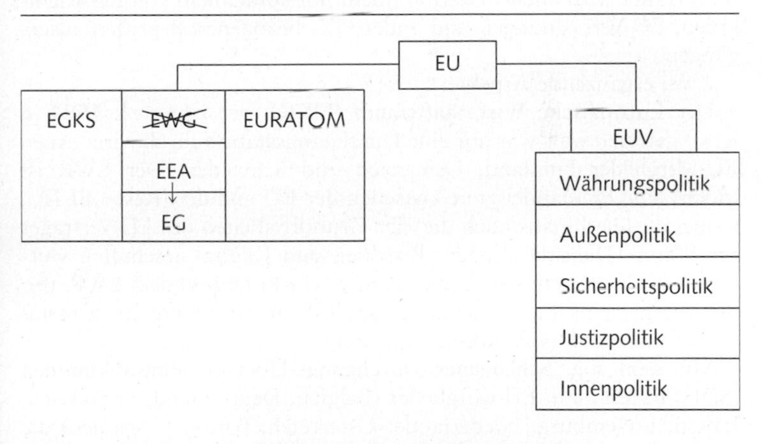

Zentrale vertragliche Grundlagen der Europäischen Integration:

1952	EGKSV	Montanunionsvertrag, Pariser Vertrag
1957	EWGV	Vertrag zur Gründung der Europäischen Wirtschaftsgemeinschaft plus
	EURATOM-V	sog. Römische Verträge
1986	EEA	Einheitliche Europäische Akte zur Verwirklichung des Binnenmarkts
1992	EUV I	Europäischer Unionsvertrag von Maastricht
1997	EUV II	Europäischer Unionsvertrag von Amsterdam

Die zweite Säule umfaßt das Bekenntnis zu gemeinsamer Außen- und Sicherheitspolitik und zur Zusammenarbeit in der Justiz- und Innenpolitik. (Hierbei hatte Dänemark erhebliche, mittlerweile überwundene Bedenken gehabt).

Die **Organe** der EU sind dieselben wie bisher: Rat, Kommission, Gerichtshof (nunmehr mit zwei Instanzen) und Parlament. Die Kompetenzen des Parlaments sind durch den Maastricht-Vertrag gestärkt worden, u. a. hinsichtlich der Bestellung der Kommissions-Mitglieder.

Der Begriff **Europäische Union** ist also umfassender als der der **Europäischen Gemeinschaft** und schließt außer der *wirtschaftlichen Integration* auch die *politischen Integrationsansätze* ein. Daher werden in diesem Buch sowohl Bezüge zur EU als auch zur EG hergestellt; die EG ist also keineswegs überholt! Insbesondere im Zusammenhang mit der ökonomischen Integration und den wirtschaftlichen Außenbeziehungen gegenüber Drittländern wird in aller Regel der EGV (durch den Maastrichter Vertrag geänderter ehemaliger EWGV) und weniger der EUV selbst (Maastrichter Vertrag) die rechtliche Basis sein. Daher wird auch weiterhin (nicht nur sprachlich) von *EG*-Richtlinien, EG-Verordnungen und andere EG-bezogenen Begriffen ausgegangen.

Zwei ergänzende Aspekte:

• Der **Europäische Wirtschaftsraum (EWR)**, der zum 1. 1. 1994 in Kraft getreten war, war nur eine Durchgangsstation für die drei neuen EU-Mitglieder Finnland, Österreich und Schweden. Der EWR ist (noch) eine Freihandelszone zwischen der EU und der (Rest-) EFTA[2], wobei darüberhinaus auch die vier Grundfreiheiten des EU-Vertrages für Waren, Dienstleistungen, Personen und Kapital geschaffen wurden. Für einen ‹richtigen› gemeinsamen Markt fehlt(e) dem EWR also nur die gemeinsame Außenhandelspolitik, insbesondere ein gemeinsamer Außenzoll (vgl. Abschn. 13.7.2.5).

Mit dem sog. **Schengener Durchgangs-Überwachungsabkommen** (SDÜ) haben neun EU-Mitglieder (Belgien, Deutschland, Frankreich, Italien, Luxemburg, Niederlande, Österreich, Portugal, Spanien) die *Abschaffung von Personenkontrollen* an ihren gemeinsamen Grenzen beschlossen (vgl. Abb. 1.4.2/2). Das Abkommen soll also eine der «vier Freiheiten» des Binnenmarktes (Personenverkehr) unterstützen. Zunächst war – in juristisch feinsinniger Differenzierung – das SDÜ

[2] bestehend aus Liechtenstein, Norwegen und Island; die Schweiz als viertes EFTA-Land hat den EWR-Vertrag in einer Volksabstimmung abgelehnt, so daß ein kompliziertes Geflecht aus bilateralen Verträgen als Notlösung fungieren muß.

Abb. 1.4.2/2: Schengener Abkommen

Grenzkontrollen auf unbestimmte Zeit

Technische Hindernisse beim Datenaustausch der Schengen-Länder

Beschwerden über Personenkontrollen

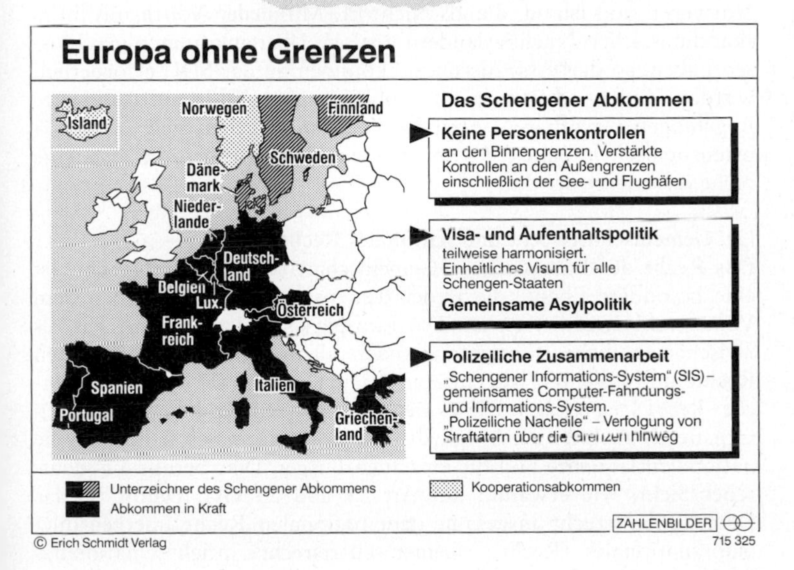
Europa ohne Grenzen
Island
Norwegen
Finnland
Schweden
Däne-mark
Nieder-lande
Deutsch-land
Belgien
Lux.
Frank-reich
Österreich
Spanien
Portugal
Italien
Griechen-land
Das Schengener Abkommen
Keine Personenkontrollen
an den Binnengrenzen. Verstärkte Kontrollen an den Außengrenzen einschließlich der See- und Flughäfen
Visa- und Aufenthaltspolitik
teilweise harmonisiert. Einheitliches Visum für alle Schengen-Staaten
Gemeinsame Asylpolitik
Polizeiliche Zusammenarbeit
„Schengener Informations-System" (SIS) – gemeinsames Computer-Fahndungs- und Informations-System.
„Polizeiliche Nacheile" – Verfolgung von Straftätern über die Grenzen hinweg
Unterzeichner des Schengener Abkommens
Abkommen in Kraft
Kooperationsabkommen
ZAHLENBILDER
715 325

1994 zwar in Kraft getreten, aber noch nicht in Kraft gesetzt worden, bis die erforderlichen Voraussetzungen in den Mitgliedstaaten erfüllt waren, insbesondere technische und Sicherheitsstandards bei der Nutzung des zentralen computergestützten Überwachungssystems **SIS**, des *Schengener Informations-Systems.*

Durch unkontrollierten Grenzverkehr könnten – so fürchten einige Länder nicht zu unrecht – illegale Einwanderer und Drogen «einsickern» und der Asylbewerberstrom zunehmen. In der Praxis finden daher zwar nicht an den Grenzen, aber im Grenzgebiet durchaus Personenkontrollen der Polizei (und des Zolls) statt. Und bei «staatsgefährdenden Ereignissen» können – nach vorheriger Konsultation der Partnerländer – vorübergehend auch Grenzkontrollen eingeführt werden (Frankreich hat dies beispielsweise bei Unruhen durch Migranten aus dem Maghreb getan).

Dänemark, Schweden und Finnland sind dem SDÜ mittlerweile beigetreten, haben es jedoch in analoger Weise noch nicht in Kraft gesetzt. Für Griechenland ist die Prüfung der Voraussetzungen noch nicht abgeschlossen; Großbritannien und Irland werden Sonderregelungen zugestanden, nach denen sie aus dem SDÜ quasi «à la carte» bestimmte Punkte auswählen können, aber nicht alle Verpflichtungen übernehmen müssen. Besondere Probleme ergeben sich in Bezug auf Norwegen und Island, die als Nicht-EU-Mitglieder jedoch mit ihren skandinavischen Nachbarländern analoge Übereinkommen geschlossen haben, so daß Assoziierungsabkommen an das SDÜ erforderlich wurden. Zudem müssen sie mit Großbritannien und Irland gesonderte Regelungen vereinbaren. Ähnliche Probleme ergeben sich mit den 5 osteuropäischen Beitrittskandidaten zur EU – insgesamt also eine recht verzwickte Struktur.

(2) **Gemeinschaftsrecht und nationales Recht**

Das Recht der Europäischen Gemeinschaft (Gemeinschaftsrecht) ist eine besondere Ebene, die weder dem nationalen Recht, noch dem Völkerrecht zuzuordnen ist. Die Europäische Gemeinschaft hat als zwischenstaatliche Einrichtung nach dem Völkerrecht dieselben Rechte und Pflichten wie einzelne Staaten, so daß sie auch *verbindliches Recht* setzen kann. Dieses Recht gilt sowohl für die europäischen Organe als auch für die Mitgliedstaaten, die nationalen Behörden, die nationalen Gerichte und die einzelnen Bürger. Dies beruht aus deutscher Sicht, wie erwähnt, auf Art. 23 und 24 GG. Damit ist das Gemeinschaftsrecht insgesamt dem nationalen Recht übergeordnet (**supranationales Recht**): Gemeinschaftsrecht ‹bricht› nationales Recht; sofern sich nationales und supranationales Recht im konkreten Fall widersprechen, ist das supranationale Recht anzuwenden.

Grundsätzlich sind drei Fälle zu unterscheiden (vgl. Abb. 1.4.2/3):

Fall (a) kennzeichnet den gerade angesprochenen Tatbestand, daß nationales Recht durch Schaffung supranationalen Gemeinschaftsrechts (meist sekundären Gemeinschaftsrechts) ‹überflüssig› *(obsolet)* geworden ist. Anstelle des nationalen Rechts regelt nun Gemeinschaftsrecht den betreffenden Tatbestand (z. B. im Bereich des Zollrechts).

Fall (b) zeigt den Fall, daß es auf der Ebene des Gemeinschaftsrechts (noch) keine Regelung für bestimmte Tatbestände gibt (z. B. im Bereich der Verbrauchsteuern). Dann gilt nach wie vor nationales Recht.

Fall (c) tritt dann ein, wenn es zwar supranationale Regelungen gibt, aber aus rechtstechnischen Gründen parallel dazu nationales Recht ‹benötigt› wird, um beispielsweise Tatbestände aus dem Außenwirtschaftsrecht mit Strafsanktionen bedrohen zu können. Ein Verstoß gegen ein Exportembargo gegen Serbien beispielsweise kann nach UN-Recht gar nicht sanktioniert werden, nach EU-Recht lediglich mit einer Geldbuße belegt werden und bedarf für eine strafrechtliche Würdigung (Freiheitsstrafe, Geldstrafe) einer nationalen Rechtsnorm: Auf supranationaler Ebene gibt es keine strafrechtlichen Sanktionen.

Rechtliche Kontrollinstanz für das Gemeinschaftsrecht ist der **Europäische Gerichtshof** (**EuGH** in Luxemburg), der mit seiner Rechtsprechung gleichfalls supranationales Recht setzt. Der EuGH hat 13 Richter sowie 6 Generalanwälte, die von den Mitgliedstaaten für jeweils drei Jahre ernannt und in der Regel wiedergewählt werden. Das Gericht tagt teils in Vollsitzungen, teils in Kammern mit drei bzw. sechs Richtern. Seit 1989 gibt es zur Entlastung des Gerichts eine 1. Instanz beim EuGH mit weiteren 12 Richtern, die u. a. für Wettbewerbsfragen und für Individualklagen gegen ein EU-Organ zuständig sind.

Abb. 1.4.2/3: Gemeinschaftsrecht und nationales Recht

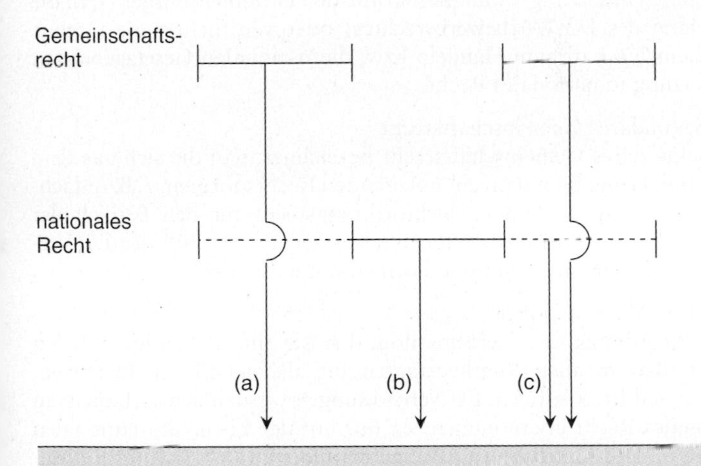

Brüssel will bei den Gartengrillern künftig für mehr Sicherheit sorgen

(3) Formen des Gemeinschaftsrechts

(a) Primäres Gemeinschaftsrecht
Auf der Ebene des Gemeinschaftsrechts ist zu unterscheiden zwischen primärem und sekundärem Gemeinschaftsrecht. Das primäre Gemeinschaftsrecht umfaßt die **Gründungsverträge** der Europäischen Gemeinschaften, also den Vertrag über die Gründung der **Europäischen Gemeinschaft für Kohle und Stahl** (EGKS) vom 18.4.1951 (sog. *Montanunions-Vertrag* oder *Pariser Vertrag*), den Vertrag zur Gründung der **Europäischen Wirtschaftsgemeinschaft** (EWG-Vertrag) vom 25.3. 1957 und den Vertrag zur Gründung der **Europäischen Atomgemeinschaft** (EAG oder EURATOM), ebenfalls vom 25.3.57. Der EWG- und der EURATOM-Vertrag werden nach ihrem Unterzeichnungsort auch als *Römische Verträge* bezeichnet. Zum primären Gemeinschaftsrecht zählen auch die Gründungs- und Zusatzprotokolle und -abkommen, die späteren Ergänzungsverträge wie z.B. die **Einheitliche Europäische Akte** von 1987, der **Vertrag von Maastricht** von 1992/93 sowie die **Beitrittsverträge** mit neuen Mitgliedern.

Das primäre Gemeinschaftsrecht gilt entweder – ohne weitere nationale Umsetzung – unmittelbar für den einzelnen Bürger (z.B. die Regelung des EG-Wettbewerbsrechtes) oder verpflichtet die Organe der Gemeinschaft zum Handeln bzw. die nationalen Gesetzgeber zur Umsetzung in nationales Recht.

(b) Sekundäres Gemeinschaftsrecht
Als sekundäres Gemeinschaftsrecht bezeichnet man die sich aus dem primären Gemeinschaftsrecht ableitenden Rechtsnormen, z.B. in fachlicher Hinsicht auch das Marktordnungsrecht für den Bereich der Landwirtschaft und das Zolltarifrecht. Gemäß Art. 249 des EG-Vertrages[3] werden dabei folgende Formen unterschieden:

(b-1) EG-Verordnungen
Eine Verordnung ist allgemeingültig, d.h. sie gilt in allen ihren Teilen unmittelbar *in* allen Mitgliedstaaten für alle staatlichen Instanzen, Bürger und Institutionen. EU-Verordnungen werden dennoch meist in nationales Recht übernommen, da nur auf der Ebene des nationalen Rechts andere Sanktionen als Bußgelder möglich sind. In ihrer Rechtskraft ähnelt die EG-Verordnung am ehesten dem, was man auf nationaler Ebene als Gesetz bezeichnet, wobei allerdings die erheblichen Unterschiede im Gesetzgebungsverfahren zu berücksichtigen sind:

[3] In der Fassung des Vertrags von Amsterdam 1997.

Das Europäische Parlament ist beim Erlaß von Verordnungen durch den EU-Rat oder die -Kommission kaum beteiligt.

Die wichtigsten, als **Grundverordnungen** bezeichneten Verordnungen werden vom EU-Ministerrat erlassen, **Ausführungs-** bzw. **Durchführungsverordnungen** dazu in der Regel von der EU-Kommission. Letztere kommen – obgleich der Vergleich bedenklich ist – noch am ehesten einer nationalen Rechtsverordnung nahe (beispielsweise der *Außenwirtschaftsverordnung*, AWV). Die EG-Verordnungen sind nach dem EGV-Vertrag zu begründen und werden im Amtsblatt der Gemeinschaft veröffentlicht. Die folgenden Beispiele machen auch den Unterschied zwischen Grundverordnungen und Durchführungsverordnungen deutlicher.

- Verordnung (EWG) Nr. 4064/89 des Rates vom 21. Dezember 1989 über die Kontrolle von Unternehmenszusammenschlüssen.
- Verordnung (EWG) Nr. 295/91 des Rates vom 8. April 1991 über eine gemeinsame Regelung für ein System von Ausgleichsleistungen bei Nichtbeförderung im Linienverkehr (Anmerkung des Autors: dies betrifft Überbuchungen).
- Verordnung (EWG) Nr. 1394/91 der Kommission von 27. Mai 1991 zur Änderung der Liste im Anhang der Verordnung (EWG) Nr. 3664/90 zur Festlegung der Liste der Schiffe mit einer Länge über alles von mehr als 8 m, die in bestimmten Gebieten der Gemeinschaft mit Baumkurren, deren Gesamtbaumlänge mehr als 9 m beträgt, auf Seezunge fischen dürfen.
- Verordnung (EG) Nr. 362/1999 der Kommission vom 18. Februar 1999 zur Einführung eines vorläufigen Antidumpingzolls auf die Einfuhren von Kabeln und Seilen aus Stahl mit Ursprung in der Volksrepublik China.
- Verordnung (EG) Nr. 1834/1999 der Kommission vom 24. August 1999 zur Einstellung der Fischerei auf Wittling durch Schiffe unter der Flagge Schwedens.

(b-2) EG-Richtlinien

Im Unterschied zur Verordnung, die *in* jedem Mitgliedstaat gilt, ist eine EG-Richtlinie *für* jeden Mitgliedstaat hinsichtlich des zu erreichenden Zieles verbindlich. Wie dieses Ziel aber erreicht werden soll, bleibt den einzelnen Staaten überlassen. Eine Richtlinie ist also nicht unmittelbar anwendbar wie eine Verordnung, sondern muß – in einem zweistufigen Verfahren – in nationales Recht umgesetzt und damit konkretisiert und anwendbar gemacht werden. Auch dabei gibt es sowohl ‹seriöse› als auch durchaus kuriose Beispiele:

- Richtlinie des Rates vom 13. Februar 1989 über die Pflichten der in einem Mitgliedstaat eingerichteten Zweigniederlassungen von Kreditinstituten und Finanzinstituten mit Sitz außerhalb dieses Mitgliedstaats zur Offenlegung von Jahresabschlußunterlagen.

- Richtlinie der Kommission Nr. 79/408/EWG bezüglich des Wilderns der Turteltaube *(Streptopelia turtur)* in Frankreich.
- Richtlinie 1999/45/EG des Europäischen Parlaments und des Rates vom 31. Mai 1999 zur Angleichung der Rechts- und Verwaltungsvorschriften der Mitgliedstaaten für die Einstufung, Verpackung und Kennzeichnung gefährlicher Zubereitungen.

Wichtige Richtlinien im Außenwirtschaftsbereich betreffen u. a. die Harmonisierung der nationalen Zollgesetze. Eine EG-Richtlinie ist in etwa mit der Rahmengesetzgebungskompetenz des Bundes für Länder und Gemeinden gemäß Art. 75 GG zu vergleichen (dort z. B. für allgemeine Grundsätze des Hochschulwesens oder des Melde- und Ausweiswesens). Der EuGH hat Anfang 1992 eine bahnbrechende Entscheidung getroffen: In der Praxis gab es häufig Fälle, in denen Mitgliedstaaten die Umsetzung einer EG-Richtlinie in nationales Recht hinauszögerten. Nach dem EuGH-Urteil nun kann ein Bürger seinen Staat auf Schadenersatz verklagen, wenn dieser ihm Rechte vorenthält, die auf Gemeinschaftsebene gewährt wurden. Dies bedeutet erstmalig auch eine indirekte Form von Sanktionen gegen einen Staat, der gegen EU-Vorschriften verstößt, indem er die zunehmende Umsetzung von Gemeinschaftsrecht in nationales Recht verzögert und damit die Rechtsharmonisierung in der EU beeinträchtigt. Abb. 1.4.2/4 verdeutlicht den recht unterschiedlichen Stand der Umsetzung von EU-Richtlinien in den einzelnen Mitgliedstaaten.

(b-3) EG-Entscheidungen

Im Gegensatz zur allgemeingültigen Verordnung ist eine Entscheidung nur für den *Einzelfall* und nur für die in der Entscheidung bezeichneten natürlichen oder juristischen Personen verbindlich. Entscheidungen sind auch nicht veröffentlichungsbedürftig und sind in ihrer Wirkung mit dem *Verwaltungsakt* des deutschen Rechts zu vergleichen. Beispiele: Entscheidung über eine beantragte Fusion oder Verhängung einer Geldbuße bei Zuwiderhandlungen. Betroffenen steht ggf. der direkte Klageweg zum Europäischen Gerichtshof offen.

- Entscheidung des Rates vom 13. Februar 1989 zur Festlegung eines europäischen Plans für die Stimulierung der Wirtschaftswissenschaften (1989–1992) (SPES).
- Entscheidung 1999/142/EG der Kommission vom 25. Februar 1998 über eine von Deutschland als Entwicklungshilfe gewährte Beihilfe zum Bau eines nach Indonesien verkauften Schwimmbaggers.

Abb. 1.4.2/4: Rechtsharmonisierung

Noch nicht in das einzelstaatliche Recht übertragene EU-Richtlinien (nach Branchen und Ländern)

	Zahl der Direktiven	Belgien	Deutschland	Dänemark	Finnland	Frankreich	Griechenland	Großbritannien	Irland	Italien	Luxemburg	Niederlande	Österreich	Portugal	Schweden	Spanien
Telekommunikation	16	6	-	-	-	2	6	1	1	3	2	-	-	4	3	-
Transport	60	11	5	2	5	9	10	10	10	15	18	9	11	17	8	9
Geistiges Eigentum und andere Vermögenswerte	8	-	1	1	1	1	1	1	4	1	2	2	1	1	-	1
Öffentliche Verwaltung	11	-	2	-	-	2	3	2	-	1	2	-	2	2	-	1
Sozialpolitik	39	3	-	-	-	3	3	-	2	8	9	-	3	2	-	-
Tiermedizin	198	3	3	3	6	20	17	13	12	15	9	4	14	15	7	2
Chemie-Erzeugnisse	78	1	3	-	1	4	3	2	1	1	1	2	5	5	2	-
Energie	12	-	1	2	1	2	1	-	1	1	2	-	-	1	1	-
Umweltschutz	91	6	4	2	1	4	7	5	6	8	3	2	3	5	1	5
Nahrungsmittelgesetze	103	2	4	-	-	2	3	1	5	5	-	-	2	9	-	2
Kosmetische Produkte	38	1	1	-	-	3	-	-	-	-	-	-	1	1	1	-

Quelle: EU-Kommission

F.A.Z.-Grafik: Kaiser

(b-4) Andere Akte

Neben diesen drei rechtsverbindlichen Formen der Setzung sekundären Gemeinschaftsrechts können Rat und Kommission, aber auch das Europäische Parlament aufgrund eigener Initiative **Empfehlungen** und – bei Anfragen – **Stellungnahmen** abgeben. Aus der Arbeit des Rates in seiner wechselnden fachlichen Zusammensetzung können sich ferner **Erklärungen**, politische **Beschlüsse** oder **Vereinbarungen** ergeben.

• Empfehlung 1999/130/EG der Kommission vom 18. November 1998 zur Ratifizierung des Übereinkommens 180 der IAO über die Arbeitszeit der Seeleute und die Besatzungsstärke der Schiffe.

Die Wirkung des EU-Rechts im Binnenmarkt wird beeinträchtigt durch den unzureichenden Kenntnisstand der Bürger bezüglich ihrer Rechte, durch einen Mangel an Transparenz bei der Anwendung der Vorschriften sowie durch die weiterhin geltenden einzelstaatlichen Vorschriften. Dem nationalen Recht kommt nach wie vor sehr große Bedeutung zu.

1.4.3. Nationales Recht

1.4.3.1. Geltungsbereich

Trotz der bereits weitgehenden Integration der Europäischen Union ist eine Vielzahl von Wirtschaftsbereichen (noch) nicht durch Gemeinschaftsrecht geregelt. In diesen Fällen greift das jeweilige nationale Recht: Nationale Regelungen gelten immer nur dann, wenn es keine entsprechenden Regelungen im Gemeinschaftsrecht gibt. Nationales Recht wird bzw. ist durch entsprechende Regelungen im Gemeinschaftsrecht außer Kraft gesetzt; dem Gemeinschaftsrecht widersprechende nationale Regelungen sind automatisch nichtig.

Wie erwähnt, werden EG-Verordnungen dennoch meist in nationales Recht übernommen, da nur auf der Ebene des nationalen Rechts andere Sanktionen als Bußgelder möglich sind. Hinzu kommt die Notwendigkeit, z. B. organisatorische Regelungen (Zuständigkeiten, Formvorschriften) – in jedem Mitgliedstaat individuell – rechtlich zu nominieren. Insofern also ergänzen sich die beiden Rechtsebenen, da das Gemeinschaftsrecht in vielen Bereichen unvollständig ist. Der EuGH hält die Parallelität von Rechtsnormen auf gemeinschaftlicher und auf nationaler Ebene für rechtswidrig, doch sprechen die erwähnten praktischen Gründe für ihre vorläufige Beibehaltung.

Vor diesem Hintergrund sind auch die enormen Bemühungen zu sehen, zur Vollendung des europäischen Binnenmarktes die unterschiedlichen nationalen Gesetze zu harmonisieren. Dies wird in vielen Fällen noch beträchtliche Zeit in Anspruch nehmen, so daß bis dahin unterschiedliche nationale Rechte nebeneinander in der Gemeinschaft gelten werden. Dabei kommt dem Steuerrecht aus ökonomischer Sicht große Bedeutung zu. Angesichts der historisch gewachsenen und kulturell unterschiedlich geprägten verschiedenen **Rechtskreise** (u. a. deutscher, romanischer, anglophoner Rechtskreis) ist nicht davon auszugehen, daß im Zivil-, Straf- oder Verwaltungsrecht eine signifikante Harmonisierung statfinden wird.

1.4.3.2. Systematik

Das deutsche Recht stützt sich auf verschiedene Ebenen von Rechtsquellen. Die wichtigsten **ursprünglichen Rechtsquellen** sind **Gesetze**, die von den verfassungsgemäßen Gesetzgebungsorganen nach den in der Verfassung (Grundgesetz) niedergelegten Regeln erlassen worden sind. In der obersten Ebene steht hier das Grundgesetz und darunter die Bundes- und Landesgesetze.

Unterhalb der Rechtsebene der *ursprünglichen* Rechtsquellen gibt es die **abgeleiteten Rechtsquellen:** die **Rechtsverordnungen** (RV).

RV'en werden nicht – wie Gesetze – von der Legislative erlassen, sondern von der Exekutive. Da sie Rechtsetzungskraft haben und in diesem Sinne zwar nicht formelle, aber *«materielle Gesetze»* sind, durchbrechen sie das Prinzip der Gewaltenteilung, weil dies eigentlich die Kompetenz der Legislative ist. Rechtsverordnungen dienen jedoch der Vereinfachung und machen Detailregelungen in Gesetzen überflüssig. Eine RV setzt eine ausdrückliche gesetzliche Ermächtigung voraus, die zugleich auch Zweck, Inhalt und Ausmaß der Rechtsverordnung festlegt. Sehr häufig werden daher **Durchführungsverordnungen** erlassen. Die *Kompetenz* zum Erlaß von RV'en haben die Bundesregierung, die Bundesminister, die Länder, die Länderregierungen und -minister sowie Obere Bundes- und Obere Landesbehörden. RV'en werden im Bundesgesetzblatt bzw. in den Verordnungsblättern der Länder veröffentlicht.

Auf der Grundlage von ursprünglichen und abgeleiteten Rechtsquellen wird die Verwaltung u. a. gegenüber dem Bürger in Form von **Verwaltungsakten** tätig (z. B. in einer Entscheidung über ein beantragtes *Zollager*). Obgleich sie selbst keine Rechtsnormen sind und prinzipiell nur *innerhalb* der Verwaltung gelten, haben sog. **Verwaltungsvorschriften** (häufig als «**Erlaß**» bezeichnet) nicht selten eine Auswirkung für den Bürger, z. B. wenn sie Ermessensspielräume, Anwendungsbereiche oder Auslegungsmöglichkeiten von Rechtsnormen konkretisieren. Sie bedürfen keiner gesetzlichen Ermächtigung und werden i. d. R. auch nicht veröffentlicht.

1.4.4. Völkervertragsrecht (Internationales Recht)

Internationale Abkommen oder Verträge müssen – um bindend anwendbar zu werden – durch Ratifizierung oder Transformierung durch die jeweils zuständigen Organe in supranationales oder nationales Recht übernommen werden. Ein internationaler bzw. völkerrechtlicher Vertrag (Staatsvertrag) kommt i. d. R. zustande durch a) Vertragsverhandlungen, b) **Paraphierung** des vorläufigen Vertragstextes, d. h. «Unterzeichnung» des nicht mehr veränderbaren Vertragstexts mit den Anfangsbuchstaben der Namen der Verhandlungsführer (*Paraphen;* durch die Paraphierung sind die Verhandlungspartner weder gebunden noch zur endgültigen Zustimmung verpflichtet), c) Durchlaufen des nationalstaatlichen Zustimmungsprozesses: dies bedeutet **Transformation** des völkerrechtlichen Vertrags z. B. durch ein entsprechendes (gleichlautendes) nationales Vertragsgesetz oder durch ein Zustimmungsgesetz in nationales Recht, d) **Ratifikation**, d. h. formelle Bestätigungserklärung durch das Staatsoberhaupt *nach* erfolgter parlamentarischer Transformation in nationales Recht (häufig wird im Sprachgebrauch auch bereits das parlamentarische Zustimmungsverfahren als Ratifikation bezeichnet), e) gegenseitiger Austausch bzw. – bei multilateralen Verträgen – Hinterlegung der Ratifikationsurkunden. Durch die Transformation kommt auf nationaler Ebene rechtlich nicht externes Recht zur Anwendung, sondern nationales Recht, das materiell dem externen Recht entspricht.

Völkerrechtliche Verträge, welche die *Europäische Union* geschlossen hat bzw. denen sie beigetreten ist, werden nach Art. 300 EGV Bestandteil des Gemeinschaftsrechts und sind damit für die Mitgliedstaaten verbindlich, wie z. B. der **WTO-Vertrag**, die Abkommen zwischen der EU und den EFTA-Staaten, die **Lome-Verträge** oder andere Präferenzabkommen. Rein formell handelt es sich dabei um *sekundäres Gemeinschaftsrecht,* weil es sich aus Handlungen der EU-Organe ableitet, doch ist derartigen internationalen Verträgen eine herausgehobene Bedeutung – etwa im Vergleich mit innergemeinschaftlichen Verordnungen – beizumessen.

Völkerrechtliche Verträge, welche die politischen Beziehungen des *Bundes* regeln und die nicht Gemeinschaftsrecht sind, bedürfen nach Art. 59 GG der **Ratifizierung** der für die Bundesgesetzgebung jeweils zuständigen Körperschaften, d. h. **Bundestag** und **Bundesrat**. Dabei sind zwei Varianten zu unterscheiden: Zum einen ist eine ‹bloße› Zustimmung zum Vertrag z. B. durch ein **Zustimmungsgesetz** möglich (das dann auch inhaltlich nur aus einigen wenigen ‹zustimmenden› Paragraphen bzw. Artikeln besteht). Zum anderen wird das internationale Vertragswerk oft in ein nationales Gesetz ‹umgegossen› (transformiert), wodurch die konkreten Vertragsbestandteile dann auf nationaler Ebene Wirkung entfalten (im Gegensatz zu der Version des Zustimmungsgesetzes). Dies ist z. B. erforderlich, um die vereinbarten Vertrags- (nun Gesetzes-) Bestimmungen ggf. den nationalen Sanktionsmöglichkeiten im Hinblick auf das Ordnungswidrigkeiten- bzw. Strafrecht zu unterwerfen. Formal ist es umstritten, ob es korrekt ist, derartige internationale Abkommen nicht als Gesetz zu ratifizieren, sondern durch einfache Rechtsverordnung der Exekutive in nationales Recht zu transformieren. Die obige Abb. 1.4.2/3 faßt die Einwirkungsmöglichkeiten der verschiedenen Rechtsebenen zusammen. Eine Überprüfung des EU-Rechts im Hinblick auf seine Vereinbarkeit mit dem Grundgesetz findet – nach einer Entscheidung des Bundesverfassungsgerichts aus dem Jahre 1987 – nicht statt, solange die EU und die Rechtsprechung des Europäischen Gerichtshofes einen wirksamen Schutz der Grundrechte gegenüber der Hoheitsgewalt gewährleisten.

II. Teil: Wirtschaftspolitische Zielsetzungen

Wirtschafts*politische* Zielsetzungen sind – wie alle Ziele – grundsätzlich subjektiv: Es gibt keine allgemeingültigen, objektiven Ziele, an denen sich das (wirtschafts)politische Handeln prinzipiell – in jedem Land, in jeder Situation – zu orientieren hätte. Ob eine Regierung beispielsweise der Beschäftigungsanregung, eine andere der Inflationsbekämpfung höchste Priorität einräumt, ist ein Werturteil, d. h. eine politische und damit normative Entscheidung, die von bestimmten gegebenen Rahmenbedingungen und Wertungen abhängt. Einen Anspruch auf Allgemeingültigkeit können allenfalls *theoretische* Aussagen erheben, sofern sie frei sind von Werturteilen (im Sinne von «gut» bzw. «schlecht» oder «wünschenswert» bzw. «abzulehnen»).

Theoretische Aussagen müssen verallgemeinerungsfähig sein und dürfen sich nicht auf ein bestimmtes Land oder eine bestimmte Zeit beschränken. Sie müssen überprüfbar und gegebenenfalls auch widerlegbar sein. Theoretische Aussagen können Fragen beantworten wie «was ist, und warum?», aber nicht – wie politische/normative Aussagen – «was sollte sein?». Nachdem ein Ziel subjektiv gesetzt ist, kann jedoch das (wirtschaftspolitische Handeln daraufhin überprüft werden, ob es theoretisch widerspruchsfrei in dem Sinne ist, daß das Handeln im Hinblick auf die (subjektive) Zielsetzung logisch, d. h. objektiv ‹richtig› ist: Wenn sich eine Regierung für die Inflationsbekämpfung entscheidet, dann kann mit Hilfe theoretischer Erkenntnisse untersucht werden, ob die getroffenen Maßnahmen – nach gegebenem Erkenntnisstand – geeignet sind, dieses Ziel zu verfolgen.

Das Ziel selbst aber entzieht sich hinsichtlich seiner Berechtigung einer externen Überprüfung. Andernfalls wäre jegliche parteipolitische Auseinandersetzung um die ‹richtige› Wirtschaftspolitik gegenstandslos, und man könnte die wirtschaftspolitischen Entscheidungen entpolitisieren: Wenn es objektivierbare Zielsysteme und daraus abgeleitet: objektivierbare Ziel-Maßnahmen-Zusammenhänge gäbe, könnte man die Wirtschaftspolitik einem Computer überlassen. Offensichtlich aber gibt es sowohl auf der Zielebene als auch hinsichtlich der Entscheidung über die Wahl der sich daraus ableitenden ‹richtigen› Maßnahmen einen subjektiven Meinungs- und Entscheidungsspielraum.

Die Auswahl der in den folgenden Abschnitten des II. Teils dargestellen wirtschaftspolitischen Ziele ist folglich in diesem Sinne durchaus subjektiv. Andererseits gibt es einige ‹objektivierende› Überlegungen, die für diese Auswahl sprechen: Aus der Sicht der Bundesrepublik ist dies – wie bereits in Abschn. 1.1.2 ausgeführt – vorrangig das 1967 in Kraft getretene ‹Gesetz zur Förderung der Stabilität und des Wachstums der Wirtschaft› (StabG, meist kurz als ‹**Stabilitätsgesetz**› angesprochen), welches vier, als ‹**magisches Viereck**› bezeichnete Ziele beinhaltet. Hinzu kommen weitere Zielsetzungen, auf die weiter unten eingegangen wird.

Bei dem Bestreben, diese Ziele gleichzeitig zu verwirklichen, können sich **Zielkonflikte** ergeben; hierauf wird in Kap. 16 eingegangen. Auf die Nebenbedingung, daß sich das wirtschafts- und finanzpolitische Handeln «im Rahmen der marktwirtschaftlichen Ordnung» vollziehen soll, wurde bereits oben eingegangen. Die Reihenfolge der Komponenten des «magischen Vierecks» in der Formulierung des § 1 (Stabilität des Preisniveaus, hoher Beschäftigungsstand, außenwirtschaftliches Gleichgewicht, stetiges und angemessenes Wirtschaftswachstum) stellt keine Wertung hinsichtlich ihrer Priorität dar; dies macht das Wort «gleichzeitig» deutlich.

Die Zielformulierungen sind in mehrerer Hinsicht unscharf. Nur ein Ziel ist in jeder Hinsicht eindeutig definiert (Stabilität des Preisniveaus); bei den übrigen drei Zielen (außenwirtschaftliches Gleichgewicht, Beschäftigungsstand, Wachstum) ist nicht definiert, woran und wie die Zielerfüllung gemessen werden soll (z. B. was soll wachsen bzw. beschäftigt sein?), bei zwei Zielen sind die adjektivischen Zusätze interpretationsbedürftig («hoher» Beschäftigungsstand, «angemessenes» Wachstum).

In den folgenden Kapiteln werden zunächst die Ziele des Stabilitätsgesetzes betrachtet, wobei aus methodischen Gründen von der Reihenfolge im § 1 StabG abgewichen wird. Darüberhinaus gibt es eine ganze Reihe *weiterer wirtschaftspolitischer Zielsetzungen*, von denen einige in den anschließenden Kapiteln dargestellt werden.

2. Wirtschaftswachstum und Konjunktur

Das Ziel des Wirtschaftswachstums war in der jüngeren Vergangenheit besonders heftig umstritten. Kritiker sprechen von Wachstumsfetischismus und betonen die Vordringlichkeit anderer Ziele; Verteidiger des Wachstums finden Argumente für die Notwendigkeit des Wachstums. Zunächst ist zu klären, wer oder was wachsen soll. Im Stabilitätsgesetz ist von **angemessenem** und **stetigem** Wirtschaftswachstum die Rede, so daß auch die adjektivischen Zusätze zu betrachten sind.

2.1. Gründe für Wachstum

2.1.1. Wachstumsindikatoren

Üblicherweise wird das Wachstum einer Volkswirtschaft beschrieben mit Hilfe des Sozialproduktes, präziser: mit dem **realen Bruttosozial-** oder dem realen **Bruttoinlandsprodukt (BIP)**. Das BSP wird nach dem sog. Inländerprinzip ermittelt, das BIP nach dem Inlandsprinzip: Beim ***Inländer*konzept** werden nur Daten erfaßt, die Inländern zuzurechnen sind und zwar auch, wenn die erfaßten Leistungen im Ausland erbracht werden (beispielsweise die Beschäftigung eines Inländers im Nachbarland). Inländer sind natürliche oder juristische Personen mit ständigem (Wohn)Sitz im Inland, unabhängig von ihrer Nationalität. Das ***Inlands*konzept** erfaßt alle Produktionswerte, die im Inland entstehen, unabhängig davon, ob dies durch im Inland oder im Ausland Ansässige geschieht (beispielsweise die Beschäftigung von ausländischen Pendlern mit Wohnsitz im Ausland im Inland). Den Unterschied zwischen beiden Konzepten bezeichnet man als **Netto-Faktoreinkommen gegenüber dem Ausland (NFE)**, d. h. die Differenz insbesondere zwischen Lohn- und Zinseinkommen, die von Inländern im Ausland erworben werden, und den entsprechenden Einkommen von Ausländern im Inland. Im Sprachgebrauch wird oft «Sozialprodukt» als allgemeiner Begriff für BIP oder BSP verwendet, wenn man sich allgemein auf den Wert der produzierten Gesamtleistung einer Volkswirtschaft bezieht (vgl. ggf. ausführlich das Lehrbuch *Volkswirtschaftslehre*).

Ob BSP oder BIP ausgewiesen werden, hängt oft von der Praktikabilität der Datenermittlung ab. Das BSP stützt sich insbesondere auf Daten der *Einkommensentstehung*, während das BIP bei *Produktionsdaten* ansetzt. Letztere sind i. d. R. leichter verfügbar, so daß international eine Tendenz zur Ausweisung von BIP-Daten besteht. Der Unterschiedsbetrag zwischen beiden Konzepten ist aber nicht sehr hoch: Er schwankt z. B. beim deutschen Sozialprodukt von ca. drei Billionen DM zwischen 5 und 25 Milliarden, d. h. weniger als ein Prozent der Vergleichsgrößen (vgl. Abb. 2.1.1/1). Aus dem Stabilitäts-

Abb. 2.1.1/1: **BSP und BIP**

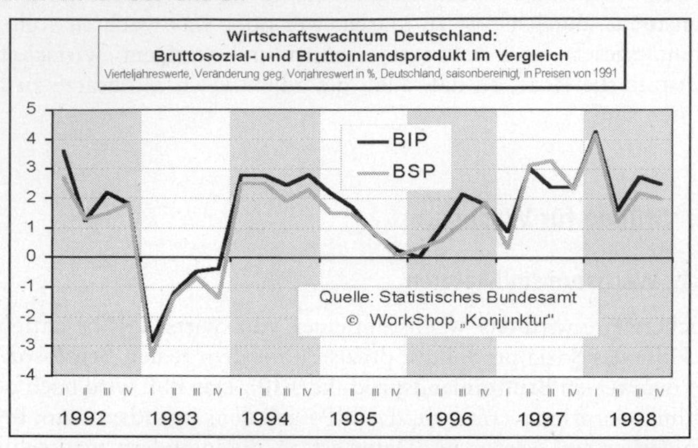

gesetz ergibt sich kein Hinweis auf den zu verwendenden Wachstumsindikator. Das reale Bruttoinlandsprodukt beschreibt den von Inflationseinflüssen bereinigten – also realen – Gesamtwert der Güterproduktion einer Volkswirtschaft in einem Jahr. Dies bedeutet, daß die im jeweiligen Betrachtungsjahr produzierten Gütermengen erfaßt, aber mit den Güterpreisen eines für alle Betrachtungsjahre gemeinsam gültigen **Basisjahres** bewertet werden. Man unterstellt also, daß es keine inflationäre Entwicklung gegeben hat. Wenn dann das Sozialprodukt des Jahres 1999 höher ist als das von 1998, dann kann es offensichtlich nicht daran liegen, daß die erfaßten Güter teurer geworden sind, sondern daß mehr Güter als vorher produziert wurden.

Dabei sind aber zwei Fälle zu unterscheiden: Eine Zunahme der Güterproduktion kann zum einen durch eine bessere *Ausnutzung der gegebenen Produktionskapazitäten* bzw. des sog. **Produktionspotentials** bewirkt werden (**Auslastungseffekt**). Dieser Aspekt wird in Abschn. 3.1. vertieft werden. Zum anderen kann das Produktionspotential selbst zugenommen haben (**Kapazitätseffekt**). Hinsichtlich des Ergebnisses – der erhöhten Güterproduktion – besteht dabei kein Unterschied. Manche Autoren wollen jedoch nur dann von Wachstum sprechen, wenn eine Kapazitätserhöhung vorliegt, um so **Konjunkturpolitik** i. S. v. Auslastung *bestehender* Kapazitäten von **Wachstumspolitik** i. e. S. zu unterscheiden. Im hier besprochenen Zusammenhang bezieht sich Wachstum jedoch lediglich auf die Zunahme der Güterproduktion, wodurch auch immer bewirkt.

Eine Bewertung des Inlandsprodukts zu den Preisen des laufenden Jahres ergibt das **nominale Inlandsprodukt**. Letzteres kann also erheblich durch inflationäre Entwicklungen aufgebläht sein, ohne daß eine reale Vermehrung von Gütern vorliegt. Insbesondere bei internationalen Vergleichen, aber auch bei Vergleichen derselben Volkswirtschaft im Zeitablauf sind nominale Werte daher in der Regel nutzlos.

Offensichtlich hängt es aber auch von der Wahl des Bezugsjahres ab, dessen Preise man zur Bewertung heranzieht, welche Unterschiede sich zwischen realem und nominalem Sozialprodukt ergeben. Je weiter das Bezugsjahr zurückliegt, desto größer werden die Unterschiede sein. Abb. 2.1.1/2 verdeutlicht die Diskrepanz zwischen realem und nominalem Bruttoinlandsprodukt auf der Preisbasis des Jahres 1991.

Das Inlands- bzw. Sozialprodukt erfaßt nur ökonomische, in Zahlen umsetzbare Vorgänge. Die Aussagekraft dieser Größe ist daher in vieler Hinsicht eingeschränkt. Insbesondere wird nicht unterschieden, ob alle erfaßten Aktivitäten tatsächlich wertsteigernd sind oder ob sie möglicherweise die Lebensqualität eher mindern. Unbeschadet erforderlicher Kritik an der Aussagekraft des Inlandsprodukts, auf die hier nicht näher eingegangen werden kann (z.B. Nicht-Erfassung der Hausarbeit und der «Schattenwirtschaft», «Abschreibungen» nur im Investitions-, nicht aber im Konsumbereich etc.; vgl. dazu den Schluß von Abschnitt 2.2.2) ist das Inlandsprodukt geeignet, den Lebensstandard einer Volkswirtschaft (mit-) zu beschreiben, insbesondere wenn es nicht als summarische Größe, sondern pro Kopf der Bevölkerung ausgewiesen wird. Zunächst einige Argumente für Wachstum als wirtschaftspolitisches Ziel.

Abb. 2.1.1/2: Reales und nominales Inlandsprodukt

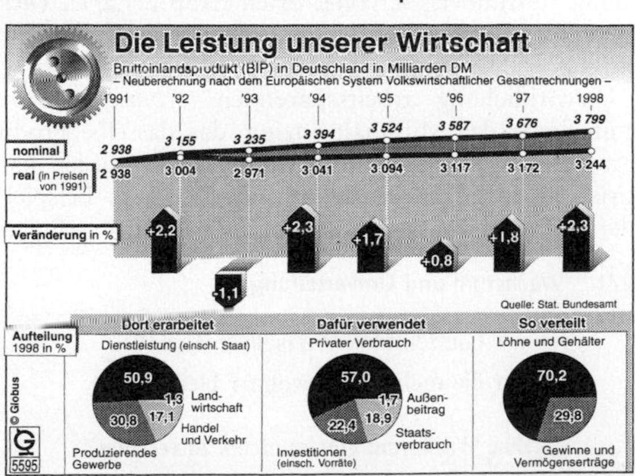

2.1.2. Argumente für Wachstum

• Bei *wachsender Bevölkerung* würde sich der (statistische) Lebensstandard verringern, wenn bei dem Quotienten BIP/Bevölkerung nicht auch der Zähler wächst. Wachstum des Inlandsprodukts ist aus dieser Sicht also erforderlich, um bei wachsender Bevölkerung den Pro-Kopf-Lebensstandard statistisch zumindest zu erhalten.

Dabei ist nicht nur an das biologische Bevölkerungswachstum zu denken, sondern auch an eine Zunahme der Bevölkerung durch Zuzug von Ausländern.

• Wenn der Lebensstandard nicht nur gehalten, sondern gehoben werden soll, ist Wachstum auch bei *stagnierender Bevölkerung* erforderlich. Andernfalls könnte eine Verbesserung zugunsten einer Bevölkerungsgruppe nur durch Umverteilung zulasten anderer erfolgen: Wenn beispielsweise 2 Personen 10 Mengeneinheiten eines Gutes im Verhältnis 7 : 3 aufteilen, kann ohne Wachstum, d. h. ohne Vergrößerung der Gütermenge, die Verteilung nur dadurch geändert werden, daß der eine mehr und der andere entsprechend weniger erhält, beispielsweise bei einer Verteilung von 6 : 4. Ob dann von Steigerung des Lebensstandards der Volkswirtschaft insgesamt zu sprechen wäre, erfordert Nutzenmessung und interpersonellen Nutzenvergleich zwischen Gewinnern und Verlierern – ein Problem, das auch die **kardinale Nutzentheorie** bislang nicht lösen konnte. Eine Hebung des Lebensstandards ohne absolute Umverteilung zwischen den Bevölkerungsgruppen setzt somit Wachstum des zu verteilenden Inlandsprodukts voraus, um z. B. mit 11 statt bisher 10 Mengeneinheiten eine Verteilung von 7 : 4 zu verwirklichen. Ob allerdings tatsächlich eine Umverteilung stattfindet, ist völlig offen (Abb. 2.1.2/1). Dieses Problem ist analog auch international im Zusammenhang mit dem Nord-Süd-Konflikt von Bedeutung.

• Die Verwirklichung arbeitssparenden *technischen Fortschritts* bedeutet im Sinne des Minimalprinzips, das dasselbe Produktionsergebnis mit geringerem Arbeitsaufwand erzielt werden kann. Die Automatisierung mancher Produktionszweige, zum Beispiel in der Stahl- oder Automobilindustrie, macht dies deutlich: «Freigesetzte»

Abb. 2.1.2/1: Wachstum und Umverteilung

Guatemalas Wirtschaft wächst,
aber die meisten Einwohner bleiben arm

„Ohne Wachstum gibt es nichts zu verteilen“

Arbeitskräfte bleiben arbeitslos, wenn sie nicht an anderer Stelle eine neue Beschäftigung finden, also zusätzliche Produktionsleistungen erbringen. Bekannte historische Beispiele in diesem Zusammenhang waren auch Heizer auf Dieselloks oder Bremser auf hydraulisch gebremsten Zügen, da die englischen Gewerkschaften sich jeder Verwirklichung technischen Fortschritts widersetzten, der Arbeitsplätze vernichtete, und Beschäftigungsgarantien verlangten (natürlich handelt es sich bei diesen Beispielen um sog. **versteckte Arbeitslosigkeit**; vgl. Abschn. 3.2). Aber auch der Einsatz von Lichtsatzmaschinen im Druckereigewerbe, wodurch der Beruf des Schriftsetzers in großem Maße verdrängt wurde, macht deutlich, daß die Verwirklichung technischen Fortschritts, der nicht mit Arbeitslosigkeit einhergehen soll, neue Beschäftigungsmöglichkeiten an anderer Stelle, d. h. wirtschaftliches Wachstum voraussetzt.

Von unmittelbar praktischer Bedeutung ist das letztgenannte Argument, wenn man die Prognosen hinsichtlich der Entwicklung der Arbeitslosigkeit in der Bundesrepublik heranzieht, die in Abschn. 3.5 näher betrachtet werden. Danach ist davon auszugehen, daß ein unmittelbarer Rückgang der Arbeitslosigkeit nur bei Wachstumsraten des BIP zu erwarten ist, die aus heutiger Sicht als unrealistisch anzusehen sind. Natürlich ist diese pessimistische Prognose für die Beschäftigungssituation nicht nur auf den technischen Fortschritt zurückzuführen, aber *auch*, neben weiteren Faktoren, wie insbesondere dem abrupten Anstieg der Arbeitslosigkeit aufgrund der Wiedervereinigung sowie der durch die Öffnung der Ostgrenzen bedingten Einwanderungswelle aus osteuropäischen Ländern, ferner der Veränderung der Altersschichtung der Bevölkerung (geburtenstarke/ -schwache Jahrgänge) und dem im Zuge der zunehmenden EU-Integration möglichen Zuzug von arbeitssuchenden Personen aus dem EU-Ausland.

Das Wachstumsargument wird auch in diesem Sinne ausgelegt, daß es ein wachsendes Inlandsprodukt leichter ermöglicht, die Arbeitsbedingungen (z. B. durch Verkürzung der Arbeitszeit) zu verbessern und erforderlichen Strukturwandel bzw. Umweltschutzmaßnahmen ohne Beschäftigungsverluste durchzuführen.

2.1.3. Wachstum und Kapitalbildung

Offensichtlich hängt wirtschaftliches Wachstum von Menge und Qualität der verfügbaren **Produktionsfaktoren** (menschliche) **Arbeit** (sog. **Humankapital**), **Boden** (Natur) und (Sach-)**Kapital** sowie von den (wirtschafts-)politischen und sozialen Rahmenbedingungen ab. Arbeit und Natur sind «originäre» Produktionsfaktoren, während Kapital aus ihnen abgeleitet (= hergestellt) werden muß («**derivativer**» Produktionsfaktor). Die menschliche Arbeit bricht beispielsweise von einem Baum (Natur) einen Ast ab, um diesen als Werkzeug (Kapital) zu verwenden. **Kapitalbildung** setzt dabei Sparen, oder anders ausgedrückt: **Konsumverzicht**, voraus. Die zur Kapitalbildung eingesetzten (investierten) Produktionsfaktoren bzw. Güter können nicht für Konsumzwecke verwendet werden, wobei u.a. auch der Konsum von «Freizeit» eingeschlossen ist.

Gesamtwirtschaftlich kann Sparen und Kapitalbildung (**Investition**) durchaus von verschiedenen Personen geleistet werden, woraus sich dann entsprechende Kreditbeziehungen ableiten. Eine Volkswirtschaft, in der nicht (oder nur ungenügend) gespart werden kann, kann auch kein (oder nur ungenügend) Sachkapital bilden. Hierauf stützt sich auch die Entwicklungspolitik (vgl. Kap. 14). Ein oft zitiertes chinesisches Sprichwort sagt sinngemäß: «Gibst Du einem Menschen einen Fisch, ernährst Du ihn für einen Tag. Lehrst Du ihn, ein Netz zu knüpfen (Kapitalbildung), ernährt er sich ein Leben lang.»

Dieses anschauliche Beispiel macht noch einen weiteren wichtigen Gesichtspunkt deutlich: Ein Netz zur Verfügung zu stellen oder das Netzeknüpfen allein reicht nicht aus: Auch das Wissen um den richtigen Einsatz der Produktionsfaktoren ist erforderlich. Es gibt dementsprechend Überlegungen, den **technischen Fortschritt** als einen vierten Produktionsfaktor anzusehen. Es ist hier müßig, darüber zu streiten, ob dieser ein eigenständiger Produktionsfaktor oder immanenter Bestandteil der anderen ist. Die Bedeutung des technischen Fortschritts bzw. Wissens (know how) für die effiziente **Kombination** von Produktionsfaktoren dürfte auch so einleuchten.

Wachstumsfördernde Wirtschaftspolitik muß also darauf abstellen, Menge und Qualität der Produktionsfaktoren bzw. die Kombination der Faktoren im Produktionsprozeß zu verbessern. **Wachstumspolitik** umfaßt daher ein weites Spektrum, das u. a. von Investitions-, Arbeitsmarkt- oder Wettbewerbspolitik bis zu Struktur-, Bildungs- und Forschungspolitik reicht.

Im internationalen Vergleich stellten die USA 1996 fast 34% aller Patentanmeldungen und Deutschland 17,2%. Seit Beginn der neunziger Jahre stellen die USA, Japan und Deutschland zusammen über 70% der Patentanmeldungen (vgl. Abb. 2.1.2/2).

In diesem Zusammenhang stellt sich die Frage, ob das Sozialprodukt – unabhängig von anderen, hier nicht zu behandelnden Einwänden gegen seine Verwendung als Indikator für Lebensstandard – überhaupt als Wachstumsindikator geeignet ist. Wie das vorangehende

Abb. 2.1.2/2: Patentanmeldungen internationaler Anteile an den Patentanmeldungen insgesamt in %

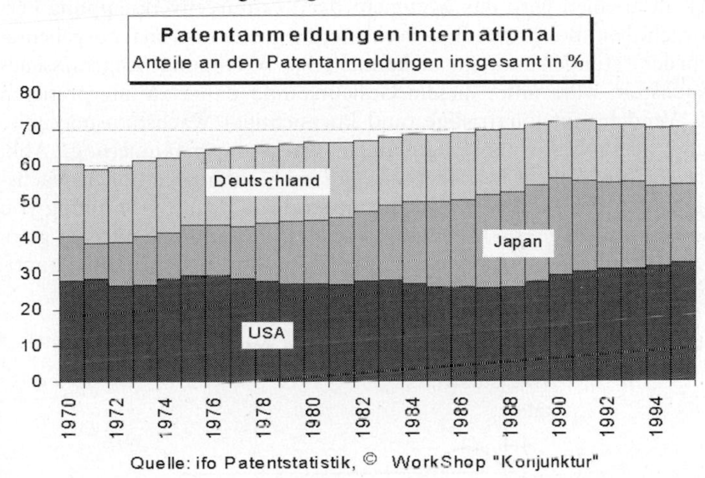

Argument verdeutlicht, kann das Sozialprodukt wachsen, während gleichzeitig der zu seiner Produktion erforderliche Arbeitseinsatz sinkt. Dies könnte eine Erhöhung der Freizeit bedeuten, jedoch werden die einzelnen Wirtschaftssektoren unterschiedlich betroffen, so daß Produktionswachstum mit sektoralem Anstieg der Arbeitslosigkeit einhergehen kann. Es wäre zu überlegen, ob man nicht nur dann von Wachstum sprechen sollte, wenn das Beschäftigungsniveau nicht sinkt bzw. sich ein arbeitssparender Effekt gleichmäßig verteilt. Ein anderer, damit zusammenhängender Einwand gegen das Sozialprodukt als Wachstumsindikator ergibt sich daraus, daß bei unausgelasteten Produktionskapazitäten sich die Auslastung des **Produktionspotentials** (vgl. Abschn. 3.1) und damit zwar das Sozialprodukt erhöhen kann, ohne daß jedoch das Produktionspotential selbst wächst. In Abschn. 2.1.1 sind wir bereits darauf eingegangen.

2.2. Angemessenes Wachstum

Wenn schon Wachstum, warum dann nicht maximales, sondern nur angemessenes Wachstum? Die Begründung für den einschränkenden Zusatz im Stabilitätsgesetz läuft auf verschiedene Aspekte hinaus.

2.2.1. Argumente gegen Wachstum

(1) Zum einen wird das Argument der **Ressourcenverknappung** hervorgehoben. Bestimmte Bodenschätze, die heute maximal ausgebeutet würden, stünden morgen nicht mehr zur Verfügung. Angemessenes Wachstum wäre unter diesem Gesichtspunkt daher zu interpretieren als Verzicht auf kurzfristige (und kurzsichtige) Wachstumsmaximierung zugunsten einer langfristigen Wachstumsmaximierung. Abb. 2.2.1/1 verdeutlicht hypothetisch, daß nach anfänglich hohen Wachstumsraten bei maximaler Wachstumsstrategie nach Erschöpfung von Ressourcen eine Abschwächung eintreten kann, die langfristig gesehen zu geringerem aggregierten Wachstum führen mag als eine kontinuierliche, wenn auch anfangs geringere Wachstumsrate.

Abb. 2.2.1/1: Maximales und angemessenes Wachstum

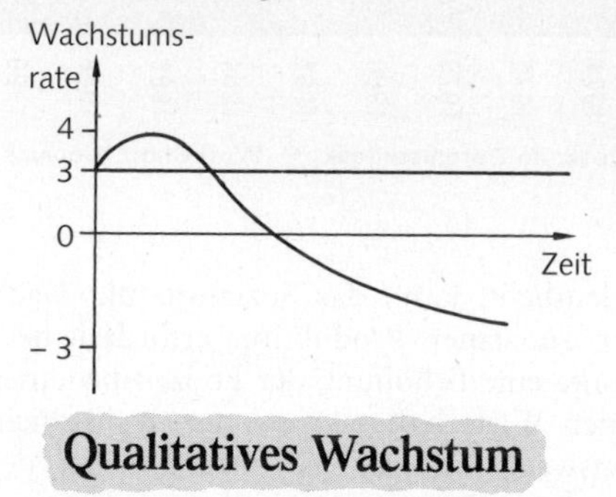

Qualitatives Wachstum

Der Vergleich mit einem Langstreckenläufer bietet sich an, der anfangs hinter einem Kurzstreckenläufer herlaufen, jedoch den bald erschöpften Schnelläufer einholen und überholen wird. «Angemessenes» Wachstum ist daher als **nachhaltiges Wachstum** zu verstehen, ein Begriff, der aus der Umweltdiskussion hervorgegangen ist (Kap. 7; vgl. auch weiter unten).

(2) Das zweite Argument gegen – maximales – Wachstum richtet sich darauf, daß forciertes Wachstum mit anderen Zielsetzungen kollidieren und negative Effekte auslösen kann, die zu einer **Veränderung der Lebensqualität** führen. Dies gilt u. a. für die Überforderung der Leistungsfähigkeit einer Volkswirtschaft, was sich als Inflation auswirken kann (vgl. Kap. 4). Da Wachstum sich über Investitionen realisiert, Investitionen aber – aufgrund des technischen Fortschritts – heutzutage tendenziell auch rationalisierend wirken, besteht die Gefahr von Beschäftigungseinbußen («jobless growth»; vgl. unten

u.a. Abschn. 2.4.3, 3.6 und 3.7). Folglich kann Wachstum einhergehen mit zunehmender Verschlechterung der Einkommens- und Vermögensverteilung, und zwar in nationaler (Kap. 6) wie internationaler Hinsicht (Kap. 14). Schließlich kann forciertes Wachstum zu Lasten der Umwelt gehen, entweder im Sinne der unter (1) angesprochenen Ressourcenvernichtung oder im Sinne von Emissions- und Immissionsschäden (vgl. Kap. 7).

(3) Eine Abkehr von der Erwartung eines anhaltenden Wirtschaftswachstums kann sich auch aus einer eher mathematischen Überlegung ableiten: Wenn das Bruttoinlandsprodukt (real) um jährlich 2% steigt, dann wird es sich innerhalb einer Generation, also in einem Zeitraum von rd. 35 Jahren, *verdoppeln.* Anders ausgedrückt: Es würden dann doppelt soviele Güter zur Verfügung stehen wie heute. Dies legt die Frage nach dem Sinn, nach der Notwendigkeit des Wirtschaftswachstums deutlich nahe.

2.2.2. Qualitatives Wachstum

Mit quantitativem Wachstum des Inlandsprodukts sollen Ziele verfolgt werden wie Einkommenserhöhungen zur Steigerung der Konsummöglichkeiten, Schaffung von Arbeitsplätzen, Verbesserung der Verteilung, Reduzierung der Umweltbelastungen etc. Ökonomisches Wachstum ist sicherlich Voraussetzung für viele Arten von Entwicklungen. Es ist jedoch ebenso häufig nur eine notwendige, nicht aber hinreichende Bedingung, um akzeptable Effekte zu bewirken.

Die Auswirkungen des ökonomischen Wachstums sind sehr unterschiedlich: Wachstum erfordert Investitionen, die auf der einen Seite Beschäftigung schaffen können, auf der anderen Seite Arbeitsplätze ‹wegrationalisieren›; Wachstum beansprucht Umweltressourcen und belastet die Umwelt durch Emissionen. Parallel dazu nimmt die Armut in Entwickungsländern zu, vergrößert sich die Kluft zwischen Arm und Reich, nehmen die internationalen Wanderungen zu und erhöhen die Belastungen in den Einwanderungsländern, verschlechtern sich die sozialen Sicherungssysteme in den Industrieländern, nimmt die Arbeitslosigkeit insgesamt und die Jugend- und Langzeitarbeitslosigkeit im besonderen zu, verschärfen sich soziale und politische Spannungen sowohl in den einzelnen Ländern als auch zwischen den Staaten in der Welt bis hin zu immer mehr und immer intensiveren gewalttätigen Auseinandersetzungen.

Wachstumskritiker fordern daher eine Abkehr vom **quantitativen** Wachstum und eine verstärkte Hinwendung zum **qualitativen Wachstum.** Statt vermehrter (Sach-) Güterproduktion ist danach die Zusammensetzung des Inlandsprodukts zu verbessern. Bei erreichtem hohen Lebensstandard rückt dann eher der Ersatz von Gütern als die Vergrößerung der Gütermenge in den Vordergrund («**Null-Wachstum**»). Erfolge in dieser Hinsicht lassen sich u.a. daraus ableiten, daß das Inlandsprodukt einen wachsenden Anteil von Dienstleistungen umfaßt (gegenwärtig rd. 55%), daß bei steigender Sachgüterproduktion der Energieverbrauch pro Einheit gesunken ist, daß die Umweltbelastung in einigen Bereichen abnimmt oder wenigstens nicht zunimmt, daß Rohstoffe durch **Recycling** wiederverwendet werden, daß die beruflichen Arbeitsbedingungen verbessert werden oder daß allgemein die Güterqualität gestiegen ist.

Qualitatives Wachstum muß den Aspekt der ‹**nachhaltigen Entwicklung**› berücksichtigen. Dieser Begriff aus der Umweltdiskussion stellt darauf ab, daß sich selbst erhaltende Prozesse in Gang gesetzt werden. Nachhaltige Nutzung eines Waldes bedeutet beispielsweise, daß nicht mehr Bäume im Zeitablauf gefällt werden, als gleichzeitig nachwachsen können. Das ökonomische Wachstumskriterium Bruttoinlandsprodukt muß folglich durch andere Aspekte ergänzt werden: Ökologische, soziale, politische, kulturelle und andere Aspekte spielen eine Rolle.

Offensichtlich ist das Inlandsprodukt kein geeigneter Maßstab, um diese qualitativen Aspekte des Wirtschaftswachstums, die eher mit dem – allerdings nur schwer zu definierenden – Begriff **Lebensqualität** verknüpft sind, entsprechend widerzuspiegeln. Viele produktive (positive) Aktivitäten werden im Inlandsprodukt nicht erfaßt (Hausarbeit, Gartenpflege etc.), andere (negative) werden entweder als wertsteigernd gewertet (Krankheitskosten, Reparatur von Unfallschäden, Behebung von Umweltschäden), obgleich sie allenfalls werterhaltend sind, oder bleiben unberücksichtigt, obgleich sie sich negativ auswirken (sog. externe Kosten, die zu Lasten Dritter gehen). Es gibt daher eine Vielzahl von Vorschlägen für die Ermittlung **sozialer Indikatoren**, welche die qualitative Dimension des Wachstums (besser) berücksichtigen. Auf diese eher technischen Aspekte soll jedoch nicht näher eingegangen werden.

2.2.3. Sektorales und regionales Wachstum

Unabhängig davon ist auch daran zu denken, daß wirtschaftliches Wachstum sowohl sektoral (branchenmäßig) als auch regional unterschiedlich möglich sein wird. Abb. 2.2.3/1 verdeutlicht die unterschiedlichen Wachstums- (und damit Beschäftigungs-)Chancen verschiedener Wirtschaftszweige, Abb. 2.2.3/2 gibt regionale Struk-

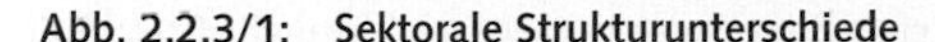

Abb. 2.2.3/1: Sektorale Strukturunterschiede

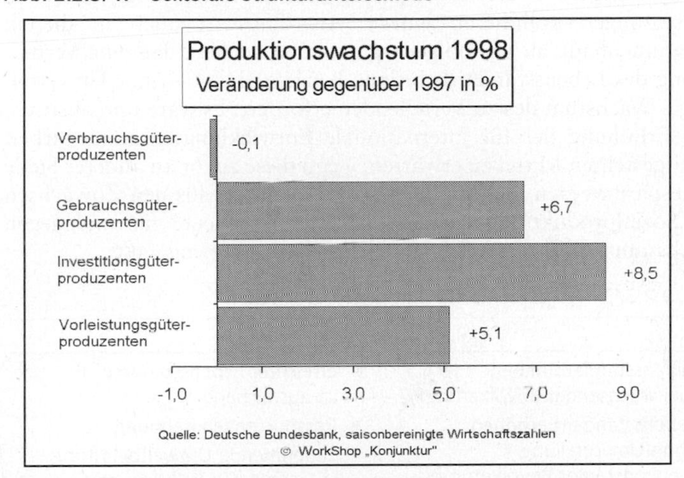

Abb. 2.2.3/2: Regionale Strukturunterschiede

turstärken und -schwächen wider. Wachstumsfördernde Maßnahmen sind daher auch solche im Rahmen der **Strukturpolitik**, die sektoralen und regionalen Strukturwandel unterstützen und Produktion und Beschäftigung in einzelnen Wirtschaftszweigen oder Regionen z. B. durch Finanzhilfen oder Steuervergünstigungen beeinflussen.

Wenn Wachstum nicht allen gleichmäßig zugute kommt, kann sich auch ein Konflikt mit dem Ziel der Verbesserung der Verteilung von Einkommen und Vermögen ergeben (vgl. Kap. 6). Dies gilt auch im internationalen Zusammenhang, da sich damit das internationale

Wohlstandsgefälle verschärfen kann, was mit entwicklungspolitischen Zielsetzungen kollidieren würde. Allerdings ist auch in diesem Zusammenhang an das obige Argument zu denken, daß eine Verbesserung des Lebensstandards bislang Benachteiligter – ohne Umverteilung – Wachstum des zu Verteilenden erfordert. Es wäre unrealistisch, eine Erhöhung der für internationale Entwicklungszusammenarbeit bereitgestellten Mittel zu erwarten, wenn diese zuvor an anderer Stelle eingespart werden müßten. Dies dürfte allenfalls aus den Zuwächsen des Sozialprodukts zu leisten sein. Die Argumente für und gegen Wachstum sind in Abb. 2.2.3/3 nochmals zusammengefaßt.

Abb. 2.2.3/3: Argumente für und gegen Wachstum

Dafür	Dagegen
• Lebensstandard halten (bei wachsender Bevölkerung)	• erreichter Lebensstandard ist ausreichend
• Lebensstandard erhöhen ohne Umverteilung (bei konstanter Bevölkerung)	• Ressourcenverknappung
• Beschäftigungssicherung bei arbeitssparendem technischen Fortschritt	• zunehmende Umweltbelastung
• Erleichterung von Strukturwandel	• Verschärfung des Nord-Süd-Gegensatzes
• Erleichterung von Umweltschutzmaßnahmen	• nicht quantitatives, sondern qualitatives Wachstum

2.3. Stetiges Wachstum

Bevor wir uns der Frage zuwenden, weshalb Wachstum stetig erfolgen sollte, d. h. welche Konsequenzen sich aus unstetigem Wachstum ergeben, muß zunächst die Unstetigkeit des Wachstums betrachtet werden.

2.3.1. Konjunkturschwankungen

2.3.1.1. Begriffe

Als **Konjunktur** bezeichnet man die Gesamtsituation einer Volkswirtschaft, die sich aus der gleichzeitigen Betrachtung (lat.: *conjungere* = zusammenfügen) verschiedener volkswirtschaftlicher Größen ableitet. Die Entwicklung der Konjunktur ist von wellenförmigen Schwankungen gekennzeichnet.

Diese Konjunkturschwankungen lassen sich auf verschiedene Weise erfassen. Zunächst einmal bedeuten Konjunkturschwankungen, daß das gegebene **Produktionspotential** einer Volkswirtschaft unterschiedlich stark ausgelastet wird; dies wird im Kapitel 3 noch näher betrachtet werden. Die Wachstumsrate des realen Bruttosozialprodukts (BSP) bzw. des realen Bruttoinlandsprodukts (BIP) unterliegt Schwankungen. Üblicherweise zieht man diese Größen zur Darstellung der Konjunkturbewegungen heran vgl. unten Abb. 2.3.1/2).

Abgesehen von den Jahren 1967, 1975, 1981/82 und 1993 ist das BIP in der Bundesrepublik in jedem Jahr gewachsen, wobei aber die «Geschwindigkeit» des Wachstums (die Wachstumsrate) unterschiedlich war. Lediglich in den genannten Jahren ist das BIP real tatsächlich kleiner geworden. Um bei der Geschwindigkeitsanalogie zu bleiben: Aus der Vorwärtsbewegung ist – nach Bremsen und Stillstand – eine Rückwärtsbewegung geworden. Daraus leiten sich auch die im Sprachgebrauch üblichen Begriffe des «**Nullwachstums**» bzw. des «**negativen Wachstums**» ab, womit eine absolute und nicht nur relative Verkleinerung des BIP bezeichnet wird.

2.3.1.2. Konjunkturzyklus

Wenn man die Wachstumsraten des realen BIP im Zeitablauf graphisch darstellt, so ergibt sich ein typischer «S»-förmiger Verlauf (Sinuskurve), den man in verschiedene Phasen unterteilt (Abb. 2.3.1/1). An einen Tiefststand (**Talsohle;** A) schließt sich der **Aufschwung** (bzw. Expansion oder Erholung) an (bis etwa B). In B beginnt die **Hochkonjunktur** (bzw. **Boom** oder Anspannung), die nicht exakt als Punkt, sondern allenfalls als Bereich bestimmt werden kann. Die Hochkonjunktur geht über die **Krise**[1] (C), und der Aufschwung kippt um in einen **Abschwung** (**Rezession**, Entspannung, Abschwächung, Kontraktion). Dieser setzt sich fort bis zu einem neuen Tiefststand (A), wonach sich der Phasenablauf wiederholt. Das Durchlaufen aller Phasen bezeichnet man als **Konjunkturzyklus.**

Der Begriff «Rezession» wird in der Literatur allerdings unterschiedlich verwendet. Nach unserem Verständnis bezieht sich Rezession (von lat.: *recedere* = zurückgehen oder zurückführen) auf eine Verringerung des betrachteten Wachstums*indikators,* also z.B. der Wachstumsrate des realen BIP (andere Interpretationen beziehen sich auf die Auslastung des Produktionspotentials). Sinkt diese unter die Vorjahreswerte ab, so wächst das Inlandsprodukt zwar noch absolut, aber langsamer bzw. weniger als vorher. In Analogie von «Wachstum»

---

[1] Im Sprachgebrauch wird als ‹Krise› auch die Talsohle im Sinne von ‹Wirtschaftskrise› bezeichnet.

Abb. 2.3.1/1: Schematischer Konjunkturzyklus

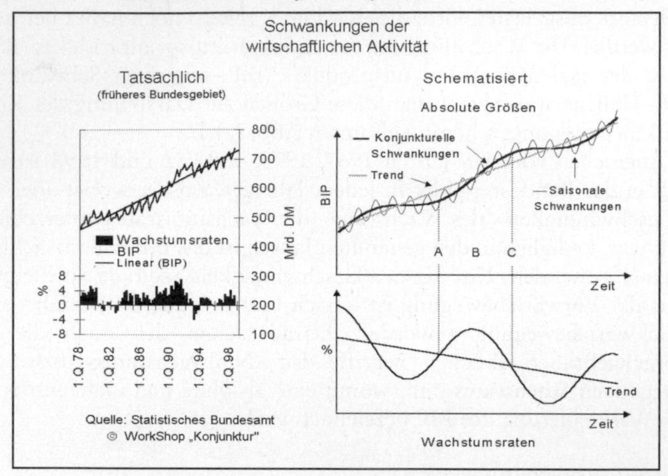

zu «Geschwindigkeit» eines Autos bedeutet Rezession ‹Bremsen›, also eine Verringerung der Geschwindigkeit, wobei das Auto aber noch vorwärts fährt. Eine Rezession ist also eine Verringerung der Wachstumsrate des Inlandsprodukts, was ein absolutes (aber geringeres) Wachstum des Inlandsprodukts nicht ausschließt. Wenn man das BIP als Kurve wie in Abb. 2.3.1/1 oder -/2 darstellt, bedeutet Rezession formal, daß die Wachstumsrate als Steigung der Tangente an die Kurve (1. Ableitung der Kurve des BIP) abnimmt.

Andere Ökonomen vertreten die Auffassung, daß der Begriff Rezession im Gegensatz zu einem bloßen Abschwung mit sinkenden positiven Wachstumsraten einen *absoluten* Rückgang des BIP, also *negative* Wachstumsraten voraussetzt (das Auto fährt rückwärts). Diese Interpretation ist zwar verständlich, vor allem aus Politikermund, weil dann von 1983–93 ein anhaltender Aufschwung vorgelegen hätte, ist aber sachlich falsch (Abb. 2.3.1/2): Ich bin vielmehr der Meinung, daß *jeder* Rückgang der Wachstumsraten des BIP (jede Verringerung der Vorwärtsbewegung), egal ob mit positiven oder negativen Werten, eine Rezession – nur mit unterschiedlicher Schärfe – darstellt. «Aufschwung» impliziert somit «Wachstum», doch kann umgekehrt Wirtschaftswachstum auch in Abschwungphasen vorliegen und ist nicht synonym mit Aufschwung. Andernfalls hätte es bis 1975 praktisch keine Rezession (Abschwünge) gegeben, die Rezession nach 1960–64 war jedoch Anlaß für die Verabschiedung des **Stabilitätsgesetzes.** Abb. 2.3.1/3 macht deutlich, daß es seit dem 2. Weltkrieg zweifelsfrei diverse Konjunkturabschwünge (= Rezessionen) gegeben hat. Die in Abb. 2.3.1/3 ausgewiesene «Rezession» 1964–67 war also genau genommen bereits die 4. Rezession. Eine positive Wachstumsrate ist folglich *nicht* zwangsläufig gleichbedeutend mit Aufschwung; hierfür sind ‹zunehmende› Wachstumsraten erforderlich.

Eine Abgrenzung zwischen **Rezession** und dem gleichfalls oft synonym verwendeten Begriff **Depression** ist schwierig. Unter Rezession sollte also eine relativ kurzfristige, vorübergehende Abschwächung der Wirtschaftstätigkeit verstanden werden, die sich in einer Verringerung grundsätzlich positiver Wachstumsraten ausdrückt und nur in Einzelfällen negative Wachstumsraten aufweist. Rezession ist folglich nur ein Fremdwort für Abschwung; die Begriffe sind synonym.

Depression kommt vom lateinischen *deprimere* = zusammendrücken. Vordergründig und **sprachlich vertretbar** könnte damit also eine Verringerung des absoluten BIP, also eine **negative Wachstumsrate des BIP** gemeint sein. Dann bestünde de facto kein Unterschied zwischen Depression und der obigen (falschen) Interpretation von Rezession im Sinne negativer Wachstumsraten. Noch rigoroser wäre die Interpretation, daß bereits jedes Sinken der Wachstumsrate eine Depression sei. Rezession und Depression sollten jedoch, obgleich semantisch vielleicht vertretbar, nicht synonym verwendet werden,

Abb. 2.3.1/2: «Abschwung» oder «Rezession»?

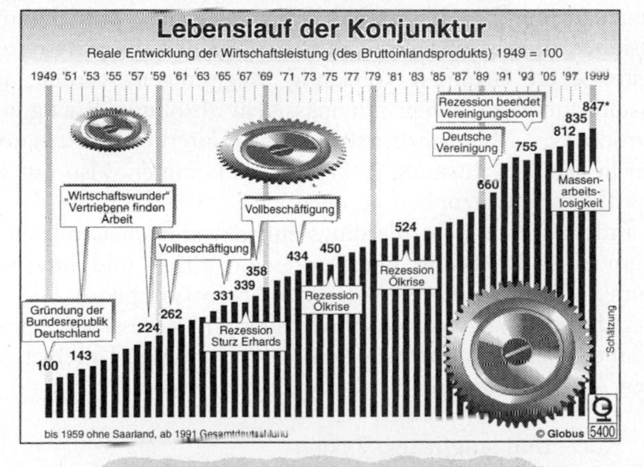

Von der Rezession in die Depression

Abb. 2.3.1/3: Nachkriegs-Rezessionen

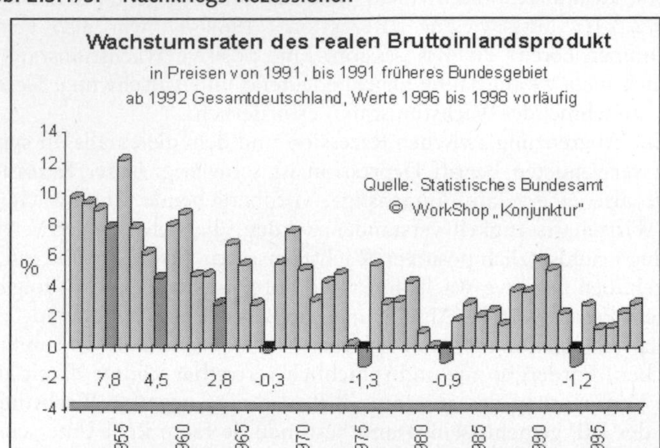

unbeschadet der Tatsache, daß der sprachliche Tatbestand von *deprimere* bereits bei sinkendem BIP oder gar sinkender Wachstumsrate erfüllt ist.

Der Begriff Depression ist – historisch – mit Situationen wie der Weltwirtschaftskrise ab 1929 belegt. Bei den Rezessionen = Abschwüngen in der Bundesrepublik kann man aber wohl kaum von Depressionen in diesem Sinne sprechen. Mit dem Begriff sollte also aus historischen Gründen vorsichtig umgegangen werden, indem Depression auf Rezessionen mit massivem absoluten Rückgang des Sozialprodukts, Massenarbeitslosigkeit, Unternehmenszusammenbrüchen in großem Ausmaß, sinkenden Einkommen, also auf volkswirtschaftliche Katastrophen bezogen wird.

Eine andere Version, die allerdings nur schwer nachzuvollziehen ist, setzt zum einen Rezession mit Depression gleich und interpretiert diese zum anderen als ‹unteren› Teil der Abschwungphase. Die definitorische Abgrenzung zwischen Abschwung und Rezession/Depression bleibt dabei allerdings ebenso offen wie die analoge Unterscheidung zwischen Aufschwung und Hochkonjunktur (Boom).

2.3.1.3. Kurz- und langfristige Zyklen

Die konkreten Zahlen für die Bundesrepublik verdeutlichen, daß die Wachstumswellen auszulaufen scheinen. Wenn man den **Trend**, d. h. in etwa: den graphischen Durchschnitt der Konjunkturwellen darstellt, so ist dieser leicht abwärts geneigt. Hierfür gibt es eine Reihe von Erklärungen. Die Konjunkturwellen schwingen dabei sinusförmig um den Trend. Andererseits sind auch die Konjunkturwellen bereits Durchschnittswerte, denn die konjunkturellen Schwankungen des BIP werden ihrerseits überlagert von **saisonalen** sowie **zufälligen Schwankungen**, unabhängig von der Konjunkturentwicklung (Abb. 2.3.1/4 und oben 2.3.1/1). Mit Hilfe statistischer Verfahren können die vielen Einzeldaten zusammengefaßt und «geglättet» werden, bis sich Saisonschwankungen auf die Konjunkturschwankungen und diese wiederum auf den zugrundeliegenden Trend zurückführen lassen.

Das Phänomen der Konjunkturschwankungen ist uralt; bereits die Bibel spricht von 7 mageren und 7 fetten Jahren. Allerdings hat sich die Dauer der Konjunkturzyklen entscheidend verkürzt. In der Nachkriegszeit liegt diese in der Bundesrepublik bei etwa 4–5 Jahren, während man früher eher von einem 7- bzw. 11-Jahres-Rhythmus ausging (nach ihren Entdeckern **Kitchin**- bzw. **Juglar-Zyklen** genannt).

Nun läßt sich argumentieren, daß auch der Trend Teil einer sehr langfristigen Wachstumswelle ist. Wenn man den Betrachtungszeitraum stark ausdehnt, läßt sich zeigen (Abb. 2.3.1/5), daß sich Konjunkturschwankungen mit einer Frequenz von rund 50 Jahren ergeben (**Kondratieff-Zyklen**). Eine von mehreren dieser «Theorien der langen Wellen» erklärt dies mit dem Zustandekommen bahnbrechender Erfindungen: Der Aufschwung der Weltkonjunktur um 1800 wäre danach auf die Einführung von Dampfmaschinen, auf die Technisierung des Bergbaus und der Textilindustrie zurückzuführen. Der folgende Aufschwung um 1850 geht einher mit technologischen Entwicklungen in der Kommunikation (Eisenbahn, Telegraphie, Fotogra-

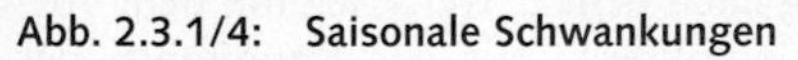
Abb. 2.3.1/4: Saisonale Schwankungen

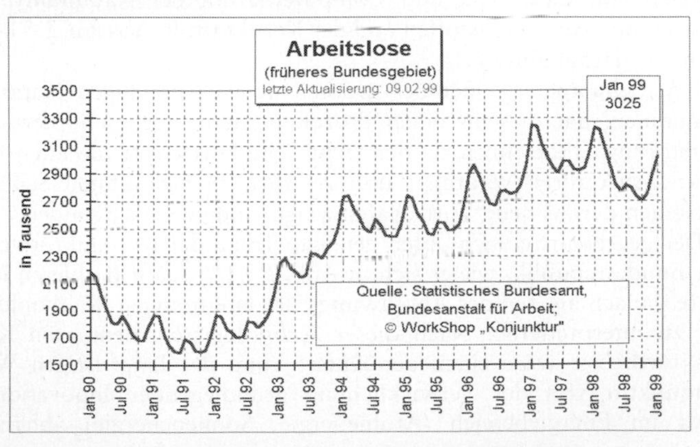

Abb. 2.3.1/5: Lange Wellen der Weltkonjunktur

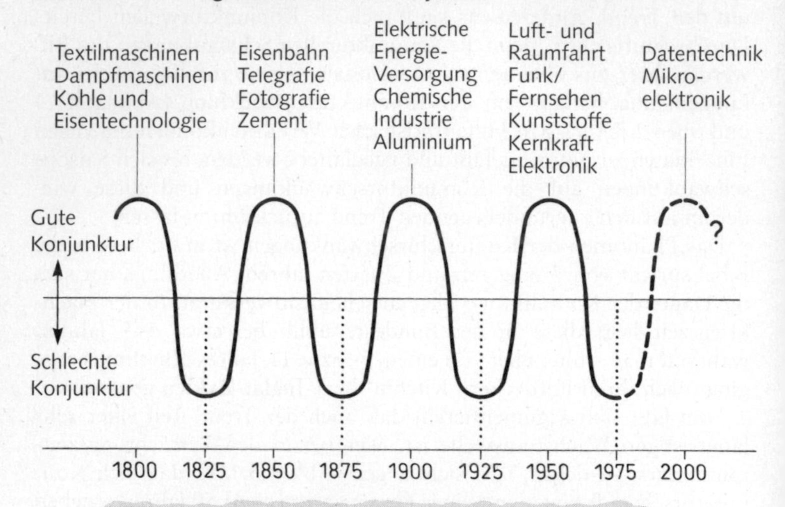

Der fünfte Kondratieff

Welthandel steht nach Phase der Konsolidierung vor neuem Boom

Quelle: Siemens AG (modifiziert nach iwd 17. 1991: 10)

phie), der Aufschwung um 1900 mit der Elektrifizierung und dem Ottomotor und der Aufschwung nach dem 2. Weltkrieg mit dem Vordringen von Elektronik und Computern, mit der Raumfahrt, der Enwicklung von Kunststoffen und der Kernkraft. In Abschn. 2.5 kommen wir darauf zurück.

J. A. **Schumpeter**, einer der größten deutschsprachigen Nationalökonomen, hat dies als einen Prozeß permanenter «schöpferischer Zerstörung» bezeichnet, da der technische Fortschritt die alten Produktionsverfahren verdrängt und zerstört. In bestimmten Schüben entstehen daraus neue Wirtschaftszweige, andere verschwinden.

Der gegenwärtig nach unten geneigte Trend der Konjunkturwellen der Bundesrepublik, wie er sich in Abb. 2.3.1/3 deutlich ablesen läßt, wäre danach als Teil des Abschwungs der langfristigen Weltkonjunktur zu interpretieren. Nach dieser *technologisch* orientierten Konjunkturtheorie wäre ein neuer Aufschwung der langfristigen Weltkonjunktur von der Verwirklichung grundlegender Innovationen, etwa im Energiebereich (Atomenergie, Sonnenenergie) abhängig.

Andere Theorien erklären umfassende weltwirtschaftliche Konjunkturschwankungen historisch mit größeren *kriegerischen* Auseinandersetzungen, was sich sowohl auf die Rüstungsproduktion als auch auf die Beseitigung von Kriegsfolgen bezieht und im Hinblick auf die Aufschwünge Anfang des 20. Jahrhunderts und nach dem Zweiten Weltkrieg nicht unrealistisch ist. Die sich aus dieser (Kriegs-)Theorie ergebenden Implikationen hinsichtlich der Voraussetzungen für einen neuen Weltaufschwung sind allerdings offensichtlich wenig attraktiv.

Die u.a. von Walt **Rostow** und Joseph **Schumpeter** angenommene Innovationskraft, die von bahnbrechenden Erfindungen ausgeht, wird allerdings von dem amerikanischen Wirtschafts-Nobelpreisträger 1993 Robert **Fogel** angezweifelt: Seiner Meinung nach hängt der technische Fortschritt und damit die technologische Schubkraft von einer *Vielzahl* von Einzelerfindungen ab. Er belegt dies mit einer Untersuchung des Eisenbahnbaus in den Vereinigten Staaten, der für sich kein Wachstumsmotor gewesen sei. Auch sein Mit-Nobelpreisträger Douglass **North** steht im Widerspruch zu den gängigen Wachstumstheorien, indem seiner Meinung nach weniger technische Neuerungen als organisatorische Veränderungen sowie die Rahmenbedingungen der Eigentumsrechte Wirtschaftsschübe auslösen. Der (historische) industrielle Aufschwung Westeuropas sei insbesondere auf die damals bereits garantierten privaten Eigentumsrechte zurückzuführen: unsichere institutionelle und organisatorische Rahmenbedingungen (z.B. in Entwicklungsländern) seien wachstumshemmend.

Im Hinblick auf den abwärts geneigten Trend der Wachstumsraten des Inlandsprodukts ist auch ein eher *mathematischer* Aspekt zu berücksichtigen. Je größer das Inlandsprodukt wird, desto schwieriger wird es, dieselben Wachstumsraten beizubehalten wie bei kleineren Basiswerten, d.h. für dasselbe relative Wachstum sind immer höhere absolute Zuwächse erforderlich. Dieser Zusammenhang erklärt andererseits auch die hohen Wachstumsraten mancher Länder, bei denen eine – im Vergleich z.B. zur Bundesrepublik – absolut gleiche Zunahme des Inlandsprodukts wegen der kleineren Bezugsgröße zu hohen Wachstumsraten führt (vgl. Abb. 2.3.1/6).

2.3.1.4. Konjunkturzyklen in Deutschland

Kein Konjunkturzyklus gleicht dem anderen. Obgleich es daher problematisch ist, «typische» Begleiterscheinungen der Konjunkturzyklen zu benennen, lassen sich doch einige Erscheinungen über die Jahre hinweg verallgemeinern:

Im Aufschwung steigen Nachfrage und Produktion; die Auslastung

Abb. 2.3.1/6: Relatives Wachstum

1 % Wirtschaftswachstum …	… bedeutet für die Gesamtwirtschaft	… bedeutet für jeden Einwohner
	Mrd. DM	DM
1960	10,0	180
1980	20,2	328
1997	31,0	378

(in Preisen von 1991; Quelle: Sachverständigenrat Jahresgutachten 1998/99, eigene Berechnungen)

Wirtschaftswachstum 1987–1997

Veränderung des realen BSP/Kopf in %

Gewinner		Verlierer	
China	8,6	Armenien	–12,9
Kirgistan	8,3	Moldavien	–12,6
Thailand	7,2	Kongo dem. Rep.	–9,9
Guyana	7,3	Ukraine	–9,6
Äquatorial Guinea	7,1	Angola	–8,2

Quelle: Weltbank, WorkShop «Konjunktur»

Die erfolgreichsten Volkswirtschaften der Welt

Anstieg der realen Wirtschaftsleistung 1985–92 in %
(nur Länder mit mehr als 1 Million Einwohnern)

China	102	Chile	61
Südkorea	98	Pakistan	59
Thailand	93	Bhutan	58
Taiwan	82	Indonesien	57
Botswana	74		
Mauritius	70	*zum Vergleich*	
Malaysia	63	Deutschland	25
Singapur	62	(alte Länder)	

des Produktionspotentials nimmt bei Abbau der Arbeitslosenzahlen und Zunahme der offenen Stellen zu. In der Hochkonjunktur ist das Produktionspotential voll ausgelastet. Arbeitskräfte werden knapp. Eine weitere Zunahme der Nachfrage birgt die Gefahr zunehmender Inflation in sich. Am Geld- und Kapitalmarkt steigen die Zinsen.

Im Abschwung gehen Produktion und Nachfrage zurück; die Kapazitäten sind unterausgelastet; es kommt zu Kurzarbeit und Entlassungen; der Lohn-, Preis- und Zinsauftrieb schwächt sich ab.

Bevor wir auf verschiedene Theorien eingehen, welche die Konjunkturschwankungen zu erklären versuchen, soll die konjunkturelle Entwicklung der Bundesrepublik seit dem Zweiten Weltkrieg kurz skizziert werden. Obgleich hier keine umfassende analytische Betrachtung angebracht ist, soll die verdichtete Präsentation dazu beitragen, einige wichtige Ereignisse der Vergangenheit in einen Zusammenhang zu bringen und bereits an dieser Stelle einige zentrale Probleme schlaglichtartig zu beleuchten, die in den späteren Kapiteln ausführlich behandelt werden. Abb. 2.3.1/3 u. 4 (oben) enthalten einige zusammenfassende Daten hierzu.

- Der erste Konjunkturzyklus nach dem Zweiten Weltkrieg umfaßt den Zeitraum von 1948 bis 1954, also die Zeit unmittelbar nach der **Währungsreform.** In diese Periode fällt auch der **Korea-Krieg** (Beginn 1950), der vor allem auf den Rohstoffmärkten, aber auch allgemein für einen starken Preisauftrieb sorgte. Entsprechende restriktive Maßnahmen der Bundesbank leiteten den Abschwung bis 1954 ein, dessen relative Talsohle immerhin noch eine Wachstumsrate des realen Bruttoinlandsprodukts von +7,8% gegenüber dem Vorjahr verzeichnete!
- Der zweite Konjunkturzyklus wurde eingeleitet mit einer kräftigen Zunahme der Konsumgüternachfrage, die zu umfassenden Neuinvestitionen führte. In dieser Zeit konnte bei relativ stabilem Preisniveau die bis dahin hohe Arbeitslosigkeit drastisch reduziert werden.
- Der dritte Konjunkturzyklus ab 1958 war gekennzeichnet durch sehr hohe Leistungsbilanzüberschüsse und Nettokapitalimporte aufgrund des hohen deutschen Zinsniveaus. Daher mußte 1961 die DM aufgewertet werden. In diese Periode fällt die Gründung der **Europäischen Wirtschaftsgemeinschaft** sowie die Einführung der freien Eintauschbarkeit (**Konvertibilität**) der DM. Die konjunkturelle Entwicklung wurde vom Arbeitskräftemangel begrenzt. Die daraus folgende Macht der Gewerkschaften schlug sich in relativ hohen Lohnsteigerungen nieder, die allerdings in den Preisen überwälzt werden konnten.
- Der vierte Aufschwung ab 1963 wurde wiederum von der Auslandsnachfrage getragen. Im Wahljahr 1965 nahm auch die Inlandsnachfrage deutlich zu (Wahlgeschenke), so daß die Bundesbank entsprechend gegensteuerte. Die folgende Rezession war die bis dahin stärkste nach dem Zweiten Weltkrieg mit einem absoluten Rückgang des realen Bruttoinlandsprodukts. Die zunehmende Inflation ab 1965 war teils importiert (so wie in den Vorperioden; vgl. zum Inflationsimport Abschn. 4.3), teils aber durch überzogene öffentliche Haushalte hausgemacht. Ende 1966 wurde die Regierung Erhard durch die Große Koalition abgelöst.

- Der fünfte Konjunkturzyklus wurde ab 1967 mit kräftigen staatlichen Konjunkturspritzen in Gang gesetzt, und zwar sowohl seitens der Finanz- als auch der Geldpolitik. 1967 wurde das «Gesetz zur Förderung der Stabilität und des Wachstums der Wirtschaft» verabschiedet sowie die **mittelfristige Finanzplanung** («Mifrifi») beschlossen. Die binnenwirtschaftliche Konjunkturanregung ging – aufgrund sich abschwächender Inflation – einher mit Zunahme der Exportnachfrage, so daß sich nachhaltige Exportüberschüsse einstellten. Eine erforderliche Aufwertung der DM wurde nicht durchgeführt: mit dem **Außenwirtschaftsgesetz** wurden exporterschwerende und importerleichternde Maßnahmen ergriffen, die wie eine Quasi-Aufwertung wirkten. Die Diskussion um Aufwertung oder nicht verschleppte sich bis in das Wahljahr 1969, wo sie zentrales Wahlkampfthema wurde. Nach der Wahl erfolgte sie schließlich, aber zu spät, um den Preisauftrieb nachhaltig beeinflussen zu können. 1970 schließlich wurden konjunkturdämpfende Maßnahmen ergriffen, u. a. ein Konjunkturzuschlag auf die Einkommens- und Körperschaftssteuer erhoben. Zu diesem Zeitpunkt brach 1971 die internationale **Währungskrise** offen aus. Der DM-Dollar-Wechselkurs wurde freigegeben (**Floating**); das Wechselkurssystem, das 1944 in **Bretton Woods** vereinbart worden war, hörte auf zu existieren.
- Der ab 1972 einsetzende sechste ‹Mini›-Aufschwung wurde durch die **Ölkrise** von 1973 abgewürgt. Die Rezession erreicht mit einem negativen Wachstum von –1,3% im Jahre 1975 einen Nachkriegs-Tiefststand. Die deutsche Wirtschaft erholte sich davon jedoch erstaunlich rasch.
- Ein siebenter Konjunkturzyklus begann ab 1976, bis wiederum die zweite Ölpreisexplosion 1979 die längste, wenn auch nicht absolut tiefste Rezession einleitete, deren Ende sich erst 1983 abzeichnete. Diese Rezession ging einher mit einer weltweiten Wirtschaftskrise. Die Arbeitslosenquoten erreichten international Nachkriegshöchststände. Eine Reihe von Ostblockstaaten und Entwicklungsländern («**Schwellenländer**») waren faktisch zahlungsunfähig, so daß die Krise auch eine bis heute nicht völlig bereinigte Finanzdimension erhielt: Der Bankrott zahlungsunfähiger Schuldner kann eine sich ausbreitende Bankrottwelle bei den Gläubigern auslösen. Finanzkrise und Konjunkturtief wurden verschärft durch ein ausgesprochen hohes Zinsniveau in den USA, das auch die Zinsen in den anderen Ländern mit nach oben zog.
- Der achte Konjunkturzyklus beginnt etwa 1982/83, mit der politischen ‹Wende› in der Bundesrepublik, die mit dem Regierungswechsel auch eine wirtschaftspolitische Umorientierung weg von einer eher

nachfrageorientierten und hin zu einer angebotsorientierten Wirtschaftspolitik bedeutete (vgl. auch Kap. 9). zu den Aufschwungbehindernden hohen Zinsen kam für die Rezession der Bundesrepublik hinzu, daß die Staatsverschuldung so bedrohliche Ausmaße erreicht hatte, daß nach dem Regierungswechsel 1982 eine nachhaltige Konsolidierung des Staatshaushalts u.a. mit einer Mehrwertsteuererhöhung und mit kräftigen Ausgabenverkürzungen angestrebt wurde. Das seit der ersten Ölkrise aufgetretene **Stagflations-Dilemma,** d.h. daß stagnierendes Wachstum mit Inflation zusammen auftritt (vgl. Abschn. 16.1), schien sich in der jüngsten Vergangenheit hinsichtlich der Inflationsentwicklung zu entschärfen, da die Inflationsrate – nicht nur in der Bundesrepublik, sondern in den meisten Industrieländern – nachhaltig gesunken war und 1986 in der Bundesrepublik mit einer Inflationsrate von –0,2% erstmalig in der Nachkriegsgeschichte Preisniveaustabilität im strengen Sinn bedeutete. Der mit der ‹Wende› beginnende Aufschwung dauerte bis 1984; danach sank die Wachstumsrate des BIP 1985–87 ab mit einem Zwischenhoch 1986 – und ging

• 1988 in den neunten, aber nur kurzen Aufschwung über. Die Abschwächung 1989 wurde dann

• 1990 als zehnten Aufschwung durch die Effekte der Wiedervereinigung aufgefangen. Aufgrund der massiven Anpassungslasten auch im westlichen Bundesgebiet, verstärkt durch eine weltwirtschaftliche Rezession, rutschte die deutsche Wirtschaft jedoch in ihre schwerste *Rezession* nach dem Zweiten Weltkrieg und verzeichnete 1993 sogar einen Rückgang des realen Bruttoinlandsprodukts, begleitet von einer kräftigen Nachfragesog-Inflation von 3–4% (Abb. 2.3.1/7).

• Dem Rückgang des BIP von –1,2% folgten neue Nachkriegsrekorde der Arbeitslosenzahlen, welche auch in den folgenden Jahren nicht wieder abgebaut werden konnten. Der folgende Aufschwung ist vor allem durch eine starke Exportnachfrage und steigenden Investitionen gekennzeichnet. Die Inlandsnachfrage wurde jedoch nicht

Abb. 2.3.1/7: Konjunkturschwäche oder Rezession?

Konjunktur

Experten erwarten schwächeres Wachstum

Der Aufschwung verliert an Kraft

Abb. 2.3.2/1: Internationaler Konjunkturzusammenhang

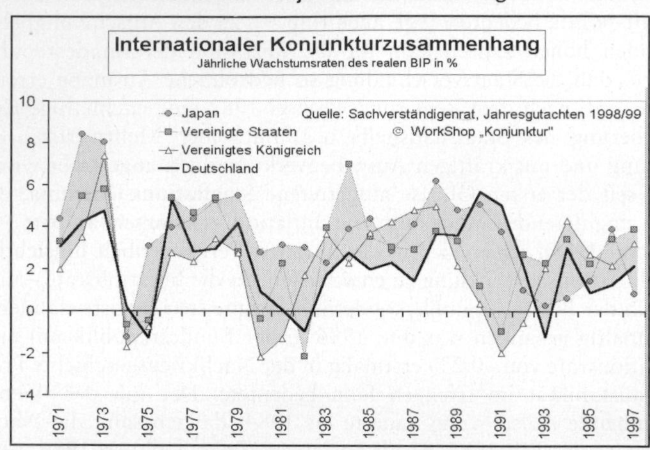

Quelle für Grundzahlen: Sachverständigenrat, Jahresgutachten 1998/99.

nachhaltig belebt. Nachdem die Asienkrise im Jahr 1997 die Exportkonjunktur dämpfte sind die Erwartungen für das Jahr 1999 nach unten revidiert worden. Nach starken 2,8% Wirtschaftswachstum im Jahr 1998 erwartete z. B. das DIW für 1999 ein schwaches Wachstum von 1,4%.

2.3.2. Konjunkturtheorien

Abb. 2.3.2/1 verdeutlicht, daß sich ein einzelnes Land kaum aus der internationalen Konjunkturlage abkoppeln kann: Ökonomisch miteinander verflochtene Länder weisen eine weitgehend parallele Entwicklung auf. Dies bedeutet, daß sich positive wie negative Impulse ausländischer Volkswirtschaften auf die inländische konjunkturelle Entwicklung auswirken können. Je stärker ein Land über den Außenhandel mit der Weltwirtschaft verflochten ist, desto spürbarer werden solche Effekte sein. Insbesondere sind dabei die ausländische Exportnachfrage und das ausländische Importpreisniveau ursächlich. Abb. 2.3.2/2 verdeutlicht die Exportabhängigkeit der deutschen Wirtschaft. Vgl. auch unten Abb. 2.3.2/5. Auf der anderen Seite werden inländische Arbeitsplätze durch Güterimporte aus dem Ausland bedroht, wenn sie billiger und/oder besser sind als das inländische Güterangebot und dieses verdrängen. In Kap. 13 werden diese Aspekte im Zusammenhang mit der Betrachtung entsprechender wirtschaftspolitischer Maßnahmen noch vertieft werden.

Abb. 2.3.2/2: Exportabhängigkeit der deutschen Industrie

Anteil der Auslandsumsätze am Gesamtumsatz ausgewählter Wirtschaftsabteilungen, Durchschnitt 1991–1998

Wirtschaftsabteilung	Exportquote	Wirtschaftsabteilung	Exportquote
Tabakverarbeitung (16.00)	8,9	Herstellung von Geräten der Elektrizitätserzeugung, -verteilung u.ä. (31)	30,0
Holzgewerbe (ohne Herstellung von Möbeln) (20)	9,5	Metallerzeugung und -bearbeitung (27)	32,4
Ernährungsgewerbe (15)	9,7	Rundfunk-, Fernseh- und Nachrichtentechnik (32)	
Herstellung von Metallerzeugnissen (28)	17,8	Medizin-, Meß-, Steuer- und Regelungstechnik, Optik (33)	37,0
Ledergewerbe (19)	22,5	Chemische Industrie (24)	41,8
Bekleidungsgewerbe (18)	23,0	Maschinenbau (29)	42,8
Herstellung von Gummi- und Kunststoffwaren (25)	23,7	Sonstiger Fahrzeugbau (35)	46,3
Textilgewerbe (17)	27,0	Herstellung von Kraftwagen und Kraftwagenteilen (34)	47,8 47,8
Papiergewerbe (21)	29,6		

Quelle: Statistisches Bundesamt, © WorkShop «Konjunktur»

Prognosen hinsichtlich der Entwicklung des Inlandsprodukts stützen sich auf eine Reihe von Verfahren, auf die hier im folgenden nicht näher eingegangen werden kann; in Kap. 15 finden sich einige Aspekte, die für Prognosen von Bedeutung sind.

2.3.2.1. Einteilung

Das Auf und Ab der Konjunktur mag gelegentlich willkürlich erscheinen (Abb. 2.3.2/3), doch unterliegt es offenbar nachvollziehbaren Einflüssen.

Wirtschaftspolitisch wäre es natürlich wünschenswert, wenn sich die Konjunkturentwicklung präziser vorhersagen bzw. das Wirtschaftswachstum verstetigen ließe, um die mit den Konjunkturschwankungen verbundenen, oben skizzierten möglichen negativen Effekte wie insbesondere Beschäftigungseinbußen im Abschwung und Preisauftrieb in der Hochkonjunktur auffangen oder vermeiden können. Dies würde voraussetzen, daß die Wirkungszusammenhänge, die den Konjunkturwellen zugrunde liegen, hinreichend bekannt wären.

Es gibt eine Vielzahl von Konjunkturtheorien, die das Auf und Ab

Abb. 2.3.2/3: Konjunkturschwankungen

Quelle: FAZ 6.10.98

der Wachstumsraten des Inlandsprodukts zu erklären versuchen. Um es vorweg zu nehmen: Keine kann für sich in Anspruch nehmen, allgemeingültige und bestätigte Aussagen zu treffen, sondern alle haben mehr oder weniger ausgeprägte Schwachstellen. Einige der wichtigsten Theorien seien kurz skizziert.

Zunächst ist zwischen **endogenen** und **exogenen** Konjunkturtheorien zu unterscheiden. Endogene Theorien erklären Konjunkturschwankungen durch ökonomische, exogene Theorien durch nichtökonomische Faktoren. Beispielsweise ist die sog. Sonnenfleckentheorie eine exogene Theorie. Sie stützt sich darauf, daß sich die Sonnenflecken, die mit bloßem Auge nicht zu erkennen sind, zyklisch in einem den Konjunkturschwankungen vergleichbaren Rhythmus verändern. Ob und inwieweit sich hieraus ein Einfluß auf das wirtschaftliche Geschehen ableiten läßt, kann hier nicht im einzelnen erörtert werden. Die Sonnenfleckentheorie ist historisch gesehen eine alte Theorie, so daß ein Zusammenhang zwischen Sonnenflecken und wirtschaftlicher Entwicklung in stark agrarisch geprägten Volkswirtschaften nicht völlig von der Hand zu weisen war. Andere exogene Theorien stützen sich auf Ereignisse wie Kriege, Naturkatastrophen, Klimaveränderungen, Bevölkerungswachstum etc.

Die endogenen Konjunkturtheorien wiederum unterteilen sich in **güterwirtschaftliche** Theorien einerseits und **monetäre** andererseits. Güterwirtschaftliche Theorien stellen ab auf reale Veränderungen von Angebot und Nachfrage, die monetären auf Veränderungen der Geldmenge, der Zinsen oder allgemein: der monetären Nachfrage. Viele güterwirtschaftliche Ansätze zur Konjunkturerklärung stützen sich dabei auf sog. Verstärker- und Beschleunigerwirkungen (**Multiplikator-** und **Akzeleratorwirkungen**), deren Grundprinzip kurz erläutert werden soll.

2.3.2.2. Multiplikator und Akzelerator

Eine grundsätzliche Gleichgewichtsbedingung für eine «problemlose» Wirtschaftsentwicklung ist, daß das **Güterangebot** der **Güternachfrage** entspricht.

Die Produktion des Inlandsprodukts verschafft den Besitzern der volkswirtschaftlichen Produktionsfaktoren Arbeit, (Sach-)Kapital und Boden (Natur), die bei der Produktion des Inlandsprodukts eingesetzt sind, Einkommen (daher sind Nettoinlandsprodukte zu Faktorkosten und Volkseinkommen wertmäßig identisch). Das (Volks-)Einkommen kann entweder konsumiert oder gespart werden. Gesparte, also nicht konsumierte Einkommensteile können aber nur nachfragewirksam werden, wenn sie investiert werden. Eine weitere Gleichgewichtsbedingung für eine «problemlose» Wirtschaft ist daher, daß **Investitionen** und **Sparen** wertmäßig gleich sind. Man kann dies auch so ausdrücken, daß die gesparten Einkommens- bzw. Sozialproduktsanteile angeboten und zu Investitionszwecken nachgefragt werden. Das Inlandsprodukt als Güterangebot (Y, von engl. *yield* = Ertrag, Ergebnis) muß daher der Summe aus Konsumgüternachfrage (C, von engl. *consumption*) und Investitionsgüternachfrage (I) entsprechen:

(1) $Y = C + I.$

Wenn man den Konsum als vom Einkommen abhängig betrachtet und eine **Konsumquote** (Anteil des Konsums am Einkommen) von weniger als 100% unterstellt, kann man vereinfacht schreiben

(2) $C = c \cdot Y$

wobei c die Konsumquote darstellt und kleiner als Eins ist. Beziehung (2) in (1) eingesetzt ergibt dann

(3) $Y = c \cdot Y + I$

und aufgelöst nach Y

(4) $Y(1 - c) = I$

oder

(5) $Y = \frac{1}{1-c} I.$

Wenn die Nachfrage nach Investitionsgütern um einen Wert ΔI erhöht wird,[2] verändert sich das Inlandsprodukt (Volkseinkommen) um ΔY, und Gleichung (5) wird zu

$$(6) \qquad Y + \Delta Y = \frac{1}{1-c} (I + \Delta I).$$

Der Veränderungseffekt läßt sich isoliert darstellen, indem Gleichung (5) von (6) subtrahiert wird, so daß übrig bleibt

$$(7) \qquad \Delta Y = \frac{1}{1-c} \Delta I.$$

Wenn die Konsumquote c z.B. 0,8 ist, d.h. 80% des Einkommens konsumiert und 20% gespart werden, würde eine (dauerhafte) Erhöhung der Investitionsgüternachfrage zu einer Erhöhung des Inlandsprodukts (Volkseinkommen) führen, die ein Mehrfaches der Nachfrageerhöhung bedeutet: Der **Multiplikator** $\frac{1}{1-c}$ erhält in diesem Beispiel den Wert

$$\frac{1}{1-0{,}8} = \frac{1}{0{,}2} = 5,$$

d.h. eine anhaltende Veränderung der Investitionen überträgt sich um das Fünffache auf das Inlandsprodukt:

$$(7\,a) \qquad \Delta Y = 5 \cdot \Delta I.$$

Dieser Zusammenhang macht auch einen Unterschied zwischen **Wachstumspolitik** und **Konjunkturpolitik** deutlich: Eine einmalige Erhöhung z.B. der Investitionen im Rahmen eines *Konjunktur- oder Beschäftigungsprogramms* bewirkt kurzfristig aufgrund der Multiplikatorwirkungen eine bestimmte Erhöhung des Inlandsprodukts. Sofern es sich aber nicht um eine *dauerhafte* Erhöhung des Investitionsniveaus handelt, sind diese Wirkungen einem *Strohfeuereffekt* vergleichbar: Nach Auslaufen der Multiplikatorwirkungen fällt das Inlandsprodukt auf das alte Niveau zurück. Dies ist einer der Haupteinwände von Kritikern gegen *«Konjunkturspritzen»*.

Abb. 2.3.2/4 verdeutlicht die Bedeutung von Konsum- und Investitionsnachfrage (C + I) für die gesamtwirtschaftliche Entwicklung.

Die Multiplikatorwirkung erklärt sich daraus, daß allenfalls nur sehr kurzfristig gilt: $\Delta I = \Delta Y$. Eine Nachfrageerhöhung bedeutet für

[2] Der griechische Buchstabe Δ (Delta = «D») wird als Symbol für eine Veränderung (Differenz) verwendet.

Abb. 2.3.2/4: Konjunkturkomponenten C + I

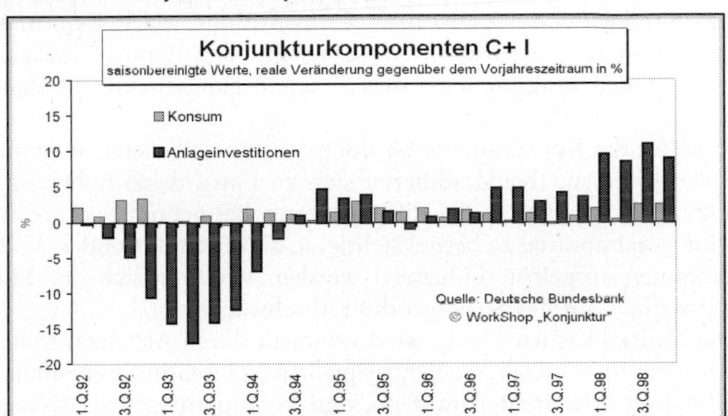

die betreffenden Wirtschaftszweige verstärkte Aufträge und möglicherweise höhere Beschäftigung. Das so zusätzlich entstehende Einkommen (Gewinne und Löhne) wird wiederum größtenteils nachfragewirksam ausgegeben, so daß in anderen Bereichen sich weitere Einkommens- und Beschäftigungseffekte ergeben etc.

Das Inlandsprodukt (Y) kann also entweder im Inland konsumiert (C) oder investiert (bzw. gespart) werden (I bzw. S) oder ins Ausland exportiert werden (Ex.) Andererseits wird das inländische Güterangebot (Y) erhöht um importierte Teile ausländischer Inlandsprodukte (Im) (vgl. Abb. 2.3.2/5), so daß sich für Volkswirtschaften mit Außenhandelsbeziehungen ergibt

(8) $Y + Im = C + I + Ex,$

wobei die linke Seite der Gleichung das Güterangebot und die rechte Seite die Güternachfrage (Güterverwendung) darstellt. Umgeformt ergibt sich daraus

(9) $Y = C + I + (Ex - Im).$

Abb. 2.3.2/5: Konjunkturkomponenten Ex – Im

Der Export ist in diesem Jahr keine Konjunkturstütze

Konjunktur im Ausland belebt den deutschen Export

Importware drückt auf den deutschen Markt

Die abgeleitete Multiplikatorwirkung (7) ist formal für jede Nachfragekomponente, sei es Konsum-, Investitions- oder Exportnachfrage, gleich und berücksichtigt somit die sich daraus ergebenden kumulierenden Einkommens- und Beschäftigungseffekte im Zeitablauf.

Je höher die Konsumquote ist oder, was dasselbe sagt: je geringer die Sparquote ist, (beide addieren sich zu Eins), desto höher ist der Nachfragemultiplikator. Bei differenzierter Betrachtung ist noch der Einfluß von Importen zu berücksichtigen, die durch steigendes (Volks-) Einkommen ausgelöst (induziert) werden. wodurch sich der Multiplikatoreffekt auf das Sozialprodukt abschwächt.

Die Multiplikatorwirkung wird verstärkt durch **Akzeleratoreffekte** («Beschleuniger»). Das Akzeleratorprinzip ist im Grunde ebenfalls ein Multiplikator. Es stellt darauf ab, daß Veränderungen der Konsumnachfrage nicht nur direkte, multiplikative Einkommenswirkungen erzeugen, sondern daß eine (dauerhafte) Nachfrageerhöhung nach Konsumgütern bei ausgelasteten Produktionskapazitäten eine erhöhte Nachfrage nach Investitionsgütern auslöst, um die erhöhte Konsumgüternachfrage befriedigen zu können. Die ausgelöste Investitionsgüternachfrage «beschleunigt» oder verstärkt den Konsummultiplikator. Eine ausführliche Darstellung ist hier entbehrlich.

Da die konjunkturelle Entwicklung üblicherweise mit der Wachstumsrate des realen Bruttosozialprodukts beschrieben wird, stützen sich konjunkturtheoretische Analysen auf die sog. **Verwendungsrechnung** des Bruttoinlandsprodukts. In einer im Vergleich zu Beziehung (9) zwar differenzierten, aber immer noch vereinfachten Form läßt sich die Verwendungsrechnung wie folgt darstellen:

(10) $Y = C_{pr} + C_{st} + I_{pr} + I_{st} + (Ex - Im)$,

wobei C_{pr} = privater Konsum, C_{st} = staatlicher Konsum (z.B. Beamtengehälter), I_{pr} = private Investitionen, I_{st} = staatliche Investitionen. Beim Saldo zwischen Exporten und Importen, dem sog. Außenbeitrag zum Inlandsprodukt (Ex – Im), wird meist nicht zwischen privaten und staatlichen Aktivitäten unterschieden. Die Investitionen (I) werden in (10) als Bruttoinvestitionen erfaßt, so daß weiter zu differenzieren ist:

(10a) $I = I_{br} = I_n + D$,

d.h. neben den Netto- oder Erweiterungsinvestitionen (I^n) müssen die Ersatz- oder Re-Investitionen (D) erfaßt werden, um die Bruttoinvestitionen insgesamt beschreiben zu können (das Symbol ‹D› leitet sich aus dem englischen *«depreciation»* für Abschreibung ab).

Für alle diese Komponenten lassen sich die jeweiligen Einflüsse auf das Inlandsprodukt ableiten.

2.3.2.3. Einige Konjunkturerklärungen

In ökonometrischen Modellen, die auf bestimmten Annahmen über das Konsum- und Investitionsverhalten beruhen, läßt sich auf der Basis der skizzierten Multiplikatorwirkungen durch Eingabe unterschiedlicher Werte das «Schwingen» der Inlandsproduktsentwicklung mathematisch nachvollziehen. Die Wirkung von multiplikativen Effekten läßt sich so zwar verdeutlichen, aber durch derartige mechanische Modelle können konkrete Konjunkturbewegungen nicht schlüssig erklärt werden.

(1) In Abschn. 2.1.1 wurde bereits erwähnt, daß begrifflich zwischen zwei Entwicklungen unterschieden werden kann, wobei die Interpretationen in der Wirtschaft nicht einheitlich sind (und im Sprachgebrauch schon gar nicht): ‹**Wachstum**› bezieht sich entweder auf das Wachstum der *tatsächlichen* Güterproduktion i. S. v. (realem) Wachstum des Bruttoinlandsprodukts oder – umfassender – auf das Wachstum des Produktionspotentials (vgl. Abschn. 3.1), also der *möglichen* Güterproduktion (Kapazitätseffekt). ‹Wachstumspolitik› umfaßt im letzteren Fall Maßnahmen zur *Veränderung* (Vergrößerung) des Produktionspotentials. ‹**Konjunktur**› hingegen bezieht sich auf die sich verändernden gesamtwirtschaftlichen Aktivitäten, ausgedrückt als ‹schwankende› Auslastung eines *gegebenen* Produktionspotentials (Auslastungs- oder Beschäftigungseffekt). ‹Konjunkturpolitik› umfaßt danach Maßnahmen zu *erhöhter Auslastung* des gegebenen Produktionspotentials.

(2) Die meisten Konjunkturtheorien bauen auf Multiplikatoreffekten auf, wobei der einen oder anderen Komponente der **volkswirtschaftlichen Endnachfrage** (Konsum, Investition, Export) größere Bedeutung beigemessen wird. **Überinvestitionstheorien** berücksichtigen gemäß dem Akzeleratorprinzip den Kapazitätseffekt von Investitionen, die durch eine Nachfrageerhöhung stimuliert werden. Der kapazitätserweiternde Effekt wird umso größer sein, je mehr Unternehmer sich dem Beispiel erfolgreicher ‹Vorreiter› anschließen. Außerdem ermuntert ein beginnender Aufschwung Unternehmer zu Investitionen, die sie bisher zurückgestellt haben. Sofern die sich erweiternden Kapazitäten jedoch nicht mehr ausgelastet werden können, wird ein dann einsetzender Rückgang der Investitionstätigkeit zu einer multiplikativen Abwärtsbewegung führen. Diese wird erst beendet, wenn wieder ein aus Unternehmersicht rentables Verhältnis zwi-

schen Kapazität (Kapitalstock) und Nachfrage erreicht ist. Durch technische Neuerungen kann es dann wiederum zu einem Investitionsschub kommen, der einen neuen Aufschwung in Gang setzt.

(3) Den Überinvestitionstheorien ähnlich argumentieren **Unterkonsumptions-** bzw. **Überspartheorien.** In ihrem Mittelpunkt steht aber die ungleiche Einkommensverteilung, besonders im Aufschwung. Steigende Einkommen und dadurch steigende Nachfrage induzieren Investitionen. Da aber die Konsumquote bei höheren Einkommen, insbesondere bei Gewinneinkommen, kleiner ist als bei niedrigen Einkommen, ist die Zunahme der Konsumnachfrage zu gering, um die dadurch stimulierten erweiterten Kapazitäten in der Konsumgüterproduktion auszulasten. Im folgenden Abschwung (aufgrund des Rückgangs der Investitionen) steigt die Konsumquote wieder und induziert neue Investitionen. Unterkonsumptionstheorien berücksichtigen somit auch die konjunkturellen Effekte ungleicher Einkommensverteilung.

(4) Wenn man von den mechanistischen Multiplikator-Akzelerator-Modellen absieht, sind die meisten güterwirtschaftlichen Konjunkturtheorien im wesentlichen **Krisentheorien.** Sie vermögen einigermaßen plausibel rezessionsbedingte Konstellationen zu erklären, jedoch weniger zwingend das Überwinden des unteren Konjunkturwendepunkts zum Aufschwung. *Güterwirtschaftliche* Theorien unterstellen dabei eine für Nachfrage und Produktion hinreichende **Geldmenge.** *Monetäre* Konjunkturtheorien hingegen weisen gerade der Geldmenge die ursächliche Funktion zu, so daß über eine Verstetigung der Geldmengenveränderungen eine Dämpfung der Konjunkturschwankungen zu erreichen sei. Keynesianische wie monetaristische Konjunkturerläuterungen gehen von Veränderungen der gesamtwirtschaftlichen Güter*nachfrage* als Ursachen aus (‹**Nachfragetheorien**›), die Theorien der sog. ‹*Real Business Cycles*› gehen von Veränderungen des realen Güter*angebots* aus (‹**Angebotstheorien**›). Einige grundsätzliche Auffassungen hierzu werden in Kapitel 9 (wirtschaftliche Konzeptionen) im Zusammenhang behandelt.

(5) Der Vollständigkeit halber seien schließlich noch ‹**psychologische**› **Konjunkturtheorien** erwähnt. Dabei ist an sich verbreitende optimistische oder pessimistische Grundstimmungen zu denken. Solche «Leming-Effekte» sind sicherlich sowohl im Investitions- als auch im Konsumbereich zu beobachten, doch sind derartige Erscheinungen als allgemeine Erklärung von Konjunkturschwankungen insgesamt wenig überzeugend.

Die meisten Konjunkturtheorien sind, wie man sieht, **monokausal** orientiert, d. h. sie bezeichnen nur eine bestimmte Gruppe ökonomischer Größen als ursächlich für Konjunkturschwankungen. Je komplizierter indessen Konjunkturmodelle konstruiert werden, desto schwieriger wird es, sie empirisch zu testen. Hinzu kommt, daß die Konjunkturmodelle in der Regel absolute Änderungen des Wachstums aufzeigen, während es sich in der Praxis eher um relative Änderungen, also um Schwankungen von Wachstumsraten handelt. Auch gehen die Theorien meist von längeren Zyklen aus als in der Praxis beobachtbar. Der Wert von Konjunkturtheorien ist daher weniger in ihrer Aussagekraft als umfassendes Modell zu sehen, sondern in der Verdeutlichung einzelner Mechanismen, deren **Zusammenwirken** die Konjunkturschwankungen verursacht. Allgemeingültig läßt sich dies offensichtlich nicht darstellen.

Konjunktur, Wirtschaftswachstum, Auslatung des Produktionspotentials und Beschäftigung der Arbeitskräfte hängen eng zusammen; wir werden darauf insbesondere auch im nächsten Kapitel 3 eingehen. Weil die verschiedenen Konjunktur- und Wachstumstheorien die tatsächlichen Entwicklungen nur unvollkommen erklären können, ist es auch so schwierig, plausible Prognosen für die mittelfristige Entwicklung zu erstellen; in Kapitel 15 wird dies vertieft. Folgerichtig ist es auch schwierig, griffige *Empfehlungen* für die Wirtschaftspolitik zu formulieren, weil es letztlich ein Werturteil darstellt, welche ökonomischen Theorien und damit welches wirtschaftspolitische Instrumentarium man für ‹richtig› hält. Kapitel 9 wird sich auch damit ausführlich beschäftigen.

2.3.3. Konjunkturindikatoren

Bisher ist es also keiner Konjunkturtheorie umfassend gelungen, privaten Konsum, private Investitionen, Staatsausgaben, inländische Import- und ausländische Exportnachfrage als die Größen, die den Konjunkturverlauf bestimmen (vgl. oben Beziehung (10)), in einem grundsätzlich geltenden Schema von Zusammenhängen zu erfassen.

Dabei ist vor allem hervorzuheben, daß aufgrund der internationalen Verflechtung der Volkswirtschaften durch Handels- und Finanzbeziehungen jedes Land, allerdings in unterschiedlich starkem Maße, von der Entwicklung der Weltkonjunktur abhängt. Als «Lokomotiven» der Weltwirtschaft sind dabei insbesondere die USA, die EG und Japan anzusehen. Konjunkturelle Veränderungen zunächst im Bereich einer weltwirtschaftlich wichtigen Volkswirtschaft strahlen – positiv wie negativ – auf die übrigen aus, u. a. deutlich erkennbar an den Veränderungen von Wechselkursen, Zinsen, Import- und Exportströmen. Ein einzelnes, kleineres Land wie die Bundesrepublik kann daher weder die Weltkonjunktur allein beeinflussen, noch kann es sich von ihren Einflüssen abschotten. Der Wirksamkeit nationaler Konjunkturpolitik sind daher internationale Grenzen gesetzt.

Unabhängig davon sind bestimmte Abhängigkeiten bei der Entwicklung einzelner volkswirtschaftlicher Größen zu beobachten, auch wenn sich diese im Zeitablauf verändern und verschieben können. Aus der Veränderung wichtiger Anzeichen (Indikatoren, vgl. Abb. 2.3.3/1) läßt sich daher die Entwicklung der Konjunktur für einzelne (Teil-)Phasen ablesen und vorhersagen.

Grundsätzlich unterscheidet man drei **Indikator-Gruppen**: Früh-

Abb. 2.3.3/1: Daten zur Konjunkturentwicklung

	Apr. 99	März 99	Apr. 98
Konjunkturdaten		Veränderung in Prozent	
F.A.Z.-Konjunkturdikator	113,1	+ 0,3	– 2,5
Rohstahl (in 1000 t)	3463,0	– 4,7	– 9,6
Autoproduktion (in 1000 Einh.)	494,0	– 13,0	+ 2,6
Fachhandelsumsatz[2])	121,0	– 8,0	– 2,0
Tariflohnniveau (Std.-Basis)[1])	101,3	+ 0,5	+ 2,6
Einfuhrpreise[1])	98,7	+ 0,7	– 3,9
Ausfuhrpreise[1])	100,4	+ 0,1	– 1,6
Industrie-Erzeugerpreise[1])	98,3	+ 0,6	– 1,7
Investitionsgüter	103,0	+ 0,1	+ 0,6
Verbrauchsgüter	103,1	– 0,1	– 1,3
Auftragseingang (real)[1])[3])	109,9	–10,5	– 1,3
Inland	100,8	–11,4	– 1,9
Ausland	126,3	– 9,0	– 0,7
Vorleistungsgüter	112,8	– 9,1	– 0,2
Investitionsgüter	110,2	– 8,3	– 2,3
Gebrauchsgüter	109,8	–14,2	– 3,8
Verbrauchsgüter	90,2	–24,6	+ 0,4
Produktion[1])[3])	107,9	– 6,9	– 1,1
Vorleistungsgüter	110,5	– 6,1	– 1,3
Investitionsgüter	109,1	– 6,4	– 0,9
Gebrauchsgüter	109,8	– 7,2	+ 1,0
Verbrauchsgüter	97,7	– 7,6	– 2,3
Bauhauptgewerbe	90,8	+ 6,8	– 0,8

indikatoren, Präsenzindikatoren und Spätindikatoren (vorauslaufende, gleichlaufende und nachlaufende Indikatoren).

(1) **Frühindikatoren** zeigen bereits im voraus Veränderungen an, die sich mit einer gewissen Verzögerung beim Inlandsprodukt oder bei der Kapazitätsauslastung ergeben werden. Typische Frühindikatoren sind die Auftragseingänge und -bestände und die Lagerveränderungen der Industrie. Eine allgemeine Verringerung der Auftragseingänge läßt auf einen Nachfragerückgang schließen, der zu einer Abschwächung der Konjunktur führen kann. Ein Abbau von Lagerbeständen kann ebenfalls auf einen Abschwung hinweisen, weil abschmelzende

Abb. 2.3.3/1: Daten zur Konjunkturentwicklung (Fortsetzung)

	Apr. 99	**März 99**	**Apr. 98**
Arbeitsmarkt in 1000 Pers.	Mai 99	Apr. 99	Mai 99
Arbeitslose	3998	4145	4197
offene Stellen	502	508	484
Kurzarbeit	137	136	119
Erwerbstätige[10])	–	–	33745
Indizes	**31.05.99**	**30.04.99**	**29.05.98**
Rohstoffpreise HWWA[4])	73,50	76,90	73,80
Reuters-Index[5])	1373,60	1352,00	1608,70
F.A.Z.-Aktienindex[6])	1592,57	1707,38	1760,88
F.A.Z.-Renten-Rendite 10 J.	4,19	3,95	4,99
Finanzkennziffern[11])	**Apr. 99**	**März 99**	**Apr. 98**
Sichteinlagen[7])[12])	748,9	734,4	663,5
Kurzfristige Kredite[8])[13])	798,6	801,7	776,0
Mittel- u. langfristige Kredite13)	5353,9	5304,8	4935,9
Außenhandel	**Apr. 99**	**März 99**	**Apr. 99**
Ausfuhr (in Mrd. DM)	80,9	84,1	83,4
Einfuhr (in Mrd. DM)	69,6	72,5	72,7
Saldo[9]) (in Mrd. DM)	+ 11,3	+ 11,6	+10,7

[1]) Index 1995 = 100. [2]) 1980 = 100. [3]) Verarbeitendes Gewerbe. [4]) 1990 = 100. [5]) 18.9.1931 = 100. [6]) 1958 = 100. [7]) Definition der Bundesbank. [8]) Bankkredite (ohne Bundesbank) an Unternehmen, Privatpersonen und öffentliche Haushalte. [9]) «+» = Exportüberschuß, «–» = Importüberschuß. [10]) mit Arbeitsort in Deutschland. [11]) in Milliarden DM. [12]) ab Januar 1999 nur täglich fällige Einlagen. [13]) ab Januar 1999 ohne Kredite an inländische Bausparkassen.

Quelle: Statistisches Bundesamt; Deutsche Bundesanstalt für Arbeit; HWWA, Institut für Handelsforschung; Institut für Weltwirtschaft; VDA; vwd

Vorräte mangels Nachfrage nicht wieder aufgefüllt werden. Andererseits kann im Aufschwung die Nachfrage möglicherweise *nicht* aus der laufenden Produktion bedient werden, so daß ein Rückgriff auf Lagerbestände erforderlich wird. Dies verdeutlicht, daß ein einzelner Indikator für sich genommen nicht immer eindeutig zu interpretieren ist, sondern nur im Zusammenhang mit anderen. Für die Zwecke der **Konjunkturprognose** wird dabei auch auf die – höchst subjektiven – Einschätzungen und Erwartungen der Wirtschaft und der Verbraucher (Abb. 2.3.3/2) zurückgegriffen; wir werden dies im Kapitel 15 vertiefen.

(2) Als **Präsenzindikatoren** bezeichnet man solche, die sich ohne Zeitverschiebung parallel zur Konjunktur entwickeln, wie zum Beispiel die Produktionsleistung (output), die Arbeitslosenzahlen und – gegenläufig – die Zahl der offenen Stellen.

(3) **Spätindikatoren** hingegen reagieren erst mit einer gewissen Verzögerung auf Konjunkturveränderungen. Zu dieser Gruppe zählen u. a. Preisveränderungen und Tariflohnvereinbarungen, wobei letztere gelegentlich auch – im Sinne von Kostendruck-Überlegungen – zu den

Abb. 2.3.3/2: Frühindikator

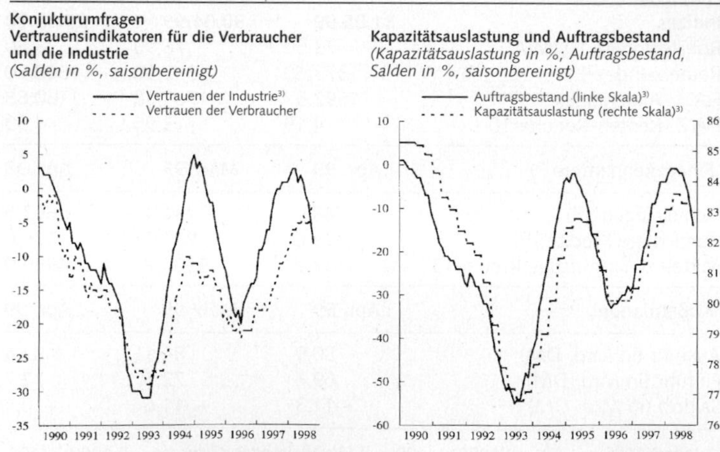

Quellen: EZB-Berechnungen auf der Grundlage verfügbarer nichtharmonisierter nationaler Statistiken (Spalten 1 bis 4 und 7 bis 8), Eurostat (Spalten 5 und 6) und Branchen- und Verbraucherumfragen der Europäischen Kommission (Daten in den Abbildungen).

[1] Die Quartalsergebnisse basieren auf den verfügbaren Daten jener Länder, die monatliche oder vierteljährliche Statistiken erstellen.
[2] Berechent nach den Empfehlungen der IAO.
[3] Verarbeitendes Gewerbe; die Daten zur Kapazitätsauslastung werden im Januar, April, Juli und Oktober erhoben und als gleitender 6-Monatsdurchschnitt ausgewiesen.

Quelle: Monatsbericht der Europäischen Zentralbank Januar 1999

Frühindikatoren gerechnet werden, und insgesamt die Beschäftigungssituation.

Je nach der Wahl einzelner Konjunkturindikatoren ergeben sich zeitlich unterschiedliche Konjunkturwellen. Beispielsweise folgt die Veränderung der Auslastung der Kapazitäten oder des Produktionspotentials auf die Veränderung des Bruttoinlandsprodukts.

Nach der oben im Zusammenhang mit Multiplikatoreffekten angesprochenen **Verwendungsrechnung** des Inlandsprodukts kann das (Brutto-)Inlandsprodukt (Y) plus den Güterimporten (Im) verwendet werden für den Konsum (C), Investitionen (I) oder Exporte (Ex). Oben Abb. 2.3.1/7 und 2.3.1/8 verdeutlichen diese **volkswirtschaftliche Endnachfrage** (oben Beziehung (8)):

$$Y + Im = C + I + Ex$$

als konjunkturbeeinflussende Faktoren. Wie die Ausführungen verdeutlichen, wirken neben binnenwirtschaftlichen auch und insbesondere außenwirtschaftliche Faktoren auf die Konjunkturentwicklung ein. Gerade eine Volkswirtschaft wie die der Bundesrepublik, die in hohem Maße in die internationale Wirtschaft integriert ist, hängt stark von der Entwicklung der Weltkonjunktur ab.

Daher gibt es auch auf internationaler Ebene Konjunkturindikatoren. Ein von der DG-Bank entwickelter Indikator erfaßt neun Komponenten, die die wichtigsten Bereiche der EWU-Länder abdecken:

- Auftragseingänge und Produktionserwartungen beziehen sich auf die Aussichten im verarbeitenden Gewerbe.
- Im Baugewerbe dienen die Baugenehmigungen als Frühindikator.
- Das «Verbrauchervertrauen» gibt Hinweise auf die Entwicklung der Konsumnachfrage.
- Die Finanzmärkte werden durch einen Aktienindex, das reale Geldmengenwachstum und die Zinsstruktur abgebildet.
- Die Anspannung des Arbeitsmarkts wird durch die Entwicklung der offenen Stellen gemessen.

Ein Vergleich des DG-Bank-Indikators mit einem von der EU-Kommission verwendeten Indikator zeigt jedoch, daß ersterer die tatsächliche Entwicklung des Bruttoinlandsprodukts in der Vierteljahresprognose recht gut und besser vorzeichnet als EU-Indikator (Abb. 2.3.3/3).

In Kapitel 15 wird auf einige Probleme der **Konjunkturprognose** eingegangen.

Die Entwicklung des Wirtschaftswachstums berührt auch die übrigen wirtschaftspolitischen Ziele. In besonderem Maße hängen dabei

Abb. 2.3.3/3: Konjunkturindikatoren

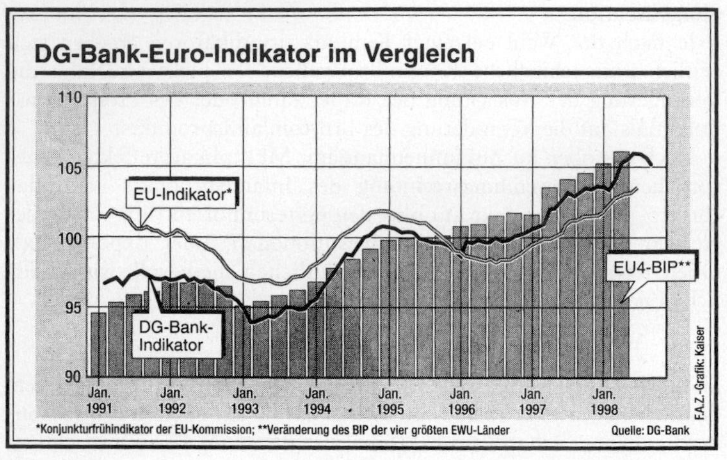

Quelle: FAZ 4.10.98

Wachstum, Konjunktur und Beschäftigung zusammen. Hiermit beschäftigt sich das folgende Kapitel.

2.4. Einige Aspekte der Neuen Wachstumstheorie

2.4.1. Grundsätzliche Vorbemerkungen

Die *Wachstumstheorie* überschneidet sich in wesentlichen Punkten mit der Konjunkturtheorie: Die **Wachstumstheorie** erklärt die grundsätzlichen Zusammenhänge zwischen den verschiedenen Variablen, die ökonomisches Wachstum determinieren (üblicherweise i.S.v. Wachstum des – wie auch immer definierten – Inlandsprodukts, vgl. Abschn. 2.1); die **Konjunkturtheorie** erklärt, weshalb dieses Wachstum *Schwankungen* unterliegt. In Lehre und Forschung werden beide Bereiche auch gerne als *Konjunktur- und Wachstumstheorie* zusammengefaßt. Beide Erkenntnisobjekte zusammen vereinigen sich in **Schätzungen** bzw. in der **Prognose** über die erwartete wirtschaftliche Entwicklung (vgl. dazu Kap. 15, insbes. Abschn. 15.1).

Im Zentrum der Wachstumstheorie steht die Analyse der volkswirtschaftlichen **Produktionsfaktoren** (menschliche) *Arbeit, Boden* (i.S.v. Natur) und *Kapital* (Sachkapital). Von elementarer Bedeutung sind die gegenseitigen **Abhängigkeiten** und damit die **Wirkungen**, die von diesen Produktionsfaktoren – und insbesondere von ihren **Verände-**

rungen – auf den ökonomischen Entwicklungsprozeß ausgehen. Diese Zusammenhänge werden als Produktionsfunktionen dargestellt. Eine ganz allgemeine **Produktionsfunktion** wäre

(1) $Y = f(A, B, K)$,

oder bürgerlicher: Das Inlandsprodukt (Y) ist eine *Funktion von* («f (...)», d. h. «hängt ab von») den Produktionsfaktoren Arbeit (A), Boden (B) und Kapital (K). Wer hätte das gedacht. Damit ist offensichtlich auch nicht sehr viel anzufangen. Interessant werden daher die Annahmen, die gemacht werden, um diese Abhängigkeitsbeziehung «f (...)» zu präzisieren. Hier öffnen sich nun Welten für sehr unterschiedliche Philosophien, Überzeugungen, Fakten und Vermutungen. Eine nicht uninteressante und recht wichtige Veränderung von (1) wäre beispielsweise bereits

(2) $Y = f(A, B, K, tF)$,

wobei tF als Symbol für *technischen Fortschritt* steht. Das würde bedeuten, daß man den menschlichen Erfindungsgeist, also den dynamischen Faktor in A, als eigenständigen Produktionsfaktor ansieht. Es soll hier nicht weiter diskutiert werden, was die Unterschiede zwischen (1) und (2) so alles implizieren. Die Funktion (2) kann aber noch sehr viel feiner differenziert werden (worauf wir hier verzichten).

2.4.2. Eigenschaften von Produktionsfunktionen

Wichtig sind vor allem **Annahmen**, die man über die Beziehungen zwischen den Produktionsfaktoren macht. Sind z. B. Arbeit und Kapital **komplementär**, d. h. braucht man sie gleichzeitig? (Zum Beispiel benötigt jeder LKW einen Fahrer). Oder kann man den einen Faktor durch den anderen ersetzen, sind sie also **substitutiv**? (So kann man Arbeitskraft durch eine Maschine ersetzen und umgekehrt). In welchem *Ausmaß* können sich die Produktionsfaktoren ersetzen, teilweise oder ganz? Ist das ‹*Ersetzungsverhältnis*› konstant oder ist es veränderlich? (Dabei gibt es schöne Ausdrücke: Je nachdem, ob sich das Faktoreinsatzverhältnis sowohl während der Planungsphase als auch nachträglich, nach vollzogenem Einsatz der Maschinen verändern läßt, erhält man *putty-putty-* oder *putty-clay-* oder sogar *putty-putty-clay-Fälle: putty* ist Kitt, den man vor und nach der Verwendung formen kann, *clay* ist Ton, den man nach Verwendung und Erhärtung nicht mehr formen kann). Eine weitere wichtige Frage ist: Wie reagiert das *Ergebnis* (der Output) auf die Veränderung des Einsatzes eines Faktors, nimmt es proportional, überproportional oder unterproportional zu bzw. ab? (Beispielhaft sei hier das ‹*Gesetz vom abnehmenden Grenzertrag*› – das **Ertragsgesetz** – genannt, nach dem der Mehreinsatz eines Faktors (Dünger) bei konstantem Einsatz der anderen Faktoren (Ackerfläche, Arbeit) im Endeffekt immer geringere Ertragszuwächse (Weizen) hervorbringt). Auch die Annahmen über die Wirkung des technischen Fortschritts auf andere Variable (z.B. Zins, Kapitalstock) führen dann bspw. zu **Harrod-neutralem, Hicks-neutralem** oder **Solow-neutralem technischen Fortschritt**, wobei die Forscher *Harrod, Hicks* bzw. *Solow* jeweils von unterschiedlichen Prämissen ausgehen, und es muß zwischen **endogenem** und **exogenem technischen Fortschritt** unterschieden werden, je nachdem, ob man annimmt, daß er wie ‹Manna vom Himmel fällt› (exogen) oder sich aus der Anwendung im Sachkapital ableitet (endogen).

Die Antworten auf all diese Einzelfragen werden natürlich nicht willkürlich gegeben, sondern beruhen so weit wie möglich auf empirisch beobachtbaren und getesteten Zusammenhängen. So ist beispielsweise der Wert eines *Multiplikator-Koeffizienten,* wie er oben in Abschn. 2.3.2.2 dargestellt wurde, aus empirischen Daten zu schätzen. Insgesamt stecken hinter diesen Annahmen über die Eigenschaften der Produktionsfaktoren und ihren gegenseitigen Abhängigkeiten ausgedehnte Forschungsfelder, z.B. hinsichtlich der Verfügbarkeit des Faktors Arbeit im Hinblick auf die zahlenmäßige Entwicklung der Bevölkerung und ihre Alters- und Bildungsstruktur. ‹Berühmte› Produktionsfunktionen sind u.a. die **CES-Funktion** (eine Funktion mit konstanter Skalenelastizität – *constant elasticity of scale*, CES) und die – nach ihren ‹Erfindern› so genannte – **Cobb-Douglas-Funktion,** die eine Sonderform der CES-Funktion ist; auf Erläuterungen wollen wir hier verzichten.

Im Ergebnis erhält man – teilweise recht komplizierte – **Produktionsfunktionen**, denen ihre implizit oder explizit eingebauten Annahmen bestimmte Eigenschaften verleihen. Sie spiegeln damit natürlich eine bestimmte Auffassung vom wirtschaftlichen Geschehen wider. Beispielsweise hat eine Investition in Form einer Maschine – mindestens – zwei Effekte: Sie erhöht den Sachkapitalbestand, mit dem nun mehr produziert werden kann (**Kapazitätseffekt**). Gleichzeitig verschafft sie dem Maschinenbauer Einkommen, ebenso dem Maschinenanwender und den zusammen mit der Maschine eingesetzten (entlohnten) Arbeitskräften (**Einkommenseffekt**). Der Kapazitätseffekt stellt auf das Güterangebot ab, der Einkommenseffekt auf die Güternachfrage. Je nachdem, ob man den einen oder anderen Effekt stärker herausstellt, wird der Akzent der Wachstumstheorie tendenziell nachfrage- oder angebotsorientiert sein. Ebenso läßt sich das Schwergewicht alternativ auf die Betrachtung der Investitionsgüter oder der Konsumgüter verlagern, und es gibt noch viele andere Differenzierungsmöglichkeiten.

2.4.3. Wachstumstheoretische Denkschulen

Mit den in *Kapitel 9* vorgestellten alternativen *wirtschaftspolitischen Konzeptionen* verbinden sich auch entsprechende Wachstumstheorien. Ganz allgemein wird zwischen *älteren* und *neueren* Wachstumstheorien unterschieden. Zu den älteren Wachstumstheorien zählen (u. a.) die (neo-)klassischen (u. a. Solow, Harrod, Domar, Phelps), die keynesianischen, post- und neo-keynesianischen Wachstumstheorien.

Die **(Neo-)Klassische Theorie** ist Basis und Ausgangspunkt aller Theorien, die sich mit vollständigem Wettbewerb und vollkommener Konkurrenz verbinden. Wirtschaftspolitische Maßnahmen des Staates haben – nach dieser Denkschule – keinen wachstumsfördernden Effekt: Wachstum beruht im wesentlichen auf *exogenem*, also von den Marktkräften und damit auch vom Staat unbeeinflußbarem *technischen Fortschritt*. Die ‹Entdeckung des technischen Fortschritts› ist die zentrale Leistung dieser Wachstumstheorien. Gleichzeitig besteht die neoklassische Hypothese, daß sich das Wachstumsniveau der Entwicklungsländer dem der Industrieländer angleichen wird, sofern freier Güter- und Kapitalverkehr herrscht (*Catch-up*-Theorie oder *‹naive› neoklassische Konvergenztheorie*).

Wegen der Betonung exogener Wachstumsimpulse blieb die neoklassische Wachstums*theorie* allein, ohne parallele Formulierung einer (Theorie der) Wachstums*politik*. In diese Lücke stießen keynesianisch fundierte Ansätze. Die **keynesianischen Wachstumstheorien** betonen den o. a. *Einkommenseffekt* von Investitionen (allerdings unter Vernachlässigung des Kapazitätseffekts) und befürworten auch staatliche *Industriepolitik*, wie man es heute nennen würde. Etwas pauschal betrachtet sind die keynesianischen Ansätze aber mehr Konjunktur- als Wachstumstheorien. Das deutsche *Stabilitäts- und Wachstumsgesetz*, das ja nachhaltig von keynesianischen Gedankengängen geprägt ist, macht dies deutlich, denn es ist vorrangig stabilitäts- und damit konjunkturorientiert.

Die wachstumstheoretische Forschung lag seit rd. 30 Jahren mehr oder weniger brach; der Wachstumstheorie wurde insgesamt mangelnder Praxisbezug bzw. keine Verwertbarkeit in der Praxis vorgeworfen. Die wachstums*politische* Diskussion dreht sich insbesondere um die Auseinandersetzung um *quantitatives* versus **qualitatives Wachstum** («Null-Wachstum»), auch vor dem Hintergrund der umweltpolitischen Probleme. Seit Ende der 80er Jahre nun scheint wieder Bewegung in dieses Feld zu kommen; es entwickelt sich eine **Neue Wachstumstheorie**, die dem quantitativen Wachstum neue Bedeutung beimißt, nicht zuletzt unter dem Eindruck des Nachholbedarfs in Osteuropa. Die Neue Wachstumstheorie geht grundsätzlich von der neoklassischen Wachstumstheorie aus, übernimmt eine ganze Reihe ihrer Annahmen, führt jedoch einige Modifikationen ein: Empirische Forschungen bemühen sich, *technischen Fortschritt* auch *endogen* zu erklären, so daß insbesondere mikroökonomische Aspekte von Bedeutung sind (Wachstum als Lernprozeß: *«learning-by-doing»*, was auch sehr plausibel ist; vgl. Abschn. 8.1). Das sog. *Humankapital* erhält dadurch eine zentrale Bedeutung; Forschung und Entwicklung in der Industrie *(F & E)* erhalten einen hohen Stellenwert und verdienen staatliche Förderung: Die Neue Wachstumspolitik ist damit auch *Industriepolitik*, indem sie gezielte und differenzierte Branchenförderung propagiert («Zukunftsindustrien») (dies ist differenzierter und präziser als die populäre Interpretation, daß Industriepolitik «Politik zugunsten der Industrie» sei), einschließlich *protektionistischer Elemente* im Außenhandel, was vornehm als *«strategische Handelspolitik»* etikettiert wird. Im Gegensatz zum Freihandelspostulat der Klassischen Theorie geht die Neue Wachstumstheorie davon aus, daß – ganz im Gegenteil – protektionistische, sektoral gezielte Interventionen das Wachstum eines Staates *fördern.* Diese positive Wertung staatlicher Eingriffe in den Wirtschaftsprozeß, um Defizite in der marktwirtschaftlichen Selbststeuerung auszugleichen, ist ein durchaus *keynesianisches Element* und natürlich für eine aktive Wirtschaftspolitik besser zu gebrauchen als die in dieser Hinsicht von Abstinenz ausgehende neoklassische Theorie. Auch in der praktischen Tagespolitik kann die – ja wissenschaftlich begründbare – Absicht, staatlicherseits für bestimmte Sektoren etwas tun zu wollen, sicher besser ‹verkauft› werden als die dagegen viel blassere klassische Theorie des staatsfreien Wettbewerbs.

Eine weitere wichtige Neuerung durch die Neue Wachstumstheorie besteht darin, daß auch das *Wachstum der Bevölkerung*, das in der Neoklassik als exogen gegeben angesehen wird, *‹endogenisiert›* wird. Hinzu kommen die explizite Berücksichtigung von – oligopolistischen – *Wettbewerbsbeschränkungen* in den Ausgangsannahmen (im Gegensatz zur Annahme der vollständigen Konkurrenz in der Neoklassik) sowie die Einbeziehung der Verbindungen zwischen Außenhandel, technischem Fortschritt und Wachstum in die Wachstumstheorie. Danach ergeben sich über den Außenhandel zum einen ‹traditionelle› Wachstumsimpulse im Wege der Handelsschaffung (vgl.

Kap. 13.4), zum anderen ‹*spill-over-Effekte*› im Bereich des *Technologietransfers,* die wachstumsfördernd wirken (können). Umgekehrt liegt es aber nahe, technologisches Wissen für sich zu behalten und nicht an andere Länder weiterzugeben, also eine technologische Abschottung zu betreiben, die man als *Know-how-Protektionismus* bezeichnen könnte. (Diese Problematik im Bereich *geistigen Eigentums* ist – nebenbei gesagt – eines der zentralen Themen der gegenwärtigen und künftigen WTO-Verhandlungen.) Die Neue Wachstumstheorie beinhaltet also einen latenten Widerspruch zwischen Argumenten für Liberalisierung und Protektion in Außenhandel und Technologietransfer, je nachdem, ob man die Situation aus der Sicht des Wissenden oder des (noch) Nicht-Wissenden beurteilt. Die Neue Wachstumstheorie geht jedoch nicht von der neoklassischen Konvergenzhypothese aus, sondern prognostiziert ein anhaltendes Nebeneinander bzw. sogar ein Auseinanderdriften von Industrie- und Entwicklungsländern; von *Catching-up* – insbesondere auch in Bezug auf die osteuropäischen Länder – kann keine Rede sein.

Die Aussagen der Neuen Wachstumstheorie stoßen allerdings auf teilweise harsche **Kritik**. Der Anspruch auf empirische Überlegenheit gegenüber der ‹naiven› Alten Wachstumstheorie kann – so die Kritiker – nicht belegt werden. Im Gegenteil: Gerade die empirischen Beispiele der Länder Süd(ost)asiens belegen, daß selektive Industriepolitik und Protektion selten vorzeigbare Erfolge gebracht haben. Methodisch ist die Neue Wachstumstheorie sehr aufwendig – z. B. sind oligopolistische Unvollkommenheiten des Wettbewerbs sehr viel schwieriger mathematisch darzustellen als die Hypothese vollkommener Konkurrenz –, was R. M. Solow zu der schönen Formulierung anregte, für das Fahren auf dunklen, engen und kurvenreichen Straßen (hiermit beschreibt er offensichtlich den Erkenntnisstand der bisherigen Wachstumstheorie) brauche man kein Auto mit 100 PS oder mehr. Insbesondere setzt Kritik daran an, daß die Neuen Wachstumsmodelle so aufwendig konstruiert sind, daß man praktisch jedes beliebige (erwünschte?) Ergebnis produzieren könne, indem man die Annahmen entsprechend ändert. Die Aussagen sind dann schlüssig und stringent, aber praktisch wenig verwertbar. «Spezifische Schlüsse sind nämlich abhängig von den Grundannahmen in den Modellen, und meist sind es gerade die zentralen Voraussetzungen, die als unvereinbar mit der Wirklichkeit kritisiert werden.» (H. G. Grubel in der NZZ, 29. 11. 92).

2.5. Exkurs: Die Asienkrise

Von der sog. Asienkrise im Zeitraum 1997–98 waren in der akuten Phase primär die ‹**Tigerstaaten**› betroffen: Thailand, Malaysia, Singapur, Indonesien, Hongkong und Südkorea, insbesondere die sog. **ASEAN-4** Thailand, Malaysia, Indonesien und die Philippinen. Allen war das enorme Wirtschaftswachstum gemeinsam, das in den letzten zehn Jahren jeweils um die 10% lag. Im zweiten Halbjahr 1997 waren die Finanzmärkte eingebrochen, Börsen verloren nach jahrelangem Kursfeuerwerk innerhalb von Tagen Kursgewinne von Jahren, zum Teil mehr als die Hälfte ihres Höchstwertes eingebüßt, die Landeswährungen wurden vom Dollar losgekoppelt und wurden unter dem Druck des Marktes massiv abgewertet. Der Wert der Aktiengesellschaften, in Dollar gerechnet, betrug ein Jahr nach der Krise zum Teil nur noch ein Viertel des Ausgangswertes. Hinterher ist man immer klüger, so daß Analytiker die Ursachen der Krise identifizierten:

Die Industrien der betroffenen Länder hatten versucht, das Wachstum immer weiter voranzutreiben und übersahen, daß die Weltmärkte keine unbegrenzte Aufnahmefähigkeit haben und daß aufgrund der starken gegenseitigen Konkurrenz die Preise in ihren eigenen starken Wirtschaftszweigen (Elektronik, Computer, Kommunikation) fallen würden. Viele westliche Industrieunternehmen reagierten auf die asiatische Herausforderung mit Produktionsoffensiven, die den Tigerstaaten erheblich zusetzen. Dadurch fielen Planungsfehler der Unternehmen in den asiatischen Ländern immer stärker ins Gewicht. Hinzu kam, daß die Infrastrukturen, insbesondere die Transportsysteme, mit dem schnellen Wachstum nicht Schritt halten konnten. In vielen Ballungsgebieten kam es zum Verkehrsinfarkt, und das Transportproblem wird für die Unternehmen zunehmend problematischer hinsichtlich Transportkosten und -zeiten.

Die stark wachsenden Unternehmen hatten für die Finanzierung ihrer Investitionen hohen Kreditbedarf. Die Sicherheiten wurden von den Banken sehr großzügig bewertet, indem auch erwartete Wertsteigerungen eingerechnet wurden, immer unter der Voraussetzung des gleichen Wachstums, das man seit zehn Jahren kannte. Oft wurden Kredite auch durch Korruption und Vetternwirtschaft ohne Überprüfung von Sicherheiten vergeben. Viele Unternehmen überzogen dadurch ihre kreditfinanzierte Expansion und konnten hohe Schulden, oft in Hartwährungen, nicht mehr zu bedienen. Die Investoren kündigten Kredite und zogen Gelder ab, ausländische Teilhaber verkauften Firmenbeteiligungen wegen der wachsenden wirtschaftlichen Unsicherheit. Begonnene Investitionsvorhaben konnten nicht beendet werden; bereits getätigte Teilinvestitionen wurden wertlos: Gebäude wurden nicht fertiggestellt und sind weder nutzbar noch veräußerbar. Dies belastet wiederum die Unternehmen und weitere Kreditgeber.

Da die Umsätze vieler Unternehmen wegbrachen, kamen sie in Zahlungsverzug. Wenn Umschuldungen nicht mehr halfen und selbst die Zinszahlungen nicht mehr erbracht werden konnten, war das Unternehmen konkursreif. Die Banken konnten ihre Forderungen nicht mehr einlösen und mußten sie als Verlust abschreiben. Aufgrund des massiven Verkaufs von Aktien und Immobilien aus aufgelösten Sicherheiten fielen deren Marktwerte. Bei stark sinkenden Preisen heizte schneller Verkauf den Preisverfall weiter an. Dies wiederum führte zu neuen Unterdeckungen bei noch bestehenden Krediten und entsprechenden Kreditkündigungen. Viele Kredite von Unternehmen und Privatpersonen waren in US-Dollar aufgenommen worden, da sie weniger Zinsen kosteten als Kredite in einheimischer Währung. Der Wechselkurs wiederum war fest an den US-Dollar gebunden, so daß man aufgrund der optimistischen Gewinnerwartungen keine Schwierigkeiten sah, diese Kredite in einheimischer Währung zurückzuzahlen. Solange die Wirtschaft boomte, war das auch kein Problem. Als aber Mitte 1995 der Wechselkurs des US-Dollar gegenüber den meisten anderen Währungen anstieg, stiegen entsprechend auch die Wechselkurse der an den US-Dollar gebundenen asiatischen Währungen. Dies hatte zwei negative Effekte: Zum einen wurden die Waren dieser Länder auf dem Weltmarkt zunehmend teurer: Bereits die Abwertung des chinesischen Yüans Anfang 1994 um ein Drittel minderte die internationale Wettbewerbsfähigkeit der Tigerstaaten gegenüber den billigeren chinesischen Produkten. Zum anderen erhöht sich eine Devisenschuld, gemessen in einheimischen Währung, um den Faktor der Abwertung: Bei einer Abwertung um 50% verdoppelt sich die Schuld.

Der Produktionsrückgang hatte in den betroffenen Ländern Massenentlassungen zur Folge. Innerhalb von Monaten werden große Teile der Stadtbevölkerung arbeitslos. Es gibt keine mit Deutschland vergleichbaren sozialen Abfederungen; die Arbeitslosen fallen häufig direkt in die Armut. In Indonesien brachten die von Armut und Zukunftsängsten getriebenen Demonstrationen die Regierung zu Fall.

Banken, die sich in der Krisenregion stark engagiert haben, wurden zahlungsunfähig. Insbesondere japanische Banken waren stark betroffen. Von dem Zusammenbruch einer Bank sind weitere Banken betroffen, die ihre Einlagen bei dieser Bank abschreiben müssen. Um die Einlagen den Privatanleger zu sichern, flossen Staatsgelder zur «Sanierung» angeschlagener Banken.

Auch die deutsche Wirtschaft wurde von der Asienkrise getroffen. Exporte von Produktionsgütern gingen zurück, da die Investitionstätigkeit abnahm, Exporte von Konsumgütern reduzierten sich, weil die Binnennachfrage der betroffenen Länder allgemein zurückging. Beide Effekte wurden durch den Verfall der asiatischen Währungen verschärft, da die Importpreise für Produkte aus dem Hartwährungsraum wechselkursbedingt in die Höhe schnellten. Werden zudem wichtige Handelspartner (Frankreich, Großbritannien, USA) von zurückgehender Nachfrage aus den Krisenregionen betroffen, fragen sie auch weniger deutsche Exportgüter nach. Der Preisverfall asiatischer Produkte (insbesondere im Elektronik- und Computerbereich) führte zu Senkungen der Endverbrauchspreise und bewirkte eine Verringerung der ohnehin schon niedrigen Inflation, nicht nur in Deutschland. Da der Asienhandel jedoch nur etwa 5% des deutschen Außenhandels ausmacht, waren die direkten Auswirkungen begrenzt: Trotz der Asienkrise ging der Außenhandel auf Rekordkurs.

Während Rußland im selben Zeitraum eine massive hausgemachte Krise offenbarte, strahlte die Asienkrise auch deutlich auf Lateinamerika aus. Die obigen Ausführungen zum internationalen Konjunkturzusammenhang (Abschn. 2.3.2) ließen sich am Beispiel der Asienkrise gut beobachten; Abb. 2.5/1 verdeutlicht den Effekt. Insgesamt hat die Asienkrise mit dazu beigetragen, daß Entwicklungserwartungen von optimistischen Übertreibungen bereinigt wurden. Andererseits ist aber auch festzuhalten, daß die internationalen Wirtschafts- und Konjunkturanalysten – von einigen Ausnahmen abgesehen – nicht rechtzeitig

Abb. 2.5/1: Asienkrise

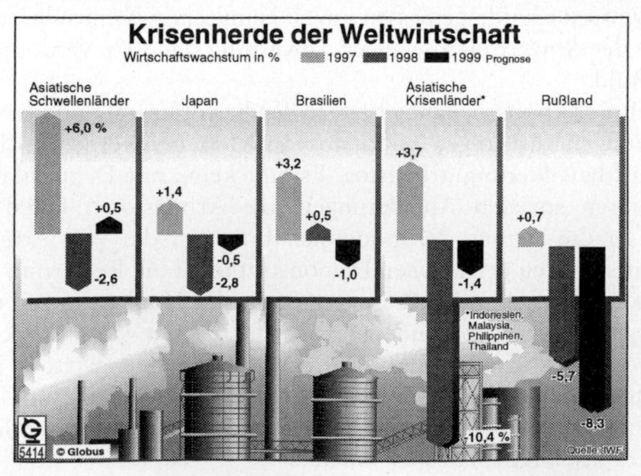

auf das Bedrohliche an der Entwicklung hingewiesen haben. Auch die ‹internationale Finanzfeuerwehr› Internationaler Währungsfonds ist weder in der Lage gewesen, die Krise im Ansatz zu erkennen noch ihr nach dem Ausbrechen nachhaltig entgegenzuwirken; eine Schadensbegrenzung scheint aber offensichtlich gelungen zu sein.

2.6. Wachstumspolitische Perspektiven

Sicherlich sind die Impulse erst im Ansatz erkennbar, die sich aus der elektronischen Vernetzung der Weltwirtschaft ergeben. Die entsprechenden Produktivitätsschübe werden bereits als **fünfter Kondratieff-Zyklus** angesehen (vgl. oben Abschn. 2.3.1.3), sind jedoch erst im Ansatz erkennbar. Sie wirken sich auf Produktionstechniken, Managementmethoden und soziale Verhaltensweisen aus, schaffen neue Dienstleistungsbereiche und produzieren neue Güter. Diese Wachstumswirkungen werden zunächst – und wohl dramatisch – zunehmen, sich jedoch irgendwann in der näheren Zukunft auch wieder abschwächen, genauso, wie es durch die Einführung von Computern zu beobachten war. Skeptiker und Pessimisten stellen dabei dem deutschen Beitrag ein schlechtes Zeugnis aus; insbesondere sei die Forschungsförderung zu zögerlich und zu einfallslos, mit dem Resultat, daß die Masse bahnbrechender Erfindungen in anderen Ländern gemacht werden und High-Tech importiert wird. An dieser Gesamtsituation ändern auch vereinzelte Spitzenleistungen in Deutschland nichts. So heißt es im Technologiebericht 1998 der Bundesregierung, deutsche Innovatoren «bewegen sich wie Tausenfüßler: Sie kommen sicher auf vielen Beinen voran.» Zum «großen Sprung» seien solche Geschöpfe jedoch nicht fähig. Wer im Glashaus sitzt …

Der Deutsche Leo A. *Nefiodow* prognostiziert, daß das erforderliche Wachstumspotential für einen neuen, nach den Computer- und Internetbooms dann **sechsten Kondratieff-Zyklus** im Gesundheitsbereich liege: Das größte Wachstumskapital sei das Know-how, aber dieses werde durch seelische, soziale und psychologische Störungen zunehmend an seiner Entfaltung gehindert. Statt das Gesundheitswesen als Kostenfaktor zu qualifizieren, sei es als Wachstumsmarkt zu begreifen. Diese Einsicht dürfte durch Umwelteffekte gesteigert werden, die durch sich erschöpfende Ressourcen und zunehmende Klimabelastung fast zwangsläufig auf die Entwicklung neuer Energiequellen hinwirken (vgl. Kap. 7). Unabhängig davon wird der Ruf nach staatlicher **Industriepolitik** immer lauter, um die Wachstumsprozesse gezielt zu beeinflussen. In Abschn. 9.6.3 kommen wir darauf zurück.

Das Wirtschaftswachstum berührt auch die übrigen wirtschaftspolitischen Ziele. Insbesondere hängen Wachstum, Konjunktur und **Beschäftigung** zusammen. Hiermit beschäftigt sich das folgende Kapitel.

3. Hoher Beschäftigungsstand

Das Stabilitätsgesetz enthält für das Beschäftigungsziel die recht unscharfe Vorgabe, ein «hoher Beschäftigungsstand» sei anzustreben, ohne daß präzisiert wird, wer oder was beschäftigt sein soll und was unter «hoch» zu verstehen ist. Zwei Konzepte sind üblich, um dieses Ziel zu operationalisieren: Etwas einseitig, aber tagespolitisch meist im Vordergrund stehend, wird der Beschäftigungsstand des Faktors Arbeit mit der **Arbeitslosenquote** beschrieben. Theoretisch anspruchsvoller und umfassender bezieht sich die Auslastung des **Produktionspotentials** auf die Beschäftigungssituation aller Produktionsfaktoren einer Volkswirtschaft. Dieser Aspekt wird zunächst betrachtet, bevor wir uns der Arbeitslosigkeit zuwenden.

3.1. Produktionspotential

Wie im vorangehenden Kapitel angesprochen, können Konjunkturschwankungen an den Wachstumsraten des realen Bruttoinlandsprodukts oder an den unterschiedlichen Auslastungsgraden des Produktionspotentials abgelesen werden. Unter **Produktionspotential** versteht man die Produktionsleistung, die eine Volkswirtschaft mit gegebenem Faktorbestand, insbesondere an Sachkapital und Arbeitskräften, theoretisch erbringen *könnte*. Das **Arbeitspotential** wird dabei bestimmt von der Zahl der Erwerbspersonen und der durchschnittlich geleisteten Arbeitszeit, so daß sich Bevölkerungsänderungen – z.B. durch Zuwanderung aus dem Ausland – oder allgemeine Arbeitszeitveränderungen auf das Arbeitspotential auswirken. Beim Faktor Kapital wird das genutzte Sachanlagevermögen (**Kapitalstock**) zur Bestimmung des Produktionspotentials herangezogen. Dies entspricht vor allem im industriellen Bereich dem Begriff der **Kapazitätsauslastung.** Schließlich kommt eine Restgröße hinzu, die alle nicht quantifizierbaren Komponenten umfaßt, die auf das Produktionspotential einwirken. Dazu gehört u. a. der technische Fortschritt, die Bildungspolitik und Strukturveränderungen.

3.1.1. Auslastung des Produktionspotentials

Eine hundertprozentige Ausnutzung der möglichen Produktionsleistung ist nicht realistisch. Vielmehr sollte von einer durchschnittlichen «normalen» Auslastung der Produktionskapazitäten ausgegangen werden. Abgesehen davon, daß technische Defekte beim Sachkapital ebenso einzukalkulieren sind wie z. B. Streiks beim Faktor Arbeit, würde eine Orientierung an der theoretischen Maximalauslastung zwei Schwachpunkte haben:

Zum einen ist zu berücksichtigen, daß Kapazitätsauslastungen in der Nähe des maximalen Produktionspotentials immer einhergingen mit Gefahren für die Preisniveaustabilität. Das technisch maximale Produktionspotential ist daher keine sinnvolle Bezugsgröße. Zum anderen wäre ein Zurückbleiben hinter der maximalen Produktionskapazität ständig als Wachstumsverlust zu interpretieren. Daher ist es angemessener, den Auslastungsgrad der Wirtschaft nicht an Extremwerten, sondern an einem **normalen** Auslastungsgrad des Produktionspotentials zu messen. Dieser leitet sich aus den durchschnittlichen Auslastungsgraden der Vergangenheit ab. Abb. 3.1.1/1 verdeutlicht, daß der normale Auslastungsgrad bei 96,75% des maximalen Produktionspotentials angesetzt wird. Seine Verwirklichung bedeutet «**Vollbeschäftigung**» des Produktionspotentials (1977, 1989). Bei Überschreiten der normalen Auslastung würde das Produktionspotential überbeansprucht (**Überbeschäftigung:** 1978–81, 1990–92), bei Unterschreiten unausgelastet (**Unterbeschäftigung:** 1974–76, 1981–88, 1993–98). Ein Vergleich mit den Wachstumsraten des realen Bruttoinlandsprodukts (BIP) im Zeitablauf zeigt, daß sich in unterschiedlichen Auslastungsgraden des Produktionspotentials die konjunkturellen Schwankungen parallel, wenn auch zeitlich leicht versetzt, widerspiegeln. Die Auslastung des Produktionspotentials kann somit gleichfalls zur Beschreibung der konjunkturellen Situation verwendet werden. Zu beachten ist allerdings, daß sich sektor- und branchenspezifisch durchaus andere Ergebnisse einstellen können als für die Gesamtwirtschaft. Die westdeutsche *Industrie* war 1991–92 deutlich unterausgelastet, während das Produktionspotential insgesamt – aufgrund des «Wiedervereinigungseffekts» – mehr als normal ausgelastet war. Die partielle Industrieauslastung verläuft dabei offensichtlich parallel zur gesamten Potentialauslastung, jedoch auf etwas niedrigerem Niveau. Bei Befragungen der Wirtschaft zu Prognosen über die

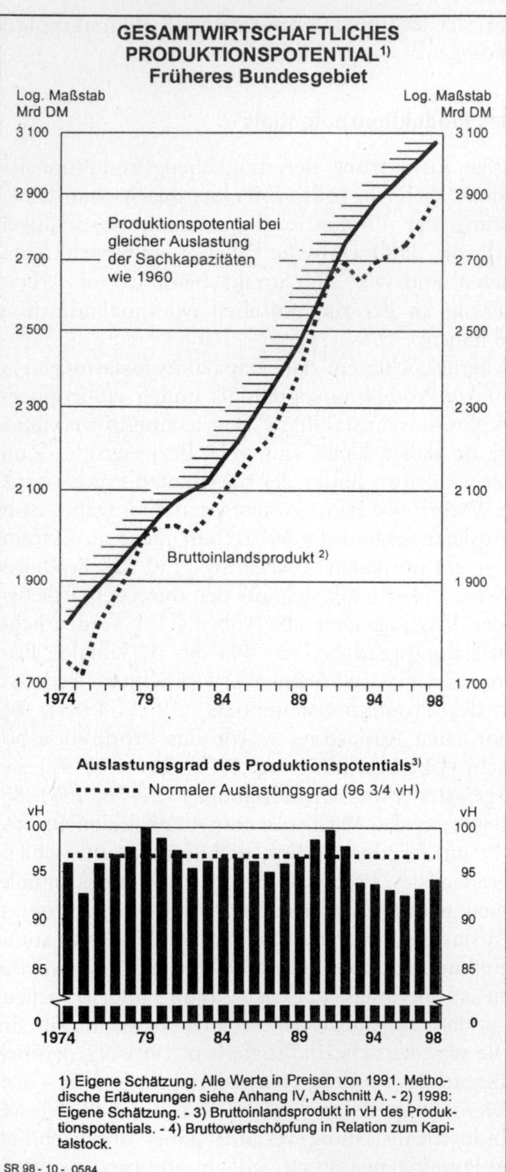

1) Eigene Schätzung. Alle Werte in Preisen von 1991. Methodische Erläuterungen siehe Anhang IV, Abschnitt A. - 2) 1998: Eigene Schätzung. - 3) Bruttoinlandsprodukt in vH des Produktionspotentials. - 4) Bruttowertschöpfung in Relation zum Kapitalstock.

Abb. 3.1.1/1: Produktionspotential

Quelle: Sachverständigenrat, Jahresgutachten 1998/99, S. 66

ökonomische Entwicklung wird ein verwandtes, aber subjektives Konzept der Beanspruchung der Wirtschaft («Geschäftsklima») verwendet (vgl. unten Abb. 15.2.2/4).

3.1.2. Begrenzende Faktoren

Abb. 3.1.1/1 macht noch einen weiteren Punkt deutlich. Nach dem Konzept der Normalauslastung würde man 1979–80 und 1990–92 von Voll- bzw. Überbeschäftigung des Produktionspotentials sprechen.

Dennoch gab es auch in diesen Jahren mehr **Arbeitslose**, als man als «Bodensatz» unterstellen kann. Das Produktionspotential wird berechnet auf der Grundlage eines gegebenen Bestandes an Produktionsfaktoren. Wenn nun der Sachkapitalbestand aufgrund mangelnder Investitionen nicht ausreicht, um alle Arbeitswilligen zu beschäftigen, wird das Produktionspotential durch den relativ knappen Faktor Kapital begrenzt. Dieses kann dann zwar ausgelastet sein, doch bleibt ein Teil des Arbeitspotentials ungenutzt.

Diese Situation bestand in der Bundesrepublik bis etwa 1960. Umgekehrt ist das Wachstum des Produktionspotentials danach bis etwa 1972 durch das Arbeitspotential begrenzt worden. Unter anderem, weil umfassende tarifliche Arbeitszeitverkürzungen erreicht wurden, so daß eine Anwerbung ausländischer Arbeitskräfte in großem Umfang erfolgte. Seit 1972 und insbesondere nach der Wiedervereinigung, die mit einem enormen Anstieg der Arbeitslosigkeit in den neuen Bundesländern einherging, wird das Wachstum des Produktionspotentials erneut von der Kapitalseite her begrenzt, d. h. das verfügbare Arbeitspotential wird nicht ausgenutzt. Selbstverständlich sind hierfür auch die «Preise» der Produktionsfaktoren ursächlich: Wenn sich z. B. der Faktor Arbeit im Verhältnis zum Faktor Kapital verteuert, dann besteht ein Anreiz, Arbeit durch Kapital (Maschinen) zu ersetzen. Können dann «freigesetzte» Arbeitskräfte nicht in anderen Sektoren der Wirtschaft eingesetzt werden, führt dies zu Arbeitslosigkeit (vgl. Abschn. 2.1.) und definitionsgemäß zur Unterauslastung des Arbeitspotentials.

3.1.3. Bestimmung des Produktionspotentials

Das Produktionspotential kann durch verschiedene Methoden bestimmt werden, z. B. durch Schätzung mithilfe einer (angenommenen) Produktionsfunktion, durch bestimmte statistische Analysen und Konjunkturdaten, durch Analysen der Entwicklung von Kapitalproduktivitäten und -intensitäten oder durch Hochrechnungen aus vierteljährlichen empirischen Befragungen von rund 5000 Unternehmen (West) bezüglich ihrer Kapazitätsauslastung (Abb. 3.1.3/1). Alle diese Verfahren haben bestimmte Vor- und Nachteile: Die direkte Befragung beruht z. B. auf subjektiven Einschätzungen der befragten Unternehmen und deckt nicht alle volkswirtschaftlichen Sektoren ab. Die anderen Verfahren hingegen erfordern ein umfangreiches und zuverlässiges Datenmaterial. Auf eine nähere Darstellung muß hier verzichtet werden. Im Anhang zu den Jahresgutachten des Sachverständigenrates finden sich ausführlichere methodische Erläuterungen.

Abb. 3.1.3/1: Kapazitätsauslastung der Industrie

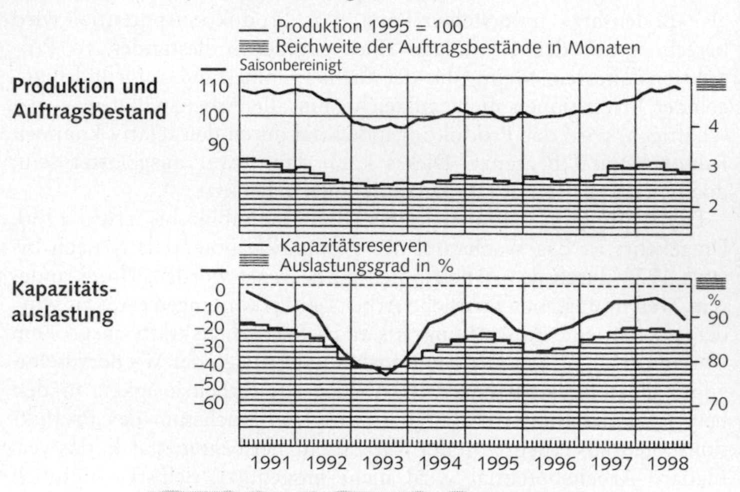

Ifo-Konjunkturtest für Dezember 1998 uneinheitlich

Geringere Auslastung der Industriekapazitäten

[1] Verbrauchsgüter produzierendes Gewerbe
Quelle: ifo Konjunkturtest (West)

Offensichtlich bestehen Zusammenhänge zwischen der Entwicklung des Produktionspotentials bzw. der Produktion als Teil des Sozialprodukts und der Entwicklung der Arbeitsplätze (vgl. Abb. 3.1.3/2). Investitionen erhöhen zwar tendenziell die Zahl der angebotenen Arbeitsplätze, aber nicht in jedem Fall, da die Bruttoinvestitionen sowohl Ersatz- als auch Nettoinvestitionen umfassen. Während letztere eine Kapazitätserweiterung bedeuten, erhalten Ersatzinvesti-

Abb. 3.1.3/2: Konjunktur und Arbeitsplätze

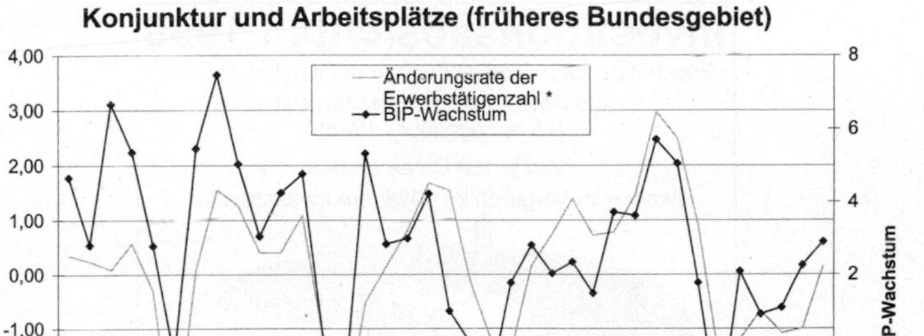

Schwache Konjunktur drückt auf den Arbeitsmarkt

BESCHÄFTIGUNG / Rückgang schwächt sich ab

IAB: Aufschwung erfaßt den Arbeitsmarkt

tionen die Kapazitäten allenfalls auf dem alten Stand. Je älter die existierenden Produktionsanlagen sind, desto größer wird die Notwendigkeit für Ersatzinvestitionen. Ebenfalls ohne arbeitsplatzschaffenden Kapazitätseffekt können auch Rationalisierungsinvestitionen sein, die entweder den Produktionsfaktor Arbeit durch den Faktor Kapital ersetzen oder die Sachanlagen modernisieren, ohne daß dies zu vermehrtem Arbeitsplatzangebot führt (vgl. Abb. 3.1.3/3). Der Substitutionseffekt zwischen Kapital und Arbeit wird auch durch Abb. 3.1.3/4 verdeutlicht. Schließlich haben Investitionen in den Umweltschutz oder in die Verbesserung der Arbeitsbedingungen nicht immer unmittelbare Kapazitätseffekte.

3.2. Arbeitslosigkeit

In den Medien ist es üblich, zur Beschreibung der Beschäftigungssituation einer Volkswirtschaft statt der Auslastung des Produktions-

Abb. 3.1.3/3: **Investitionsmotive**

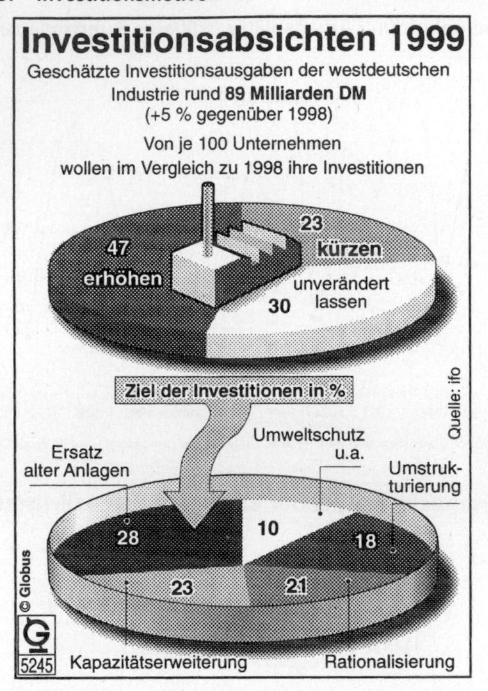

Abb. 3.1.3/4: **Faktorsubstitution**

Um Güter im Wert von 1 Mio DM zu produzieren waren notwendig

	Produktionsanlagen*	Arbeitskräfte
1970	2,1 Mio DM	17
1980	2,2 Mio DM	13
1990	2,5 Mio DM	11
1994**	2,3 Mio DM	12

Trotz Produktionssteigerung geht der Stellenabbau weiter

* in Preisen von 1991
** Gesamtdeutschland

Quelle: Institut der Deutschen Wirtschaft, Sachverständigenrat potentials die *Arbeitslosenstatistik* zu betrachten. Dabei werden sowohl *absolute Zahlen* als auch *relative Werte* (**Arbeitslosenquote**) verwendet. Mit zunehmender Arbeitslosigkeit verdrängen die absoluten Millionenzahlen dabei meist die relativen Quoten-Prozente.

Abb. 3.2/1 verdeutlicht den Trend zu einer Massenarbeitslosigkeit auf hohem Niveau. Im Januar 1998 wurde die Rekordmarke von 4,8 Mio. Arbeitslosen erreicht, die der damalige Bundeskanzler Kohl als «schwärzeste Zahl» seiner Amtszeit bezeichnete. Im internationalen Vergleich hat Deutschland an Boden verloren: Dänemark, Norwegen, Portugal, die Niederlande, Kanada, Großbritannien und die USA haben ihre Arbeitslosenquoten senken können, in Deutschland ist sie auf jetzt fast 10% angestiegen. Daß es in Spanien 21% sind, dürfte kein Trost sein: Das trifft auch auf einige Regionen in Ostdeutschland zu. Bevor wir uns den Perspektiven der Beschäftigungspolitik zuwenden, sollen einige methodische Aspekte geklärt werden.

3.2.1. Berechnung

Zur Berechnung der Arbeitslosenquote gibt es verschiedene Konzepte. Grundsätzlich weist die Arbeitslosenquote den Anteil der Arbeitslosen an einer Bezugsgröße aus, z. B. lautet die Formel:

$$(1)\quad \text{Arbeitslosenquote} = \frac{\text{Arbeitslose}}{\text{Erwerbstätige} + \text{Arbeitslose}} \cdot 100$$

wobei unter Erwerbstätigen (synonym: Beschäftigte) nur zivile Erwerbstätige zu verstehen sind. Einige außereuropäische Länder

Abb. 3.2/1: Entwicklung der Arbeitslosigkeit

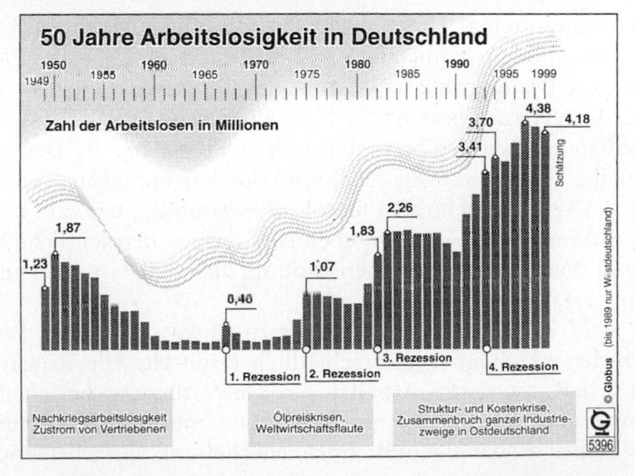

beziehen allerdings auch die im militärischen Bereich Beschäftigten in die Berechnung der Erwerbstätigen ein. Zivile **Erwerbstätige** plus **Arbeitslose** werden zusammen auch als zivile **Erwerbspersonen** oder **Arbeitskräfte** bezeichnet.

Die Erwerbstätigen umfassen – etwas genauer betrachtet – die sozialversicherungspflichtigen (abhängigen) Beschäftigten (inkl. der geringfügig Beschäftigten), Beamte und Selbständige (inkl. mitarbeitender Familienangehöriger). Eine andere Version der Arbeitslosenquote bezieht sich nur auf die *abhängigen* zivilen Erwerbspersonen und lautet

$$(2)\quad \text{Arbeitslosenquote} = \frac{\text{Arbeitslose}}{\text{Abhängige Erwerbstätige} + \text{Arbeitslose}} \cdot 100$$

Beide Versionen sind international gebräuchlich und entsprechen den Vorschlägen des **Internationalen Arbeitsamts** der Vereinten Nationen in Genf (**ILO** – United Nations International Labour Organization) aus dem Jahre 1982. Version (1) wird in der Bundesrepublik insbesondere auf *Bundesebene,* Version (2) oft auf *Länder-* und *Regionalebene* verwendet. Innerhalb der Europäischen Union werden die leider nach unterschiedlichen Methoden berechneten offiziellen Daten der einzelnen Länder – vgl. auch anschließend (Abb. 3.2.1/1) – seitens **Eurostat** (Statistisches Amt der EU) harmonisiert, d.h. umgerechnet, da wegen der unterschiedlichen Gesetzgebungen und Verwaltungspraktiken ein direkter internationaler Quervergleich wenig aussagekräftig ist. Die EU-Quote wird im wesentlichen nach Formel (1) berechnet.

3.2.2. Probleme der Berechnung

Es dürfte unmittelbar einleuchten, daß die obige Version (2) *höhere* Arbeitslosenquoten ergibt als Version (1), da in (2) – bei gleichem Zähler – die Bezugsgröße im Nenner des Quotienten kleiner ist als in (1). Der Unterschied beträgt ca. 1–1,5 Prozentpunkte.

Unabhängig davon gibt es besondere Probleme: In Deutschland werden die Erwerbstätigen an ihrem Beschäftigungsort, Arbeitslose an ihrem Wohnort erfaßt. Bei hohem *Pendleranteil*, wie z. B. zwischen Ost- und Westdeutschland, ergeben sich daraus beträchtliche Verzerrungen im Vergleich zu einer Berechnung, die beide Gruppen an ihrem Wohnort erfaßt.

Die *Zahl* der bei den Arbeitsämtern eingeschriebenen Personen wird in den EU-Staaten unterschiedlich ermittelt. Die Registrierung erfolgt i. d. R., weil die Arbeitslosen Unterstützung beziehen, aber auch aufgrund freiwilliger Anmeldung. Die Niederlande kombinieren dies mit einer monatlichen Stichprobenerhebung. Griechenland weist

Abb. 3.2.1/1: Unterschiede in der Berechnung der Arbeitslosenquoten

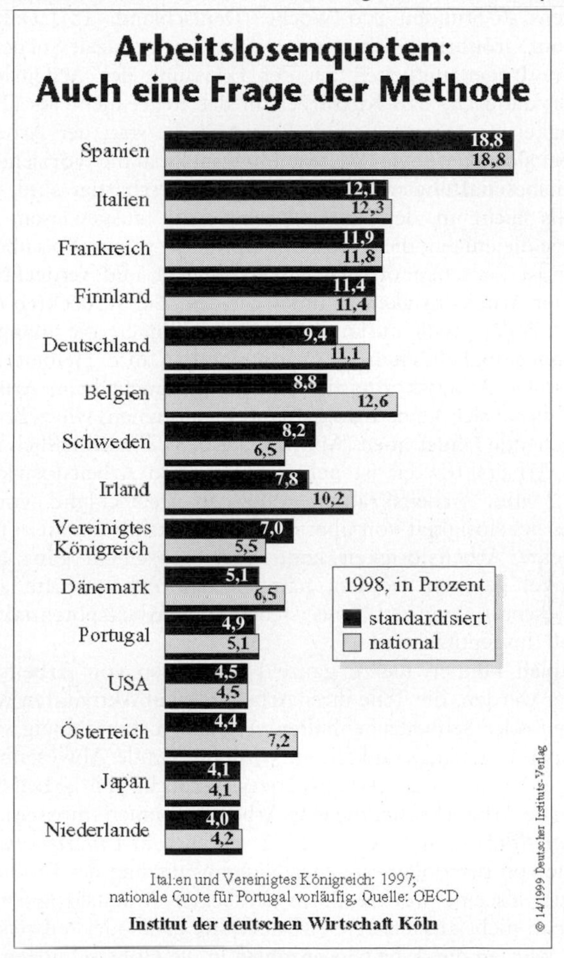

sehr starke Abweichungen von den übrigen Mitgliedsstaaten auf. Außerdem ist für dieses Land kein monatlicher Indikator verfügbar. Eurostat ist daher für Griechenland in hohem Maße auf Schätzungen angewiesen.

Als *arbeitslos* gilt in Deutschland/der EU eine Person, die älter als vierzehn Jahre ist, aktiv nach einer Arbeit sucht und unmittelbar für eine solche zur Verfügung steht. Die meisten EU-Staaten erfassen nur

Personen, die eine **Vollzeitarbeit** suchen, d. h. eine Beschäftigung von mindestens 20 Stunden pro Woche (Deutschland: 18). Dänemark, Italien und Großbritannien erfassen dabei auch Teilzeit-Suchende.

Weitere Ungenauigkeiten bei der Erfassung der Arbeitslosigkeit entstehen dadurch, daß Kurzarbeit in der Regel nicht als (Teil-)Arbeitslosigkeit ausgewiesen wird. Personen, die statt der Arbeitsuche bei Arbeitslosigkeit eine Weiterbildungsmaßnahme vorziehen oder in **Arbeitsbeschaffungsmaßnahmen (ABM)** beschäftigt sind, werden gleichfalls nicht in der Arbeitslosenstatistik ausgewiesen, ebenso wenig wie diejenigen, die frühzeitig «in Rente» gehen (**Vorruhestand**).

Daher ist zwischen **offener** Arbeitslosigkeit und **verdeckter** oder **versteckter Arbeitslosigkeit** zu unterscheiden. Zur verdeckten Arbeitslosigkeit zählen auch ausländische Arbeitnehmer, die mangels Beschäftigungsmöglichkeiten in Deutschland in ihre Heimat zurückkehren sowie Arbeitskräfte, die sich erst gar nicht beim Arbeitsamt melden, da sie sich keine Erfolgschancen einräumen, wie z. B. teilzeitarbeitsuchende Hausfrauen (Abb. 3.2.2/1 u. 3). Einschließlich der verdeckten Arbeitslosigkeit ist neben der offenen Arbeitslosigkeit von rund 4,2 Mio. Arbeitskräften (1998) in Deutschland von einer Gesamtarbeitslosigkeit von über 6 Mio. Arbeitskräften auszugehen.

Verdeckte Arbeitslosigkeit kann auch aus einem ganz anderen Blickwinkel gesehen werden, nämlich daß Arbeitskräfte zwar in einem Beschäftigungsverhältnis stehen, ihr Arbeitspotential jedoch nicht voll ausgenutzt wird.

Prinzipiell können hierzu ganze Heerscharen von Arbeitskräften gerechnet werden, die Teile ihrer Arbeitszeit auf Aktivitäten wie Kaffeekochen oder Schwätzchenhalten verwenden. Einschlägig sind ferner Zuspätkommen, Krankfeiern, vorübergehende Abwesenheit und vorzeitiges Verlassen des Arbeitsplatzes. Verdeckt (teil-)arbeitslos sind auch solche Arbeitskräfte, die eine Arbeit annehmen (müssen), für die sie *überqualifiziert* sind. Abb. 3.2.2/2 verdeutlicht *Unterbeschäftigung* (im Sinne von personenbezogener Nichtausnützung des Produktionspotentials) als eine weitere Form verdeckter Arbeitslosigkeit. Fazit: würde man nicht ausgelastete Arbeitskräfte ganz oder teilweise «freisetzen», würden die Arbeitslosenzahlen in die Höhe schnellen.

Eine weitere Schwierigkeit bei der Berechnung der tatsächlichen Arbeitslosenzahl stellt die sog. «**Stille Reserve**» dar. Dazu zählen alle Personen, die zwar Interesse haben, einen Job anzunehmen, sich aber aus verschiedenen Gründen nicht arbeitslos melden – oft, weil der Ehepartner im Berufsleben steht oder sie selbst keinen Anspruch auf Arbeitslosengeld haben. Das Institut für Arbeitsmarkt- und Berufsforschung (IAB) schätzte die Stille Reserve für 1997 auf rd. 2,4 Mio.

Menschen, während die Zahl der registrierten Arbeitslosen in diesem Jahr 5,7 Mio. betrug. Die Stille Reserve erhöhte die registrierte Arbeitslosigkeit demnach um weitere 42%.

Abb. 3.2.2/1: Verdeckte Arbeitslosigkeit

Folgende Aspekte gehen nicht in die Zahlen zur (offenen) Arbeitslosigkeit ein:

- Kurzarbeit
- Berufliche Weiterbildung
- Arbeitsbeschaffungsmaßnahmen
- Vorruhestand
- Nicht gemeldete Arbeitssuchende (Stille Reserve)

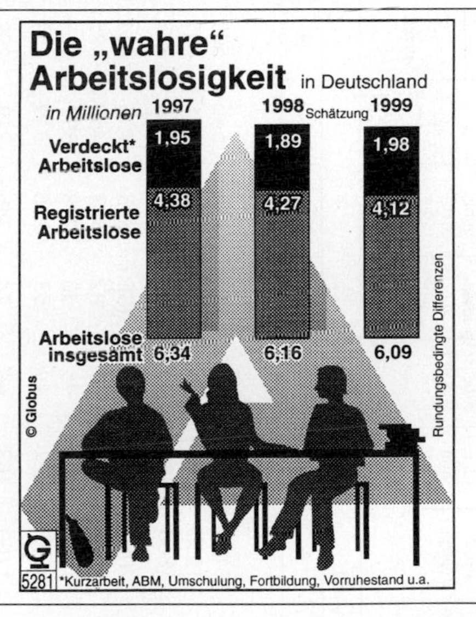

Abb. 3.2.2/2: Unterbeschäftigung

Jahresgehalt für Monatsleistung

Bediensteter der Oberfinanzdirektion bettelt seit Jahren um mehr Arbeit

Bremen (as). Ein Mitarbeiter der Oberfinanzdirektion Bremen im Haus des Reichs hat Finanzsenator Volker Kröning mitgeteilt, daß er nur etwa 30 von 220 Arbeitstagen pro Jahr mit den ihm anvertrauten Arbeiten ausgelastet sei. Inzwischen klagt der Diplom-Ingenieur auf eine ordentliche Beschäftigung. Ob dieser jetzt ausgelastet ist, konnte Krönings Sprecherin Grotheer-Hünecke nicht beanworten: "Die Bewertung des Arbeitsumfanges kann erst nach einem Jahr vorgenommen werden."

Abb. 3.2.2/3: Offene und verdeckte Arbeitslosigkeit

Zeitraum[1]		Offene und verdeckte Arbeitslosigkeit[2]	Registrierte Arbeitslose[3]	Verdeckte Arbeitslosigkeit[4]	Kurzarbeiter			Teilnehmer an beschäftigungsschaffenden Maßnahmen[3][7]	Teilnehmer an beruflicher Weiterbildung[8]		Teilnehmer an Deutsch-Sprachlehrgängen[3]	Leistungsempfänger nach §§ 125, 126 und 428 SGB III[10]	Empfänger von	
					insgesamt	Arbeitsausfall[5]	Arbeitslosenäquivalent[6]		insgesamt[3]	darunter Vollzeit[9]			Altersübergangs-Vorruhe-/standsgeld	Altersrente wegen Arbeitslosigkeit[11]
		Tausend				vH	Tausend							
		(1)	(2)	(3)	(4)	(5)	(6)	(7)	(8)	(9)	(10)	(11)	(12)	(13)
							Deutschland							
1996		6104	3965	2139	277	*41*	112	354	546	505	51	267	187	663
1997		6340	4384	1955	183	*44*	80	302	431	400	43	318	60	752
1998		6161	4273	1888	113	*45*	51	374	343	322	27	301	1	812
1997	1. Vj.	6330	4548	2082	303	*45*	136	313	495	461	46	304	103	719
	2. Vj.	6305	4317	1987	197	*42*	82	313	458	425	45	306	73	743
	3. Vj.	6210	4331	1880	111	*45*	50	298	392	363	42	319	44	764
	4. Vj.	6214	4342	1872	121	*44*	53	286	379	351	39	343	19	781
1998	1. Vj.	6499	4738	1760	163	*46*	74	245	318	298	31	315	2	795
	2. Vj.	6161	4322	1839	122	*45*	55	327	335	315	28	304	1	809
	3. Vj.	6038	4083	1955	75	*48*	36	451	353	333	25	289	1	818
	4. Vj.	5949	3949	2000	93	*44*	41	471	367	343	25	295	0	825

[1]) Abweichungen in den Summen durch Runden der Zahlen. Jahreswerte aus gerundeten Quartalswerten berechnet. 4. Vierteljahr 1998 und Jahreswert 1998 eigene Schätzung.

[2]) Summe der Spalten 2 und 3.

[3]) Vierteljahresdurchschnitte aus Monatsendständen, wobei der Stand am Ende des letzten Monats des Vorquartals und am Ende des dritten Monats des Berichtsquartals jeweils zur Hälfte berücksichtigt wird.

[4]) Summe der Spalten 6, 7 und 9 bis 13.

[5]) Eigene Berechnung.

[6]) Anzahl der Kurzarbeiter multipliziert mit ihrem durchschnittlichen Arbeitsausfall.

[7]) Neben den Teilnehmern an Arbeitsbeschaffungsmaßnahmen (§§ 260 bis 271, 416 SGB III) sind auch die Teilnehmer an Strukturanpassungsmaßnahmen (§§ 272 bis 279, 415 SGB III) berücksichtigt.

[8]) Erfaßt nach dem Wohnortprinzip. Vor dem 1. Januar 1998: Berufliche Fortbildung, Umschulung und Einarbeitung.

[9]) Ohne Einarbeitung.

[10]) Personen, die gemäß § 125 SGB III (Minderung der Leistungsfähigkeit), § 126 SGB III (Leistungsfortzahlung bei Arbeitsunfähigkeit) und § 428 SGB III (58jährige und ältere Personen, die der Arbeitsvermittlung nicht mehr zur Verfügung stehen müssen) Leistungen empfangen, aber nicht als registrierte Arbeitslose gezählt werden (entspricht den früheren §§ 105a bis c AFG).

[11]) 60- bis unter 65jährige Rentenempfänger. Eigene Schätzung nach Angaben des BMA, des VDR und der Bundesknappschaft.

Quelle für Grundzahlen: BA

Quelle: Sachverständigenrat, Jahresgutachten 1998/99, S. 89

Fünf Unterschiede bestehen zwischen der deutschen und der europäischen Berechnungsmethode:

- Nach dem deutschen Sozialgesetzbuch gilt auch als arbeitslos, wer zwar bis zu 14 Stunden pro Woche arbeitet, aber eine längere Beschäftigung sucht.
- Die deutschen Arbeitslosenzahlen beruhen auf den Karteien der Arbeitsämter, die standardisierten europäischen Quoten auf repräsentativen Befragungen, welche das Bestreben besser erfaßt, ob tatsächlich eine Arbeit gesucht wird.
- Das deutsche Recht stellt auf die objektive Arbeitsfähigkeit ab, wobei offen ist, ob der Arbeitslose tatsächlich arbeiten will.
- Im Gegensatz zum internationalen Standard müssen deutsche Arbeitslose sich nicht selbst *intensiv* um eine Stelle bemühen, was tendenziell zu höheren Arbeitslosigkeitszahlen führt.
- Die internationale Befragungsmethode erfaßt auch die sog. Stille Reserve mit als arbeitslos.

Ende April 1999 hat das statistische Bundesamt die Erfassungsmethoden der Arbeitsmarktstatistik auf das Europäische System umgestellt. Abb. 3.2.2/4 verdeutlicht, daß bislang mehr Arbeitslose und weniger Erwerbstätige ausgewiesen wurden als nach der jetzigen international standardisierten Methode.

Es ließen sich noch eine Reihe weiterer kritischer Anmerkungen zur statistischen Berechnung der Arbeitslosigkeit machen, auf die jedoch hier verzichtet werden soll. Insgesamt bleibt festzuhalten, daß die Arbeitslosenquote bei ihrer Berechnung teilweise erheblich verzerrenden Einflüssen ausgesetzt ist. Andererseits soll auch darauf hingewiesen werden, daß die Arbeitslosenquote für sich genommen zwar eine recht pauschale Aussage macht, die konkrete Arbeitslosenstatistik jedoch eine sehr tiefgreifende Differenzierung der Arbeitslosigkeit u. a. in regionaler, sektoraler, alters-, ausbildungs- und geschlechtsspezifischer Hinsicht vornimmt.

3.3. Ursachen von Arbeitslosigkeit

3.3.1. Strukturelle Arbeitslosigkeit

Die Ursachen von Arbeitslosigkeit sind vielschichtig, doch lassen sich einige Hauptkomponenten unterscheiden. Die langfristigste und am schwierigsten zu bekämpfende Arbeitslosigkeit ist die **strukturelle** Arbeitslosigkeit. Grundsätzlich versteht man darunter, daß die Struktur der Nachfrage nach Arbeitskräften langfristig nicht mit der Struk-

Abb. 3.2.2/4: Internationale Erfassungsmethode

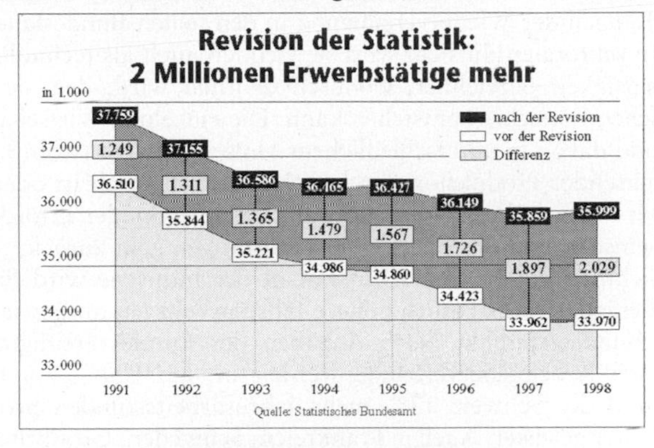

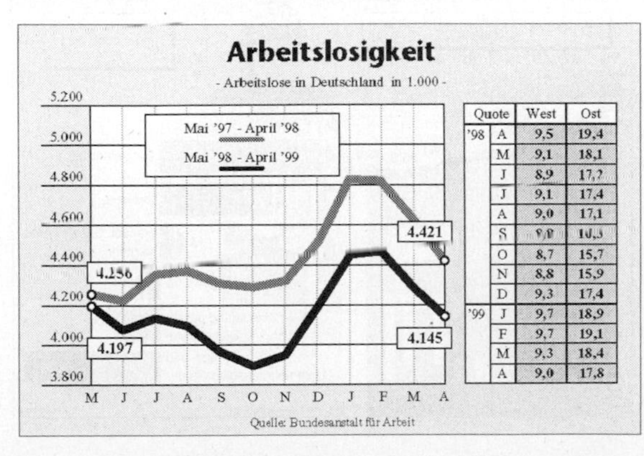

Quote		West	Ost
'98	A	9,5	19,4
	M	9,1	18,1
	J	8,9	17,2
	J	9,1	17,4
	A	9,0	17,1
	S	[illegible]	[illegible]
	O	8,7	15,7
	N	8,8	15,9
	D	9,3	17,4
'99	J	9,7	18,9
	F	9,7	19,1
	M	9,3	18,4
	A	9,0	17,8

Quelle: iwd 19/1999

tur des Angebots übereinstimmt. Besonders deutlich erkennbar war dies z.B. nach der Wiedervereinigung in den neuen Bundesländern.

(1) In **sektoraler** Hinsicht wird sie vielfach auch als **technologische** Arbeitslosigkeit bezeichnet, wodurch deutlich wird, daß sie durch technischen Fortschritt entstehen kann. Die einzelnen Wirtschaftssektoren sind davon in unterschiedlichem Maße betroffen (Abb. 3.3.1/1). Bei wachsender Produktion durch technischen Fortschritt oder – allgemeiner – bei höherer Arbeitsproduktivität sinkt der erforderliche Arbeitseinsatz, und die Zahl der Erwerbstätigen geht zurück.

Hinsichtlich der Normalarbeitszeit in der Industrie wird für viele Industrieländer eine deutlich höhere Jahresarbeitszeit ausgewiesen als in der Bundesrepublik. Nach Angaben der Bundesvereinigung der Deutschen Arbeitgeberverbände werden in den USA 21% und in Japan und der Schweiz 17% mehr Jahresarbeitsstunden pro Industriearbeiter geleistet. Auch in Frankreich, Schweden, Großbritannien, Niederlande, Österreich und Italien wird – bei zum Teil niedrigerem Lohnniveau – mehr gearbeitet als in Deutschland (vgl. Abb. 3.3.1/2). Allerdings ist dabei auch die Arbeitsqualität, -produktivität und -intensität (Streiks) zu berücksichtigen. In Kap. 2 wurde als Argument für Wachstum darauf hingewiesen, daß durch technischen Fortschritt freigesetzte Arbeitskräfte nur bei wachsendem Sozialprodukt wieder in den Wirtschaftsprozeß eingegliedert werden können. Arbeitssparende Investitionen werden – sprachlich zu neutral – auch als Rationalisierungsinvestitionen bezeichnet. Gegenmaßnahmen sind vor allem im Bereich der Umschulung zu sehen.

Abb. 3.3.1/1: Sektorale Arbeitslosigkeit

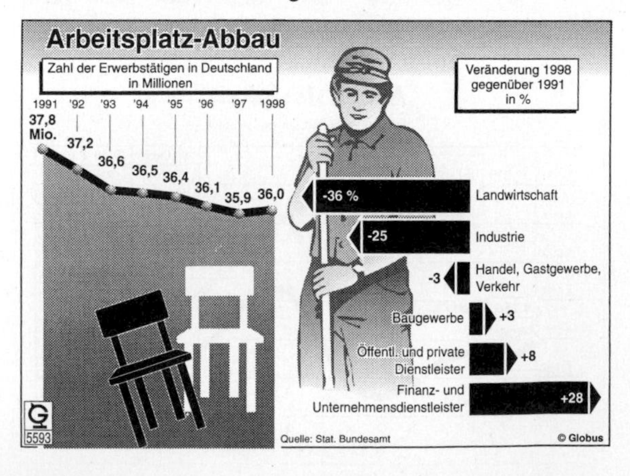

Das Anschnellen der Arbeitslosigkeit in Deutschland nach der Wiedervereinigung ist daher nicht nur als Strukturwandel, sondern sogar als massiver **Strukturbruch** zu werten; daher werden bislang die Statistiken für West- und Ostdeutschland noch getrennt geführt.

(2) In **regionaler** Hinsicht bedeutet strukturelle Arbeitslosigkeit, daß – in strukturschwachen Gebieten – ein Angebotsüberhang auf dem Arbeitsmarkt besteht (vgl. Abb. 3.3.1/3). Regionaler Arbeitslosigkeit ist insbesondere durch Förderung der Mobilität der Arbeitnehmer, aber auch durch Investitionsanreize in wirtschaftlich schwach entwickelten Gebieten zu begegnen.

(3) In **globaler** Hinsicht wird strukturelle Arbeitslosigkeit induziert durch die Auswirkungen der **Globalisierung:** Die Entwicklung und Intensivierung der internationalen Arbeitsteilung verlagert in zunehmendem Maße Arbeitsplätze in Transformations- und Entwickungsländer und produziert entsprechend Arbeitslosigkeit in Industrieländern wie Deutschland.

Abb. 3.3.1/2: Arbeitszeiten international

Abb. 3.3.1/2: Arbeitszeiten international (Fortsetzung)

Wochenarbeitszeit: 40 längst kein Auslaufmodell

Tarifliche Wochenarbeitszeit eines Industriearbeiters 1997 in Stunden

Schweiz	40,5
Portugal	40,5
USA	40
Japan	40
Griechenland	40
Luxemburg	40
Italien	40
Finnland	40
Spanien	39,6
Schweden	39,1
Irland	39
Frankreich	39
Ostdeutschland	39
Vereinigtes Königreich	38,9
Niederlande	38,5
Österreich	38,4
Norwegen	37,5
Belgien	37
Dänemark	37
Westdeutschland	35,8

20 25 30 35 40

Ostdeutschland, Japan: Schätzung
Ursprungsdaten: BDA, Japan Ministry of Labour
Institut der deutschen Wirtschaft Köln

3.3.2. Konjunkturelle Arbeitslosigkeit

Eine mittelfristige Ursache der Arbeitslosigkeit sind **Konjunkturschwankungen.** Ein anhaltender Rückgang der volkswirtschaftlichen Endnachfrage – sei es im Konsum –, Investitions- oder Exportbereich – geht in der Regel einher mit Beschäftigungseinbußen (vgl. oben Abb. 3.1.3/2). Statistisch ist ein enger Zusammenhang zwischen Investitionstätigkeit und Beschäftigungszahl nachzuweisen. Die sogenannte angebotsorientierte Wirtschaftstheorie argumentiert daher, daß eine Zunahme der Beschäftigung nur durch eine Zunahme der Investitionen zu erreichen ist. Zu beachten ist dabei allerdings, daß eine Investition zur Faktorsubstitution, d. h. ein Ersetzen von Arbeits-

Abb. 3.3.1/3: Regionale Arbeitslosigkeit

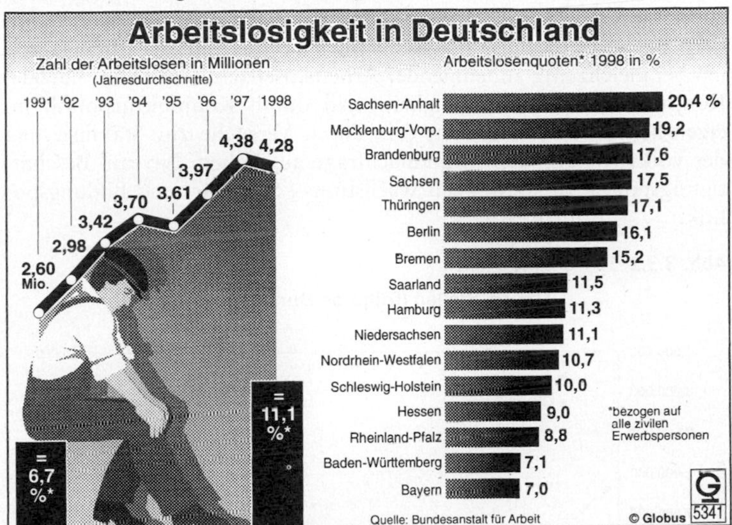

kräften durch Sachkapital, führen kann. Nicht jede Investition schafft Arbeitsplätze (vgl. oben Abb. 3.1.3/3).

Die Existenz bzw. das Entstehen von Arbeitslosigkeit ist grundsätzlich mikroökonomisch, d. h. aus der Sicht eines Unternehmens zu erklären. Der Einsatz von Produktionsfaktoren im Produktionsprozeß verursacht Kosten, die neben einer betimmten Gewinnspanne in den Preisen «verdient» werden müssen. Wenn die Erlöse, also das Produkt aus Absatzmenge und Stückpreisen, langfristig nicht mehr die Kosten decken, ist die Existenz eines Unternehmens gefährdet. Sofern diese Situation von Anfang an besteht, wird es gar nicht erst zu Unternehmungsgründungen kommen. Tritt die Situation durch Kostensteigerungen oder Erlöseinbußen bei bestehenden Unternehmen ein, werden diese zunächst durch Rationalisierungsmaßnahmen Kosten einzusparen versuchen bzw. – wenn dies nicht ausreicht – den Betrieb einstellen und entsprechend Arbeitskräfte entlassen.

An diesem Punkt setzt die *angebotsorientierte Wirtschaftstheorie* an. Durch staatliche Maßnahmen soll das Kosten-Erlös-Verhältnis für Unternehmen günstiger gestaltet werden, um so einen Anreiz für arbeitsplatzerhaltende und vor allem arbeitsplatzschaffende Investitionen zu bieten (vgl. Kap. 9).

Die Entwicklung der Arbeitslosenzahlen ist gegenläufig zur Konjunkturbewegung, während die Zahl der **offenen Stellen** als zweiter wichtiger Indikator für den Arbeitsmarkt sich tendenziell gegenläufig zu den Arbeitslosenzahlen und damit parallel zur Konjunktur verändert: Bei wirtschaftlichem Abschwung sinkt die Zahl der offenen Stellen bei gleichzeitig zunehmender Arbeitslosenzahl (vgl. Abb. 3.3.2/1). **Konjunktureller** Arbeitslosigkeit wird durch Konjunkturpolitik im eigentlichen Sinne begegnet, d. h. durch Versuche zur Stabilisierung der volkswirtschaftlichen Endnachfrage auf hohem Niveau. Beschäftigungspolitik ist somit auch Wachstums-, Struktur- und Bildungspolitik.

Abb. 3.3.2/1: Offene Stellen

Offene Stellen (früheres Bundesgebiet)

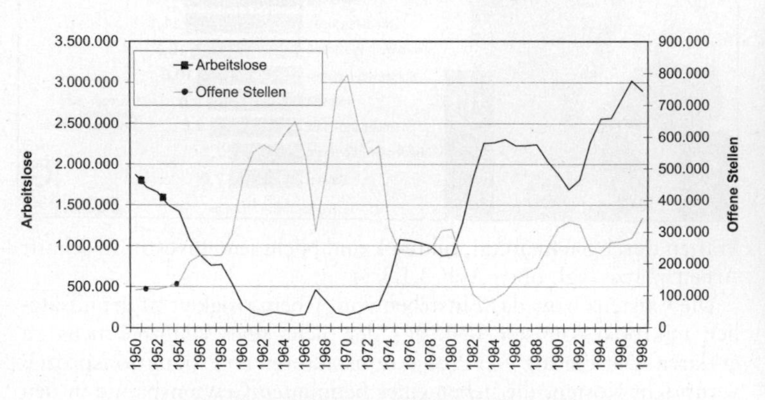

„Gegen konjunkturelle Arbeitslosigkeit machtlos"

Quelle: Deutsche Bundesbank, © WorkShop «Konjunktur»

Konjunkturell verursachte Arbeitslosigkeit kann durchaus in eine langfristige, strukturelle Arbeitslosigkeit umschlagen, da «abgebaute» Arbeitsplätze im anschließenden Wiederaufschwung meist nicht wieder angeboten werden.

3.3.3. Saisonale Arbeitslosigkeit

Die kurzfristigste Form der Arbeitslosigkeit ist die **saisonale** Arbeitslosigkeit, die jahreszeitlich bedingt und in hohem Maße wetterabhängig ist. So erleiden – unabhängig von der konjunkturellen Lage – Landwirtschaft und Bauwirtschaft im Winter starke Beschäftigungseinbußen. Gleiches gilt für typische Saisonberufe wie Bademeister, Skilehrer oder Gartenlokalpersonal. Abb. 3.3.3/1 verdeutlicht, daß

Abb. 3.3.3/1: Saisonale Arbeitslosigkeit

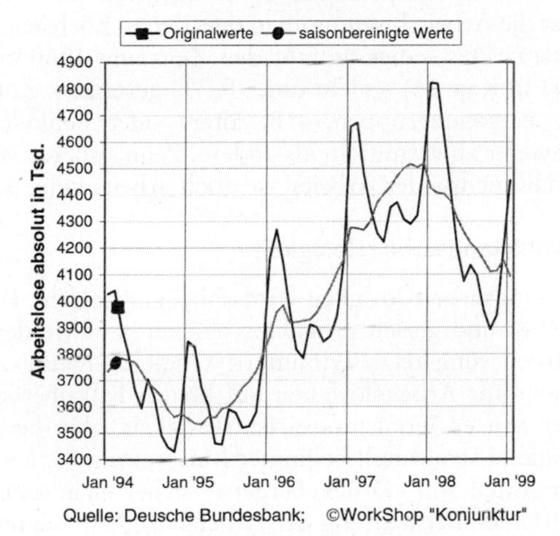

diese saisonalen Veränderungen jedes Jahr zu beobachten sind. Durch spezielle Saisonbereinigungsverfahren lassen sich jedoch die regelmäßigen Schwankungen statistisch «herausfiltern» und jahreszeitenunabhängige Arbeitslosenzahlen berechnen.

3.3.4. Friktionelle Arbeitslosigkeit

Schließlich ist noch die **friktionelle** Arbeitslosigkeit zu erwähnen. Hierunter versteht man, daß Verlust bzw. Aufgabe eines Arbeitsplatzes und Aufnahme einer neuen Beschäftigung nicht reibungslos aneinander anschließen, da z. B. der Arbeitslose über das Angebot an geeigneten offenen Stellen nicht hinreichend informiert ist. Man spricht daher auch von **Such-** oder **Fluktuationsarbeitslosigkeit.** Informationslücken treten insbesondere dann auf, wenn die Arbeitsämter seitens der Unternehmen nicht vollständig über das Angebot an offenen Stellen informiert werden. Friktionelle Arbeitslosigkeit wird ferner bedingt durch Abweichungen zwischen Schul- oder Bundeswehrentlassungsterminen und Einstellungsterminen.

Es ist davon auszugehen, daß die Arbeitslosenquote auch in Zeiten der Hochkonjunktur nicht Null sein kann. Aus saisonalen, friktionellen, strukturellen und sonstigen Gründen wird es immer einen gewissen «**Bodensatz**» an Arbeitslosigkeit geben. Selbst die Schweiz, die als Land ohne Beschäftigungsprobleme galt (sie hat gegenwärtig allerdings auch 4% Arbeitslose), wies z. B. in einem «guten» Jahr wie 1983 eine Arbeitslosenquote von 0,3% aus, und auch in der Bundesrepublik ist die Arbeitslosenquote in den Zeiten höchster Anspannung des Arbeitsmarktes – dies umfaßt den Zeitraum 1960 bis 1973 (vgl. Abb. 16.1/1 in Kap. 16) – nicht unter 0,7% gesunken. Zum einen sind bestimmte Personengruppen, z. B. ältere oder behinderte Arbeitskräfte, schwerer zu vermitteln als andere. Zum anderen ist davon auszugehen, daß nicht jeder Arbeitslose auch arbeitswillig ist.

3.3.5. «Wohlstandsarbeitslosigkeit»

Von **Wohlstandsarbeitslosigkeit** wird dabei gesprochen, wenn Arbeitskräfte bewußt und gezielt arbeitslos bleiben bzw. werden, da sie die soziale Absicherung dazu ermuntert. Obgleich häufig zitiert, sollte diese Ursache für Arbeitslosigkeit auf keinen Fall überbewertet werden. Sicher gibt es Wohlstandsarbeitslosigkeit, aber bei anhaltender und zunehmend strukturell bedingter Massen- und Dauerarbeitslosigkeit ist der Anteil von «Drückebergern» sicher nicht sehr bedeutsam.

Eine pauschale Betrachtung der Arbeitslosigkeit anhand der globalen Arbeitslosenquote ist – abgesehen von den speziellen Einwänden gegen die Berechnungsmethoden – wie jede Beurteilung anhand einer Durchschnittszahl problematisch. Rückschlüsse lassen sich nur aus einer Aufspaltung der Arbeitslosenquote in verschiedene Gruppen von Betroffenen ableiten.

Eine Differenzierung wäre demnach u. a. vorzunehmen in regionaler wie sektoraler (branchenmäßiger) Hinsicht, ferner alters- und geschlechtsspezifisch, nach dem Ausbildungsstand und schließlich nach der Dauer der Arbeitslosigkeit. Insbesondere letzterer Aspekt ist im Hinblick auf die Langzeitarbeitslosigkeit (d. h. Arbeitslosigkeit von mehr als zwölf Monaten) von spezieller beschäftigungspolitischer Bedeutung, da diese besonders schwer zu bekämpfen ist. Meistens sind folgende Risikofaktoren ursächlich: Langzeitarbeitslose sind in der Regel ohne qualifizierte Ausbildung, gesundheitlich beeinträchtigt und/oder haben die 55-Jahre-Marke überschritten (Abb. 3.3.5/1).

Abb. 3.3.5/1: Problemkriterien

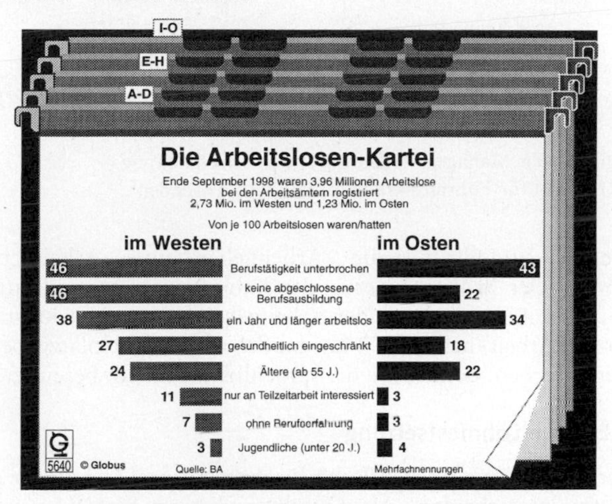

Zahl der Langzeitarbeitslosen steigt weiter

3.4. Besondere Charakteristika des Arbeitsmarktes

Die Existenz von Arbeitslosigkeit belegt, daß für den Produktionsfaktor Arbeit keineswegs die Markt- und Preismechanismen gelten, von denen die klassische ökonomische Theorie in idealtypischen Modellen ausgeht. Ansonsten müßten bei einem Überangebot an Arbeitskräften die Löhne als Preise für Arbeit sinken. Den Arbeitsmarkt zeichnen eine Reihe von Besonderheiten aus, die ihn von den Gegebenheiten auf anderen Faktor- und Gütermärkten unterscheiden.

3.4.1. Existentielle Abhängigkeit vom Arbeitsmarkt

Zunächst einmal ist der Arbeitnehmer in der Regel darauf *angewiesen,* seine Arbeitskraft auf dem Arbeitsmarkt anzubieten, d. h. er kann nicht – wie ein Grundstücksbesitzer – auf die Vermarktung verzichten. Anhaltende Arbeitslosigkeit ist daher in erster Linie ökonomisch existenzbedrohend; sie stellt aber vielfach auch eine seelische Belastung dar, die für den Betroffenen zum Verlust des Selbstwertgefühls und zu völligem sozialen Absturz führen kann. Daher sind Arbeitslose bei anhaltender Arbeitslosigkeit zunehmend bereit, auch schlechter bezahlte Tätigkeiten anzunehmen und solche, für die sie eigentlich überqualifiziert sind (Abb. 3.4.1/1).

Abb. 3.4.1/1: Job-Qualifikation

Lieber zwei Schritte zurück, als ohne Arbeit auf der Straße zu stehen

Immer mehr Manager werden Opfer der Verschlankung / Der Markt für Führungskräfte fordert neue Tugenden

Sprachlich sind die Begriffe «Arbeitgeber» und «Arbeitnehmer» irreführend. Der Arbeitnehmer ist der Anbieter von Arbeitskraft, also eigentlich ein Arbeit«geber», der Arbeitgeber fragt Arbeitskraft nach, ist also ein Arbeit«nehmer». Man müßte von Arbeitsplatzgeber und -nehmer sprechen, dann wäre die sprachliche Unlogik bereinigt.

3.4.2. Externe Lohnfestsetzung

Arbeitsrechtlich ist zwischen **Lohn** für Arbeiter und **Gehalt** für Angestellte zu unterscheiden. Als Oberbegriff wird formal meist von Arbeits-**Entgelt** gesprochen. Hier und allgemein wird jedoch die Bezeichnung *Lohn* als Preis für den Produktionsfaktor Arbeit im Sinne der volkswirtschaftlichen Terminologie verwendet.

Der einzelne Arbeitnehmer hat keinen direkten Einfluß auf den Marktpreis der Arbeit, die Lohnfestsetzung erfolgt in der Regel extern in Tarifverhandlungen. Ein Arbeitnehmer, der mit diesem «Preis» nicht einverstanden ist, kann aber nicht darauf verzichten, seine Arbeitsleistung anzubieten, sondern muß den niedrigen Lohn akzeptieren. Andererseits ist der vereinbarte Tariflohn auch ein verbindlicher **Mindestlohn**, der – legal – nach dem Tarifrecht nicht unterschritten werden darf. Folglich bilden sich einerseits *unter*tarifliche Löhne auf dem illegalen **Schwarzmarkt** der Arbeit, der statistisch zur sog. **Schattenwirtschaft** zählt (vgl. Abb. 3.4.2/1). Andererseits ist heutzutage, angesichts anhaltend hoher Arbeitslosigkeit, zu beobachten, daß das Niveau der Mindestlöhne tendenziell sinkt (vgl. Abb. 3.4.2/2 u. 3).

3.4.3. Preisbildung und Mindestlöhne

Auf Gütermärkten, die nach marktwirtschaftlichen Kriterien organisiert sind, erfolgt die Preisbildung nach dem Kräfteverhältnis zwischen Angebot und Nachfrage. Je geringer die Marktmacht der einzelnen Anbieter oder Nachfrager ist, desto mehr nähert sich der Preisbildungsprozeß den «Gesetzmäßigkeiten» der **vollständigen Kon-**

Abb. 3.4.2/1: Schwarzarbeit

SCHATTENWIRTSCHAFT / Bau und Handwerk führend

Schwarzarbeit legt zu

Schwarzarbeit

in % des Bruttoinlandsprodukts (Schätzung)

Italien	26
Belgien	21
Schweden	18
Norwegen	18
Dänemark	18
Irland	15
Deutschland	15
Frankreich	14
Niederlande	14
USA	9
Österreich	8
Schweiz	8

© Globus 4365

Abb. 3.4.2/2: Der wahre Einkommensfortschritt – oder Reallohn

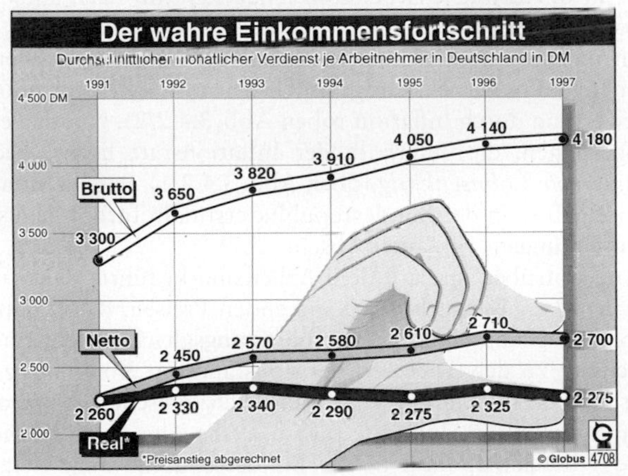

kurrenz an, die von *polypolistischen Marktstrukturen* ausgeht (vgl. dazu Lehrbuch *Volkswirtschaftslehre*). Nachfrageüberhang bzw. Angebotslücken führen dann tendenziell zu Preissteigerungen, Nachfragelücken bzw. Angebotsüberhang zu Preissenkungen (vgl. auch unten Abschn. 4.3 zu Inflationstheorien).

Abb. 3.4.2/3: Reallohnsenkung

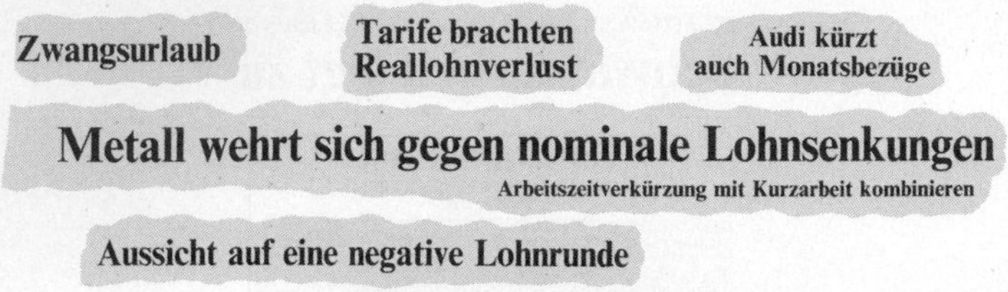

Zwangsurlaub

Tarife brachten Reallohnverlust

Audi kürzt auch Monatsbezüge

Metall wehrt sich gegen nominale Lohnsenkungen

Arbeitszeitverkürzung mit Kurzarbeit kombinieren

Aussicht auf eine negative Lohnrunde

Diese Grundprinzipien funktionieren auf dem Arbeitsmarkt nur eingeschränkt. Eine Übernachfrage nach Arbeitskräften in Aufschwungsphasen begünstigte in der historischen Rückschau grundsätzlich Lohnsteigerungen. In Abschwungsphasen hingegen war das marktwirtschaftliche Prinzip weitgehend außer Kraft gesetzt: Abnehmende Nachfrage nach Arbeitskräften seitens der Arbeitgeber, d.h. zunehmende Arbeitslosigkeit, führte zwar in einigen Konjunkturphasen zu abgeschwächten Lohnsteigerungen, bislang jedoch nie zu (Nominal-)Lohnsenkungen. Einmal vereinbarte tarifliche **Mindestlöhne** waren bislang zwar nach oben, nicht aber nach unten flexibel, wenn man von **Schwarzarbeit** zu unter-tariflichen Löhnen absieht. Ebenso war die tarifliche Arbeits*zeit* lange Zeit nur nach unten, nicht aber nach oben flexibel.

Dabei muß zwischen **Nominal-** und **Reallohn** unterschieden werden. Der Reallohn berücksichtigt im Gegensatz zum Nominallohn die Geldentwertung durch Inflation (oben Abb. 3.4.2/2). Nominale Tariflohnsteigerungen, die unterhalb der Inflationsrate liegen, bedeuten daher eine *reale Lohnsenkung* (oben Abb. 3.4.2/1). Bereits Anfang der 80er Jahre gab es in der Bundesrepublik erstmals Tarifabschlüsse mit Reallohnsenkungen (vgl. auch Abschn. 3.7).

Ein Angebotsüberhang auf dem Arbeitsmarkt führte daher nicht – wie auf dem Gemüsemarkt – zu sinkenden Preisen, d.h. Löhnen, so daß sich ein sogenanntes **Unterbeschäftigungsgleichgewicht** einstellte. Im Gegensatz zu den Theorien der vollständigen Konkurrenz ergab sich aus den Marktkräften kein Ausgleich zwischen Angebot und Nachfrage. Auf dieser Tatsache fußt u.a. die These von **Keynes**, die auch die Wirtschaftspolitik in der Bundesrepublik lange Zeit nachhaltig beeinflußt hat: Da die private Wirtschaft angesichts einer Rezession keine Veranlassung zu erhöhter Nachfrage nach Arbeitskräften sieht, andererseits aber auch nicht sinkende Löhne zu einem Beschäftigungseffekt führen können, sei es Aufgabe des Staates, durch gezielte Maßnahmen im Rahmen von Beschäftigungsprogrammen die

Nachfrage nach Arbeitskräften seitens der privaten Wirtschaft indirekt anzuregen oder durch staatliche Nachfrage nach Arbeitskräften direkt zur Verminderung der Arbeitslosigkeit beizutragen. Abb. 3.4.3/1 soll dies verdeutlichen: Figur (a) zeigt eine Arbeitsmarktsituation bei Vollbeschäftigung: Diejenigen, die zum Tariflohn l^T bereit sind zu arbeiten, werden beschäftigt (A_1). Steigt das Arbeitsangebot – Bewegung von A zu A′ in (b) –, knickt die Arbeitsangebotskurve A′ auf dem Niveau l^T (Mindestlohn) ab, und es stellt sich ein Unterbeschäftigungsgleichgewicht UG ein. Die Differenz zwischen dem Arbeitsangebot A_2 und der A_1 bedeutet somit Arbeitslosigkeit. Wären die Löhne nach unten flexibel, würde sich bei einem niedrigeren Lohnsatz l^* wieder ein (neues) Vollbeschäftigungsgleichgewicht VG′ einstellen – was aber nicht geschieht. Die Arbeitslosigkeit baut sich also nicht, wie die Klassiker behaupten, entsprechend den marktkräften von Angebot und Nachfrage von selbst ab. Folglich, so Keynes, könne die Vollbeschäftigung nur wiedererreicht werden, wenn die unzureichende private Nachfrage nach Arbeitskräften (N) durch gezielte, staatliche Nachfrage erhöht wird, so daß sich in (c) N nach N′ verschiebt und in VG″ ein neues Vollbeschäftigungsgleichgewicht erreicht wird.

In der Zeit der großen Depression, als Keynes seine Theorien entwickelte, waren die Produktionskapazitäten stark unterausgelastet. Eine Erhöhung des Beschäftigungsniveaus durch staatliche «Konjunkturspritzen» oder Beschäftigungsprogramme ist folglich dann zu erwarten, wenn die Beschäftigungsprobleme vorrangig konjunktureller Natur sind. Offensichtlich sind sie gegenwärtig aber eher strukturell bedingt, so daß Beschäftigungsprogramme unter diesen Voraussetzungen wahrscheinlich nur kurzfristige Strohfeuereffekte hervorrufen würden (vgl. unten Abschn. 9.6).

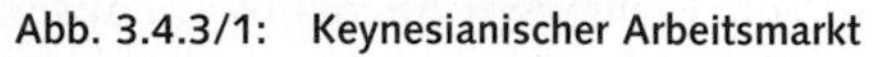

Abb. 3.4.3/1: Keynesianischer Arbeitsmarkt

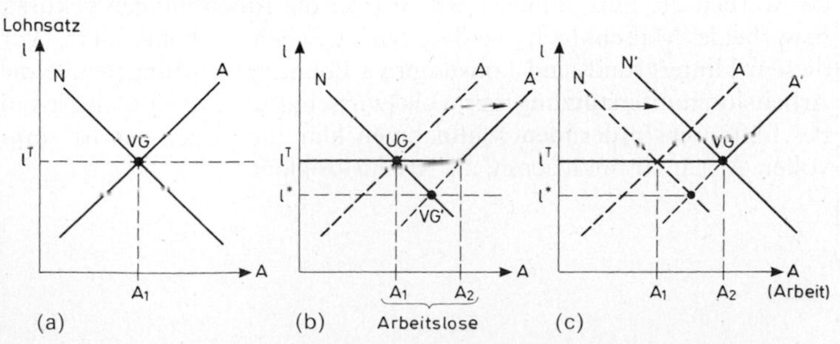

3.5. Gesamtwirtschaftliche Kosten der Arbeitslosigkeit

Arbeitslosigkeit stellt gesamtwirtschaftlich wie auch hinsichtlich des Staatsbudgets eine hohe finanzielle Belastung dar. Gesamtwirtschaftlich ist im Sinne sogenannter **Opportunitätskosten** daran zu denken, daß das nicht ausgeschöpfte Arbeitspotential einen beträchtlichen Verlust in der Produktion von Waren und Dienstleistungen bedeutet. Natürlich kann dieser nur schwer präzise erfaßt werden, da die Produktivität der Arbeitslosen kaum abzuschätzen ist.

Etwas griffiger sind die **Budgetbelastungen** zu ermitteln: In Deutschland betrugen die **Arbeitsmarktausgaben** insgesamt rd. 3,8% des BIP (der OECD-Durchschnitt liegt bei 2,7%; vgl. Abb. 3.5/1). Als *passive* oder *konsumptive Maßnahmen* bezeichnet man dabei Lohnersatzmaßnahmen (Transferzahlungen) wie Arbeitslosengeld, Arbeitslosenhilfe oder Zuschüsse bei Vorruhestand. *Aktive* oder *investive Maßnahmen* sind solche, die Arbeitsplätze schaffen und die Beschäftigungsmöglichkeiten durch z. B. Fortbildung, Umschulung oder Arbeitsplatzförderung auf Arbeitgeberseite verbessern sollen.

Die gesamtwirtschaftlichen Kosten der Arbeitslosigkeit lassen sich in Ausgaben (Arbeitslosengeld, -hilfe, Sozialleistungen und Beiträge zur Sozialversicherung) und Mindereinnahmen (Steuer- und Beitragsausfälle) unterteilen.

Die Gesamtbelastung der öffentlichen Haushalte ist zwischen 1991 und 1997 um 148% auf insgesamt 166 Mrd DM pro Jahr gestiegen. Im statistischen Durchschnitt kostete ein Arbeitsloser im Jahr 1997 38 000 DM (Abb. 3.5/2).

In Zeiten geringer Arbeitslosigkeit gab es kaum Finanzierungsprobleme: Die große Masse der Verdiener finanzierte problemlos einen kleinen Anteil von Arbeitslosen. Wenn jedoch die Zahl der Sozialversicherungs-Beitragszahler immer kleiner und die Zahl der Leistungsempfänger immer größer wird, gibt es nur zwei Alternativen: Entweder werden die Einzahlungen erhöht oder die Auszahlungen gekürzt, bzw. beide Maßnahmen werden (wie geschehen) kombiniert. Vor diesem Hintergrund sind konsumptive **Lohnersatzleistungen** wie die **Arbeitslosenunterstützung** aus volkswirtschaftlicher Sicht investiven beschäftigungsfördernden Maßnahmen klar unterlegen. Es ist sinnvoller, Arbeit zu finanzieren, als Arbeitslosigkeit.

Abb. 3.5/1: Arbeitsmarktausgaben

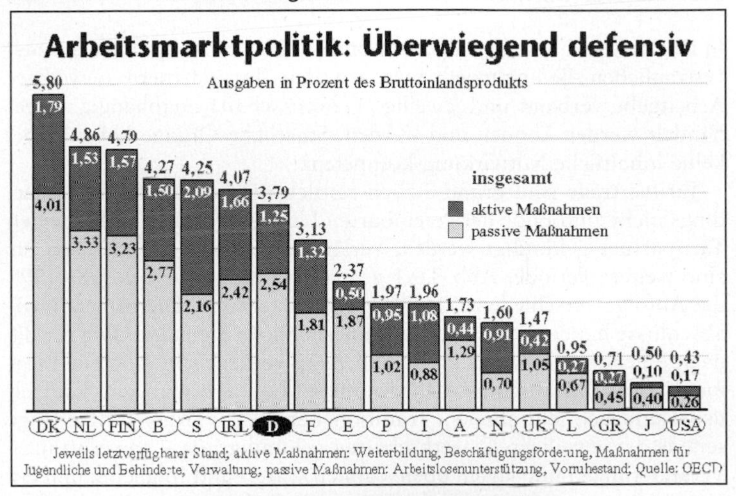
Arbeitsmarktpolitik: Überwiegend defensiv
Ausgaben in Prozent des Bruttoinlandsprodukts
insgesamt
aktive Maßnahmen
passive Maßnahmen
5,80 1,79 4,01
4,86 1,53 3,33
4,79 1,57 3,23
4,27 1,50 2,77
4,25 2,09 2,16
4,07 1,66 2,42
3,79 1,25 2,54
3,13 1,32 1,81
2,37 0,50 1,87
1,97 0,95 1,02
1,96 1,08 0,88
1,73 0,44 1,29
1,60 0,91 0,70
1,47 0,42 1,05
0,95 0,27 0,67
0,71 0,27 0,45
0,50 0,10 0,40
0,43 0,17 0,26
DK NL FIN B S IRL D F E P I A N UK L GR J USA
Jeweils letztverfügbarer Stand; aktive Maßnahmen: Weiterbildung, Beschäftigungsförderung, Maßnahmen für Jugendliche und Behinderte, Verwaltung; passive Maßnahmen: Arbeitslosenunterstützung, Vorruhestand; Quelle: OECD
Bonner Finanzspritze hilft dem Arbeitsmarkt
Die Bundesregierung verstärkt ihre aktive Arbeitsmarktpolitik

Abb. 3.5/2: Gesamtwirtschaftliche Kosten der Arbeitslosigkeit

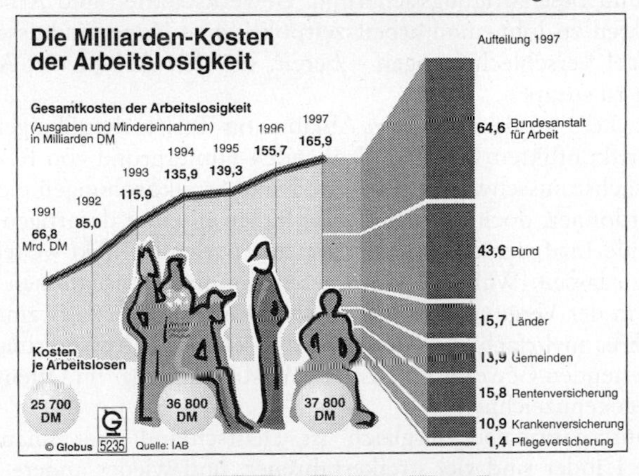
Die Milliarden-Kosten der Arbeitslosigkeit
Aufteilung 1997
Gesamtkosten der Arbeitslosigkeit
(Ausgaben und Mindereinnahmen) in Milliarden DM
1991 66,8 Mrd. DM
1992 85,0
1993 115,9
1994 135,9
1995 139,3
1996 155,7
1997 165,9
64,6 Bundesanstalt für Arbeit
43,6 Bund
15,7 Länder
13,9 Gemeinden
15,8 Rentenversicherung
10,9 Krankenversicherung
1,4 Pflegeversicherung
Kosten je Arbeitslosen
25 700 DM
36 800 DM
37 800 DM
© Globus 5235
Quelle: IAB
Die Arbeitslosigkeit treibt die Sozialausgaben

3.6. Exkurs: Tarifkonflikte

In Deutschland besteht **Tarifautonomie** in dem Sinne, daß die arbeitsvertraglichen Bedingungen zwischen den Tarifpartnern (jeweiliger Arbeitgeberverband und jeweilige Gewerkschaft) unabhängig ausgehandelt werden können und werden. Staatliche Organe haben dabei keine inhaltliche Mitwirkungskompetenz.

Tarifverträge sind grundsätzlich zeitlich befristet. Sofern sie allerdings nicht zum Ende der vereinbarten Laufzeit von einem der beiden Tarifpartner gekündigt werden, verlängern sie sich automatisch für eine weitere Periode. Abb. 3.6/1 zeigt beispielhaft für das Jahr 1998 die Abfolge verschiedener Tarifkündigungstermine. Die frühen Tarifabschlüsse haben dabei eine nicht unerhebliche *Signalwirkung* für die nachfolgenden Verhandlungen. Abb. 3.6/2 verdeutlicht dies: Die Parameter der Tarifabschlüsse (prozentuale Lohnerhöhungen, Laufzeit usw.) sind sich sehr ähnlich. Traditionellerweise wurden Tarifverträge seitens der jeweiligen Gewerkschaften gekündigt, da – wie erwähnt – Veränderungen nur «nach oben» üblich waren und folglich kaum ein Unternehmerverband Interesse an einer Aufhebung der geltenden Vereinbarungen hatte.

Die Überraschung war daher groß, als zum Auftakt der Tarifrunde 1994 erstmals ein Tarifvertrag durch einen Arbeitgeberverband – in diesem Falle: Gesamtmetall – gekündigt wurde. Bis 1998 standen dann die meisten Tarifverhandlungen unter dem Zeichen der Arbeitsplatz- und Beschäftigungssicherung. Gewerkschaften und Arbeitnehmer waren zu lohn- und arbeitszeitpolitischen Zugeständnissen – in der Regel Verschlechterungen – bereit, um den Abbau von Arbeitsplätzen zu stoppen.

Abb. 3.6/3 verdeutlicht den Ablauf von Tarifverhandlungen bzw. von Tarifkonflikten. Vor dem drohenden Hintergrund von Rezession oder Wachstumsschwäche waren und sind Streikdrohungen nicht nur Theaterdonner, doch normalerweise haben in einer derartigen Situation beide Tarifpartner kein Interesse daran, den Konflikt weiter eskalieren zu lassen. Während günstigerer Konjunktursituationen waren jedoch in der Vergangenheit die «Eröffnungsrunden» zu Beginn eines Tarifjahres mehrfach von **Streiks** und – seltener – **Aussperrungen** im Verarbeitenden Gewerbe, Dienstleistungsbereich oder im Öffentlichen Dienst gekennzeichnet.

Im internationalen Vergleich ist Deutschland eher unauffällig. Andere Länder sind viel streikerfahrener, und wieder andere benützten dieses Instrument fast gar nicht. Traditionelle Streikländer haben ihre «Führungsposition» inzwischen an Spanien abgetreten. In Groß-

Abb. 3.6/1: **Lohnrunden**

Tarifkündigungstermine 1998

Auswahl		Beschäftigte in 1.000
31.01.	Braunkohlenbergbau	13
	Eisen- und Stahlindustrie	12
	Ersatzkassen	43
	Privates Verkehrsgewerbe	295
28.02.	Chemische Industrie	669
	Groß- und Außenhandel	1.078
	Papiererzeugende Industrie	58
31.03.	Bauhauptgewerbe	1.168
	Druckindustrie	242
	Einzelhandel	2.300
	Papier, Pappe und Kunststoff verarbeitende Industrie	96
	Tischlerhandwerk	102
30.04.	Deutsche Bahn AG	160
	Private Recycling- und Entsorgungswirtschaft	160
31.05.	Wohnungswirtschaft	60
30.06.	Dachdeckerhandwerk	98
	Steinkohlenbergbau	97
31.07.	Ortskrankenkassen	47
30.09.	Privates Reisebürogewerbe	66
31.12.	Metall- und Elektro-Industrie	3.320
	Privates Bankgewerbe	383
	Privates Versicherungsgewerbe	274

Privates Verkehrsgewerbe, Chemische Industrie, Groß- und Außenhandel, Einzelhandel: einschließlich Tarifgebiete mit um einen oder mehrere Monate verschobenem Kündigungstermin; Braunkohlenbergbau: nur Verein Rheinische Braunkohlenbergwerke; Eisen- und Stahlindustrie: nur Saarland; Ersatzkassen: ohne Techniker-Krankenkasse (TKK); Papiererzeugende Industrie, Privates Bankgewerbe, Privates Versicherungsgewerbe: nur alte Bundesländer; Tischlerhandwerk: nur Hamburg, Niedersachsen/Bremen, Nordrhein-Westfalen und Schleswig-Holstein; Ursprungsdaten: Tarifarchive von BDA und WSI

Institut der deutschen Wirtschaft Köln

Aufatmen nach dem Pilotabschluß

Metall-Streik abgewendet / Vorbild für ÖTV?

Quelle: iwd, Nr. 3, 15. 1. 1998

britannien wurden noch unter der Premierministerin Margret Thatcher streikbegrenzende Gesetze erlassen, und in Italien und Frankreich verloren die kommunistisch orientierten Massengewerkschaften schon vor dem Zerfall des Ostblocks an Einfluß. Musterbeispiel für Streiklosigkeit ist die Schweiz (vgl. Abb. 3.6/4).

Abb. 3.6.2: Tarifabschlüsse

Tarifabschlüsse 1998
– Westdeutschland; Auswahl –

Tarifbereich	Lohn-/Gehaltssteigerung[1])	Monate ohne Lohnerhöhung	Laufzeit in Monaten
Bankgewerbe	2,0%	–	–[2])
Bauhauptgewerbe	1,5%	–	12
Chemische Industrie	2,4%	–	14
Deutsche Bahn	1,5%	1	12
Einzelhandel	2,1%	2	12
Groß- und Außenhandel	2,5%	2	12
Verkehrsgewerbe	2,0%	–	–[3])
Versicherungsgewerbe	2,0%	–	–[2])

[1]) Ohne sonstige Vereinbarungen.
[2]) Kein Neuabschluß, da Tarifvertrag bis 31. 12. 1998 gültig.
[3]) Kein Neuabschluß, da Tarifvertrag bis 31. 3. 1999 gültig.

Quelle: WSI-Tarifarchiv

3.7. Perspektiven der Arbeitslosigkeit

Die Aussichten für die Beschäftigungssituation in Deutschland sind nach wie vor schlecht. Auch der (verhaltene) konjunkturelle Aufschwung 1998 konnte tiefgehende Strukturprobleme nicht lösen. Zu den 1998 offen ausgewiesenen 4,3 Mio. Arbeitslosen sind – wie oben ausgeführt – noch die verdeckten Arbeitslosen hinzuzuzählen. Der Sachverständigenrat schätzt die gesamte Zahl der Unterbeschäftigten auf 6,2 Mio.

Immer wieder angeführte Vergleiche mit den rd. 5,6 Mio. Arbeitslosen 1932 zur Zeit der *Weltwirtschaftskrise* sind allerdings «schief», weil die Zahl der Beschäftigten heute ungleich höher liegt: 1932 ergab sich eine Arbeitslosenquote von rd. 31%, für 1998 «nur» von 11% bzw. incl. der verdeckten Arbeitslosigkeit von 15%. Trotzdem bleibt die Situation besorgniserregend – und zwar auf breiter internationaler Front (Abb. 3.7/1).

In den 29 OECD-Staaten lag 1998 die durchschnittliche Arbeitslosenquote bei knapp über 7 Prozent. Von den großen Industrienationen lagen nur Japan (4,2%) und die USA (4,6%) unter dem Durchschnitt. Besonders niedrige Arbeitslosenquoten wiesen zudem Norwegen (3,4%) und die Schweiz (4,0%) auf.

Abb. 3.6/3: Tarifkonflikte

Der Ablauf einer Tarifauseinandersetzung
Verhandlungsphase
Die Gewerkschaften legen den Arbeitgebern ihre Forderungen vor
Die Arbeitgebervertreter legen in den Verhandlungen ihr Angebot vor
ja
Erfolgreiche Einigung?
nein
Schlichtungsphase
Eine oder beide Parteien erklären die Verhandlungen für gescheitert
Die Friedenspflicht erlischt, Arbeitskampfmaßnahmen sind zulässig
Ein Schlichtungsverfahren mit Einigungsvorschlag der Schlichtungsstelle ist möglich
ja
Wird der Einigungsvorschlag angenommen?
nein
Arbeitskampfphase
Urabstimmung der Gewerkschaft über Streik
Stimmen mindestens 75 Prozent für Streik?
ja
Streik; eventuell Aussperrung durch Arbeitgeber
nein
Erneute Verhandlungsphase
Neue Verhandlungen – oder »besonderes« Schlichtungsverfahren
ja
Wird das Verhandlungsergebnis angenommen?1)
nein
Tarifabschluß
1) Falls ein Streik vorausging, erfolgt eine erneute Urabstimmung der Gewerkschaft.
F.A.Z.-Grafik Heumann
Quelle: Jeske/Barbier, So nutzt man den Wirtschaftsteil einer Tageszeitung, Frankfurt am Main 1993

DRUCKINDUSTRIE

Arbeitgeber rufen Schlichter

Warnstreiks der Metaller ab Montag

DRUCKTARIF / Entscheidung über Urabstimmung offen

IG Medien befragt Mitglieder über den Schlichtungsspruch

Vier Bezirke beantragen die Urabstimmung

Abermals Warnstreiks / Der Vorstand der IG Metall entscheidet am Montag

Quelle: FAZ v. 18. 2. 1994

Abb. 3.6/4: Arbeitskämpfe international

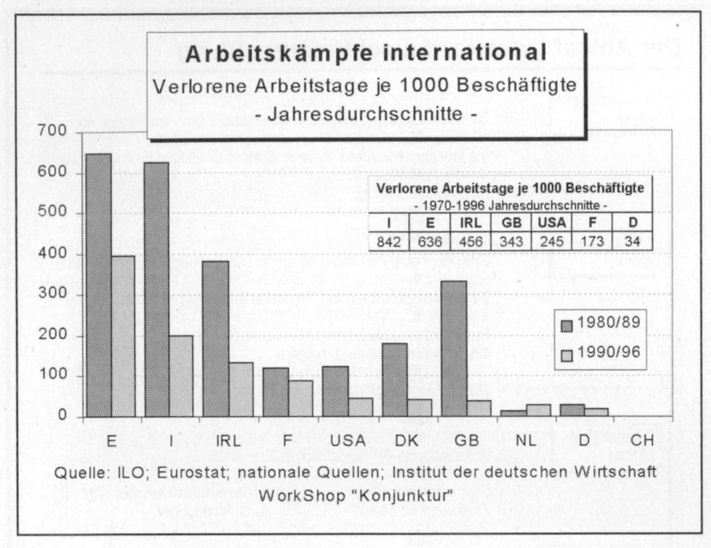

Abb. 3.7/1: Arbeitslosigkeit in der EU

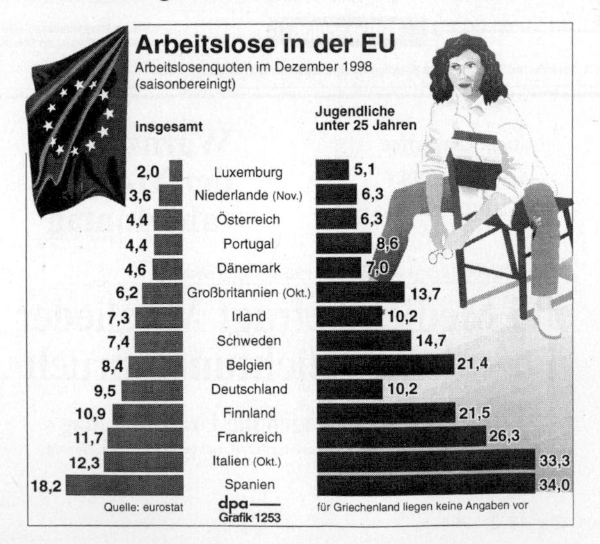

Das hohe Niveau der Arbeitslosigkeit ist vor allem auf **strukturelle Ursachen** zurückzuführen. Für die Industrieländer insgesamt gilt, daß sie zunehmend Märkte und damit Arbeitsplätze in arbeitsintensiven Branchen an Schwellenländer verloren haben. Hinzu kommt, daß aus den Industrieländern auch Verarbeitungsaufträge (sog. **passive Veredelung**) und Arbeitsplätze durch **Direktinvestitionen** in Billiglohnländer «abwandern» – und zwar in zunehmendem Maße in die sog. **Transformationsländer** Osteuropas –, da hohe heimische Produktionskosten dies nahelegen (Abb. 3.7/2). Die Erfahrung zeigt, daß einmal abgewanderte Arbeitsplätze nur selten *rückverlegt* werden. Allerdings ist zu berücksichtigen, daß diese ausländischen Arbeitsplätze nicht nur Arbeitsplätze im Inland *vernichten*, sondern auch *Absatzmärkte* und damit Inlandsbeschäftigung sichern. Vielen Betrieben wird zudem auf diese Weise eine *Mischkalkulation* ermöglicht, die gleichfalls den inländischen Standort sichern.

Abb. 3.7/2: Produktionsverlagerungen ins Ausland

Produktionsverlagerung ins Ausland
Mittel- und Osteuropa sind besonders gefragt / Umfrage des DIHT

Bosch verlegt Fertigung ins Ausland und entläßt 700 Mitarbeiter

AEG will Auslandsfertigung stärker ausbauen
Der Vorstand hat Mexiko und China im Visier

Dieses langfristige Strukturproblem wird gegenwärtig (noch) verstärkt durch negative Einflüsse der Weltkonjunktur. Aus heutiger Sicht gibt es nur geringe Chancen, daß sich die Situation der Arbeitslosigkeit verbessern wird. Die Bundesanstalt für Arbeit hat 1998 (vorläufige) Szenarien für den west- und ostdeutschen Arbeitsmarkt veröffentlicht. Unter realistischen Annahmen bzgl. der langfristigen Entwicklung der Bruttowertschöpfung, der Produktivität, des Lohnanstiegs, der Jahresarbeitszeit und der Inflation kommt sie zu dem Ergebnis, daß die Unterbeschäftigung in Westdeutschland bis 2010 nur um 0,2–0,3 Mio. zurückgehen wird – um im Osten sogar noch um rd. 0,4 Mio. ansteigen könnte. Nur bei kaum zu realisierenden BSP/BIP-Wachstumsraten wären nachhaltig positive Arbeitsmarkteffekte durch die Schaffung zusätzlicher Arbeitsplätze möglich (Abb. 3.7/3).

Wo derartige Wachstumsschübe herkommen sollen, ist völlig offen. Einige hoffen auf **Technologieimpulse** (vgl. Abschn. 2.3.1.3. über *Kondratieff-Zyklen*), andere auf die Expansion des Dienstleistungs-

Abb. 3.7/3: **Szenarien der Arbeitslosigkeit**

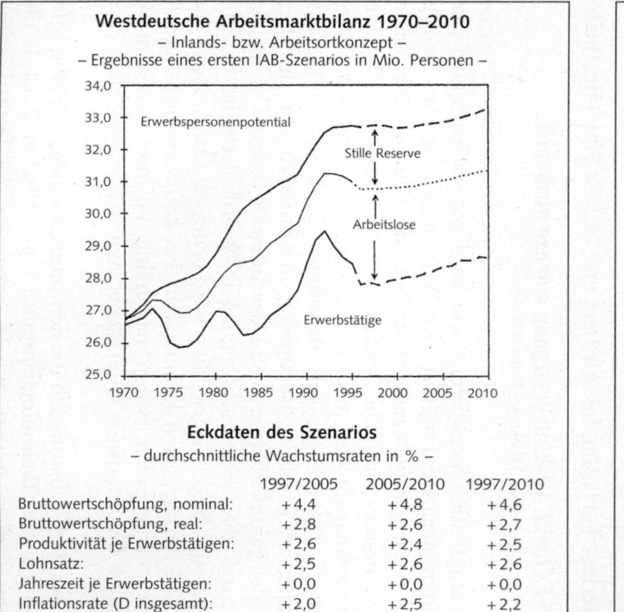

Eckdaten des Szenarios

– durchschnittliche Wachstumsraten in % –

	1997/2005	2005/2010	1997/2010
Bruttowertschöpfung, nominal:	+4,4	+4,8	+4,6
Bruttowertschöpfung, real:	+2,8	+2,6	+2,7
Produktivität je Erwerbstätigen:	+2,6	+2,4	+2,5
Lohnsatz:	+2,5	+2,6	+2,6
Jahreszeit je Erwerbstätigen:	+0,0	+0,0	+0,0
Inflationsrate (D insgesamt):	+2,0	+2,5	+2,2

Ostdeutsche Arbeitsmarktbilanz 1990–2010

– Inlands- bzw. Arbeitsortkonzept –

– Ergebnisse eines ersten IAB-Szenarios in Mio. Personen –

10,0
9,0
8,0
7,0
6,0
5,0
4,0
3,0
1990 1995 2000 2005 2010
Erwerbspersonenpotential
Stille Reserve
Arbeitslose
Erwerbstätige

Eckdaten des Szenarios

– durchschnittliche Wachstumsraten in % –

	1997/2005	2005/2010	1997/2010
Bruttowertschöpfung, nominal:	+4,7	+5,2	+4,9
Bruttowertschöpfung, real:	+2,2	+2,4	+2,3
Produktivität je Erwerbstätigen:	+3,1	+3,1	+3,1
Lohnsatz:	+3,0	+3,0	+3,0
Jahreszeit je Erwerbstätigen:	+0,0	+0,0	+0,0
Inflationsrate (D insgesamt):	+2,0	+2,5	+2,2

Quelle: IAB-Werkstattbericht, Nr. 12, 29. 10. 1998

Weniger Arbeitslose nur durch Wachstum

OECD: Wachstum ohne neue Arbeitsplätze

sektors (sog. **Tertiärer Sektor**), der in Deutschland im Vergleich zu anderen Industrieländern relativ schwach ausgeprägt ist. Dies liegt nicht zuletzt an einem hohen Lohnniveau: Fahrkartenautomaten sind billiger als Fahrkartenverkäufer am Schalter, Tankstellen mit Service fast ausgestorben. Besondere Hoffnungen gründen sich auf die erwarteten Wachstumsimpulse, die sich aus einer mit Beginn der Währungsunion noch stärker integrierten EU ergeben sollen. Allerdings ist dabei Skepsis angebracht. Wachstumseffekte müssen keine analogen Beschäftigungseffekte nach sich ziehen. Die Erfahrung zeigt vielmehr, daß bei anziehender Konjunktur die zunehmende Produktion zunächst problemlos mit den freien Kapazitäten erbracht werden kann. Erst von einer bestimmten «Schwelle» (sog. **Beschäftigungsschwelle**) an reagiert die Wirtschaft mit Neueinstellungen. Ohne Wirtschaftswachstum sind jedoch überhaupt keine Beschäftigungseffekte zu erwarten.

Es ist daher davon auszugehen, daß sich selbst bei Fortsetzung des – derzeit (1999) ohnehin gefährdeten – Konjunkturaufschwungs das Niveau der Arbeitslosigkeit nur geringfügig verringern wird. Seit Mitte der siebziger Jahre hat sich diese «**Sockelarbeitslosigkeit**» von Konjunkturzyklus zu Konjunkturzyklus erhöht.

Die während rezessiver Phasen abgebauten Arbeitsplätze konnten während den nachfolgenden Aufschwungsphasen nie in vollem Umfang wiedergewonnen werden. Damit ist nicht nur ein zentrales *ökonomisches*, sondern auch ein gravierendes *soziales* und *politisches Problem* angesprochen. Wenn dauerhafte Arbeitslosigkeit – schon bei Jugendlichen – zur Routine, Arbeitslosigkeit zum Massenberuf wird, sind davon destabilisierende Wirkungen auf Staat und Gesellschaft zu erwarten. Ob die Privilegien der gegenwärtig Beschäftigten in gewohntem Umfang erhalten bleiben können, ist daher sehr fraglich.

Nicht zuletzt deshalb gibt es vielfältige Ansätze zur Verbesserung der Wettbewerbs- und damit der Beschäftigungssituation. Im folgenden werden einige dieser beschäftigungspolitischen Instrumente näher vorgestellt.

3.8. Tendenzen der Beschäftigungspolitik

3.8.1. Lohnpolitik

3.8.1.1. Lohnkosten und Lohnstückkosten

(1) **Lohnkosten**: Ein Hauptansatzpunkt in der gegenwärtigen Beschäftigungskrise ist das Niveau der Löhne und Gehälter in der deut-

schen Wirtschaft. Natürlich ist die Bedeutung der Lohnkosten in den verschiedenen Wirtschaftszweigen unterschiedlich. Im Dienstleistungsgewerbe wird der Personalkostenanteil an den Gesamtkosten höher liegen als in einem kapitalintensiven Industriebetrieb.

Aus Arbeitgebersicht wird immer wieder auf die im internationalen Vergleich hohen Lohnkosten verwiesen (Abb. 3.8.1/1). Dabei steht Deutschland mit klarem Abstand international an der Spitze.

Allerdings sind auch in den osteuropäischen Transformationsländern reale Lohnkostensteigerungen beobachtbar (Abb. 3.8.1/2), obgleich der absolute Abstand noch klar und deutlich ist – unbeschadet von rechnerischen Verzerrungen z. B. aufgrund sich verändernder Wechselkurse. Polen, Ungarn sowie die Tschechische und Slovakische Republik sind außerdem noch wegen der Qualifikation der Fachkräfte und der günstigen geographischen Lage zu Westeuropa für Investoren interessant.

Grundsätzlich muß bei den Lohnkosten zwischen den **Direktentgelten** für Löhne und Gehälter und **Lohnzusatzkosten** (synonym: **Lohnnebenkosten**) unterschieden werden. Abb. 3.8.1/1 zeigt, daß Deutschland beim Direktentgelt von einigen Ländern übertroffen wird, doch bei Berücksichtigung der Lohnzusatzkosten wieder weit an der Spitze liegt. Die Lohnnebenkosten lassen sich unterscheiden in *gesetzliche*, *tarifvertraglich* vereinbarte (z. B. Weihnachts- oder Urlaubsgeld) und freiwillige *betriebliche* (z. B. Zuschuß zur Gemeinschaftsverpflegung) Lohnzusatzkosten. Offensichtlich sind gesetzlich bedingte Kostenbelastungen «starrer» als tariflich oder betrieblich vereinbarte. Die beiden letzteren stehen in den Tarifrunden der letzten Jahre unter besonderem Kürzungsdruck. Der Vorwurf an die lohnkostentreibenden Gewerkschaften ist somit zumindest partiell an die falsche Adresse gerichtet. Von den 1997 80,10 DM Zusatzkosten pro 100,– DM Direktentgelt in Westdeutschland entfielen 37,20 DM (das sind 46%) auf gesetzlich vorgeschriebene, also parlamentarisch beschlossene Kostenteile (Abb. 3.8.1/3).

(2) **Lohnstückkosten:** Der einfache Vergleich internationaler Lohnkosten wird häufig kritisiert. Er berücksichtige nicht, daß hohe Löhne durchaus dann gerechtfertigt sein können, wenn sie mit einer hohen (Arbeits-)produktivität einher gehen. Wichtigster Indikator für das Verhältnis von Lohnkosten und Produktivität sind die sog. **Lohnstückkosten**. Sie können sowohl für die Gesamtwirtschaft als auch für einzelne Wirtschaftsbereiche ermittelt werden. Bei der Berechnung gesamtwirtschaftlicher Lohnstückkosten wird in der Regel das Bruttoeinkommen (aus unselbständiger Arbeit) je beschäftigten Arbeitnehmer in Beziehung zum Bruttoinlandsprodukt (in konstanten Preisen)

Abb. 3.8.1/1: Lohn(zusatz)kosten im internationalen Vergleich

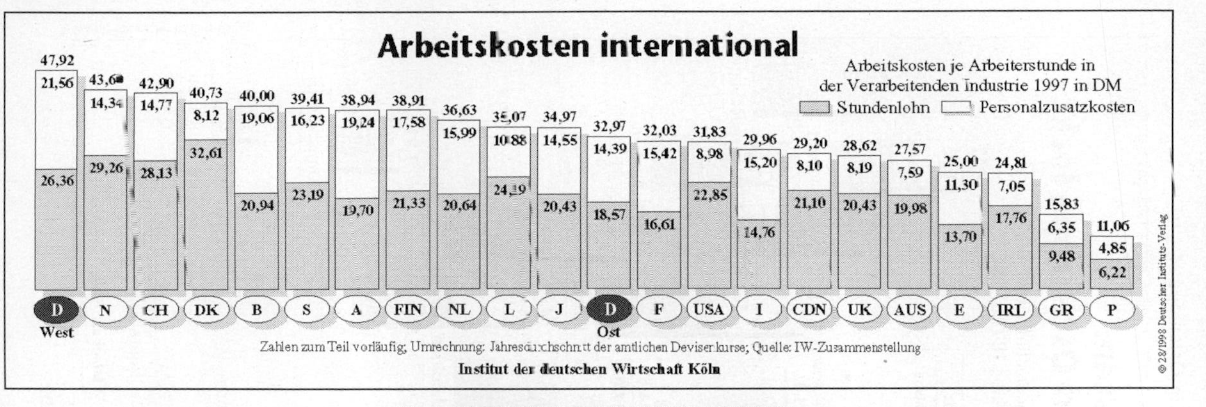
Arbeitskosten international
Arbeitskosten je Arbeiterstunde in der Verarbeitenden Industrie 1997 in DM
Stundenlohn
Personalzusatzkosten
47,92
21,56
26,36
D West
43,6
14,34
29,26
N
42,90
14,77
28,13
CH
40,73
8,12
32,61
DK
40,00
19,06
20,94
B
39,41
16,23
23,19
S
38,94
19,24
19,70
A
38,91
17,58
21,33
FIN
36,63
15,99
20,64
NL
35,07
10,88
24,19
L
34,97
14,55
20,43
J
32,97
14,39
18,57
D Ost
32,03
15,42
16,61
F
31,83
8,98
22,85
USA
29,96
15,20
14,76
I
29,20
8,10
21,10
CDN
28,62
8,19
20,43
UK
27,57
7,59
19,98
AUS
25,00
11,30
13,70
E
24,81
7,05
17,76
IRL
15,83
6,35
9,48
GR
11,06
4,85
6,22
P
Zahlen zum Teil vorläufig; Umrechnung: Jahresdurchschnitt der amtlichen Devisenkurse; Quelle: IW-Zusammenstellung
Institut der deutschen Wirtschaft Köln
© 28/1998 Deutscher Instituts-Verlag
Die Arbeitskosten sind kräftig gestiegen
Statistisches Bundesamt: Die Produktivität bleibt dahinter zurück

Quelle: iwd, Nr. 28, 9. 7. 1998

Abb. 3.8.1/2: Arbeitskosten in Osteuropa

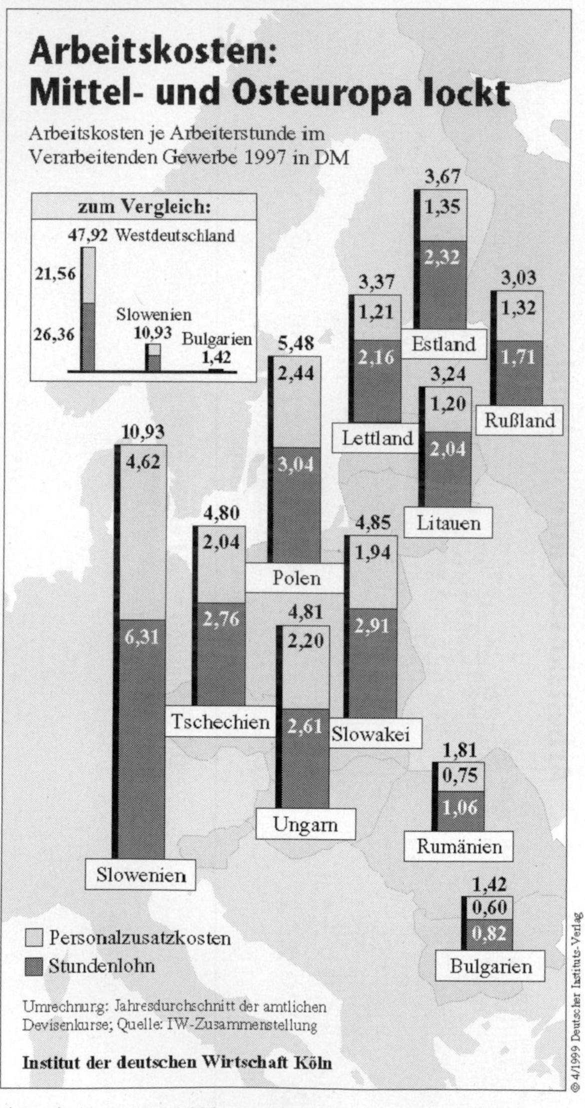
Arbeitskosten:
Mittel- und Osteuropa lockt
Arbeitskosten je Arbeiterstunde im
Verarbeitenden Gewerbe 1997 in DM
zum Vergleich:
47,92 Westdeutschland
21,56
26,36
Slowenien
10,93
Bulgarien
1,42
3,67
1,35
2,32
Estland
3,37
1,21
2,16
Lettland
3,03
1,32
1,71
Rußland
3,24
1,20
2,04
Litauen
5,48
2,44
3,04
Polen
10,93
4,62
6,31
Slowenien
4,80
2,04
2,76
Tschechien
4,85
1,94
2,91
Slowakei
4,81
2,20
2,61
Ungarn
1,81
0,75
1,06
Rumänien
1,42
0,60
0,82
Bulgarien
Personalzusatzkosten
Stundenlohn
Umrechnung: Jahresdurchschnitt der amtlichen
Devisenkurse; Quelle: IW-Zusammenstellung
Institut der deutschen Wirtschaft Köln
© 4/1999 Deutscher Instituts-Verlag

Quelle: iwd-trends, Nr. 4, 28. 1. 1999

Abb. 3.8.1/3: Struktur der Lohnzusatzkosten

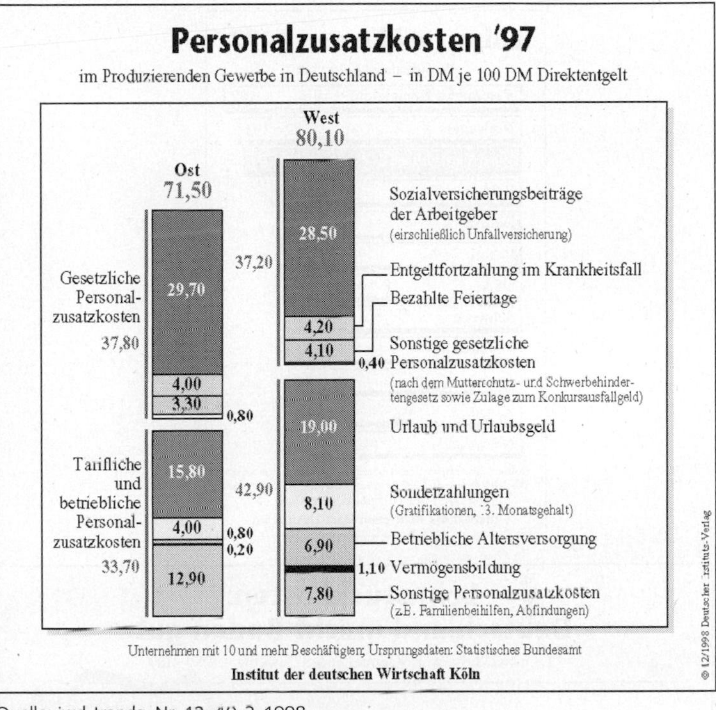

Quelle: iwd-trends, Nr. 12, 19. 3. 1998

je Erwerbstätigen gesetzt. Lohnstückkosten für einzelne Wirtschaftsbereiche berücksichtigen hingegen im Zähler nur das durchschnittliche Lohneinkommen und im Nenner die Bruttowertschöpfung je Erwerbstätigen in dem jeweiligen Wirtschaftssektor.

Zur Beurteilung der internationalen Wettbewerbsfähigkeit der deutschen Wirtschaft werden oft die Lohnstückkosten im Verarbeitenden Gewerbe herangezogen, da die deutschen Ex- und Importe zu rd. 90% aus Industriegütern bestehen. Beim Vergleich der Lohnstückkosten**niveaus** zeigt sich (vgl. Abb. 3.8.1/4), daß auch hierbei (West)Deutschland eine Spitzenposition einnimmt. Allerdings ist umstritten, welchen Aussagewert der reine Niveauvergleich für die internationale Wettbewerbsfähigkeit hat. Das Lohnstückkostenniveau gibt letztlich nur an, welchen Anteil die Arbeitskosten an der Bruttowertschöpfung eines Landes oder eines Wirtschaftsbereichs haben. Aussagekräftiger ist der Vergleich der Lohnstückkosten**entwicklung**. All-

Abb. 3.8.1/4: Lohnstückkosten im internationalen Vergleich

Quelle: iwd-trends, Nr. 32, 6. 8. 1998

gemein bedeuten steigende Lohnstückkosten, daß die Löhne stärker als die Produktivität wachsen. Nehmen nun die Lohnstückkosten in einem Land A stärker als in einem Land B zu, so verliert Land A gegenüber B an preislicher Wettbewerbsfähigkeit. Abb. 3.8.1/4 zeigt, daß seit Mitte der achtziger Jahre die deutschen Lohnstückkosten deutlich stärker gestiegen sind als die der anderen Industrieländer – wenn deren Lohnstückkosten in DM umgerechnet werden. Durch die Umrechnung in DM fließen aber in die Berechnung der Lohnstückkostenentwicklung auch Wechselkursänderungen ein, die – unabhängig von der tatsächlichen Lohnentwicklung – zu einem (zusätzlichen) Anstieg/Rückgang der Lohnstückkosten führen können. Möchte man nur untersuchen, welchen Einfluß die jeweilige Lohnpolitik auf die Lohnstückkostenentwicklung hat, so empfiehlt es sich, die Entwicklung der Lohnstückkosten in den jeweiligen nationalen Währungen zu vergleichen. Abb. 3.8.1/4 zeigt dann, daß bis Anfang der neunziger Jahre die Entwicklung für (West)Deutschland relativ günstig verlief. Erst ab 1992/93 führten hohe Tarifabschlüsse dazu, daß sich die deutsche Lohnstückkostenentwicklung und damit die deutsche Wettbewerbsfähigkeit gegenüber den anderen Industriestaaten verschlechterte.

3.8.1.2. Lohneinkommen und Binnennachfrage

Im Zusammenhang mit den Lohnkosten kommt der Diskussion über den **Kaufkraftaspekt** besondere Bedeutung zu. Arbeitgeber und Gewerkschaften betrachten zwei Seiten derselben Medaille, wobei sich ihre Positionen diametral gegenüberstehen. Gewerkschaften argumentieren **keynesianisch**: Lohnerhöhungen bedeuten zusätzliches Einkommen, das über die Konsumausgaben zur Nachfrage wird, damit Aufträge für die Wirtschaft bedeuten, zu besserer Kapazitätsauslastung führen und somit Investitionen, Wachstum und Beschäftigung anregen. Dies bezeichnet man als **Einkommenseffekt** von Lohnerhöhungen.

Arbeitgeber betrachten hingegen den **Kosteneffekt**: Löhne und Gehälter werden in erster Linie als Kostenfaktoren interpretiert, wobei der Nachfrageeffekt als lsehr viel schwächer empfunden wird, als es bei den Gewerkschaften der Fall ist. Vor allem wird darauf verwiesen, daß bei einer Lohnerhöhung von z. B: DM 100,– für den Arbeitnehmer noch die gesetzlich vorgeschriebenen Arbeitgeberbeiträge von fast plus 20% zu den Sozialversicherungen hinzuzurechnen sind, so daß sich die Bruttolohnerhöhung auf DM 120,– addiert.

Diese Summe wird allerdings nicht vollständig nachfragewirksam, denn erstens sind die anteiligen Sozialversicherungsbeiträge von

Arbeitgeber und Arbeitnehmer sowie der Solidaritätszuschlag abzuziehen. Zweitens muß der Arbeitnehmer Lohnsteuer abführen, so daß bereits bis hierher von den betrachteten DM 100,– nur knapp DM 60,– als Nettolohnerhöhung verbleiben. Davon wiederum wird ein bestimmter Teil gespart, ein anderer Teil richtet sich nicht auf die inländische Wirtschaft, sondern «versickert» – nachfragetechnisch gesehen – über die Importnachfrage im Ausland. Fazit: Von 100,–DM Lohnerhöhung verbleiben nur 35–40,–DM als direkter Nachfrageeffekt, während der Arbeitgeber über 120,–DM Kosten tragen muß.

Die zwei Seiten der Medaille Lohn spiegeln sich gesamtwirtschaftlich in der Berechnung des Sozialprodukts wider. Dieses kann u. a. als **Nettosozialprodukt zu Faktorkosten** ausgewiesen werden, das wertmäßig identisch ist mit dem **Volkseinkommen** (vgl. Lehrbuch *Volkswirtschaftslehre*).

Die bisherige Betrachtung muß jedoch – und dies sehen auch Arbeitgeberanalysen so – durch folgendes ergänzt werden. Sowohl Steuern als auch Sozialabgaben *fließen* über die öffentlichen Haushalte und Sozialversicherungen weitgehend wieder in den Wirtschaftskreislauf *zurück* und werden damit letztlich doch nachfragewirksam. Allerdings verweisen die Arbeitgeber darauf, daß die Brutto-Kostenbelastung zu *Reaktionen* der Unternehmen führen kann, die für die Lohn(erhöhungs)bezieher nachteilig sind. Entweder werde die Lohnerhöhung in die Preise überwälzt (**Lohn-Preis-Spirale**; Lohnforderungen der Gewerkschaften sehen umgekehrt eher eine **Preis-Lohn-Spirale**), oder die Unternehmen rationalisieren und vermindern die Kostenbelastung durch Personalabbau. Außerdem könnten Arbeitsplätze in das lohnkostengünstigere Ausland verlagert werden (in Analogie zu *Kapitalflucht* könnte man das als **Industrieflucht** bezeichnen). Alle drei Varianten würden den Einkommenseffekt von Lohnerhöhungen im Zeitablauf nachhaltig beeinträchtigen oder sogar ins Gegenteil verkehren.

3.8.1.3. Tariflöhne

Tarifverhandlungen stehen traditionell im Zeichen von Lohnforderungen der Gewerkschaften, mit denen zum einen – als Mindestbedingung – der **Kaufkraftverlust** durch Inflation aufgefangen und zum anderen darüberhinaus – in Abhängigkeit vom Anstieg der Arbeitsproduktivität – eine Reallohnerhöhung erreicht werden soll. Letzteres wird als **Verteilungskomponente** bezeichnet. Die neunziger Jahre haben auch in dieser Hinsicht Neuerungen gebracht. In einigen Jahren lagen die Tarifabschlüsse *unter* dem Anstieg des Preisniveaus, so daß die Arbeitnehmer Reallohneinbußen hinnehmen mußten. Besonders stark gilt dies für sog. **Nullrunden** bzw. **Lohnpausen**, bei denen nicht einmal die Nominallöhne erhöht werden, d.h. eine Lohnsteigerung von 0% vereinbart wird (vgl. oben Abb. 3.4.2/1). In Ostdeutschland ergaben sich allerdings seit 1990–91 im Durchschnitt kräftige Reallohn*erhöhungen*.

Diese erhebliche *Kostenentlastung* für die Unternehmen bzw. den Staat war nur durchsetzbar aufgrund der Gefahr von *Massenentlassungen*. Empirische Unterstützung findet die Forderung nach *Lohnzurückhaltung* in einer Studie des Kieler Instituts für Weltwirtschaft, wonach in den Jahren 1950–1993 die Zahl der Erwerbstätigen immer dann signifikant gestiegen ist, wenn der Nettolohnanstieg geringer ausfiel als der Anstieg der **Nettowertschöpfung** (Abb. 3.8.1/5).

Vor diesem Hintergrund sind die inzwischen teilweise realisierten Überlegungen zu sehen, allgemeine Löhne zuzulassen, die unter den vereinbarten Tariflöhnen liegen. Hierzu zählen u.a. sog. **Einsteigertarife** für Berufsanfänger. Wer eine solche schlechter bezahlte Tätig-

Abb. 3.8.1/5: Lohnzurückhaltung und Zahl der Erwerbstätigen

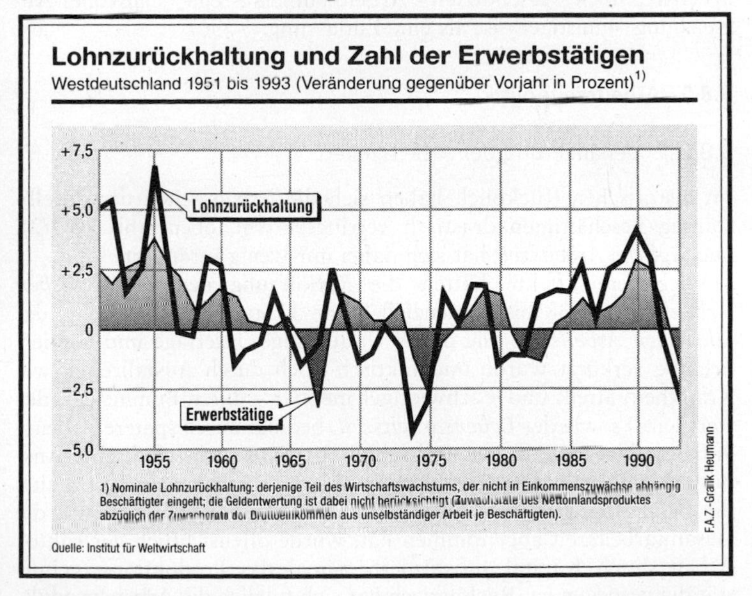
Lohnzurückhaltung und Zahl der Erwerbstätigen
Westdeutschland 1951 bis 1993 (Veränderung gegenüber Vorjahr in Prozent)1)
+7,5
+5,0
+2,5
0
-2,5
-5,0
Lohnzurückhaltung
Erwerbstätige
1955
1960
1965
1970
1975
1980
1985
1990
1) Nominale Lohnzurückhaltung: derjenige Teil des Wirtschaftswachstums, der nicht in Einkommenszuwächse abhängig Beschäftigter eingeht; die Geldentwertung ist dabei nicht berücksichtigt (Zuwachsrate des Nettoinlandsproduktes abzüglich der Zuwachsrate der Bruttoeinkommen aus unselbständiger Arbeit je Beschäftigten).
Quelle: Institut für Weltwirtschaft
F.A.Z.-Grafik Heumann

Arbeitnehmer sollen Reallohnsenkungen akzeptieren

keit annimmt, soll ggf. aus Staatsmitteln einen *Zuschuß* erhalten. In diesen Zusammenhang gehört auch die Debatte um die sog. **630-DM-Jobs**, bei denen von den Unternehmen keine Sozialabgaben abgeführt werden müssen. Auch dadurch würden Arbeitsplätze und nicht Arbeitslosigkeit finanziert.

Ein weiterer Ansatz ergibt sich aus der Idee, *Tarifabschlüsse* innerhalb eines Tarifgebietes *differenziert* anzuwenden. Konkret bedeutet dies, daß der allgemeine Tarifvertrag für bestimmte Variablen (Lohnsätze, Arbeitszeiten) **Bandbreiten** definiert. Ökonomisch schwächere Unternehmen würden sich dann – im Einvernehmen mit ihren Betriebs- und Personalräten – an der unteren Grenze bewegen. Erfolgreichere Unternehmen könnten sich hingegen nach oben orientieren. Dies ließe sowohl eine regionale als auch eine betriebsindividuelle Differenzierung zu. Für Notfälle wäre sogar ein mögliches Ausbrechen aus der Bandbreite zu vereinbaren (**Tariföffnungsklauseln**). Während es in Ostdeutschland bereits zu derartigen Vereinbarungen gekommen ist, wehren sich in den alten Bundesländern die Gewerkschaften vehement dagegen. Zu bedenken ist aber, ob nicht – aus der Sicht des so arbeitsrechtlich «geschützten» Arbeitnehmers – eine (maßvolle) Abweichung «günstiger» ist als eine Entlassung.

3.8.2. Arbeitszeitpolitik

3.8.2.1. Verlängerung der Arbeitszeiten

Im historischen Rückblick haben sich die Arbeitszeiten der unselbständig Beschäftigten drastisch verringert (vgl. oben Abb. 3.3.1/2). Die *tägliche Arbeitszeit* hat sich dabei nur wenig verändert.

Wichtigere Effekte hatten die Verkürzung der *wöchentlichen Arbeitszeit* auf 38 bis tendenziell sogar 35 Stunden pro Woche, der *jährlichen Arbeitszeit* (die durch Urlaubstage, Feiertage und Sonderurlaube verkürzt wurde und faktisch noch durch Ausfallzeiten wie Krankheit, Streik und – schwieriger meßbar – durch Bummelei reduziert wird) sowie der *Lebensarbeitszeit,* bedingt durch spätere Arbeitsaufnahme wegen längerer und schulischer und nach-schulischer Ausbildung und früherem Ausscheiden aus dem Arbeitsprozeß. Da sich die Beschäftigtenzahl keineswegs in dem Maße erhöht hat, wie die Gesamtarbeitszeit abgenommen hat, wurde offensichtlich der Faktor Arbeit durch Kapital substituiert, zumal das Produktionsergebnis ständig gestiegen ist. Rechnerisch hat sich folglich die **Arbeitsproduktivität** verbessert.

Ewiger Streitpunkt zwischen Gewerkschaften und Unternehmen ist daher, ob die Erhöhung der Arbeitsproduktivität zu parallelen Lohnerhöhungen berechtigt. Sofern die Produktivitätsverbesserung allein auf eine höhere Arbeits*qualität* zurückzuführen ist, wäre dies unstrittig. Wenn jedoch die Produktivitätsverbesserung entweder durch vermehrten (oder verbesserten) *Kapitaleinsatz* oder durch *Abbau unproduktiver Arbeitsplätze* bedingt ist, liegt ein anderer Sachverhalt vor. Unternehmer argumentieren, daß Kapitaleinsatz nur aus entsprechenden Gewinnen finanziert werden kann. Gewerkschaften erwarten, daß aus diesen Gewinnen – auch ohne eine schlüssige Antwort auf die Frage nach der *Ursache* der (Arbeits-)Produktivitätsverbesserungen – ein bestimmter Anteil als Lohnerhöhungen an die Arbeitnehmer fließt.

In guten Zeiten resultierten Tarifverhandlungen daher routinemäßig in realen Lohnerhöhungen bei gleichzeitigen Arbeitszeitverkürzungen. Diese Zeiten sind gegenwärtig vorbei.

Angesichts steigender Probleme im internationalen Wettbewerb verweisen Arbeitgeber darauf, daß ausländische Konkurrenten (moderner: Mitbewerber) bessere Rahmenbedingungen hätten. In ihren Ländern werde pro Woche länger gearbeitet, weniger gefehlt, weniger gestreikt, es gebe weniger Feiertage – kurz: es werde länger und *billiger* gearbeitet.

Heutzutage nehmen hingegen Tarifabschlüsse zu, in denen Lohnerhöhungen gegen Arbeitszeitverkürzungen aufgerechnet werden und umgekehrt bzw. – angesichts drohender Entlassungen – auf beides seitens der Arbeitnehmer verzichtet wird. Tendenziell soll aus Arbeitgebersicht die Wochen-, Monats-, Jahres- und Lebensarbeitszeit wieder erhöht, zumindest aber nicht weiter verringert werden (Abb. 3.8.2/1). Sogar im Öffentlichen Dienst, dessen Privilegien unantastbar schienen, wurden in einigen Bundesländern längere Arbeitszeiten (pro Woche) eingeführt. Bei der Lebensarbeitszeit ergeben sich schwierigere Voraussetzungen für ein vorzeitiges Wechseln in den Ruhestand. Zwei Kernprobleme sind hervorzuheben: Erstens ist sachlich oft kein meßbarer Zusammenhang zwischen längerer Präsenz am (vor allem öffentlichen) Arbeitsplatz und höherer Produktivität i. S. v. *Arbeitsintensität* nachweisbar – die Maßnahmen könnten produktivitätstechnisch durchaus verpuffen.

Zweitens ergibt sich arbeitsrechtlich daraus eine unterschiedliche Behandlung von Beamten (für die eine Arbeitszeitverlängerung schlicht verfügt werden kann) und von Angestellten, für die dies in Tarifverhandlungen gegen die Gewerkschaftsposition durchgesetzt werden müßte. Ein «Zwei-Klassen-Modell» dürfte auf Dauer nicht haltbar sein.

Abb. 3.8.2/1: Arbeitszeiten

IBM verlängert die Arbeitszeit um zwei Stunden

Gleiches Grundgehalt / Unternehmen und DAG einigen sich auf einen neuen Haustarif

Die Viertagewoche bei VW ist kein Modell

Die Arbeitszeitregelungen der Unternehmen: Beschäftigungssicherung durch bessere Kapazitätsauslastung

Die Verknüpfung von Lohnerhöhung und Produktivitätsfortschritt hat aber ganz grundsätzlich einen nicht ungefährlichen Bumerangeffekt. Steigende Lohnkosten stimulieren Überlegungen, den teurer werdenden Faktor Arbeit durch Kapital (sprich: Maschinen) zu ersetzen. Dadurch sinkt bei gleichbleibendem oder sogar zunehmendem Poduktionsergebnis der Arbeitseinsatz immer mehr. Die rechnerische Arbeitsproduktivität steigt, wie oben bereits angeführt wurde. Dies hat wiederum Lohnerhöhungen zur Folge, die ihrerseits wieder zur Faktorsubstitution anregen usw. Sofern die so aus Kostengründen «wegrationalisierten» Arbeitskräfte aber nicht in anderen Wirtschaftssektoren beschäftigt werden können, trägt auch die oft als beschäftigungspolitisch neutral bewertete, *potential-* bzw. *produktivitätsorientierte* Lohnpolitik mit zur Faktorsubstitution bei und damit zum «Freisetzen», d.h. Entlassen von Arbeitskräften. Betriebswirtschaftlich ist dies völlig rational. Die oben in Abb. 3.3.5/1 angeführte «Nahaufnahme» der Arbeitslosenstruktur ist daher um die Tatsache zu ergänzen, daß ein erheblicher Teil auch der Langzeitarbeitslosen qualifizierte (sprich: teure) Fachkräfte sind.

3.8.2.2. Flexibilisierung der Arbeitszeiten

Um eine bessere Auslastung des vorhandenen Kapitalstocks zu erreichen, drängen Unternehmer mit zunehmendem Erfolg darauf, daß die tägliche Nutzung von technischen Anlagen durch z.B. *vermehrten Schichtbetrieb* erhöht wird – maximal bis auf 24 Stunden. Auch Wochenenden und Feiertage sollen einbezogen werden.

Eine andere Variante wurde bereits 1993 im Tarifbereich des VW-Werkes einvernehmlich von den Tarifpartnern vereinbart. Die Arbeitnehmer arbeiten 20% weniger (dies bedeutet eine **4-Tage-Woche**) und erhalten 10% weniger Lohn – also eine abgeschwächte Form der **Kurzarbeit.** Im Unterschied zu Kurzarbeit im arbeitsrechtlichen Sinne wird jedoch die Lohnkürzung nicht durch Zuwendungen seitens der Bundesanstalt für Arbeit ausgeglichen. Auch hier haben die Gewerkschaften dieser Option, die mit empfindlichen *Einkommenseinbußen* verbunden ist, den Vorzug vor Entlassungen gegeben, nach dem

Motto: Besser ein schlecht(er) bezahlter Job als gar keiner (vgl. oben Abb. 3.4.1/1).

In diesen Zusammenhang gehört die Forderung nach vermehrter **Teilzeitarbeit** bei gleichzeitigem *Abbau von Überstunden*. Während Gewerkschaften hierin eine Schaffung von (Teil-)Arbeitsplätzen sehen, fürchten Unternehmen die damit verbundenen organisatorischen Probleme und Kostenbelastungen. Im sonst eher unflexiblen Öffentlichen Dienst übernimmt in Deutschland der Staat eine Vorreiterrolle und bietet vermehrt Teilzeitbeschäftigungen an. Insbesondere Frauen sind an Teilzeitverträgen interessiert, um z. B. Kindererziehung und Erwerbstätigkeit verbinden zu können. Insgesamt ist Teilzeitarbeit – in der privaten Wirtschaft und im Öffentlichen Dienst in Deutschland weniger ausgeprägt als in einer Reihe anderer europäischer Staaten, und allgemein sind Teilzeitbeschäftigungen für männliche Arbeitnehmer international deutlich seltener als für Frauen Abb. 3.8.2/2.

Neben dem Argument, daß Teilzeitarbeit *organisatorisch* größere Probleme als ein Vollzeit-Arbeitsplatz hat, wird vor allem wieder auf den ungünstigen Effekt bei den *Lohnzusatzkosten* verwiesen. So steigen die Lohnnebenkosten bei höheren Entgelten nicht mehr proportional mit; z. B. gibt es bei den Sozialversicherungsbeiträgen Höchstbeiträge. Einkommensteile, die diese «Kappungsgrenze» übersteigen, sind damit zusatzkostenneutral. Ein fiktives Beispiel mag dies verdeutlichen (vgl. Abb. 3.8.2/3): Die Sozialabgaben betragen 25%, aber nur bis zu einer maximalen Bemessungsgrenze von 5000,– DM. Wenn also ein Vollzeitarbeitsplatz mit 8000,– DM Direktentgelt geteilt wird in zwei Teilzeit-Arbeitsplätze zu je 4000,– DM (*job-sharing*), entfällt der «Kappungseffekt» des Falls II. Die beiden Teilzeit-Arbeitsplätze (Fall III) sind folglich in diesem Beispiel um 750,– DM teurer als ein

Abb. 3.8.2/2: Teilzeitarbeit

Teilzeit kein Patentrezept gegen Arbeitslosigkeit

LADENSCHLUSS

Teilzeitarbeit könnte durch liberalere Öffnungszeiten an Bedeutung gewinnen

NIEDERLANDE / Flexibilisierung des Arbeitsmarktes ist auch für die Gewerkschaften kein Tabu

Der traditionelle Vollzeitarbeitsplatz wird mehr und mehr zum Auslaufmodell

Abb. 3.8.2/3: Teilzeit-Lohnzusatzkosten

	I	II	III	
Direktentgelt	4000,–	8000,–	2 × 4000,– =	8000,–
Sozialabgaben	1000,–	1250,–	2 × 1000,– =	2000,–
= faktisch	25%	15,6%	25%	
Gesamtlohn	5000,–	9250,–	2 × 5000,– =	10000,–

Vollzeit-Arbeitsplatz. Niedrigere Lohn- und Gehaltsgruppen unterhalb der Beitragsbemessungshöchstgrenzen eignen sich deshalb besser für Teilzeitarbeit als höher bezahlte Stellen.

Ein weiteres Problem wird hingegen oft übersehen: Eine Reihe von gesetzlichen Regelungen in der Sozial- und Rentenversicherung sowie im Bereich der Mitbestimmung knüpfen an die *Zahl* der Beschäftigten an, unabhängig von der Frage nach Voll- oder Teilzeitarbeit. Dies ist in anderen Ländern, die in der Teilzeitstatistik führen, nicht der Fall, so daß solche Vergleiche «schief» sind. Um verstärkt Teilzeitarbeitsplätze zu schaffen, müßten also auch einige gesetzliche Grundlagen verändert werden.

Es sollte jedoch Klarheit darüber bestehen, daß Teilzeitarbeit tendenziell einer absoluten *Einkommenskürzung* gleichkommt. Der Effekt ist der bekannten Kurzarbeit sehr ähnlich, ohne daß allerdings Ausgleichszahlungen durch das Arbeitsamt geleistet werden. Im internationalen Vergleich ist zudem nicht eindeutig festzustellen, daß Länder mit stärker verbreiteter Teilzeitarbeit daraus entsprechend positive Beschäftigungseffekte ableiten konnten. Ein Allheilmittel ist Teilzeitarbeit offensichtlich nicht.

Eine erhöhte Flexibilität ergibt sich aus Arbeitgebersicht ferner aus der Befristung von **Arbeitsverträgen**. Zumindest in Intervallen läßt sich dadurch die Fixkostenbelastung durch Arbeitsentgelte ohne jede Tarifverhandlung variieren. Vor allem in den südlichen EU-Mitgliedsstaaten (Spanien, Portugal, Griechenland) sind Zeitverträge sehr viel gebräuchlicher als in den anderen EU-Ländern.

Einige der bestehenden gesetzlichen Regelungen in Deutschland haben daher sicher klar entgegenstehende Vor- und Nachteile: *Kündigungsschutzbestimmungen* schützen z. B. den (beschäftigten) Arbeitnehmer, verleiten jedoch den Unternehmer, bei Bedarf eher zu Überstunden Zuflucht zu nehmen als neue Kräfte einzustellen, benachteiligen also den Unbeschäftigten. In der EU waren 1997 knapp die Hälfte der Arbeitslosen länger als ein Jahr ohne Beschäftigung, in den USA – wo es solche strikten Vorschriften nicht gibt – nur 8,7%.

3.8.3. Arbeitsmarktpolitik

3.8.3.1. Zweiter Arbeitsmarkt und Beschäftigungsprogramme

Als **Zweiter Arbeitsmarkt** werden Maßnahmen bezeichnet, mit denen insbesondere Langzeitarbeitslose und andere Problemgruppen durch staatliche oder staatlich geförderte Beschäftigungsmaßnahmen aufgefangen werden, z. B. durch **Arbeitsbeschaffungsmaßnahmen** (ABM). Es ist aber offensichtlich, daß diese Instrumente (Abb. 3.8.3/1 listet sie beispielhaft für Ostdeutschland auf), wenn sie in großem Aufmaß angewandt werden, zu erheblichen Finanzierungsproblemen führen.

Abb. 3.8.3/1: Arbeitsmarktpolitische Instrumente

Durch ausgewählte arbeitsmarktpolitische Maßnahmen geförderte Erwerbspersonen; Bundesgebiet Ost

Merkmal (Jahressummen) (Bestände = Jahresdurchschnitte)		Im Jahre			
		1994	1995	1996	1997
		1	2	3	4
Berufl. Weiterbildung insg.					
Eintritte		286928	257463	269227	166031
Bestand		258944	255795	238903	183570
Austritte		332375	303716	257470	256034
Berufliche Rehabilitation[1]					
Eintritte		24825	26867	32246	27355
Bestand		24036	29919	40125	38755
Austritte		16898	21672	24882	27139
Deutsch-Sprachlehrgänge					
Eintritte		18177	14769	19105	18555
Bestand		7309	6992	8459	9452
Austritte		15566	15975	15431	20060
Beschäftigungschaffende Maßnahmen nach					
§ 91 AFG	Vermittlungen[2]	293441	222488	234791	141885
	Bestand[2]	192492	205787	191150	154464
§ 249h AFG	Vermittlungen	62961	57264	47793	101087
	Bestand	87680	106478	86242	80082

[1] Berufsfördernde Bildungsmaßnahmen zur beruflichen Erst- oder Wiedereingliederung; 1993 ohne Maßnahmen, die sich nicht primär an Behinderte richten (z. B. berufliche Weiterbildung).

[2] 1993 und 1994 einschl. Maßnahmen nach dem Stabilisierungsprogramm des Bundes.

Abb. 3.8.3/1: Arbeitsmarktpolitische Instrumente (Fortsetzung)

Durch ausgewählte arbeitsmarktpolitische Maßnahmen geförderte Erwerbspersonen; Bundesgebiet Ost

Merkmal (Jahressummen) (Bestände = Jahresdurchschnitte)	Im Jahre			
	1994	1995	1996	1997
	1	2	3	4
Arbeitsbeschaffungsmaßnahmen für ältere Arbeitnehmer				
Bewilligungen	6374	10494	8792	5803
Bestand	5425	12535	16642	16464
Eingliederungsbeihilfe				
Bewilligungen	8278	8878	8946	3505
Bestand	2466	4840	4077	2173
Beschäftigungshilfen für Langzeitarbeitslose[3]**)**				
Bewilligungen	5645	23370	9934	15034
Bestand	9207	12847	23795	11488
Überbrückungsgeld bei Aufnahme einer selbständigen Tätigkeit				
Bewilligungen	15108	23942	27943	24681
Zahl der Kurzarbeiter				
Bestand	96830	70521	70933	49490
Empfänger von				
– Vorruhestandsgeld[4])				
Bestand	122241	29500	•	•
– Altersübergangsgeld				
Bestand	523628	340802	185644	58425
Leistungsempfänger nach § 105c AFG				
Bestand	2153	6582	29562	79161

[3]) Ab 1995 «Aktion Beschäftigungshilfen für Langzeitarbeitslose 1995 bis 1999» der Bundesregierung.

[4]) Ergebnisse aus dem integrierten Meldeverfahren zur Sozialversicherung.

Quelle: Bundesanstalt für Arbeit: Arbeitsmarkt 1997

Hinzu kommt als konzeptionelles Problem, daß sich im Zweiten Markt Tarifstrukturen ergeben können, die auf Dauer unter den tariflichen Mindestlöhnen des regulären Marktes liegen. Dies könnte wiederum zu *Verdrängungseffekten* in parallelen Bereichen des regulären Marktes führen, z.B. bei Dienstleistungen, die sowohl kommerziell als auch durch ABM-Stellen angeboten werden. Zudem verringert ein stark ausgeweiteter Zweiter Arbeitsmarkt tendenziell die Leistungsbereitschaft und Motivation, sich auf den regulären Arbeitsmarkt einzustellen. Dies gilt umso eher, je weniger die Tarifstrukturen auseinanderliegen. Der Zweite Arbeitsmarkt sollte deshalb nicht als Ersatz für den ersten, sondern als Notebene mit klarem Lohnniveauunterschied angesehen werden (Abb. 3.8.3/2).

Abb. 3.8.3/2: Stimmen gegen den Zweiten Arbeitsmarkt

IW warnt vor den Folgen öffentlich subventionierter Beschäftigung

Statt Lohnsubventionen zu zahlen, sollte der Staat die Lohnnebenkosten verringern

Kein Weg zu mehr Beschäftigung

„Förderung Arbeitsloser vernichtet Stellen"

Faktisch gibt es den Zweiten Markt bereits seit langem. Hinzu kommen Überlegungen, den Anspruch auf Sozialhilfe als unterstes soziales Netz mit Verpflichtungen zu bestimmten Tätigkeiten zu verknüpfen.

3.8.3.2. Arbeitsvermittlung

(1) **Absenkung der Ansprüche:** Es wurde bereits dargestellt, daß das Heer der Langzeitarbeitslosen nicht nur die klassischen Problemfälle älterer, gesundheitlich beeinträchtigter, unqualifizierter oder berufsunerfahrener Arbeitssuchender, sondern auch einen hohen Anteil qualifizierter Fachkräfte umfaßt. Während die Regelungen der Arbeitslosenunterstützung früher recht lange die Suche nach einer der Qualifizierung und Erfahrung entsprechenden neuen Tätigkeit ermöglichten, sind die *Zumutbarkeitsgrenzen* für die Annahme schlechter bezahlter oder niedriger qualifizierter Jobangebote deutlich gesenkt worden. Sehr viele Arbeitslose müssen davon ausgehen, daß sie nicht wieder gleichrangige Positionen erreichen werden. Akademiker als Sachbearbeiter – früher undenkbar – sind heute keine Seltenheit. Auch bei Berufsanfängern ist festzustellen, daß die Anfangsgehälter in der jüngeren Vergangenheit deutlich gesenkt wurden.

Damit geht oft ein Mentalitätswandel einher. Zum Einen dürfte eine qualitativ unbefriedigende und zudem monetär unattraktive Tätigkeit auf Dauer kaum motivationsfördernd wirken. In diesem Sinne wird das Produktionspotential daher sicher unausgelastet sein, obgleich dies nicht in die statistischen Berechnungen (vgl. Abschn. 3.1) eingeht. Zum Anderen werden viele Arbeitnehmer im Arbeitsalltag deutlich konfliktscheuer sein, um nicht als Kandidat für die nächste Entlassungsrunde aufzufallen. Dies trifft sogar auf die Gewerkschaften zu, die früher tarifliche Verschlechterungen in dem Ausmaß, wie sie in den letzten Jahren zu beobachten waren, mit massiver Gegenwehr beantwortet hätten. Betriebsintern wird zudem oft eine zunehmende Ellenbogenmentalität beobachtet. So wird nicht selten von Doppelverdienern erwartet, daß sie Arbeitslosen Platz machen sollen.

(2) **Private Arbeitsvermittlung:** 65 Jahre lang bestand ein Vermittlungsmonopol für die Arbeitsämter. Seit 1994 ist die private kommerzielle Arbeitsvermittlung zulässig (Abb. 3.8.3/3). Der Hintergrund hierfür war, daß ein Heer von Arbeitslosen erfolglos Arbeit suchte, aber nur knapp ein Viertel der Stellenbesetzungen von den Arbeitsämtern vermittelt wurde. Der Hauptteil lief ohnehin über private Kanäle wie Stellenanzeigen in den Zeitungen, persönliche Kontakte, Unternehmensberatungen, Vermittlungsagenturen im Agenturbereich, Outplacement – Berater bei Entlassungen usw.

Abb. 3.8.3/3: Arbeitsvermittlung

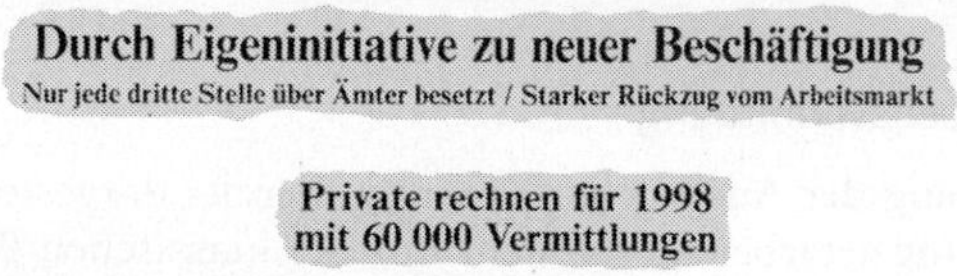

Durch Eigeninitiative zu neuer Beschäftigung

Nur jede dritte Stelle über Ämter besetzt / Starker Rückzug vom Arbeitsmarkt

Private rechnen für 1998 mit 60 000 Vermittlungen

Die Erfolgserwartungen, die mit dieser Änderung der Arbeitsvermittlung verbunden waren, haben sich jedoch bislang nicht erfüllt. Zwar haben sich komplementäre Strukturen ergeben, in dem sich staatliche und private Arbeitsvermittlungen auf jeweils andere Zielgruppen konzentrieren, doch zu einem Patentrezept gegen die Arbeitslosigkeit ist auch die private Arbeitsvermittlung nicht geworden. Die Erfahrungen von Ländern, in denen sie seit langem zulässig war (z. B. Irland), ließen dies ohnehin nicht erwarten.

Zwei Forderungen dominieren die Diskussion im steuerlichen Bereich der Beschäftigungspolitik: Zum einen werden Maßnahmen verlangt, die zu *Kostenentlastungen* auf der Arbeitgeberseite führen sollen, also z.B. Senkungen der Sozialversicherungsbeiträge der Unternehmen. In Belgien gelten beispielsweise Regelungen, durch die der Staat die Arbeitgeberbeiträge zu den Sozialversicherungen teilweise oder ganz übernimmt, um somit die Schaffung von Arbeitsplätzen zu erleichtern.

Lohnkostenzuschüsse (u.a. als sog. **Kombilöhne**) und Arbeitsbeschaffungsmaßnahmen belasten natürlich den Staatshaushalt bzw. das Budget der Bundesanstalt für Arbeit. Deshalb wird zum anderen immer wieder über *Abgabenerhöhungen* (Erhöhung der Sozialversicherungsbeiträge, Einführung einer *Ergänzungsabgabe* bzw. eines *Solidaritätszuschlags* bei der Einkommenssteuer) diskutiert, mit denen arbeitsmarktbezogene Ausgaben finanziert werden sollen.

Ergänzend wird von verschiedenen Seiten gefordert, durch Veränderungen der entsprechenden Rahmenbedingungen Anreize zu Unternehmensgründungen und damit zur Ausweitung der Beschäftigung zu geben. Dabei wird auf «schlankere» Genehmigungsverfahren für geplante Investitionsvorhaben, weitere Privatisierung von Unternehmen in Öffentlicher Hand, Förderung der Zusammenarbeit von Wirtschaft und Hochschulen *(Technologiezentren)* und vieles andere mehr verwiesen. Es gibt kaum einen Bereich, dessen Relevanz für die Beschäftigungssituation nicht analysiert worden wäre.

Die Diskussion um die «richtige» Beschäftigungspolitik wird vorrangig auf politischer Ebene ausgetragen werden müssen, denn die von konkurrierenden, oft gegensätzlichen wissenschaftlichen Schulen vorgetragenen Konzepte haben bislang nicht dazu beitragen können, das weltweite Problem der Massenarbeitslosigkeit zu lösen.

Ob von der europäischen Währungsunion ein deutlicher Beschäftigungsschub ausgehen wird, muß genauso offenbleiben, wie ob es zu einem EU-weiten Beschäftigungspakt kommen wird. Viele – deutlich keynesianisch gefärbte – Erwartungen richten sich auf staatliche Maßnahmen zur Belebung der gesamtwirtschaftlichen Nachfrage, finanziert u.a. durch Steuern und Abgaben, insbesondere in den Bereichen Infrastruktur und Kommunikation und vielfach im Rahmen von Großprojekten. Unternehmerverbände befürchten jedoch weitere Kostenbelastungen und vermissen angebotstheoretische Ansätze zur Verbesserung der Rahmenbedingungen.

Auch die Möglichkeit eines umfassenden **Bündnisses für Arbeit** zwischen Staat, Arbeitgeberverbänden und Gewerkschaften ist angesichts 4,3 Mio. offenen und 6,2 Mio. offen und versteckt Arbeitslosen als begrenzt anzusehen (Abb. 3.8.3/4). Dennoch könnten auch Teillösungen dazu beitragen, die mit der Beschäftigungskrise verbundenen innen- und sozialpolitischen Spannungen zu verringern.

Abb. 3.8.3/4: Bündnis für Arbeit

Bündnis für Arbeit nur bei einer moderaten Tarifpolitik

Beim Bündnis für Arbeit sollen alle eingebunden werden

Quelle: Handelsblatt v. 20.1.1999

Trotz dieser Ungewißheiten dürfte aus den vorausgehenden Darlegungen deutlich geworden sein, daß zwischen wachstums- (bzw. konjunktur-) und beschäftigungspolitischen Zielen ein enger Zusammenhang besteht. Beide Ziele stehen nicht in einem Konkurrenz-, sondern in einem Harmonieverhältnis. Was dem Wachstumsziel nützt, dient auch dem Beschäftigungsziel – und umgekehrt. Bei Einbeziehung des dritten, im Stabilitätsgesetz festgeschriebenen Ziels «Stabilität des Preisniveaus» können sich jedoch mögliche Zielkonflikte bzw. -rivalitäten ergeben.

Abb. 3.8.4/1: «Künstliche Beatmung von Arbeitsplätzen»

Frühe Arbeiterunruhen

Quelle: FAZ vom 15.3.97

3.8.4. Finanzpolitische Maßnahmen

Einige Sektoren der deutschen Wirtschaft überleben nur Dank massiver Subventionen aus dem Staatshaushalt. Ein Arbeitsplatz im Steinkohlenbergbau wurde mit über 28 000 DM subventioniert, im Schiffbau mit fast 7000 DM, in der Landwirtschaft mit 6500 DM, in der Luft- und Raumfahrttechnik mit rd. 4400 DM (16. Subventionsbericht 1997). So positiv dies für den einzelnen Beschäftigten ist: Staatliche Subventionen zur Erhaltung von Arbeitsplätzen behindern den Strukturwandel und begünstigen die Verkrustung von Strukturen (Abb. 3.8.4/1).

4. Stabilität des Preisniveaus

Die latente Furcht vor Inflation zieht sich wie ein roter Faden durch die wirtschaftspolitische Diskussion in Deutschland nach dem 2. Weltkrieg. Dies ist verständlich vor dem Hintergrund zweier massiver Geldentwertungen, damals bedingt durch die Weltwirtschaftskrise und die Kriegs- und Nachkriegsinflation. Die Wirtschaftsreform von 1948 und die **Einführung der DM** haben dann die ökonomische Basis für eine recht preisstabile Entwicklung gebracht. Dennoch ist die Vermeidung von Inflation, oder formaler gesagt: das Ziel eines stabilen Preisniveaus ein zentrales Element im wirtschaftspolitischen Zielsystem. Auch mit der **Einführung des Euro** verbinden sich bei vielen Inflationsbefürchtungen. Im folgenden wird zunächst betrachtet, wie Inflation gemessen wird und wie sie auftreten kann. Anschließend werden die Folgen von Inflation untersucht.

4.1. Definition von Inflation

Inflation ist gleichbedeutend mit anhaltenden Preissteigerungen auf breiter Front. Die Forderung nach Stabilität des Preis**niveaus** im Stabilitätsgesetz ist daher *nicht* gleichbedeutend mit einer Forderung nach **Preisstabilität**, im Gegenteil: **Preisstabilität** bedeutet **mikroökonomisch**, daß *ein* einzelner Preis konstant ist, und **makroökonomisch**, daß sich *alle* betrachteten **Preise** nicht verändern. In einer marktwirtschaftlichen Ordnung allerdings sollen die Gütepreise gerade *nicht* stabil sein, sondern sich bei Veränderungen von Angebot oder Nachfrage als Ausgleichsmechanismus der veränderten Marktsituation entsprechend anpassen, nach oben und unten flexibel sein, aber Preissteigerungen bei einigen Gütern und Preissenkungen bei anderen sollen sich im Durchschnitt aufheben.

Das **wirtschaftspolitische Ziel** ist somit **Stabilität des Preisniveaus** in dem Sinne, daß sich der (gewichtete) **Durchschnitt aller Preise** nicht verändert, daß sich also Preissteigerungen und Preissenkungen kompensieren. Stabilität des Preisniveaus bedeutet, daß keine Inflation auftritt, d.h. daß die Inflationsrate Null ist. Preisstabilität impliziert Preisniveaustabilität, jedoch gilt dies nicht umgekehrt.

Dieser wichtige Unterschied zwischen Preisstabilität und Stabilität des Preisniveaus wird oft nicht sauber auseinandergehalten bzw. geht im allgemeinen Sprachgebrauch – auch bei Fachleuten – häufig verloren. Wahrscheinlich ist die präzise sprachliche Differenzierung auch für das tägliche Leben nicht so wichtig, zumal man meist weiß, was mit «Preisstabilität» gemeint ist. Der Leser möge mir diese definitorische Empfindlichkeit nachsehen.

Preisniveau**stabilität** im strengen Sinn ist also gleichbedeutend mit einer Inflationsrate von Null, auch wenn im politischen Raum 1–2% Inflation oft noch als «Stabilität» toleriert werden. Auch der Rat der Europäischen Zentralbank (EZB-Rat) definiert «Preisstabilität» (!) als «Austrag des Harmonisierten Verbraucherpreisindex (HVPI) für das Euro-Währungsgebiet von unter 2% gegenüber dem Vorjahr» (EZB-Monatsbericht 1/99: 51) (zum HVPI vgl. Abschn. 4.3.3). *Jeder* Anstieg des Preisniveaus ist **Inflation** (lat. inflare = aufblasen), nicht erst ab einem bestimmten ‹fühlbaren› Prozentsatz.

Die Preisniveaustabilität ist folglich in der Vergangenheit allein im Jahr 1986 erreicht worden (vgl. Abb. 4.1/1). Allerdings zeigen die tendenziell sinkenden Inflationsraten der letzten Jahre, daß das Ziel der Preisniveaustabilität in Deutschland gegenwärtig nahezu erreicht ist.

Im Falle von negativen Inflationsraten wie 1949 und 1953 spricht man von **Deflation**. Eine Deflation behindert Aufschwungstendenzen, da z. B. Investitionsentscheidungen in Erwartung weiter fallender Preise und Zinsen hinausgeschoben werden. Dies wirkt sich auch nachteilig auf die Beschäftigung aus.

In diesem Zusammenhang ist noch auf eine zweite gängige begriffliche Unschärfe hinzuweisen: So wird beispielsweise oft gesagt, daß die Inflationsrate von 3% auf 4% «um 1%» gestiegen sei. Natürlich weiß man, was damit gemeint ist, aber die Aussage ist formal falsch, denn ein Anstieg um 1% würde eine Veränderung von 3% auf 3,03% bedeuten. Gemeint – aber nicht gesagt – ist eine Veränderung um einen **Prozentpunkt**. Analog: Wenn eine Partei ihren Stimmanteil von

Abb. 4.1/1: Inflation in Deutschland

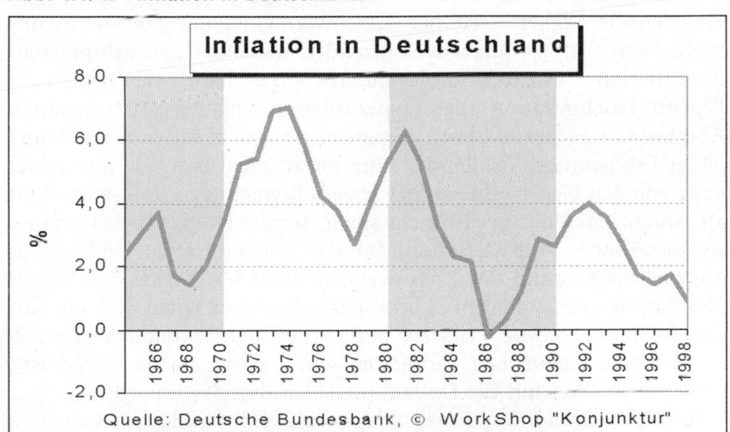

8% auf 10% erhöhen konnte, so ist dieser um 2 Prozentpunkte oder 25 Prozent gestiegen. Wenn die Arbeitslosenquote von 8% auf 7% sinkt, so ist sie um einen Prozentpunkt oder um 12,5 Prozent gesunken, etc.

Gelegentlich werden für ein bestimmtes Land unterschiedliche Inflationsraten genannt. Das kann daran liegen, daß verschiedene Indikatoren für das Preisniveau verwendet werden (vgl. Abschnitt 4.3) oder unterschiedliche Methoden zugrunde liegen. Beispielsweise kann der Vergleich der Monatswerte für März 1998 mit März 1997 andere prozentuale Veränderungen ergeben als der Vergleich der jeweiligen Jahresdurchschnittswerte.

Bevor auf die wirtschaftspolitische Bedeutung von Preis(niveau)stabilität und Inflationsbekämpfung eingegangen wird, sollen zunächst einige grundsätzliche Zusammenhänge betrachtet werden hinsichtlich Inflationsarten und -ursachen sowie der Methoden der Inflationsmessung.

4.2. Erscheinungsformen der Inflation

4.2.1. Schleichende, trabende und galoppierende Inflation

Preisniveaustabilität oder niedrige Inflationsraten sind weltweit nicht die Regel. Viele Staaten verzeichnen teilweise für europäische Erfahrungen nur schwer vorstellbare Inflationsraten, aber auch innerhalb

Europas ist das Bild sehr unterschiedlich (vgl. Abb. 4.2.1/1 u. 2). Man unterscheidet daher nach der Geschwindigkeit des Preisniveauauftriebs begrifflich zwischen **schleichender, trabender** und **galoppierender Inflation**. Für extrem hohe Inflationsraten haben sich zudem die Begriffe **Hochinflation** oder **Hyperinflation** eingebürgert (vgl. unten Abschn. 4.7: Hyperinflation). Eine genaue, quantitative Abgrenzung dieser Erscheinungsformen der Inflation ist nicht möglich; dies hängt auch von den Gegebenheiten der jeweils betrachteten Volkswirtschaft ab. Sofern das Preisniveau nicht steigt, sondern sinkt, spricht man – wie erwähnt – von **Deflation**; für das Nichtauftreten beider Phänomene im Zustand der Preisniveaustabilität hat J. Eick den Begriff **Nonflation** vorgeschlagen. Diese Bezeichnungen leiten sich ab aus dem lateinischen *flare* = blasen, so daß mit Inflation bildlich eine sich aufblähende Geldmenge verbunden wird (was nicht zwingend ist), während die Preisluft bei Deflation wieder abgelassen wird.

Aus der Sicht der Bundesrepublik wäre eine Inflationsrate von 30% sicherlich in den Bereich der galoppierenden Inflation einzuordnen, aber wann geht eine schleichende Inflation von z. B. 2% in den Trab über? Anders liegt es in Ländern, die sich an Inflationsraten von weit über 100% pro Jahr gewöhnen mußten: 1976 verzeichnete Argentinien eine Inflationsrate von 444% pro Jahr; 1977 waren es noch 176%, 1980 nach einer **Währungsreform** ‹nur noch› 100,8%, 1983 bereits wieder 355%.[1] 1986 erfolgte eine neuerliche Währungsreform mit der Einführung des Austral, der sich jedoch gleichfalls rasant entwertete (die Inflation lag 1991 bei 1600% im Jahr), so daß zum 1. 1. 92 wiederum eine Währungsreform erfolgte und der Austral wieder durch den Peso abgelöst wurde. Der Peso ist die fünfte argentinische Währung in 22 Jahren. Dies verdeutlicht, daß eine Währungsreform absolut nichts nützt, wenn nicht gleichzeitig die *Ursachen* der Geldentwertung beseitigt werden. In Ländern mit derartigen Inflationsproblemen dürfte ein Absinken der Inflationsrate auf z. B. 30% als mäßige Entwicklung, ja als Stabilitätserfolg zu werten sein. Vielfach werden die Inflationsraten dann auch nicht auf Jahresbasis, sondern pro Monat ausgewiesen; dann sind die Zahlen absolut vielleicht

[1] In der Literatur und vor allem in den Medien werden oft unterschiedliche Inflationsraten für ein Land und für dieselbe Periode angegeben. Da es eine Vielzahl von Preisindizes gibt (vgl. Abschn. 4.2), müßte jeweils angegeben werden, welcher Index betrachtet wird. Das Statistische Bundesamt der Bundesrepublik veröffentlicht in der Regel den Lebenshaltungsindex für alle Haushalte, wobei für das außereuropäische Ausland meist keine Landesdurchschnitte, sondern nur die Situation in (mit europäischen Verhältnissen vergleichbaren) Großstädten wiedergegeben wird.

Abb. 4.2.1/1: Inflation international

Anstieg der Verbraucherpreise 1996 gegenüber 1995 in %

Griechenland	8,2	Frankreich	2,0
Italien	3,8	Österreich	1,9
Spanien	3,6	Irland	1,7
Portugal	3,1	Deutschland-West	1,4
USA	2,9	Luxemburg	1,4
Großbritannien	2,4	Norwegen	1,3
Deutschland-Ost	2,2	Schweden	0,8
Belgien	2,1	Schweiz	0,8
Dänemark	2,1	Finnland	0,6
Niederlande	2,1	Japan	0,1

Quelle: OECD, © WorkShop «Konjunktur»

Abb. 4.2.1/2: Trabende und galoppierende Inflation (1997)

Nicaragua	14 315	(1988)	Zaire (Kongo)	659	(1996)
Nicaragua	7 481	(1990)	Angola	253	(1992)
Nicaragua	4 709	(1989)	Sambia	187	(1993)
Zaire	4 131	(1992)	Kambodscha	177	(1992)
Argentinien	3 080	(1989)	Rumänien	155	(1997)
Brasilien	2 738	(1990)	Surinam	144	(1993)
Argentinien	2 314	(1990)	Sudan	95	(1993)
Zaire	2 155	(1991)	Türkei	89	(1997)
Brasilien	2 103	(1993)	Jamaika	77	(1992)
Zaire	1 351	(1993)	Zimbabwe	71	(1992)
Bulgarien	1 082	(1997)	Weißrußland	64	(1997)

Quelle: OECD, © WorkShop «Konjunktur»

Die Türkei will die Inflation von 80 auf 3 Prozent drücken

auch nicht so erschreckend. Den Vogel abgeschossen hat allerdings Nicaragua, das 1988 eine Inflationsrate von 14315% auswies (das entspricht etwa einer Verdreizehnfachung der Preise *pro Monat!*): Wenn überhaupt noch Geld als Bezahlung angenommen wurde (der Realtausch blühte statt dessen), wurde es nicht gezahlt, sondern gewogen. Aus Ex-Jugoslawien wurden inoffiziell sogar Inflationsraten von 2000 Prozent *im* Monat berichtet. Der Dinar war wertlos; nur DM wurde akzeptiert. Allerdings wird die Bedeutung relativ kleiner Inflationsraten leicht unterschätzt: 3 Prozent Inflation pro Jahr bedeutet eine Verdoppelung des Preisniveaus in rund 23 Jahren: bei 4 Prozent sind es nur noch 18 Jahre, bei 7 Prozent 10 Jahre, wobei natürlich zu diskutieren wäre, ob man dabei noch von schleichender Inflation sprechen sollte.

4.2.2. Offene und verdeckte Inflation

(1) Eine weitere Unterscheidung hinsichtlich der Erscheinungsformen von Inflation bezieht sich auf ihre ‹Sichtbarkeit›. Offenbar kann man die Inflation messen; wie dies geschieht, wird im Abschnitt 4.3. erläutert. Danach wird zwischen **offener** und **verdeckter Inflation** unterschieden, je nachdem, ob sich Preissteigerungen offen zeigen können oder nicht. Verdeckte, versteckte, zurückgestaute, gestoppte oder Quasi-Inflation liegt insbesondere vor, wenn sich die inflationäre Entwicklung nicht in steigenden Preisen äußert, sondern in Lohn- und Preisstops, Rationierung von Gütern, langen Lieferfristen, Warteschlangen und insbesondere im Entstehen von **Schwarzmärkten**. Auf letzteren tritt der inflationäre Preisauftrieb dann zwar illegal, aber offen zutage.

(2) Die Erfahrungen mit Höchstpreisen sind insgesamt negativ. Eine Reihe europäischer und außereuropäischer Länder haben in der Vergangenheit zu zeitlich begrenzten Lohn- und Preisstops gegriffen (vgl. Abb. 4.2.2/1). Diese sind – wenn überhaupt – nur mit hohem administrativen Aufwand durchzusetzen, werden in der Praxis jedoch regelmäßig durchlöchert und unterlaufen. Bei Lohnstops kann dies z. B. durch Umgruppierungen in höhere Lohngruppen erfolgen, bei Preisen durch Qualitätsverschlechterungen oder angebliche Qualitätsverbesserungen, wobei dann höhere Preise beantragt werden. Meist läßt auch eine Vielzahl von Ausnahmeregelungen Lücken genug. Daneben bilden sich auf den **Schwarzmärkten** die eigentlichen Knappheitspreise, so daß das Warenangebot auf den offiziellen Märkten noch zusätzlich verknappt wird. Oft werden Mengenrationierungen unumgänglich, die wiederum einen hohen administrativen Aufwand erfordern. Nach Aufhebung der Reglementierungen wirkt sich der bis dahin aufgestaute Nachholbedarf manchmal explosionsartig aus

Abb. 4.2.2/1: Preisstops

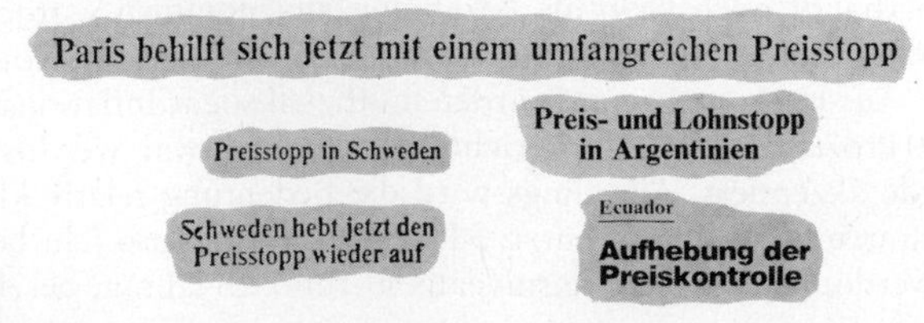

(Abb. 4.2.2/2). Zwar bewirken Preisstops, daß der Einfluß steigender Preise auf Preisindizes vorübergehend teilweise oder ganz ausgeschaltet wird, was politisch erwünscht sein mag. Insofern boten viele COMECON-Länder statistisch ein Bild der Preisniveaustabilität, doch machen Indikatoren wie die oben erwähnten deutlich, daß die Inflation lediglich versteckt wurde. Eine Inflation läßt sich nicht verbieten, und solange nicht die Inflationsursachen bekämpft werden, hat das Kurieren an den Symptomen – und nichts anderes sind Preisstops – überhaupt keinen Sinn.

(3) Ein kleines formales Modell soll den Zusammenhang verdeutlichen. In Abb. 4.2.2/3 zeigt sich, daß sich bei einem staatlich vorgeschriebenen Höchstpreis P^{max} eine Angebotslücke bzw. ein Nachfrageüberhang ergibt, der sich konkret z. B. in leeren Regalen und Warteschlangen ausdrückt. Der der Marktsituation angemessene, eigentlich ‹richtige› Preis wäre P^*, der sich z. B. auf dem Schwarzmarkt herausbilden wird. Da der Schwarzmarktpreis für Anbieter attraktiver ist als der legale Höchstpreis, besteht zudem die Wahrscheinlichkeit, daß sich das Angebot auf den offiziellen Märkten verringert (Verschiebung A zu A′), so daß sich die Angebotslücke noch vergrößert, sich die Situation noch verschärft und der Schwarzmarktpreis noch mehr steigt. In einigen Entwicklungsländern haben sozial

Abb. 4.2.2/2: Verdeckte Inflation

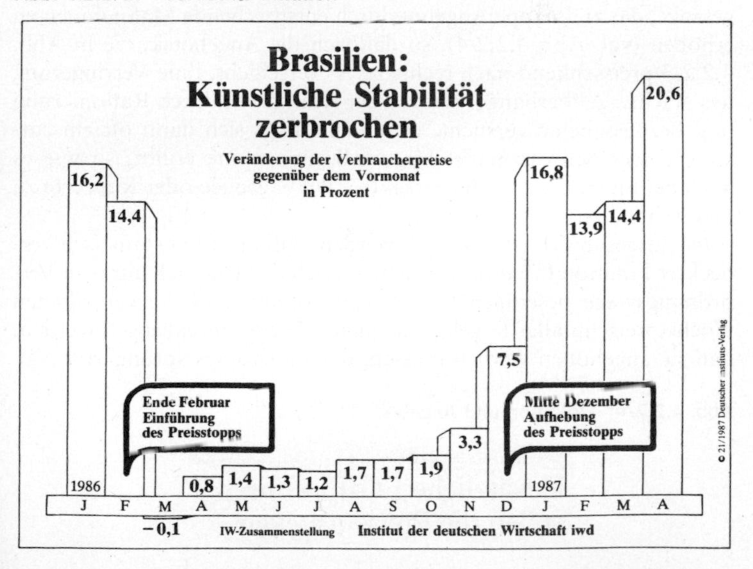

Abb. 4.2.2/3: Höchstpreis

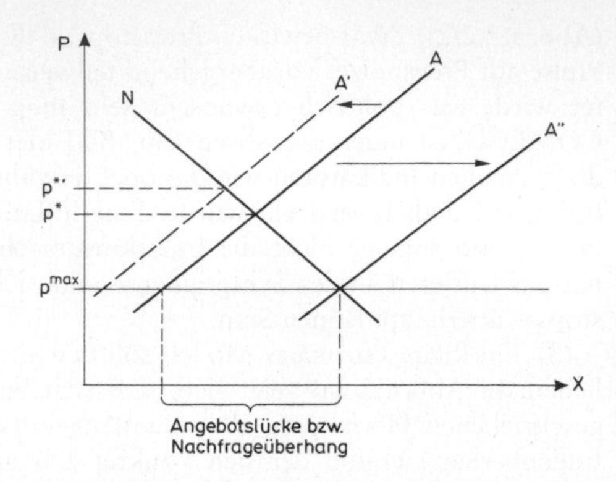

gemeinte Höchstpreisvorschriften für Grundnahrungsmittel dazu geführt, daß sich für die Erzeuger die Produktion für den Markt nicht mehr lohnte, die Bauern ihre Produktion auf den Eigenbedarf beschränkten und die Versorgung der Bevölkerung nicht mehr gewährleistet werden konnte. In anderen Fällen wurden mit Höchstpreisen belegte Güter illegal in das preisattraktivere Ausland geschmuggelt, so daß sich auch dabei bestehende Angebotslücken vergrößerten.

Eine Durchsetzung von Höchstpreisen wäre nur möglich, wenn es gelänge, das zu knappe Angebot durch entsprechende Maßnahmen zu erhöhen (vgl. Abb. 4.2.2/4), so daß sich die Angebotskurve in Abb. 4.2.2/3 preissenkend nach rechts zu A'' verschiebt. Eine Verringerung des Nachfrageüberhanges wird in der Realität oft durch Rationierung und Bezugsscheine versucht, wobei allerdings sich dann oft ein entsprechender Schwarzmarkt für die Bezugsscheine ergibt, so wie es auch bei Eintrittskarten für attraktive Fußballspiele oder Konzerte zu beobachten ist.

(4) Insgesamt dürfte deutlich werden, daß auch bei statistisch verdeckter Inflation Inflation vorliegt, die sich nicht einfach auf dem Verordnungswege beseitigen läßt. Hinzu kommt, daß die verordneten Höchstpreise in aller Regel nach einiger Zeit so unrealistisch werden, daß sie angehoben werden müssen, dann allerdings sprungartig (vgl.

Abb. 4.2.2/4: Inflation und Angebot

SPANIEN / Inflationsrate droht 5 %-Marke zu überspringen

Zusätzliche EG-Einfuhren sollen die Preise drücken

Abb. 4.2.2/5), was nicht selten zu oft gewalttätigen Protestaktionen, in einigen Ländern zu bürgerkriegsähnlichen Reaktionen der betroffenen Bevölkerung geführt hat. Auch Länder, die nach einer (meist befristeten) Zeit der Preisstops wieder zur ‹normalen› Marktpreisbildung übergehen, so wie verschiedentlich in skandinavischen Ländern oder noch vor kurzem Frankreich, müssen dann mit einem angestauten Nachholbedarf an Preiserhöhungen rechnen.

Abb. 4.2.2/5: Preissprünge

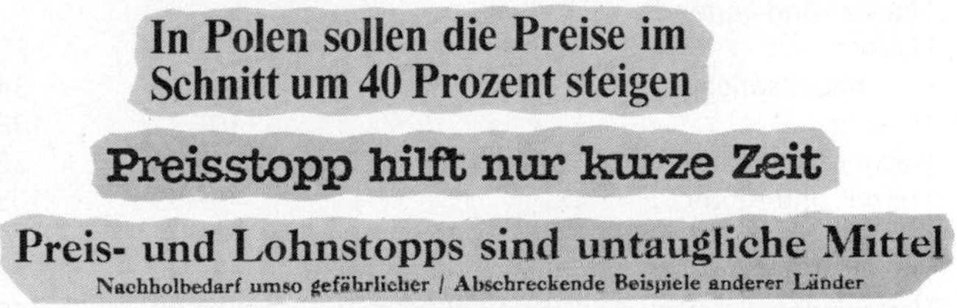

In Polen sollen die Preise im Schnitt um 40 Prozent steigen

Preisstopp hilft nur kurze Zeit

Preis- und Lohnstopps sind untaugliche Mittel
Nachholbedarf umso gefährlicher / Abschreckende Beispiele anderer Länder

Bevor auf die Folgen inflationärer Entwicklungen eingegangen wird (Abschn. 4.5), wird zunächst dargestellt, wie Inflation gemessen wird (Abschn. 4.3) und aus welchen Ursachen Inflation entsteht (Abschn. 4.4).

4.3. Messung der Inflation

4.3.1. Warenkorb und Preisindex

Inflation war eingangs definiert worden als (anhaltender) Anstieg des Preisniveaus. Um dies zu erfassen, müßte man eigentlich die Preise aller Güter beobachten, die in einer Volkswirtschaft angeboten werden. Dies ist allein aus erfassungstechnischen Gründen unrealistisch. Daher wird die Gütervielfalt in der Praxis auf solche Güter reduziert, die für den betreffenden Zweck repräsentativ sind. Besondere Aufmerksamkeit gilt der Entwicklung der **Lebenshaltungskosten**. Zu ihrer Untersuchung werden die Güter, die ein ‹typischer› Haushalt in einem Monat nachfragt, zu einem **Warenkorb** zusammengestellt, wobei sie eine Vielfalt ähnlicher (Substitutions-)Güter mitrepräsentieren müssen. Der Güterkorb umfaßt die in Abb. 4.3.1/1 dargestellten Gütergruppen, wobei sich die Prozentangaben auf den Anteil beziehen, den die einzelnen Gütergruppen wertmäßig am gesamten Warenkorb ausmachen.

Abb. 4.3.1/1: Gewichtung des Preisindex für die Lebenshaltung

		Gewichte 1991	Gewichte 1995
01	Nahrungsmittel und alkoholfreie Getränke	144,81	131,26
02	Alkoholische Getränke und Tabakwaren	45,19	41,67
03	Bekleidung und Schuhe	76,89	68,76
04	Wohnung, Wasser, Elektrizität, Gas und andere Brennstoffe	240,46	274,77
05	Hausrat und laufende Instandhaltung des Hauses	72,87	70,56
06	Gesundheitspflege	30,56	34,39
07	Verkehr	156,77	138,82
08	Nachrichtenübermittlung	17,92	22,66
09	Freizeit und Kultur	99,59	103,57
10	Bildungswesen	5,42	6,51
11	Hotels, Cafés und Restaurants	58,44	46,08
12	Verschiedene Waren und Dienstleistungen	51,08	60,95
	Insgesamt	1000,00	1000,00

Quelle: Stat. Bundesamt

Die Warenkorb-Betrachtung bedeutet formaler gesprochen, daß die im Warenkorb erfaßten Güter (x_i) mit Preisen (p_i) gewichtet und die Güterwerte $x_1 \cdot p_1 + x_2 \cdot p_2 + x_3 \cdot p_3 + \ldots + x_n \cdot p_n$ summiert werden; dies läßt sich allgemein als $X \cdot P$ symbolisieren. Die mengenmäßige Zusammensetzung des Güterkorbes wird über einen bestimmten Zeitraum hinweg konstant gehalten, so daß eine Änderung des Gesamtwertes des Güterkorbes ausschließlich preisbedingt ist. Wenn für zwei Zeitpunkte 1 und 2 gilt

$$(\overline{X} \cdot P)_1 < (\overline{X} \cdot P)_2,$$

dann kann dies – da die Mengenkomponente konstant ist $(\overline{X})$ – nur auf Preiserhöhungen zurückzuführen sein: $\overline{X}_1 \cdot P_1 < \overline{X}_1 \cdot P_2 \uparrow$.

Formal ergibt sich die Inflationsrate somit aus einem sog. **Laspeyres-Index:**

$$\frac{X_1 \cdot P_2}{X_1 \cdot P_1} \cdot 100 = \text{Wachstumsrate des Gesamtwertes des Warenkorbes zwischen Jahr 2 und Jahr 1.}$$

Da absolute DM-Angaben zu unhandlich und auf den ersten Blick auch wenig aussagekräftig sind, wird der jeweilige Wert des Güterkorbes in eine **Indexzahl** umgewandelt. Dabei wird der Güterwert des

Basisjahres, mit dem die Güterkörbe späterer Jahre verglichen werden, gleich Hundert gesetzt, so daß die Veränderung des Preisindex für diesen Güterkorb die prozentualen Preisveränderungen im Vergleich jeweils zum **Basisjahr** (Bezugsjahr) anzeigt.

Wenn der Güterkorb im Jahre 1 einen Gesamtwert von DM 3104,53 = 100% hatte, dann resultiert aus dem Güterwert des Jahres 7 mit DM 3439,88 ein Preisindex von 110,8, d.h. daß das durchschnittliche Preisniveau zwischen den Jahren 1 und 7 um 10,8% gestiegen ist (vgl. Abb. 4.3.1/2).[2]

Abb. 4.3.1/2: Preisindex und Inflationsrate

Jahr	Warenkorb	Preisindex	Inflationsrate in % gegenüber Vorjahr
1	3104,53	100	–
2	3101,43	99,9	–0,1
3	3107,63	100,1	0,2
4	3148,03	101,4	1,3
5	3236,18	104,2	2,8
6	3323,55	107,1	2,7
7	3439,88	110,8	3,5
8	3577,47	115,2	4,0
9	3727,72	120,0	4,2

Mit der Ermittlung des Preisindex zusammenhängend, aber nicht gleichbedeutend, ist die **Inflationsrate**. Sie beschreibt die prozentuale Preisänderung nicht im Vergleich zu einem meist weiter zurückliegenden Basisjahr, sondern zum Vorjahr (manchmal auch zum Vormonat, wobei sich außergewöhnliche und saisonale Veränderungen besonders stark bemerkbar machen wie z.B. die Mehrwertsteuererhöhung im April 1998 und die im Sommer generell sinkenden Heizölpreise. Daneben gibt es noch Viertel- und Halbjahres-Inflationsraten). Die Inflationsrate für z.B. das Jahr 7 berechnet sich somit entweder durch Vergleich der Güterkorbwerte 3439,88 (Jahr 7) und 3323,55 (Jahr 6):

$\frac{3439{,}88 - 3323{,}55}{3323{,}55} = 0{,}035$, d.h. 3,5%, oder durch Vergleich der entsprechenden Indexwerte $\frac{110{,}8 - 107{,}1}{107{,}1} = 0{,}035$, d.h. 3,5%. Dabei wird auch wiederum der Unterschied zwischen **Prozent** und **Prozentpunkten** deutlich:

[2] $\frac{3439{,}88}{3104{,}53} \cdot 100 = 110{,}8$

Der Preisindex veränderte sich zwischen den Jahren 6 und 7 um 110,8 – 107,1 = 3,7 Prozent*punkte*, was – wie gezeigt – einer Veränderung von 3,5 Prozent entspricht. Diese beiden Begriffe werden häufig verwechselt (vgl. oben).

4.3.2. Indexarten

Das statistische Bundesamt errechnet **verschiedene Preisindizes** für die Lebenshaltung, die sich auf unterschiedliche Haushaltstypen beziehen. So gibt es einen Preisindex für die Lebenshaltung von 4-Personen-Haushalten von Angestellten und Beamten mit höherem Einkommen des alleinverdienenden Haushaltsvorstandes, einen für 4-Personen-Arbeitnehmerhaushalte mit mittlerem Einkommen, einen Index für 2-Personenhaushalte von Rentnern und Sozialhilfeempfängern sowie einen Index für die einfache Lebenshaltung eines Kindes. Daneben gibt es einen Preisindex für die Lebenshaltung **aller** privaten Haushalte. Er stützt sich auf einen fiktiven Haushalt mit zwei Erwachsenen und 0,3 Kindern, den sog. **Indexhaushalt,** mit dem sich also kein tatsächlicher Haushalt identifizieren kann. Auf diesen Preisindex beziehen sich Aussagen über die allgemeine Inflationsrate. Der zugrundeliegende Güterkorb umfaßt zur Zeit rund 750 Positionen, wobei viele aber bereits Zusammenfassungen verschiedener Einzel-

Abb. 4.3.2/1: Preisindizes

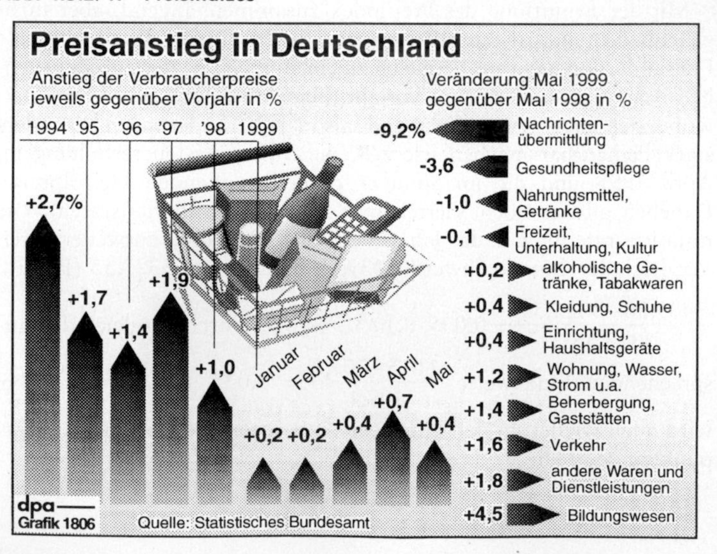

Abb. 4.3.2/2: Preisruhe

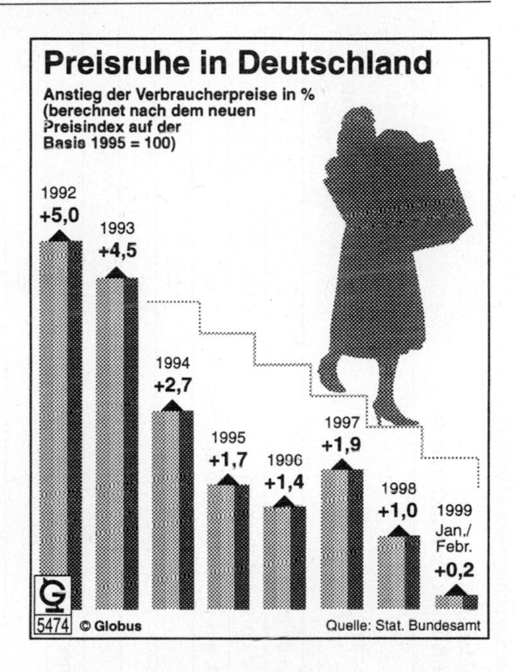

positionen sind (sog. **Preisrepräsentanten**). Zum Beispiel gehen die Informationen über Urlaubsreisen in verschiedene Zielgebiete nur noch verdichtet als Sommer- bzw. Winterurlaub in die Berechnung ein. In Wirklichkeit werden rund 1000 Einzelpreisreihen erfaßt, was gegenüber früheren Indexberechnungen eine deutliche Erweiterung bedeutet.

Neben diesen verschiedenen Verbraucher-orientierten Preisindizes gibt es eine ganze Palette güterspezifischer Indizes (vgl. Abb. 4.3.2/1).

Es wird einleuchten, daß die verschiedenen Index-Zusammensetzungen auch unterschiedliche Inflationsraten bzw. Warenkorbwerte liefern. Abb. 4.3.2/1 u. 2 verdeutlichen zudem, daß auch die verschiedenen Gütergruppen innerhalb des Verbraucherpreis-Warenkorbes teilweise ganz erheblich von der durchschnittlichen Inflationsrate abweichen.

4.3.3. Datenerhebung

Entsprechend ihrer relativen Bedeutung für den gesamten monatlichen Aufwand für die Lebenshaltung müssen die einzelnen Güter

Abb. 4.3.3/1: Meldebogen zur monatlichen Statistik der Verbraucherpreise (Auszüge)

Meldebogen A
zur monatlichen Statistik der Verbraucherpreise

Lfd. Nr.	Erhebungs-gemeinden	Positions-Nr.	Ware und Sorte	Mengen-einheit	Preis in DM am 15. 199	Vergleich-barer Vormonats-preis	Umrech-nungsart
			Fleisch und Fleischwaren				
1	A	11 11 100	**Rindfleisch zum Kochen,** Querrippe und Brust, mit Knochen	1 kg			
2	A	11 11 300	**Rindfleisch zum Schmoren** bzw. **Braten,** aus der Keule, ohne Knochen	1 kg			
3	A	11 11 500	**Rindfleisch, Lende** (Filet)	1 kg			
4	A	11 11 400	**Rinderrouladen**	1 kg			
5	A	11 13 100	**Schweinebauchfleisch,** frisch	1 kg			
6	A	11 13 300	**Schweinebraten,** frisch, Schulter, mit Knochen und Fett	1 kg			
7	A	11 13 500	**Schweinefleisch, Kotelett,** ohne Filet	1 kg			

Meldebogen B
zur monatlichen Statistik der Verbraucherpreise

Lfd. Nr.	Erhebungs-gemeinden	Positions-Nr.	Ware und Sorte	Mengen-einheit	Preis in DM am 15. 199	Vergleich-barer Vormonats-preis	Umrech-nungsart
145	K	21 21 100	**Herren-Sakko,** Blazer, reine Schurwolle (IWS), gute Verarbeitung, Gr. 50	1 St			
146	K	21 27 100	**Herren-Lederjacke,** Nappaleder, sportlich-gerader Schnitt, gefüttert, Gr. 50	1 St			
147	G	21 35 200	**Herren-Hose,** Mischgewebe, mittlere Qualität, Gr. 50	1 St			
148	K	23 31 100	**Jeans** (Nietenhose) für **Knaben,** Baumwolle, Köper, Gr. 152	1 St			

Meldebogen D
zur monatlichen Statistik der Verbraucherpreise

336	A	45 58 100	**Scheuertuch,** mittlere Qualität, etwa 50 x 60 cm	1 St
337	A	45 58 200	**Schwammtuch,** etwa 20 x 20 cm, in Packungen zu etwa 2 bis 5 Stück	10 St
338	A	45 51 200	**Waschmittel,** universal, kompakt, Füllgewicht etwa 2 kg	2 kg
339	A	45 51 100	**Waschmittel für Feinwäsche,** flüssig, in Packungen zu etwa 2 l	1 l

Meldebogen L
zur monatlichen Statistik der Verbraucherpreise

573	A	58 15 300	**Friseurleistungen** für Damen, Dauerwellen einschl. Waschen, Schneiden, Legen, mit Festiger und Haarspray	1 mal
574	A	58 15 500	**Friseurleistungen** für Damen, Färben, ohne zusätzliche Leistungen	1 mal
575	H	53 11 110	**Beratung eines Privatpatienten durch einen prakt. Arzt/Arzt für Allgemeinmedizin** (erste Untersuchung in der Sprechstunde, mit eingehender klinischer Untersuchung, ohne Sonderleistungen)	1 Besuch
576	H	53 11 130	**Besuch eines Privatpatienten (Hausbesuch) von einem prakt. Arzt/Arzt für Allgemeinmedizin** am Tage (Wiederholungsbesuch, ohne Sonderleistungen; ohne Wegegebühren)	1 Besuch

Quelle: Statistisches Bundesamt

gewichtet in den Warenkorb eingehen. Diese Ausgabenstruktur wird in aufwendigen Erhebungen festgestellt. Hierzu zählten insbesondere die etwa alle fünf Jahre stattfindenden Einkommens- und Verbrauchsstichproben (EVS), die 40–50 000 Haushalte verschiedener Größe und aller sozialen Schichten, Berufe und Regionen erfassen sowie die laufenden **Wirtschaftsrechnungen (Panels)** mit rund 950 ausgewählten Haushalten, die jährlich durchgeführt werden. Die in diese Erhebungen einbezogenen Haushalte notieren ihre Einnahmen und Ausgaben in «Haushaltsbüchern», die für wirtschafts- und sozialpolitische Analysen verwendet werden. Der Index aller privaten Haushalte stützt sich auf die EVS, während die typengebundenen Indizes von den Panels ausgehen.

Aus Abb. 4.3.1/1 (oben) läßt sich z. B. entnehmen, daß die Ausgaben für Nahrungs- und Genußmittel einem Anteil von 229,89 Promille (also 22,989 Prozent) an den Gesamtausgaben entsprechen.

Die Ermittlung der **laufenden Preise** erfolgt auf Interviewbasis durch das Statistische Bundesamt und die Statistischen Landesämter in 118 ausgewählten Gemeinden verschiedenster Größen und Regionen, wobei monatlich über 20 000 Preisrepräsentanten erfaßt werden. Diese werden von der lokalen über die Landesebene zu Bundesdurchschnitten aggregiert. Abb. 4.3.3/1 gibt Auszüge eines solchen Erfassungsbogens wieder.

Nun wäre es unrealistisch, die Mengenstruktur eines Warenkorbes über einen langen Zeitraum hinweg unverändert als Vergleichsbasis zu nehmen. Neue Güter kommen auf den Markt, alte verschwinden, die Güterqualität wird besser oder schlechter, kurz: das Güterangebot und die Verbrauchergewohnheiten ändern sich. Daher ist es erforderlich, in bestimmten Abständen einen neuen Warenkorb zu ermitteln, der dann für die nächste Zeit als Basis der Indexberechnungen verwendet wird.

Der in den letzten Jahren gültige Preisindex, der Ende 1994 eingeführt wurde, ging von 1991 aus. Dabei ersetzten Einwegfeuerzeuge die Position «Gas für Feuerzeuge», Superbenzin mit Bedienung entfiel, während Mikrowellenherde aufgenommen wurden. Bei der im Februar 1999 erfolgten Umstellung auf die Preisbasis 1995 wurden zum ersten Mal u. a. die Grundsteuer, mobiles Telefonieren, Energiesparlampen und Mensaessen in den Index aufgenommen. Nicht mehr im Warenkorb enthalten sind z. B. Kleiderschürzen, Kohlepapier, verbleites Superbenzin und Reiseschreibmaschinen. Rund zwanzig Positionen entfielen, ebenfalls rund zwanzig neue Güter wurden aufgenommen. Der Anteil der Nahrungsmittel und alkoholfreien Getränke an den gesamten Verbrauchsausgaben liegt jetzt bei 13,13% (vorher

14,48%). Dagegen stieg die Gewichtung der Ausgaben für Nachrichtenübermittlung von 1,79% auf 2,23%.

Das Prinzip der Preisindexberechnung hat in Deutschland eine lange Tradition. Bereits seit 1881 wurden Indexziffern für Ernährung ausgewertet. Umfassende Verbraucherpreisindizes werden seit 1924 ausgewiesen. Der zugrundeliegende Warenkorb wurde aber ständig erweitert und ausgebaut. Nach dem Zweiten Weltkrieg war das erste Basisjahr 1950, dann folgten 1958, 1962, 1970, 1976, 1980, 1985 und 1991. Das aktuelle Basisjahr ist 1995 (Abb. 4.3.3/2). Nach einer Empfehlung des Statistischen Amtes der Europäischen Gemeinschaften soll allgemein ein Basisjahr ein durch 5 teilbares Jahr werden. Damit soll möglichst die Diskussion über die Wahl des Basisjahres vermieden werden. Jedes Mitgliedsland kann jedoch von diesem 5-Jahres-Rhythmus abweichen, sofern gewichtige Gründe vorliegen. Der Statistische Beirat beim Statistischen Bundesamt hatte wegen des Zusammenschlusses der beiden deutschen Staaten nicht 1990, sondern 1991 als Basisjahr bestimmt.

Bei der Umstellung des Index auf eine jüngere Basis verringert sich in der Regel rechnerisch die Teuerungsrate, da bei steigenden Preisen normalerweise der Verbrauch zurückgeht bzw. auf billigere Substitutionsgüter ausgewichen wird, der alte Index jedoch noch den bisherigen und nun zu hohen Gewichtsanteil berücksichtigt (Substitutionseffekt).

Der Begriff Lebenshaltungs**kosten** ist somit nicht ganz korrekt, da der jeweils gültige Preisindex lediglich Veränderungen der Preise, nicht aber der Mengen wiedergibt. Die Lebenshaltungskosten werden treffender durch die erwähnten **Wirtschaftsrechnungen** (Panels) beschrieben.

Neben den Lebenshaltungskosten-Indizes werden eine Reihe *weiterer Indizes* berechnet. Der Preisindex der **Inlandsnachfrage** erfaßt neben dem privaten Verbrauch auch den Staatsverbrauch und die Investitionsgüternachfrage. Der Preisindex des **Bruttoinlandsprodukts** (BIP-Deflator) erfaßt lediglich die inländische (Netto-)Wertschöpfung und wird somit – im Gegensatz zum Index der Inlandsnachfrage – weniger von Preisveränderungen ausländischer Güter beeinflußt. Sofern die Auslandspreise im Verhältnis zu den Inlandspreisen stärker

Abb. 4.3.3/2: Neuer Preisindex

Der Preisindex für die Lebenshaltung bekommt einen neuen Warenkorb

steigen, wird der Index der Inlandsnachfrage eine höhere Teuerungsrate anzeigen als der BIP-Deflator. Ferner werden Indizes für eine Reihe von Gütergruppen gebildet, z. B. für die **Einzelhandelspreise**, für die **Großhandelspreise**, die **Importpreise**, für **Baupreise** etc.

Es wird keiner weiteren Erklärung bedürfen, daß sich die verschiedenen Preisindizes unterschiedlich entwickeln und somit unterschiedliche Preissteigerungsraten ergeben. Dies erschwert es natürlich, das Ziel «Preisniveaustabilität» eindeutig zu interpretieren. Wenn von ‹der› Inflationsrate die Rede ist, wird aber im allgemeinen der Index der Lebenshaltung aller privaten Haushalte gemeint, da er sich von allen Preisindizes auf den größten Güterberg bezieht.

Ungeachtet der statistischen Exaktheit der berechneten Preisindizes bleibt aber festzuhalten, daß Inflation im täglichen Leben ganz anders spürbar sein kann. In den Warenkorb des üblichen Verbraucherpreisindex beispielsweise gehen viele dauerhafte Gebrauchsgüter ein, die in der Regel nur in größeren Abständen angeschafft bzw. ersetzt werden; dies berücksichtigt die entsprechende Gewichtung. Die aktuellen Preissteigerungen anderer Verbrauchsgüter aber, die im Laufe eines kurzen Zeitraumes anfallen (Lebensmittel, Bekleidung, Benzin, Miete etc.) können daher für sich genommen – z. B. auch aufgrund von Steuererhöhungen – eine deutlichere Preissteigerungsrate bedeuten, als sie der offizielle Preisindex ausweist.

Für den Euro-Währungsraum verwendet die Europäische Zentralbank (EZB) einen **Harmonisierten Verbraucherpreisindex** (HVPI). Dabei handelt es sich um ein relativ neues Konzept, und lange Reihen zurückliegender Daten gibt es daher nicht. Der HVPI versucht, die weiter oben angesprochenen Meßfehler aus Veränderungen im Verbraucherverhalten und aufgrund von Qualitätsverbesserungen der im Güterkorb erfaßten Güter und Dienstleistungen zu bereinigen. Da dies nicht völlig gelingen kann, interpretiert die EZB – wie erwähnt – auch einen Preisanstieg bis zu 2% als «Preisstabilität» (worüber man sicherlich streiten kann).

Ein Preisindex mit einem festen Warenkorb bzw. Wägungsschema überzeichnet den Preisauftrieb in gewissem Umfang, wenn er Güter enthält, die sich qualitativ verbessern und/oder billiger werden. Zudem werden Verbrauchsverlagerungen durch Modellwechsel und Produktneuheiten nicht immer zeitnah erfaßt. Insbesondere im Bereich der Kommunikationstechnologie können die jüngeren Entwicklungen nur unzureichend berücksichtigt werden. Diese Änderungen können erst mit teilweise erheblicher Verzögerung berücksichtigt werden, wenn der Warenkorb im fünfjährigen Rhythmus aktualisiert wird. Die Bundesbank schätzt die Überzeichnung des Preisauftriebs auf bis zu einem dreiviertel Prozentpunkt pro Jahr. Bis zur nächsten Umstellung auf das Basisjahr 2000 wird wohl auch der Einkauf über das Internet zu berücksichtigen sein.

4.4. Ursachen der Inflation

Die nachfolgende Betrachtung von Inflationsursachen folgt der traditionellen Klassifizierung, von der sich moderne Ansätze abzugrenzen suchen. Bei näherem Hinsehen jedoch lassen sich diese neueren Inflationstheorien durchaus in das traditionelle Schema einordnen. Zunächst werden mit der güterwirtschaftlichen Nachfragesog-Inflation und der monetären Geldmengen-Inflation Inflationsursachen betrachtet, die von der Nachfrageseite ausgehen. Danach werden die Kostendruck- und die Angebotslücken-Inflation als angebotsinduzierte Inflationsursachen behandelt. Bei allen Inflationen ist wiederum zu unterscheiden zwischen Inflationsimpulsen, die aus der eigenen Volkswirtschaft hervorgehen (‹**hausgemachte** Inflationen›), und solchen, die sich aus den ökonomischen Beziehungen mit dem Ausland (‹**importierte** Inflationen›) ergeben.

4.4.1. Nachfragesog-Inflation

Die Nachfragesoginflation geht auf eine Ausweitung der Güternachfrage bei gleichbleibendem Angebotsverhalten zurück. Ein Anstieg der Nachfrage bedeutet in der graphischen Darstellung (Abb. 4.4.1/1 a) eine Rechtsverschiebung der Nachfragekurve von N zu N′, d. h. daß auf der Basis des bisherigen Preises P_0 die nachgefragte Menge (X_3) größer ist als die angebotene (X_1), so daß ein **Nachfrageüberhang (inflatorische Lücke)** entsteht. In den meisten Lehrbüchern wird eine Nachfrageerhöhung durch eine Parallelverschiebung der Nachfragekurve nach rechts dargestellt. Dies ist jedoch keineswegs zwingend, da

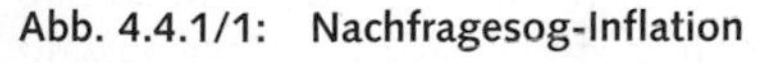
Abb. 4.4.1/1: Nachfragesog-Inflation

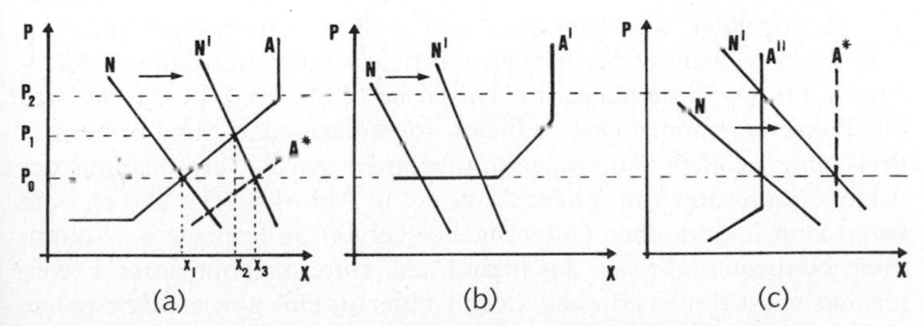

die Nachfrageveränderung sowohl Form (Gerade?) als auch Lage bzw. Steigung der Funktion beeinflußt. Die Nicht-Parallelität von N und N′ ist daher beabsichtigt. Könnte der steigenden Nachfrage durch eine Erhöhung des Güterangebots begegnet werden (die Angebotskurve würde sich nach rechts verschieben, in der Abb. 4.4.1/1 a von A zu A*), dann würde der Nachfrageüberhang abgebaut bzw. die Angebotslücke geschlossen. Sofern sich das Angebotsverhalten nicht ändert (die Angebotsfunktion verändert weder Form noch Lage), führt der Nachfrageüberhang über einen ‹Versteigerungseffekt› zu einer Erhöhung des Preises von P_0 und P_1 (Gleichgewichtspreis). Zu diesem Preis wird die Menge X_2 nachgefragt und angeboten (Gleichgewichtsmenge).

Die Gedankenfolge bis hierher setzt voraus, daß die Angebotsfunktion ‹normal› verläuft, d. h. von links unten nach rechts oben ansteigt. Dies bedeutet, daß die Angebotsmenge bei steigenden Preisen zunimmt. Wenn eine Zunahme der Nachfrage jedoch in einer Situation eintritt, in der die Angebotskapazitäten stark unausgelastet sind, werden Unternehmer bei einer Nachfrageerhöhung wohl kaum im ersten Schritt mit Preiserhöhungen reagieren. Wenn das Güterangebot bei zunehmender Nachfrage ohne Preiserhöhung ausgeweitet werden kann, spricht man von völlig elastischem Angebot. Graphisch bedeutet dies, daß die Angebotsfunktion wie in Abb. 4.4.1/1 b waagerecht verläuft. Bei Erreichen der Kapazitätsgrenze der Anbieter nimmt die Angebotsfunktion zunächst einen normalen Verlauf an, da die Produktion in gewissem Umfang durch Überstunden oder Sonderschichten erhöht werden kann; die Mehrkosten der Produktion führen zu entsprechend höheren Preiserwartungen der Anbieter. Sofern die Kapazitäten völlig ausgelastet sind, können auch höhere Preise nicht zu einer Erhöhung des Angebots führen: Das Angebot ist völlig unelastisch, und die Angebotsfunktion verläuft dann senkrecht (A′ bzw. A″). In einer solchen Situation – vgl. Abb. 4.4.1/1 c – kann ein Nachfrageüberhang also auch nicht teilweise aufgefangen werden, so daß die daraus resultierende Preissteigerung von P_0 auf P_2 höher ausfällt als bei ‹normaler› Reaktion des Angebots wie in Abb. 4.4.1/1 a.

Ein preistreibender Nachfragesog-Effekt ist also nur dann vermeidbar, wenn das Güterangebot elastisch ist (Abb. 4.4.1/1 b), wenn sich die Preiserwartungen der Anbieter so ändern, daß zum bisherigen Preis eine größere Gütermenge angeboten wird (Verschiebung der Angebotsfunktion von A bzw. A″ zu A* in Abb. 4.4.1/1 a und c), oder wenn zum inländischen Güterangebot verstärkte Importe hinzukommen. Natürlich läßt sich das inländische Güterangebot durch Erweiterungsinvestitionen erhöhen, doch ist hierfür eine gewisse Zeitspanne erforderlich. Ein Nachfragesogeffekt kann also nur eintreten, wenn das Güterangebot nicht oder nur mit Verzögerung ausgeweitet werden kann.

- ‹**Hausgemachte**› Nachfrageerhöhungen können verschiedene Ursachen haben. In erster Linie ist zu denken an eine **Erhöhung des nachfragewirksamen Einkommens** (1). So führt eine Zunahme der **Investitionen** (1 a) zu einer Erhöhung des nachfragewirksamen (Volks)-Einkommens, einmal aus den mit der Investitionsgüternachfrage verbundenen unmittelbaren Einkommenseffekten bei den Herstellern von Investitionsgütern, zum anderen darüber hinaus aufgrund möglicher Beschäftigungseffekte, wenn die steigende Investitionsgüternachfrage **Neueinstellungen** von Arbeitskräften (1 b) erfordert.

Der kapazitätserweiternde und angebotserhöhende Effekt der Investition tritt hingegen – bedingt z. B. durch Bauzeiten – nur mit einer gewissen Verzögerung ein. Der **Einkommenseffekt** läuft somit dem **Kapazitätseffekt** zeitlich voraus, wodurch es zu Nachfrageüberhängen kommen kann. So ist zu beobachten, daß hohe Wachstumsraten des Sozialprodukts in der Regel einhergehen mit inflationären Entwicklungen.

Eine Erhöhung der Nachfrage kann ferner zurückzuführen sein auf (2) **Lohnerhöhungen** (sofern sich unter Berücksichtigung von dadurch ausgelösten Arbeitseinsparungen die Nettolohnsumme erhöht), (3) auf **Steuer- oder Zinssenkungen,** (4) **Bevölkerungswachstum** oder auch auf (5) **Hamsterkäufe** (vgl. Abb. 4.4.1/2 u. 3). Eine **Ausweitung der Staatsausgaben** (6) kann ebenfalls zu Nachfragesogeffekten führen. Auch aus diesem Grunde ist ein anhaltendes Defizit im Staatshaushalt als inflationsfördernd anzusehen. In verstärktem Maße trifft dies auf kriegführende Nationen zu, wobei dann verschiedene inflationsfördernde Effekte zusammentreffen können: Aus der Sicht der

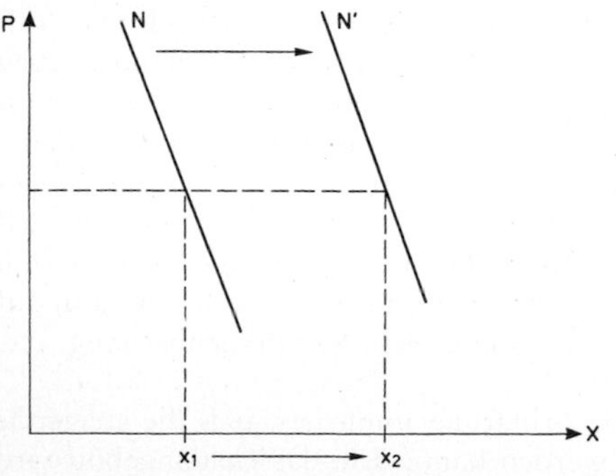

Abb. 4.4.1/2: Nachfragesog

Abb. 4.4.1/3: Hamsterkäufe

Die Zeit v. 10.09.98

Russen geben Rubel lieber heute als morgen aus

Nachfragesoginflation bedeutet die zusätzliche Nachfrage des Staates einen potentiellen Nachfragesogeffekt. Ferner können durch Umstellen der Produktion von Konsum- auf Rüstungsgüter eine Angebotslücke im Konsumgüterbereich entstehen oder Gewinndruck- oder Geldmengeneffekte auftreten (vgl. die folgenden Abschnitte).

• ‹**Importierte**› Nachfragesogeffekte haben ihre Ursachen in den Außenhandelsbeziehungen. Eine Zunahme der Exportnachfrage aufgrund von – aus der Sicht des Auslandes – attraktiven Inlandspreisen führt einmal unmittelbar zu einer Nachfrageerhöhung *(Exportpreiseffekt)*, aber auch mittelbar über multiplikative Einkommenseffekte bei der inländischen Konsum- und Investitionsgüternachfrage. Dies macht die Konsequenzen unterschiedlicher Inflationsraten im In- und Ausland deutlich. Hinzu kommt, daß bei hoher Auslandsinflation auch die bisherige inländische Importnachfrage ausweichen kann auf den eigenen Inlandsmarkt und somit den Nachfrageüberhang verstärkt.

Diese güterwirtschaftliche Erklärung impliziert, daß die steigende Nachfrage auch finanziert werden kann, d.h. das Geldangebot wird als vollständig elastisch angenommen. Monetaristische Theorien hingegen sehen die Geldmenge nicht als reagierende, sondern als ursächliche Variable an, so daß der Geldmengensteuerung die entscheidende wirtschaftspolitische Bedeutung zukommt. Hierzu der nächste Abschnitt.

4.4.2. Geldmengen-Inflation

Die Erklärung, daß ein allgemeiner Preisauftrieb auf eine zu starke Ausweitung der Geldmenge zurückzuführen sei, ist grundsätzlich ebenfalls nachfrageorientiert. Die (klassische) **Quantitätstheorie** des Geldes geht von der wertmäßigen Gleichheit der Summe von realen und monetären Strömen in einem geschlossenen Kreislaufmodell aus. Wenn der Wert eines Einkaufskorbes an der Supermarktkasse 100,– DM beträgt (realer Strom vom Unternehmen zum Haushalt), dann steht dem ein wertmäßig gleicher Zahlungsstrom vom Haushalt zum Unternehmen gegenüber. Diese wertmäßige Identität gilt auch auf gesamtwirtschaftlichem Niveau:[3] Der Wert des Güterangebots (Sozialprodukt) entspricht in rückschauender Betrachtung der monetären Nachfrage:

$$X \cdot P = M \cdot U$$

$X \cdot P$ symbolisiert dabei das **Sozialprodukt** als mit Preisen (P) gewichtete Gütermenge (X), M die Geldmenge und U die Umlaufgeschwindigkeit. Die **Geldmenge** umfaßt Banknoten, Münzen und – als wichtigste Komponente – Giralgeld. Die **Umlaufgeschwindigkeit** ist eine weitgehend autonome Größe; sie ergibt sich aus den in einer Volkswirtschaft üblichen Zahlungsgewohnheiten. So werden beispielsweise Löhne und Gehälter monatlich gezahlt, ebenso Miete; Zahlungsfristen im Handel betragen z. B. 14 Tage; Versicherungsprämien wurden bis vor kurzem viertel-, halb- und ganzjährig gezahlt, während in neuerer Zeit eine Tendenz zu einem einjährigen Zahlungsrhythmus besteht, was sich verlangsamend auf die Umlaufgeschwindigkeit auswirkt. Insgesamt wirken eine Vielzahl von Faktoren auf die Umlaufgeschwindigkeit des Geldes (auch die Größe der Geldmenge M), die jeder für sich genommen keinen bestimmenden Einfluß haben.

Die empirischen Zahlen über die Entwicklung der Umlaufgeschwindigkeit besagen, daß die Umlaufgeschwindigkeit im Zeitablauf

[3] Eine Darstellung dieser elementaren Kreislaufbeziehungen ist hier nicht möglich. Der Leser muß – sofern erforderlich – auf grundlegende Einführungen verwiesen werden, z. B. das Lehrbuch *Volkswirtschaftslehre* des Autors.

keinen größeren Veränderungen unterliegt; wenn man großzügig ist, kann man somit sagen, daß sie abgesehen von geringen saisonalen und konjunkturellen Schwankungen kurzfristig konstant ist. Abb. 4.4.2/1 enthält die Umlaufgeschwindigkeit für verschiedene Geldmengen-Abgrenzungen, auf die in Abschnitt 11.3 eingegangen wird. Abb. 4.4.2/2 verdeutlicht graphisch anhand der Geldmenge M3 – was sich auch aus Abb. 4.4.2/1 ergibt –, daß die Umlaufgeschwindigkeit (nominales Bruttoinlandsprodukt in Relation zur Geldmenge) – bedingt durch die Währungsunion mit der Ex-DDR und dem Beitritt der neuen Bundesländer – einen der bereits mehrfach angesprochenen «Sprünge» aufgrund veränderter Basisdaten aufweist. Gegenwärtig nimmt die Umlaufgeschwindigkeit tendenziell ab, was auch im Zusammenhang mit der Entwicklung der Inflationsrate zu sehen ist (vgl. Abb. 4.4.2/2). Die ‹liquiden› Geldmengen M1 und auch M2 verändern sich dabei kurzfristig stärker als die Geldmenge M3, die längerfristige Komponenten umfaßt (vgl. zur Abgrenzung der Geldmengen Abschn. 11.3).

Abb. 4.4.2/1: Umlaufgeschwindigkeiten des Geldes I (Nominales Bruttosozialprodukt in Relation zu den Geldmengen M1–M3)

Jahr	$BSP_{nom}/M1$	$BSP_{nom}/M2$	$BSP_{nom}/M3$
1988	4,94	3,03	1,77
1989	4,99	2,90	1,79
1990	4,25	2,52	1,65
1991	4,77	2,66	1,80
1992	4,63	2,59	1,80
1993	4,36	2,40	1,66
1994	4,35	2,59	1,71
1995	4,20	2,72	1,71
1996	3,81	2,66	1,60
1997	3,84	2,71	1,59

(Berechnung des Workshop Konjunktur nach Daten aus dem Jahresgutachten 1998/99 des Sachverständigenrates. Ab 1991 weist die Zeitreihe durch den Beitritt der neuen Bundesländer einen Sprung auf.)

Rußland will doch die Notenpresse anwerfen

Geraschtschenko: Katastrophaler Geldmangel / Rubel gewinnt an Wert / Staatliche Preisfestsetzung

Da X · P das Güterangebot in Form des verfügbaren Sozialprodukts und M · U die monetäre Nachfrage symbolisiert, läßt sich die Geldmengeninflation folgendermaßen darstellen:

$$\uparrow M \cdot \overline{U} \rightarrow \overline{X} \cdot P \uparrow$$

Abb. 4.4.2/2: Umlaufgeschwindigkeiten des Geldes II

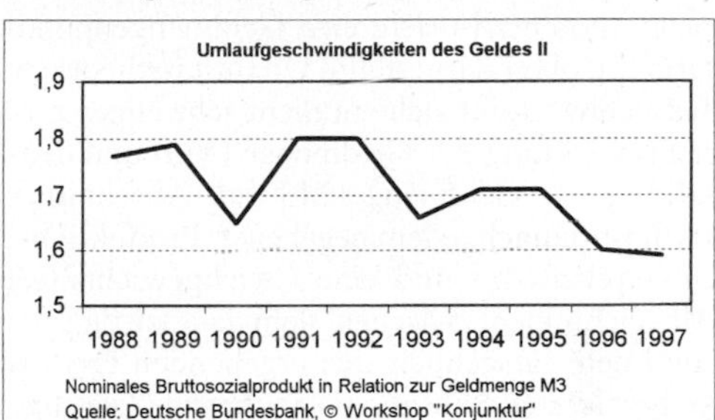

Unter der Annahme vollausgelasteter Produktionskapazitäten kann das reale Güterangebot kurzfristig nicht wachsen, da Erweiterungsinvestitionen Zeit erfordern. Das reale Güterangebot ist somit bei Vollbeschäftigung kurzfristig als konstant anzusehen ($\overline{X}$). Wenn auch die Umlaufgeschwindigkeit weitgehend konstant ist ($\overline{U}$), wird sich eine Erhöhung der Geldmenge (M↑) in einem steigenden Preisniveau auswirken (P↑).

Diese (naive) quantitätstheoretische Betrachtung der Klassiker ist verschiedentlich erweitert worden. Pigou und Marshall ersetzten die makroökonomische Umlaufgeschwindigkeit durch die mikroökonomische **Transaktionskasse.** Sie argumentierten, daß ein Wirtschaftssubjekt in Abhängigkeit vom Güterangebot und vom Preisniveau ständig über eine bestimmte Geldmenge zu Nachfragezwecken zu verfügen wünsche. Die Umlaufgeschwindigkeit wird dabei also ersetzt durch die individuell gewünschte **Kassenhaltungsdauer** als Kehrwert der Umlaufgeschwindigkeit ($k = \frac{1}{U}$). So läßt sich auch die verdeckte Inflation bei Preisstops erfassen, indem sich die inflationäre Entwicklung nicht in steigendem Preisniveau, sondern in sinkender Umlaufgeschwindigkeit bzw. steigender Kassenhaltungsdauer des Geldes bei steigender Geldmenge äußert (**Kassenhaltungsinflation**).

Die Neoquantitätstheoretiker neuerer Provenienz, meist als **Monetaristen** bezeichnet, kommen hinsichtlich des Einflusses der Geldmenge auf das Preisniveau per Saldo zum selben Ergebnis wie die Klassiker. Danach muß die Wachstumsrate der Geldmenge im Einklang stehen mit der Wachstumsrate des realen Sozialprodukts, um Preissteigerungen zu vermeiden. Die Position der Monetaristen wird im Abschn. 9.5 näher betrachtet.

Die Deutsche Bundesbank verfolgt keine ‹reine›, sondern eine monetaristisch inspirierte Geldmengenpolitik, indem sie das Wachstum der Geldmenge von der Veränderung des Produktionspotentials abhängig macht (potential-orientierte Geldmengenpolitik). Im Kern kann man darin die oben dargestellte Quantitätstheorie wiederfinden. Langfristig betrachtet ergibt sich ein nicht sehr enger Zusammenhang zwischen der Entwicklung der Geldmenge (M3) und dem Preisniveau (vgl. Abb. 4.4.2/3; zur Geldmenge M3 vgl. Abschnitt 11.3). Quantitätstheoretisch ist danach jedem gegebenen Produktionspotential ein Gleichgewichts-Preisniveau und eine Gleichgewichts-Geldmenge zuzuordnen. Abweichungen zwischen dem langfristig zu erwartenden Preisniveau und dem tatsächlich sich ergebenden Preisniveau werden als **Preislücke** bezeichnet: Sofern das langfristige Gleichgewichtspreisniveau über dem tatsächlichen Preisniveau liegt, ist mit einem Anstieg des tatsächlichen Preisniveaus zu rechnen (inflatorische Preislücke), umgekehrt mit einem sinkenden Preisniveau (deflatorische Preislücke). Allerdings ist hervorzuheben, daß auf das Preisniveau neben der Geldmenge eine Reihe anderer Einflußgrößen einwirken: Zu den monetären Faktoren zählen die Zinsen und die Wechselkurse, zu den nichtmonetären Faktoren u. a. die Tarifpolitik, die Importpreise und die indirekten Steuern; Abb. 4.4.2/4 verdeutlicht deren Einfluß auf die Verbraucherpreise. Die Trendlinien in Abb. 4.4.2/3 unterstützen die These, daß die Entwicklung des Preisniveaus der Geldmenge «hinterherhinkt».

Die nachfragerelevante Geldmenge setzt sich aus Münzen, Banknoten und Buchgeld zusammen. Das **Münzregal**, d. h. das Recht, Mün-

Abb. 4.4.2/3: Zusammenhang von Geldmenge und Preisentwicklung

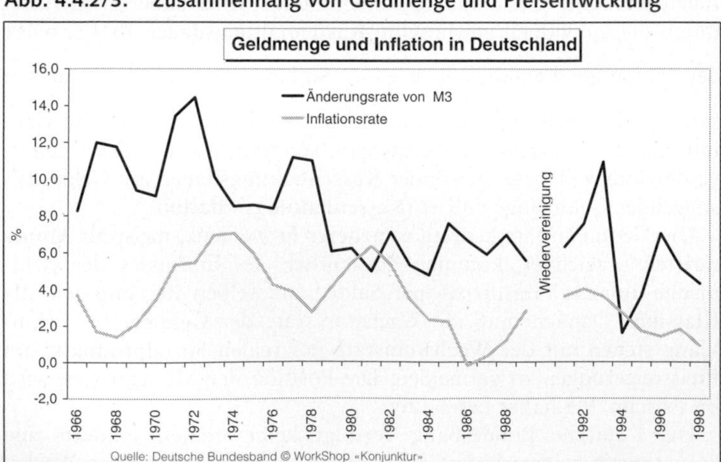

Abb. 4.4.2/4: Indirekte Steuern

Von jeder Mark bekommt der Staat bei			
Zigaretten	0,71 DM	Bier	0,19 DM
Benzin		Glühbirnen	0,19 DM
(bleifrei, normal)	0,70 DM	Salz	0,19 DM
Doppelkorn	0,67 DM	Lotto	0,17 DM
Sekt	0,42 DM	Tee	0,17 DM
Kaffee	0,34 DM	Zucker	0,10 DM
Heizöl	0,27 DM		

Quelle: BMF/Statistisches Bundesamt

zen zu prägen, steht historisch-traditionell stets dem Staat, heute dem Bund bzw. der EU zu. Da das Münzvolumen im Verhältnis zum Inlandsprodukt nur einen geringen Prozentsatz ausmacht[4], kann der Münzumlauf, der im Einvernehmen mit der Europäischen Zentralbank (EZB) geregelt wird, als Quelle einer Geldmengeninflation als irrelevant betrachtet werden. Ähnliches gilt für Banknoten, die von der EZB ausgegeben werden, die gleichfalls gesetzlich der Geldwertstabilität verpflichtet ist. Insbesondere ist es durch die institutionelle **Unabhängigkeit der EZB** von den Regierungen unmöglich, daß eine Regierung Staatsausgaben inflationär mit der Notenpresse finanziert (wie in Deutschland nach dem 1. Weltkrieg), was auch heute noch in vielen Ländern, in denen die Notenbank gegenüber der Regierung weisungsgebunden ist, theoretisch möglich wäre. Die Gefahr der hausgemachten Geldmengeninflation kann somit am ehesten von der Giralgeldschöpfung durch das Geschäftsbankensystem ausgehen, so daß die EZB hinsichtlich eines hausgemachten Geldmengeneffektes insbesondere der Kreditgewährung in der privaten Wirtschaft besonderes Augenmerk schenken muß (vgl. auch Kapitel 11).

Ein **importierter** Geldmengeneffekt entsteht, wenn ausländische Zahlungsmittel in Inlandswährung getauscht werden. Als Hauptursachen sind insbesondere anzusehen ein Exportüberschuß in der Leistungsbilanz (‹**Liquiditätseffekt**›) sowie ein Importüberschuß in der Kapitalbilanz. Kapitalzuflüsse können u. a. verursacht werden durch ein attraktives Zinsniveau, durch Portfolio- oder Direktinvestitionen ausländischer Kapitalanleger, durch anlagesuchende Fluchtgelder («**Kapitalflucht**») oder aufgrund spekulativer Erwartungen über die Wechselkursentwicklung.[5]

---

[4] Mit rund 14,8 Mrd. DM waren dies 1994 ca. 0,5% des Bruttoinlandsprodukts.

[5] Vgl. auch die Abschnitte 5.3 (außenwirtschaftliches Gleichgewicht) und 11.4 (Wechselkursänderungen).

4.4.3. Kostendruck-Inflation

Mit zu den populärsten Inflationserklärungen gehört die Kostendruck-Inflation. Bei steigenden Produktionskosten würde sich – bei konstanten Endpreisen – die vom Unternehmer kalkulierte Gewinnspanne verringern. Daher wird eine Tendenz bestehen, Kostensteigerungen in den Preisen auf den Verbraucher (Abnehmer) abzuwälzen. Je unelastischer die Nachfrage dabei auf Preiserhöhungen reagiert, desto eher wird es aus Anbietersicht möglich sein, Kostensteigerungen durch Preiserhöhungen zu kompensieren, anders ausgedrückt: desto weniger Notwendigkeit besteht, den Kostendruck durch kostensenkende Maßnahmen aufzufangen. Graphisch bedeutet eine Erhöhung der Produktionskosten, die auf den Preis überwälzt werden, eine Verschiebung der Angebotsfunktion nach **oben,** d. h. es wird dieselbe Gütermenge angeboten wie vorher, jedoch zu höheren Preisen. Je nachdem, wie die Nachfrage darauf reagiert – normal (N), völlig unelastisch (N′) oder vollständig elastisch (N″) – wird sich der Kostendruck teilweise (a), vollständig (b) oder gar nicht (c) in Preiserhöhungen auswirken (Abb. 4.4.3/1).

Hausgemachter Kostendruck ist zurückzuführen auf binnenwirtschaftliche Verteuerung der Produktionsfaktoren. Dabei ist zu denken an Lohn(neben-)kostensteigerungen (vgl. Abb. 4.4.3/2 und oben Abschn. 3.6. und 3.8.), Zinssteigerungen oder – und nicht zuletzt – an Steuer- und Gebührenerhöhungen durch den Staat (‹**administrierte Preise**›) (Abb. 4.4.3/3). Bereits im Jahreswirtschaftsbericht 1970 wies

Abb. 4.4.3/1: Kostendruck

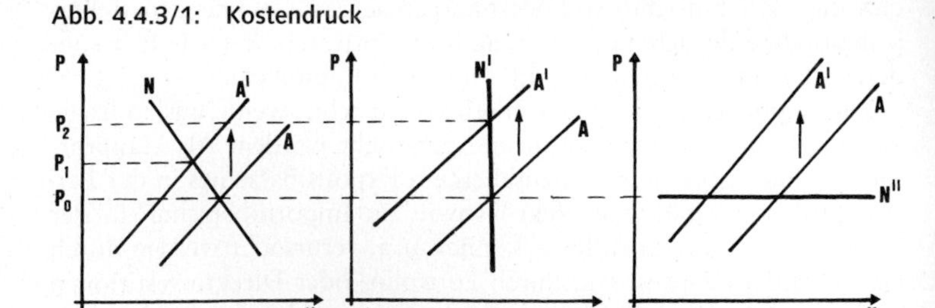

(a) (b) (c)

Abb. 4.4.3/2: Lohnkostendruck

„Lohnkosten bestimmen Preise“

DGB: «Die Lohnkosten sind zwar etwas stärker gestiegen als die Produktivität: die Unternehmen konnten dies jedoch bei den Preisen überkompensieren.»

die Bundesregierung darauf hin, daß 40% der im Lebenshaltungskostenindex aller privaten Haushalte erfaßten Preise von staatlichen Vorschriften (mit-)bestimmt werden, z. B. bei Gebühren für staatliche Leistungen (Parken an Parkuhren, Kindergartenplätze, Briefporto etc.), staatlich genehmigten Gebühren (Versicherungstarife, Arztgebühren, Flugtarife, Elektrizität, Gas, etc.), bei indirekten Verbrauchsteuern (Mehrwertsteuer, Tabak-, Branntwein-, Kaffee-, Tee-, Mineralölsteuer etc.), und bei Nahrungsmitteln, deren Preise von der Europäischen Gemeinschaft reguliert werden (Zucker, Milch, Butter, Rindfleisch etc.) (vgl. Abb. 4.4.3/4). Somit sollte man nicht leichtfertig allein der oft zitierten **Lohn-Preis-Spirale** die Schuld für (hausgemachte) inflationäre Entwicklungen zuweisen. In einigen Ländern besteht jedoch ein gefährlicher Automatismus aufgrund von Indexklauseln: In Italien sorgte früher die ‹**scala mobile**›, die ‹Lohnrolltreppe›, dafür, daß Preissteigerungen automatisch zu Lohnerhöhungen führten. Ähnliche Konstruktionen sind auch in skandinavischen Ländern gebräuchlich, nebenbei nicht nur bei Löhnen, sondern z. B. auch im Versicherungswesen. Allerdings ist es empirisch meist nicht möglich zu bestimmen, ob Lohnerhöhungen ursächlich sind für Preiserhöhungen oder höhere Preise Lohnsteigerungen bewirken.

Wertsicherungsklauseln, bei denen der Geldwert einer Größe (Löhne, Mieten, Zinsen etc.) von der Veränderung einer anderen Größe (z. B. einem Preisindex) abhängig gemacht wird, bedürfen in der Bundesrepublik – bis auf wenige Ausnahmen – der Zustimmung der Bundesbank. Diese verfolgt eine sehr restriktive Genehmigungspolitik, so daß Gleitklauseln eher die Ausnahme als die Regel sind. Bei Mietverträgen beispielsweise werden Wertsicherungsklauseln nur

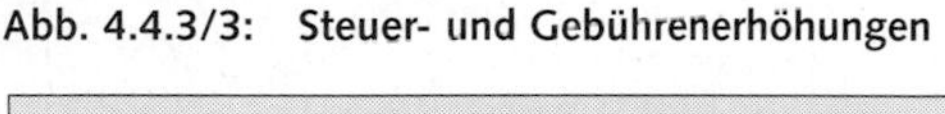

Abb. 4.4.3/3: Steuer- und Gebührenerhöhungen

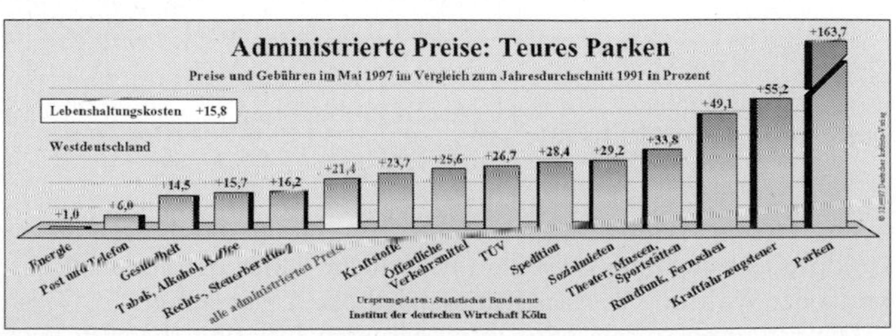

Staat heizt Teuerung an

Abb. 4.4.3/4: Administrierte Preise

Arten:

(a) direktadministrierte Preise
(Verkehrstarife im öffentlichen Nahverkehr)

(b) teiladministrierte Preise
(Post- und Fernmeldegebühren, Versorgungstarife, Mieten, Bahnpreise

(c) quasiadministrierte Preise
(alkoholische Getränke, Tabakwaren, Heizöl, Kraftstoffe)

(d) indirekt administrierte Preise
(EU-Marktordnungswaren wie Fleisch und Fleischwaren, Milch und Milchprodukte)

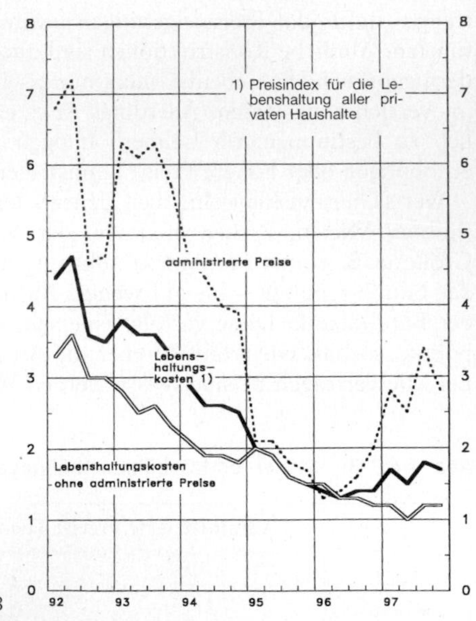

Quelle: Weber, J., in WISO 10/98

bei mindestens zehnjährigen Verträgen genehmigt; Bindungen an die Goldpreisentwicklung oder die (meist nicht näher definierte) ‹Kaufkraft› der Währung werden grundsätzlich nicht genehmigt.

Die Lohnpreisspirale wird in moderneren Inflationstheorien auch als Inflation aufgrund verschärfter Verteilungskämpfe angesehen (**Verteilungsinflation**), weil gewissermaßen abwechselnd Arbeitnehmer und Arbeitgeber versuchen, sich einen größeren Anteil am Volkseinkommen zu sichern. Damit steht auch die sog. **Anspruchsinflation** in Zusammenhang: Lohnerhöhungen, die in einem bestimmten Sektor aufgrund der Produktivitätsentwicklung gerechtfertigt sein mögen, setzen sich auch in anderen Sektoren fort, wo Kostensteigerungen nicht über Produktivitätsfortschritte (sprich: Rationalisierungen), sondern nur über Preissteigerungen kompensiert werden können (**Lohn-Lohn-Spirale**). Daß Gewerkschaften bei Tarifverhandlungen durchaus voneinander ‹abgucken›, ist offensichtlich, hängt somit also von der Marktmacht der Arbeitnehmer bzw. Arbeitgeber ab (vgl. Abb. 4.4.3/5). Letztere sind wiederum verantwortlich für die sog. **Gewinndruck-Inflation** als weitere Variante der Kostendruckinflation, wobei die Durchsetzbarkeit höherer Gewinnspannen entscheidend von der Preiselastizität der Nachfrage abhängt. Diese wird auch von der Struktur der Anbieterseite mitbestimmt. Je monopolistischer die Angebotsstruktur ist, desto weniger Möglichkeiten gibt es für die Nachfrager, Preiserhöhungen auszuweichen und desto unelastischer wird tendenziell die Nachfrage auf Preissteigerungen reagieren (**Strukturinflation**).

Eine **importierte Kostendruckinflation** wird durch Erhöhung der Importpreise für ausländische Vorleistungen, aber auch für impor-

Abb. 4.4.3/5: Lohn-Lohn-Spirale

Lohnrunden 1995

Kündigungstermin der Tarifverträge	Wirtschaftsbereiche (ausgewählte Branchen, z. T. regional)	Beschäftigte in Millionen
Dezember 1994	Metall (West), Papier (Ost), Arzthelferinnen	4,6
Januar 1995	Braunkohle (West), Chemie (West), Energie (Ost), Banken, Papier, Versicherungen (West)	1,5
Februar 1995	Chemie (West), Einzelhandel, Groß- u. Außenhandel, Versicherungen (Ost), Kfz-Gewerbe	1,6
März 1995	Bau, öffentl. Dienst, Post, Einzelhandel, Groß- u. Außenhandel, Holzverarbeitung, Chemie (West), Steine u. Erden	8,5
April 1995	Bekleidung, Einzelhandel, Stahl, Textil (West), Groß- u. Außenhandel	2,4
Mai 1995	Braunkohle, Gas, Chemie, Einzelhandel (alle Ost), Wohnungswirtschaft	0,8
Juni 1995	Apotheken, Bahn, Dachdecker, Energie (West), Landwirtschaft (West), Textil (Ost)	1,0
Juli bis Dezember 1995	Volkswagen, Brauwirtschaft, Lufthansa	0,5

© Globus 2357

Die Druckindustrie muß die Tarifverträge abschreiben, die Metall ihr vorgibt tierte Fertigprodukte hervorgerufen, die in den Warenkorb zur Berechnung der Lebenshaltungskosten eingehen (richtiger wäre also die Bezeichnung ‹importierter Kosten- und Preisdruck›).

Standardbeispiel sind dabei die Ölpreissteigerungen, doch geht importierter Kostendruck von einer Vielzahl ausländischer Güter aus. Man spricht dabei auch von **Importpreiseffekt** oder umfassender: von **internationalem Preiszusammenhang**, da das ausländische Preis- bzw. Kostenniveau sich auf das inländische Preis- und Kostenniveau auswirkt. In diesem Sinne gibt es auch eine importierte Gewinndruckinflation, indem nämlich inländische Anbieter aufgrund höherer Endpreise ausländischer Konkurrenten ihre Gewinnspannen erhöhen können, ohne preisbedingte Wettbewerbsnachteile befürchten zu müssen. Die sogenannten ‹**windfall profits**› in der Mineralölindustrie sind hierfür ein gutes Beispiel: Europäische Erdölproduzenten haben ohne konkreten Druck seitens der Produktionskostenentwicklung die damaligen OPEC-Preiserhöhungen – händereibend? – mitgemacht.

Da sich die Importpreise auch bei einer **Abwertung** der Inlandswährung erhöhen, während sich gleichzeitig die Exportpreise aus der Sicht ausländischer Nachfrager verringern und eine Erhöhung der Exportnachfrage bewirken können, kann eine Abwertung auch inflationäre Impulse auslösen. Umgekehrt wirken sich natürlich günstige Wechselkurse und sinkende Importpreise durchaus auch preisberuhigend für das Inland aus (vgl. Abb. 4.4.3/6). Es wäre ein nur akademischer Streit, ob es sich dabei um eine hausgemachte (Entscheidung

Abb. 4.4.3/6: Importierte Stabilität

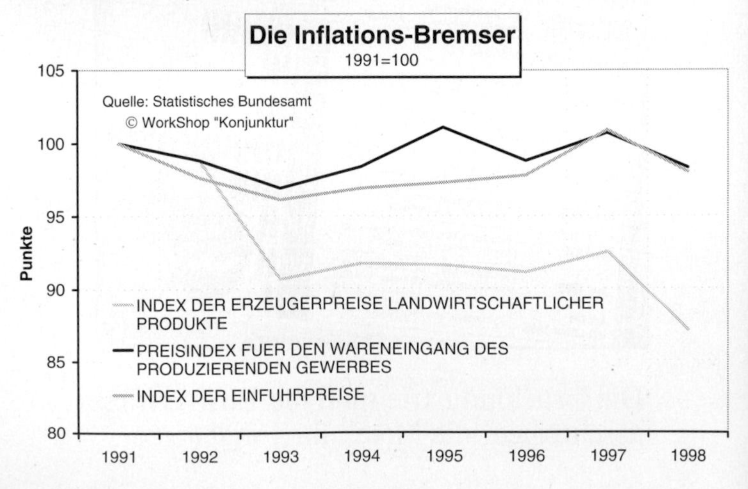

über die Abwertung bei fixen Wechselkursen) oder um eine importierte Ursache handelt (Außenhandelsveränderung). In den Abschnitten 5.3 und 12.4 wird auf diese Effekte näher eingegangen.

4.4.4. Angebotslücken-Inflation

Im Ergebnis identisch, jedoch auf eine andere Ursache zurückgehend als die Kostendruckinflation ist das Entstehen einer Angebotslücken-Inflation (Abb. 4.4.4/1). Auf der Basis des bisherigen Marktpreises P_0 geht die angebotene Menge zurück ($A \rightarrow A'$), d. h. die Angebotskurve verschiebt sich nach **links,** während sie sich bei der Kostendruck-Inflation nach **oben** verlagert. Die entstehende Angebotslücke wird durch Preissteigerungen geschlossen, so daß sich ein neuer Gleichgewichtspreis auf höherem Niveau einstellt (P_1). Je unelastischer die Nachfrage auf die induzierten Preissteigerungen reagiert (N') bzw. je weniger das Angebot auch bei steigenden Preisen ausgeweitet werden kann (A''), desto stärker ist der inflationäre Impuls ($N', A' \rightarrow P_2$ und $N, A'' \rightarrow P_3$).

Abb. 4.4.4/1: Angebotslücken-Inflation

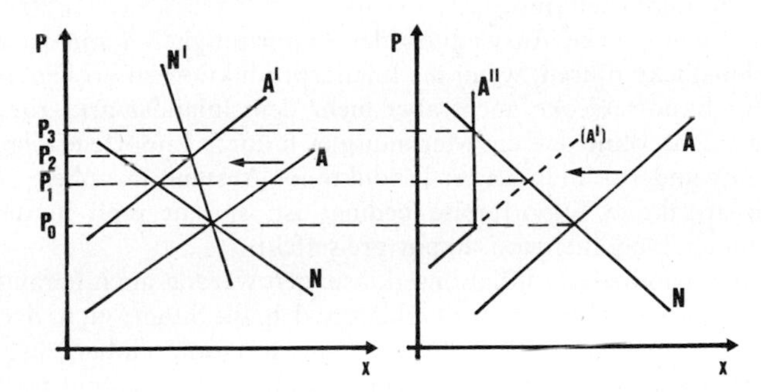

Hausgemachte Angebotslücken sind Produktionsausfälle durch Streiks oder politische Unruhen bis hin zu Kriegen (was für einige Länder eine beträchtliche Inflationsquelle darstellt), Mißernten und Naturkatastrophen. Insbesondere Kriegswirtschaften kombinieren dann verschiedene Inflationsquellen gleichzeitig: Die Nachfrage des Staates nach bestimmten rüstungsrelevanten Gütern kann in diesen Bereichen Nachfragesogeffekte auslösen, die Finanzierung dieser Ausgaben kann durch inflationäre Geldschöpfung erfolgen; und schließlich können in einigen Bereichen der Volkswirtschaft durch Abzug von Arbeitskräften oder durch Produktionsumstellungen Angebotslücken entstehen (vgl. Abb. 4.4.4/2 und oben 3.5/3).

Importierte Angebotslücken entstehen durch ausbleibende Güter-

Abb. 4.4.4/2: Angebotslücken

Verlorene Arbeitstage je tausend Beschäftigte durch Arbeitskämpfe im Jahresdurchschnitt 1987 bis 1996

Griechenland	579	Portugal	83
Spanien	536	Großbritannien	80
Finnland	313	USA	63
Kanada	307	Dänemark	43
Italien	249	Niederlande	23
Neuseeland	238	Deutschland	13
Australien	177	(ab 1993 einschließlich	
Irland	176	Neue Bundesländer)	
Frankreich	105	Österreich	4
Norwegen	103	Japan	3
Schweden	92	Schweiz	1

Quelle: IW (Institut der Deutschen Wirtschaft), Eurobrief 4/99

lieferungen aus dem Ausland, auf welche Gründe auch immer diese zurückzuführen sein mögen.

Auch eine starke Ausweitung der Exporttätigkeit kann zu einer Angebotslücke führen, wenn die Inlandsproduktion zu großen Teilen nur für Exportzwecke, nicht aber mehr dem Inlandsmarkt zur Verfügung steht, ohne daß ein Marktausgleich durch Importe erfolgt. Da das ‹Abwandern› inländischer Produkte ins Ausland in hohem Maße durch attraktive Exportpreise bedingt ist, spricht man in diesem Zusammenhang auch von ‹**Exportpreiseffekt**›.

Angebotsinduzierte Inflationserklärungen werden auch herangezogen, um die sog. **Stagflation** zu erklären, d. h. die Situation, in der Stagnation des Wirtschaftswachstums mit Inflation einhergeht (vgl. Kap. 16): Nachfragesog- und Geldmengeneffekte können nur bei Vollauslastung des Produktionspotentials wirksam werden, d. h. wenn steigender Nachfrage nicht mehr mit einer Ausweitung des Angebots begegnet werden kann. Bei Unterbeschäftigung kann also ein dennoch zu beobachtender Preisauftrieb nicht nachfrageinduziert sein, sondern muß sich aus Angebotseffekten ableiten.

Insbesondere ist dabei an importierten Kosten- bzw. Preisdruck zu denken. Aber auch die inländischen Güterpreise sind weitgehend kostenbestimmt, indem Angebotspreise durch Aufschläge auf die Produktionskosten kalkuliert werden. Nur im Landwirtschaftsbereich und bei Rohstoffen (auch importierten) ist die Preisentwicklung deutlich nachfragebestimmt.

4.4.5. Zusammenfassung

Nach dieser Systematik lassen sich also acht verschiedene Inflationsursachen unterscheiden (Abb. 4.4.5/1).

Das wirtschaftspolitische Problem besteht nun darin, die jeweils sprudelnden *Inflationsquellen* zu identifizieren. Hiervon hängt die Auswahl der möglichen Gegenmaßnahmen ab. So wäre es beispielsweise weitgehend sinnlos, hausgemachten Inflationen allein durch außenhandelsbezogene Maßnahmen begegnen zu wollen. Während ‹hausgemachten› Inflationsursachen auch mit entsprechenden Maßnahmen entgegengewirkt werden kann, fällt dies bei ‹importierten› Effekten, die durch die Außenhandelsbeziehungen ins Inland ‹importiert› werden, weniger leicht, sofern das Prinzip des freien Außenhandels nicht beeinträchtigt werden soll. In diesem Zusammenhang kommt daher der Wechselkursentwicklung eine besondere Bedeutung zu. Wir sind bisher auf diesen Problemkreis noch nicht näher eingegangen, und dies soll auch dem Kap. 12 vorbehalten bleiben, jedoch mag ein beispielhafter Hinweis dies verdeutlichen: Bei fixen Wechselkursen können sich importierte Inflationseffekte ungehindert im Inland auswirken, während sie bei flexiblen Wechselkursen durch sich anpassende Kurse ganz oder teilweise abgefedert werden können. So ist davon auszugehen, daß sich der Kostendruck aufgrund der Rohöl-

Abb. 4.4.5/1 Inflationsarten und -ursachen

Inflationsarten	Beispiele für Ursachen	
	hausgemacht	**importiert**
nachfrageinduziert		
Nachfragesog-Inflation	Bevölkerungswachstum (Wiedervereinigung!), Senkung direkter Steuern	Exportausweitung (Abwertung der Inlandswährung)
Geldmengen-Inflation	Kreditausweitung durch Zinssenkungen, Bargeldproduktion («Notenpresse»)	Devisenzuflüsse durch Handelsüberschüsse oder hohes Zinsniveau im Inland
angebotsinduziert		
Kostendruck-Inflation	Lohnerhöhungen, Erhöhung indirekter Steuern, Zinserhöhungen	Verteuerung von Importgütern (Rohöl!), Abwertung der Inlandswährung
Angebotslücken-Inflation	Streiks, Mißernten, Bürgerkrieg im Inland	Streiks, Mißernten, Bürgerkrieg im Ausland, politische Spannungen, Embargos

preisentwicklung durch flexible Wechselkurse gegenüber dem Dollar und konkret: durch Aufwertungen der DM gegenüber dem Dollar nur deutlich abgeschwächt auf das inländische Preisniveau ausgewirkt hat.

4.5. Folgen der Inflation

Mit dem Begriff ‹Inflation› verbinden sich üblicherweise – und zu Recht – negative Empfindungen.

Ein Großteil der relativ hohen Inflationsraten in Deutschland zu Beginn der neunziger Jahre ist auf hausgemachte Nachfrageeffekte aufgrund des Nachholbedarfs in den neuen Bundesländern zurückzuführen, da sich bei zunächst gegebenen Angebotskapazitäten Nachfrageüberhänge bildeten. Es muß hervorgehoben werden, daß jeder allgemeine Preisauftrieb, auch nur mit geringen Preissteigerungsraten, eine Inflation bedeutet. Gelegentlich werden die negativen Wirkungen inflationärer Entwicklungen verkannt oder zu Unrecht heruntergespielt mit dem Hinweis, eine geringe Inflationsrate sei nicht schädlich, im Gegenteil sogar wachstumsfördernd. Wir werden hierauf gleich zurückkommen.

(1) Verlust der Kaufkraft

Inflation und *Verlust der Kaufkraft* werden häufig gleichgesetzt. Dies ist korrekt, wenn man sich auf die Kaufkraft *des Geldes* bezieht. Davon abzugrenzen ist aber die Kaufkraft des verfügbaren *Einkommens*, die einmal von den Preisen, zum anderen aber auch von der Einkommensentwicklung selbst bestimmt wird.

Nominale Lohnabschlüsse werden um den inflationsbedingten Kaufkraftverlust gemindert, so daß sich die Entwicklung des **realen** Lohns berechnet als Lohnerhöhung minus Anstieg der Lebenshaltungskosten (in Prozent) (Abb. 4.5/1). Daher ist es auch sinnlos, internationale Preisvergleiche im Hinblick auf die Entwicklung der Lebenshaltungskosten anzustellen, wenn nicht gleichzeitig auch die Einkommensentwicklung berücksichtigt wird. Einen guten Vergleichsmaßstab – im internationalen Querschnitt- wie im nationalen Längsschnittvergleich – liefert hingegen die Umrechnung in die Arbeitszeit, die benötigt wird, um die entsprechende Geldsumme zu verdienen. Wenn man – bei absolut gleichen Ladenpreisen – in Aland für ein Fahrrad 3 Arbeitstage, in Benesien über 1 Monat aufwenden muß, wird die unterschiedliche Einkommenskaufkraft deutlich. Die Umrechnung in die zum Kauf erforderliche Arbeitszeit ist nicht nur im

Abb. 4.5/1: Kaufkraft des Lohns I

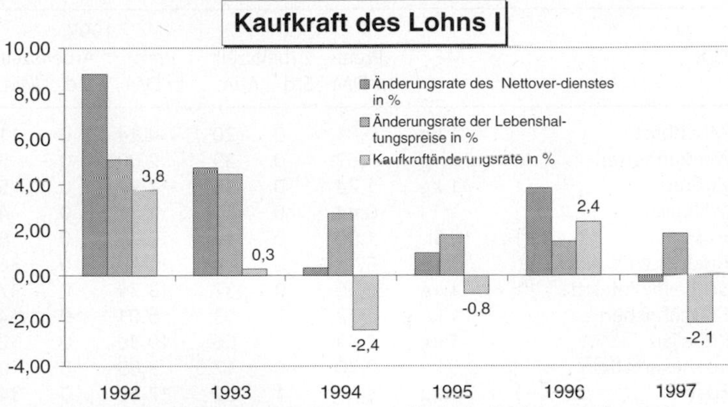

Quelle: Statistisches Jahrbuch 1998, Jahresgutachten des Sachverständigenrates 1998/99, © WorkShop «Konjunktur»

ÖTV will 5,5 Prozent mehr

Niedrige Einkommen sollen stärker erhöht werden – Mehr Kaufkraft für alle

internationalen Quervergleich, sondern auch national im Zeitablauf sehr aufschlußreich. Abb. 4.5/2 verdeutlicht, daß – trotz teilweise kräftig gestiegener Güterpreise – aufgrund des sehr viel stärker gestiegenen Einkommens die Kaufkraft des verdienten Lohns pro Minute (‹Lohnminute›) ganz erheblich zugenommen hat. Zu beachten ist zudem, daß i. d. R. auch die Qualität der Güter besser ist als früher. Umweltpolitisch bedenklich ist dabei aber auch, daß z. B. Benzin – so gerechnet – heute über 80% billiger ist als 1960.

(2) Nominale und reale Zinsen

Dieser Zusammenhang zwischen nominalen und realen Werten gilt natürlich auch für andere ökonomische Größen, wie z. B. für die Zinsen (vgl. Abb. 4.5/3): Aus Schuldnersicht verringert Inflation die reale Zinsbelastung und regt somit kreditfinanzierte Konsumnachfrage an. Wer sich heute 10 000 Geldeinheiten leiht, zahlt bei hoher Inflation dann vielleicht nur den Gegenwert einer Pizza zurück. Bei den Unternehmen würden niedrige Realzinsen in analoger Weise theoretisch die Investitionstätigkeit anregen, doch ist die Zinsabhängigkeit von Investitionen empirisch nur für den (privaten Hypothekenkredit-finan-

Abb. 4.5/2: Kaufkraft des Lohns II

Gut	ME	1960 Preis in DM	1960 Arbeitszeit Std.	1960 Arbeitszeit Min.	1997 Preis in DM	1997 Arbeitszeit Std.	1997 Arbeitszeit Min.
Mischbrot	1 kg	0,81	0	20	4,14	0	11
Markenbutter	250 g	1,63	0	39	2,00	0	5
Zucker	1 kg	1,24	0	30	1,92	0	5
Vollmilch	1 l	0,44	0	11	1,31	0	4
Eier	10 St.	1,90	0	46	2,78	0	8
Rindfleisch z. Kochen	1 kg	5,14	2	4	11,29	0	31
Schweinekotelett	1 kg	6,50	2	37	13,74	0	37
Brathähnchen	1 kg	5,52	2	13	5,01	0	14
Kabeljau	1 kg	2,33	0	56	19,36	0	52
Speisekartoffeln	2,5 kg	0,70	0	17	3,85	0	10
Edamer	1 kg	4,64	1	52	12,66	0	34
Bohnenkaffee	250 g	4,41	1	46	4,65	0	13
Flaschenbier	0,5 l	0,63	0	15	1,16	0	3
Weinbrand	0,7 l	12,48	5	1	15,26	0	41
Straßenanzug	1 St.	169,00	68	0	465,81	21	1
Damenkleid	1 St.	65,80	26	28	202,57	9	8
Damenstrumpfhose	1 St.	3,03	1	13	6,63	0	18
Herrenslipper	1 Paar	30,60	12	19	124,98	5	38
Damen-Pumps	1 Paar	36,00	14	29	148,78	6	43
Strom/Grundgebühr	200 kwh	25,16	10	7	64,05	2	53
Normalbenzin	1 l	0,60	0	14	1,60	0	4
Braunkohlebriketts	50 kg	4,41	1	46	26,74	1	12
Kleiderschrank	1 St.	176,00	70	49	860,37	38	49
Kühlschrank	1 St.	389,00	156	30	704,88	31	48
Waschmaschine	1 St.	558,00	224	30	1189,91	53	41
Fernseher	1 St.	874,00	351	38	1351,83	60	59
Tageszeitung	1 Monat	4,17	1	41	30,99	1	24
Rundfunkgebühr	1 Monat	2,00	0	48	9,45	0	26
Briefporto	1 Brief	0,20	0	5	1,03	0	3
Herrnschuhe	1 Paar	10,21	4	6	33,10	1	30
Haare waschen/legen	1 Mal	3,65	1	28	26,51	1	12

Alte Bundesländer. Berechnungsgrundlage ist die Nettolohn- und gehaltsumme je geleisteter Arbeitsstunde:
1960 = 2,49 DM; 1997 = 22,17 DM.
Quelle: Institut der Deutschen Wirtschaft © WorkShop «Konjunktur»

Abb. 4.5/2: Kaufkraft des Lohns II (Fortsetzung)

Quelle: Stern 7/99

zierten) Immobilienmarkt deutlich nachzuweisen. Hohe Realzinsen verleiten andererseits dazu, Kapital nicht im investiven Bereich, sondern in Wertpapieren anzulegen, so daß damit die Investitionstätigkeit gebremst werden kann (vgl. u.a. auch Abschn. 11.4). Je stärker die inflationäre Geldentwertung ist, desto mehr werden tendenziell Gläubiger benachteiligt und Schuldner begünstigt, sofern es nicht bei Abschluß des Kreditgeschäfts gelungen ist, die zu erwartende Geldentwertung durch entsprechende Zinsvereinbarungen zu berücksichtigen. Nachträgliche Anpassungen sind in der Regel nicht möglich. Und je größer der Inflations-Verlust der Gläubiger bzw. der ‹Gewinn› der Schuldner ist, desto schlechter wird auch die Zahlungsmoral werden, was sich wiederum negativ auf die Liquiditätssituation von Unternehmen auswirken kann.

Investitionen

Hohe Realzinsen bremsen

Franzosen sind bei den Realzinsen Spitzenreiter

Zinsen in Vereinigten Staaten auf Höchststand seit 1986

Abb. 4.5/3: Realzinsen

(3) Substanzverzehr bei Unternehmen

Inflation bedeutet, daß sich die in der Unternehmensbilanz erfaßten Werte ‹aufblähen›, sowohl auf der Aktiv- als auch auf der Passivseite der Bilanz. Als Gewinn gilt bilanztechnisch, wenn – vereinfacht gesagt – mehr verdient wird als anfänglich investiert wurde. Nach dem deutschen Bilanzrecht sind jeweils die Werte anzusetzen, die zum Zeitpunkt ihrer Entstehung galten. Die Verkaufspreise der Produkte steigen im Zuge der Inflation, Investitionen und Materialeinsatz aber werden mit dem Wert bilanziert, den sie ursprünglich gekostet haben (**Anschaffungswertprinzip**) (abzüglich Wertverminderungen durch *Abschreibungen* natürlich). Da die Erlöse sich also laufend inflationär anpassen, die Investition aber zum ursprünglichen ‹**historischen Wert**› plus darauf bezogene Abschreibungen bilanziert wird, entstehen **Scheingewinne:** Würde man die Erlöse dem heutigen Wert der Investition bzw. des Materialeinsatzes (**Wiederbeschaffungswert**) gegenüberstellen, wäre der Gewinn entsprechend niedriger, möglicherweise läge sogar ein Verlust vor. Werden daher solche Scheingewinne ausgeschüttet, wird die Unternehmenssubstanz ausgezehrt, möglicherweise vernichtet. Auch Steuern auf den Gewinn besteuern daher so gesehen ‹unrichtige› Gewinne. Die gestiegenen Wiederbeschaffungskosten müssen also aus dem versteuerten (Schein-)Gewinn finanziert werden. Im Extrem würden also auch Gewinne besteuert, die nicht einmal ausreichen, die Wiederbeschaffung des Materialeinsatzes zu finanzieren, um die Produktion fortsetzen zu können; daher Scheingewinn. Und schließlich mindern inflationsbedingt steigende Produktionskosten und Steuerbelastungen auch die Konkurrenzfähigkeit der Wirtschaft auf dem Weltmarkt.

(4) Flucht in Sachwerte

Wenn also durch Inflation die Kaufkraft des Geldes sinkt, wäre dies durch entsprechend hohe Einkommenssteigerungen zu kompensieren. Dadurch wird aber nicht die Inflation beseitigt, sondern nur ein Teil der Inflationsfolgen abgemildert. Bei Inflation wird Sparkapital real nicht in Höhe des nominalen Zinses vermehrt oder sogar laufend entwertet, so daß eine Tendenz besteht, Geldkapital in Sachkapital zu verwandeln (**Flucht in Sachwerte**). Dabei wird man in erster Linie an Geldanlagen in Immobilien oder Gold denken (vgl. Abb. 4.5/4), doch vollzieht sich bereits eine allgemeine Flucht in die Sachwerte, wenn die Sparneigung zugunsten verstärkter Konsumtätigkeit sinkt: Käufe werden vorgezogen, um dem Preisauftrieb zu entgehen; Kredit- und Ratenkäufe werden abgeschlossen, weil die Rückzahlungsverpflichtung im Zeitablauf real sinkt.

Abb. 4.5/4: Flucht in Sachwerte

Aufflackernde Inflationsangst weckt den Immobilienmarkt

(5) **Tendenz zur Selbstbeschleunigung**
Da Inflation somit die Kassenhaltung «besteuert», kann der Versuch, die Inflation durch Sachwertkäufe zu umgehen, aufgrund steigender Nachfrage wiederum eine inflationäre Entwicklung verstärken: Es besteht eine **Tendenz zur Selbstbeschleunigung** der Inflation, möglicherweise begünstigt durch Automatismen wie indexierte Löhne, die der Lohn-Preis- und Lohn-Lohn-Spirale vermehrten Schwung geben.

Dies kann verstärkt werden durch spekulatives Anbieterverhalten, indem Produktion in Erwartung steigender Preise zunächst auf Lager erfolgt, so daß sich in bestimmten Sektoren partielle Angebotslücken ergeben können. In krassen Fällen werden gehortete Güter nur auf dem Schwarzmarkt angeboten. Abb. 4.5/5 verdeutlicht beispielhaft, wie rapide Währungen ihren Wert verlieren können.

(6) **Verzerrung der Verteilung**
Die inflationäre Geldentwertung trifft jedoch nicht alle gleichmäßig, so daß eine **Verzerrung der Einkommens- und Vermögensverteilung** möglich ist. Wer seine Preise selbst kalkulierern und festlegen kann, kann sich auch kontinuierlich an Kosten- und Preisentwicklungen anpassen. Anders ist es bei festen Einkommen, die in der Regel nur einmal jährlich im Rahmen von Tarifverhandlungen angepaßt werden können (*«wage lag»* – verzögerte Lohnanpassung; **Lohn-lag**). Selbst wenn erwartete Preissteigerungen bereits bei Lohnabschlüssen antizipiert werden, kann die Inflationsentwicklung die Erwartungen durchaus übertreffen. Ein Auffangen von Preissteigerungen durch Einkommenssteigerungen kann andererseits aber auch bedeuten, daß der Netto-Einkommenseffekt, bedingt durch die feststehende Steuerpro-

Abb. 4.5/5: Selbstbeschleunigung

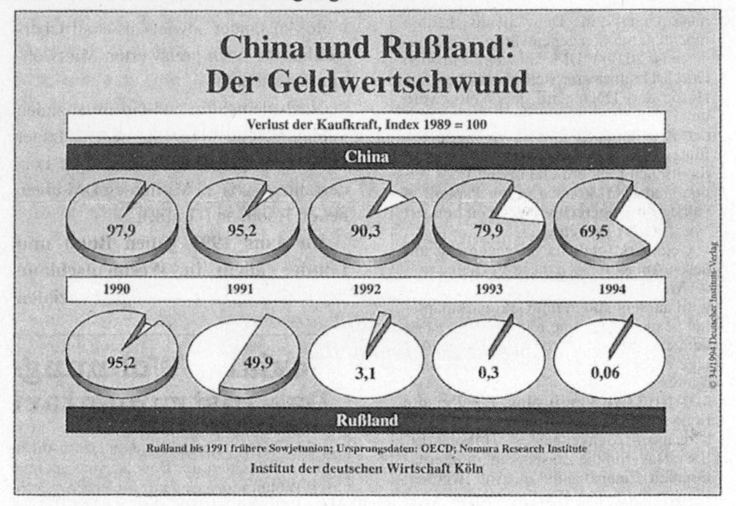

gression, trotz nominaler Erhöhung eine reale Verschlechterung bedeutet (**kalte Progression**); man spricht daher auch von **Zwangssparen**. Je schwächer die Position des einzelnen ist, sein Einkommen an die Preisentwicklung anzupassen, desto stärker wird er vom realen Einkommensverlust betroffen. Dies gilt insbesondere für Rentner, da die Rentenanpassung mit noch größerer Verzögerung erfolgt (‹**transfer lag**›) als bei den Löhnen. Allgemein kann man sagen, daß die Inflationsfolgen die wirtschaftlich und sozial Schwachen am stärksten trifft.

(7) **Verzerrung der Allokation**

Neben diesen Verteilungswirkungen sind auch negative Auswirkungen auf den sog. **Allokationsprozeß** möglich. Mit diesem Begriff meint man den Einsatz, die Aufteilung der volkswirtschaftlichen Produktionsfaktoren auf die bzw. in den verschiedenen Produktionsbereichen. Die Preise für Güter und Produktionsfaktoren werden in unterschiedlichem Ausmaß durch Inflation verzerrt, so daß auch das Verhältnis der Preise zueinander (die **relativen Preise** oder Preisrelationen) verzerrt wird. Damit können die Preise nicht mehr den volkswirtschaftlichen Wert der Güter oder Produktionsfaktoren widerspiegeln, so daß z. B. Produktionsfaktoren für die Produktion vermeintlich wertvoller Güter eingesetzt werden, deren tatsächlicher, volkswirtschaftlicher Wert im Verhältnis zu anderen Gütern jedoch viel geringer ist. Insgesamt sinkt in Ländern mit hoher Inflationsrate in aller Regel die Investitionsneigung.

(8) Staatsverschuldung und Staatshaushalt

Vor diesem Hintergrund ist auch die Behauptung zu sehen, daß einzelne Regierungen eine bewußte Inflationspolitik betreiben, um die nominale Last ihrer **Staatsverschuldung** real zu vermindern, da nur die aufgenommenen Summen zu den vereinbarten Zinsen zurückzuzahlen sind. Diese Betrachtung ist allerdings einseitig, denn der Staat wird durch Inflation sowohl auf der Einnahme- als auch auf der Kostenseite negativ betroffen:

Einmal ist das Bemühen, Preissteigerungen durch Einkommenssteigerungen zu begegnen, in dieser Hinsicht ein doppelschneidiges Schwert. Durch die progressive Besteuerung der Einkommenszuwächse kann das Entstehen einer **Schattenwirtschaft** gefördert werden, in der durch Schwarzarbeit und unter Umgehung von Steuern der Kaufkraftverlust aufgefangen werden soll. Außerdem sinkt bei Inflation die Steuermoral, indem Steuern – wenn überhaupt – nur mit Verzögerung bezahlt werden, so daß sie sich zwischenzeitlich real entwerten. Dies beeinträchtigt das Bild vom Staat als Hauptnutznießer der Inflation, der von steigenden Preisen und Einkommen steuerlich profitiert. Das Bild ist auch insofern schief, als der Staat nicht nur auf der Einnahmeseite möglicherweise inflationsbedingte Steuerzuwächse verzeichnet, sondern natürlich auch auf der Ausgabenseite vom allgemeinen Preisauftrieb betroffen wird. Der Staat dürfte per Saldo eher als Inflationsverlierer anzusehen sein, aber die Konsequenzen defizitärer Staatshaushalte werden auf den Bürger und Steuerzahler zurückfallen (vgl. Abschn. 10.5.3).

(9) Kapitalflucht und Wechselkurs

Bei hohen Inflationsraten wird auch die Neigung zu **Kapitalflucht** gefördert, d. h. daß Geld- und Kapitalbesitzer ihre Besitzmittel ins Ausland ‹retten›. International unterschiedliche Inflationsraten haben schließlich einen starken Einfluß auf die Entwicklung von Wechselkursen (vgl. Abschn. 12.2). Theoretisch müßten sich unterschiedliche Preisentwicklungen im In- und Ausland durch ständige Wechselkursveränderungen neutralisieren, da z. B. vergleichsweise billige Auslandsgüter über erhöhte Güternachfrage zu erhöhter Devisennachfrage der Inländer und somit zu einer Aufwertung der Auslands- bzw. Abwertung der Inlandswährung führen. Bei starren Wechselkursen jedoch kann sich dieses Kaufkraftgefälle nicht kontinuierlich ausgleichen, so daß unterschiedliche Inflationsraten fixe Wechselkurse im Zeitablauf unrealistisch und Paritätsanpassungen unumgänglich machen. In Kap. 12 werden diese Zusammenhänge vertieft werden. Im Kap. 16 wird auf das Stagflations-Dilemma eingegangen, wenn also Inflation mit wirtschaftlicher Stagnation gleichzeitig auftritt.

(10) Staatseingriffe in den Markt
Begleiterscheinungen der Inflation wie Schattenwirtschaft und Selbstbeschleunigung fördern eine **Tendenz zu zunehmenden Staatseingriffen.** Hierzu zählen Lohn- und Preisstops im Inland ebenso wie Kapital- und Devisenkontrollen im Verkehr mit dem Ausland. Aber auch im Güterverkehr mit dem Ausland greifen bei zunehmendem Leistungsbilanzdefizit protektionistische Praktiken um sich. Inflation ist somit auch aus ordnungspolitischer Sicht gefährlich. (Abb. 4.5/6).

Abb. 4.5/6: Staatseingriffe

In Holland wird über einen staatlichen Lohnstopp 1994 nachgedacht
Die Gewerkschaft droht mit massiven Streiks / Die Rezession verschärft sich

Lohnstopp in Italien anstelle automatischer Anpassung
Vereinbarung zwischen Gewerkschaften, Arbeitgebern und Regierung / Inflationsrate soll kräftig sinken

(11) Beschäftigungseinbußen
Sinkende Einkommenskaufkraft bedeutet real sinkende Güternachfrage, die sich wiederum negativ auf die **Beschäftigungssituation** auswirken kann. Hierin ist eine der gefährlichsten Inflationsfolgen zu sehen. Wenn man zudem unterstellt, daß die inländische Inflationsentwicklung das ausländische Preisniveau übertrifft, würde sich aus der Sicht der Inländer – bei konstanten Wechselkursen – ein Anreiz ergeben, Güter zu importieren, während umgekehrt das Interesse der Ausländer an den inländischen Exportgütern nachläßt. Diese Tendenz zu einem Außenhandelsdefizit wäre gleichbedeutend mit einer Verlagerung der Nachfrage vom Inland ins Ausland. Zunehmend unausgelastete Produktionskapazitäten aber bedeuten zunehmende **Arbeitslosigkeit.**

4.6. Wachstum durch Inflation?

Die Frage, ob Inflation eher wachstumsfördernd oder wachstumshemmend ist, wird unterschiedlich beantwortet. Wachstumsfördernde Aspekte ergeben sich daraus, daß eine Flucht in Sachwerte erhöhte Nachfrage bedeutet, sowohl im Großen (Immobilien statt Geldkapital) als auch im Kleinen (vorgezogene Käufe, Hamsterkäufe); abnehmende reale Belastung bei der Tilgung stimuliert kreditfinanzierte Käufe; verzögerte Lohnanpassung bedeutet Senkung der realen Lohnkosten; sinkende reale Zinsen verbilligen kreditfinanzierte Investitionen – so gesehen kann Inflation durchaus wachstumsanregende Impulse haben. Die wachstumsfördernden Effekte fallen aber um so weniger ins Gewicht, je stärker der allgemeine Preisauftrieb ist, und um so mehr dominieren die negativen Effekte der Inflation.

Rückläufige Güternachfrage aufgrund sinkender Realeinkommen kann wachstumshemmend wirken. Zudem kann – da realer Zinsverlust den Gläubiger benachteiligt – auch die Neigung zur Kreditvergabe sinken, sowohl langfristig als auch bei kurzfristigen Lieferantenkrediten. Analog sinkende Neigung, Guthaben auf Konten zu halten, mindert das Kreditschöpfungspotential des Banksektors und erhöht die Umlaufgeschwindigkeit des Geldes, was sich selbstbeschleunigend zins- und preissteigernd und – bei Abschwächung der Investitionstätigkeit – wachstumshemmend und beschäftigungsdämpfend auswirken kann.

Abb. 4.6/1 faßt die tendenziellen Folgen der Inflation in einer Übersicht zusammen. Es ist wichtig zu betonen, daß es sich dabei um *mögliche* Folgen handelt, die nicht zwingend eintreten müssen, insbesondere, da man ihnen durch entsprechende Maßnahmen entgegenwirken kann. Sie gelten somit unter der *ceteris-paribus*-Bedingung, d. h. die Folgen können eintreten, wenn sich keine der übrigen Variablen verändert («unter sonst gleichen Voraussetzungen»). Es ist wichtig, sich dieser Nebenbedingungen bei der Betrachtung möglicher Folgen – auch in anderen Abschnitten dieses Buches – bewußt zu sein.

Abb. 4.6/1: Mögliche Folgen der Inflation

Inflationsfolgen

- Verlust der Kaufkraft
- Benachteiligung von Gläubigern, Bevorteilung von Schuldnern
- Substanzverzehr von Unternehmen
- Flucht in Sachwerte

↓

- Tendenz zur Selbstschleunigung
- Verzerrung der Verteilung
- Verzerrung der Allokation
- Forderung der Schattenwirtschaft
- Kapitalflucht, Abwertung
- Wachstums- und Beschäftigungsbeeinträchtigung
- Tendenz zu Staatseingriffen

4.7. Exkurs: Hyperinflation

Extreme Inflationen können zum Zusammenbruch der Wirtschaft führen. In Bolivien war bei Inflationsraten von über Zehntausend Prozent zu beobachten, daß das Geld, wenn es überhaupt noch als Zahlungsmittel akzeptiert wurde, schlicht gewogen wurde; auf ein paar Scheine mehr oder weniger kommt es dabei nicht an. Die Geldproduktion kam nicht nach, säckeweise wurden (die eigentlich wertlosen) Geldscheine von europäischen Druckereien eingeflogen.

Abb. 4.7/1 zeigt die Entwicklung der Hyperinflation in Deutschland nach dem Ersten Weltkrieg. Am 20.11.1923 kostete ein US-Dollar 4,2 Billionen Mark. Abb. 4.7/2–4 zeigen einige historische Beispiele für Preise und Geldscheine.

Abb. 4.7/1: Hyperinflation in Deutschland

Geldentwertung* gegenüber dem Vorjahr (in %)			
1914	34	1919	70
1915	14	1920	244
1916	8	1921	65
1917	18	1922	2 420
1918	26	1923	1 869 999 900

* gemessen an den Lebenshaltungskosten, Quelle: Statistisches Bundesamt

Bei zunehmender Inflationsgeschwindigkeit *verliert* das gesetzliche Zahlungsmittel seine *Geldfunktionen.* Durch den Verlust der Kaufkraft, also der Wertaufbewahrungsfunktion, wird auch die Tauschmittelfunktion beeinträchtigt, so daß man zum Realtausch Gut gegen Gut zurückkehrt. Aus Zeiten der Hyperinflation in Deutschland nach dem Zweiten Weltkrieg wird berichtet, daß man für einen Kinobesuch als Eintrittsgeld mit Briketts zum Heizen ‹bezahlen› mußte. Unternehmer bezahlten die Löhne in immer kürzeren Abständen aus und gaben ihren Arbeitnehmern am Zahltag frei, damit diese ihr Geld sofort in Sachgüter tauschen konnten, um wenigstens einen Teil des Wertes zu retten. Dies wiederum erzeugt Nachfragesogeffekte, die wiederum die Inflationsgeschwindigkeit anheizen können: ein Teufelskreis, der kaum zu durchbrechen ist.

Andererseits werden Waren oft gar nicht mehr offiziell angeboten – die Läden und Regale sind leer, weil Geschäfte vorrangig nur noch am Schwarzmarkt abgewickelt werden. Die Investitionstätigkeit kommt nahezu zum Stillstand, die Agrarproduktion sinkt. Preise müssen permanent neu ausgezeichnet werden – manchmal eine neue Dienstlei-

Abb. 4.7/2: Banknoten

Abb. 4.7/3: **Briefporto**

stungsnische: der Job des Preisauszeichners – oder werden durch Symbole ersetzt, wobei Preis A heute 10, morgen 500, übermorgen 2000 Geldeinheiten bedeuten kann. Die Zahlungsmoral bricht zusammen, Schulden werden – wenn überhaupt – mit Verspätung gezahlt, weil dies realen Gewinn bedeutet, die Steuereinnahmen des Staates verlieren entsprechend an realem Wert. Auch die Bindung bestimmter Variablen wie Einkommen, Zinsen oder Preise an die Geldentwertung (Indexierung) kann dem Preisauftrieb nicht entgegenwirken, sondern verschärft ihn vielmehr.

Solche Entwicklungen fördern auch das Entstehen von **Geldsurrogaten** (Ersatzwährungen), entweder in Form von Naturalgeld wie der «Zigarettenwährung» im und nach dem Zweiten Weltkrieg oder von Ersatzgeld, welches anstelle der offiziellen Währung nach dem Ersten Weltkrieg ausgegeben wurde (vgl. Abb. 4.7/2).

Der Bremer Anteilschein auf Dollarbasis war eine zinslose Anleihe, die durch goldwerte Devisen gedeckt war. Diese flossen der Hansestadt aus dem Hafenbetrieb zu, da die Hafengebühren zuletzt in Dollar erhoben wurden, und aus den Umsätzen der Exportunternehmen. Neben der Hamburger Goldmark (vor ähnlichem Hintergrund) war der Bremer Dollar die einzige frei konventierbare Währung in Deutschland. Sie war somit ein Vorläufer der – wertbeständigen – Rentenmark, die ab 15. 11. 1923 ausgegeben wurde. Am 30. 8. 1924 wurde diese durch die Reichsmark abgelöst, die eine Goldkernwährung war (vgl. auch Abschn. 12.3: Währungssysteme).

Und auch die Funktion der Recheneinheit kann das Geld verlieren, wenn die Wirtschaft dazu übergeht, die Preise der inländischen Güter

Abb. 4.7/4: Fischpreise

in ausländischer Währung auszudrücken (**Parallelwährung**, Schattenwährung oder Zweitwährung), z. B. in Dollar, auch um das ständige Auswechseln der Preisschilder zu vermeiden. Kaufmännische Buchführung wird eigentlich sinnlos, weil die festgehaltenen Werte nur noch historische Aussagekraft haben. Preisvergleiche sind kaum noch möglich, die Unterschiede zwischen teuer und billig verschwimmen zusehends. Überstempelte Briefmarken mit unvorstellbaren Nominalwerten und Preise einfacher Güter in Milliarden- oder sogar Billionenhöhe zeugen vom Zusammenbruch der Währung («Nullenepidemie»).

Die sozialen und politischen Folgen solcher Währungskatastrophen liegen auf der Hand (Abb. 4.7/5). Häufig bleibt in derartigen Extremsituationen nur der Weg in eine Währungsreform. So hat Israel vor vielen Jahren seine Pfundwährung durch die neue Währung Schekel ersetzt. Brasilien führte statt des *Cruzado* einen *Cruzeiro* und 1994 einen neuen *Real* ein (1994 parallel dazu noch eine «**Reale Werteinheit**» (*Unidade Real de Valor*, URV), die den Cruzeiro ersetzen sollte – der 14. Versuch zur Inflationsbekämpfung seit 1979, aber wohl erfolglos – vgl. Abb. 4.7/6), Argentinien ersetzte den Peso durch den Austral (und diesen wieder durch den Peso), in Deutschland wurde nach dem Zweiten Weltkrieg die Deutsche Mark eingeführt. Für Italien wird seit Jahren darüber spekuliert, der Lira einige Nullen abzuschneiden, so wie es Frankreich bei der Umstellung von Alten auf Neue Francs und Rußland 1998 getan haben (Abb.4.7/7). In Italien gibt es keine 1-Lira-Münzen mehr, andere kleine Münzen haben Seltenheitswert.

Währungsreformen haben viele Konsequenzen: Bankguthaben wie

Abb. 4.7/5: Hyperinflation

Mit der Hyperinflation wächst Hoffnungslosigkeit

Rußlands Hyperinflation verhindert Investitionen

Brasilien setzt auf die Reale Werteinheit gegen die Hyperinflation

Orientierung am Dollar / Geldentwertung von bis zu 8000 Prozent

überhaupt Forderungen und Verbindlichkeiten verlieren schlagartig ihren früheren Realwert; die Währungsreform in der DDR mit der Einführung der DM bot dafür ein aktuelles Beispiel. In technischer Hinsicht müssen ausreichend neue Geldscheine gedruckt werden; in vielen Fällen tritt daher paradoxerweise bei Hyperinflationen oder Währungsreformen zunächst eine Geldknappheit auf. Ferner müssen Münzautomaten von der Parkuhr bis zum Zigarettenautomaten umgestellt werden, insbesondere aber setzt eine derartige Schocktherapie, wenn sie erfolgreich sein soll, **politische Stabilität** voraus. Ohne

Abb. 4.7/6: Währungsreform

Neue Währung löst Preissteigerung aus

RIO DE JANEIRO, 3. Juli (dpa). Die Einführung einer neuen Währung hat in Brasilien eine Welle von Preiserhöhungen ausgelöst und zusätzliche Zweifel über den Erfolg des Antiinflationsprogrammes der Regierung geschürt. Mit Unmut und Ratlosigkeit reagierten Tausende Menschen beim Einkauf, nachdem die Supermarktketten und öffentliche Transportmittel die Umstellung der alten Währung Cruzeiro auf den neugeschaffenen Real zu kräftigen Preiserhöhungen nutzten. Über Nacht stiegen die Preise der wichtigsten Produkte des Warenkorbs um bis zu 40 Prozent, berichtete die Presse übereinstimmend am Wochenende. Am Freitag war der an den Dollar gekoppelte Real in Umlauf gekommen. Mit dem neuen Geld und Einsparungen im Staatshaushalt will die Regierung von Präsident Itamar Franco die Inflation von rund 3000 Prozent im Jahr stoppen. Das umlaufende Geld soll exakt den Devisenreserven Brasiliens von zur Zeit rund 40 Milliarden Dollar entsprechen. Die Zentralbank will notfalls mit Dollarverkäufen den Real stützen. Am Freitag waren im ganzen Land neue Scheine und Münzen im Wert von neun Milliarden Dollar über Banken und Geldautomaten gegen das alte Geld umgetauscht worden. Trotz zahlreicher Lücken in der Verordnung zur Währungsreform äußerte sich Finanzminister Rubens Ricupero zuversichtlich über den Erfolg des Programms. Wirtschaftsexperten aus allen politischen Lagern kritisierten dagegen den „Plano Real". Der ehemalige Finanzminister und konservative Abgeordnete Roberto Campos nannte den Plan einen „Blankoscheck für die Regierung", die wichtige Strukturreformen versäumt habe, um den Staatshaushalt zu entlasten. Andere gaben der neuen Währung eine Lebensdauer von „höchstens fünf Monaten." Auch die linksgerichtete Opposition nahm die neue Währung ins Visier. Die Regierung habe zwar den Mindestlohn auf 64 Dollar im Monat festgeschrieben, jedoch keine Vorsorge für die zu erwartenden Preiserhöhungen getroffen.

Abb. 4.7./7: Störende Nullen

Foto dpa

eine grundlegende **Beseitigung der Ursachen** einer Inflation jedoch ist jede Währungsreform sinnlos; Brasilien ist ein eindrucksvolles Beispiel für eine entsprechende Kette sich aneinanderreihender Währungsreformen. Zumeist liegt die Ursache in einer unzureichenden Güterproduktion und gewaltigen Staatsdefiziten, die dann über die Notenpresse finanziert werden. Ohne **rigorose Sanierungsmaßnahmen** sind alle anderen Rettungsversuche zum Scheitern verurteilt, weil sie nur an den Symptomen kurieren.

5. Außenwirtschaftliches Gleichgewicht

Das Ziel «außenwirtschaftliches Gleichgewicht» ist präziser zu definieren als etwa «*angemessenes* Wirtschaftswachstum» oder «*hoher* Beschäftigungsstand», läßt jedoch andererseits mehrere Auslegungen zu und ist somit nicht so eindeutig wie «Stabilität des Preisniveaus». Zur Präzisierung des «außenwirtschaftlichen Gleichgewichts» sind zunächst einige Begriffsbestimmungen erforderlich.

5.1. Aufbau der Zahlungsbilanz

Die außenwirtschaftlichen Beziehungen eines Landes werden statistisch in der Zahlungsbilanz erfaßt. In ihr schlagen sich alle wirtschaftlichen Transaktionen zwischen In- und Ausländern in einer Periode nieder, wobei man üblicherweise von Monaten, Quartalen und Jahren ausgeht; die Deutsche Bundesbank veröffentlicht sie monatlich, wobei die ersten vorläufigen Ergebnisse etwa mit einem Zeitabstand von rund 30 Tagen veröffentlicht werden.

Als Inländer gilt, wer seinen festen Wohnsitz im Inland hat, also auch ausländische Einwohner. Im Gegensatz zum kaufmännischen Bilanzbegriff, der in der Regel von Beständen an einem bestimmten Stichtag ausgeht, ist die Zahlungsbilanz eine Saldenbilanz, die – ebenfalls nach dem Prinzip der doppelten Buchführung – Veränderungen in einer Periode ausweist. Die «Konten» der Zahlungsbilanz werden als Teil-«Bilanz» angesprochen; auf den Grund für die Anführungszeichen ist noch zurückzukommen. Die wichtigsten Teilbilanzen sind die folgenden (vgl. Abb. 5.1/1).

(1) Die **Handelsbilanz**, auch Warenbilanz oder Warenhandelsbilanz genannt, erfaßt den **Außenhandel**, d.h. Export und Import von Sachgüter. Dabei werden die **Ergänzungen zum Warenverkehr** gesondert ausgewiesen: Dies schließt sog. (Zoll-)**Lagerverkehre** ein sowie **Rückwaren**, die zunächst importiert wurden, aber z.B. aufgrund von Mängelrügen zurückgeschickt werden; Analoges gilt für den Export.

(2) In die **Dienstleistungsbilanz** gehen Ein- und Ausfuhren von Dienstleistungen ein. Dies kann Verständnisschwierigkeiten hervorrufen, weil man immaterielle Güter nicht immer transportieren kann. Import bedeutet, daß Inländer Güter in Anspruch nehmen, die Teil eines ausländischen Sozialprodukts sind, oder anders ausgedrückt, die nicht im Inland produziert worden sind. Wenn also ein Deutscher

Abb. 5.1/1: Teilbilanzen der Zahlungsbilanz

Zahlungsbilanz	
Handelsbilanz	
Export	Import
Dienstleistungsbilanz	
Export	Import
Erwerbs- u. Vermögenseinkommen	
Einkommenstransfers ins Inland	Einkommenstransfers in Ausland
Laufende Übertragungen	
Übertragungen des Auslands	Übertragungen des Inlands
Vermögensübertragungsbilanz	
Vermögenstransfers ins Inland	Vermögenstransfers ins Ausland
Kapitalbilanz (ohne Zentralbank)	
Veränderungen der Verbindlichkeiten gegenüber dem Ausland (+: Kapitalimport)	Veränderungen der Forderungen gegenüber dem Ausland (+: Kapitalexport)
Gold- und Devisenbilanz	
Veränderungen der Verbindlichkeiten der Zentralbank gegenüber dem Ausland	Veränderungen der Forderungen der Zentralbank gegenüber dem Ausland

Dienstleistungen ausländischer Anbieter in Anspruch nimmt, dann importiert er diese Dienstleistungen. Daher zählen Urlaubsreisen ins Ausland aus deutscher Sicht zum Dienstleistungsimport, die Reisetätigkeit von Ausländern in Deutschland umgekehrt zum Dienstleistungsexport. Weitere Beispiele sind Lizenzen, Patente, Werbe- und Messekosten, Montagen, Nachrichtenverkehr, Versicherungen, Transportleistungen und Beratung.

Der Saldo von Handels- und Dienstleistungsbilanz wird als **Außenbeitrag zum BIP** bezeichnet. Die grenzüberschreitenden Faktoreinkommen (Kapitalerträge, Einkommen aus unselbständiger Arbeit) werden nicht in der Dienstleistungsbilanz, sondern gesondert als **Erwerbs- und Vermögenseinkommen** erfaßt. Zählt man sie zum Außenbeitrag zum BIP hinzu, erhält man den **Außenbeitrag zum BSP**, also zum Bruttosozialprodukt.[1]

Die frühere *Übertragungsbilanz* (Transferbilanz), die alle unentgeltlichen Zahlungen enthielt, wurde aufgeteilt: Laufende Übertragungen (z. B. an den Haushalt der EU, an den IWF oder die UNO, Überweisungen ausländischer Gastarbeiter in ihre Heimat, Renten und Pensionen aus dem oder ins Ausland, öffentliche Entwicklungshilfe [sofern nicht als Kredit] werden als (3) **laufende Übertragungen** erfaßt, in Abgrenzung zu (4) **Vermögensübertragungen** (Erbschaften, Schuldenerlassen, Steuererstattungen etc.). Nur die laufenden Übertragungen werden – zusammen mit dem Außenbeitrag zum BSP – zur **Leistungsbilanz** gezählt (vgl. unten Abb. 5.2.3/1 sowie Abschnitt 5.3), da nur sie Einfluß auf Einkommen und Verbrauch haben. Andere, einmalige Transfers wie z. B. Finanzierungsleistungen wie 1991 für den Golfkrieg und 1999 für den Kosovokrieg.

Leistungsbilanz plus Saldo der Vermögensübertragungen ergeben den (5) **Finanzierungssaldo** der Zahlungsbilanz. Ist dieser positiv, liegt eine Zunahme der Forderungen gegenüber dem Ausland vor, andernfalls eine Zunahme der Verbindlichkeiten gegenüber dem Ausland. Dies schlägt sich spiegelbildlich in der *Kapitalbilanz* bzw. der *Bilanz der deutschen Bundesbank* nieder.

Es ist nicht unüblich, die Leistungsbilanz in die Positionen **Außenhandel** und Saldo der «**unsichtbaren**» **Leistungen** aufzuteilen. Diese umfassen die Dienstleistungen, die Erwerbs- und Vermögenseinkommen und die laufenden Übertragungen.

Die **Kapitalbilanz** oder Kapitalverkehrsbilanz erfaßt alle Forderungen und Verbindlichkeiten der privaten Wirtschaft und des Staates (außer der Notenbank) gegenüber dem Ausland. Sie unterteilt sich in mehrere Unterbilanzen. Von besonderer Bedeutung sind dabei die **Direktinvestitionen**, also Beteiligungen deutscher Unternehmen an ausländischen Firmen und umgekehrt, **Portfolioinvestitionen**, also Erwerb von ausländischen Wertpapieren als Kapitalanlage, sowie Kredite und Darlehen. **Bewertungsbedingte** Veränderungen des

[1] Das BIP wird nach dem In*lands*konzept berechnet, bei dem alle ökonomischen Aktivitäten erfaßt werden, die sich im Inland abspielen, egal ob von In- oder Ausländern. Das BSP wird nach dem In*länder*konzept berechnet, bei dem alle ökonomischen von Inländern Aktivitäten erfaßt werden, egal ob diese sich im In- oder Ausland vollziehen.

Netto-Auslandsvermögens, die naturgemäß in Zeiten starker Börsenkursbewegungen (Aktien, Devisen, Festverzinsliche) nicht zu vernachlässigen sind, werden im Rahmen der Zahlungsbilanz nicht erfaßt.

Beim **Kreditverkehr** unterscheidet man bei den Forderungen und Verbindlichkeiten der Unternehmen, der Banken und des Staates kurz- und langfristige Postionen. Auf der Forderungsseite werden u. a. auch die Devisenbestände erfaßt, die in der Wirtschaft verbleiben und nicht der Bundesbank zufließen. Wenn man bedenkt, daß man mit US-Dollars einen Teil des amerikanischen Güterbergs kaufen kann, hat man also eine bürgerliche Erklärung im Sinne einer «Forderung» gegenüber dem ausländischen Inlandsprodukt. Allerdings werden Dollarbestände, die deutschen Unternehmen oder Banken gehören, in aller Regel auf Dollarkonten im Ausland gehalten, so daß dies die banktechnische Erklärung für die Einstufung als Forderung ist.

Kapitalimporte bedeuten eine Zunahme von Verbindlichkeiten, Kapitalexporte von Forderungen. Sofern es sich dabei um Transaktionen in fremden Währungen handelt, werden diese mit ihren DM-Gegenwerten in der Zahlungsbilanz erfaßt.

Insgesamt könnte man die Kapitalbilanz auch als «Kreditbilanz» bezeichnen. Es fällt auf, daß Kapitalimport «links» und Kapitalexport «rechts» gebucht wird, während Importe und Exporte bei der Handels- und Dienstleistungsbilanz genau umgekehrt erfaßt werden. Die Erklärung liegt darin, daß «links» alle Vorgänge gebucht werden, die zu Zahlungszuflüssen führen, während «rechts» alle Positionen stehen, die zu Zahlungsabflüssen führen. Eine Zunahme der Verbindlichkeiten führt bei Kreditaufnahme zu einem Zufluß von Zahlungsmitteln (daher ‹Linksbuchung›), eine Zunahme der Forderungen, d. h. Kreditvergabe, zu einem Zahlungsmittelabfluß (‹Rechtsbuchung›). Damit wird auch klar, weshalb man von der **Zahlungs**-Bilanz spricht. Zu beachten ist, daß auf beiden Seiten der Kapitalbilanz von «Veränderungen» die Rede ist. Daraus folgt, daß sowohl Plus- als auch Minus-Buchungen möglich sind (vgl. Beispiel weiter unten).

Die letzte Teilbilanz ist die **Gold- und Devisenbilanz**, in der Veränderung der Aktiva und Passiva der Notenbank erfaßt werden (sog. **Auslandsposition**), links Veränderungen der Verbindlichkeiten der Notenbank gegenüber dem Ausland, z. B. gegenüber der Europäischen Zentralbank oder gegenüber dem Internationalen Währungsfonds, rechts Forderungen gegenüber dem Ausland. Diese bestehen, neben Kreditforderungen an das Ausland, vor allem aus Währungsreserven (z. B. Gold und Devisen).

Der Devisenbestand der Bundesbank ändert sich daher nur dann, wenn die Bundesbank am Devisenmarkt **interveniert** oder ausländische Zahlungsmittel an- oder verkauft. Alle übrigen nicht-amtlichen Devisenbestandsveränderungen der privaten Wirtschaft werden in der Kapitalbilanz erfaßt. Die Devisenbestände der Bundesbank bestehen zu 99% nur aus US-Dollar; eventueller Bedarf an anderen Devisen wird täglich am Devisenmarkt gedeckt bzw. anfallende Devisenbestände umgehend verkauft. Die Devisenreserven werden dabei – entgegen landläufiger Vorstellung – nicht in dicken Dollarbündeln im Tresorraum gehortet, sondern zu größten Teilen in festverzinslichen kurz-, mittel- und langfristigen Dollar-Wertpapieren bester Bonität («treasury papers») angelegt, wodurch sich beträchtliche Zinseinnahmen ergeben. Diese Papiere werden bei Bedarf auch vorübergehend ausgeliehen («bond lending») – gegen Sicherheit und Provision: Dies summiert sich auf risikolose Einnahmen von mehreren Millionen Dollar.

Eigentlich wäre die Gold- und Devisenbilanz, die auch als **Auslandsposition** der Bundesbank bezeichnet wird, vom Charakter ihrer Bestandteile her also ein Teil der Kapitalbilanz. Durch ihre Herauslösung ist es aber möglich, die amtlichen (internationalen) Liquiditätsreserven einer Volkswirtschaft, die u. a. für die internationale Zahlungsfähigkeit wichtig sind, besser zu erfassen. Die Leistungsbilanz wiederum spiegelt die internationale Wettbewerbsfähigkeit der Wirtschaft wider.

Insgesamt ergeben sich in der Zahlungsbilanz vier Hauptblöcke. Abb. 5.1/2 gibt die Zusammenhänge wieder, auf die im folgenden Bezug genommen wird.

5.2. Zahlungsbilanzstatistik

5.2.1. Quellen

Die Daten der Zahlungsbilanz entstammen einer Vielzahl von Quellen. Da ist zunächst die **Außenhandelsstatistik** des Statistischen Bundesamtes zu nennen. Diese wiederum stützt sich auf die Angaben, die bei Einfuhr und Ausfuhr in den Unterlagen zur außenwirtschafts- und zollrechtlichen Abfertigung gemacht werden, insbesondere auf Exemplare des sog. **Einheitspapiers**, das EU-einheitlich bei der Zollabfertigung verwendet wird, sowie auf ergänzende Unterlagen z. B. der Freihafenverwaltungen. Da innerhalb der EU keine güterbezogenen Grenzabfertigungen mehr erfolgen, wird der innergemeinschaftliche Warenverkehr durch ein spezielles Meldeformularwesen (**IntraStat**) erfaßt. Dies bedeutet für die Unternehmen entsprechenden Bearbei-

Abb. 5.1/2: Hauptblöcke der Zahlungsbilanz

I. Leistungsbilanz	
1. Außenhandel [a)]	+115,2
2. Dienstleistungen [b)]	−56,3
3. Erwerbs- und Vermögenseinkommen [b)]	−4,2
4. Laufende Übertragungen [b)]	−56,4
	−1,7
II. Vermögensübertragungen	+3,6
III. Kapitalbilanz (Nettokapitalexport: –)	
1. Direktinvestitionen	−57,8
2. Wertpapiere	−10,6
3. Kreditverkehr [c)]	+55,9
	−12,6
IV. Restposten [d)]	+2,3
V. Vermögensübertragungen der Nettoauslandsaktiva der Bundesbank (zu Transaktionswerten) (Zunahme: +) (V = I + II + III + IV) [e)]	−8,5

a) einschließlich Ergänzungen zum Warenverkehr
b) Die Positionen 2.–4. werden auch zum Saldo der «unsichtbaren» Leistungstransaktionen zusammengefaßt
c) einschließlich sonstige Kapitalanlagen
d Die Angaben, die zur Erstellung der einzelnen Teilbilanzen herangezogen werden, aus verschiedenen, nicht aufeinander abgestimmten Quellen stammen und Erfassungslücken, Erfassungsfehler sowie Bewertungsdifferenzen unvermeidbar sind, ist ein Restposten notwenig, um die Zahlungsbilanz statistisch zum Ausgleich zu bringen.
e) Rundungsdifferenzen können auftreten.

Quelle: entnommen aus Ruckriegel, K., in WSV 4/98: 364.

tungsaufwand. In der Statistik wird dabei zwischen Generalhandel und Spezialhandel unterschieden. Der **Spezialhandel** umfaßt Ein- und Ausfuhr in den bzw. aus dem zollrechtlich freien Verkehr sowie Ein- und Ausfuhren im Rahmen aktiver und passiver Veredelungsverkehre. Bei **passiver Veredelung** wird z. B. Stoff aus Deutschland in ein Land außerhalb der EU exportiert, dort zu Oberhemden verarbeitet, und diese werden anschließend wieder re-importiert. Bei **aktiver Verede-**

lung erfolgt analog die Be- oder Verarbeitung von Gütern aus Drittländern (in diesem Fall) in Deutschland. Der **Generalhandel** erfaßt zudem noch Im- und Exporte in bzw. aus Zollagern.

Eine weitere wichtige **Statistik** ist die **des Auslandszahlungsverkehrs**, die sich auf Vorschriften der Außenwirtschaftsverordnung (AWV) stützt. U.a. muß jeder Inländer Zahlungen an bzw. von Ausländern von mehr als DM 5000 auf bestimmten Formularen melden; in der Praxis geschieht dies meist durch das ausführende Kreditinstitut. Diese Informationen werden ergänzt durch den sog. **Auslandsstatus der Kreditinstitute**, mit dem diese monatlich den Stand der Auslandsaktiva und -passiva melden, gegliedert nach Bilanzpositionen, Währungen und Ländern. Analoge Meldungen müssen Nichtbanken (Unternehmen, Privatpersonen) machen, wenn ihre Forderungen und Verbindlichkeiten aus Finanzbeziehungen und dem Waren- und Dienstleistungsverkehr den Betrag von DM 500 000 überschreiten, allerdings außer Unternehmensbeteiligungen und verbrieften Schuldverschreibungen. Die Angaben zur **Netto-Auslandsposition der Bundesbank** ergeben sich aus der internen Rechnungslegung der Bundesbank. Auf Fremdwährungen lautende Positionen werden – soweit möglich – mit den Kassakursen zum Zeitpunkt der Transaktion, sonst mit Durchschnittskursen in DM umgerechnet.

Diese Angaben werden durch **Schätzungen** ergänzt, z.B. Güterbewegungen im kleinen Grenzverkehr und im Reiseverkehr, Klein-Ein- und -Ausfuhren unterhalb der Meldegrenzen oder Güter, die ursprünglich im Rahmen von Veredelungsverkehren erfaßt wurden, aber im Land der Veredelung verbleiben (sog. **Ergänzungen zum Warenverkehr**), oder Frachten und Versicherungen, die sich nicht aus den Zollunterlagen ergeben. Hierauf geht auch der folgende Abschnitt ein. Abb. 5.2.1/1 faßt die Quellen der Zahlungsbilanzstatistik zusammen.

5.2.2. Erfassung und Bewertung

Theoretisch müßten beim Vergleich internationaler Statistiken die Exporte Alands nach Benesien mit den entsprechenden Importen von Benesien aus Aland übereinstimmen. Tatsächlich ist dies jedoch nicht der Fall. Dies liegt u.a. an der unterschiedlichen Bewertung der Warenströme auf F.o.b.- bzw. C.i.f.-Basis:

F.o.b. ist die Abkürzung für «free on board». Sofern ein Liefervertrag eine fob-Klausel enthält, bedeutet dies, daß der Lieferant alle Kosten wie Transport, Versicherung und Verladung nur auf das Schiff im Hafen des Exportlandes, oder allgemeiner: auf ein Transportmit-

Abb. 5.2.1/1: Quellen der Zahlungsbilanzstatistik

Die Herkunft der Daten für die Zahlungsbilanz

Zahlungsbilanzposition	Datenquelle	Art der primären Daten
A. Leistungsbilanz		
1. Warenhandel Ausfuhr Einfuhr Ergänzungen zum Warenverkehr Transithandel	Amtliche Außenhandelsstatistik (Statistisches Bundesamt)	Güterbewegungen über die Grenze
2. Dienstleistungen Einnahmen Ausgaben **3. Erwerbs- und Vermögenseinkommen** **4. Laufende Übertragungen**	Statistik des Auslandszahlungsverkehrs (§ 59 AWV) Ergänzende Berechnungen/ Schätzungen	Zahlungen
Vermögensbilanz (Deutsche Bundesbank)		
C. Kapitalbilanz		
1. Direktinvestitionen 2. Wertpapieranlagen	Statistik des Auslandszahlungsverkehrs (§ 59 AWV)	Zahlungen
3. Kreditgewährung 3.1. Privater Sektor Kreditinstitute	Auslandsstatus der Kreditinstitute (Deutsche Bundesbank)	Bestände
Nichtbanken 3.2. Öffentlicher Sektor	Statistik der Auslandsforderungen und -verbindlichkeiten der Nichtbanken (§ 62 AWV)	Bestände
4. Übrige Anlagen		
D. Saldo der statistisch nicht aufgliedbaren Transaktionen (Restposten)	Als Rest errechnet	
E. Ausgleichsposten zur Netto-Auslandsposition der Deutschen Bundesbank	Informationen aus dem internen Rechenwerk der Deutschen Bundesbank	Bestände und Transaktionen
F. Veränderung der Netto-Auslandsposition der Deutschen Bundesbank		

Quelle: Deutsche Bundesbank

tel, zu tragen hat. Exporte – zu **fob** bewertet – geben den Gesamtwert inklusive der angefallenen Nebenkosten bis zum Überschreiten der Grenze des Lieferlandes wieder, unabhängig davon, ob der konkrete Liefervertrag tatsächlich eine fob-Klausel enthält. Diese Nebenkosten werden ggf. geschätzt. Dies gilt analog für die Importe auf cif-Basis:

C.i.f. ist die Abkürzung für «cost, insurance, freight» (Kosten, Versicherung, Fracht) und bedeutet, daß alle entsprechenden Kosten bis zum Eintreffen im Bestimmungshafen eingeschlossen sind. In der Regel werden Importe zu **cif** bewertet, so daß der cif-Importwert dem Güterwert bei Erreichen der Grenze des Importlandes entspricht. Dadurch werden in der Handelsbilanz Positionen erfaßt, die eigentlich in die Dienstleistungsbilanz gehören. Manche Statistiken, z. B. die des Statistischen Bundesamtes, weisen internationaler Praxis entsprechend daher Importe wie Exporte in **fob**-Werten aus. Dann entspricht der Importwert des einführenden Landes dem Exportwert des entsprechenden ausführenden Landes. Unten in Abb. 5.2.3/1 hingegen werden in der Handelsbilanz die Importe mit **cif**, die Exporte mit **fob** angesetzt, so daß in beiden Fällen der Warenwert an der Grenze der Bundesrepublik inklusive aller bis dahin entstandenen Nebenkosten angesetzt wird. Dies geschieht – wie erwähnt – unabhängig davon, welche Lieferklauseln die Vertragspartner tatsächlich untereinander vereinbart haben. Eine Veränderung der Bewertungsmethode kann somit erhebliche Veränderungen in den Positionen der Handels- und Dienstleistungsbilanz nach sich ziehen, ohne allerdings den Wert des Außenbeitrags zu verändern, da es sich bei Exporten um eine reine Aktivumschichtung und bei Importen um eine Passivumschichtung zwischen Handels- und Dienstleistungsbilanz handelt.

Neben der **cif-fob-Diskrepanz** gibt es noch einige **weitere Gründe**, weshalb korrespondierende Importe und Exporte in den beteiligten Ländern mit unterschiedlichen Werten ausgewiesen werden. Ein zweiter Grund kann darin liegen, daß aufgrund der transportbedingten **Zeitdifferenz** die Exporte im Exportland bereits erfaßt sind, die Importe im Importland aber nicht. Drittens kann hinzukommen, daß sich der **Wechselkurs** zwischen Erfassung des Exports und Erfassung des Imports verändert hat. Viertens können Exporte zwar offiziell registriert sein, jedoch durch **Schmuggel** und illegalen Handel nicht in den Importstatistiken auftauchen (Analoges gilt auch umgekehrt). Fünftens können z. B. **Zinszahlungen** in der Dienstleistungsbilanz als Zahlungsausgang erfaßt werden, verschwinden jedoch aus Steuergründen in dunklen Kanälen. Sechstens können bestimmte Positionen nur näherungsweise **geschätzt** und regional zugeordnet werden, wie z. B. der nichtorganisierte private Reiseverkehr. Insgesamt können auf

Abb. 5.2.2/1: «Welt»-Leistungsbilanzen

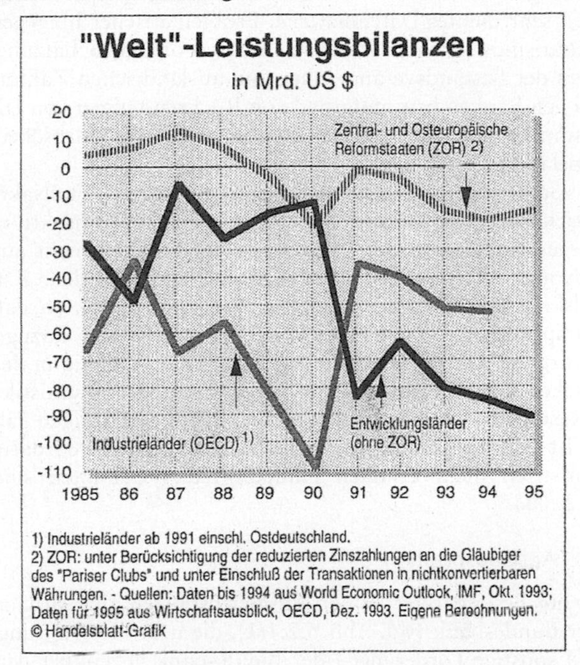

diese Weise riesige Summen im «**Bermuda-Dreieck der Statistik**» (iw) untergehen. Abb. 5.2.2/1 verdeutlicht dies: Die zusammengefaßten Salden aller Länder müßten eigentlich einen Saldo der Welt-Leistungsbilanz von Null ergeben, tatsächlich aber weist die Welt-Leistungsbilanz ein – erhebliches – Defizit auf. Das Ausmaß der Erfassungsfehler und Bewertungsunterschiede ist also beträchtlich, macht andererseits aber weniger als 1% des Welthandelsvolumens aus.

5.2.3. Buchungsprinzipien

5.2.3.1. «Restposten»

Die Zahlungsbilanz enthält zwei Besonderheiten. Die in der Zahlungsbilanz zu berücksichtigenden Transaktionen sind nicht lückenlos erfaßbar. Der Warenhandel ist statistisch weitgehend aufgrund von Zollunterlagen bzw. den gemäß Außenwirtschaftsgesetz zu vollziehenden Meldungen zur Außenhandelsstatistik nachzuvollziehen; auch im Zahlungsverkehr liefern die Banken aufgrund entsprechender Vorschriften sehr dichtes Datenmaterial. Problematischer hingegen ist es beim Tourismus (Dienstleistungsbilanz), wo oft nur Schätzungen auf der Basis der Bestandsveränderungen an ausländischen Zahlungsmitteln bei den Banken bzw. aufgrund von Rücksendungen von DM-Bargeldbeständen sowie eingelösten Reiseschecks und Euroschecks aus dem Ausland möglich sind.

Der «**Saldo der statistisch nicht aufgliederbaren Transaktionen**» ergibt sich daher aus fiktiven Gegenbuchungen zu Transaktionen, die sich wegen unzureichender Erfassungsmöglichkeiten nicht auf zwei, sondern nur auf einer Teilbilanz niederschlagen würden. Z.B. sind Handelskredite kurzfristig nur schwer zu registrieren, so daß zwar Warenimporte erfaßt werden mögen, nicht aber der dazugehörige Kreditvorgang. Die berühmte Suche nach einem Pfennig in der kaufmännischen Buchführung ist für die Zahlungsbilanzstatistik durch den «**Restposten**» daher kein Problem. Beim vorläufigen Jahresabschluß ist der Restposten naturgemäß relativ groß, weil darin noch die statistisch nicht erfaßten Handelskredite enthalten sind (vgl. Abb. 5.2.3/1).

5.2.3.2. Auslandsposition

Die zweite Besonderheit ist der **Ausgleichsposten** zur Auslandsposition der Bundesbank (vgl. Abb. 5.2.1/1), die u.a. die Währungsreserven und sonstige Forderungen der Bundesbank gegenüber dem Ausland umfaßt, z.B. gegenüber der Weltbank oder innerhalb des Europäischen Währungssystems. Diese Währungsbestände werden – da die Zahlungsbilanz in DM geführt wird – durch die entsprechenden Wechselkurse umgerechnet in DM-Werte. Bei der Bewertung der Währungs- (und Gold-)Bestände wendet die Bundesbank sinngemäß die Vorschriften des Aktiengesetzes an, nach denen das Umlaufvermögen – und hierzu zählen Währungsreserven – zu den Anschaffungskosten bzw., wenn der Börsen- oder Marktpreis niedriger ist, zu letzterem bewertet wird (**Niederstwertprinzip**), wobei ein einmal herabgesetzter Wert für die Zukunft beibehalten werden kann. Daher werden z.B. die Dollar-Bestände der Bundesbank mit DM 1,3870 und die Goldbestände auf der Basis des ehemaligen Goldpreises von 144 DM pro Unze bewertet. Veränderungen der Devisenbestände aber werden zu den jeweiligen Kursen gebucht, so daß eine Korrekturbuchung im Ausgleichsposten den Unterschied zwischen Tageskurs und Wertansatz ausgleicht.

Abb. 5.2.3/1: Wichtige Posten der Zahlungsbilanz (Salden; im Mio DM)

Zeit	Leistungsbilanz									Veränderung der Netto-Auslandsaktiva der Bundesbank	
	Saldo der Leistungsbilanz	Außenhandel 1	Ergänzungen zum Warenverkehr 2	Dienstleistungen 3	Erwerbs- und Vermögenseinkommen	Laufende Übertragungen	Vermögensübertragungen	Kapitalbilanz	Saldo der statistisch nicht aufgliedbaren Transaktionen	Transaktionswerte	Nachr: Veränderung zu Bilanzkursen
1990	+ 78 964	+ 105 382	−3833	−17 711	+ 33 245	−38 119	−2124	−90 519	+ 24 655	+ 10 976	+ 5871
1991	− 29 590	+ 21 899	−2804	−22 800	+ 35 484	−61 368	−1009	+ 20 197	+ 10 720	+ 319	+ 823
1992	− 29 842	+ 33 656	−1426	−36 035	+ 28 070	−54 108	+ 924	+ 91 540	+ 6123	+ 68 745	+ 62 442
1993	− 23 159	+ 60 304	−3052	−43 804	+ 21 808	−58 415	+ 800	+ 14 036	−27 444	−35 766	−34 237
1994	− 32 926	+ 71 762	−1143	−52 091	+ 11 396	−62 850	+ 312	+ 66 416	−21 560	+ 12 242	+ 8552
1995	− 32 409	+ 85 303	−4742	−52 505	−1792	−58 673	−862	+ 72 295	−21 270	+ 17 754	+ 15 097
1996	− 20 728	+ 98 538	−4237	−52 512	−7732	−54 786	−40	+ 28 095	−8937	−1610	−1490
1997	− 6 937	+ 116 543	−6570	−56 328	−4184	−56 397	+ 3559	−12 582	+ 7491	−8468	+ 5537
1998	− 15 801	+ 128 579	−2929	−60 635	−23 557	−57 259	+ 4658	−10989	+ 30 364	+ 8231	+ 8189

Handelsbilanz
Außenbeitragzum BIP
Außenbeitrag zum BSP
Leistungsbilanz
Finanzierungssaldo
Außenhandel | «unsichtbare» Leistungstransaktionen

1 Einfuhr cif, Ausfuhr fob 2 Hauptsächlich Lagerverkehr auf inländische Rechnung und Absetzung der Rückwaren
3 Ohne die im cif-Importwert enthaltene Ausgaben für Fracht- und Versicherungskosten

Quelle: Deutsche Bundesbank

5.2.3.3. Buchungsbeispiele

Die Zahlungsbilanz wird nach dem Prinzip der doppelten Buchführung geführt. Ein kurzes Beispiel soll dies verdeutlichen.

Ein Warenexport im Wert von 500 Geldeinheiten würde dem Schema der Abb. 5.1/1 entsprechend in der Handelsbilanz ‹links› gebucht (vgl. Abb. 5.2.3/2). Die Gegenbuchung würde bei direkter Bezahlung in Devisen durch eine Buchung von +500 ‹rechts› in der Kapitalbilanz erfolgen, wenn die Devisen z. B. beim Exporteur oder

Abb. 5.2.3/2 Buchungsfälle

(a)	Export HB	500		→	KB		+500	Zunahme des privaten Devisenbestandes
(b)				→	DB		+500	Zunahme des Devisenbestandes der Bundesbank
(c)				→	KB		+500	Zunahme der Forderungen
(d)				→	VÜB		500	Schenkungen an das Ausland
(e)				→	HB oder DLB		500	Import (Kompensation)
(f)	KB		–500	→	KB		+500	Kredittilgung
(g)	KB		–500	→	DB		+500	Kredittilgung
(h)	HB	500		→	KB	–500		Bezahlung in DM

HB = Handelsbilanz, DLB = Dienstleistungsbilanz, VÜB = Vermögens-Übertragungsbilanz, KB = Kapitalbilanz, DB = Devisenbilanz dessen Bank verbleiben (a), in der Devisenbilanz als Erhöhung des Bestandes an Devisen, d. h. Forderungen der Bundesbank gegenüber dem Ausland, wenn sie letztlich an die Bundesbank verkauft werden (b), bei Exportlieferung auf Kredit durch Plusbuchung ‹rechts› in der Kapitalbilanz (c), bei Schenkung (z. B. Katastrophenhilfe) ‹rechts› in der Vermögensübertragungsbilanz (d) oder bei Kompensationsgeschäften, bei denen die Werte geliefert und empfangener Güter verrechnet werden, in der Handelsbilanz (e) (bzw. ggf. in der Dienstleistungsbilanz). Wird der dem Ausland im Fall (c) gewährte Kredit bezahlt, verringert sich der Forderungsbestand gegenüber dem Ausland (Minusbuchung ‹rechts› in der Kapitalbilanz) bei analoger Erhöhung des Devisenbestandes (Plusbuchung z. B. in der Kapitalbilanz (f), wenn die Devisen beim Exporteur oder seiner Bank verbleiben, sonst in der Devisenbilanz (g) (analog zu den Fällen (a) und (b)). Eine Bezahlung des Exportgeschäfts in DM würde entweder zu einer Gutschrift auf einem ausländischen DM-Konto oder zu einer Lastschrift auf einem Konto des ausländischen Käufers bei einer deutschen Bank im Inland führen. Beides würde im Kapitalverkehr erfaßt, und zwar die Lastschrift auf einem Konto in Deutschland als Abnahme von Verbindlichkeiten wie im Fall (h), die Gutschrift im Ausland wäre als Zunahme von Forderungen (Rechtsbuchung mit ‹+› darzustellen sein.

Noch einige weitere Beispiele ohne Abbildung: Ein Ankauf von Devisen durch die Deutsche Bundesbank bedeutet eine Passivbuchung (rechts) mit positivem Vorzeichen in der Devisenbilanz. Erfolgte dieser Ankauf bei Inländern, nehmen deren Devisenbestände entsprechend ab, d. h. die Gegenbuchung ist eine Passiv-Minus-Buchung in der Kapitalbilanz. Hat die Bundesbank die Devisen von Ausländern gegen DM erworben, nehmen deren DM-Bestände zu, d. h. Gegenbuchung durch Aktiv-Plus-Buchung in der Devisenbilanz, usw.

5.3. Saldenbildung

Während jede einzelne Teilbilanz im Normalfall nicht ausgeglichen ist und entweder einen Überschuß oder ein Defizit ausweisen wird, ist die Zahlungsbilanz als Zusammenfassung aller Teilbilanzen aufgrund der doppelten Erfassung jeder Transaktion **immer** ausgeglichen: Die Summe der ‹linken› Seiten aller Teilbilanzen muß der Summe der ‹rechten› Seiten zwangsläufig entsprechen. Wenn dennoch von einer unausgeglichenen Zahlungsbilanz gesprochen wird, so ist dies streng genommen falsch (vgl. Abb. 5.3/1); man meint damit jedoch nicht die

Abb. 5.3/1: «Ausgeglichene» Zahlungsbilanz

Zahlungsbilanz im Plus trotz hoher Kapitalabflüsse

Steigendes Zahlungsbilanzdefizit

Zahlungsbilanz insgesamt, sondern eine bestimmte Zusammenfassung einzelner Teilbilanzen nach ökonomischen Gesichtspunkten. Dabei gibt es verschiedene Möglichkeiten. Teil-«Bilanzen» sind somit keine Bilanzen im buchhalterischen Sinne, sondern Konten. Wir werden dennoch die im Sprachgebrauch übliche Bezeichnung als Teilbilanz beibehalten.

Zur Bestimmung des außenwirtschaftlichen Gleichgewichts wird die Zahlungsbilanz in zwei Teile zerlegt, wobei «über dem Strich» die Positionen stehen, die als zusammengehörend angesehen werden, und «unter dem Strich» die Positionen, in denen sich die Auswirkungen der Bilanzen über dem Strich widerspiegeln. Anders ausgedrückt reagieren die Positionen unter dem Strich auf die Veränderungen der Teilbilanzen über dem Strich, so daß man formaler auch von autonomen oder unabhängigen Veränderungen einerseits und kompensierenden, abhängigen oder induzierten Veränderungen andererseits sprechen kann. Es gibt verschiedene Konzepte, wo diese Trennlinie zu ziehen ist, und dementsprechend kann der Begriff des außenwirtschaftlichen Gleichgewichts unterschiedlich ausgelegt werden. Abb. 5.3.3/3 unten gibt eine Übersicht über diese Konzepte, von denen die wichtigsten im folgenden betrachtet werden.

5.3.1. Saldo der Leistungsbilanz

Bei der sog. **Verwendungsrechnung** entspricht das Sozialprodukt der zu Marktpreisen bewerteten Summe von Konsumgütern, Investitionsgütern sowie der Differenz zwischen Exporten und Importen (in Symbolen wird dies meist geschrieben als $Y = C + Ex - Im$). Diesen Saldo zwischen Exporten und Importen ($Ex - Im$) bezeichnet man als **Außenbetrag** zum Sozialprodukt, da ein Überschuß der Exporte über die Importe das Sozialprodukt erhöht, ein Importüberschuß dieses vermindert.[2]

[2] Streng genommen gilt diese Überlegung nur für das Volkseinkommen, das sich durch Zahlungszuflüsse erhöht und durch -abflüsse vermindert. Aufgrund der wertmäßigen Identität zwischen Volkseinkommen und Nettosozialprodukt zu Faktorkosten ist der Begriff ‹Außenbeitrag› sprachlich akzeptabel.

Der Außenbeitrag setzt sich dabei aus der Zusammenfassung von Handelsbilanz und Dienstleistungsbilanz zusammen. In den Medien wird dabei nicht immer deutlich, ob es sich bei der Betrachtung um die Handelsbilanz i. e. S. oder den Außenbeitrag einschließlich der Dienstleistungsbilanz handelt (vgl. Abb. 5.3.1/1). Nimmt man noch die Bilanzen der Erwerbs- und Vermögenseinkommen und der laufenden Übertragungen hinzu, so bilden die vier Teilbilanzen zusammen die **Leistungsbilanz** oder Bilanz der laufenden Posten (Abb. 5.3.1/2).

Abb. 5.3.1/1: Handelsbilanz

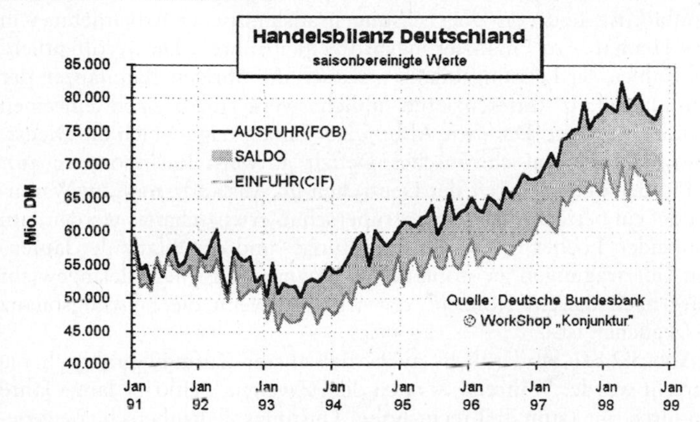

Abb. 5.3.1/2: Leistungsbilanz

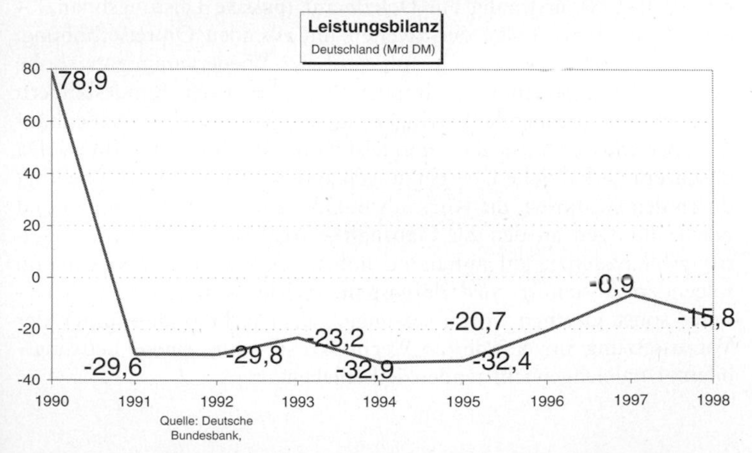

Sie spiegelt die Wirtschaftskraft, die Leistung einer Volkswirtschaft im Sinne internationaler Wettbewerbsfähigkeit wider, die sich z. B. in der Fähigkeit ausdrückt, Importe durch den Erlös der Exporte zu finanzieren und ggf. Übertragungen an das Ausland zu leisten. Würde man das Ziel außenwirtschaftlichen Gleichgewichts so interpretieren, daß die Summe der Importe der Summe der Exporte entsprechen soll – d. h. der Außenbeitrag wäre Null –, dann würde in der Bundesrepublik das erhebliche chronische Defizit in der Bilanz der laufenden Übertragungen – hervorgerufen vor allem aufgrund der Übertragungen an die Europäische Union, deren größter Nettozahler die Bundesrepublik ist, und von Überweisungen ausländischer Arbeitnehmer in ihre Heimat – zu Finanzierungsproblemen führen. Die veröffentlichten Zahlen der Leistungsbilanz wie auch der übrigen Teilbilanzen der Zahlungsbilanz differenzieren üblicherweise nicht nach einzelnen Handelspartnern. Da – wie Abb. 5.2.3/1 oben zeigt – auch die Dienstleistungsbilanz ein chronisches Defizit aufweist (insbesondere aufgrund der Reisetätigkeit der Deutschen im Ausland), muß im Warenhandel ein beträchtlicher Exportüberschuß erwirtschaftet werden, um die beiden Löcher in der Dienstleistungs- und der Bilanz der laufenden Übertragungen zu stopfen. Außenwirtschaftliches Gleichgewicht wäre nach diesem Konzept verwirklicht, wenn die Leistungsbilanz ausgeglichen ist.

Abb. 5.2.3/1 verdeutlicht auch, daß dieser Zustand praktisch nie erreicht wurde. Während es nach dem Zweiten Weltkrieg lange Jahre hindurch nur (zum Teil recht hohe) Leistungsbilanzüberschüsse gegeben hat (**aktive** Leistungsbilanz), wies die Leistungsbilanz in den Jahren 1979–1981 erstmalig ein Defizit auf (**passive** Leistungsbilanz) – eine unmittelbare Folge der zweiten umfassenden Ölpreiserhöhung. Auch ab 1991 ergaben sich aufgrund der Wiedervereinigung hohe Leistungsbilanzdefizite: Der Importsog in den neuen Bundesländern löst eine entsprechende Verringerung des traditionellen Außenhandelsüberschusses aus; die Handelsbilanz rutschte ins Minus. Da gleichzeitig erhebliche Übertragungen zu leisten waren – u. a. bedingt durch den Golfkrieg, die Rückführung der sowjetischen Truppen und Nachzahlungen an den EU-Haushalt –, ergab sich ein kräftiges Leistungsbilanzdefizit auf anhaltend hohem, ungewohntem Niveau. Im folgenden Abschnitt wird dargestellt, welche Konsequenzen sich – unter sonst gleichen Voraussetzungen, d. h. insbesondere unter der Voraussetzung unveränderter Wechselkurse – aus einem Leistungsbilanz-Ungleichgewicht tendenziell ergeben.

5.3.2. Konsequenzen von Leistungsbilanzstörungen

Wenn die ‹Trennlinie› innerhalb der Zahlungsbilanz unter der Leistungsbilanz gezogen wird, werden Vermögensübertragungs-, Kapital- und Devisenbilanz zeigen, wie sich spiegelbildlich zur Veränderung der Situation in der Leistungsbilanz der Bestand an Forderungen bzw. Verbindlichkeiten gegenüber dem Ausland verändert hat.

5.3.2.1 Leistungsbilanzdefizit

Ein negativer Außenbeitrag bedeutet, daß eine Volkswirtschaft mehr importiert, als sie sich aufgrund ihrer Exporterlöse leisten könnte. Dieses Defizit kann abgedeckt oder abgemildert werden, wenn entsprechende Transfers aus dem Ausland – beispielsweise Entwicklungshilfe – erhalten werden. Eine passive Leistungsbilanz bedeutet also z.B., daß mehr importiert wird, als durch Exporterlöse und Transfers finanziert wurde.

(1) Da die Zahlungsbilanz eine nachträgliche Betrachtung darstellt, kann die Summe der Ausgaben nur dann die Summe der laufenden Einnahmen übersteigen, wenn – in Analogie zum privaten Haushalt – Guthaben aufgelöst oder Kredite gewährt wurden. Den Devisenbestand und den Forderungsbestand in der (vor allem kurzfristigen) Kapitalbilanz kann man als Sparpolster betrachten. Tatsächlich ist beobachtbar, daß sich bei einem Leistungsbilanzdefizit meist auch der Devisenbestand reduziert. Allerdings ist dies nicht zwangsläufig so, sofern der Importüberschuß kreditfinanziert wird. In diesem Fall muß die **Kapitalbilanz** durch einen Kapitalimportüberschuß – sprich: Kredite aus dem Ausland oder ausländische Direktinvestitionen – das Leistungsbilanzdefizit finanzieren. Ohne vorherige, gesicherte Kreditzusagen werden allerdings wohl kaum Importbestellungen aufgegeben werden. Das bedeutet, daß der Warenimport mit von den Verschuldungsmöglichkeiten abhängt: «Die Kapitalbilanz befiehlt, die Leistungsbilanz gehorcht.» Kredite aber müssen verzinst und getilgt werden, so daß anhaltende, kreditfinanzierte Leistungsbilanzdefizite zu massiven Rückzahlungsproblemen führen können. Die jüngere Vergangenheit seit Anfang der 80er Jahre liefert hinreichend Beispiele von Ländern, deren internationale Verschuldung ein Ausmaß erreicht hatte, das der faktischen Zahlungsunfähigkeit gleichkam. Dies galt (und gilt) für eine Reihe von osteuropäischen Ländern ebenso wie für einige, bis dahin als risikolos eingestufte aufstrebende Entwicklungsländer («**Schwellenländer**»).

(2) Neben dem finanziellen Aspekt eines Leistungsbilanzdefizits ist ein weiterer Gesichtspunkt von Bedeutung. Wenn man Import und

Export mit «Nachfrage» übersetzt, dann bedeutet «Import» Nachfrage von Inländern bei ausländischen Anbietern und «Export» Nachfrage von Ausländern bei inländischen Anbietern. Ein Importüberschuß bedeutet also, daß mehr inländische **Nachfrage** auf das Ausland gerichtet ist als ausländische auf die einheimische Produktion. Eine Verlagerung der Nachfrage vom Inland auf das Ausland kann sich ungünstig auf die Beschäftigungssituation des Inlands auswirken, da anzunehmen ist, daß betroffene Unternehmen nichtausgelastete Produktionskapazitäten abbauen und Arbeitskräfte «freisetzen» werden, wie es so schön umschrieben wird, d. h. entlassen. Eine anhaltend passive Leistungsbilanz birgt also tendenziell die Gefahr der Unterbeschäftigung in sich (Abb. 5.3.2/1).

Abb. 5.3.2/1: Importdruck

Das Ausland drängt auf den deutschen Werkzeugmaschinenmarkt

Japan mit technisch guten und billigen Produkten / IKB-Studie: Maschinenbedarf sinkt

Preisdruck durch Auslandskonkurrenz

(3) Ein Leistungsbilanzdefizit hat andererseits Wirkungen auf den **Wechselkurs**. Zur Vereinfachung sei das Defizit auf einen Importüberschuß reduziert, doch gelten die folgenden Überlegungen grundsätzlich für jede Zusammenfassung von Teilbilanzen, die ‹unter dem Strich› mehr Devisennachfrage als Devisenangebot ergibt:

Güterimport bedeutet entweder seitens des Importeurs analoge Nachfrage nach Devisen, um die Importgüter zu bezahlen, oder – wenn sie in DM bezahlt werden – DM-Angebot des Exporteurs auf ‹seinem› Devisenmarkt, da der Exporteur in der Regel DM in seine eigene Währung eintauschen wird; von Spezialüberlegungen sei hier abgesehen. Umgekehrt bedeutet Export Devisenangebot im Inland bzw. DM-Nachfrage im Ausland. Ohne den ausführlichen Betrachtungen der Wechselkursbildung im Kap. 12 vorgreifen zu wollen, heißt dies – verkürzt –, daß ein Außenhandelsdefizit unter dem Strich im Inland mehr Devisennachfrage als Devisenangebot bedeutet, so daß der entsprechende Devisenkurs steigt. *Ceteris paribus* (also «unter sonst gleichen Voraussetzungen») würde ein Handelsdefizit der Bundesrepublik gegenüber Holland bedeuten, daß der Kurs des holländischen Gulden in Deutschland steigt. Dies bezeichnet man als **DM-Abwertung** oder gleichbedeutend: Gulden-Aufwertung. Bei **fixen Wechselkursen** müssen die Notenbanken dieser Abwertungstendenz der DM durch **Interventionen** entgegenwirken, so daß sich der Kurs tatsächlich nicht oder nur unwesentlich verändert, bei **flexiblem**

Wechselkurs wie gegenüber dem US-Dollar könnte der Dollarkurs *ceteris paribus* entsprechend steigen. Dadurch verteuern sich die Importe bzw. verbilligen sich die Exporte, so daß sich der Importüberschuß (theoretisch) abbaut. Näheres findet sich im Kap. 12. Die tendenziellen Folgen eines Leistungsbilanzdefizits sind unten in Abb. 5.3.2/3 zusammengefaßt.

5.3.2.2. Leistungsbilanzüberschuß

(1) Was nun einen Leistungsbilanz**überschuß** anbelangt, so wird er nach dem gerade Gesagten postitiv für die **Beschäftigungssituation** sein, und es gibt auch viele Beispiele dafür, daß Länder durch bewußte Unterbewertung oder Abwertung ihrer Währung ihre Exporte fördern wollen, um die Beschäftigungssituation zu verbessern (vgl. Kap. 12) (Abb. 5.3.2/2); der berüchtigte Abwertungswettlauf im Zusammenhang mit der Weltwirtschaftskrise von 1929 ist ein extremes Beispiel.

Abb. 5.3.2/2: Exportkonjunktur

Deutscher Außenhandel
trotzt weltweiten Krisen

1998 geht als Jahr der Exporte in die Geschichte ein

Rekorde im deutschen Außenhandel
Export, Import und Aktivsaldo auf Höchstständen

Exporte
Wachstum trotz Krisen

(2) Aber auch ein Leistungsbilanzüberschuß hat – tendenzielle – Gefahren. Dabei ist vor allem an **inflationäre Impulse** zu denken, die man unter dem Begriff «**importierte Inflation**» zusammenfaßt: Im Export verdiente Devisen dürften zu großen Teilen in einheimische Währungen umgetauscht werden und somit die Geldmenge vergrößern. Dies wäre die Variante einer importierten Geldmengeninflation. Sie wird unterstützt durch ein mögliches Mißverhältnis zwischen Angebot und Nachfrage im Inland, indem das inländische Güterangebot nicht ausreicht, um inländischer und ausländischer Nachfrage gerecht zu werden – eine Variante der Nachfragesoginflation. Sofern ferner verstärkt bestimmte Güter dem Export zugeführt werden, ohne – wie bisher – dem Inlandsmarkt zur Verfügung zu stehen, kann auch

eine Angebotslücke mit entsprechenden inflationären Impulsen entstehen. **Fazit:** Ein Leistungsbilanzüberschuß fördert inflationäre Tendenzen.

(3) Analog zum Leistungsbilanzdefizit ergeben sich auch bei einem Leistungsbilanzüberschuß (tendenzielle) Wirkungen auf die **Wechselkurse.** Wie oben gerade skizziert, bedeutet Export entweder Angebot der erzielten Devisen (z. B. Dollar) durch den Exporteur auf seinem heimischen Devisenmarkt oder Nachfrage des ausländischen Importeurs nach DM auf dessen Devisenmarkt, so daß – *ceteris paribus* – der Devisenkurs sinkt bzw. der DM-Kurs steigt (Dollar-Abwertung bzw. **DM-Aufwertung**). Damit würden die Importe billiger und die Exporte teurer, so daß sich der Exportüberschuß abbauen könnte (siehe auch hierzu Kap. 12). Abb. 5.3.2/3 zeigt die tendenziellen Wirkungen eines Leistungsbilanzüberschusses. Insgesamt verzeichnen nur wenige Länder einen Leistungsbilanzüberschuß. Die Darstellung in Abb. 5.3.2/4 bezieht sich nur auf die OECD-Länder und ist insofern unvollständig, denn auch Taiwan, Südkorea und einige OPEC-Staaten haben Leistungsbilanzüberschüsse.

Der wiederholte Hinweis auf *tendenzielle* Wirkungen ist wichtig: Gerade hinsichtlich der Wirkungen auf den Wechselkurs ist hervorzu-

Abb. 5.3.2/3: Folgen von Leistungsbilanz-Ungleichgewichten

Leistungsbilanz-Defizit	Leistungsbilanz-Überschuß
• (Abbau von Devisenreserven)	
• externe Verschuldung	
• Importzunahme/Exportrückgang = Beschäftigungsrückgang ↓	• Exportzunahme/Importrückgang = Beschäftigungsanregung
• Abwertungsdruck auf die Inlandswährung ○ bei fixen Wechselkursen: Stützungsverkäufe von Devisen → Verschuldung ○ bei flexiblen Wechselkursen: Abwertung → Inflationstendenz	• Aufwertungsdruck auf die Inlandswährung ○ bei fixen Wechselkursen: Devisenzufluß → Stützungskäufe → Geldmengeninflation, ggf. auch Nachfragesoginflation Projektionsmaßnahmen der Handelspartner ○ bei flexiblen Wechselkursen: Aufwertung → Beschäftigungsrückgang → Importverbilligung (Preisberuhigung)

Abb. 5.3.2/4: Leistungsbilanz: Überschüsse und Defizite

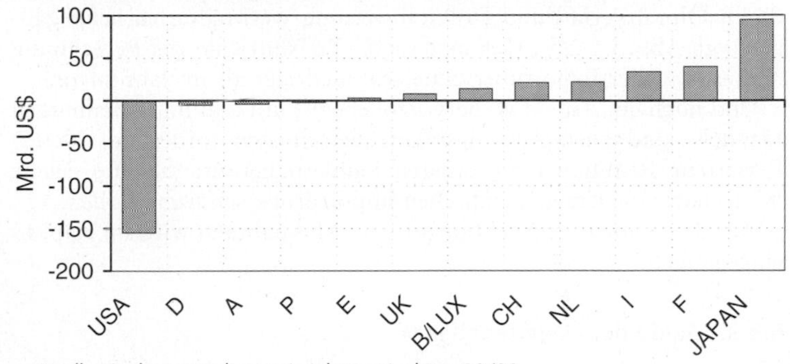

Quelle: Sachverständigenrat, Jahresgutachten 98/99

Abb. 5.3.2/5: Energieimporte

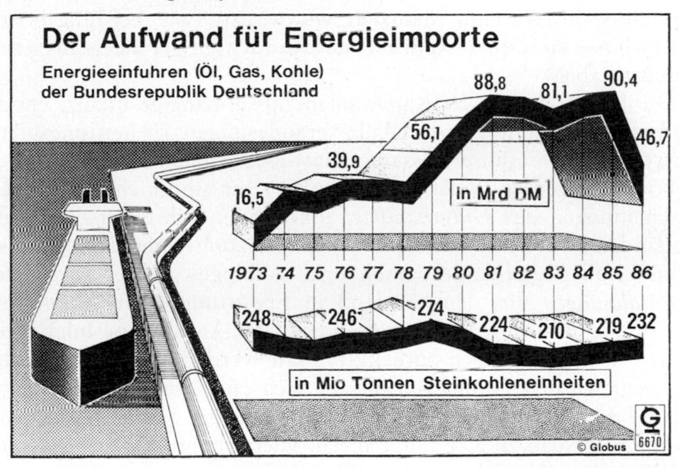

heben, daß der Außenhandel nur *einen* von mehreren bedeutsamen Einflußfaktoren darstellt, dessen Wirkung von anderen Einflußfaktoren (Zinsentwicklung, Spekulation etc.; vgl. Abschn. 12.2.) abgeschwächt oder sogar überkompensiert werden kann.

Veränderungen der Außenhandels- oder Leistungsbilanzsalden müssen jedoch mit Vorsicht interpretiert werden. Beispielsweise waren 1986 in der Handelsbilanz der Bundesrepublik Rekordüberschüsse zu verzeichnen. Dies ließ vordergründig auf eine Verbesserung der internationalen Wettbewerbsfähigkeit durch verstärkte Exporte schließen.

Tatsächlich aber waren die Importe zwar nicht mengenmäßig, aber durch Ölpreisverfall und Dollarabwertung wertmäßig zurückgegangen (vgl. Abb. 5.3.2/5). Ließ man diese «Preisluft» aus der Berechnung heraus, war der Exportüberschuß real niedriger als im Jahr zuvor.

Und noch ein Aspekt ist hervorzuheben: Ein Land mit anhaltenden Handels- und Dienstleistungsbilanzüberschüssen fordert als Netto-Exporteur Reaktionen in anderen Ländern heraus, die ihre eigene Wirtschaft vor dem ausländischen Importdruck schützen wollen.

Auf die Probleme protektionistischer Maßnahmen wird im Kap. 13 eingegangen.

5.3.3. Saldo der «Devisenbilanz»

Sofern man sich bei der Saldenbildung an der Leistungsbilanz orientiert, zeigen Kapitalbilanz und Devisenbilanz, wie ein Defizit der Leistungsbilanz durch Abbau von Devisenreserven oder durch Kreditaufnahme im Ausland finanziert wurde bzw. wie Leistungsbilanzüberschüsse zu Kapitalexporten oder Anwachsen der Devisenreserven geführt haben.

Die Interpretation der Kapitalbilanz als abhängige Bilanz, bei der Bewegungen durch entsprechende Veränderungen der Leistungsbilanz hervorgerufen (induziert) werden, darf jedoch nicht so pauschal vorgenommen werden. Viele Kapitalbewegungen sind nicht nur Begleiterscheinungen des *Güterhandels*, sondern sind ihrerseits autonom. So sind z. B. der internationale *Wertpapierhandel* und *Direktinvestitionen* vom Güterhandel unabhängig. Analoges gilt für *spekulative Kapitalanlagen* aus dem Ausland in Erwartung einer Aufwertung der Inlandswährung, da dann nach erfolgter Aufwertung Inlandsguthaben in mehr Devisen zurückgetauscht werden können als vorher angelegt wurden. Schließlich führen auch anlagesuchende Fluchtgelder («Kapitalflucht») und ein – aus der Sicht des Auslandes – attraktives Zinsniveau zu Kapitalimporten. Hierzu trägt insbesondere eine im Verhältnis zum Ausland niedrige Inflationsrate bei. 1986 bspw. standen hohen Zinsflüsen in der langfristigen Kapitalbilanz sehr viel höhere Zahlungsabflüsse im kurzfristigen Kapitalverkehr, insbesondere auch für kreditfinanzierte Exporte aus der Bundesrepublik, gegenüber. (Vgl. auch Abb. 5.3.3/1.)

Der Interpretation der Kapitalbilanz als autonomer Bilanz wird durch das Konzept der **Grundbilanz** Rechnung getragen. Dabei werden Leistungsbilanz und langfristige Kapitalbilanz zusammengefaßt, so daß sich ein Saldo der Grundbilanz aus kompensierenden Salden der kurzfristigen Kapitalbilanz («Kreditbilanz») und der Devisenbilanz erklärt. Noch umfassender ist das Konzept, das die Deutsche Bundesbank bis vor kurzem auswies. Danach stand die Devisenbilanz als einzige Bilanz «unter dem Strich» und erklärte den Saldo aller übrigen Transaktionen, der entweder einen Nettozahlungszufluß oder -abfluß bedeutete. Aber auch die Devisenbilanz enthält *autonome Positionen*, die nicht auf die Veränderung anderer Komponenten reagieren, sondern unabhängig entstehen, wie beispielsweise Devisenbewegungen zur Wechselkurspflege im Europäischen Währungsverband oder mit dem Internationalen Währungsfonds. Seit August 1983 verzichtet die Bundesbank in ihrer Zahlungsbilanzstatistik auf einen Saldenausweis im Sinne des «außenwirtschaftlichen Gleichgewichts» (oben Abb. 5.2.3/1). Der Saldo der «Veränderung der Nettoauslandsaktiva der Bundesbank» entspricht der Summe der Salden aller übrigen Teilbilanzen einschließlich des Ausgleichspostens. Es gibt noch eine Reihe weiterer Zahlungsbilanzkonzepte, die zum Teil aber mehr theoretischen Reiz als praktische Bedeutung haben, so daß hierauf auch nicht weiter eingegangen werden soll.

Abb. 5.3.3/2 zeigt nochmals den Unterschied in der Interpretation des außenwirtschaftlichen Gleichgewichts. Wird der Handelsaspekt und damit der Leistungsbilanzsaldo in den Mittelpunkt gestellt, stellen Kapital- und Devisenbilanz die ausgleichenden Positionen dar.

Die Veränderung von Kreditbeziehungen und amtlichen Währungsreserven zeigen dann, wie beispielsweise ein Leistungsbilanzdefizit finanziert wurde, etwa durch Kredite (Kapitalbilanz) oder Abschmelzen von nicht amtlichen Devisenvorräten (Kapitalbilanz) oder Ankauf von Devisen bei der Bundesbank (Devisenbilanz). Werden die Zahlungsbeziehungen zum Ausland insgesamt betrachtet, spiegeln sich Handels- und Finanztransaktionen in der Devisenbilanz wider, die dann sozusagen die «Kasse der Nation» symbolisiert. Bei diesem Konzept ist es auch gerechtfertigt (wenn auch nicht im buchhaltungstechnischen Sinn), von der **Zahlungs**bilanz zu sprechen, da sich so ermitteln läßt, ob per Saldo ein Zahlungszufluß oder -abfluß vorliegt. Beispielsweise war die Zahlungsbilanz 1985 in diesem Sinne passiv: Die Kapitalbilanz wies so erhebliche Kapitalabflüsse aus, daß sie durch den Überschuß in der Leistungsbilanz nicht ausgeglichen wurden, d. h. die Zahlungsbilanz war insgesamt passiv.

Die Salden aller Teilbilanzen (einschließlich des Restpostens und des Ausgleichspostens) zusammengenommen müssen insgesamt den Wert Null ergeben. Abb. 5.3.3/3 macht noch einmal deutlich, daß je nachdem, wo der ‹Strich› gezogen wird, d. h. je nach dem zugrundeliegenden Zahlungsbilanzkonzept, der Saldo aller Bilanzen ‹über dem Strich› genau dem Saldo der Teilbilanzen ‹unter dem Strich› entspre-

Abb. 5.3.3/1: Kapitalbilanz

Mrd DM

Position	1998 März–Mai	Juni–August	Zum Vergl.: 1997 Juni–August
I. Deutsche Nettokapitalanlagen im Ausland (Zunahme/Kapitalausfuhr: –)	–161,9	–75,7	–65,2
1. Direktinvestitionen	– 19,7	–17,1	–16
Beteiligungskapital	– 15,1	–13,6	–12,8
Reinvestierte Gewinne	– 1,5	– 1,5	– 1,5
übrige Anlagen	– 3,1	– 2	– 1,7
2. Wertpapieranlagen	– 98	–43,4	–47,4
Dividendenwerte	– 35,9	–31,8	– 3,4
Investmentzertifikate	– 7,5	– 3,6	– 7,9
Festverzinsliche Wertpapiere	– 37,5	–11	– 29,4
darunter			
Fremdwährungsanleihen	– 25,9	– 6,2	– 24,6
Geldmarktpapier	+ 0,5	+ 0,4	– 4
Finanzderivate	– 17,6	+ 2,4	– 2,6
3. Kredite	– 43,1	–11,6	– 0,4
Kreditinstitute	– 40,6	–20,4	– 5,5
langfristig	– 15,5	–18,9	– 15,1
kurzfristig	– 25,2	– 1,5	+ 9,6
Unternehmen und Privatpersonen	+ 1,7	+ 6,5	+ 6,2
langfristig	+ 1,7	+ 1,4	+ 0,1
kurzfristig	+ 0,04	+ 5,1	+ 6,1
Öffentliche Stellen	– 4,2	+ 2,2	– 1,1
langfristig	– 0,1	– 0,7	– 0,9
kurzfristig	– 4,0	+ 2,9	– 0,2
4. Sonstige Kapitalanlagen	– 1,0	– 3,5	– 1,4

Abb. 5.3.3/1: Kapitalbilanz (Fortsetzung)

Position	1998 März–Mai	Juni–August	Zum Vergl.: 1997 Juni–August
II. Ausländische Nettokapitalanlagen in der Bundesrepublik (Zunahme/Kapitaleinfuhr: +)	+169,8	+93,4	+48,9
1. Direktinvestitionen	+ 6,2	+ 1,8	+ 6,0
Beteiligungskapital	+ 4,4	– 1,3	+ 4,3
Reinvestierte Gewinne	+ 1,1	+ 1,1	– 1,1
übrige Anlagen	+ 0,8	+ 2,1	+ 2,9
2. Wertpapieranlagen	+ 81,2	+85,3	+51,2
Dividendenwerte	+ 50,7	+10,3	+24,2
Investementzertifikate	– 1,2	– 0,5	– 3,1
Festverzinsliche Wertpapiere	+ 21,6	+68,0	+31,1
darunter			
Staats- und Gemeindeanleihen	+ 1,4	+44,0	+17,5
Geldmarktpapiere	+ 2,6	+ 7,1	+ 1,8
Optionsscheine	+ 7,5	+ 0,5	– 2,8
3. Kredite	+ 82,4	+ 6,2	– 8,0
Kreditinstitute	+ 77,0	+ 9,2	– 1,6
langfristig	+ 20,3	+ 6,5	+ 9,2
kurzfristig	+ 56,7	+ 2,6	–10,8
Unternehmen und Privatpersonen	+ 6,5	– 3,5	– 4,7
langfristig	+ 3,7	+ 5,6	+ 0,1
kurzfristig	+ 2,8	– 9,1	– 4,9
Öffentliche Stellen	– 1,0	+ 0,6	– 1,6
langfristig	– 1,5	– 1,0	– 2,6
kurzfristig	+ 0,5	+ 1,5	+ 0,9
4. Sonstige Kapitalanlagen	– 0,05	– 0,007	– 0,4
III. Saldo aller statistisch erfaßten Kapitalbewegungen (Nettokapitalausfuhr: –)	+ 0,8	+17,7	–16,3

Quelle: Deutsche Bundesbank

Abb. 5.3.3/2: Außenwirtschaftliches Gleichgewicht

Außenwirtschaftliches Gleichgewicht

Leistungsbilanz + Vermögensübertragungsbilanz (Überschuß)	38 642		
		Kapitalbilanz (Kapitalexport)	49 954
		ungeklärte Beträge	–13 155
		Ausgleichsposten	3 104
		Devisenbestände (Abnahme)	– 1 261
	38 642		38 642

Leistungsbilanz + VÜB (Überschuß)	38 642		
Kapitalbilanz (Kapitalexport)	–49 954		
ungeklärte Beträge	13 155		
Ausgleichsposten	– 3 104		
		Devisenbestände (Abnahme)	– 1 261
	– 1 261		– 1 261

chen muß, so daß die Zahlungsbilanz statistisch bzw. rechnerisch insgesamt immer ausgeglichen ist und sich Ungleichgewichte jeweils auf Zusammenfassungen einiger Teilbilanzen beziehen. Sofern der Leser jedoch z. B. die konkreten Zahlen in Abb. 5.2.3/1 nachrechnen will, wird sich kein Saldo von Null ergeben, weil die in den aggregierten Zahlen enthaltenen *Rundungen* nicht nachzuvollziehen sind.

Während für den einzelnen Export- bzw. Importfall grundsätzlich der Satz gilt, daß dem **Realtransfer** (= Güterbewegung, erfaßt in

Abb. 5.3.3/3: Saldenzusammenhang in der Zahlungsbilanz

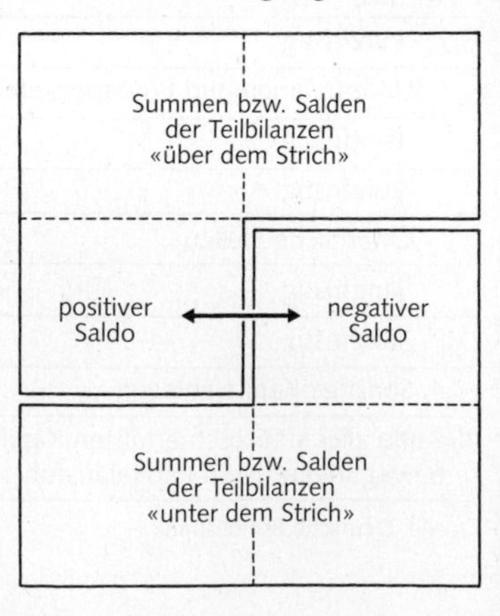

der Leistungsbilanz) ein **Finanztransfer** (= Zahlungsmittelbewegung, erfaßt in der Kapitalbilanz) in gleicher Höhe entspricht (vgl. die Beispiele in Abb. 5.2.3/2), gilt dies somit offensichtlich für die Zahlungsbilanz insgesamt nur, wenn sich die Devisenbilanz nicht verändert. Wenn aber die Notenbank am Devisenmarkt interveniert bzw. – bei fixen Wechselkursen, vgl. hierzu Kap. 12 – intervenieren muß, dann verändert sich auch die Devisenbilanz durch Gegenbuchungen zur Leistungs- oder Kapitalbilanz: Bestimmte Finanztransfers sind dann kein Pendant zu entsprechenden Realtransfers. Nur wenn die Währungsreserven der Bundesbank konstant bleiben, entspricht der Saldo der Leistungsbilanz dem der Kapitalbilanz.

5.4. Ursachen für Zahlungsbilanzstörungen

Die Betrachtung der Konsequenzen von Zahlungsbilanzungleichgewichten macht deutlich, daß das Ziel außenwirtschaftlichen Gleichgewichts kein Selbstzweck ist, sondern instrumentalen Charakter hat im Hinblick auf die Verfolgung binnenwirtschaftlicher Ziele wie Preisniveaustabilität und hoher Beschäftigungsstand. Dies wird auch durch den Begriff der «außenwirtschaftlichen Flanke» unterstrichen.

Die Ursachen für Störungen des außenwirtschaftlichen Gleichgewichts können vielfältig sein. Ein Importüberschuß im Warenhandel kann z. B. darauf zurückzuführen sein, daß bestimmte Güter im Inland *nicht verfügbar* sind (z. B. Rohstoffe) bzw. im Ausland *billiger* oder besser hergestellt werden. Importüberschüssen kann somit durch Maßnahmen zur Verbilligung, Verbesserung bzw. Erhöhung des inländischen Güterangebots entgegengewirkt werden (wobei der Bekämpfung einer inländischen Inflation große Bedeutung zukommt), ferner durch Importerschwernisse (Zölle, nichttarifäre Maßnahmen) oder durch Abwertung der Inlandswährung, die gleichzeitig auch die Exportmöglichkeiten verbessert.

Da andererseits die tendenziell inflationäre Wirkung eines Leistungsbilanzüberschusses durch entsprechende Kapitalexporte kompensiert werden kann, kommt neben der *Wechselkurspolitik* als ‹klassischem› außenwirtschaftlichen Instrument der *Zinspolitik* eine wichtige Rolle zur Erreichung außenwirtschaftlichen Gleichgewichts zu.

Die vorstehend abgeleiteten Konsequenzen von Störungen des außenwirtschaftlichen Gleichgewichts treten – wie eingangs erwähnt – unter der Voraussetzung unveränderter Wechselkurse tendenziell ein, so wie es innerhalb der Europäischen Union im Rahmen des

Abb. 5.4/1: Zahlungsbilanz

Mrd DM
Position

A. Leistungsbilanz
1. Außenhandel
   Ausfuhr (fob)
   Einfuhr (cif)

   Saldo
2. Ergänzungen zum Warenverkehr

   Saldo des gesamten Warenhandels
3. Dienstleistungen
   Einnahmen
   Ausgaben

   Saldo
   darunter:
   Reiseverkehr (Saldo)
4. Erwerbs- und Vermögenseinkommen

   Saldo
5. Laufende Übertragungen
   darunter:
   Nettobeitrag zum EU-Haushalt
   Sonstige öffentliche Leistungen an das Ausland (Netto)

Saldo der Leistungsbilanz

B. Vermögensübertragungsbilanz
   darunter:
   private Übertragungen
   staatliche Übertragungen

   Saldo der Vermögensübertragungen

C. Kapitalbilanz
1. Deutsche Nettokapitalanlagen im Ausland (Zunahme/Kapitalausfuhr: –)
   Direktinvestitionen
   Ausländische Wertpapiere
   Kredite an Ausländer
   Übrige Kapitalanlagen im Ausland
2. Ausländische Nettokapitalanlagen in der BRD (Zunahme/Kapitaleinfuhr: +)
   Direktinvestitionen
   Inländische Wertpapiere u. Schuldscheine inländ.r öffentlicher Stellen
   Wertpapiere
   Schuldscheine
   Kredite an Inländer
   a) Kreditinstitute
      Forderungen
      Verbindlichkeiten
   b) Wirtschaftsunternehmen und Privatpersonen
      Finanzbeziehungen mit ausländischen Banken
      Finanzbeziehungen mit ausländischen Nichtbanken
      Handelskredite
   c) Öffentliche Hand
      Übrige Kapitalanlagen im Inland

   Saldo der gesamten Kapitalbilanz

D. Saldo der statistisch nicht aufgliederbaren Transaktionen (Restposten)

E. Veränderung der Netto-Auslandsaktiva der Bundesbank zu Transaktionswerten
(Zunahme: +) (A+B+C+D)

Quelle: Deutsche Bundesbank

Europäischen Währungssystems der Fall ist. Bei *flexiblen Wechselkursen* hingegen, so wie er beispielsweise zwischen DM und Dollar besteht, würden Störungen des außenwirtschaftlichen Gleichgewichts den flexiblen Wechselkurs verändern, so daß sich die Störung sozusagen von selbst behebt: Beispielsweise würde ein anhaltender Nettodevisenzustrom zu einem erhöhten Devisenangebot bzw. erhöhter Nachfrage nach der Inlandswährung führen. Dadurch würde die Inlandswährung aufgewertet (bzw. die Auslandswährung abgewertet), wodurch u. a. Güterexporte des Inlands erschwert und Güterimporte erleichtert würden. Dies würde eine Passivierung («Verschlechterung») der Leistungsbilanz bedeuten und dem Devisenzustrom entgegenwirken. Bei *fixen Wechselkursen* muß die Notenbank somit durch geeignete Interventionen versuchen, den Aufwertungsdruck zu kompensieren. Ursachen und Konsequenzen der hier nur sehr kurz umrissenen Wechselkursveränderungen werden im Kap. 12 ausführlich behandelt.

Zusammenfassend können die hier betrachteten Interpretationen von außenwirtschaftlichem Gleichgewicht (es gibt noch andere) wie folgt umrissen werden:

Bei der Betrachtung der Leistungsbilanz ‹über dem Strich› steht der Realtransfer in Form von Güterbewegungen im Vordergrund, und Kapital- und Devisenbilanz erklären, wie er finanziert worden ist. Außenwirtschaftliches Gleichgewicht setzt danach voraus, daß sich die Volkswirtschaft Importe aufgrund von Exporten in gleicher Höhe leisten konnte. Beim Konzept der ‹Grundbilanz› herrscht auch dann Gleichgewicht, wenn ein Leistungsbilanzdefizit durch langfristige Kapitalimporte, z. B. Direktinvestitionen, finanziert wurde; eine kurzfristige Finanzierung wäre danach unsolide. Bei der monetären Interpretation des außenwirtschaftlichen Gleichgewichts müßte die Devisenbilanz bzw. – was aufgrund der doppelten Buchführung sinngemäß dasselbe ist – Leistungs- und Kapitalbilanz zusammengenommen ausgeglichen sein. Abb. 5.4/1 ist als vollständiges Beispiel den Monatsberichten der Deutschen Bundesbank entnommen.

6. Einflußnahme auf die Verteilung

Neben den ‹klassischen› wirtschaftspolitischen Zielen des Stabilitätsgesetzes steht ein fünftes Ziel im Mittelpunkt der Wirtschaftspolitik: die Einflußnahme auf die Verbesserung der Verteilung. Dieses Ziel wurde erstmals im **Gesetz über die Bildung des Sachverständigenrats** festgeschrieben[1]. Damit stellt dieses Gesetz eine Ergänzung zum Grundgesetz dar, welches zwar eine Eigentumsgarantie beinhaltet, jedoch nichts über die Verteilung aussagt. Interessanterweise ist im Sachverständigenratsgesetz weder von ‹Gerechtigkeit› noch von ‹Verbesserung› die Rede, sicherlich aus gutem Grunde: Beide Begriffe verlangen nach einer inhaltlichen Konkretisierung, die wohl kaum einmütig zu leisten ist.

Bei der Betrachtung des Verteilungsziels ist zwischen der Einkommensverteilung einerseits (Abschn. 6.1.) und der Vermögensverteilung andererseits (Abschn. 6.2.) zu unterscheiden. Ein großes Problem stellen dabei die höchst unzulänglichen Statistiken dar, die hierüber verfügbar sind, wobei die Einkommenssteuerstatistik noch eine leicht zugängliche Informationsquelle ist. Es wäre wünschenswert, wenn sich die Datenbasis durch strengere Berichtspflichten besser aktualisieren und verdichten ließe. Dies gilt vor allem für Daten zur personellen Einkommensverteilung, zur Vermögensverteilung sowie für internationale Daten zur Verteilung. Die OECD und deren Bestrebungen, dieses Defizit zu beseitigen, stellt eher die Ausnahme dar.

6.1. Einkommensverteilung

Bei der Verteilungsbetrachtung ist zwischen der primären und der sekundären Verteilung zu unterscheiden. Als **Primärverteilung** bezeichnet man die Verteilung, die sich ohne Beeinflussung durch den Staat ergibt, sozusagen die **Bruttoverteilung**. Staatliche Maßnahmen wie z.B. direkte Einkommen- und Körperschaftsteuern sowie Sozialabgaben (u.a. Arbeitslosen-, Rentenversicherung) auf der einen und Zuschüsse an Haushalte (z.B. Wohngeld, Kindergeld) sowie Subventionen an Unternehmen auf der anderen Seite «korrigieren» diese Verteilungssituation zur **Sekundärverteilung**. Was man also als **Verteilungspolitik** bezeichnet, sind Maßnahmen, mit denen der Staat die Primärverteilung korrigieren will. Im Zusammenhang mit der Sekundärverteilung steht auch der Begriff des **verfügbaren** Einkommens. Das verfügbare Einkommen, das letztlich für Ausgabenentscheidungen bestimmend ist, errechnet sich aus dem unkorrigierten (Brutto-)

[1] Gesetz über die Bildung eines Sachverständigenrates zur Begutachtung der gesamtwirtschaftlichen Entwicklung von 1963, § 2: «(...) In die Untersuchung sollen auch die Bildung und die Verteilung von Einkommen und Vermögen einbezogen werden. (...)».

Abb. 6.1/1: Begriffe der Einkommensverteilung

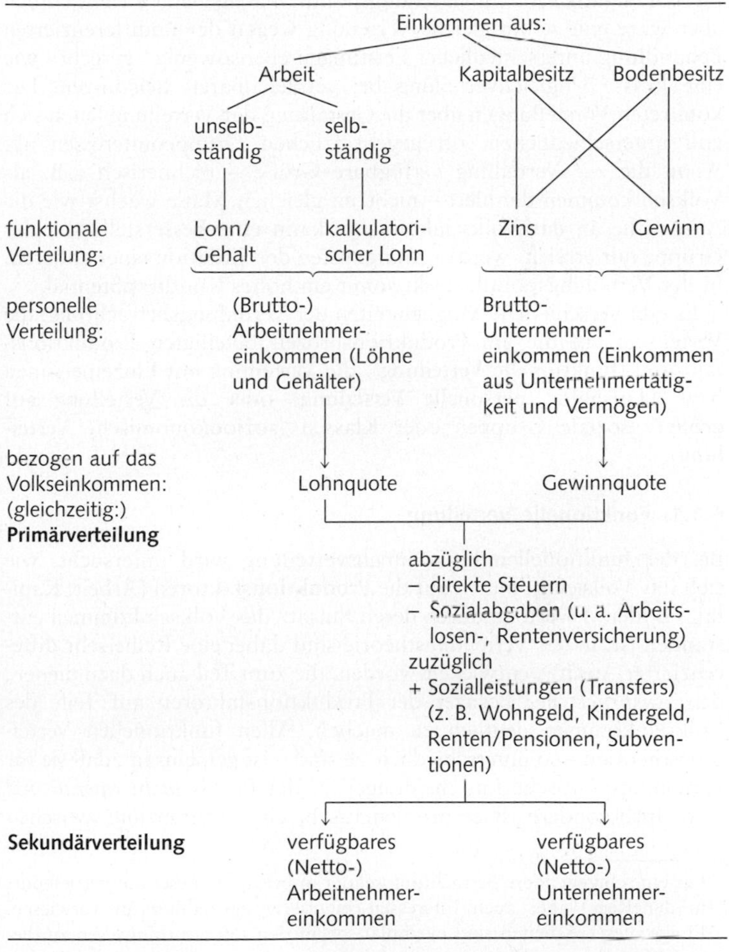

Einkommen abzüglich direkter Transfers an den Staat (Einkommensteuer, Sozialabgaben etc.) zuzüglich Transfers vom Staat (Wohngeld, Kindergeld etc.). Hier ist der Kern jeder Einkommenspolitik des Staates zu sehen, die sich in der Gestaltung des (bei uns progressiven) Steuersystems und der oft als «Dschungel» bezeichneten Subventionsvielfalt äußert; immerhin sind rund ein Drittel der Staatsausgaben Transferzahlungen (Abb. 6.1/1).

Wir wollen hier nicht der Frage nach dem Gerechtigkeitsverständnis der staatlichen Umverteilungspolitik nachgehen. Offensichtlich aber wäre eine völlig gleiche Verteilung wegen der undifferenzierten Behandlung unterschiedlicher Leistungen ebensowenig «gerecht» wie eine krasse Ungleichverteilung bei vergleichbaren Leistungen. Die konkreten Vorstellungen über die Gestaltung der Verteilung leiten sich von unterschiedlichen, oft gegensätzlichen Gruppeninteressen ab. Wenn die zur Verteilung verfügbare Größe – rechnerisch z. B. als Volkseinkommen definiert – nicht im gleichen Maße wächst wie die Ansprüche an das Volkseinkommen, kann eine Besserstellung einer Gruppe nur erreicht werden zuungunsten der Situation einer anderen. In der Verteilungspolitik steckt somit ein hohes Konfliktpotential.[2]

Es gibt verschiedene Möglichkeiten der Verteilungsbetrachtung: die Verteilung auf die am Produktionsprozeß beteiligten Produktionsfaktoren (**funktionelle Verteilung**), die Verteilung auf Einzelpersonen bzw. Haushalte (**personelle Verteilung**) oder die Verteilung auf größere soziale Gruppen oder Klassen (**sozioökonomische Verteilung**).

6.1.1. Funktionelle Verteilung

Bei der funktionellen Einkommensverteilung wird untersucht, wie sich das Volkseinkommen auf die **Produktionsfaktoren** (Arbeit, Kapital, «Boden»)[3] verteilt, durch deren Einsatz das Volkseinkommen entstanden ist. In der Verteilungstheorie sind dabei eine Reihe sehr differenzierter Ansätze entwickelt worden, die zum Teil auch dazu dienen, den *Anspruch* der Besitzer der Produktionsfaktoren auf Teile des Volkseinkommen deutlich zu machen. Allen funktionellen Verteilungstheorien – so unterschiedlich sie sind – ist gemeinsam, daß sie für verteilungspolitische Entscheidungen in der Praxis *nicht operational* sind. Insbesondere ist es problematisch, eine Abgrenzung zwischen

---

[2] Für eine eingehendere Betrachtung sei der interessierte Leser auf vertiefende, in der Regel aber auch Interessen-orientierte Spezialliteratur verwiesen. Einige dieser Arbeiten sind exemplarisch in den Literaturhinweisen zu diesem Kapitel aufgeführt.

[3] Der volkswirtschaftliche Produktionsfaktor «Boden» ist nicht nur als Fläche zu verstehen, sondern umfaßt auch die im Boden enthaltenen Bodenschätze sowie alles, was sich natürlich auf dem Boden befindet (Wälder etc.) bzw. auf den Boden fällt (Regen, Luft, Sonne etc.), so daß es sinnvoller ist, statt von Boden von «Natur» zu sprechen. Der Produktionsfaktor «Natur» umfaßt somit alles außer dem Produktionsfaktor Mensch («menschliche Arbeit») und dem abgeleiteten Produktionsfaktor (Sach-)Kapital.

den Einkommensströmen aus Arbeit und aus Kapital- und Bodenbesitz vorzunehmen.

6.1.1.1. Lohn- und Gewinnquote

Daher wird in der volkswirtschaftlichen Gesamtrechnung nur zwischen Einkommen aus unselbständiger Arbeit (Löhne und Gehälter) und Einkommen aus Unternehmertätigkeit und Vermögen (Unternehmereinkommen, Mieterträge, Zinseinkommen) unterschieden.

In Symbolen wird dies meist so ausgedrückt:

(1) $Y = L + G$,

wobei das Y das Sozialprodukt (vom englischen *yield*: Ertrag, Ergebnis) darstellt, L die Lohneinkommen und G die Gewinneinkommen. Y ist dabei als **Nettosozialprodukt zu Faktorkosten** (NSP^F) zu interpretieren. L und G können in Prozent des Volkseinkommens ausgedrückt werden, wobei man den Anteil der Einkommen aus unselbständiger Arbeit am Volkseinkommen als **Lohnquote** (L/Y) und den Anteil der Einkommen aus Unternehmertätigkeit und Vermögen als **Profit-** oder **Gewinnquote** (G/Y) bezeichnet (vgl. Abb. 6.1.1/1).

Da sich beide auf dieselbe Bezugsgröße beziehen, wird einleuchten, daß sie sich zu Eins addieren müssen:

(2) $1 = L/Y + G/Y$

Abb. 6.1.1/1: Lohn- und «Gewinn»-Einkommen

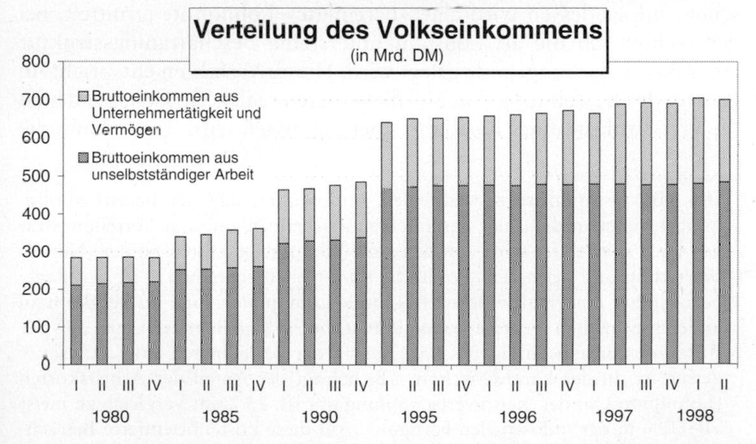

Die Zweiteilung in Löhne bzw. Gewinne ist insbesondere deshalb unbefriedigend, weil z.B. ein und derselbe Haushalt sowohl in der Lohnquote (durch sein Erwerbseinkommen) als auch in der Profitquote erfaßt wird, wenn er z.B. Zins- oder Mieteinkommen hat. Andererseits werden Leistungen mithelfender Familienangehöriger bei Selbständigen nicht in der Lohnquote erfaßt. Je stärker diese **Querverteilung** ausgeprägt ist, desto weniger aussagekräftig sind die Quoten.[4]

6.1.1.2. Bereinigte und unbereinigte Lohnquote

Offensichtlich kann – wie Gleichung (2) belegt – die Lohnquote nur steigen, wenn gleichzeitig die Gewinnquote sinkt. Die Lohnquote kann aus zwei Gründen steigen: einmal, wenn bei konstanter Erwerbstätigenstruktur die Löhne stärker steigen als die Gewinneinkommen, zum anderen, wenn die *Zahl* der Lohnempfänger zunimmt. Daher gibt es auch zwei Versionen der Lohnquote: Die **unbereinigte Lohnquote** erfaßt pauschal den Anteil der Löhne am Volkseinkommen und steigt somit (zu Lasten der Gewinnquote) allein aufgrund des **Strukturwandels**, der sich ergibt, wenn Selbständige ihre Tätigkeit aufgeben und eine unselbständige Beschäftigung aufnehmen.

Dieser **Strukturwandel**, d.h. der Rückgang der selbständigen Unternehmertätigkeit in der Bundesrepublik (vgl. Abb. 6.1.1/2), der sich auch an zunehmenden Unternehmenskonzentrationen und dem Rückgang des Einzelhandels bzw. mittelständischer Unternehmen ablesen läßt, würde die Aussagekraft von Lohn- und Gewinnquoten verfälschen. Infolgedessen wird eine «**bereinigte**» **Lohnquote** ermittelt, bei der rechnerisch die als konstant unterstellte Beschäftigungsstruktur eines Basisjahres zugrunde gelegt wird. Dieses Verfahren entspricht im Prinzip der Berechnung von preisbereinigten realen Größen, bei denen die Preisstruktur eines Basisjahres herangezogen wird. Dann kann die

[4] Um Mißverständnisse zu vermeiden, sei erwähnt, daß der Begriff «Lohnquote» außer in dem hier dargestellten Zusammenhang mit Verteilungsfragen auch verwendet wird, um den Anteil der Arbeitskosten an der (Netto-) Wertschöpfung oder dem Produktionswert zu beschreiben – in der Regel bezogen auf einzelne Branchen (**sektorale Lohnquote**). Eine im Vergleich zu anderen Branchen niedrige Lohnquote bedeutet dann in erster Linie, daß der Anteil der unselbständig Beschäftigten in der betrachteten Branche relativ gering ist. In der Landwirtschaft z.B. beträgt der Anteil der Arbeitskosten (Lohnquote) an der Nettowertschöpfung nur rd. 23% im Vergleich zu meist 70–80% in der industriellen Fertigung. Auf diese kostenorientierte Betrachtung wird hier nicht näher eingegangen.

Abb. 6.1.1/2: Struktur der Beschäftigung (in Tsd.)

	Erwerbstätige insgesamt (in Tsd.)	davon Selbständige und mithelfende Familienangehörige (in Tsd.)	%	davon Arbeiter, Angestellte und Beamte (in Tsd.)	%
1970	26668	4422	16,6	22246	83,4
1980	27059	3162	11,7	23897	88,3
1990	28486	3026	10,6	25460	89,4
1991	36563	3424	9,4	33139	90,6
davon: West	28973	3053	10,5	25920	89,5
Ost	7590	371	4,9	7219	95,1
1995*)	34817	3614	10,4	31203	89,6
davon: West	28081	3099	11,0	24982	89,0
Ost	6836	515	7,5	6221	92,5
1997*)	33876	3616	10,7	30260	89,3
davon: West	27491	3106	11,3	24385	88,7
Ost	6385	510	8,0	5875	92,0

*) vorläufige Werte

Quelle: Statistisches Bundesamt, eigene Berechnungen

Lohnquote nur steigen, wenn die Lohneinkommen – bei unterstelltem konstanten Selbständigenanteil – *stärker* steigen als die Gewinneinkommen. Die Abweichungen zwischen bereinigter und unbereinigter Quote am Volkseinkommen sind dabei beträchtlich (vgl. Abb. 6.1.1/3). So betrug die unbereinigte **Bruttolohnquote** 1994 70,5%; die bereinigte, bei der ein Anteil der Arbeitnehmer an den Erwerbstätigen wie im Jahre 1960 von ca. 78% unterstellt wird, nur 6%.

6.1.1.3. Brutto- und Nettolohnquote

Die (unbereinigte) Bruttolohnquote drückt – wie ausgeführt – die Primärverteilung aus. Durch Abzug von Lohnsteuern und Sozialbeiträgen wird der Bruttolohn zum Nettolohn korrigiert. Den Anteil der Nettolöhne an den gesamten Nettoeinkommen bezeichnet man als **Nettolohnquote.** Bei völlig gleichmäßiger steuerlicher Belastung müßten Brutto- und Nettolohnquoten – bzw. analog Brutto- und Nettogewinnquoten – jeweils übereinstimmen. Dies ist jedoch nicht der Fall. Die Einkommen aus unselbständiger Arbeit sind relativ stärker von Steuern und Sozialabgaben betroffen als die Einkommen aus Unternehmertätigkeit und Vermögen.

Abb. 6.1.1/3: **Bereinigte und unbereinigte Lohnquoten**

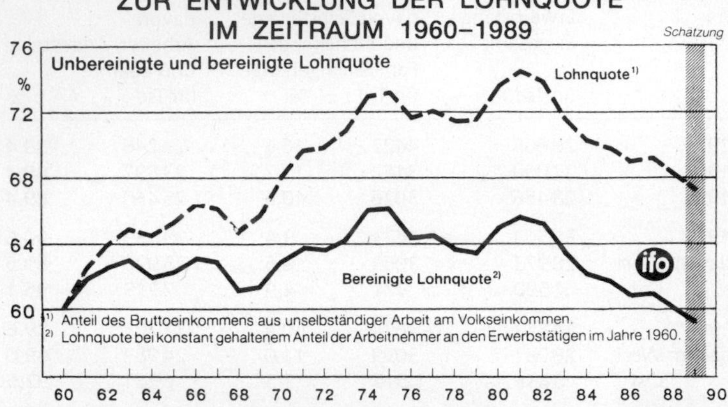

Quelle: IFO – Institut für Wirtschaftsordnung

Zur Verdeutlichung ein einfaches Rechenbeispiel: Würde sich das Volkseinkommen aus 60% Lohneinkommen und 40% Gewinneinkommen zusammensetzen, dann wären bei einer steuerlichen Gleichbelastung 60% des Steueraufkommens von den Lohnempfängern zu entrichten, 40% von den Gewinnempfängern. Die Nettolohnquote wäre also 60%, die Nettogewinnquote wäre 40% und damit identisch mit den Bruttoquoten. Wenn nun aber die Nettolohnquote nur 50% beträgt, also niedriger ist als die Bruttolohnquote, muß folglich die Nettogewinnquote ebenfalls 50% betragen. Das bedeutet, daß die Lohnempfänger relativ eine höhere Steuerlast tragen als die Unternehmen. Ihr Anteil am Volkseinkommen ist abzüglich der Steuern, also netto, geringer als zuvor.

Dabei ist aber zu berücksichtigen, daß freiwillige Sozialversicherungsleistungen von Selbständigen nicht erfaßt werden (können), wohl aber die gesetzlichen Sozialabgaben der Arbeitnehmer, woraus sich ein Teil der Abweichungen erklärt. Über einen längeren Zeitraum hinweg verändert sich die Bruttolohnquote nur wenig. Allerdings ist zu berücksichtigen, daß es sich dabei um Prozente am **Volkseinkommen** handelt, so daß bereits 0,1 Prozentpunkte beträchtliche Summen bedeuten.

6.1.1.4. Primär- und Sekundärverteilung

Die Verteilung des Einkommens auf die Produktionsfaktoren bzw. personell auf Haushalte oder Unternehmen bezeichnet man als

Primärverteilung. Durch staatliche Umverteilungsmaßnahmen kann diese zur **Sekundärverteilung** verändert werden (Abb. 6.1.1/4).

Auf der einen Seite vermindert sich das Bruttoeinkommen durch Abgaben wie direkte Steuern und Sozialabgaben, auf der anderen Seite fließen Haushalten wie Unternehmen Subventionen (allgemeiner: **Transfereinkommen**) zu (Kindergeld, Wohngeld, Pensionen, Investitionsprämien etc.). Das Einkommen, über das tatsächlich verfügt werden kann, berechnet sich demnach als

$$(3) \qquad Y_{verf} = Y^{br} - T_{dir} + Z,$$

wobei Y_{verf} **das verfügbare Einkommen** bedeutet, Y^{br} das Bruttoeinkommen, T_{dir} direkte Steuern (z. B. Lohn-, Einkommen- und Körperschaftsteuer) und Z Subventionen. Das Symbol ‹T› leitet sich aus dem englischen *‹tax›* = Steuer ab, Z für Subventionen aus ‹Zuwendungen›, Y aus dem englischen *‹yield›* = Ertrag oder Ergebnis. Während sich z. B. das Bruttolohneinkommen aus autonomen Verhandlungen der Tarifpartner bestimmt, kann die Höhe des verfügbaren Einkommens somit durch staatliche Maßnahmen beeinflußt werden. So kann also u. a. mit der Steuerpolitik durch Veränderung des verfügbaren Einkommens Einfluß genommen werden auf die Nachfrage. Dies gilt zumindest, solange die Sparquote von den Transferzahlungen unbeeinflußt bleibt, was, wie aus Abb. 6.1.1/5 a für den abgebildeten Zeitraum ersichtlich ist, tatsächlich der Fall ist. Auf die auch verteilungs-

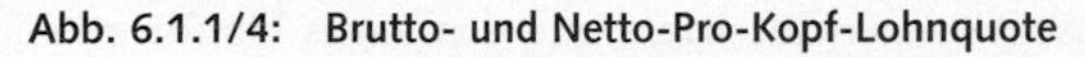
Abb. 6.1.1/4: Brutto- und Netto-Pro-Kopf-Lohnquote

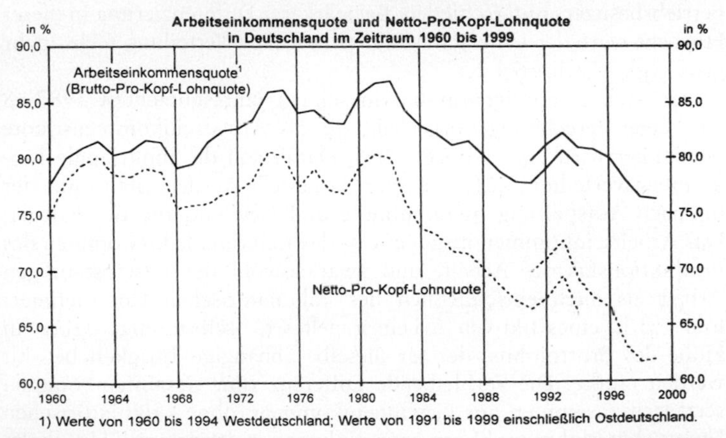

Quellen: Statistisches Bundesamt, Berechnung des ifo Instituts, 1998 und 1999 Schätzungen des ifo Instituts, aus: IFO SCHNELLDIENST 34–35/98)

politisch unterschiedlichen Wirkungen von **direkten** und **indirekten Steuern** geht Abschn. 10.4.3. ein.

6.1.1.5. Aussagekraft von Lohn- und Gewinnquote

Lohn- bzw. Gewinnquoten stehen im Zentrum der verteilungspolitischen Diskussion. Aus Arbeitnehmersicht wird verständlicherweise die relativ ungünstige Entwicklung von bereinigten Nettolohnquoten unterstrichen, während Arbeitgeber eher auf die Veränderungen anhand der unbereinigten Bruttolohnquote hinweisen dürften.

Abgesehen von dem Problem der Veränderung der Beschäftigungsstruktur sind Lohn- und Gewinnquoten aus weiteren Gründen als Verteilungsmaße ungeeignet. Zum einen beziehen unselbständige Arbeitnehmer – wie erwähnt – meist nicht nur Lohneinkommen, sondern auch Zins- und Mieteinnahmen. Dies wird in der Lohnquote nicht berücksichtigt. Zum anderen werden in Lohn- und Gewinnquoten hohe und niedrige Einkommen aggregiert, so daß sich nichts über die gruppeninterne Verteilung herauslesen läßt. Beispielsweise werden auch die Einkommen der Spitzenmanager in Großunternehmen, die eindeutig Unternehmerfunktionen ausüben, aber auch die des Bundespräsidenten und der Minister der Lohnquote zugerechnet. Es wäre sinnvoll, den Anteil höherer und niedrigerer Einkommen an der Lohnquote auszuweisen.

Analog wird bei den Gewinneinkommen nicht zwischen dem Gewinn eines Industriekonzernsbesitzers und dem eines Handwerksbetriebsbesitzers unterschieden. Bei stärkerer Differenzierung in dieser Hinsicht wäre der Unterschied zur personellen Verteilung nicht mehr groß (vgl. Abschn. 6.1.2.).

Der Sachverständigenrat hat in seinem Jahresgutachten 1987/88 eine neue Berechnung vorgestellt, die als **Arbeitseinkommensquote** bezeichnet wird (vgl. Abb. 6.1.1/5). Damit soll die funktionale Einkommensverteilung differenzierter dargestellt werden, als es mit der üblichen Aufspaltung in Lohnquote und Gewinnquote der Fall ist. Das Arbeitseinkommen insgesamt ist das funktionale Einkommen des Produktionsfaktors Arbeit, und zwar sowohl der unselbständigen Arbeit als auch einschließlich des kalkulatorischen Unternehmerlohns, d. h. eines fiktiven Arbeitsentgeltes für selbständige Arbeit in Höhe des Bruttolohns, der für dieselbe abhängige Tätigkeit bezahlt werden müßte. Die verbleibende Differenz zum Gesamteinkommen setzt sich zusammen aus Gewinneinkommen (ohne kalkulatorischen Unternehmerlohn) und Vermögenseinkommen der privaten Haushalte und des Staates. Logischerweise muß die Arbeitseinkommensquote –

Abb. 6.1.1/5: Von der Primärverteilung zur Sekundärverteilung

in Mrd. DM

	1991	1992	1993	1994	1995[1])	1996[1])	1997[1])
Anteil der privaten Haushalte am Volkseinkommen	2213,48	2386,57	2433,90	2537,77	2627,23	2687,33	2731,70
+ Empfangende laufende Übertragungen	596,21	663,02	720,62	754,02	796,88	813,82	827,70
darunter:							
soziale Leistungen	509,92	566,37	615,78	643,47	682,21	696,51	708,69
geleistete laufende Übertragungen	938,40	1035,59	1070,65	1134,99	1197,73	1199,11	1219,82
darunter:							
direkte Steuern	285,61	318,29	317,93	327,93	350,39	317,63	311,57
Sozialbeiträge	563,27	617,47	643,18	691,04	727,85	760,53	787,26
= Verfügbares Einkommen nach der Umverteilung	1871,29	2014,00	2083,87	2156,80	2226,38	2302,04	2339,58
– privater Verbrauch	1630,33	1755,51	1829,26	1906,02	1973,87	2040,00	2083,99
= Ersparnis	240,96	258,49	254,61	250,78	252,51	262,04	255,59

[1]) Vorläufige Ergebnisse

Quelle: Statistisches Bundesamt

wegen des Einbezugs des kalkulatorischen Unternehmerlohns – deutlich höher liegen als die Lohnquote. Die Arbeitseinkommensquote wird z. B. für 1994 mit 79,1%, die unbereinigte Lohnquote mit 70,5% und die bereinigte Lohnquote mit 61,1% ausgewiesen. In der Arbeitseinkommensquote wirkt sich der Strukturwandel von der selbständigen zur unselbständigen Tätigkeit nicht verzerrend aus wie in der Lohnquote.

Insgesamt ist der Aussagewert dieser für die gesamte Volkswirtschaft zu berechnenden Quoten nicht sehr hoch, da beispielsweise die Lohnquote als Ausdruck der **funktionellen Verteilung** des Volkseinkommens auf die Produktionsfaktoren überhaupt nichts aussagt über die tatsächliche **personelle Verteilung** des Volkseinkommens auf die einzelnen Haushalte.

6.1.2. Personelle Verteilung

Wenn man die funktionelle Betrachtungsweise aufgibt und nur zwischen Einkommensbeziehern unterscheidet, gleichgültig aus welchen Produktionsfaktoren sie ihr Einkommen ableiten, dann ergibt sich die personelle Einkommensverteilung. Sie läßt sich anschaulich mit Hilfe einer graphischen Darstellung verdeutlichen, die als **Lorenzkurve** bekannt geworden ist (vgl. Abb. 6.1.2/1).

Bei einer völlig gleichmäßigen Einkommensverteilung, bei der jeder Bürger dasselbe Einkommen bezöge, verfügen 10% der Einkommensbezieher über 10% des Gesamteinkommens, 50% über 50% etc., so

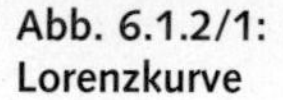

Abb. 6.1.2/1: Lorenzkurve

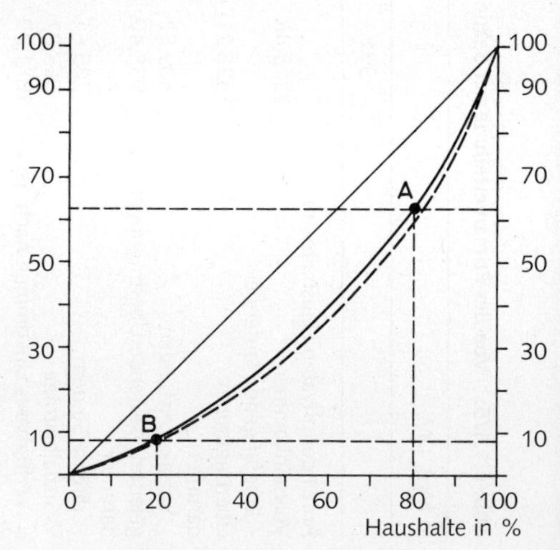

daß sich als Kurve gleicher Einkommensverteilung in der Lorenz-Darstellung eine Gerade ergäbe. Sofern die tatsächliche Einkommensverteilung von dieser Geraden abweicht, kann man vom Ausmaß des «Bauches» der Lorenzkurve auf den Grad der Ungleichheit schließen. Beispielsweise kann man der Abb. 6.1.2/1 entnehmen, daß 80% der Haushalte über mehr als 60% des Volkseinkommens verfügen, oder umgekehrt ausgedrückt, daß die oberen 20% der Einkommensbezieher insgesamt über knapp 40% des Gesamteinkommens verfügen (A). Die unteren 20% verfügen über deutlich weniger als 10% des Gesamteinkommens (B). Je weiter die Lorenzkurve von der Linie gleicher Verteilung abweicht, desto ungleicher ist die tatsächliche Verteilung. Für die meisten Entwicklungsländer ist eine Lorenzkurve typisch, die sich eng an die untere und rechte Begrenzung des Koordinatensystems schmiegt. Dies bedeutet, daß die Masse der Bevölkerung über nur einen kleinen Teil des Gesamteinkommens verfügt, während eine sehr kleine Spitzengruppe einen sehr großen Anteil erhält. Eine derartig krasse Ungleichheit besteht in den Industrieländern, bei denen der Mittelstand in hohem Maße ausgeprägt ist, offensichtlich nicht. Dies gilt auch für die Bundesrepublik (Abb. 6.1.2/2). Abb. 6.1.2/3 gibt die

Abb. 6.1.2/2: Einkommensverteilung

Vom gesamten Einkommen erhält		
	… das obere Fünftel der Verdiener in %	… das untere Fünftel der Verdiener in %
Sierra Leone	63,4	1,1
Guatemala	63,0	2,1
Brasilien	64,2	2,5
Südafrika	63,3	3,3
Kenia	62,1	3,4
Mexiko	55,3	4,1
USA	45,2	4,8
China	47,5	5,5
Großbritannien	39,8	7,1
Frankreich	40,1	7,2
Schweiz	43,5	7,4
Niederlande	39,9	8,0
Ägypten	41,1	8,7
Deutschland	37,1	9,0
Indien	39,3	9,2
Schweden	34,5	9,6
Slovakische R	31,4	11,9

Abb. 6.1.2/3: Einkommensklassen

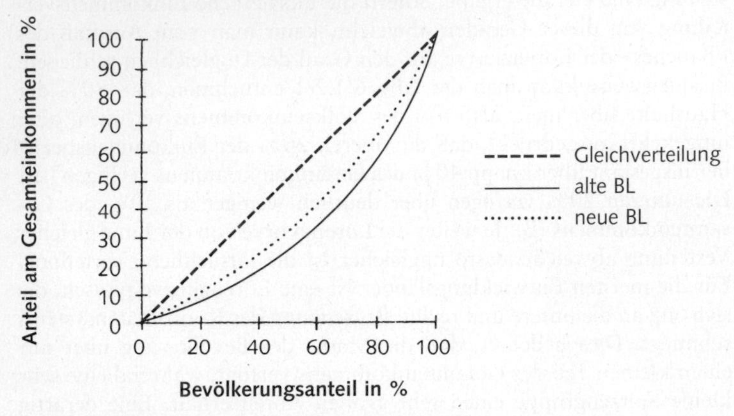

Quelle: entnommen aus Hauser, R., et al., in: WISU 10/98

Lorenzkurven für Deutschland im Jahr 1993 wieder. Neuere Zahlen deuten allerdings hin auf ein «Ausbeulen» der relativ «gleicheren» Kurve für die neuen Bundesländer in Richtung der «ungleicheren» Kurve der alten Bundesländer.

Analysen der Veränderungen im Zeitablauf werden allerdings insbesondere dadurch erschwert, daß verschiedene Einkommensbegriffe und immer wieder andere Bezugsgrößen verwendet werden. So kann man z.B. das Bruttoeinkommen oder das verfügbare Einkommen betrachten, und die Verteilung kann auf die Gesamtbevölkerung, die Steuerpflichtigen oder die privaten Haushalte bezogen werden.

Abb. 6.1.2/4: Sozio-ökonomische Verteilung I

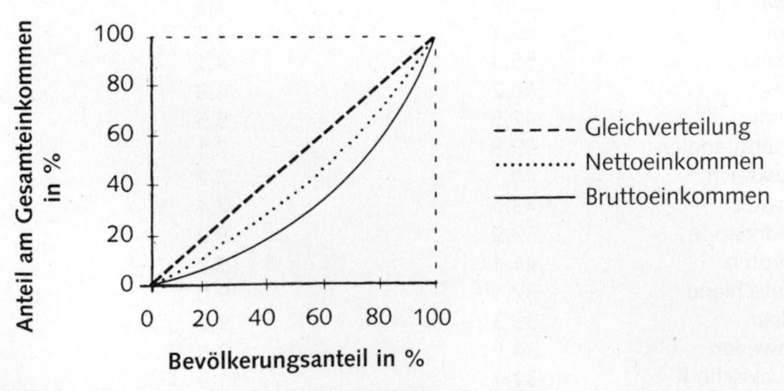

Quelle: entnommen aus Hauser, R., et al., in: WISU 10/98

Was zudem überhaupt nicht erfaßt wird, ist die erforderliche Arbeitszeit (von der Arbeitsintensität ganz zu schweigen), um eine DM Einkommen zu erzielen: die Verteilung der Arbeitsbelastungen – auch unter dem Aspekt der Altersschichtung der Bevölkerung – ist ein in der erforderlichen Schärfe bislang unerforschtes Gebiet. Auch macht die Betrachtung von Haushalten nicht deutlich, ob es sich z. B. um einen gutverdienenden Haushaltsvorstand handelt oder um doppelverdienende Ehepaare.

Abb. 6.1.2/4 verdeutlicht, daß durch die staatliche Umverteilung die Verteilung der netto verfügbaren Einkommen (Sekundärverteilung) «gleicher» ist als die der Brutto-Primärverteilung.

Anhand der Lorenzkurve läßt sich auch ein weiteres Verteilungsmaß darstellen: der nach seinem Erfinder benannte **Gini-Koeffizient.**[5] Der Gini-Index wird aus einer Lorenzkurve berechnet und beschreibt das Verhältnis der Fläche zwischen Linie gleicher Verteilung (der Diagonalen) und Lorenzkurve zur gesamten Fläche rechts der Diagonalen. Er ist somit ein **Ungleichheitsmaß.** Bei völlig gleicher Verteilung nimmt er den Wert Null an; je größer er ist, desto ungleicher ist die Verteilung. Sofern das gesamte Einkommen theoretisch nur einer Person (bzw. einem Haushalt) zufällt, nimmt der Gini-Index den Wert Eins an. Da zur Berechnung des Gini-Koeffizienten nur die Gesamtfläche zwischen der Diagonalen und der Lorenzkurve benutzt wird, können unterschiedlich verlaufende Lorenzkurven ein- und denselben Gini-Wert ergeben.

Eine Analyse der Veränderung der Einkommensverteilung wird durch das sehr lückenhafte Datenmaterial erschwert. Häufig werden Einkommens-Stichproben herangezogen. Insbesondere die Erfassung von Selbständigeneinkommen und dabei wiederum von höheren Einkommen, die ja großenteils auf Selbstveranlagungen beruhen, bereiten methodische Probleme. Nach den vorliegenden Analysen läßt sich aber sagen, daß sich die Einkommensverteilung in den letzten dreißig Jahren nicht signifikant verändert hat, ungeachtet unterschiedlicher Berechnungsmethoden.

Abb. 6.1.2/5 ist ein Beispiel für eine sozio-ökonomische Verteilungsbetrachtung. Verteilungsanalysen stellen eine wichtige Grundlage für die Schätzung des zu erwartenden Steueraufkommens im Zusammenhang mit der öffentlichen Haushalts- und Verschuldungsplanung dar (vgl. Kap. 10).

---

[5] Es gibt noch eine Reihe anderer Verteilungs- bzw. Ungleichheitsmaße, von deren Darstellung hier aber abzusehen ist. Vgl. die Literaturangaben zu diesem Kapitel.

Abb. 6.1.2/5: Einkommensklassen

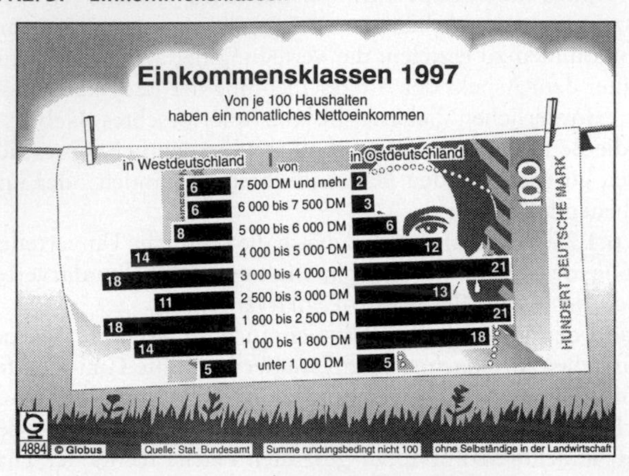

Ein Beispiel für eine andere sozio-ökonomische Verteilung bietet Abb. 6.1.2/6, hier bezogen auf unterschiedliche Beschäftigungsverhältnisse. Analog lassen sich Verteilungen z. B. auf die Stadt- und Landbevölkerung oder auf verschiedene Altersgruppen untersuchen. Darauf wird hier nicht weiter eingegangen.

Abb. 6.1.2/6: Sozio-ökonomische Verteilung II

Durchschnittlich verfügbare Einkommen der Haushalte in Mark pro Monat

	1950	1960	1970	1980	1985	1988	1993
Landwirte	570	1420	3270	4000	3 730	4 665	3 617
Selbständige*)				9000	11 810	13 618	10 692
Angestellte und	430	970	1840	3480	4 140	4 365	5 300
Beamte				3910	4 480	4 777	6 292
Arbeiter	330	780	1520	2950	3 180	3 474	4 533
alle Haushalte	200	500	910	1830	2 340	2 628	4 592
Rentner	–	–	–	3160	3 710	4 024	3 292

– Werte nicht verfügbar
*) außer der Land- und Forstwirtschaft
**) bis 1985 einschließlich Empfänger von Arbeitslosengeld oder -hilfe

Quelle: DIW, für 1993 Statistisches Bundesamt und eigene Berechnungen

6.2. Vermögensverteilung

Im internationalen Vergleich ist die Einkommensverteilung in der Bundesrepublik – und dies gilt für eine große Zahl der wohlhabenden Industrieländer – eine «gleichere» Verteilung als in den meisten armen Ländern. Wenn man allerdings die Vermögensverteilung betrachtet, so ergibt sich in der Bundesrepublik aus der Vermögens-Lorenzkurve eine deutlich ungleichere Verteilung als bei der Einkommensverteilung. Jede Untersuchung der Vermögensverteilung enthält wegen der statistischen Ermittlungsschwierigkeiten naturgemäß eine Fülle von Ansatzpunkten für Kritik. Mangels hinreichender Daten können Vermögensteile im Ausland ebensowenig berücksichtigt werden wie besondere Vermögensteile wie Segelboote oder Reitpferde. Viele Wertansätze beruhen zudem sowohl in quantitativer als auch in wertmäßiger Hinsicht auf mit großen Unsicherheiten behafteten Schätzungen.

Das Gesamtvermögen der privaten Haushalte wurde vom DIW für 1993 auf 9920 Mrd. DM geschätzt (dabei sind schon alle Schulden abgezogen. Abb. 6.2/1 gibt einen Überblick und verdeutlicht, daß der «Club der Vermögensmillionäre» gar nicht mehr so exklusiv ist.

Dabei ist es in der Regel nur schwer möglich, zwei Untersuchungen zum selben Thema zu vergleichen, da unterschiedliche Vermögensbegriffe und -bewertungen vorgenommen sowie als Bezugsgröße u. a. Haushalte und Personen verwendet werden. Da verschiedene Vermögenspositionen personenbezogen sind (z. B. Vorsorge- und Versicherungspositionen), ist grundsätzlich der personenbezogenen Verteilungsbetrachtung der Vorzug zu geben.

Abb. 6.2/1: Vermögensverteilung

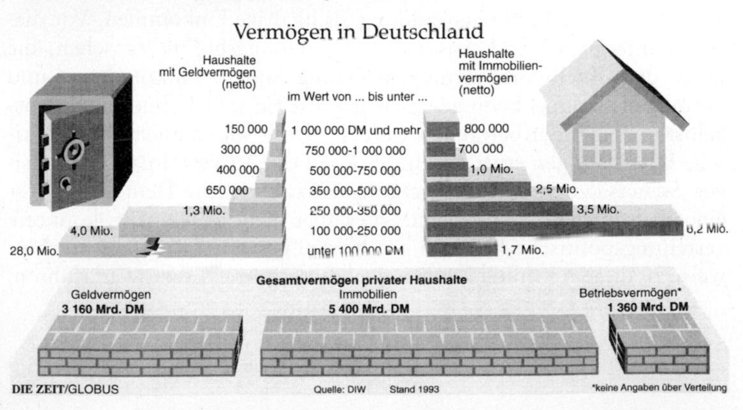

Zum Vermögen zählt das Produktivvermögen (ohne Aktienbesitz), Haus- und Grundvermögen, Wertpapiere, Bargeld, Sicht-, Termin- und Spareinlagen sowie Lebensversicherungs- und Bausparguthaben. Dies ergibt das **Bruttovermögen**. Zieht man hiervon kreditfinanzierte Vermögensteile ab (z. B. Hypotheken-gesicherten Immobilienbesitz), ergibt sich das **Nettovermögen**. Problematisch und umstritten ist dabei der Einbezug von Versorgungsansprüchen gegenüber Sozialversicherungsträgern bzw. dem Staat. Insbesondere aufgrund von Ermittlungsproblemen werden sie üblicherweise nicht in die Vermögensberechnung einbezogen.

Abb. 6.2/1 verdeutlicht die Vermögenskonzentration in Deutschland. Rund 950 000 Haushalte (= 2,7 Prozent aller Haushalte) verfügen über ein Vermögen von mehr als einer Million Mark. Das entspricht einem Anteil am Gesamtvermögen von rd. 28%. Hingegen verfügen 46% aller Haushalte nur über ein Vermögen von weniger als 100 000 DM, was insgesamt knapp 10% des Gesamtvermögens ausmacht. Die «reiche Spitze» von 10% aller Haushalte verfügt über 45% des Gesamtvermögens.

In der (wirtschafts-)politischen Diskussion wird immer wieder darauf hingewiesen, daß eine stark ungleiche Einkommens- und Vermögensverteilung zum einen sozialpolitische Risiken in sich berge, zum anderen wachstumshemmend wirke. Dies wird am Beispiel Lateinamerikas verdeutlicht, wo sich der Grundbesitz auf relativ wenige Haushalte konzentriert, jedoch riesige Latifundien brach liegen.

Hinsichtlich der Einkommens- und Vermögensverteilung liegen auch Rückkopplungen vor: Aus hohem Vermögensbesitz resultieren auch hohe, vermögensabhängige Einkommensteile wie Zinsen und Mieten. Umgekehrt bedeuten ein hohes Einkommen eine bessere Möglichkeit zur Vermögensbildung als niedrige Einkommen. Vor diesem Hintergrund sind Ansätze der Verteilungspolitik zu sehen, die unter dem Stichwort **Vermögensbildung** laufen. Einkommens- und Vermögensbildung bedingen sich gegenseitig und können nicht losgelöst voneinander betrachtet werden. Somit wären auch fiskalpolitische Überlegungen etwa im Hinblick auf die Ausgestaltung progressiver Steuersätze in die Betrachtung einzubeziehen. Dem Charakter eines Lehrbuches entsprechend ist es aber nicht angebracht, konkrete verteilungspolitische Maßnahmen hier zu bewerten. Die Literaturhinweise zu diesem Kapitel können den interessierten Leser weiterführen.

7. Umweltschutz

7.0. Vorbemerkung

Zu diesem Kapitel ist zunächst ein redaktioneller Hinweis erforderlich. Das Ziel des Umweltschutzes liegt dem Verfasser besonders am Herzen. Es war daher ursprünglich vorgesehen, dieses 7. Kapitel ganz erheblich auszubauen und zu vertiefen. Die vorliegende 7. Auflage dieses Lehrbuchs ist jedoch auch in anderen Abschnitten beachtlich erweitert worden (u. a. im Hinblick auf die Beschäftigungspolitik und die Außenwirtschafts- und Entwicklungspolitik), wodurch das Buch an die Grenze des – drucktechnisch gesehen – maximal möglichen Umfangs gelangt ist. Es wäre nicht möglich gewesen, das Kapitel Umweltschutz in diesem Band in der wünschenswerten Ausführlichkeit zu behandeln. Daher haben sich Verleger und Autor entschlossen, dieses wichtige Thema in einem eigenen UTB-Band *Umweltpolitik*, der 1997 erschienen ist, ausführlich und gesondert zu behandeln. Die folgenden Ausführungen geben einen Überblick über die Problematik.

7.1. Dimension der Umweltbelastung

Vielen ist die existentielle Bedeutung der natürlichen Umwelt und das Ausmaß der Umweltgefährdung noch immer nicht klar. Sowohl im nationalen als auch im internationalen Zusammenhang wird Umwelt oft noch als ein Gut mißverstanden, das beliebig zur Verfügung steht und für das man selbst nicht verantwortlich ist, weil es einem nicht ‹gehört›: Darum werden Abwässer in Flüsse geleitet und Müll in den Wald geworfen; Ozonloch und Klimaerwärmung erscheinen als globale Probleme, an denen man als einzelner ja sowieso nichts ändern kann. Dies ist also vorrangig ein *Bewußtseinsproblem*. Zudem ist die Inanspruchnahme und Belastung von Umwelt meist kostenlos. Dies beeinträchtigt das Verständnis für den Wert der Umwelt und erleichtert das bewußte Ignorieren der Probleme.

Umweltbelastungen und als Konsequenz: Umweltschutz können nur bedingt aus nationaler Sicht erfaßt werden, z. B. Müllprobleme oder die Umweltzerstörung durch Kohleabbau. Einige Probleme sind regional begrenzt, z. B. die Verschmutzung eines Flusses, der durch mehrere Länder fließt, andere Probleme sind globaler Natur. Hierzu zählen u. a. das *Ozonloch*, der *Treibhauseffekt* (Abb. 7.1/1), die Zer-

Abb. 7.1/1: Treibhauseffekt

Regionale Anteile an CO_2-Emissionen 1973 und 1996

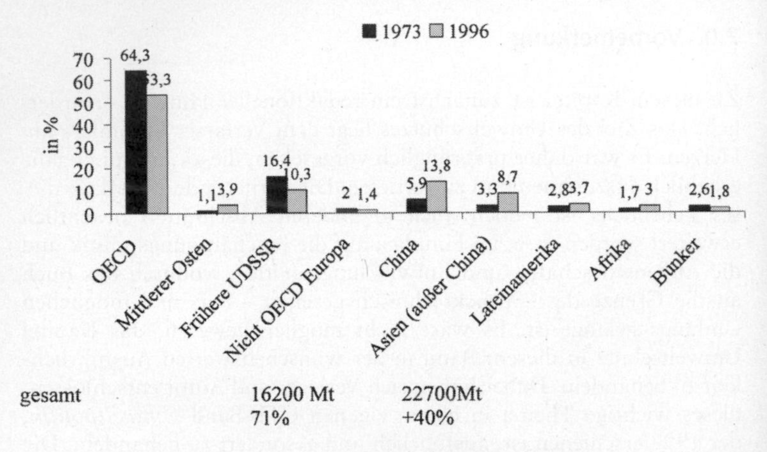

CO_2-Emissionen durch industrielle Prozesse in % 1997

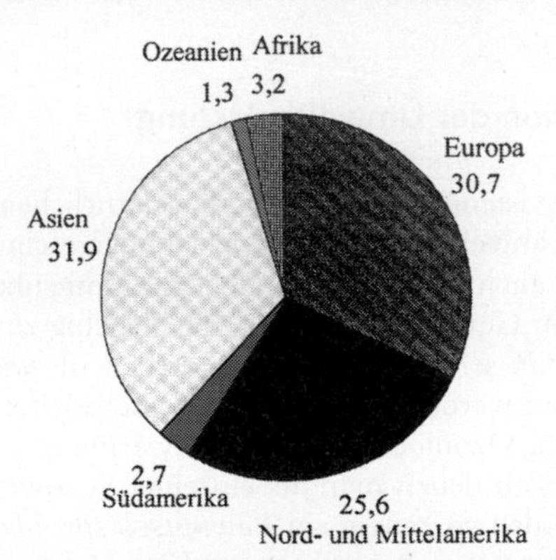

Quelle: World Resources Institute, World Resources 96–97, S. 326–329; International Energy Agency: CO_2 Emissions from Fuels, 1997

störung der tropischen *Regenwälder* und der *nordischen Wälder*, die allgemeinen *Müllprobleme* und der *Müllexport*, die Umweltwirkungen des (nationalen und internationalen) *Handels* und des *Tourismus* und die armutsbedingten Umweltprobleme in *Entwicklungsländern.*

7.2. Ökonomische Analyse

‹Umwelt› kann aus ökonomischer Sicht als *Produktionsfaktor* oder als *Konsumgut* angesehen werden. Konsumgut ist sie besonders im Hinblick auf ihren Erholungswert und auf ihren ästhetischen Wert. Als Produktionsfaktoren gehen Umweltressourcen entweder direkt in den Produktionsprozeß ein (Kühlwasser, Bodenschätze), oder die Umwelt wird dadurch beansprucht, indem Abfallstoffe in die Umwelt abgegeben oder in ihr gelagert werden.

Bei den *Umweltkosten* handelt es sich zum einen um Wertminderungen (Waldschäden, Luftverschmutzung) (*kalkulatorische Schadenskosten*), zum anderen Kosten, die durch Vermeidung, Eindämmung oder Beseitigung von Umweltbelastungen entstehen, die also unmittelbar zu Ausgaben führen (*defensive* bzw. *kompensatorische Kosten*). Schadenskosten sind nur schwer quantifizierbar, viele sind nur qualitativ begreifbar. Wie hoch ist z. B. der Wertverlust durch Aussterben einer Tierart? Welche Kosten verursacht Lärm? Interessanterweise – oder perverserweise – werden die defensiven bzw. kompensatorischen Kosten als Wertsteigerungen im Bruttoinlandsprodukt erfaßt, eigentlich müßte man sie – wie in der kaufmännischen Kostenrechnung – als ‹Wertberichtigungen› («Abschreibungen») negativ berücksichtigen. Die volkswirtschaftliche Gesamtrechnung ist methodisch für Umweltprobleme völlig unsensibel.

Umwelt ist – in ökonomischer Terminologie – ein *knappes* Gut. Im Gegensatz zu anderen knappen Gütern hat sie jedoch keinen marktgerechten Preis. Sie gilt vielmehr weitgehend als *öffentliches* Gut, das man kostenlos beanspruchen kann. Folglich geht man nicht so mit der Umwelt um, wie es ihrem ‹richtigen› Wert entspricht: Umwelt wird vergeudet und verschleudert, teilweise irreparabel. Ökonomisch ist dies eine *Fehlallokation* von Umweltressourcen. Dieses *Marktversagen* beruht also zentral an dem nur unvollständig anzuwendenden *Ausschlußprinzip*, das grundsätzlich für private Güter gilt: Wer ihren Preis nicht bezahlen kann oder will, wird von der Nutzung ausgeschlossen. Nicht so beim Umweltgut; dort ist kostenloses ‹*Trittbrettfahren*› möglich.

Damit wird ein weiteres zentrales Problem deutlich: Weder erhalten umweltschützende Individuen, die beispielsweise auf ihren privaten PKW verzichten und die Nachteile des öffentlichen Nahverkehrs in Kauf nehmen, dafür eine ‹marktgerechte› Belohnung (im Gegenteil: Umweltfreundlichere Diesel-Kfz zahlen rd. dreimal soviel Kfz-Steuer wie Benziner!), noch werden die Verursacher von Umweltschäden kostenadäquat – wie immer berechnet – zur Kasse gebeten. Diese

Tatsache, daß die entsprechenden Kosten und Nutzen sich nicht in analogen Preisen widerspiegeln, bezeichnet man als (negative bzw. positive) *externe Effekte*.

Folgerichtig besteht aus ökonomischer Sicht die – verursachte – Lösung darin, insbesondere die extremen Kosten zu *internalisieren*, d. h. sie den Verursachern aufzulasten. Dabei gibt es zwei hauptsächliche Denkansätze: Entweder soll der Staat durch Steuern oder durch andere Abgaben belasten bzw. durch Subventionen belohnen (sog. *Pigou-Steuern*). Dies kann sowohl die umweltbelastenden Produktion als auch den Konsum umweltschädigender Güter betreffen: Man spricht auch von *Öko-Steuern*, wie bei der vieldiskutierten CO_2-Steuer. Bei der zweiten Variante sollen die negativ Betroffenen mit den Verursachern Entschädigungen bzw. Vermeidungen privat aushandeln (sog. *Coase-Theorem*; beide nach ihren ‹Erfindern› benannt). (Natürlich muß es dafür entsprechende gesetzliche Rahmenbedingungen geben.) Ansatzweise ist dies in der Praxis zu beobachten, wenn bestimmten Ländern Kompensationen angeboten werden, wenn sie Maßnahmen zum Schutz des Regenwaldes ergreifen und sie folglich auf Einnahmen aus dem Tropenholzexport verzichten.

Methodisch bedeuten beide Ansätze eine Fülle von Problemen, welche ihre Anwendbarkeit beeinträchtigen, insbesondere hinsichtlich der Ermittlung der ‹richtigen› Preise für Kosten oder Nutzen.

7.3. Einige Prinzipien und Instrumente

Umweltschutz sollte – wie aus dem eben Gesagten ersichtlich – grundsätzlich das *Verursacherprinzip* beachten (*«polluter-pays»-Prinzip*: PPP). Eins von vielen Problemen besteht dabei aus der Kumulation von Umweltschäden durch mehrere Faktoren, bei denen sich die Verursachungsanteile nicht schlüssig aufteilen lassen. In solchen und anderen Fällen würde das *Gemeinlastprinzip* greifen, nach dem die öffentliche Hand anstelle des Verursachers einspringen muß. Nach dem *Vorsorgeprinzip* sollten Umweltbelastungen gar nicht erst entstehen (präventive statt kurierende Umweltpolitik). Hierfür gibt es viele praktische Beispiele, von Umweltverträglichkeitsprüfungen vor der Realisierung von Investitionen über TÜV-Prüfungen bis hin zum sog. Öko-Audit in Unternehmen. Nach dem *Kooperationsprinzip* sollte die Mitverantwortung und Mitwirkung aller Beteiligten sichergestellt werden. Damit soll tendenziell privater Initiative der Vorrang vor staatlicher Intervention gegeben werden.

Zur Umsetzung stehen verschiedene Instrumente zur Verfügung. In jedem Fall werden *Umweltauflagen* erforderlich sein, entweder als Gebot, bestimmte Handlungen zu unternehmen (Filtereinbau) oder als Verbot, um bestimmte Handlungen zu unterlassen (Müllablagerung im Wald). Ein Mindestmaß an staatlicher Intervention ist unabdingbar. Grundsätzlich gehört in diesen Ansatz auch ein *Umwelthaftungsrecht* im Sinne einer Gefährdungshaftung, wie es spektakulär bei Tankerunfällen deutlich wird. Sog. «*Öko-Labelling*» – Kennzeichnungsmöglichkeiten von Produkten – kann sowohl staatlicherseits vorgeschrieben werden als auch freiwillig privat durchsetzen: Man denke z.B. an den Grünen Punkt oder den Blauen Engel.

Umweltabgaben (Öko-Steuern) sind klare marktwirtschaftliche Instrumente mit dem Ziel, externe Kosten zu internalisieren. Sie bieten den Anreiz, durch Verzicht auf Umweltbelastungen entsprechende Abgaben zu sparen. Andererseits machen sie die Umweltbelastung auch käuflich, was bei irreparablen Schäden (Klimaerwärmung) bedenklich ist. Ökonomisch gesprochen hängt die Vermeidung also von der Preiselastizität des Individuums ab. Auch hier stellt sich die Frage nach der ‹richtigen› Steuerhöhe, die von der – nur zu ratenden – Höhe der Umweltkosten bestimmt werden müßte. Bei Überlegungen zu einer *ökologischen Steuerreform* stellen sich zudem eine Vielzahl anderer Probleme, da Umweltsteuern grundsätzlich aufkommensneutral sein sollten, also keine fiskalische Komponente enthalten dürften. Gesamtwirtschaftlich dürfen sie zu erheblichem Strukturwandel beitragen.

Ein konzeptionell überzeugender, gleichwohl wenig praktikabler Ansatz sind *Umweltzertifikate*. Es handelt sich dabei um marktfähige Rechte – die man also kaufen bzw. verkaufen kann –, die Umwelt zu belasten. Wer viel davon benötigt, muß viele Zertifikate kaufen; steigende Nachfrage wird den Preis treiben. Die Gesamtmenge der Belastungen ist dabei begrenzt, in Abhängigkeit vom Stand des Wissens (*Mengenlösung*), im Gegensatz zum Steueransatz, wo keine absolute Belastungsgrenze definiert werden kann: Wer viel zahlt, kann viel Dreck machen (*Preisansatz*). Umweltzertifikate können frei verteilt oder versteigert werden. Der Mengenansatz enthält sowohl methodische (Bewer-tungs-)Probleme als auch juristische Fallstricke (u.a. kartellrechtlicher Art) als auch – insbesondere – praktische Probleme, da man ja quasi Umwelt-Börsen einrichten müßte.

7.4. Beurteilungskriterien

Bei der Beurteilung von Umweltschutzmaßnahmen ist ein vielschichtiges Spektrum von Kriterien anwendbar. Im Vordergrund sollten *ökologische* Überlegungen stehen, so daß die Abwägung von alternativen Maßnahmen in erster Linie von den konkreten Wirkungen auf den Umweltschutz ausgehen sollte. Hierzu kommen *ordnungspolitische* Erwägungen, indem ordnungsrechtliche (staatliche) Maßnahmen den marktwirtschaftlichen (privaten) Maßnahmen gegenüberzustellen sind. Im günstigsten Fall sollten sich aus Umweltmaßnahmen auch dynamische Anreize zu weiteren Verbesserungen ergeben. In *technischer* Hinsicht stehen dabei sog. «End-of-Pipe»-Lösungen, die am Ende der Verursacherkette das Symptom bekämpfen und meist teuer sind (nachträglicher Katalysatoreinbau), neben integrierten Lösungen, die das Problem z. B. bereits im Konstruktionsprozeß vermeiden.

Ein wichtiger Aspekt sind die Auswirkungen von Umweltschutzmaßnahmen auf die *Wettbewerbssituation* der Wirtschaft. Befürchtungen bestehen insbesondere bezüglich negativer Wettbewerbseffekte im Vergleich mit Unternehmen aus Ländern mit laxeren Umweltpolitiken (*«Umwelt-Dumping»*). Daraus leiten sich Befürchtungen hinsichtlich der inländischen *Beschäftigung* ab, bis hin zum – recht seltenen – Extrem der «Industrieflucht» in Länder mit weniger strikten Umweltbestimmungen. Für solche Standortverlagerungen sind i. d. R. andere Faktoren sehr viel wichtiger als Umweltauflagen (u. a. Lohnkosten, Marktnähe). Ein wichtiger Aspekt in internationaler Hinsicht ist auch der sog. *«Öko-Protektionismus»*. Damit bezeichnet man handelsbehindernde Maßnahmen, die nur unter dem Vorwand des Umweltschutzes erfolgen.

Trotz des Kostenaspekts sind Ökonomie und Ökologie jedoch keine Gegensätze, sondern gut miteinander verträglich, obgleich es natürlich einige Konfliktbereiche gibt. Umweltschutz kann in vieler Hinsicht zu Kosten- und Wettbewerbsvorteilen führen, sei es durch kostensenkende Techniken, sei es durch bessere Vermarktungsfähigkeit umweltfreundlicher Produkte. Die (gesamtwirtschaftliche!) Job-Killer-These des Umweltschutzes wird in der Diskussion meist dramatisch und zu unrecht überzeichnet.

7.5. Perspektiven

In der Bevölkerung ist in vielen Ländern seit Jahren ein wachsendes ökologisches Bewußtsein festzustellen. Da Umweltprobleme jedoch – wie erwähnt – nur teilweise national begrenzt sind, muß sich Umweltschutz auch auf internationaler Ebene vollziehen. Hieraus ergibt sich die Notwendigkeit einer entsprechenden rechtlichen Verankerung, wobei nationale, internationale und supranationale Umweltnormen kompatibel gestaltet werden müssen, um Wettbewerbsverzerrungen zu vermeiden und die Durchsetzung der Normen zu ermöglichen. Während produktbezogene Umweltstandards z. B. als Bedingung für die Zulässigkeit von Importen relativ problemlos angewendet werden können – sofern sie auch für inländische Güter gelten – gilt dies nicht für Normen, die den Produktionsprozeß betreffen. Vielleicht ist dem Leser der sog. *Thunfischstreit* zwischen den USA und Mexiko bekannt: Die USA haben dabei im GATT einen bereits klassischen Rechtsstreit verloren, weil sie den Import von Thunfischen verbieten wollten, die nicht mit delphinsicheren Netzen gefischt waren: Die Vorschrift bezog sich also nicht auf die Thunfische, sondern auf die Netze, d. h. auf die Fangmethode. Dies ist unzulässig.

Das internationale Umweltrecht ist gegenwärtig noch sehr zersplittert, aber es gibt eine Vielzahl *internationaler Abkommen*, die teils mehr, teils weniger gut in der Praxis ‹greifen›. Zu diesen Verträgen zählen Abkommen über den Schutz der *Erdatmosphäre* (u. a. das Genfer Übereinkommen über weiträumige grenzüberschreitende Luftverunreinigung, das Wiener Übereinkommen und das Montrealer Protokoll zum Schutz der Ozonschicht, die Konvention über Klimaänderungen der UN-Konferenz für Umwelt und Entwicklung in Rio de Janeiro), verschiedene Abkommen zum Schutz der *Meere und Ozeane* (u. a. die UN-Seerechtskonvention), Abkommen zum Schutz der Lebensräume (z. B. verschiedene Artenschutzabkommen, der Antarktisvertrag, das Basler Müllabkommen, das Tropenholzabkommen, die UN-Konvention für die Rückdrängung von Wüsten[1]) und andere mehr.

Die Ausführungen zeigen, daß zwischen Theorie und Praxis des Umweltschutzes – national wie international – beträchtliche Lücken klaffen. Um so wichtiger ist es, sich mit dieser Problematik ausführlicher auseinanderzusetzen, als es im Rahmen dieses Überblicks möglich ist.

7.6. Internationaler Umweltschutz am Beispiel des Treibhauseffekts

Am Beispiel der Bekämpfung des Treibhauseffektes lassen sich die Probleme des internationalen Umweltschutzes verdeutlichen. Abb. 7.6/1 zeigt, daß der weltweite Verbrauch an Primärenergie und damit der Ausstoß von Treibhausgasen im nächsten Jahrhundert zu explodieren droht. Zwischen 1975–1990 sind die CO_2-Emissionen welt-

Abb. 7.6/1: Primärenergieverbrauch

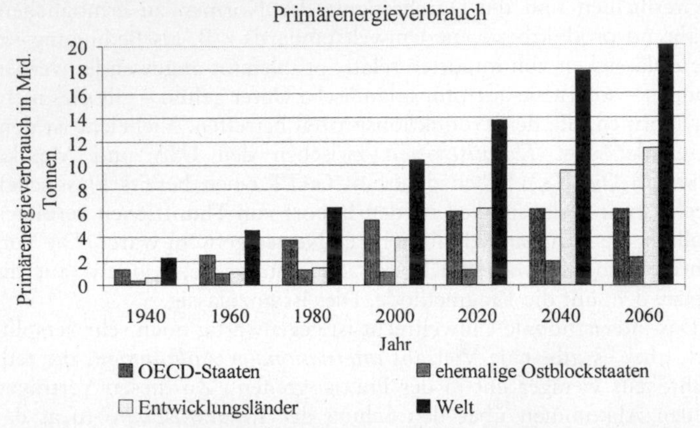

Für die Periode 2000–2060 wurde ein Szenario gewählt, das den zukünftigen Energieverbrauch an aktuellen Trends ausrichtet

Quelle: Weltenergierat, Weltbank 1998

weit um 32% angestiegen (in den Industrieländern insgesamt um 11%, in der EU um 4%. Dabei sind die Unterschiede gravierend. Der Energieverbrauch und die CO_2-Emissionen pro Kopf betrugen 1996 in der EU und Japan weniger als die Hälfte (45 bzw. 40% in der EU, 50 und 46% in Japan) der USA. Selbst in Brasilien, China und Indien, die einen für die Ländergruppe relativ hohen Pro-Kopf-Verbrauch haben, werden nur 7, 12 bzw. 4,5% des amerikanischen Wertes erreicht. Bis 1995 haben die Emissionen in den Industrieländern außerhalb der EU (USA, Japan, Kanada, Australien, Norwegen, Island, Neuseeland, Rußland, Ukraine) 5–9% gegenüber 1990 zugenommen; in der EU lagen sie um 3,2% unter diesem Niveau. Starke Rückgänge sind in den ost- und mitteleuropäischen Reformstaaten zu verzeichnen, dies aber bedingt durch die Stillegung unrentabler Kombinate.[1]

Ende 1997 ist es auf der Klimakonferenz in Kyoto zu konkreten Ausformulierungen der Absichtserklärungen, die auf der vorhergehenden Konferenz von Rio de Janeiro verabschiedet wurden, gekommen. Zur Eindämmung des Treibhauseffektes haben sich über 140 Staaten u.a. auf die Absenkung der CO_2-Emissionen der Industrieländer bis 2000 auf das Niveau von 1990 rechtsverbindlich geeinigt.

[1] Quellen: World Factbook 1997, Umweltbundesamt: Umweltdaten Deutschland 1998, EUROSTAT 1998, CDIAC, zitiert in World Resources 96–97.

Für die EU bedeutet dies eine Reduktion der Treibhausgasausstöße um 8%, die innerhalb der EU unterschiedlich auf die Mitgliedstaaten aufgeteilt wurde, so daß den Ländern mit Entwicklungsrückständen sogar eine Ausweitung der Emissionen zugestanden wurde (vgl. Abb. 7.6/2 u. 7.6/3). Für die Entwicklungsländer gab es keine Vereinbarungen, ihre Emissionen steigen immerhin inzwischen aufgrund freiwilliger Maßnahmen weniger stark als ihr Sozialprodukt.[2] Außer der Verpflichtung zur Eindämmung der CO_2-Emissionen wurden in Kyoto erstmals flexible Instrumente (wie der Handel mit nicht benötigten Emissionsrechten oder die Anrechenbarkeit der Vermittlung von Klimaschutz-Projekten in Entwicklungsländern auf die Verpflichtung der Industrieländer) eingeführt. Es bleiben aber noch viele Probleme zu lösen wie die notwendige Einbeziehung der Entwicklungsländer in die Begrenzungsanstrengungen (s.o.) oder die Vermeidung des Ausnutzens des Zusammenbruchs der osteuropäischen Industrie für die Vermeidung eigener Reduktionsanstrengungen durch den Kauf der dort nicht benötigten Emissionsrechte durch andere Industrieländer.

Abb. 7.6/2: Änderungen der CO_2-Emmissionen in der EU

Mitgliedsland	Emissionsänderungen, 1990–1996	Ziel
Österreich	0,0%	–13,0%
Belgien	+8,8%	–7,5%
Dänemark	+41,0%	–21,0%
Finnland	+3,5%	0,0%
Frankreich	–1,6%	0,0%
Deutschland	–7,8%	–21,0%
Griechenland	+11,4%	+25%
Irland	+3,7%	+13%
Italien	+0,8%	–6,5%
Luxemburg	0,0%	–28,0%
Niederlande	+10,0%	–6,0%
Portugal	+42,7%	+27%
Spanien	+12,5%	+15%
Schweden	+11,1%	–4,0%
Großbritannien	–1,0%	–12,5%
EU insgesamt	+0,9%	–8,0%

Quellen: M. Jefferson: Carbon dioxide emissions 1990–1996, in: WEC Journal 7/96, S. 81; Financial Times, 18. 6. 1998, S. 1

[2] Quellen: Bundesministerium für Umwelt, UNEP.

Abb. 7.6/3: CO_2-Emissionen

Regionale Anteile an CO_2-Emissionen 1973 und 1996

Ländergruppe	1973	1996
OECD	64,3	53,3
Mittlerer Osten	1,1	3,9
Frühere UdSSR	16,4	10,3
Nicht OECD Europa	2,0	1,4
China	5,9	13,8
Asien (außer China)	3,3	8,7
Lateinamerika	2,8	3,7
Afrika	1,7	3,0
Bunker	2,6	1,8
gesamt	16200 Mt	22699 Mt
	71%	+40%

CO_2-Emmissionen durch industrielle Prozesse in %

Ländergruppe	1997
Europa	30,7
Nord- und Zentralamerika	25,6
Südamerika	2,7
Asien	31,9
Ozeanien	1,3
Afrika	3,2

Quelle: World Resources Institute, World Resources 96–97, S. 326–329; International Energy Agency: CO_2 Emissions from Fuels, 1997

8. Weitere Zielsetzung der Wirtschaftspolitik

Wirtschaftspolitik bedeutet die Verfolgung ökonomischer Ziele insbesondere durch staatliches Handeln. In den vorangehenden Kapiteln sind die wichtigsten Ziele behandelt worden, die man üblicherweise als ‹wirtschaftspolitisch› klassifiziert. Damit ist der mögliche *Zielkatalog* jedoch keineswegs erschöpfend dargestellt. Neben dem *Magischen Viereck*, das immer wieder im Zentrum der Analysen steht, sowie dem *Verteilungs-* und dem *Umweltschutzziel* – deren Einbeziehung zu einem Magischen Fünf- oder Sechseck führt (vgl. auch Kap. 16 zu Zielkonflikten) – sind weitere Zielsetzungen für die Wirtschaftspolitik von Bedeutung, die gleichfalls einen ökonomischen Kern und ökonomische Konsequenzen haben, jedoch auch im Kontext mit umfassenderen gesellschaftspolitischen Überlegungen zu sehen sind. Hierzu zählen u. a. auch die *Bildungspolitik* und die *Forschungspolitik*.

8.1. Bildung und Forschung

Forschung und Bildung können nicht klar gegeneinander abgegrenzt werden; das ist in diesem Zusammenhang hier auch nicht erforderlich. Bildungspolitik kann dabei durchaus als Oberbegriff gelten und erstreckt sich auf primäre und weiterführende Aus- und Fortbildungssysteme aller Art, einschließlich Schulen, Hochschulen und privaten beruflichen Bildungsinstitutionen, und schließt auch die universitäre und industrielle Forschung ein.

Bildungspolitik hat eine ökonomische Qualität: Bildungspolitik ist – allgemein gesprochen – die Entscheidung über die Investition von finanziellen, personellen und sachlichen Ressourcen in das sog. **Humankapital**. Diese vollzieht sich sowohl auf staatlicher als auch auf privater Ebene. Das Wissen uber die Zusammenhänge zwischen der Qualität des Produktionsfaktors Arbeit, wie man das Humankapital auch nennen kann, und der ökonomischen Entwicklung ist nicht sehr ausgeprägt. Ein allgemeiner Zusammenhang besteht darin, daß eine Erhöhung der Qualität des Humankapitals eine Erhöhung der **Arbeitsproduktivität** bedeutet und sich über den technischen Fortschritt auch produktivitätssteigernd auf die andern Produktionsfaktoren (Sachkapital, Boden) überträgt. Neben der Vermittlung von Kenntnissen und Fertigkeiten kann Aus- und Fortbildung dabei auch ‹Sekundärtugenden› vermitteln wie Leistungsbereitschaft oder Durchsetzungsvermögen. Neben den direkten Bildungseffekten für das betreffende Individuum können sich auch *‹spill-over›-Effekte* ergeben, wenn die Ausgebildeten quasi als Multiplikator wirken und Kenntnisse und Fertigkeit in ihrem sozialen Umfeld weitergeben können. Diese informellen Bildungsimpulse – als positive externe Effekte – haben eine zwar kaum abzuschätzende, sicherlich aber eine stark positive Wirkung vor allem in Entwicklungsländern. In Abschn. 2.4.3 wurde bereits auf Ansätze der sog. **Neuen Wachstumstheorie** hingewiesen, die eben diesen Faktoren – Bevölkerungsentwicklung, technischer Fortschritt und Bildung bzw. Humankapital – eine zentrale Rolle beimessen und insbesondere das sich aus der Anwendung von Wissen wiederum ableitende Wissen – *learning-by-doing* oder *endogener technischer Fortschritt* – als bedeutende Einflußgröße darstellen.

Für eine ökomomisch sinnvolle Ausnutzung des Humankapitals ist die **Vollbeschäftigung** des Produktionsfaktors Arbeit erforderlich, andernfalls werden Ressourcen nicht genutzt und Wachstumsmöglichkeiten vergeben. Bildungsinvestitionen, die nicht lokal (d.h. im betreffenden Land) genutzt werden können, sind – so gesehen – unproduktiv. In vielen Entwicklungsländern ist zu beobachten, daß Universitätsabsolventen nach ihrem Studium keine (attraktiven) Beschäftigungsmöglichkeiten im eigenen Land finden und ins Ausland gehen (sog. ***brain drain***). Für die aufnehmenden Länder bedeutet dies also einen *positiven externen Effekt*, weil sie die Ausbildung nichts gekostet hat.

Eine Verbesserung der Bildungssituation müßte – das ist eine plausible Hypothese – positiv mit wirtschaftlichem Wachstum korrelieren, und zwar in beiden Richtungen: Bildung stimuliert ökonomisches Wachstum, Wachstum ermöglicht höhere Bildungsinvestitionen. Der ursächliche Zusammenhang, daß bessere Bildung das Wachstum anregt, ist noch am ehesten für die Primärbildung nachzuweisen, wobei dieser Effekt in ärmeren Ländern (Entwicklungsländern) deutlicher ist als in reichen (Industrieländern). Aber auch Investitionen in die höhere Bildung, die nicht im ‹brain drain› resultieren, haben in Entwicklungsländern meßbarere Effekte als in Industrieländern. Dort ist hingegen der Einfluß der inländischen Forschung – insbesondere auch der industriellen Forschung – auf das Wachstum deutlicher zu beobachten.[1] Hinsichtlich einer branchenmäßigen Differenzierung, die ja auch Implikationen für die Forschungs- und Bildungspolitik sowie ggf. für eine gezielte Industriepolitik hätte, gibt es jedoch praktisch (noch) keine quantifizierbaren Resultate.

8.2. Andere sozio-ökonomische Ziele

Das Beispiel der Bildungspolitik, die wesentliche nicht direkt ‹ökonomisierbare› Komponenten hat, verdeutlicht, daß die Grenze zur

[1] Beiträge zu einer differenzierten quantitativen Analyse der Zusammenhänge finden sich bei Timmermann, Vincenz, Bildung und Ausbildung als Determinanten der wirtschaftlichen Entwicklung, Hamburg 1994.

‹reinen› Wirtschaftspolitik fließend ist. Die Unmöglichkeit der strikten Abgrenzung zwischen ökonomischen und nicht-ökonomischen Aspekten wird unterstrichen, wenn man weitere, als wirtschaftspolitisch verstandene Ziele heranzieht: die Versorgung der Bevölkerung mit Kollektivgütern (durch den Staat); der rationalere Einsatz von Produktionsfaktoren durch Förderung des Wettbewerbs, koordinierende Planung und Erhöhung der Mobilität; die Verbesserung der **Qualität des Lebens.**

Alle diese Ziele – so unbestimmt sie in dieser Form auch sind – haben durchaus eine wirtschaftliche Komponente, doch sind sie nicht oder weniger durchsetzt mit nicht-ökonomischen Aspekten. Dies gilt auch für das aus heutiger Sicht zunehmend genannte Ziel der Verringerung der Abhängigkeit vom Ausland, das u. a. auch eine deutliche sicherheitspolitische Komponente beinhaltet.

8.3. Sektorale und regionale Ziele

Dies beleuchtet gleichzeitig ein systematisches Problem, da es – auch im eindeutig ökonomischen Bereich – nicht immer möglich ist, klar zwischen Zielen und Mitteln zu trennen. Insgesamt gesehen dürfte die Wirtschaftspolitik *instrumentalen Charakter* haben im Hinblick auf übergeordnete Ziele wie Sicherung der Existenzgrundlage bzw. für andere, eher gesellschaftspolitische Ziele wie Gerechtigkeit und Gleichbehandlung und soziale und politische Stabilität. Innerhalb des wirtschaftspolitischen Bereichs wiederum hat – im Hinblick auf die Verfolgung der wirtschaftspolitischen Ziele – z. B. die Geldpolitik eindeutig instrumentalen Charakter.

Wie aber sieht es mit regionaler Strukturpolitik aus? Stellt sie einen eigenen Zielbereich dar, oder ist sie Mittel im Hinblick auf die Verfolgung von Wachstums- oder Verteilungszielen? Was ist mit Sozialpolitik, Familienpolitik, Steuerpolitik? Der Begriff «Politik» ist in diesem Zusammenhang auch nicht sonderlich hilfreich. Einmal wird er im Zusammenhang mit Zielen verwendet (Wachstumspolitik), zum anderen für bestimmte Instrumente (Geldpolitik), schließlich für Instrumentengruppen (Importpolitik), für Sektoren (Landwirtschaftspolitik) oder Zielgruppen (Verbraucherpolitik). Wir wollen dieses Problem hier nicht überstrapazieren, doch ist es nicht unwesentlich zu erkennen, daß Ursachen und Wirkungen bzw. Mittel und Ziele sich vielfach nicht scharf trennen lassen und zum Teil auch gegenseitig beeinflussen. Dies bedeutet aber auch, daß einzelne Problembereiche wie Strukturpolitik oder Wettbewerbspolitik hier nicht für sich betrachtet werden. Innerhalb eines Zielsystems wäre z. B. Wettbewerbspolitik inhaltlich u. a. verbunden mit der Ordnungspolitik (Sicherung und Ausbau der Marktwirtschaft), aber auch mit der Wachstums- und Stabilitätspolitik. Wettbewerbspolitische Ziele wiederum wären zu verfolgen mit ordnungspolitischen Maßnahmen (Gesetzgebung), mit ablaufpolitischen wie z. B. finanzpolitischen Instrumenten (Steuern, Subventionen), aber auch mit geldpolitischen Maßnahmen (Zinsen), wobei ein analoges Instrumentarium bei der Betrachtung der Strukturpolitik zu beleuchten wäre. Wir wollen es daher bei der bisherigen Beschreibung des Zielkatalogs belassen, wobei nochmals darauf hinzuweisen ist, daß sich daraus keine Zielhierarchie ableiten läßt; dieses ist eine politische Aufgabe.

Nach der Erläuterung des Zielsystems sowie der Ursachen und Konsequenzen von Zielabweichungen ist das Instrumentarium darzustellen, mit dessen Hilfe die wirtschaftspolitischen Ziele erreicht werden sollen.

Die Formulierung von Zielen und der Einsatz von Instrumenten zu ihrer Erreichung hängen natürlich von (wirtschafts)politischen Grundüberlegungen ab. Bevor daher die Wirkungsweise der wichtigsten finanz- und geldpolitischen Instrumente dargestellt wird, sollen zunächst alternative wirtschaftspolitische Auffassungen skizziert werden.

Erst im V. Teil des Buches wird auf Zielkonflikte eingegangen. Dies ist deshalb sinnvoll, weil dabei teilweise auf wirtschaftspolitische Konzeptionen zurückgegriffen wird, die Gegenstand des folgenden III. Teils sind, teilweise werden instrumentale Fragen wie z. B. Wechselkurssysteme berührt, die erst im IV. Teil betrachtet werden. Zunächst erfolgt also eine Skizzierung alternativer wirtschaftspolitischer Konzeptionen.

III. Teil: Wirtschaftspolitische Konzeptionen

9. Alternative Grundpositionen

Innerhalb marktwirtschaftlicher Wirtschaftsordnungen gibt es neben der Vielzahl möglicher Marktformen und entsprechender Verhaltensweisen der Wirtschaftssubjekte auch alternative Konzepte, wie die Volkswirtschaft grundsätzlich ordnungspolitisch zu gestalten und durch ablaufpolitische Maßnahmen zu beeinflussen ist. Im folgenden werden zunächst einige Etappen in der Entwicklung der Wirtschaftsordnungen nachgezeichnet. Daran schließt sich eine Darstellung einiger wichtiger ordnungs- und wirtschaftspolitischer Konzeptionen an, die bis heute Gegenstand prinzipieller politischer Auseinandersetzungen sind.

9.1. Historische Vorläufer

Die ersten zusammenhängenden konzeptionellen Überlegungen zur Wirtschaftsordnung und Wirtschaftspolitik gehen auf die **Merkantilisten** im 16. und 17. Jahrhundert zurück. Sie entwickelten Zielvorstellungen, wie die Wirtschaft zum Zweck der Mehrung des Reichtums der Fürsten zu gestalten und zu beeinflussen sei. Die Bezeichnung (*mercantium* (lat.) = Handel) verdeutlicht den Hauptansatzpunkt: Die Merkantilisten befürworten eine Stärkung des (Außen-)Handels mit dem Ziel eines Exportüberschusses (aktive Handelsbilanz), u. a. durch Schutzzölle und inländische Gewerbeförderung. In England beispielsweise durften nach der **Navigationsakte** von 1651 Importe nach England nur mit englischen Schiffen durchgeführt werden. Die deutsche Version des Merkantilismus bezeichnet man als **Kameralismus** (*camera* (lat.) = (Schatz-)Kammer eines Fürsten). Dieser entwickelte wesentliche Elemente des Steuerwesens sowie differenzierte Grundsätze für die öffentliche Verwaltung, die beispielsweise in Form der sog. **kameralistischen Buchführung** bis zum heutigen Tage die Bundes-, Landes- und Gemeindehaushalte prägen.

Die vorrangig finanzorientierten Überlegungen der Merkantilisten bzw. Kameralisten wurden ergänzt durch die Lehren der **Physiokraten** (etwa bis Mitte des 18. Jahrhunderts). So entwickelte *François Quesnay* ein als ‹**tableau économique**› bekannt gewordenes Kreislaufmodell mit den Komponenten Entstehung, Verwendung und Verteilung, das die historische Grundlage für die Konzepte des Sozialprodukts darstellt. Die Physiokraten betonten die Bedeutung der Natur (Physiokratie = ‹Herrschaft der Natur›) und wandten sich gegen staatliche Reglementierungen der Wirtschaft, einschließlich des Außenhandels. Damit wurden sie zu Wegbereitern des **klassischen Liberalismus**, der allerdings das Schwergewicht von der Landwirtschaft auf die neu entstehende Industrie verlagerte (z. B. *Adam Smith, David Ricardo*) und u. a. Freihandel, ungehinderten Wettbewerb und Garantie des Privateigentums forderte. Diese ökonomischen Konzepte überschneiden sich offensichtlich mit staatstheoretischen Überlegungen hinsichtlich der Aufgaben und Grenzen staatlichen Handelns und – etwas philosophischer – auch mit Überlegungen hinsichtlich der Stellung des Individuums in der Gesellschaft: So ist der klassische (wirtschaftliche) Liberalismus ja nachdrücklich vom (grundsätzlichen!) Freiheitsgedanken geprägt; frühe Wirtschaftstheoretiker wie *Thomas Hobbes, John Locke, Jeremy Bentham* oder auch *Adam Smith* waren in erster Linie berühmte Philosophen. Vor dem Hintergrund der Probleme des beginnenden industriellen Zeitalters entstanden dann zwei alternative Konzepte.

Auf der einen Seite stand der (wissenschaftliche) **Sozialismus**, insbesondere vertreten durch *Ferdinand Lasalle, Karl Marx* und *Friedrich Engels*, die Privateigentum und individuellen Wettbewerb ablehnten. Hieraus entwickelte sich in Deutschland der sog. **Katheder-Sozialismus** (u. a. *Gustav Schmoller, Adolph Wagner, Werner Sombart*) mit der Betonung staatlicher Sozialverantwortung und der Entwicklung einer Sozialpolitik. Diese Denkschule wird auch als **Historismus** bezeichnet.

Auf der anderen Seite entstand in Weiterentwicklung der klassischen liberalistischen Dogmen (**Klassik**) zunächst die (**Grenz-**)**Nutzenschule**, die eine stark mathematisierte Vertiefung der ökonomischen Mikrotheorie hervorbrachte (*Heinrich Gossen, Carl Menger, Vilfredo Pareto, Alfred Marshall*) und insgesamt eine marktwirtschaftliche Orientierung bedeutete. Die Wiederentdeckung klassischen Gedankengutes nach dem II. Weltkrieg wird als **Neo-Klassik** bezeichnet. In der Diskussion darüber, ob und wie die Wirtschaft durch staatliche Wirtschaftspolitik zu beeinflussen sei, stehen sich gegensätzliche Positionen gegenüber, die insbesondere mit drei Begriffspaaren zu kennzeichnen sind: Klassiker versus Keynesianer, Nachfragetheoretiker versus Angebotstheoretiker und Monetaristen versus Fiskalisten. Die damit verbundenen Auffassungen überschneiden sich teilweise beträchtlich. Dies wird in den folgenden Abschnitten ausführlicher dargestellt.

9.2. Klassik und Keynes

(1) Grundpositionen der Klassik

Die ersten Überlegungen zur Steuerung bzw. besser: Beeinflussung von Marktprozessen gehen wohl auf *Adam Smith* (1723–1790), *David Ricardo* (1772–1823) und *John Stuart Mill* (1806–1873) zurück. Sie sind aber vor dem Hintergrund der ‹industriellen Revolution› Englands in einem völlig anderen gesellschaftspolitischen Kontext zu sehen als heute. Grundprinzip dieser als **Klassik** bezeichneten Wirtschaftsphilosophie ist der freie marktwirtschaftliche Wettbewerb auf den Güter- und Faktormärkten mit dem **Marktpreis** als **Regelmechanismus** («unsichtbare Hand»). Nach klassischer Auffassung tendieren marktwirtschaftlich strukturierte Märkte bei Störung wieder zum Gleichgewicht (**Stabilitätshypothese** oder **Harmonieprinzip**). Nach dem klassischen Konzept kann es dauerhaft weder Unterbeschäftigung auf dem Arbeitsmarkt noch zuviel oder zuwenig Investitionen oder Konsum noch sonstige Wirtschaftskrisen geben. Tatsächlich auftretende Störungen seien auf Unvollkommenheiten des Marktes zurückzuführen. Wenn diese beseitigt werden, wird sich ein neuer (stabiler) Gleichgewichtszustand herausbilden. Die Aktivitäten des Staates können sich daher auf Schaffung und Erhaltung von Rahmenbedingungen beschränken, innerhalb derer die Wirtschaftssubjekte völlig autonom entscheiden und handeln können (**«laissez-faire-Wirtschaft»**, von *Ferdinand Lassalle* als «Nachtwächterstaat» verspottet). Privates Eigentum, auch an Produktionsmitteln, wird garantiert. Dieses wirtschaftspolitische Konzept bezeichnet man als **klassischen Liberalismus**.

(2) Bedingungen der «Vollständigen Konkurrenz»

Im Zeitablauf erfuhr dieses Grundkonzept, das ja vor dem sozioökonomischen Hintergrund Englands im 18. und 19. Jahrhundert entstanden war, eine Fülle von Erweiterungen und Verfeinerungen bis hin zum **neoklassischen Modell** der **vollkommenen Konkurrenz**. Dieses Modell geht von einer Reihe – teilweise sehr realitätsferner – Annahmen aus: Einmal muß es sich um einen Markt in der Marktform **Poly-**

pol handeln, bei der sich jeweils eine große Anzahl machtmäßig sehr kleiner Anbieter und Nachfrager gegenüberstehen. Dieser Markt muß für alle Marktteilnehmer **transparent** und **offen** sein, und sie müssen sich mit (unendlich) **großer Reaktionsgeschwindigkeit** an Marktveränderungen anpassen. Die betrachteten Güter bzw. Faktoren müssen **homogen** (gleichartig) sein, z. B. darf es keine Produktdifferenzierungen geben. Die Marktteilnehmer dürfen keine persönlichen, räumlichen oder sonstigen **Präferenzen** haben, d. h. es muß ihnen egal sein, bei wem und wo sie kaufen bzw. verkaufen, lediglich der Preis ist entscheidungsbestimmend. Hinzu kommen noch eine Reihe weiterer, teilweise recht formaler Nebenbedingungen, auf die hier nicht eingegangen werden soll.

(3) Grundpositionen von Keynes

1936 erfolgte dann eine «Revolution» in der ökonomischen Theorie mit dem Hauptwerk von *John Maynard Keynes* (1883–1946), der «Allgemeinen Theorie der Beschäftigung, des Zinses und des Geldes». Keynes ging unter dem Eindruck der mit der Weltwirtschaftskrise von 1929–1933 verbundenen, sehr konkreten und dauerhaften Massenarbeitslosigkeit davon aus, daß destabilisierte Märkte entgegen der Ansicht der Klassiker und Neoklassiker eben nicht immer aus eigener Kraft die Störung beseitigen, sondern diese dauerhaft bestehen bleiben können. Nach der klassischen Theorie hätte der Arbeitsmarkt über den Preismechanismus, d. h. hier: über Lohnsenkungen zur Vollbeschäftigung zurückfinden müssen. Wegen der tariflich abgesicherten, nach unten starren Löhne geschieht dies jedoch nicht. Zur Wiedererlangung der Vollbeschäftigung sind daher Eingriffe des Staates erforderlich (vgl. auch Kap. 3). Hierfür bieten sich prinzipiell sowohl geld- als auch finanzpolitische Instrumente an. Nach Auffassung von Keynes ist die Geldpolitik jedoch weniger geeignet, die angestrebten nachfrageanregenden Effekte auszulösen. Er setzt daher auf finanzpolitische Maßnahmen, vor allem auf direkte, durch zusätzliche Staatsausgaben, u. U. über zusätzliche Verschuldung («**deficit spending**») finanzierte nachfrage- und beschäftigungswirksame Maßnahmen. Keynes plädiert also im Gegensatz zu der oft stark verkürzten, als «Vulgär-Keynesianismus» zu bezeichnenden Darstellung nicht für einen Verzicht auf Geldpolitik, sondern weist dieser nur eine untergeordnete, ergänzende Rolle zu.

Während für die Klassiker und Neoklassiker die langfristige Perspektive und der effiziente Einsatz der Produktionsfaktoren und Wachstum und Verteilung des Sozialprodukts im Vordergrund standen, war für Keynes insbesondere der Beschäftigungsaspekt in kurzer und mittlerer Sicht von Bedeutung. Die Theorie(n) von Keynes wurden im Zeitablauf zu einer Mehrzahl *Post-* und *Neo-keynesianischer Theorien*[1] weiter entwickelt. Das Gedankengut von Keynes kann hier nicht in Einzelheiten dargestellt werden, insbesondere nicht bezüglich seines berühmten IS/LM-Kurven-Modells, mit dem er anhand von Investitionen (I), Sparen (S), Liquidität (L) und Geldmenge (M) u.a. seine Zins-, Geld-, Beschäftigungs- und Einkommenstheorien darstellt. Allein dies würde den Rahmen des Buches sprengen; hierzu existiert umfangreiche Literatur. Wir müssen uns hier auf einige Stichworte beschränken. Keynes' Überlegungen, auch in marktwirtschaftliche Prozesse staatlicherseits einzugreifen, basieren prinzipiell auf Überlegungen, die als Theorie des **Marktversagens** bekannt sind. Während die klassische Theorie i.e.S. aufgrund der erwähnten Stabilitäts- und Harmoniehypothese davon ausgeht, daß sich Störungen im Markt *von selbst* und mit *positiven Wirkungen* durch die Marktkräfte beheben werden, zeigt(e) sich in der Realität, daß eine Vielzahl von Entwicklungen sich tendenziell vom Markt-Ideal wegbewegten. Hierzu zählen u.a. folgende Aspekte:

Erstens verteilt sich die Marktmacht – i.S.v. Möglichkeit, das Marktgeschehen im eigenen Sinne zu beeinflussen – nicht gleichmäßig auf alle Marktteilnehmer, sondern es sind Machtkonzentrationen möglich. Zweitens werden die Produktionsfaktoren nicht automatisch den Verwendungszwecken zugeleitet, wo sie am produktivsten eingesetzt werden können. Drittens ist es möglich, aus dem Marktgeschehen Nutzen zu ziehen, ohne dafür bezahlen zu müssen («Trittbrettfahrer»); das klassische Beispiel hierfür ist die Straßenbeleuchtung oder die nationale Sicherheit, für die kaum jemand freiwillig etwas bezahlen würde und die folglich als typische öffentliche Güter in einer Art «Umlageverfahren» über die Steuern finanziert werden. Umgekehrt ist es möglich, andere mit den negativen Auswirkungen des eigenen Handelns zu belasten, ohne hierfür die Kosten tragen zu müssen (z.B. durch ungeahndete Umweltverschmutzung). In diesen beiden Fällen spricht man von **positiven** (Straßenbeleuchtung) bzw. **negativen** (Umweltverschmutzung) **externen Effekten**. Viertens ist es möglich, daß Marktteilnehmer in diesem «ökonomischen Dschungelkampf» – ohne ein soziales Netz – «durch die Maschen fallen», unterliegen, zerstört werden. Es gibt noch weitere Gesichtspunkte, doch die angeführten Beispiele dürften die Problematik verdeutlichen.

Vor diesem Hintergrund ist das Konzept der Sozialen Marktwirtschaft zu sehen.

---

[1] «Post-» = «Nach-»; «Neo-» = «Neu-».

9.3. Deutschland: von der (Neo-)Klassik zur Sozialen Marktwirtschaft

Im folgenden werden einige wichtige Konzepte innerhalb der Sozialen Marktwirtschaft erläutert. Abb. 9.3/1 und 9.3/2 enthalten eine Zusammenfassung der wesentlichen Komponenten.

Abb. 9.3/1: Nachfragetheorie/Fiskalismus

Nachfragetheorie/Fiskalismus

Allgemeine Kennzeichen
- kurzfristig, nachfrageorientiert
- Staat soll ggf. nachhaltige Ablaufpolitik betreiben
- Hauptvertreter: John Maynard Keynes (1883–1946)
  entwickelt unter dem Eindruck der Weltwirtschaftskrise in den 30er Jahren; später modifiziert (**«Neo- und Post-Keynesianer»**)

Grundannahmen:
- Instabilität der Wirtschaft, keine immanente Tendenz zum Gleichgewicht
- daher erforderlich: **antizyklisches Gegensteuern** durch den Staat
- globale Beeinflussung der gesamtwirtschaftlichen Nachfrage möglich (**«Globalsteuerung»**)

Ansatzpunkte und Instrumente
- Veränderung von Staatseinnahmen und -ausgaben (Staatshaushalt), daher **«Fiskalismus»**
- Finanzpolitik/Fiskalpolitik wirkt über Multiplikatorwirkungen auf die Nachfrage
- Im Abschwung müssen zusätzliche Staatsausgaben (Konjunktur- bzw. Beschäftigungsprogramme) durch Verschuldung finanziert werden (**«deficit spending»**)
- privater Konsum hängt vom laufenden Einkommen ab
- Geldpolitik wirkt nur auf kleinen (zinsabhängigen) Teil der Nachfrage; ihre Wirkungen sind unsicher und treten nur mit Verzögerungen ein; daher nur Ergänzung zur Finanzpolitik

Weitere Annahmen
- Inflation wird nicht monetär erklärt, sondern als Nachfragesog- oder Kostendruckinflation oder über den internationalen Preiszusammenhang
- Das Produktionspotential ist gegeben
- Bei Vollbeschäftigung ist Inflation fast unvermeidbar (Phillipskurve)
- Arbeitslosigkeit baut sich wegen nach unten starrer Löhne nicht von selbst ab
- Bei nach unten starren Nominallöhnen bedeutet Reallohnsenkung
- private Sparneigung ist relativ konstant; Einkommensänderungen führen daher zu Nachfrageänderungen
- Staatsverschuldung wirkt nicht verdrängend (kein «crowding out»)

Probleme
- schlecht geeignet zur Bekämpfung von Angebots-Schocks
- mit Stagflation schwer zu vereinbaren
- internationale Verflechtung begrenzt nationale konjunkturbeeinflussende Maßnahmen

Abb. 9.3/2: Angebotstheorie/Monetarismus

Nachfragetheorie/Fiskalismus

Allgemeine Kennzeichen
- langfristig, wachstumsorientiert **(«supply-side-economics»)**
- Keine staatliche Ablaufpolitik, nur Ordnungspolitik
- stützt sich auf Konzepte der Klassischen Theorie **(«Neoklassik»)** z. B. Adam Smith)
- früher Vertreter: u. a. F. A. von Hayek
- Monetaristen: Milton Friedman **(«Chicagoer Schule»)**

Grundannahmen:
- Die private Wirtschaft ist stabil, tendiert zum Gleichgewicht, reguliert sich über Preis- und Mengeneffekte selbst
- Antizyklische staatliche Eingriffe («stop and go») sind nicht Reaktion, sondern Ursache für Konjunkturschwankungen; sie bedeuten Unsicherheit für den privaten Sektor und führen zu Fehlentscheidungen
- Notwendige (Struktur-)Anpassungen der Wirtschaft werden u. a. durch Subventionen und staatliche Reglementierung behindert
- Für Investitionen erforderliche Unternehmergewinne werden durch im Vergleich zur Arbeitsproduktivität zu hohe Löhne und Lohnnebenkosten sowie zu hohe Steuern und Abgaben geschmälert
- Konsum hängt vom auf Dauer erwarteten Einkommen ab («permanent-income»-Hypothese)

Ansatzpunkte und Instrumente
- Verstetigung der Geld(mengen)- und Fiskalpolitik, auch bei Konjunkturschwankungen
- Steuerungsgröße ist die Geldmenge (daher: **«Monetarismus»**)
- außenwirtschaftliche Absicherung des monetären Sektors durch flexible Wechselkurse
- Finanzpolitik ergänzend für strukturelle und allokative, nicht für antizyklische konjunkturelle Aufgaben,
- branchenmäßige und sektorale Differenzierung der Lohnstruktur in Abhängigkeit von der Arbeitsproduktivität, kein Einheitsrariflohn
- Flexibilisierung der Arbeitszeit
- Reduzierung der Staatsquote
- Abbau der Staatsverschuldung
- Reform (Senkung) unternehmensbelastender Abgaben
- Abbau staatlicher Vorschriften **(«Deregulierung»)**
- Abbau von Subventionen

Weitere Annahmen
- Inflation ist ein monetäres Phänomen: wenn das Geldmengenwachstum das Wachstum des Produktionspotentials übersteigt (basiert auf der Quantitätstheorie, daher auch **«Neo-Quantitätstheorie»**)
- Arbeitslosigkeit ist vorrangig strukturelle bedingt, kann von konjunktureller Arbeitslosigkeit überlagert werden

Probleme
- Erforderliche langfristige Kontinuität der Wirtschaftspolitik kann durch politische Veränderungen gestört werden
- Bestehende Strukturen und Gewohnheiten (u. a. Subventionen) sind nur schwer abzubauen

(1) Liberale Grundlagen

Das klassische Modell eines fiktiven vollkommenen Marktwettbewerbs wurde unter dem Eindruck der Weltwirtschaftskrise von 1929 bis 1933, aber auch des Dritten Reiches von der sog. **Freiburger Schule** (u. a. vertreten von *Walter Eucken, Leonhard Miksch, Franz Böhm* und *Hans Großmann-Dörth*) und anderen **Neo-Liberalen** bzw. **Ordo-Liberalen** wie z. B. *Friedrich August von Hayek* und *Wilhelm Röpke* wiederaufgegriffen und weiterentwickelt.

Der Kapitalismus in dem Stile, wie er nach dem Ersten Weltkrieg zur Weltwirtschaftskrise geführt hatte, war für die breite Öffentlichkeit keine erfolgversprechende Konzeption. Das berühmte **Ahlener Programm** der CDU, an das diese heute nicht mehr sonderlich gern erinnert wird, führte noch 1947 aus, daß der Kapitalismus «den staatlichen und sozialen Lebensinteressen des deutschen Volkes nicht gerecht geworden» sei. Der Wiederaufbau in der Bundesrepublik erfolgte daher von dem Hintergrund zweier Elemente: dem **Marshall-Plan** und der **Währungsreform.**

(2) Nachkriegsimpulse

Die 1947 auf Vorschlag des US-Außenministers *George Marshall* eingeleitete Wirtschaftshilfe für Westeuropa («**European Recovery Programme**»; **ERP**) trat im März 1948 in Kraft. Zu ihrer Abwicklung wurde die **Organization for European Economic Cooperation** (**OEEC**) gegründet. Nachdem sie ihre Aufgabe erfüllt hatte, wurde sie 1960 von der **OECD** (**Organization for European Cooperation and Development**) abgelöst. Die Mittel des Marshall-Plans für die Bundesrepublik waren – im Gegensatz zu Italien, Frankreich und Großbritannien, die Zuschüsse erhielten – ursprünglich Kredite, die diese – durch die **Kreditanstalt für Wiederaufbau (KfW)** – wiederum intern z. B. an Unternehmen weiterleitete. Die daraus resultierenden Tilgungen in DM flossen jedoch nicht in die USA zurück, sondern wurden für Neuausleihungen verwendet. Später wurden diese Gelder gegenüber den USA aus Bundesmitteln abgelöst und stehen noch heute – aufgestockt – als **ERP-Sondervermögen** des Bundes insbesondere auch für die neuen Bundesländer zur Verfügung.

(3) Soziale Marktwirtschaft

Ludwig Erhard realisierte 1948 die Wirtschafts- und Währungsreform, ab 1952 unterstützt durch seinen Chef-Theoretiker *Alfred Müller-Armack* als Staatssekretär. Die konzeptionelle Basis dafür leitete sich aus dem Ideengut der **Sozialen Marktwirtschaft** (im engeren Sinne) ab, die auf die geistigen Wurzeln neo- und ordoliberaler Konzepte zurückgriff und dem Staat eine im klassischen Sinne ordnende, glättende, soziale Funktion zuwies: Die Bezeichnung Soziale Marktwirtschaft war jedoch viel eingängiger. Grundsätzlich galt das **Subsidiaritätsprinzip:** Der Staat sollte als höhere Instanz nur eingreifen, wenn auf der individuellen Ebene der Marktkräfte keine Lösung möglich war. Der Hauptunterschied dieser Ansätze zum ursprünglich klassisch-liberalen Konzept ist darin zu sehen, daß dem Staat neben der Gestaltung und Erhaltung des Ordnungsrahmens auch Eingriffsfunktionen zukommen, um strukturellen Problemen wie z. B. der Bildung von monopolähnlichen Machtkonzeptionen entgegenzuwirken und sozial motivierte Auffangfunktionen auszuüben. Neo- und Ordoliberale orientieren sich dabei konsequenter am Ideal der vollkommenen Konkurrenz als Vertreter der Sozialen Marktwirtschaft[2], die ihrerseits die soziale Verantwortung der Wirtschaftspolitik stärker betonen. Grundelemente der Wirtschaftsordnung sind dabei Vertragsfreiheit, Wettbewerbsfreiheit, das Recht auf Privateigentum (auch an Produktionsmitteln), Gewerbefreiheit, Tarifautonomie, der Preismechanismus als Regelungsprinzip, eine autonome Zentralbank, freie Konsumwahl und freie Wahl des Berufs und des Arbeitsplatzes.

Die Soziale Marktwirtschaft, so wie sie als Wirtschaftsordnung der Bundesrepublik zu verstehen ist, wird von zwei zentralen Prinzipien gekennzeichnet: dem *freiheitlichen Prinzip* (**Liberalismus**) und dem *sozialen Prinzip*, welches das Freiheitsprinzip in gewisser Weise einschränkt. Nach dem Liberalismusprinzip besteht grundsätzlich Freiheit des Individuums hinsichtlich seiner Entscheidungen und Handlungen, insbesondere im Hinblick auf Berufswahl und Gewerbefreiheit, Bildung von Privateigentum, Vertragsfreiheit, Wahl von Wohnort und Arbeitsplatz. Diese individuellen Freiheitsrechte finden dort ihre Grenzen, wo analoge Rechte anderer beeinträchtigt würden. Die Überwachung der Einhaltung dieser Grenzen ist Aufgabe des Staates.

Das soziale Prinzip leitet sich daraus ab, daß einzelne Individuen in der Marktwirtschaft auch scheitern können. Um sie «aufzufangen», sind Maßnahmen des Staates erforderlich, insbesondere im Bereich von Sozialversicherung, Arbeitsschutz, Einkommens- und Vermögensbildung und -umverteilung, Verbraucherschutz, Wettbewerbssicherung und -kontrolle, Tätigkeit öffentlicher Unternehmen etc.

Bei der Sozialen Marktwirtschaft (im weiteren Sinn), so wie sie von

[2] Auf eingehendere Abgrenzungen zwischen Neo- und Ordo-Liberalismus und Sozialer Marktwirtschaft muß hier verzichtet werden. Vgl. hierzu die Literaturhinweise zu diesem Kapitel.

vielen Ordnungstheoretikern in der Bundesrepublik verstanden wird, sind die Handlungen des Staates, die über eine Regelung der Wirtschafts*ordnung* hinaus den Wirtschafts*ablauf* beeinflussen, kein Verstoß gegen die Grundprinzipien einer freien Marktwirtschaft. Sie sind vielmehr ordnungskonforme Maßnahmen, da eine Beeinflussung und Stabilisierung des Wirtschaftsablaufs die Verfolgung liberaler und sozialer Prinzipien fördert und erleichtert.

(4) Globalsteuerung und Stabilitätsgesetz

Das so umschriebene Konzept der Sozialen Marktwirtschaft im engeren Sinne erfuhr dann eine Ausweitung, indem durch Anlehnung an keynesianische Ansätze das staatliche Aufgabenspektrum neben der Ordnungspolitik auch stärkere ablaufpolitische Elemente umfaßte. Vor dem Hintergrund der schweren Rezession von 1965–67 intensivierte sich eine Diskussion um eine bewußte staatliche Konjunkturbeeinflussung, die bereits Mitte der 50er Jahre u. a. von den wissenschaftlichen Beiräten beim Bundesfinanz- und -wirtschaftsministerium geführt wurde. Sie stützte sich auf Theorien von *John Maynard Keynes,* der unter dem Eindruck der Weltwirtschaftskrise dem Staat die Aufgabe zuwies, Marktversagen in Form von auftretenden konjunkturellen Schwankungen und insbesondere der sich nicht selbst abbauenden Massenarbeitslosigkeit durch makroökonomische (gesamtwirtschaftlich wirkende) Maßnahmen entgegenzuwirken (**Globalsteuerung;** der Begriff ist insofern irreführend, als es sich nicht um Steuerung im kybernetischen Sinne handelt, sondern allenfalls um Beeinflussung des Wirtschaftsablaufs).

Keynesianisches Gedankengut einer staatlichen Konjunkturbeeinflussung lag auch bereits dem 1963 in Kraft getretenen «Gesetz über die Bildung eines Sachverständigenrats zur Begutachtung der gesamtwirtschaftlichen Entwicklung» sowie dem 1964 noch von Ludwig Erhard eingebrachten Entwurf des «Gesetzes zur Förderung der wirtschaftlichen Stabilität» zugrunde. Dieses wurde dann 1967 von der Großen Koalition als «Gesetz zur Förderung der Stabilität und des Wachstums der Wirtschaft» (kurz **Stabilitätsgesetz** genannt) verabschiedet, und mit einem keynesianischen Investitionsprogramm ging Wirtschaftsminister Karl Schiller bereits vor Verabschiedung des Stabilitätsgesetzes gegen die Rezession vor. Ob dies den folgenden Konjunkturaufschwung ursächlich beeinflußte, ist umstritten.

(5) Staatliche Interventionen

Probleme ergaben sich für eine global ansetzende Wirtschaftspolitik insbesondere in einer Situation, die man als **Stagflation** bezeichnet (vgl. auch Abschn. 16.1), in der gleichzeitig Inflation und Arbeitslosigkeit auftreten: Allgemein beschäftigungsanregende Maßnahmen (Steuer- oder Zinssenkungen) fördern tendenziell den Preisauftrieb, preisdämpfende Maßnahmen verschärfen Beschäftigungsprobleme. Dies galt in der Bundesrepublik insbesondere in der Folge der Ölkrisen nach 1973 und 1979. Hinzu kommt, daß global ansetzende Maßnahmen wenig zur Lösung spezifischer mikroökonomischer, regionaler oder sektoraler Probleme beitragen konnten. Daher umfaßte das staatliche Handlungsspektrum zudem im Zeitablauf mehr und mehr direkte **Interventionen**, nicht in Form von globalen, sondern von punktuellen Eingriffen in den Wirtschaftsablauf. Die gegenwärtige Wirtschaftsordnung läßt sich daher als Soziale Marktwirtschaft mit Globalsteuerung und Interventionen kennzeichnen.

(6) **Ordnungs- und Ablaufpolitik**

In diesem Zusammenhang ist begrifflich zwischen Ordnungspolitik auf der einen und Ablauf- oder Prozeßpolitik auf der anderen Seite zu unterscheiden.

Unter **Ordnungspolitik** werden die Maßnahmen des Staates verstanden, welche die Wirtschaftsordnung – im Falle der Bundesrepublik also eine marktwirtschaftliche Ordnung – gestalten, erhalten und ausbauen und somit die Rahmenbedingungen setzen, innerhalb derer sich der Wirtschaftsprozeß vollzieht und durch Maßnahmen der **Ablaufpolitik** (synonym: **Prozeßpolitik**) des Staates (mit)beeinflußt wird. Zur Ordnungspolitik sind in erster Linie wettbewerbssichernde und -fördernde Maßnahmen, insbesondere auf gesetzgeberische Ebene zu zählen (Kartellgesetze, Gesetz gegen unlauteren Wettbewerb, Gewerbeordnung etc.). Ablaufpolitische Maßnahmen müssen also dem Anspruch genügen, sich in die marktwirtschaftliche Ordnung einzupassen. Sie sind zumeist gesetzlich geregelt (z. B. im Stabilitätsgesetz, im Außenwirtschaftsgesetz oder durch Regelungen auf EU-Ebene), zum Teil auch im Grundgesetz, insbesondere in den Art. 104–115, das wesentliche Strukturen der Finanzpolitik regelt. Wie die verschiedenen konkreten Wirtschaftsordnungen in der Welt verdeutlichen, umfaßt der Begriff ‹marktwirtschaftliche Ordnung› ein weites Spektrum von Ausgestaltungsmöglichkeiten, die dem Staat innerhalb einer marktwirtschaftlichen Ordnung unterschiedliche Rollen zuweisen. Aber auch innerhalb der in dieser Hinsicht bereits umrissenen Wirtschaftsordnung der Bundesrepublik gibt es Ausgestaltungs- und Interpretationsmöglichkeiten sowohl im Hinblick auf die grundsätzliche wirtschaftspolitische Strategie als auch hinsichtlich des einzusetzenden wirtschaftspolitischen Instrumentariums.

Im Zeichen anhaltender Probleme wie Arbeitslosigkeit bzw. ständiger Konjunkturschwankungen nahm die Skepsis über die Wirksamkeit keynesianisch orientierter Wirtschaftspolitik zu. Nach dem Regierungswechsel 1998 ist es erneut zu einer verstärkt polarisierten Debatte hierüber gekommen. In ihrem Zustand stehen zwei sich weitgehend überlagernde Begriffspaare: Nachfrage versus Angebotstheorie und Fiskalisten versus Monetaristen. Die folgenden Abschnitte gehen darauf ein. Um eine jeweils für sich verständliche Beschreibung zu ermöglichen, müssen einige inhaltliche Überschneidungen im Kauf genommen werden. Vgl. die Zusammenfassung in Abb. 9.3/1 und 9.3/2.

9.4. Nachfrage- oder Angebotspolitik

(1) Nachfrageorientierte Grundposition

Bei der Frage, wie unstetigen Entwicklungen von Wachstum, Beschäftigung oder Preisniveau zu begegnen ist, stehen sich Angebots- und Nachfragetheoretiker gegenüber. Nachfragetheoretiker gehen von einem gegebenen **Produktionspotential** aus (vgl. Abschn. 3.1), das durch geeignete Maßnahmen ausgelastet werden soll, während Angebotstheoretiker auch die Veränderung des Produktionspotentials als zu beeinflußende Größe ansehen. Die Nachfragetheorie orientiert sich an den Erkenntnissen des Engländers *John Maynard Keynes* (1883–1946), und ihre Anhänger werden daher als Neo-Keynesianer oder Postkeynesianer bezeichnet, je nachdem, welcher theoretischen Denkschule sie angehören, welche die Ideen von Keynes ausgebaut bzw. modifiziert hat. Da die Keynesianer den Bestimmungsgrößen der Nachfrage die ursächliche Bedeutung für konjunkturelle Veränderungen beimessen, soll Konjunkturschwankungen folglich durch entgegengerichtete (**antizyklische**) Maßnahmen begegnet werden, um die konjunkturellen Bewegungen zu dämpfen und zu versteigern.

Das Konzept globaler Nachfragebeeinflussung steht im Widerspruch zur Auffassung der klassischen Wirtschaftstheorie, nach der aufgrund der Selbstheilungskräfte der Märkte Marktstörungen ‹von selbst› behoben werden und keiner staatlichen Eingriffe bedürfen. Die keynesianische **Globalsteuerung** fand – im Gegensatz beispielsweise zu den USA – relativ spät Eingang in die deutsche Wirtschaftspolitik und konkretisierte sich im sog. **Stabilitätsgesetz** von 1967. Danach ist es Aufgabe des Staates, einer sich abschwächenden privaten Nachfrage durch Maßnahmen zu begegnen, die auf den Gütermärkten die Nachfrage nach Konsum- und Investitionsgütern bzw. die Exportgüternachfrage des Auslands anregen sollen. Indirekt durch die Güternachfrage, aber auch direkt durch staatliche **Beschäftigungsprogramme** sollen so Beschäftigungseffekte auf dem Arbeitsmarkt ausgelöst werden: Steigende Nachfrage führt dazu, daß un(ter)ausgelastete Produktionskapazitäten stärker beansprucht werden, so daß bei anhaltender Nachfrageausweitung die Vollauslastung der Kapazitäten erreicht wird. Dies würde dann im Produktionsbereich Anreiz geben zu Neu- und Erweiterungsinvestitionen, Arbeitsplätze schaffen und über **Multiplikator-** und **Akzeleratorprozesse** die Nachfrage weiter anregen (vgl. Abschnitt 2.3.3 über Konjunkturtheorien).

Grundtenor einer solchen nachfrageorientierten Wirtschaftspolitik ist dabei, daß auf der **Mikro-Ebene** der privaten Haushalte und Unternehmen – den Prinzipien der freien Marktwirtschaft entsprechend – individuelle Entscheidungsfreiheit zur Selbststeuerung der Märkte führen soll, während auf der **Makro-Ebene** der Staat durch Globalsteuerung die Erfüllung der gesamtwirtschaftlichen Ziele unterstützen soll. Konjunktursteuerung könnte man danach mit dem Bemühen vergleichen, Fahrzeuge auf einer kurvenreichen Straße fahren zu lassen. Die Verkehrsregeln stellen dabei die ordnungspolitischen Rahmenbedingungen dar, und als Globalsteuerung sind Maßnahmen zu verstehen, die den destabilisierenden Schwerkräften in Kurven entgegenwirken und alle Fahrzeuge gleichermaßen betreffen, wie z. B. die Fahrbahnerhöhung in Kurven oder optische Signale. Daneben wird gezielt interveniert, d. h. den Fahrern bestimmter Fahrzeuge ins Steuer gegriffen.

(2) Stagflations-Problem

Nachdem in den 50er und 60er Jahren die keynesianischen Ideen in der Wirtschaftspolitik der Industriestaaten umfassend Fuß faßten, nahm mit zunehmenden wirtschaftlichen Schwierigkeiten aber auch die Kritik an diesem Konzept zu. In Keynes' System paßt etwa eine Erscheinung wie die **Stagflation**, d. h. Stagnation des Wachstums bei zunehmender Arbeitslosigkeit und anhaltendem Preisauftrieb (vgl. Kap. 16) nicht hinein. Keynes ging vor dem Hintergrund der Weltwirtschaftskrise allerdings auch von anderen Voraussetzungen aus, als sie heute gegeben sind. Insbesondere hat die zunehmende weltwirtschaftliche Verflechtung den Einfluß ‹hausgemachter› Politik vermindert, wenn deren Möglichkeiten nicht überhaupt systematisch überschätzt werden.

(3) Staatsverschuldung und Angebotsschocks

Bei den Ursachen für ein ‹Versagen› keynesianischer Nachfragepolitik, der es nicht gelungen war, die ständigen konjunkturellen Schwankungen mit den damit zusammenhängenden Wachstums-, Beschäftigungs- und Inflationsproblemen in den Griff zu bekommen, lassen sich zwei wesentliche Aspekte hervorheben. Einmal wurde in aller Regel eine asymmetrische Nachfragepolitik in dem Sinne betrieben, daß zwar in Abschwungphasen durch kreditfinanzierte Staatsausgaben gegengesteuert wurde, jedoch in Aufschwungphasen eine analoge, aber restriktive Finanzpolitik unterblieb. Dieses Problem wird im anschließenden 10. Kapitel insbesondere unter dem Aspekt der Staatsverschuldung vertieft werden.

Zum anderen wurden konjunkturelle Störungen auch durch sog. **Angebotsschocks** hervorgerufen, d. h. Einflüsse, die primär die Angebotsseite betrafen. Hierzu zählen die Kostenverzerrungen aufgrund der Ölpreisentwicklung ebenso wie die strukturell bedingte (technologische) Arbeitslosigkeit. Ein Angebotsschock auf anderer Ebene ergab sich auch durch das Vordringen der sog. Schwellenländer auf den Weltmärkten. Seitdem haben sich die Welthandelsstrukturen gravierend verändert: Die deutsche Exportwirtschaft muß gegen qualitativ gleichwertige, aber billigere Konkurrenz bestehen, und die Produktionsbedingungen sind in vielen Länderen so viel günstiger, daß ganze Industriezweige tendenziell ins Ausland abwandern, entweder durch eigene **Direktinvestitionen** oder Nutzung ausländischer Kapazitäten im Rahmen sog. **passiver Veredelung** sowie durch Auslagerung bzw. Ausnutzung bestimmter Funktionen (Forschung, Entwicklung) ins bzw. im Ausland. Solchen Veränderungen ist dann ursachenadäquat nicht mit nachfrage-, sondern mit angebotsorientierten Maßnahmen zu begegnen.

(4) Angebotsorientierte Grundposition

Als Reaktion auf die Probleme keynesianischer Wirtschaftspolitik erfolgte zunächst in den USA und später auch in der Bundesrepublik eine Rückbesinnung auf die klassischen Thesen von den Selbstheilungskräften des Marktes. Danach soll sich der Staat – im Gegensatz zur keynesianischen Nachfragebeeinflussung – auf die Verbesserung der Bedingungen für das Güterangebot konzentrieren. Diese sog. ‹**Angebotstheorie**› fußt auf dem zentralen Argument, daß das ständige antizyklische Wechseln zwischen anregenden und dämpfenden Maßnahmen im Konjunkturverlauf («**Stop-and-Go-Politik**») nicht Folge, sondern *Ursache* konjunktureller Schwankungen sei. Der Staat trägt danach destabilisierende Impulse in die im Prinzip zum Gleichgewicht tendierenden privaten Sektoren hinein. Es müsse darauf verzichtet werden, durch wechselnde staatliche Einflüsse den Entscheidungshorizont der Anbieterseite, also der privaten Unternehmer, ständig zu verschieben. Der Staat soll auf destabilisierende wirtschaftspolitische Eingriffe verzichten und ordnungspolitische Rahmendaten setzen, die eine langfristige Orientierung erlauben und der Entfaltung marktwirtschaftlicher Kräfte mehr Raum geben. Hierzu zählt insbesondere eine kostenmäßige Entlastung der Unternehmertätigkeit, u. a. durch Senkung von Produktionssteuern und unternehmensbelastenden Abgaben (vgl. Abb. 9.4/1) sowie der Lohn- und Lohnnebenkosten (Abb. 9.4/2 und oben Abb. 3.8.1/1) (was gegebenenfalls durch erhöhte Verbrauchsteuern kompensiert werden könnte) oder Abschreibungserleichterungen bzw. Investitionshilfen. Insgesamt soll die unternehmerische Initiative durch Abbau hemmender staatlicher Regelungen – ‹**Deregulierung**› – gefördert werden, wobei die Palette einschlägiger Maßnahmen eine Lockerung des Mietrechts ebenso umfaßt wie eine Durchforstung administrativer Dickichte (Abb. 9.4/3). Weitere wichtige Aspekte sind die Eindämmung der «**Schattenwirtschaft**», sprich: Schwarzarbeit, die Privatisierung öffentlicher Unternehmen und die Senkung der Staatsausgaben. Dic angebotstheoretische Botschaft läßt sich auf die kurze Formel bringen: Weniger Staat, dafür mehr individueller marktwirtschaftlicher Freiraum; keine kurzfristigen ad-hoc-Maßnahmen, sondern eine langfristig orientierte Wirtschaftspolitik. Rigorose Vertreter dieser Konzeption plädieren sogar für einen völli-

Abb. 9.4/1: Unternehmensgewinne und Fiskus

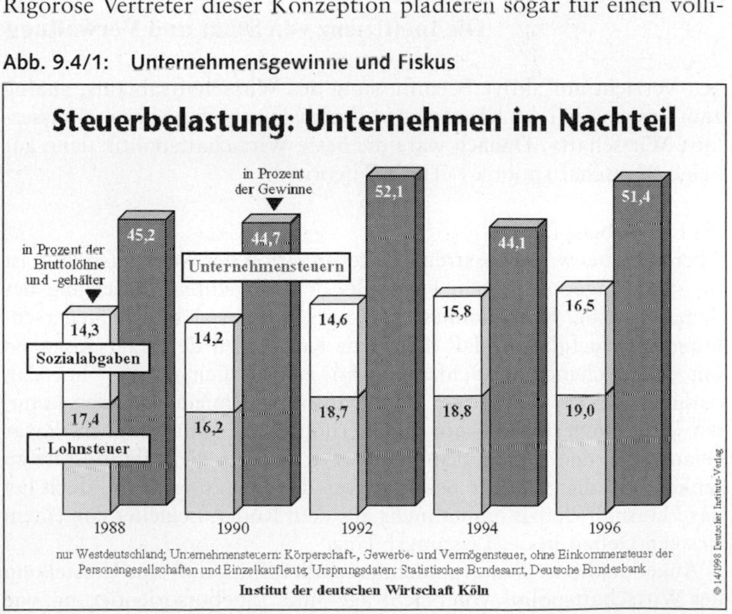

Abb. 9.4/2: Lohnnebenkosten

Zu den Lohnnebenkosten (bzw. Lohnzusatzkosten) zählen aus der Sicht des Arbeitgebers:

- Sozialversicherungsanteil
- bezahlte Feiertage
- Lohnfortzahlung bei Krankheit
- Unfallversicherung
- Mutterschutz
- Urlaub, Urlaubsgeld
- Gratifikationen
- 13. Gehalt
- betriebliche Altersversorgung
- Vermögensbildung
- soziale Angebote (Kinderbetreuung etc.)

Abb. 9.4/3: Deregulierung?

BUNDESPRÄSIDENT
Herzog: Gesetzliche Regelungsdichte behindert wirtschaftliche Entwicklung

"Ämterdschungel behindert Investitionen"

Die Ineffizienz von Staat und Verwaltung

gen Verzicht auf aktive Beeinflussung des Wirtschaftsablaufs, analog zum Basismodell des Klassischen Liberalismus im Sinne einer «laissez-faire-Wirtschaft». Danach wäre die beste Wirtschaftspolitik dann gar keine Wirtschaftspolitik («**Tunix-Theorie**»).

(5) Länderbeispiele

Aber auch bei weniger extremer Interpretation der Angebotspolitik ist für Nachfragepolitik kein Platz. Bei der versuchten Umsetzung der damaligen sog. **Reaganomics** in den USA erwies sich, daß Steuersenkungen dazu führten, daß drastische Kürzungen der Staatsausgaben mit entsprechendem Nachfrageausfall erforderlich waren, ohne daß damit gewaltige Defizite im Staatshaushalt vermieden werden konnten; dies wiederum machte Steuererhöhungen unumgänglich. Zwar gelang es in den USA in bemerkenswerter Weise, die Inflationsrate zu senken und die Zahl der Beschäftigten deutlich zu erhöhen, doch lief das Haushaltsdefizit immer mehr aus dem Ruder, begleitet von einem riesigen Defizit in der Leistungsbilanz.

Angebotstheoretiker argumentieren allerdings, daß eine Umstellung der Wirtschaftspolitik von Nachfrage- und Angebotsorientierung, wie sie auch in vielen Entwicklungsländern im Zuge von Weltbank- und IWF-begleiteten **Strukturanpassungsprogrammen** erfolgten, zwangsläufig zu vorübergehenden Problemen führen muß und bezeichnen die Verschärfung der Beschäftigungssituation als ‹Anpassungsarbeitslosigkeit›. Sie sei zwar bedauerlich, doch führe eine schmerzhafte, aber konsequente Umorientierung der Wirtschaftspolitik schneller zum Gleichgewicht zurück als eine zögernde, schrittweise Umstellung.

Die grundsätzliche Auseinandersetzung um Nachfrage- oder Angebotspolitik, oder anders ausgedrückt: um die Rolle des Staates im Wirtschaftsablauf, auch und insbesondere im Hinblick auf die Befürwortung und Ablehnung staatlicher Beschäftigungsprogramme, ist keineswegs beigelegt. Obgleich die Angebotstheorie seit Beginn der 80er Jahre regelrecht in Mode kam, sind die bisher überschaubaren Ergebnisse bei differenzierter Betrachtung nicht sonderlich überzeugend. Natürlich ist der Beobachtungszeitraum für eine neuorientierte Wirtschaftspolitik bisher zu kurz, um abschließende Würdigungen vornehmen zu können. Zudem haben in vielen westlichen Ländern Regierungswechsel Ende der 90er Jahre zu einer Umstellung der Wirtschaftspolitik geführt und dadurch eine Überprüfung der Erfolge oder Mißerfolge ihrer Vorgänger erschwert.

(6) Probleme der Angebotstheorie

Das Hauptproblem scheint darin zu liegen, daß die Angebotstheorie ihrem Wesen nach langfristig angelegt ist. Die skizzierten Anpassungsprobleme jedoch können dazu führen, daß demokratisch legitimierten Regierungen zwischenzeitlich das Vertrauen entzogen wird. Die Hauptschwäche des Angebotskonzepts liegt im Hinblick auf die Umstellungsphase darin, daß nicht zwingend deutlich gemacht werden kann, weshalb im Unternehmensbereich angesichts unausgelasteter Kapazitäten, bedingt durch zu geringe Nachfrage, beschäftigungsschaffende Investitionen vorgenommen werden sollen. Kostensenkende Maßnahmen, wie sie die Angebotstheoretiker fordern, sind für arbeitsplatzschaffende Investitionen wahrscheinlich weniger bedeutsam als eine Erhöhung der Absatzmöglichkeiten. Kostenentlastende Maßnahmen können wohl die Gewinnspannen und damit die Einkommen aus Unternehmertätigkeit und Vermögen erhöhen. Diese Verbesserung der **Gewinnquote** zu Lasten der **Lohnquote** (Anteil der Einkommen aus unselbständiger Arbeit am Volkseinkommen; vgl. Abschn. 6) wird von Vertretern der Angebotstheorie auch erkannt und in Kauf genommen, um nicht zu sagen: angestrebt. Bedenklich ist es aber, eine einseitige (monokausale) Beziehung herstellen zu wollen zwischen Kosten-, d.h. insbesondere auch Steuerbelastung, und Investitionsneigung. Angebotsorientierte steuerliche Maßnahmen allein sind keine Garantie für beschäftigungswirksame Investitionszunahme, sofern die inländische oder ausländische Nachfrage nicht zunimmt. Letztlich mußten in den USA in der Reaganära realisierte Steuersenkungen in einigen Bereichen wieder rückgängig gemacht werden, da die andernfalls nötige Kürzung der Staatsausgaben simultan nicht im erforderlichen Ausmaß zu verwirklichen war. Das verbleibende große Defizit im US-Haushalt erforderte eine hohe staatliche Kreditaufnahme; dies wiederum förderte damals ein hohes Zinsniveau auf dem amerikanischen Geld- und Kapitalmarkt («**Hochzinspolitik**»), was wiederum einerseits zu einem steigenden Dollarkurs führte und die exportorientierten Sektoren der amerikanischen Industrie in ihrer internationalen Wettbewerbsfähigkeit beeinträchtigte. Die damaligen hohen US-Zinsen waren andererseits ein Grund für ein hohes Zinsniveau in den anderen Industriestaaten, auch in der Bundesrepublik, was einem konjunkturellen Aufschwung nicht nützlich war. Diese summarische Betrachtung, die in den folgenden Kapiteln vertieft wird, soll auch den Einfluß verdeutlichen, der von der Wirtschaftspolitik anderer Länder auf unsere eigene Situation ausgeht.

(7) **Policy Mix**
Für die konjunkturpolitische Praxis ergibt sich daraus die fast triviale Erkenntnis, daß ein extremes ‹Entweder/Oder› nicht sinnvoll ist, sondern daß vielmehr die Zielrichtung wirtschaftspolitischen Handelns davon abhängt, ob konjunkturelle Störungen angebots- oder auch nachfrageorientierte Komponenten umfassen (‹**policy mix**›). Dies würde man auch als gemäßigte Variante der Angebotspolitik bezeichnen. Danach ist Kern der Wirtschaftspolitik eine Verbesserung der Rahmenbedingungen für unternehmerische Risikobereitschaft und Leistung, das heißt mit anderen Worten die Stärkung individueller Marktkräfte bei gleichzeitiger Verminderung staatlicher Beeinflussung. Daneben ist diese langfristig angelegte Wachstumsstrategie abzusichern durch eine stabilisierende **Geldpolitik**, die monetäre Störungen auffangen soll (vgl. auch den nächsten Abschnitt), und eine **Finanzpolitik**, die insbesondere auf Abbau des strukturellen Defizits im Staatshaushalt abstellen soll (vgl. hierzu Kap. 10).

9.5. Monetarismus und Fiskalismus

Neben der Strategiedebatte gibt es auch im Hinblick auf das Instrumentarium der Wirtschaftspolitik einen grundsätzlichen Meinungsstreit, der sich zum Teil mit der Angebots-Nachfrage-Debatte überschneidet (oben Abb. 9.3/1 und 9.3/2).

(1) Grundposition der Fiskalisten

Auf der einen Seite stehen wiederum ‹Keynesianer›, die für eine antizyklische Geld- und Finanzpolitik plädieren. Weil dabei dem Staat als Fiskus eine wichtige Rolle zukommt, bezeichnet man sie in diesem Zusammenhang auch als ‹**Fiskalisten**›.[3] Diese Bezeichnung ist insofern irreführend, weil auch von Vertretern des fiskalischen Lagers der Geldpolitik eine wichtige Rolle zuerkannt wird. Allerdings wird ihr eine beträchtliche Handlungs- und Wirkungsverzögerung unterstellt (vgl. Kap. 15), so daß die Geldpolitik durch Finanzpolitik zu unterstützen ist. Dies ist um so mehr erforderlich, als die Geldpolitik durch die Beeinflussung des Zinsniveaus nur auf einen Teil der Investitionen einwirken kann. Während die meisten Investitionen weniger von den Zinskosten abhängig sind als von der Rendite – und diese hängt u. a. ab von der Möglichkeit, Kosten in den Preis zu überwälzen –, kann eine deutliche Zinsabhängigkeit zwingend nur im privaten Wohnungsbau nachgewiesen werden. Folglich sind – so die Fiskalisten – finanzpolitische (fiskalische) Maßnahmen wirksamer als geld- und kreditpolitische.

(2) Grundposition der Monetaristen

Die Gegenposition zu den Fiskalisten vertreten die ‹**Monetaristen**›, herausragend vertreten durch den in Chicago lehrenden *Milton Friedman* («Chicagoer Schule»; monetaristisch orientierte Wirtschaftsberater werden gelegentlich auch als ‹Chicago Boys› bezeichnet, was nicht gerade freundlich gemeint ist). Ihrer Meinung nach ist eine antizyklische Wirtschaftspolitik ungeeignet, konjunkturellen Schwankungen zu begegnen, da diese die Schwankungen nicht dämpft, sondern gerade **hervorruft**. Im Grunde genommen tendiere der Wirtschaftsablauf zu gleichgewichtiger Entwicklung, und nur durch Eingriffe des Staates würden wegen der Wirkungsverzögerungen und Dosierungsprobleme wirtschaftspolitischer Maßnahmen Schwankungen produziert. Folglich solle sich der Staat konjunkturorientierter Beeinflussung weitmöglichst enthalten. Die Monetaristen sehen es insbesondere als erforderlich an, die Inflation zu bekämpfen, die ihrer Meinung nach durch eine expansive keynesianische Wirtschaftspolitik, die Wachstums- und Beschäftigungszielen Vorrang gibt vor Preisniveaustabilität, hervorgerufen worden sei.

---

[3] Vgl. aber meine Unterscheidung von Finanz- und Fiskalpolitik im Kapitel 10.

Zentrale Steuerungsgröße der Monetaristen – daher die Bezeichnung – ist die **Geldmenge.** Ihr kommt nach monetarischer Auffassung eine ursächliche Rolle im Wirtschaftsprozeß zu, indem das Sozialprodukt auf Veränderungen der Geldmenge reagiert, während Keynesianer dies eher umgekehrt sehen. Insofern stützen sich die Monetaristen auf verfeinerte Versionen der **Quantitätstheorie** des Geldes, weshalb man sie auch als Neoquantitätstheoretiker oder Neoklassiker klassifiziert (vgl. auch Abschn. 4.3.2 zur Geldmengeninflation).

Durch eine Verstetigung der Geldmengenveränderung könnten nach monetaristischer Auffassung somit Konjunkturschwankungen langfristig geglättet und das Stop-and-Go antizyklischer Wirtschaftspolitik vermieden werden.

Das oben angeführte Autofahrerbeispiel als Analogie zur Konjunkturbeeinflussung kann hier nochmals verwendet werden: Die antizyklische Nachfragebeeinflussung versucht, ein ins Schleudern kommendes Fahrzeug durch Gegensteuern zu stabilisieren, wobei die destabilisierenden Kräfte unvorhersehbar und unvermeidlich sind. Angebotsorientierung wie monetaristische Wirtschaftspolitik hingegen geht davon aus, daß gerade das ständige Gegensteuern das Schleudern verursacht. Vielmehr sei es erforderlich, die Fahrbahn so zu gestalten, daß die Fahrzeuglenker sich – frei von Stabilisierungsproblemen – auf die Vorwärtsbewegungen (Wachstum und Beschäftigung) konzentrieren.

(3) Probleme des Monetarismus

Ein Hauptproblem stellt im Monetarismus die Wahl eines operationalen Indikators für die Geldmengensteuerung dar, der den monetären Einfluß auf die reale Gütersphäre deutlich macht. Dabei kommen die Geldmengen[4], die Bankenliquidität oder das Zinsniveau in Frage. Dieses Problem ist bis heute nicht zufriedenstellend gelöst, obgleich es einige praktische Beispiele für den Versuch einer monetaristischen Wirtschaftspolitik gibt (Chile unter Pinochet, zeitweise Israel, England unter Thatcher, weniger konsequent die USA unter Reagan). Die dabei erzielten Erfolge sind jedoch insgesamt – insbesondere im Hinblick auf die ungelösten Beschäftigungsprobleme – keineswegs überzeugend und geben bisher eher den Kritikern monetaristischer Positionen recht. Das Hauptproblem scheint dabei die Unmöglichkeit zu sein, externe monetäre Impulse, die u. a. aus internationalem Zinsgefälle und veränderten Wechselkursen sowie Veränderungen der Umlaufgeschwindigkeit resultieren, zu kompensieren. Die **Bundesbank** vertritt seit 1974 verstärkt einen monetaristischen Standpunkt hinsichtlich der Verstetigung der Geldmengenveränderung, ohne dabei insgesamt eine extreme Position im Sinne Friedmans einzunehmen (vgl. Abschn. 11.2): Sie definiert einen «**Zielkorridor**», innerhalb dessen Grenzen die Geldmenge wachsen soll, ohne daß negative, vor allem inflationäre Effekte auftreten dürften. Diese grundsätzliche Politik dürfte auch von der Europäischen Zentralbank weiterverfolgt werden.

Die monetaristische Unterstellung, daß konjunkturelle Schwankungen auf Eingriffe des Staates zurückzuführen seien, ist sehr restriktiv. Sie abstrahiert von sämtlichen übrigen Störfaktoren, die teils ‹hausgemacht› sein mögen (wie z.B. innenpolitische Spannungen oder Streiks), teils aus dem Ausland kommen können wie wirtschaftliche Probleme von Handelspartnern oder weltwirtschaftliche Turbulenzen überhaupt. Da der Monetarismus der Geldwertstabilität höchste Bedeutung zumißt, dabei auch entsprechend konsequente (und oft harte) Stabilisierungsmaßnahmen fordert, wird tendenziell eine restriktive Wirtschaftspolitik als ‹Monetarismus› apostrophiert, auch wenn dies im methodischen Sinne gar nicht zutrifft.

Aus heutiger Sicht hat sich die monetaristische Doktrin in der Praxis nicht bestätigen lassen. Die ursprünglich recht monetaristisch orientierte US-Notenbank ist deutlich von diesem Konzept abgerückt: Der Notenbankpräsident Greenspann sagte 1993, daß die «historischen Beziehungen zwischen Geld und Einkommen größtenteils zusammengebrochen» seien – im Gegensatz zur Behauptung der monetaristischen Theorie. Insbesondere konnte die These nicht bestätigt werden, daß die Umlaufgeschwindigkeit des Geldes relativ konstant sei.

Andererseits hat der Monetarismus entscheidend dazu beigetragen, daß die Notenbanken vieler Staaten diszipliniert die Geldmengenentwicklung beeinflußt und sich gegen inflationäre Regierungspolitiken gewehrt haben. Es bleibt abzuwarten, wie sich die neu eingerichtete Europäische Zentralbank in dieser Frage verhalten wird.

(4) **Rolle des Staates**

Angebotstheorie und Monetarismus auf der einen Seite und Nachfragetheorie und Fiskalismus auf der anderen überschneiden sich hinsichtlich der Einschätzung der **Rolle des Staates**. Monetaristen wie Angebotstheoretiker betonen die Selbstheilungskräfte des Marktes und sehen im Staat eher einen Störfaktor als einen Stabilisator, während Keynesianer und Fiskalisten staatlichen Maßnahmen eine stabilisierende Funktion zusprechen. Die unterschiedlichen Positionen sind also weniger ein Streit um Zweck-Mittel-Relationen als eine ordnungspolitische Auseinandersetzung über die Funktion des Staates im

Wirtschaftsablauf und somit um staatliche Wirtschaftspolitik. Auf einer mehr praktischen Ebene reduziert sich diese konzeptionelle Auseinandersetzung vereinfachend auf das Dilemma, im Zielkonflikt zwischen Preisniveaustabilität und Vollbeschäftigung (vgl. Kap. 16) dem einen oder dem anderen Ziel höhere Priorität einzuräumen. Ländern mit eher monetaristischer Wirtschaftspolitik wie Großbritannien oder den USA ist es in bemerkenswerter Weise gelungen, die Inflationsraten zu senken, aber nicht die anhaltend hohe Arbeitslosigkeit in gleichem Maße abzubauen. Allerdings argumentieren Monetaristen, daß dies ein zwar sehr bedauerlicher, aber vorübergehender Effekt sei. Die positiven Effekte einer verstetigten monetaristischen Wirtschaftspolitik müßten sich im Zeitablauf auswirken können, bevor ein fundiertes Urteil zu fällen wäre.

Länder mit eher keynesianischer Wirtschaftspolitik hingegen räumen tendenziell dem Beschäftigungsziel Vorrang gegenüber der Preisniveaustabilisierung ein.

9.6. Fazit und Schwerpunkte der aktuellen Diskussion

9.6.1. Theorie-Schwachstellen

Oft zitiert – man mag es kaum noch erwähnen – ist die angebliche Klage eines Fürsten (oder Politikers) über seinen ökonomischen Berater, der nie eine klare, eindeutige Empfehlung gibt, sondern immer zwischen «einerseits» und «andererseits» schwankte und die Entscheidung dem Fragesteller überließ. Offenbar ist es in der Praxis nicht immer so, denn beispielsweise *John Maynard Keynes* oder *Milton Friedman* haben ganz klare Handlungsanweisungen für die Politik formuliert. Das Problem liegt aber auf einer anderen Ebene: Keine ökonomische Theorie hat es bisher vermocht, umfassend und in jeder Lage eine zutreffende Antwort auf zu lösende Probleme zu geben; *jede* Theorie hat ihre Schwachstellen, und diese beeinträchtigen insbesondere ihre Tauglichkeit für zukunftsgerichtete Prognosen. Darüber täuschen auch theoretische Modelle nicht hinweg, die oft formal *sehr* ausgebaut sind und deren Botschaft sich nur dem mathematisch Interessierten und gleichzeitig Versierten erschließt, wobei sich dann fast ebenso oft die Frage ergibt, ob man diese Aussage nicht auch (gleich) etwas einfacher hätte formulieren können. Zweifellos wieder ein Werturteil. Aber wer es nicht glaubt, möge einmal einen Blick in eine volkswirtschaftliche wissenschaftliche Fachzeitschrift werfen: nicht selten einer mathematischen Formelsammlung ähnlich (natürlich meist englisch). Der Amerikaner *Donald McCloskey* wird mit der Meinung zitiert, die (Volks-?)Wirtschaftswissenschaft sei oft einem intellektuellen Spiel ähnlich, das nicht mehr praktischen Nutzen habe als Schach oder Lotto. So ist es. Dort, wo die konkrete Wirtschaft Hochschulabsolventen einstellt, besteht folglich auch ein Trend zur Beschäftigung praxisorientierter Absolventen, die es in zunehmender Zahl gibt.

Dabei gäbe es viele Fragen zu beantworten. Ökonomische *Prognosen* sind sehr viel ungenauer als der Wetterbericht. Die Voraussagen über die Effekte und Kosten der deutschen *Wiedervereinigung* waren eine Katastrophe. (Um Mißverständnissen vorzubeugen: auch der Autor lag kräftig daneben; natürlich nicht *soo* sehr, aber wer hört schon auf mich?) *Wechselkursentwicklungen* können nur geraten werden. Recht hilflos stehen die ökonomischen Theorien auch den Problemen von *Entwicklungsländern* und der osteuropäischen Reformstaaten gegenüber. Vieles liegt dabei ganz klar an politischen Fehlentwicklungen (Werturteil des Autors), aber nicht alles. Was also tun? Welche Konzeption ist die richtige? Keiner weiß es (objektiv), also wird man auch in Zukunft ausprobieren müssen. Tragisch ist dies insbesondere im Hinblick auf die Einschätzung der Entwicklung von *Konjunktur und Wachstum*, weil hier mit Arbeitslosigkeit, Rentenfinanzierung, Besteuerung und Inflation eine Vielzahl von Problemen «dranhängen», die sich unmittelbar beim einzelnen auswirken.

Ökonomische Theorien haben aber viel Nützliches gebracht. Dies gilt für die Klassik/Keynes-Debatte ebenso wie für Monetarismus/Fiskalismus oder Angebots- versus Nachfragetheorie. Durch die **Theorie der Eigentumsrechte** (*Property Rights*) ebenso wie die der **externen Effekte** wurden z. B. auch aktuelle Probleme des Umweltschutzes griffiger gemacht (Lösungshemmnisse sind dort eindeutig eine politische Frage!). Die Bedeutung des technischen Fortschritts für die Entwicklung – und damit der Notwendigkeit von Forschung – ist volks- und betriebswirtschaftlich unumstritten. Aber insgesamt gesehen ist das Gefühl für die Grenzen der Weisheit ausgeprägter geworden, und die Einschätzungen von der Machbarkeit und Steuerungsfähigkeit der Volks- bzw. Weltwirtschaft sind sehr sehr vorsichtig geworden.

9.6.2. Konjunktur- und Beschäftigungsprogramme

Gravierende gesamtwirtschaftliche Probleme wie Massenarbeitslosigkeit fordern den Ruf nach Konjunktur- oder Beschäftigungsprogrammen (Abb. 9.6.2/1). Darunter sind Maßnahmen zu verstehen, welche Konsum und Investition – und dadurch die Beschäftigung – anregen sollen. Die Grundüberlegung ist dabei – abgesehen von sozialpolitischen Motiven, daß die Finanzierung solcher staatlichen Maßnahmen zwar die öffentlichen Haushalte belastet, dies aber per Saldo kostengünstiger ist als die Finanzierung von Arbeitslosigkeit (vgl. auch Abschn. 3.4.4). Dabei gibt es wiederum nachfrage- oder angebotsorientierte Varianten:

Die *nachfrageorientierte* Version setzt unmittelbar entweder bei der Beschäftigung, d. h. der Nachfrage nach Arbeitskräften an, indem z. B. staatliche Aufträge in großem Stil an die Industrie vergeben werden, insbesondere Bau-, Liefer- und Dienstleistungsaufträge. Dies wird aus zweierlei Gründen angegriffen: Erstens ist dieser Ansatz historisch negativ belastet, denn Hitlers Autobahnbauprogramm war ein eindeutig keynesianisch fundiertes Beschäftigungsprogramm. Zweitens stehen solche Maßnahmen in dem Ruf, nur *Strohfeuereffekte* auszulösen, d. h. daß der beschäftigungsanregende Schub mit der Beendigung der Maßnahme wieder erlischt. Eine andere Variante von Konjunkturprogrammen will durch direkte Senkung der privaten Steuerbelastungen den Konsum anregen oder durch zinsgünstige Darlehen auch die private Bautätigkeit fördern.

Der *angebotsorientierte* Ansatz will durch günstige Rahmenbedingungen die private Investitionstätigkeit anregen. Dies schafft zum einen direkte Nachfrage bei den Herstellern von Investitionsgütern, zum anderen – so die implizite Unterstellung – Nachfrage nach komplementären Arbeitskräften. Ob letzteres tatsächlich eintritt, ist allerdings offen, denn eine Investition kann durchaus auch Arbeitsplätze «wegrationalisieren». Investitionsförderung kann in zweierlei Form erfolgen: **Investitionsprämien** – so wie sie § 26 des Stabilitätsgesetzes vorsieht – können durch einfache Rechtsverordnung der Regierung beschlossen werden. Da die Prämien über die Abzugsfähigkeit von der Einkommen- oder Körperschaftsteuerschuld gewährt werden, setzen sie entsprechende Gewinne voraus, bieten also wenig Anreiz für Unternehmen, die bereits in der Verlustzone sind und ohnehin keine Steuern zahlen. Außerdem werden dadurch sog. Mitnahmeeffekte

Abb. 9.6.2/1: Konjunkturprogramme

Japanisches Konjunkturprogramm beschlossen

Frankreich will mit neuem Konjunkturprogramm den Konsum stärken

Nein zu Konjunkturprogramm

HWWA: Staatsdefizit und Steuerbelastung schon jetzt zu hoch

ausgelöst, d.h. daß Prämien für Investitionen in Anspruch genommen werden, die ohnehin getätigt würden (z.B. routinemäßige Ersatzinvestitionen). Eine Alternative stellen daher **Investitionszulagen** dar, die direkt einen Teil der Investitionskosten finanzieren, folglich gewinnunabhängig sind, und auf Erweiterungsinvestitionen beschränkt werden können. Investitionszulagen müssen allerdings – im Gegensatz zu Prämien – erst gesetzlich beschlossen werden: Das Verfahren ist also etwas umständlicher. Im Rahmen der Wiedervereinigung wurde es allerdings in Gang gesetzt, um Investitionszulagen für die neuen Bundesländer bereit zu stellen.

Die besondere Problematik von Maßnahmen zur Konjunkturankurbelung liegt in der Finanzierung. Im konjunkturellen Tief sprudeln die Steuerquellen ohnehin nicht so reichlich, weil viele Steuern konjunkturabhängig sind (Lohn-, Einkommen-, Körperschaft-, Mehrwert-, Verbrauchsteuern etc.). Wenn dann – wie gegenwärtig in Deutschland – die Staatsverschuldung bereits ein kritisch hohes Niveau erreicht hat, kann eine schuldenfinanzierte Konjunkturpolitik (*deficit spending*) kaum realisiert werden, und eine Finanzierung über höhere Steuern verbietet sich einmal aus methodischen Gründen, zum anderen wegen einer gleichfalls bereits kritisch hohen Steuerbelastung. Folglich wird dann vorrangig nach Möglichkeiten gesucht, durch die Verbesserung der Rahmenbedingungen den wirtschaftlichen Wiederaufschwung zu erleichtern.

9.6.3. Industriepolitik

Die gerade besprochenen Maßnahmen sind grundsätzlich kurzfristig angelegt. Ein langfristiges Konzept der staatlichen Angebotsförderung wird auch als Industriepolitik bezeichnet. Ordnungspolitisch steht diese bei den strengen Verfechtern der Angebotstheorie nicht sehr hoch im Kurs, denn die Angebotstheorie plädiert ja gerade für *weniger* Einfluß des Staates auf den Wirtschaftsablauf und für eine grundsätzlich möglichst staatsfreie private Wirtschaft. Industriepolitik paßt somit tendenziell nur in eine wirtschaftspolitische Landschaft, die durch relativ enge Zusammenarbeit zwischen Staat (d.h. Regierung) und Wirtschaft gekennzeichnet ist. Trotz ordnungspolitischer Bedenken ist sie allerdings aus Unternehmenssicht verführerisch: Sie umfaßt u.a.

- staatliche (Mit-)Finanzierung von Forschungs- und Entwicklungsvorhaben der Industrie (dies überschneidet sich u.U. mit der Gewährung der oben erwähnten Investitionszulagen) sowie im Hochschulbereich (ich höre schon den Leser murmeln: «Er nun wieder ...»)

zur Förderung des Technologietransfers zwischen Wissenschaft und Praxis,

- öffentliche Auftragsprogramme und Unterstützung grenzüberschreitender Auftragseinwerbung (wobei sich als Ziel anbietet, gleichzeitig ausländische Aufträge möglichst im Inland zu vergeben – eine Strategie, die latent sowohl mit europäischem Gemeinschaftsrecht als auch mit dem GATT/WTO-Vertrag auf Kriegsfuß steht),
- Förderung des Mittelstandes,
- Exportförderung durch die Übernahme von Kreditrisiken (in Deutschland im Rahmen der sog. Hermes-Deckung), ggf. Unterstützung durch die Wechselkurspolitik (obgleich im Falle Deutschlands dies – wegen des Aufgehens der DM im Euro und dessen flexiblen Wechselkurses – kaum allein und gezielt zu realisieren ist) sowie Türöffnungsfunktion der Regierung auf ausländischen Märkten, z. B. im Rahmen von bilateralen Verträgen oder auf multilateraler Ebene wie in der WTO, u. a. durch Bestehen auf Gegenseitigkeit (Reziprozität) bei Zollpräferenzen und anderen Vergünstigungen sowie durch Messeförderungen und gemischte Auslandsdelegationen von Regierung und Wirtschaft,
- Unterstützung erforderlichen Strukturwandels auch durch öffentliche Infrastrukturinvestitionen.

Diese nach innen gerichtete ‹Entwicklungshilfe› durch den Staat gewinnt offensichtlich immer mehr Akzeptanz, je stärker negative Konsequenzen der Globalisierung deutlich werden: Der Strukturwandel belastet viele Branchen und verhindert einen signifikanten Abbau der Massenarbeitslosigkeit.

Besondere Brisanz gewinnt das Problem der Industriepolitik auch durch den Vertrag von Maastricht. Die Forschungs- und Entwicklungsförderung hat auf EU-Ebene einen ausgesprochen hohen Stellenwert. Allerdings gibt es dabei eine schier unüberschaubare Anzahl von Förder- und Unterstützungsprogramme, so daß sich als neuer, kräftig expandierender Dienstleistungszweig die Subventionsberatung gebildet hat. Abgesehen davon, daß insbesondere durch französischen und britischen Einfluß allgemein deutliche Elemente einer aktiven Industriepolitik im obigen Sinne auszumachen sind, die dem deutschen, eher ordo-liberalen Verständnis von Marktwirtschaft nicht immer entsprechen, gibt es auch konkretere Konfliktbereiche: So steht der Maastricht-Vertrag beispielsweise Kooperationen zwischen Unternehmen aufgeschlossener gegenüber, als sich dies nach deutschem Kartellrecht darstellt (vgl. *Volkswirtschaftslehre*, Kap. 6). Auch hinsichtlich des Verständnisses der staatlichen Funktionen enthält der Maastrichter Vertrag eine Tendenz zu supranationalem Dirigismus (mehr als der EWG-Vertrag alter Fassung), indem der Europäischen Kommission und dem Rat beträchtliche – gemeinschaftsweite – Lenkungsfunktionen zugewiesen werden. Andererseits besteht durchaus die Gefahr eines gegenseitigen Hochschaukelns nationaler (eigennütziger) Industriepolitiken innerhalb der Gemeinschaft.

Die Hauptproblemfelder staatlicher Industriepolitik sind daher offensichtlich (stichwortartig) die verstärkte Tolerierung von Kartellen (im Sinne einer sehr weiten Auslegung deutscher Kartellnormen), eine Tendenz zu nationaler Protektion gegenüber dem Ausland bei gleichzeitiger Abwälzung bestimmter Unternehmensrisiken auf den Staat sowie ein Zielkonflikt zwischen Bürokratisierung und angestrebter Flexibilität: Will man z. B. ungerechtfertigte Mitnahmeeffekte bei Förderungen und Subventionen verhindern, muß bürokratisch kontrolliert werden. Andernfalls muß man Absickereffekte in Kauf nehmen. Dies steht auch mit dem nächsten Aspekt in Zusammenhang.

9.6.4. Standort Deutschland und Flexibilisierung

Die Attraktivität des Standortes Deutschland beginnt offensichtlich zu bröckeln. Die ausländische Investitionstätigkeit in der Bundesrepublik ist drastisch zurückgegangen; inländische Unternehmen wandern zunehmend ins Ausland aus oder lassen im Rahmen **passiver Veredelung** im Ausland produzieren; ausländische **Direktinvestitionen** fließen nicht mehr so wie früher nach Deutschland, sondern wenden sich – innerhalb Europas – z. B. vorrangig Großbritannien zu. Dies bedroht die Sicherheit von Arbeitsplätzen, zumal die Konkurrenzsituation auf den Weltmärkten durch das Vordringen von Schwellenländern sehr hart geworden ist. Es ist schwer, dafür insgesamt eine präzise Begründung zu liefern, zumal offenbare strukturelle Probleme überlagert und verstärkt werden durch konjunkturelle Einbrüche, auch weltwirtschaftlicher Art.

Ein zentraler Punkt ist sicherlich die Kostensituation in der verarbeitenden Industrie. Dabei wird immer wieder auf die – im internationalen Vergleich – (zu?) hohen Lohnkosten hingewiesen. Das ist pauschal ebenso richtig wie falsch: Die Bruttolohnkosten sind vergleichsweise hoch (richtig), aber dies liegt in starkem Maße nicht am tariflichen Arbeitslohn i. e. S., sondern an den *gesetzlichen* **Lohnnebenkosten** (also falsch) (vgl. Abschn. 3.7.1).

Im Zusammenhang mit dem Stichwort *«Sicherung des Standortes Bundesrepublik»* werden auch verschiedene Aspekte diskutiert, die sich unter dem Begriff «Flexibilisierung» zusammenfassen lassen. Dies bezieht sich u. a. auf eine Auflockerung der gesetzlichen und tarifrechtlichen Regulierungen für die Arbeitszeit und -dauer, auf die Aufhebung von Vorschriften für den Ladenschluß und die Rabattgewährung, auf die Vereinfachung von administrativen Rahmenbedingungen bei Genehmigungen und Planungen (u. a. bei Bauvorhaben, Patentanmeldungen oder bei der Exportkontrolle), auf die Erhöhung der Effizienz im Bereich staatlicher unternehmerischer Tätigkeit, auf die Zulässigkeit privater Arbeitsvermittlung, u. a. m. Einige dieser ‹Flexibilisierungen› bedeuten beträchtliche Einschnitte in gewohnten Besitzstand, insbesondere im Tarifrecht. Nicht zu übersehen ist, daß eine Reihe von Veränderungen in der jüngeren Vergangenheit auch durch haushaltspolitische Zwänge bedingt sind, wobei staatlicherseits versucht wird, sich von kostenträchtigen Aufgaben zu lösen.

Das wirtschaftspolitische Instrumentarium, das in den folgenden Kapiteln des IV. Teils behandelt wird, steht prinzipiell sowohl für eine nachfrage- als auch für eine angebotsorientierte Politik zur Verfügung. Dies gilt für die finanz- und fiskalpolitischen ebenso wie für die geld- und außenhandelspolitischen Instrumente. Die Systematisierung geht von der Überlegung aus, daß zunächst die eher binnenwirtschaftlich orientierten Bereiche betrachtet werden. Das folgende Kapitel 10 behandelt das finanzpolitische Instrumentarium, d. h. die Gestaltung der öffentlichen Haushalte mit wirtschaftspolitischen, insbesondere konjunkturellen Zielsetzungen, im Sinne keynesianischer Globalsteuerung. Im Kap. 11 wird die Geld- und Kreditpolitik der Bundesbank betrachtet, die über viele Jahre hinweg einen grundsätzlich durchaus antizyklischen (keynesianischen) Kurs steuerte, jedoch in der jüngeren Vergangenheit eine mehr monetaristische Position vertritt. Die in den Kap. 12 (Währungspolitik) und 13 und 14 (Zoll-, Handels- und Entwicklungspolitik) betrachteten außenwirtschaftlichen Bereiche der Wirtschaftspolitik enthalten sowohl geld- als auch finanzpolitische Instrumente. Eine Aufteilung entsprechend den Kap. 10 und 11 wäre möglicherweise systematisch einleuchtend, jedoch für das Verständnis und den Zusammenhang unbefriedigend, so daß sie in sich geschlossen behandelt werden.

IV. Teil: Wirtschaftspolitisches Instrumentarium und ausgewählte Politikfelder

In diesem Teil wird das wirtschaftspolitische Instrumentarium dargestellt, das zur Erreichung der im II. Teil beschriebenen Ziele grundsätzlich zur Verfügung steht. Auswahl und Einsatz dieser Instrumente hängen in der konkreten Wirtschaftspolitik dabei von der Art der verfolgten wirtschaftspolitischen Konzeption ab (Teil III). Die systematische Zuordnung der Instrumente ist dabei nicht unproblematisch. Sehr vereinfacht könnte man zwischen geld- und finanzpolitischen Instrumenten unterscheiden, wobei dann währungspolitische Maßnahmen der Geldpolitik zuzurechnen wären. Viele außenwirtschaftliche Instrumente wie z. B. Zölle könnten der Finanzpolitik zugerechnet werden. Andererseits aber sind währungspolitische Aspekte in hohem Maße für die Außenwirtschaft von Bedeutung, wobei vor allem an Wechselkursveränderungen zu denken ist, so daß sich hier – und bei anderen Aspekten – Überschneidungen ergäben. Für die Darstellung ist daher unter Zurückstellung systematischer Bedenken eine Einteilung gewählt worden, nach der zwischen finanz-, geld-, währungs- und außenwirtschaftlichen Instrumenten unterschieden wird.

10. Finanz- und Fiskalpolitik

Grundsätzlich muß zwischen **Fiskalpolitik und Finanzpolitik** unterschieden werden. Zur Fiskalpolitik sind alle staatlichen Maßnahmen zu rechnen, deren Ziel es ist, den Staatshaushalt in Einnahmen und Ausgaben auszugleichen. Fiskalpolitik ist in diesem Sinne also ‹kassenorientiert›. Unter Finanzpolitik hingegen sind Maßnahmen zu verstehen, die anderen Zielen als dem Haushaltsausgleich dienen und möglicherweise sogar mit der fiskalischen Zielsetzung in Konflikt stehen. So können fiskalpolitisch Steuererhöhungen zur Verstärkung der Staatseinnahmen sinnvoll, aber finanzpolitisch bedenklich sein, da sie im Falle eines konjunkturellen Abschwungs eine zusätzliche dämpfende Wirkung hätten. Ein derartiges Problem stellt sich beispielsweise bei einer Mehrwertsteuererhöhung. Eine solche Maßnahme wäre rein fiskalisch motiviert. Die Finanzpolitik dient – im Gegensatz zur Fiskalpolitik – also der wirtschaftspolitischen (gesamtwirtschaftlichen) Steuerung und Gestaltung; sie stellt eines der wirtschaftspolitischen Instrumentarien dar. Die in der deutschen Literatur anzutreffende Gleichsetzung von Finanzpolitik und Fiskalpolitik ist offensichtlich auf eine undifferenzierte Übersetzung des englischen Begriffs *«fiscal policy»*, welcher im Sinne von «Finanzpolitik» verwendet wird, zurückzuführen.

10.1. Wandel der Aufgabenstellung

10.1.1. Hauptsächliche Funktionen

Mit der u.a. schon im Kap. 9 skizzierten Evolution der Wirtschaftsordnung ist im Zeitablauf ein Wandel der Aufgabenstellung des Staates einhergegangen. In der reinen oder klassischen Marktwirtschaft liberalistischer Prägung (auch als ‹**laissez-faire-Wirtschaft**› oder abwertend als ‹Nachtwächterstaat› bezeichnet), übernahm der Staat nur allgemeine Regelungsfunktionen (Gesetzgebung, Rechtsprechung), ohne den Wirtschaftsprozeß aber darüber hinaus durch aktive Handlungen zu beeinflussen. Mit der Entwicklung zur **sozialen Marktwirtschaft** im engeren Sinne übernahm der Staat zusätzliche absichernde und umverteilende Aufgaben aus sozialer Verantwortung heraus (u.a. Sozialversicherungen, progressives Steuersystem, Subventionen). Mit der **Globalsteuerung** kommt hinzu, daß der Staat durch allgemein wirkende (globale) Maßnahmen (z.B. mittels der Zinspolitik) die Wirtschaftsentwicklung beeinflussen und den Konjunkturverlauf stabilisieren will. Das Konzept der Globalsteuerung basiert auf der Vorstellung einer optimalen Mischung von staatlicher Planung der gesamtwirtschaftlichen Beziehungen und des Festhaltens am Wettbewerbsprinzip für die Regelung der einzelwirtschaftlichen Beziehungen. Die staatliche Stabilisierungspolitik konzentriert sich dabei auf die Sicherung des Gleichgewichts von Angebot und Nachfrage – bei (möglichst) gleichzeitiger Vollbeschäftigung. Schließlich greift der Staat in der **interventionistischen Marktwirtschaft** punktuell und gezielt in das Marktgeschehen ein, z.B. durch Subventionierung bestimmter Branchen (Bergbau, Schiffbau) und durch Marktordnungen im landwirtschaftlichen Bereich («**gelenkte Marktwirtschaft**»).

Diese Ausweitung der Staatsaufgaben spiegelt sich auch in der

Gestaltung und Handhabung des **Staatshaushaltes** wider, der heute **drei Funktionen** zu erfüllen hat (Abb. 10.1/1).

- Die erste besteht darin, daß der Staat die Ausgaben, die ihm aus der Bereitstellung öffentlicher Güter entstehen, durch entsprechende Einnahmen finanzieren muß. Dies betrifft den Staat in seiner traditionellen Funktion als **Fiskus**, der dem Grundsatz des ausgeglichenen Haushalts verpflichtet ist (**Bedarfsdeckungsfunktion**).
- Als zweite Aufgabe kommt hinzu, soziale und ökonomische Ungleichheiten abzumildern. Diese **Umverteilungsfunktion** äußert sich u.a. in der Höherbesteuerung höherer Einkommen und Vermögen, in der Leistung von Subventionen, aber auch in regionaler Hinsicht im sog. Finanzausgleich (vgl. Abschn. 10.3.2) und im Rahmen der regionalen und sektoralen Strukturpolitik. Grundsätzlich ist vorstellbar, daß umverteilende Maßnahmen dabei für den Staatshaushalt durchlaufende Posten sind, indem die Höherbelastung wirtschaftlich Stärkerer die Entlastung schwächerer Gruppen finanziert.
- Die dritte Funktion ist die **Konjunkturbeeinflussung.** Sie leitet sich aus der Tatsache ab, daß die konjunkturellen Bewegungen zu unerwünschten Effekten führen können (z.B. Arbeitslosigkeit, Inflation).

Durch staatliche Wirtschaftspolitik, die über den Staatshaushalt umgesetzt wird, soll dem entgegengewirkt werden. (Der synonym für «Haushalt» verwendete Begriff **«Budget»** leitet sich übrigens von

Abb. 10.1/1 Budget-Konzepte

Unterscheidung: **Finanzpolitik** vs. **Fiskalpolitik**
→ Konjunktur → Haushalt

Aufgaben des Budgets:
- Bedarfsdeckung (Haushaltsführung)
- Umweltverteilung/Sozialpolitik
- Konjunkturbeeinflussung

Budget-Konzepte (Abschn. 10.4.1):
- Parallelpolitik
- Antizyklische Politik
- deficit spending
- Built-in-Flexibility
- Formula-Flexibility
- konjunkturneutraler Haushalt
- Zero-Base-Budgeting
- Sunset-Legislation
- Performance-Budgeting
- Planning-Programming-Budgeting-System

(lat.) *bulgas*, d.h. Ledersack ab und findet sich in (altfrz.) *gougette* wieder.)

Dabei stellt sich das Problem, daß einer der traditionellen Haushaltsgrundsätze besagt, der Haushalt sei in Einnahme und Ausgabe auszugleichen (Art. 110 GG). Vereinfachend gesagt bedeutet dies, daß der Staat nicht mehr ausgeben kann, als er einnimmt. Generell werden vier «Stufen» der Budgetpolitik unterschieden: Die (1) **Politik des jährlich ausgeglichenen Haushalts** beinhaltet wirtschaftspolitischen Verzicht. Beim (2) **antizyklischen Finanzausgleich** wird ein bestimmter «Grundausgabenstock» gleich hoch gehalten, Mehreinnahmen in Hochschwungjahren werden aber in «schwachen» Jahren ausgegeben. Bei der **Budgetpolitik** (3) **mit eingebauten Stabilisatoren** (*«built-in-flexibility»*) wird ein Ausgleich durch zahlreiche Einzelpositionen herbeigeführt, die dem Konjunkturzyklus entgegen flexibel sind (z.B. Arbeitslosenversicherung, progressive Steuern, Finanzhilfen an bestimmte Branchen). Diese eingebauten Stabilisatoren reichen alleine jedoch nicht aus. Im Rahmen einer (4) **formelgesteuerten Budgetpolitik** (*«formula-flexibility»*) wird gesetzlich vorgeschrieben, in welchen Fällen und in welchem Umfang bestimmte Maßnahmen zu ergreifen sind. Bei dieser Form der Budgetpolitik handelt es sich jedoch um eine wissenschaftlich entwickelte Variante, die in der Praxis (bisher) noch nicht angewendet wurde.

Eine strenge Befolgung des unter (1) beschriebenen ‹**klassischen Budgetprinzips**› hätte jedoch angesichts der unstetigen konjunkturellen Entwicklung unangenehme Konsequenzen. Etwa Dreiviertel der Staatseinnahmen sind Steuern (vgl. Abschn. 10.3.1). Besteuert werden jedoch vorrangig Tatbestände, die sich parallel zum Konjunkturverlauf verändern: Im Konjunkturabschwung gehen z.B. die Umsätze und somit das Aufkommen aus der Mehrwertsteuer (bzw. die entsprechenden Wachstumsraten) zurück; steigende Arbeitslosigkeit vermindert Lohn- und Einkommensteuereinnahmen. Analoges gilt für rückläufige Unternehmergewinne und Kapitalerträge, kurz: Im Abschwung müßten dem klassischen Budgetprinzip nach – bei sinkenden Staatseinnahmen – die Staatsausgaben gekürzt werden, was die sich abschwächende Nachfrage noch mehr dämpfen würde. Umgekehrt würden sich im Aufschwung die Staatseinnahmen erhöhen, was zu verstärkter Ausgabetätigkeit führen würde und die Konjunktur möglicherweise überhitzen könnte.

Eine solche «**Parallelpolitik**» in Verfolgung des klassischen Budgetprinzips würde die Konjunkturwellen verstärken, also **prozyklisch** wirken. Sie wird übrigens in starkem Maße auf Gemeindeebene betrieben, da gesamtwirtschaftliche Stabilität von den Gemeinden nicht als ein vorrangig zu verfolgendes Ziel angesehen wird. Preisniveaustabilität kann z. B. nicht lokal bzw. regional erreicht werden. Von Kommunalpolitikern wird auf dieses Ziel daher wenig Rücksicht genommen, zumal die zentrale Regierungsebene (Bund) für die Zielerreichung verantwortlich gemacht wird. Ein deutliches Beispiel stellt auch die Weltwirtschaftskrise 1929–30 dar, während der in vielen Staaten bei depressionsbedingten rückläufigen Staatseinnahmen auch die Staatsausgaben entsprechend gekürzt wurden, so daß sich die Krise verschärfte («Kaputtsparen»). Daß dies nicht Sinn des Staatseinflusses sein kann, liegt auf der Hand. Folglich ist der strenge Grundsatz «Summe der laufenden Einnahmen = Summe der Ausgaben» nicht beizubehalten.

Vielmehr soll sich der Staat – aus nachfragetheoretischer Sicht – **antizyklisch** verhalten und den Konjunkturbewegungen entgegenwirken, indem er z. B. im Konjunkturabschwung die sich abschwächende private Nachfrage durch kaufkraftverstärkende Maßnahmen unterstützt oder durch zusätzliche staatliche Nachfrage ergänzt. Da aber im Abschwung die Staatseinnahmen tendenziell sinken, ist eine staatliche Nachfrageverstärkung nur über staatliche Verschuldung zu finanzieren (sog. ‹**deficit spending**›), sofern nicht auf Rücklagen zurückgegriffen werden kann. Der o. a. Vorschrift des Art. 110 GG, nach dem der Haushalt in Einnahmen und Ausgaben ausgeglichen sein muß, wird dadurch Rechnung getragen, daß haushaltsrechtlich *Kredite* zu den laufenden Einnahmen gezählt werden. So einfach ist das.

Im Konjunkturaufschwung soll der Staat dann bei sich verstärkendem Steueraufkommen für dosierten Schuldenabbau sorgen und eventuelle Haushaltsüberschüsse stillegen. Das Stabilitätsgesetz sieht hierfür die sog. **Konjunkturausgleichsrücklage** bei der Bundesbank vor. Sie ist einem Sparkonto vergleichbar, das in guten Zeiten aufgefüllt und von dem in schlechten Zeiten abgehoben werden soll. Dies ist das Grundprinzip der antizyklischen Finanzpolitik. Offensichtlich ist es in der Vergangenheit nicht gelungen, die Dynamik der öffentlichen Verschuldung mit antizyklischen Überlegungen im Abschwung wie im Aufschwung in Einklang zu bringen. Wir werden diesem Problem im Abschn. 10.5 nachgehen.

Die Gestaltung der öffentlichen Haushalte unterliegt dabei vom Grundgesetz her der Verpflichtung, den Erfordernissen des **gesamtwirtschaftlichen Gleichgewichts** Rechnung zu tragen (Art. 109 GG). Dieser Begriff wird nicht weiter präzisiert. Wenn man allerdings den Zielkatalog des Stabilitätsgesetzes heranzieht, so teilen sich die dort aufgeführten gesamtwirtschaftlichen Ziele auf in drei Stabilitäts- oder Gleichgewichtsziele (Stabilität des Preisniveaus, hoher Beschäftigungsstand, außenwirtschaftliches Gleichgewicht) und ein Wachstumsziel. Es ist daher üblich, den Begriff ‹gesamtwirtschaftliches Gleichgewicht›, der sich auch in haushaltsrechtlichen und anderen Vorschriften wiederfindet, so zu interpretieren, daß damit die gleichzeitige Erreichung der drei Stabilitätsziele unter Beachtung der Wachstumsvorschrift («angemessenes und stetiges Wachstum») und der ordnungspolitischen Nebenbedingung («im Rahmen der marktwirtschaftlichen Ordnung») zu verstehen ist.

10.1.2. Exkurs: Fiskalpolitik im Mittelalter[1]

Finanzpolitik im modernen Sinne – also zur Beeinflussung der wirtschaftlichen Entwicklung – ist eine relativ ‹junge› Erfindung. Die historischen Vorläufer finanzwirtschaftlicher Staatsaktivitäten dienten fiskalpolitischen Zwecken. Aber auch die Fiskalpolitik war vergleichsweise rudimentär, wenngleich bereits im Mittelalter fiskalpolitische Grundsätze entwickelt wurden, die bis heute Gültigkeit haben.

Moraltheoretisch stand es außer Frage, daß die Herrscher grundsätzlich in die Lage versetzt werden mußten, ihre Aufgaben wahrzunehmen, wobei sie durch ihre Herrschaft – u.a. laut *Thomas von Aquin* (13. Jahrhundert) – Gott dienten, von dem sie ihre Herrschaftsgewalt erhielten (Apostel Paulus, Römerbrief 13). Daher hatten sie das Recht, ja sogar die Pflicht, Steuern zu erheben, und die Untertanen mußten ihnen die entsprechenden Mittel als Abgaben zur Verfügung stellen. Zu den zu erfüllenden Aufgaben zählte u.a. der Schutz vor äußeren und inneren Feinden, die Rechtsprechung und -wahrung sowie die Instandhaltung von Wegen und Brücken. Auch die Hofhaltung der Herrscher war selbstverständlich zu finanzieren. Im Gegensatz zur modernen Fiskalpolitik waren zweckgebundene Steuern durchaus gängig, z.B. zur Finanzierung von Armeen.

Interessanterweise enthält bereits die Bibel Anweisungen an den Steuerzahler: «So gebt dem Kaiser, was des Kaisers ist» (Matthäus 22,21) oder «Gebt allen, was ihr ihnen schuldig seid, sei es Steuer oder Zoll, sei es Furcht oder Ehre» (Römerbrief 13,7). Dieser strikte Steuergehorsam wurde dogmatisch lange Zeit nicht angezweifelt: Steuerverweigerung galt als Todsünde, allerdings durften auch die Herrschenden keine ‹ungerechten› Steuern eintreiben. Erst ab dem 13. Jahrhundert wurden die Merkmale von Ertrags-, Kopf- und Vermögensteuern definiert und dabei Gerechtigkeitskriterien hinterfragt

[1] Ich stütze mich hierbei auf ein unveröffentlichtes Manuskript von Eberhard Isenmann, Universität Bochum 1994.

(insbesondere von *Thomas von Aquin*): Menschliche Gesetze waren danach (moraltheologisch) nur bindend, wenn sie gerecht waren, während ungerechte Gesetze nicht befolgt werden mußten.

Grundsätzlich sollten Steuern nur so hoch sein, wie es der dem Gemeinwohl dienende Zweck erfordert. Die Steuerlast sollte dabei allgemein sein und gleich und gerecht, d.h. im Verhältnis der individuellen Leistungsfähigkeit verteilt werden, wobei ein Existenzminimum zu wahren ist. Eine Dreiteilung gestand dabei den Armen die Sicherung des Notwendigen zu, verband den Mittelstand mit dem Bequemen und die Reichen mit dem Überflüssigen. Im Gegensatz zu heute bedeutete dies – im 13. Jahrhundert – jedoch lineare, keinesfalls progressive Einkommensteuertarife; erst ab dem 15. Jahrhundert setzte sich die progressive Besteuerung – auch moralisch – durch, die später u.a. auch von *John Stuart Mill* vertreten wurde. Bestimmte Personengruppen (Kranke, Behinderte, Witwen, Waisen, Arme, Kinderreiche) erhielten schon im 13. Jahrhundert Steuerbefreiungen. Kaufleute hingegen galten als besonders belastbar. Andererseits sollten Steuern nicht die natürliche (heute würde man sagen: die primäre) Verteilung des Reichtums verändern; finanzpolitische Umverteilung war damit im frühen Mittelalter ausgeschlossen. Im 14. Jahrhundert wurden in Italien Vermögensteuern entwickelt. Verbrauchsteuern wiederum galten als ungerecht (obgleich legal), weil sie Arme stärker belasten als Bessergestellte. Auch steuertechnische Kriterien wurden entwickelt, indem Steuern z.B. einfach zu verwalten und ergiebig sein sollten.

An die Herrschenden erging die Aufforderung, eine – zumindest jährliche – Haushaltsplanung zu erstellen. Als ordentliche Einkünfte galten solche, die regelmäßig und in gleicher Höhe zu erwarten sind, außerordentliche sind unregelmäßig und in der Höhe schwankend. Die Einnahmen sollten drei Ausgabenblöcken zugeordnet werden: Verteidigungs- und Verwaltungsausgaben, Unterhalt des Hofes (beides ordentliche Ausgaben) sowie außerordentliche (nicht präzise planbare, aber wahrscheinliche) Ausgaben. Daneben soll ein gewisser Überschuß (Schatz) bewirtschaftet werden für unabweisbare Bedarfsfälle.

Im 15. Jahrhundert werden auch Kriterien für eine schuldenfinanzierte Haushaltswirtschaft entwickelt, nicht zuletzt aufgrund der zunehmenden Belastungen durch stehende Heere. Grundsätzlich allerdings (so *John Fortescue*, 15. Jahrhundert) sollte ein Herrscher reich und damit von Finanzierungsproblemen unabhängig sein, weil er durch Kreditfinanzierung abhängig wird und aufgrund der Zins- und Tilgungszahlungen entweder zu ungerechten Besteuerungsinstrumenten (z. B. Zwangsanleihen) greifen wird oder zu ständig steigender Kreditaufnahme gezwungen würde – eine vorausblickende Einsicht. Verkauf von Staatsbesitz soll (England, 15. Jahrhundert) an die Zustimmung des Parlaments gebunden sein.

Der Italiener *Diomede Carafa* empfiehlt im 15. Jahrhundert, öffentliche Einnahmetitel zu verpachten (eine Idee, die bereits im Altertum gängig realisiert wurde), weil jeder, der auf eigene Rechnung arbeitet, sorgfältiger und effizienter vorgehen wird als ein staatlich besoldeter Beamter. Die Dezentralisierungs- und Privatisierungskonzepte der Neoklassik haben somit zeitlich weit zurückreichende Vorläufer.

10.2. Öffentliche Güter und Staatsquote

10.2.1. Öffentliche und private Güter

Die Frage, welche Aufgaben der Staat übernehmen soll und welche privatwirtschaftlich durchgeführt werden sollen, läßt sich nicht allgemeingültig beantworten. Sie hängt zum einen vom Staatsverständnis ab, was letztlich eine ideologische Wertung der Rolle des Staates in der Gesellschaft bedeutet, zum anderen – aber mit dem Vorangehenden zusammenhängend – kommt es darauf an, in welchem Ausmaß der Sozialstaat verwirklicht und das Prinzip der Gleichbehandlung des einzelnen angewendet werden soll.

Dies berührt die Unterscheidung zwischen **privaten** und **öffentlichen** Gütern. Als private Güter werden solche bezeichnet, für die ein Markt existiert und für die der Nachfrager einen Preis zahlen muß. Wer dies nicht will (oder kann), wird von der Nutzung dieser Güter ausgeschlossen (**Ausschlußprinzip**). Als öffentliche Güter werden Güter bezeichnet, von deren Nutzung der einzelne nicht ausgeschlossen werden kann. Somit wird er auch nicht bereit sein, (freiwillig) dafür den Preis zu zahlen («Trittbrettfahrer»). Wenn die Möglichkeit der Zahlungserzwingung fehlt, wird sich auch kein privater Anbieter für diese ‹**spezifischen**› öffentlichen Güter finden. Beispielsweise ist es kaum vorstellbar, wie ein direktes Nutzungsentgelt für den allgemeinen Sicherheitsbereich (u. a. Polizei, Armee) erhoben werden soll. Solche Güter können nur mittelbar über Steuern finanziert werden.

Bei einigen Gütern kann die Versorgung sowohl privat als auch staatlich erfolgen. So werden Autobahnen in einigen Ländern mittelbar über Steuern, in anderen unmittelbar über Gebühren (mit)finanziert.

Im Gegensatz zu den ‹spezifischen› gibt es ‹**meritorische**› öffentliche

Güter, für die es durchaus einen privaten Markt mit funktionierendem Ausschlußprinzip gäbe. Aus bestimmten, meist sozialpolitischen Gründen werden diese Güter aber zu nicht kostendeckenden Preisen (Kindergärten, Freibäder, Theater) oder sogar umsonst angeboten (Schulen), so daß sich der Staat durch diese Nutzenstiftung ein Verdienst (‹merit›) erwirkt. Abb. 10.2.1/1 verdeutlicht die z. T. sehr geringen Kostendeckungsgrade solcher Güter.

Die Versorgung der Bevölkerung mit öffentlichen Gütern ist somit unter fiskalischen Aspekten ein zentraler Punkt für die Erhebung von allgemeinen Steuern.

10.2.2. Staatsquoten

10.2.2.1. Ausgabenquote

‹Meßbar› ist die zunehmende Staatstätigkeit an der sog. **Staatsquote.** Hierunter versteht man den Anteil der Staatsausgaben am Bruttoinlandsprodukt. Die Staatsquote beschreibt also nicht den Teil der Wirtschaftsleistung, den der Staat für sich in Anspruch nimmt, sondern den Teil, der über staatliche Aktivitäten (mit-)finanziert wird. Allerdings fällt auf, daß unterschiedliche Staatsquoten für dieselbe Periode

Abb. 10.2.1/1: Öffentliche Güter

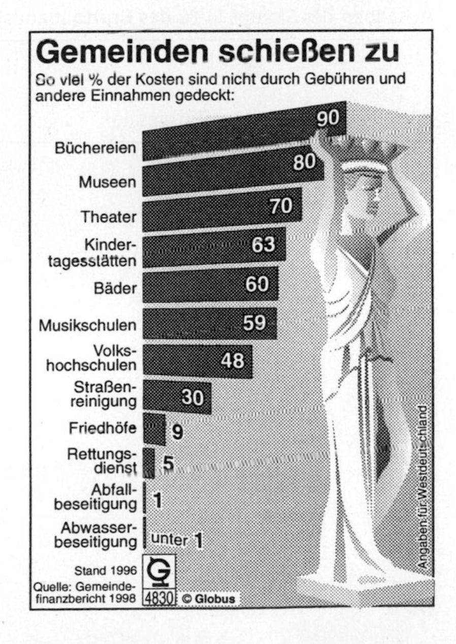

ausgewiesen werden. Da das Inlandsprodukt eine weitgehend ‹objektive› Größe ist (allerdings wird uneinheitlich das Brutto- oder Netto-Sozialprodukt bzw. -Inlandsprodukt, aber auch das Produktionspotential herangezogen) kann dies sonst nur an unterschiedlicher Interpretation des Begriffs der Staatsausgaben liegen, und tatsächlich gibt es hierbei keine Übereinstimmung. Eine enge Abgrenzung erfaßt nur die Ausgaben, die von den Gebietskörperschaften (Bund, Ländern, Gemeinden) geleistet werden. Hinzu kommen können die Ausgaben der Sozialversicherungsträger, wodurch sich natürlich eine höhere Staatsquote ergibt (Abb. 10.2.2/1).

1995 war der Höhepunkt erreicht, bedingt durch enorme Transferzahlungen in die neuen Bundesländer. Vor der Bundestagswahl 1998 visierte die alte Bundesregierung ein Absinken der Staatsquote auf rd. 40% an (Abb. 10.2.2/2); ob der Abwärtstrend so beibehalten wird, kann noch nicht übersehen werden.

Zu beachten ist dabei, daß öffentliche Unternehmen in unterschiedlicher Weise berücksichtigt werden. Dabei muß unterschieden werden: zum einen zwischen vollständig im Staatseigentum befind-

Abb. 10.2.2/1: Staatsquote I

Ausgaben des Staates in % **des Bruttoinlandsprodukts**

	Ausgaben	
Jahr	Staat insgesamt	Gebietskörperschaften (ohne Sozialversicherung)
1950	31,1	24,0
1955	30,3	23,4
1960	32,9	23,7
1965	37,2	27,5
1970	39,1	27,9
1975	49,5	33,4
1980	48,9	32,9
1985	47,7	31,4
1990	46,0	30,6
1991	48,4	31,9
1992	49,2	31,6
1993	50,5	32,6
1994	50,2	31,9
1995	57,7	38,6
1996	50,4	30,8
1997	49,2	29,9

Quelle: Statistisches Bundesamt

Abb. 10.2.2/2: Abgabenquote

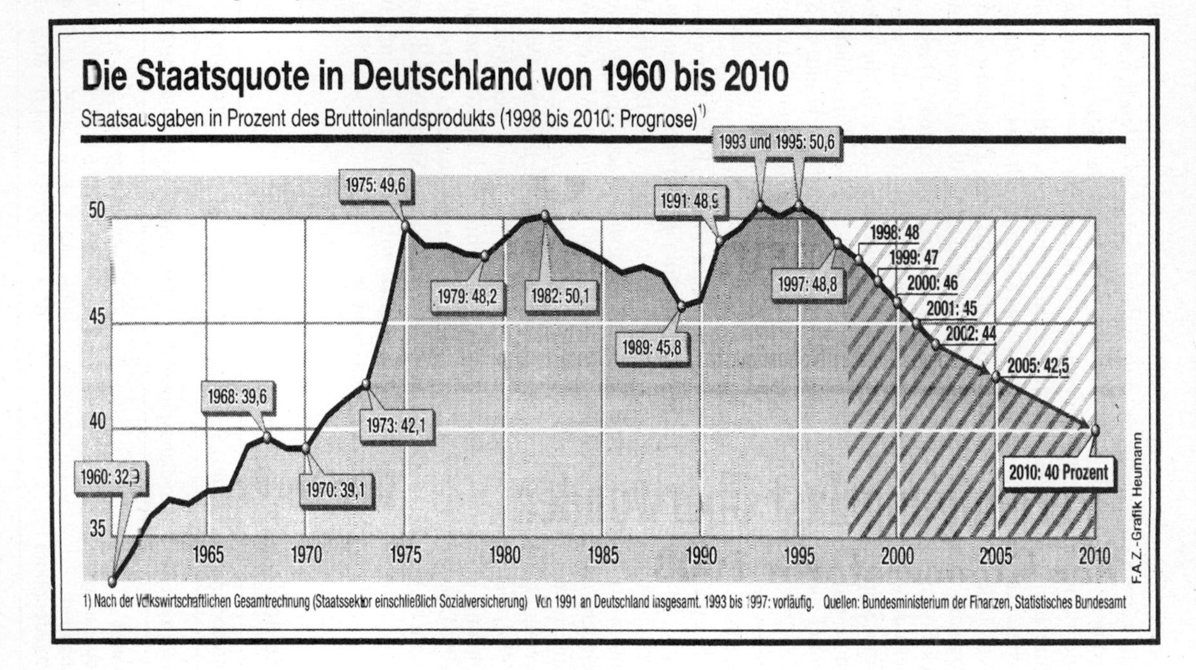
Die Staatsquote in Deutschland von 1960 bis 2010
Staatsausgaben in Prozent des Bruttoinlandsprodukts (1998 bis 2010: Prognose)1)
1993 und 1995: 50,6
1975: 49,6
1991: 48,9
50
1998: 48
1999: 47
1979: 48,2
1982: 50,1
1997: 48,8
2000: 46
45
2001: 45
2002: 44
1989: 45,8
2005: 42,5
1968: 39,6
1973: 42,1
40
1960: 32,3
1970: 39,1
2010: 40 Prozent
35
1965
1970
1975
1980
1985
1990
1995
2000
2005
2010
F.A.Z.-Grafik Heumann
1) Nach der Volkswirtschaftlichen Gesamtrechnung (Staatssektor einschließlich Sozialversicherung) Von 1991 an Deutschland insgesamt. 1993 bis 1997: vorläufig. Quellen: Bundesministerium der Finanzen, Statistisches Bundesamt

lichen Unternehmen und staatlichen (Mehr- oder Minderheits-)Beteiligungen an Unternehmen, zum anderen zwischen öffentlichen Unternehmen i. e. S., d. h. den privaten Unternehmen vergleichbar, und (nichtkommerziellen) öffentlichen Einrichtungen. Sie werden insgesamt nur teilweise in die Staatsquote einbezogen. Öffentliche Unternehmen sind z. B. die IVG und die Kreditanstalt für Wiederaufbau (KfW). Die Deutsche Bundespost/Telekom, der Postdienst und die Postbank wurden bereits vor der Privatisierung dem Unternehmenssektor zugerechnet und daher nicht von der Staatsquote erfaßt.

Andere Berechnungen erfassen aber auch Aktivitäten, die von privater Seite für den Staat durchgeführt werden, wie z. B. die Berechnung und Begleichung von Zollschulden durch die Wirtschaft selbst, wobei die Behörde nur kontrolliert. Es liegt auf der Hand, daß ein Einbezug solcher Positionen zu einer ungleich höheren Staatsquote führen muß, als wenn nur unmittelbare staatliche Ausgaben erfaßt werden.

Beispielsweise betrug die Staatsquote in der Bundesrepublik im Jahre 1998 rund ein Drittel des Bruttoinlandsprodukts, mit Sozialversicherung aber fast 50% (vgl. Abb. 10.2.2/1). Bis 1989 lag diese Quote noch bei 38–40%, wurde dann aber – nach einer deutlichen Senkung aufgrund der Steuerreform 1990 – durch Wiedervereinigungseffekte wieder kräftig angehoben. Weitere Gründe für eine Steigerung liegen in den Erhöhungen der Mehrwertsteuer (1993 und 1998), der Mineralölsteuer (1994 und 1999) sowie der Wiedereinführung des Solidaritätszuschlags zur Lohn- und Einkommensteuer (1995). Jede Berechnung ist für sich genommen korrekt, und so kann je nach Absicht ein hoher oder ein niedrigerer Staatseinfluß untermauert werden, ggf. auch im Hinblick auf andere Länder mit noch höheren bzw. niedrigeren Staatsquoten.

Abb. 10.2.2/3: Staatsdiener I

Entwicklung der Defizit-, Staats- und Abgabenquote bis zum Jahr 2002

in Prozent des Bruttoinlandsprodukts	1950	1960	1970	1980	1985	1988
Defizit	–2,7	–2,5	–2,0	–2,0	–1,5	–1,0
Staatsausgaben	49,0	48,5	47,5	46,5	46,0	45,0
Abgaben	42,8	42,5	42,5	41,5	41,5	40,5
Schuldenquote	61,5	61,5	61,0	61,0	60,5	59,5

Quelle: Deutsches Stabilitätsprogramm/Bundesfinanzministerium

10.2.2.2. Abgabenquote

Mit der Staatsquote i. S. v. Anteil der Staats*ausgaben* am Inlandsprodukt (**Ausgabenquote**) sollte nicht die **Abgabenquote** verwechselt werden: Die Abgabenquote drückt das Verhältnis von Steuerzahlungen plus Sozialabgaben zur Wirtschaftsleistung (Sozialprodukt oder Inlandsprodukt) aus. Analog bezieht sich die **Steuerquote** lediglich auf die Relation von Steuerbelastung zu Wirtschaftsleistung (Abb. 10.2.2/3). Abb. 10.2.2/4 verdeutlicht, daß einige unserer europäischen Nachbarn deutlich höhere Abgabenquoten aufweisen. Bis 1989 lag diese Quote noch bei 38–40%, wurde dann aber – nach einer deutlichen Senkung aufgrund der Steuerreform 1990 – durch die Wiedervereinigungseffekte wieder kräftig angehoben. Natürlich stehen Ausgaben- und Abgabenquoten in direkter Beziehung, da die Staatsausgaben über die Abgaben finanziert werden.

Eine anders definierte Abgabenquote ergibt sich, wenn man den

Abb. 10.2.2/4: Was der Staat abzwackt

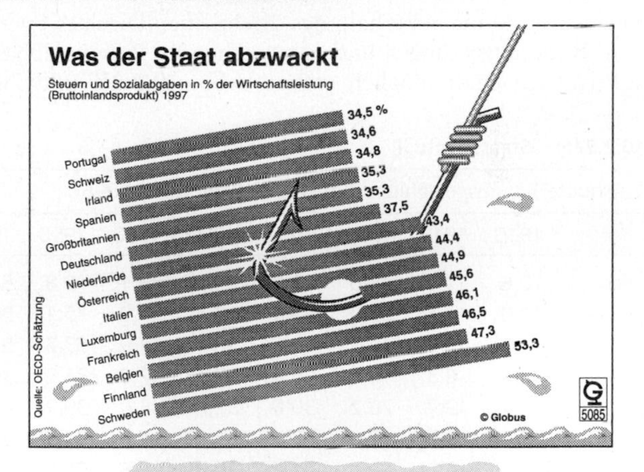

HWWA: Abgaben- und Steuerquote muß sinken

„Die Steuer- und Abgabenbelastung hat erschreckende Ausmaße angenommen“

"Marsch in den Lohnsteuerstaat"

Der Staat kassiert zum Teil mehr als 50 Prozent der Bruttoeinkommen

Prozentsatz angibt, mit dem die **Bruttoeinkommen** durch Abgaben belastet werden, also Anteil der Abgaben am Bruttoeinkommen. 1970 lag diese Belastung mit 22% deutlich niedriger als heute mit über 33%. Dies liegt zum einen an den gestiegenen Beitragssätzen zu den Sozialversicherungen (Renten-, Kranken-, Arbeitslosenversicherung), zum anderen an der Steuerprogression, die bei wachsenden Einkommen zu höheren Steuersätzen führt.

10.2.2.3. Entwicklung der Staatsquote

Historisch betrachtet, ist eine Zunahme der Staatsquote im Zeitablauf zu beobachten. Bereits 1863 hat der Finanzwissenschaftler **Adolf Wagner** das «Gesetz der wachsenden Ausdehnung der öffentlichen und speziell der Staatstätigkeit» abgeleitet. Abb. 10.2.2/5 veranschaulicht, daß dies tatsächlich international gilt. Nach dem sog. **Brechtschen Gesetz** nehmen die öffentlichen Pro-Kopf-Ausgaben mit zunehmender Bevölkerungsdichte zu. Einen großen Anteil daran haben die Personalausgaben, deren absolute Steigerung sich (noch) an der Produktivitätsentwicklung außerhalb des öffentlichen Dienstes orientiert, ohne daß Rationalisierungen und entsprechender Personalabbau wie in der Privatwirtschaft möglich wären (Abb. 10.2.2/6 und 7). Der

Abb. 10.2.2/5: Staatsquote II

Die Staatsquote[a]) in ausgewählten Industrieländern 1870–1996

	1870	1913	1920	1937	1960	1980	1990	1996[b])
Frankreich	12,6	17,0	27,6	29,0	34,6	46,1	49,8	54,0
Deutschland	10,0	14,8	25,0	42,4	32,4	47,9	45,1	50,0
Italien	11,9	11,1	22,5	24,5	30,1	41,9	53,2	53,0
Japan	8,8	8,3	14,8	25,4	17,5	32,0	31,7	39,2
U.K.	9,4	12,7	26,2	30,0	32,2	43,0	39,9	42,0
USA	3,9	1,8	7,0	8,6	27,0	31,8	33,3	33,4
Belgien	–	–	–	21,8	30,3	58,6	55,0	54,0
Dänemark	–	–	–	–	–	56,2	58,6	61,2
Irland	–	–	–	–	28,0	48,9	41,2	41,5
Niederlande	9,1	9,0	13,5	19,0	33,7	55,8	54,1	50,0
Österreich	–	–	14,7	15,2	35,7	48,1	48,6	52,0
CH	–	2,7	4,6	6,1	17,2	32,8	33,5	32,0

[a]) Ausgaben des Staates in Relation zum Bruttoinlandsprodukt (in v.H.)
[b]) Geschätzt.

Quelle: Tanzi und Schuknecht (1965), OECD (1995).

Abb. 10.2.2/6: Staatsdiener II

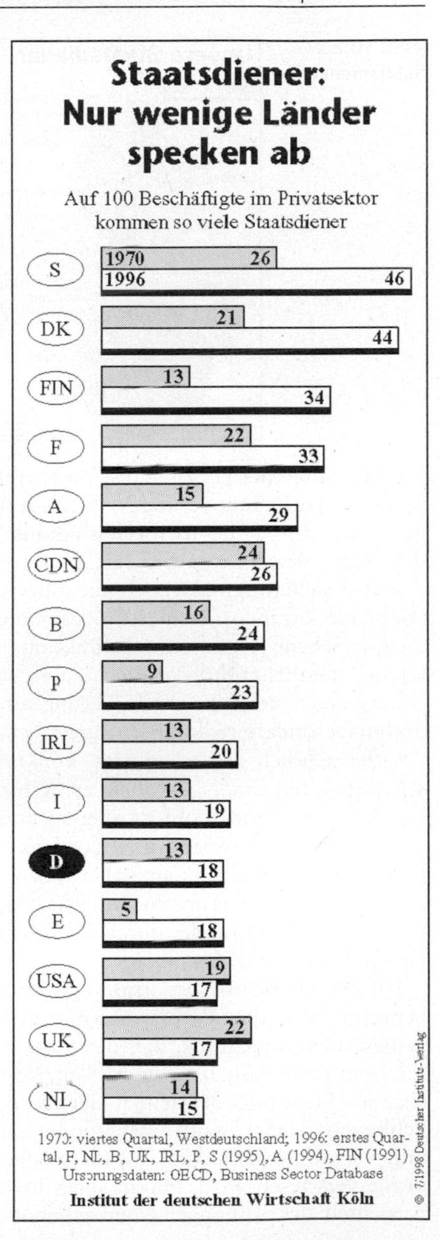
Staatsdiener:
Nur wenige Länder specken ab
Auf 100 Beschäftigte im Privatsektor kommen so viele Staatsdiener
1970
1996
S 26 46
DK 21 44
FIN 13 34
F 22 33
A 15 29
CDN 24 26
B 16 24
P 9 23
IRL 13 20
I 13 19
D 13 18
E 5 18
USA 19 17
UK 22 17
NL 14 15
1970: viertes Quartal, Westdeutschland; 1996: erstes Quartal, F, NL, B, UK, IRL, P, S (1995), A (1994), FIN (1991)
Ursprungsdaten: OECD, Business Sector Database
Institut der deutschen Wirtschaft Köln
© 7/1998 Deutscher Instituts-Verlag

Abb. 10.2.2/7: Staatsdiener III

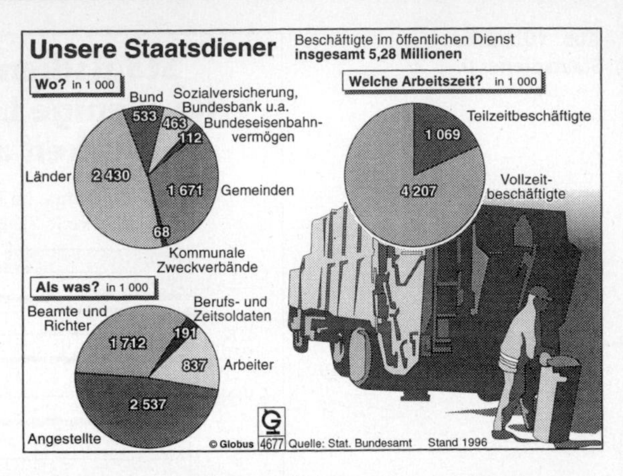

relative Anteil der Personalausgaben an den Gesamtausgaben hat sich im Zeitablauf kaum verändert. Gefördert werden Ausgabensteigerungen auch durch die **Anspruchshaltung** der Bevölkerung gegenüber dem Staat, sowohl was die soziale Infrastruktur (Gesundheit, Bildung, Sozialversicherung) als auch die physische Infrastruktur anbelangt (Gebäude, Straßen). In diesem Zusammenhang ist auch auf die oben angesprochene Umverteilungsfunktion, insbesondere in Form zahlreicher staatlicher Subventionen zu verweisen. Vor allem in Problemsituationen ergeht die Aufforderung an den Staat, er möge regelnd und insbesondere risikoübernehmend eingreifen.

Offensichtlich ist es in der konkreten politischen Praxis sehr schwierig, die Staatsausgaben zu reduzieren (Abb. 10.2.2/8). Eine zunehmende Staatsquote ist aber nicht nur eine statistische Feststellung: Ein zunehmender Anteil der Staatsausgaben am Bruttoinlandsprodukt muß auch finanziert werden, und zwar entweder durch zunehmende Steuereinnahmen, was möglicherweise Steuererhöhungen nach sich zieht, oder durch öffentliche Verschuldung. Wir werden darauf noch zurückkommen.

Die Zunahme der Staatsaktivitäten wird durchaus gegensätzlich beurteilt. Von den **Befürwortern** zunehmender Staatstätigkeit wird insbesondere angeführt, daß der Staat besser als Private in der Lage sei, bestimmte Aufgaben zu erfüllen. Von den **Gegnern** wird der Staat eher als Hemmnis betrachtet, der die persönlichen Entfaltungsmöglichkeiten einengt, wobei insbesondere auf die zunehmende Gesetzes- und Verordnungsflut und auf die wuchernde, aber ineffiziente Bürokratie verwiesen wird. Hierin spiegeln sich auch die grundsätzlichen Ansichten der Anhänger einer angebots- oder nachfrageorientierten

Abb. 10.2.2/8: Ausgabenkürzungen?

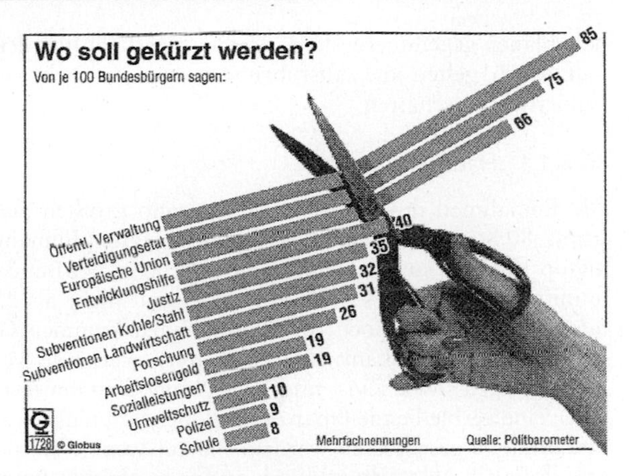

Wirtschaftspolitik wider (vgl. hierzu ausführlicher Abschnitt 9.3). Da sich der Staatshaushalt teils über Steuern, teils über Kreditaufnahme finanziert, bedeutet eine Ausweitung des Budgets entweder die Notwendigkeit zusätzlicher Steuereinnahmen und/oder wachsende Verschuldung (vgl. zur Verschuldungsproblematik Abschn. 10.5). Mit der Hinwendung von der nachfrageorientierten zur angebotsorientierten Wirtschaftspolitik, nach der u. a. die staatliche Aktivität zurückgenommen werden sollen, ist die Staatsquote seit 1982 tendenziell rückläufig (vgl. oben Abb. 10.2.2/1). Der deutliche Wiederanstieg ab 1990 ist in erster Linie auf die Haushaltswirkungen im Zusammenhang mit der Wiedervereinigung zurückzuführen. Eine Rückführung der Staatsquote erscheint deshalb sinnvoll, weil mit der staatlichen Aktivität auch das Ausmaß der staatlichen Planung zunimmt, welche wiederum eine starke informatorische und instrumentale Verzahnung mit dem privaten Wirtschaftsgeschehen bedingt. Je größer aber das Ausmaß der planerischen und sonstigen staatlichen Aktivität ist, desto inflexibler und eingeschränkter wird aber die staatliche und private Handlungsfähigkeit. Selbstverständlich ist dies ein Werturteil.

10.3. Staatshaushalt und Staatsfinanzierung

10.3.1. Haushaltsplanung

Zur Durchführung seiner Aufgaben braucht der Staat – auf Bundes-, Landes- und Gemeindeebene – entsprechende Mittel. Die erwarteten Einnahmen werden den in der Zukunft geplanten Ausgaben in Haushaltsplänen gegenübergestellt. Als Beispiel dient hier der Bundeshaushalt, doch gelten die Ausführungen analog auch für die übrigen Gebietskörperschaften.

10.3.1.1. Haushaltsstruktur

Die Einnahmen des Bundes bestehen zum größten Teil aus Steuern (rund 80% der im Haushalt veranschlagten Einnahmen) und zu knapp 10% aus sonstigen Einnahmen; u. a. ist der Bund mittelbar und unmittelbar an rund 450 Unternehmen mit mehr als 25% des Kapitals beteiligt (1982 noch rd. 1000). Hinzu kommen Gewinnablieferungen der Bundesbank (hierzu später), Verkäufe von Besitz und Beteiligungen sowie Zins- und Verwaltungseinnahmen (Abb. 10.3.1/1 u. 2); eine verbleibende Finanzierungslücke muß durch staatliche Kreditaufnahme geschlossen werden. Bis auf wenige Ausnahmen gibt es grundsätzlich keine Zweckbindung für bestimmte Einnahmen (**Non-Affektations-Prinzip**), sondern alle Einnahmen fließen ‹in einen Topf›, aus dem die Gesamtheit der Ausgaben abzudecken ist (sog. **Gesamtdeckungsprinzip**).

Hinsichtlich der Struktur des (Bundes-)Haushalts (Abb. 10.3.1/3) wird kritisiert, daß wichtige Bereiche wie z. B. der Erblastentilgungsfonds oder das Bundeseisenbahnvermögen in Sonderhaushalten geführt werden, so daß der haushaltsmäßige Zusammenhang durch diese «Flucht aus dem Budget» in «Schattenhaushalte» nicht immer leicht herzustellen ist (vgl. anschließend). Immerhin erfolgt aber keine

Abb. 10.3.1/1: Staatseinnahmen und -ausgaben

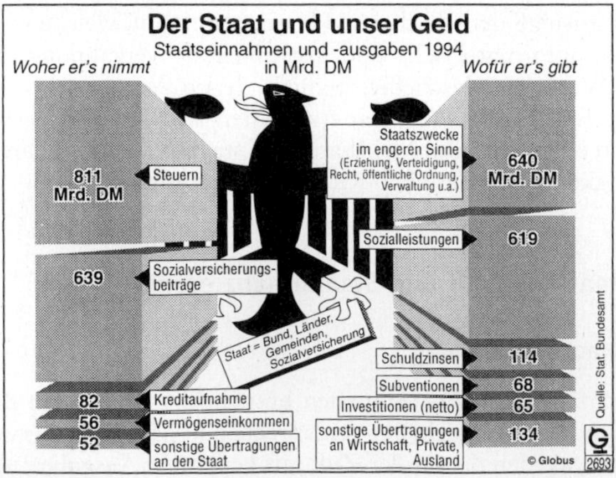

Abb. 10.3.1/2: Staatseinnahmen

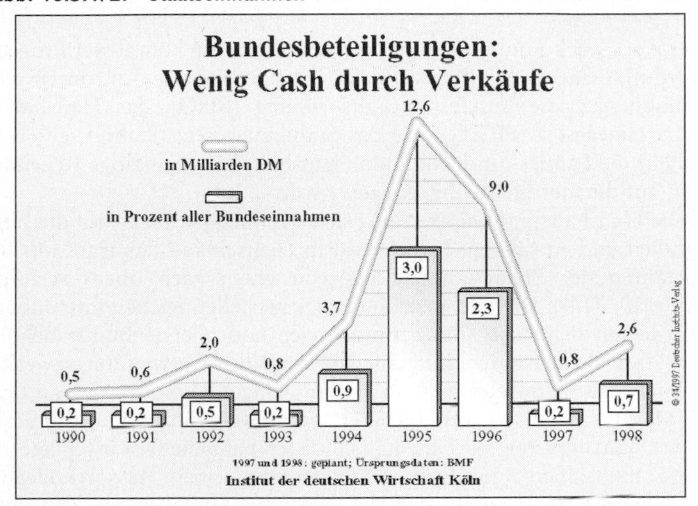

Trennung zwischen laufendem Verwaltungs- und Investitionshaushalt, so wie es auf Gemeindeebene, aber auch in anderen Ländern üblich ist, wo für diese beiden Budgets teilweise auch noch verschiedene Ressorts zuständig sind, beispielsweise das Finanzministerium für den laufenden Verwaltungshaushalt und ein Planungsministerium für den Investitionshaushalt.

Abb. 10.3.1/3: Bundeshaushalt

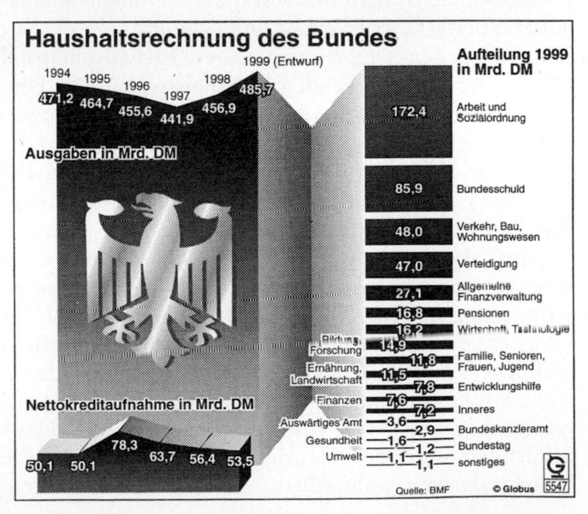

10.3.1.2. Zustandekommen des Haushalts

Das Zustandekommen des Bundeshaushalts ist ein komplexer Prozeß, der durch eine Vielzahl gesetzlicher Bestimmungen – u. a. durch das Grundgesetz, die Bundeshaushaltsordnung (**BHO**), das Haushaltsgrundsätzegesetz (**HGrG**) und das Stabilitätsgesetz (**StabG**), geregelt ist. Für die Landes- und Kommunalhaushalte gelten analoge Regelungen, auf die hier nicht eingegangen wird.

Die Haushaltsplanung erstreckt sich – zeitlich parallel – auf die Einnahmen und Ausgaben. Dabei wird in Deutschland das traditionelle Verfahren der Bedarfsanmeldung ‹von unten nach oben› verfolgt (Abb. 10.3.1/4): Die nachgeordneten Dienststellen reichen ihren übergeordneten Behörden (Bundesministerien und oberste Bundesbehörden) ihre Bedarfsanmeldung für die einzelnen Verwendungszwecke («**Titel**») als ‹Wunschzettel› ein (**Voranschläge**). Diese werden an den Bundesfinanzminister weitergeleitet und dort geprüft und koordiniert. Der Finanzminister als Haushaltsminister paßt die Voranschläge in meist mühsamen Einzelverhandlungen mit seinen Ressortkollegen («**Chefgespräche**») so an, daß die geplanten Ausgaben mit den aufgrund der Steuerschätzungen erwarteten Einnahmen so gut wie möglich übereinstimmen. Die Voranschläge werden zu **Einzelplänen** der verschiedenen Ressorts zusammengefaßt und insgesamt als **Entwurf des Haushaltsplans** dem Kabinett zur Entscheidung vorgelegt.

Der vom Kabinett gebilligte Entwurf geht in Form einer Gesetzesvorlage zunächst dem Bundesrat zur Stellungnahme zu (*erster Durchgang*). Hier erfährt er eine gründliche Prüfung durch den Finanzausschuß. Daneben befassen sich weitere Fachausschüsse des Bundesrates mit den sie interessierenden Haushaltspositionen. Die Ergebnisse der Prüfungen und der sich anschließenden Beratungen werden vom Bundesrat zu einer Stellungnahme zusammengefaßt und mit dem Haushaltsvoranschlag der Regierung wieder zugeleitet. Diese nimmt entsprechend Stellung und ändert den Haushaltsentwurf entsprechend den Empfehlungen des Bundesrates ggf. ab. Anschließend wird der Entwurf dem Bundestag zu einer **ersten Lesung**, in der lediglich die Überweisung der Vorlage an den Haushaltsausschuß beschlossen wird, vorgelegt. Das Vortragen der Stellungnahme des Haushaltsausschusses vor dem Plenum leitet die **zweite Lesung** ein: hier erfolgt eine sachliche Einzelberatung der Vorschläge durch das Plenum. Liegen Abänderungsanträge vor oder findet die Vorlage keine Billigung, erfolgt nochmals eine Rückverweisung an den Haushaltsausschuß. Schließlich wird der Haushaltsentwurf dem Parlament zur **dritten Lesung**, der sog. politischen Lesung, vorgelegt. Hier erfolgt im Rah-

Abb. 10.3.1/4: Entstehung des Bundeshaushalts

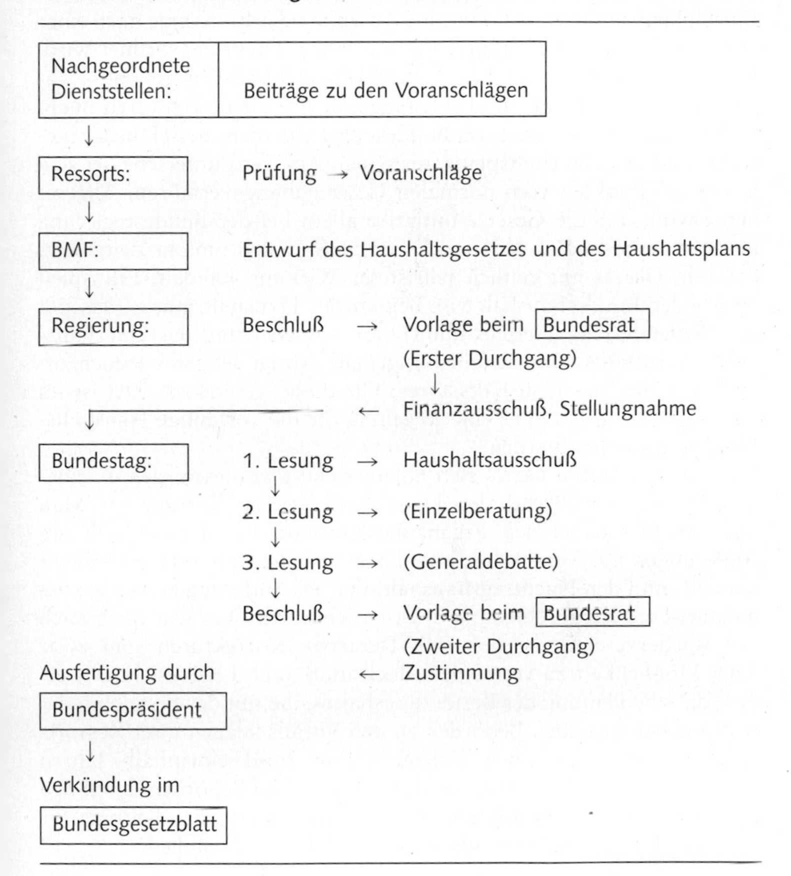

men einer Generaldebatte über die Regierungspolitik i.d.R. ein Schlagabtausch der einzelnen politischen Parteien, der mit einer Abstimmung über die Vorlage endet. Die gleiche Vorgehensweise ist auch für *Nachtrags-* und *Ergänzungshaushalte* erforderlich.

Ungeachtet seiner Gesetzeskraft hat der Haushaltsplan jedoch nach außen keine Vollzugsverbindlichkeit, d.h. niemand kann aus geplanten Ausgaben einen Anspruch auf tatsächliche Leistungen ableiten. Intern, d.h. für die ausführenden Behörden, legt der Haushaltsplan jedoch verbindliche (Ausgaben-)Obergrenzen fest, die nur in Ausnahmefällen überschritten werden können. Neben einem **Gesamtplan**, der global

Einnahmen und Ausgaben gegenüberstellt, gibt es für jedes Ressort **Einzelpläne**, in denen jede einzelne Ausgabe oder Einnahme nach einer einheitlichen Haushaltssystematik einzelnen **Titeln** zugeordnet wird; letztere sind kaufmännischen Konten vergleichbar. Das gesamte Zahlenwerk wird so zu einem dickleibigen, mehrere Kilo schweren Buch.

Das Zustandekommen des Bundeshaushalts (d. h. des Haushaltsgesetzes und des Haushaltsplans mit seinen Anlagen) unterscheidet sich in einigen Punkten vom normalen Gesetzgebungsverfahren. Abgesehen davon, daß die **Gesetzesinitiative** allein bei der Bundesregierung liegt, ist insbesondere hervorzuheben, daß es sich um ein **Zeitgesetz**, d. h. ein Gesetz mit zeitlich befristeter Wirkung handelt. Prinzipiell müßte der Bundeshaushalt vor Beginn des Haushaltsjahres (das mit dem Kalenderjahr übereinstimmt) verabschiedet und das Haushaltsgesetz verkündet sein. Erfahrungsgemäß erfolgt letzteres jedoch oft erst im Laufe des Haushaltsjahres. Für diese ‹gesetzlose› Zeit ist im Grundgesetz im Art. 111 eine Regelung für die **vorläufige Haushaltsführung** getroffen worden.

In einigen Jahren hat es sich als notwendig erwiesen, den ‹normalen› Haushalt während des Haushaltsjahres zu korrigieren. Man unterscheidet dabei den **Ergänzungshaushalt**, bei dem es sich um Änderungen vor Verabschiedung des Haushalts durch das Parlament handelt, und den **Nachtragshaushalt**, der bei Änderungen nach parlamentarischer Verabschiedung erforderlich wird. Dies war auch nach der Wiedervereinigung der Fall. Derartige Korrekturen sind zwar nach Möglichkeit zu vermeiden, doch muß auch berücksichtigt werden, daß die Planung des Bundeshaushaltes, die mit der Erstellung der Beiträge der einzelnen Behörden zu den Voranschlägen ihrer Ressorts beginnt, sich über einen Zeitraum von rund eineinhalb Jahren erstreckt: Ende jeden Jahres werden die örtlichen Behörden durch den Finanzminister als Haushaltsminister aufgefordert, ihre Beiträge für den Haushaltsentwurf des übernächsten Jahres zu erstellen.

10.3.1.3. Haushaltsgrundsätze

Bei Aufstellung und Ausführung des Haushalts sind eine Reihe von Grundsätzen zu beachten. Diese gelten nach dem Haushaltsgrundsätzegesetz (HGrG) sowohl für den Bundes- als auch für die Länder- als auch für die Gemeindehaushalte. Hinsichtlich der Benennung und Anzahl dieser Grundsätze gibt es in der Literatur keine einheitliche Meinung, jedoch besteht inhaltliche Übereinstimmung.

(1) Der Haushaltsgrundsatz der **Öffentlichkeit** besagt, daß die Diskussion und die Beschlußfassung über die Haushaltsplanung nicht im

stillen Kämmerlein, sondern öffentlich erfolgen soll. Auf Bundesebene erfolgt dies im Rahmen des parlamentarischen Gesetzgebungsverfahrens (analog auf Landes- und Gemeindeebene) (vgl. den vorangehenden Abschnitt). Der rechtskräftig beschlossene Haushalt wird veröffentlicht.

(2) Der Haushaltsgrundsatz der **Jährlichkeit** besagt, daß für jedes Haushaltsjahr – dieses ist das Kalenderjahr – ein getrennter Haushalt zu erstellen ist. Zulässig, wenngleich selten (Beispiele gibt es auf Länder- und Gemeindeebene) sind auch Zweijahreshaushalte, doch müssen sie die geplanten Einnahmen und Ausgaben nach Jahren getrennt ausweisen. Planungszeiträume von mehr als einem Jahr werden in aller Regel mit Nachtragshaushalten für unumgängliche Änderungen einhergehen. Die zeitliche Begrenzung (vgl. auch (12)) wird aufgelockert durch **Verpflichtungsermächtigungen** für Ausgaben, die erst in zukünftigen Haushaltsjahren kassenwirksam werden.

(3) Der Grundsatz der **Vorherigkeit** besagt, daß der Haushaltsplan (HPl) vor Beginn des Haushaltsjahres verabschiedet sein soll. Da sich dies aufgrund der parlamentarischen Abläufe nicht selten verzögert, gibt es entsprechende Normen – so für den Bundeshaushalt Art. 111 GG –, welche die «**vorläufige Haushaltsführung**» unter begrenzenden Nebenbedingungen ermöglichen.

(4) Nach dem Grundsatz der **Vollständigkeit** sollen *alle* voraussichtlichen Einnahmen und Ausgaben in den HPl eingestellt sein, also nicht in Neben- oder Schattenhaushalten «versteckt» werden (vgl. hierzu Abschn. 10.3.1.4).

(5) Der Grundsatz der **Ausgeglichenheit** schreibt vor, daß es keine Deckungslücken hinsichtlich der geplanten Finanzierung der Ausgaben geben darf.

(6) Nach dem Grundsatz der **Haushaltswahrheit** sollen Haushaltsansätze möglichst exakt errechnet und z. B. nicht «über den Daumen» geschätzt werden. Die Liste der konkreten Gegenbeispiele in der Praxis ist lang ...

(7) Der Grundsatz der **Haushaltsklarheit** resultiert u. a. in einer einheitlichen Haushaltssystematik für Bund, Länder und Gemeinden. Die Einnahmen und Ausgaben sollen danach detailliert und nicht pauschal veranschlagt werden.

(8) Die Grundsätze der **Notwendigkeit, Sparsamkeit** und **Wirtschaftlichkeit** gehören sachlich zusammen. Der Grundsatz der Notwendigkeit erklärt sich von selbst. Sparsamkeit setzt Notwendigkeit voraus. Wirtschaftlichkeit stellt auf ein optimales Verhältnis zwischen Mitteleinsatz und angestrebter Wirkung ab. Dabei muß bei mehreren Ausgabealternativen nicht immer die im ersten Schritt billigste Vari-

ante die wirtschaftlichste sein, wenn sie mittelfristig – z. B. aufgrund von Nachbesserungen, Reparaturen etc. – teurer ist als eine für sich genommen anfänglich aufwendigere Maßnahme.

(9) Das **Bruttoprinzip** – und sachlich zusammengehörend – das Prinzip der **Einzelveranschlagung** (auch: «quantitative Spezialität») schreiben vor, daß Einnahmen und Ausgaben in voller Höhe, individuell und getrennt voneinander zu veranschlagen sind, d. h. daß Ausgaben und Einnahmen nicht gegeneinander aufgerechnet werden dürfen. Dies bezieht sich im Detail u. a. auf Gewinne aus Investitionen, Rabatte und Skonti bei Beschaffungen, Kredittilgungen (vgl. Brutto-/Nettokreditaufnahme), Rückzahlungen, etc.

(10) Das **Gesamtdeckungsprinzip** besagt, daß bestimmte Einnahmen nicht zweckgebunden für bestimmte Ausgaben vorgesehen werden sollen (vornehmer, aber inhaltlich gleichbedeutend: **Non-Affektationsprinzip**).

(11) Der Grundsatz der **sachlichen Bindung**, auch als «qualitative Spezialität» bezeichnet, schreibt vor, daß Haushaltsmittel nicht beliebig, sondern nur für den im HPl vorgesehenen Zweck verwendet werden dürfen. Ausnahmen werden durch die sog. (einseitige oder gegenseitige) **Deckungsfähigkeit** ermöglicht, die aber im Haushaltsplan veranschlagt sein muß.

(12) Der Grundsatz der **zeitlichen Bindung** («zeitliche Spezialität») besagt, daß alle Ansätze im betreffenden Haushaltsjahr kassenwirksam werden sollen. Es soll also weder von Einnahmen noch von Ausgaben ausgegangen werden, die erst in künftigen Perioden anfallen. Nicht in Anspruch genommene Ausgabenermächtigungen verfallen mit Ablauf des Haushaltsjahres. Ausnahmen sind unter bestimmten Voraussetzungen möglich durch die **Übertragbarkeit** von Mitteln für denselben Zweck ins nächste Haushaltsjahr sowie durch **Verpflichtungsermächtigungen**, mit denen bereits heute Ausgaben zu Lasten zukünftiger Haushaltsjahre begründet werden können.

10.3.1.4. Neben- und Schattenhaushalte

Aufstellung, Ausführung und Kontrolle des Bundeshaushaltes sollen nach dem Haushaltsrecht bestimmten **Haushaltsgrundsätzen** genügen. Hierzu gehören – neben der oben angesprochenen **Ausgeglichenheit** – u. a. auch die Grundsätze der **Einheit** und **Vollständigkeit**. Nach Art. 110 GG müssen alle Einnahmen und Ausgaben in *den* (also einen) Haushaltsplan eingestellt (d. h. aufgenommen) werden. Damit soll verhindert werden, daß haushaltswirksame Aktivitäten außerhalb des Haushalts, der ja der parlamentarischen Kontrolle unterliegt, abgewickelt werden können. Zudem soll der Haushalt klar und wahr sein. In der Praxis zeigt es sich, daß diese Grundsätze nicht immer in reiner Form verwirklicht werden. Insbesondere ist festzustellen, daß eine Reihe von Aktivitäten nicht im Haushalt enthalten sind, sondern in Form von **Sondervermögen** neben dem Haushalt geplant und abgewickelt werden.

Einige dieser Sonderrechnungen sind durch die deutsche Wiedervereinigung entstanden, so

• der Fonds «Deutsche Einheit» mit einem Volumen von 115 Mrd. DM,
• der Kreditabwicklungsfonds, der die Verbindlichkeiten der Ex-DDR abwickelt und ein Kreditvolumen von 160 Mrd. DM beansprucht,
• der Erblastentilgungsfonds, der in einem zeitlichen Rahmen von 30 Jahren abgetragen werden soll. Allein in seinem Geburtsjahr belastete der Kapitaldienst auf den Fonds die Bundeskasse mit mehr als 37 Mrd. DM.

Zu den bereits vorher existierenden Nebenhaushalten zählen

• der Entschädigungsfonds, der für die Zahlungen an Alteigentümer in Immobilien im ehemaligen DDR-Gebiet vorgesehen ist,
• der Ausgleichsfonds Steinkohleersatz,
• das ERP-Sondervermögen, in dem die Kreditanstalt für Wiederaufbau (KfW) in Frankfurt die Mittel des ehemaligen Marshallplans (ERP: European Recovery Program) verwaltet.
• Das Bundeseisenbahnvermögen ist 1994 eingerichtet worden, um die Altschulden der Bundesbahn und der Reichsbahn zu übernehmen. Damit wurde die Umwandlung der Bundesbahn in eine Aktiengesellschaft ermöglicht.

Der Brutto-Schuldenstand dieser Nebenhaushalte betrug Ende 1998 fast 500 Mrd. DM. Gemessen daran ist die Bedeutung der Sondervermögen sehr groß, wenn man bedenkt, daß die Bundesverschuldung Ende 1998 rd. 960 Mrd. DM betrug. Andererseits ist hervorzuheben, daß sich in diesen Fonds auch Überschüsse akkumulieren, die in den umfassend definierten Bundeshaushalt (d. h. inclusive der Sonderrechnungen) einfließen und sein Finanzierungsdefizit entsprechend verringern. Da die Sonderhaushalte kaum investive Ausgaben enthalten, erleichtern sie auch die Einhaltung des Art. 115 GG, der eine Obergrenze der staatlichen Verschuldung definiert: Danach darf die Nettokreditaufnahme unter normalen Umständen das Volumen der investiven Ausgaben nicht überschreiten (vgl. Abschn. 10.5.4).

Für die Bildung von Sondervermögen für bestimmte Teilaufgaben spricht zwar eine größere Flexibilität bei der Haushaltsgestaltung und

-abwicklung. Zwei Aspekte aber sind problematisch. Erstens wird durch diese «Flucht aus dem Budget» die **Transparenz** stark **eingeschränkt**, denn die parlamentarische Kontrolle erstreckt sich in bezug auf die Nebenhaushalte in erster Linie nur auf das Endergebnis, indem natürlich der Saldo der Sondervermögen «netto» in den Gesamthaushalt eingestellt wird: Das Zustandekommen dieses Saldos geht nicht aus dem Haushalt hervor. Wenn der Saldo z. B. – 1 Mrd. beträgt, so kann dies hervorgegangen sein aus 4–5 Mrd. oder 8–9 oder 36–37 Mrd. Das Bruttovolumen solcher Sondervermögen bleibt dadurch im Haushaltsplan unklar. Zweitens werden die Sondervermögen, die zum großen Teil auch kreditfinanziert werden, nicht bei der Bestimmung des **Art. 115 GG** mitgezählt, nach dem die **Kreditaufnahme** nicht höher sein darf als die Summe der öffentlichen Investitionen. Eine Einbeziehung der enormen Kreditvolumina dieser Sondervermögen könnte im Hinblick auf Art. 115 GG leicht Probleme bedeuten. In Abschn. 10.5, insbesondere 10.5.3 wird dies vertieft.

Von Bedeutung wurde die Existenz von Schattenhaushalten auch in Hinblick auf die Entstehung der Europäischen Währungsunion am 1. Januar 1999, denn zu den Aufnahmekriterien zählte auch das Anwachsen der staatlichen Verschuldung von höchstens drei Prozent des Bruttoinlandsprodukts sowie ein staatlicher Schuldenstand von nicht mehr als 60% des Bruttoinlandsprodukts. Dabei war es für die einzelnen Staaten sicherlich interessant, bestimmte Positionen aus dem öffentlichen Sektor i. e. S. auszuklammern und in Nebenhaushalten zuführen bzw. bestimmte Institutionen zu privatisieren.

10.3.1.5. Mittelfristige Finanzplanung

Der Haushaltsplan steht mit einer Reihe anderer Planungen, Prognosen und Empfehlungen in Zusammenhang. Als Orientierungshilfe dient die **mittelfristige Finanzplanung** («Mifrifi»), eine fünfjährige Planung, die unter Berücksichtigung von Änderungen (Konjunkturentwicklung, Steuerschätzung, Inflationsrate, Tarifverträge, Wechselkurse, Weltmarktpreise etc.) im Hinblick auf die verbleibenden vier Planungsjahre jährlich überprüft und gegebenenfalls korrigiert wird. Man bezeichnet dies als rollende, gleitende oder überlappende Planung, im Gegensatz zur sukzessiven oder Anschlußplanung, die den meisten Mehrjahresplänen östlicher Zentralverwaltungswirtschaften zugrunde liegt. Abb. 10.3.1/5 zeigt, wie sich der 5-Jahres-Plan dabei immer um ein Jahr verschiebt. Rechtsgrundlage der Mifrifi ist § 9 des Stabilitätsgesetzes (StabG). Hiernach ist der Haushaltswirtschaft des Bundes eine fünfjährige Finanzplanung zugrunde zu legen.

Abb. 10.3.1/5: Finanzplan

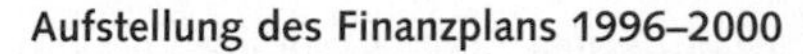

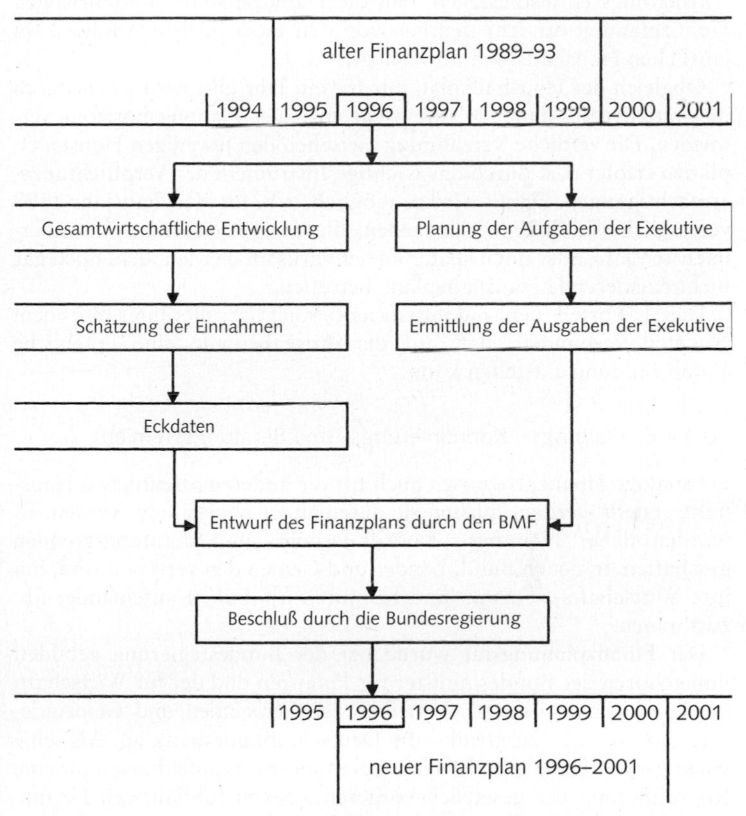

In die «**Mifrifi**» fließen Investitions- und Bedarfsplanungen ein, die nach Dringlichkeit und Fristigkeit gegliedert sind. Sie wird ergänzt durch Prognosen über Staatseinnahmen und Verschuldungspläne der Gebietskörperschaften, um auch der zu erwartenden Belastung der Kapitalmärkte im voraus Rechnung zu tragen. Die Mifrifi ist eine indikative, keine imperative Planung, d. h. sie besitzt keine Vollzugsverbindlichkeit. Ihr kommt aber eine hohe politische Orientierungsfunktion zu, weil sich in ihr die Vorstellungen der Bundesregierung niederschlagen. Darüber hinaus schreibt das StabG eine **Vorratsplanung** (*«Schubladenprojekte»*) vor, damit bei einer «gefährdeten Abschwächung der allgemeinen Wirtschaftstätigkeit» kurzfristig reagiert werden kann.

Allerdings ist festzustellen, daß die Planansätze der mittelfristigen Finanzplanung oft sehr deutlich von den tatsächlichen Ansätzen im jährlichen Haushaltsplan abweichen.

Obgleich der Haushaltsplan nur für ein Jahr gilt, wird somit durch die mittelfristige Finanzplanung ein zu enger Planungshorizont vermieden. Die zeitliche Verzahnung zwischen den jeweiligen Haushaltsplänen erfolgt u. a. durch das wichtige Instrument der **Verpflichtungsermächtigungen.** Damit wird es möglich, z. B. im Haushaltsjahr 1999 vertragliche Bindungen einzugehen, die erst im nächsten oder übernächsten Jahr oder noch später kassenwirksam werden, d. h. noch gar nicht existierende Haushaltspläne betreffen.

Dieser Vorteil der Zukunftsorientierung ist allerdings mit dem Nachteil verbunden, daß auf der Ausgabenseite eine erhebliche Vorab-Bindung entstehen kann.

10.3.1.6. Planungs-, Koordinierungs- und Beratungsgremien

Da analoge Finanzprognosen auch für die anderen öffentlichen Haushalte erstellt werden, müssen sie aufeinander abgestimmt werden. Es wurden daher Planungs-, Koordinierungs- und Beratungsgremien geschaffen, in denen Bund, Länder und Gemeinden vertreten sind, um ihre Wirtschafts-, Finanz- und Konjunkturpolitiken aufeinander abzustimmen.

Der **Finanzplanungsrat** wurde bei der Bundesregierung gebildet, ihm gehören der Bundesminister für Finanzen und der für Wirtschaft, die Länderfinanzminister, Vertreter der Gemeinden und Gemeindeverbände sowie – beratend – die Deutsche Bundesbank an. Als seine wichtigste Aufgabe gibt der Finanzplanungsrat Empfehlungen für eine Koordinierung der gesetzlich vorgeschriebenen fünfjährigen Finanzplanungen, dabei sollen vor allem einheitliche volks- und finanzwirtschaftliche Annahmen über die Finanzplanungen und Schwerpunkte für eine den gesamtwirtschaftlichen Erfordernissen entsprechende Erfüllung der öffentlichen Aufgaben ermittelt werden.

Dabei erfüllt der **Arbeitskreis Steuerschätzung** beim Bundesfinanzminister eine wichtige Aufgabe, da die prognostizierten Daten im Hinblick auf wichtige Termine (u. a. Verabschiedung des Haushaltsentwurfs im Kabinett, Haushaltsberatungen im Parlament) ständig überprüft und ggf. angepaßt werden müssen. Problematisch sind dabei zum einen die nicht seltenen Änderungen des Steuerrechts, wodurch stabile Prognosen erschwert werden. Allerdings ist dabei zu berücksichtigen, daß die sechs aufkommensstärksten Steuern (vgl. auch unten Abb. 10.3.2/1) beim Bund rund 85% der Steuereinnahmen bedeuten. Zum anderen erfolgen die Schätzungen für den Haushaltsentwurf bis zu eineinhalb Jahren vor der tatsächlichen Verabschiedung des Haushalts, wobei wiederum die Planungsgrundlagen nicht zeitnah, sondern nur mit Verzögerung vorliegen, so z. B. die Einkommensteuerstatistik mit einer Verzögerung von fast vier Jahren. Insgesamt sind die Einkommen aus Unternehmertätigkeit und Vermögen weniger gut zu schätzen als die Einkommen aus unselbständiger Tätigkeit. Abb. 10.3.1/6 zeigt, daß die den Haushaltsplanungen zugrundliegenden Plandaten teilweise beträchtlich korrigiert werden müssen, was z.B. auf rezessionsbedingte Mindereinnahmen zurückzuführen sein kann.

Der Finanzplanungsrat soll sich seinerseits auf die Vorschläge des **Konjunkturrates** stützen. Dieser Konjunkturrat für dic öffentliche Hand wurde ebenfalls bei der Bundesregierung gebildet. Seine Mitglieder – der Bundesminister für Wirtschaft und der Bundesminister der Finanzen, Vertreter der Länder, Gemeinden und Gemeindeverbände sowie (beratend) der Deutschen Bundesbank – beraten insbesondere alle zur Erreichung des gesamtwirtschaftlichen Gleichgewichts erforderlichen konjunkturpolitischen Fragen. Ein ehemaliger Unterausschuß des Konjunkturrates ist seit 1974 als **Ausschuß für Kreditfragen der öffentlichen Hand** dem Bundesminister der Finanzen

Abb. 10.3.1/6: Steuerschätzung

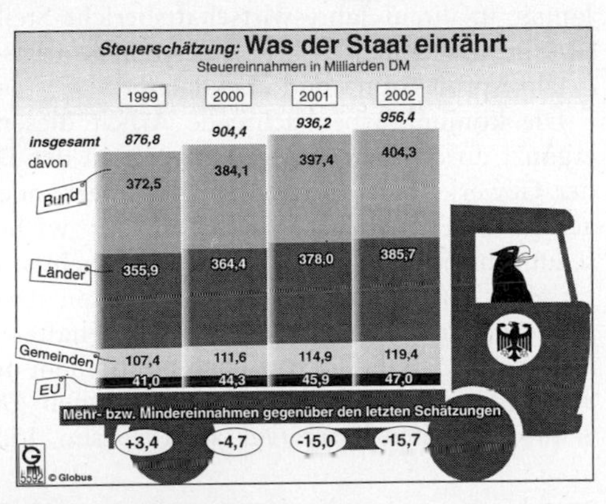

HAUSHALT / Neue Milliarden-Löcher

Koalition bangt vor Steuerschätzung

zugeordnet worden. Dieser Ausschuß stellt insbesondere einen Zeitplan für öffentliche Anleihen auf, um das Volumen der öffentlichen Kreditaufnahme auch hinsichtlich seiner Wirkungen auf den Kapitalmarkt dosieren zu können.

Die **Konzertierte Aktion** *war* eine institutionalisierte Gesprächsrunde aus Vertretern des Bundes und der Sozialpartner, die sich im wesentlichen gegenseitig informierten und die von der Bundesregierung vorgelegten wirtschaftspolitischen Orientierungsdaten für ein abgestimmtes gesamtwirtschaftliches Verhalten aller Beteiligten diskutieren. Wegen grundsätzlicher Auffassungsunterschiede über die einzuschlagende Wirtschafts- und insbesondere Arbeitsmarktpolitik unter den Teilnehmern ist die Konzertierte Aktion seit vielen Jahren nicht mehr aktiv. Gelegentlich wird die Grundidee in verschiedenen «Runden Tischen» wiederbelebt – mit mäßigen Erfolgen.

Ein weiteres (allerdings nicht-staatliches) wichtiges Gremium ist der **Sachverständigenrat**, der aus fünf unabhängigen Mitgliedern – «den fünf Weisen» – gebildet wird. Der Sachverständigenrat wurde 1963 ins Leben gerufen. Seine Aufgabe ist die periodische Begutachtung der gesamtwirtschaftlichen Entwicklung in Deutschland, um die Urteilsfindung bei allen wirtschaftlichen Instanzen und in der Öffentlichkeit zu erleichtern. Er erstellt im Spätherbst ein Jahresgutachten sowie bei Bedarf Sondergutachten zur Beurteilung der gesamtwirtschaftlichen Entwicklung. Die Bundesregierung nimmt zu diesen Gutachten im Januar in ihrem **Jahreswirtschaftsbericht** Stellung und konkretisiert die für das laufende Jahr angestrebten wirtschaftspolitischen Ziele («**Jahresprojektion**» und «**Eckdaten**»).

Die konjunkturbeobachtende Arbeit dieser Gremien wird ferner ergänzt durch Analysen und Prognosen der Deutschen Bundesbank, der Gewerkschaften, der Arbeitgeberverbände, durch jährliche Gutachten einer Arbeitsgemeinschaft der wichtigsten Wirtschaftsforschungsinstitute sowie durch Gegengutachten zum Sachverständigenrat einer Gruppe alternativer Professoren. Dies macht deutlich, daß Analysen und Prognosen werturteilsbehaftet sind, d.h. Meinungen ausdrücken, so daß sich je nach politischem oder wissenschaftlichem Standort und Interesse aus den gleichen Daten unterschiedlicher Schlüsse ableiten lassen (vgl. auch Abschn. 15.2).

10.3.2. Steuerstruktur und Finanzausgleich

Grundsätzlich sollen die staatlichen Leistungen für jeden Bürger in gleicher Weise und in gleichem Ausmaß zur Verfügung stehen. Die **Aufgabenverteilung** zwischen den Gebietskörperschaften (Bund, Länder, Gemeinden) ist im Grundgesetz prinzipiell geregelt (vgl. Art. 28, 30, 83, 91a, b, 104a GG).

Die Aufgabenverteilung orientiert sich am **Subsidiaritätsprinzip** (Art. 23 GG), d. h. Aufgaben sollen im **föderalen System** zwischen Bund, Ländern und Gemeinden so weit wie möglich ‹unten› angesiedelt werden: Eine nächsthöhere Instanz soll Aufgaben nur dann übernehmen, wenn die jeweils untere Instanz hierzu nicht in angemessener Weise in der Lage ist. Dieses Grundprinzip der **Dezentralisierung** findet dort sachliche Grenzen, wo eine sinnvolle und effiziente Aufgabenerfüllung auf unterer Ebene nicht möglich ist. Diese Überlegungen resultieren in einer grundsätzlichen Aufgabenverteilung auf Bund, Länder und Gemeinden. Dies wäre fiskalpolitisch unproblematisch, wenn dort, wo durch Staatsaufgaben Ausgaben anfallen, auch entsprechende Einnahmen entstünden. Dies ist jedoch nicht der Fall, da die einzelnen Bundesländer und Gemeinden aufgrund unterschiedlicher Wirtschaftskraft auch über unterschiedliche Steueraufkommen verfügen. Daher gibt es seit 1955 zwischen den Gebietskörperschaften ein System des **aktiven Finanzausgleichs**, um die unterschiedliche Finanzkraft der Länder «angemessen» auszugleichen. Seit 1995 gilt der neugeordnete bundesstaatliche Finanzausgleich, der das Übergangssystem nach der Wiedervereinigung ablöste (Fonds «Deutsche Einheit»).

10.3.2.1. System des Finanzausgleichs

Generell wird zwischen vertikalem und horizontalem Finanzausgleich unterschieden. Im Rahmen des vertikalen Finanzausgleichs wird geregelt, welche Steuern oder Anteile an Gemeinschaftssteuern dem Gesamtstaat und welche den Gliedstaaten (in der BRD sind dies die Länder) zufallen sollen («*wer* bekommt *was*?»). Beim horizontalen Finanzausgleich geht es um die Verteilung der den Gliedstaaten zustehenden Einnahmen untereinander («*wer* bekommt *wieviel*?») und um den Ausgleich der unterschiedlichen Finanzkraft der einzelnen Gliedstaaten. Das System ist mehrstufig:

(1) Nach Art. 106 Grundgesetz werden die Erträge der verschiedenen Steuern (Ertragskompetenz) auf Bund, Länder und Gemeinden verteilt (**vertikale Steuerverteilung**). Innerhalb des vertikalen Finanzausgleichs wird zwischen Trenn- und Verbundsystem unterschieden. Beim **Trennsystem** werden den einzelnen Gebietskörperschaften die Steuern ungeteilt zugewiesen, während sie beim **Verbundsystem** nach bestimmten Schlüsseln aufgeteilt werden (auch: **Zuweisungssystem**) (vgl. Abb. 10.3.2/1).

Abb. 10.3.2/1: Ertragskompetenz nach Art. 106 GG

Bund	Länder	Gemeinden
Zölle Branntweinmonopol Verbrauchsteuern etc.	Vermögensteuer Kfz.-Steuer Biersteuer etc.	Grundsteuer örtl. Verbrauch- und Aufwandsteuern (z.B. Hunde- und Getränkesteuer) etc.
Lohnsteuer und veranlagte Einkommensteuer		
42,5%	42,5%	15%
nicht veranlagte Ertragsteuern und Körperschaftsteuer		
50%	50%	
Umsatzsteuer (incl. EUSt)		
50,5%	49,5%	
Gewerbesteuer		
7,3%	7,3%	85,4%

Bundessteuern, also Steuern, die nach dem Trennsystem dem Bund alleine zustehen, sind die Verbrauchsteuern (mit Ausnahme der Biersteuer, die den Ländern zufließt), Kapitalverkehrsteuer, Versicherungssteuer, Zölle (die aber an die EU-Kasse abgeführt werden) und das Branntweinmonopol. «Allgemeine» Ländersteuern sind u.a. Vermögen-, Erbschaft-, Grunderwerb-, Kraftfahrzeug-, Wettsteuer und die erwähnte Biersteuer; Gemeindesteuern sind die Grundsteuer und örtliche Steuern wie die Hunde- und Getränkesteuer. Einige wichtige Steuern werden aufgeteilt (Gemeinschafts- oder Verbundssteuern), so die Lohn- und Einkommensteuer, die Bund, Länder und Gemeinden zufließt (zur Zeit im Verhältnis 42,5 : 42,5 : 15); die Körperschaft-, Umsatz-(Mehrwert-) und Einfuhrumsatzsteuern werden nur zwischen Bund und Ländern aufgeteilt. Die Gewerbesteuer fließt den Gemeinden zu, doch werden Bund und Länder mit einer rd. 15%igen Umlage beteiligt. Abb. 10.3.2/2 gibt einen Überblick über die Vielzahl und das Volumen der einzelnen Steuern. Die **direkten Steuern**, die vor allem Löhne, Gehälter und Unternehmensgewinne belasten, machen dabei knapp 60% des gesamten Steueraufkommens aus, während sich für die **indirekten Steuern** (Verbrauchsteuern) ein Anteil von rd. 40% ergibt. (Direkte Steuern wie die Lohn- oder Einkommensteuer werden direkt von denjenigen erhoben, welche sie wirtschaftlich tragen sollen;

indirekte Steuern wie die Mineralöl- oder die Tabaksteuer werden von denen, bei denen sie erhoben werden (z. B. im Einzelhandel) auf den Endverbraucher in den Preisen überwälzt; die (wirtschaftliche) Beziehung Steuerzahler-Finanzamt ist dabei also nicht ‹direkt›).

Die vertikale Steuerverteilung beinhaltet einen horizontalen Ausgleichseffekt, denn dem Bund fließen vorrangig die indirekten Steuern zu, die länderweise stark variieren, während den Ländern die Einnahmen aus den weniger stark streuenden direkten Steuern zukommen.

(2) Die Verteilung der Landessteuern und des Länderanteils an den Gemeinschaftssteuern auf die einzelnen Länder richtet sich nach Art. 107 Abs. 1 GG (**horizontale Steuerverteilung**).

(3) Da sich die einzelnen Bundesländer in ihrer räumlichen Ausdehnung, ihrer Bevölkerungs- und Wirtschaftsstruktur zum Teil erheblich voneinander unterscheiden, sind sie auch in ihrer Finanzkraft verschieden. Diese Unterschiede werden durch die Verteilung der Steuereinnahmen auf Bund und Länder und auf die Länder untereinander noch nicht in angemessener Weise ausgeglichen. Der **horizontale Finanzausgleich** gemäß Art. 107 Abs. 2 Satz 1 stellt eine Ausgleichsregelung unter den Ländern dar, die eine Korrektur dieser (vorangehenden) Steuerverteilung darstellt und in ihrem Kern darin besteht, daß die finanzstärkeren Länder mit ihren eigenen Haushaltsmitteln die finanzschwächeren Länder unterstützen. Es handelt sich dabei allerdings um einen Finanz-Ausgleich (**Finanzkraft** ist als Einnahme-Aufkommen zu verstehen, nicht als Relation von Aufkommen und besonderen Ausgaben); er berücksichtigt also nicht den *Finanz-*

Abb. 10.3.2/2: Steuereinnahmen

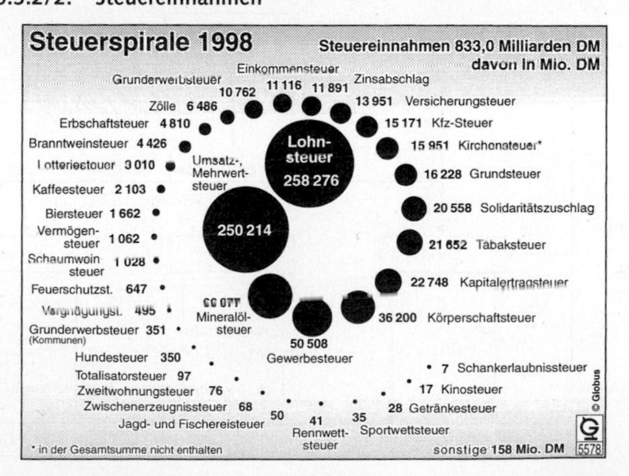

bedarf einzelner Länder. Zunächst erfolgt eine horizontale Steuerumverteilung. Dies ist erforderlich, weil z. B. die **Körperschaftsteuer** eines Unternehmens mit Betrieben in mehreren Ländern sonst allein dem Land zufiele, in dem das Unternehmen seine Unternehmensleitung angesiedelt hat; die Erhebung der **Lohnsteuer** richtet sich nach dem sog. Sitzland des Arbeitgebers und nicht nach dem Wohnsitz des Arbeitnehmers; die **Umsatzsteuer** wird beim Unternehmer erhoben, aber auf regional verstreute Verbraucher überwälzt. Daher werden verschiedene Steuern ‹zerlegt› und horizontal verteilt, wobei als Verteilungskriterien der Betriebsstandort, der Arbeitnehmerwohnsitz oder die Einwohnerzahl dienen.

Dieses Verteilungssystem wird ergänzt durch Ausgleichszahlungen zwischen den einzelnen Ländern gemäß Art. 107 Abs. 2 GG (**sekundärer horizontaler Finanzausgleich**) (vgl. Abb. 10.3.2/3). Dabei muß natürlich der Bedarf des einzelnen Landes möglichst objektiv ermittelt werden. Dies geschieht im wesentlichen auf der Grundlage der Unterstellung, daß der Finanzbedarf pro Einwohner in allen Ländern etwa gleich ist. Besondere Bedeutung kommt daher der statistisch gesicherten Einwohnerzahl zu, weshalb sich aufgrund der Ergebnisse der Volkszählung in der jüngeren Vergangenheit teilweise erhebliche Veränderungen auch im Hinblick auf den Finanzausgleich ergaben. Sofern erforderlich, kann der Bund zusätzlich auch leistungsschwächeren Ländern Zuweisungen gewähren.

Beim System des sekundären horizontalen Finanzausgleich ist

Abb. 10.3.2/3: Finanzausgleich

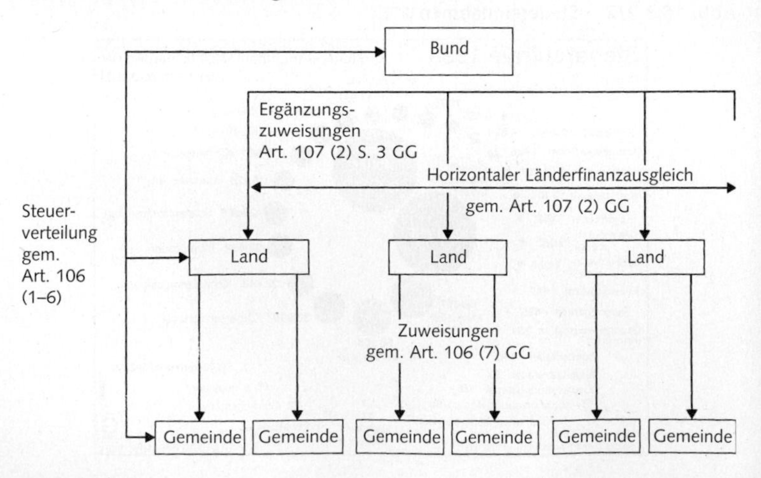

jedoch zu beachten, daß eine zu starke Nivellierung sich leistungshemmend für finanzstarke «Geber»-Länder auswirken kann und auch kein Anreiz zur Sparsamkeit für leistungsschwache «Empfänger»-Länder bietet. Obwohl das Problem einer «Übernivellierung» theoretisch nicht auftreten kann, zeigt die Realität durchaus Fälle, daß die Reihenfolge der Länder bezüglich der Finanzkraft vor und nach den Ausgleichszahlungen durchaus differieren kann. Dies führte 1998 zu Verfassungsklagen der leistungsstarken Länder Baden-Württemberg und Bayern.

(4) Das System des Finanzausgleichs wird durch die in Art. 107 Abs. 2 Satz 3 für den Bund enthaltene Möglichkeit ergänzt, aus seinen Mitteln leistungsschwachen Ländern Zuweisungen zur ergänzenden Deckung ihres allgemeinen Finanzbedarfs zu gewähren. Diese Bundesmittel werden als **Ergänzungszuweisungen** bezeichnet. Die Ergänzungszuweisungen erbringt der Bund aus seinem Anteil am Umsatzsteueraufkommen. Sie dienen der ‹Feinsteuerung›, um Ungleichgewichten entgegenwirken zu können, die sich im Wege des horizontalen Finanzausgleichs nicht beheben lassen (vertikaler Finanzausgleich mit horizontalem Effekt).

Die gegenwärtigen Zahlungsströme gibt Abb. 10.3.2/4 wieder.

(5) Zum vertikalen Finanzausgleich gehört auch der **kommunale Finanzausgleich**. Er vollzieht sich von den einzelnen Bundesländern zu ‹ihren› Gemeinden. Die Kommunen erzielen Einnahmen aus Steuern

Abb. 10.3.2/4: Kommunale Unterschiede

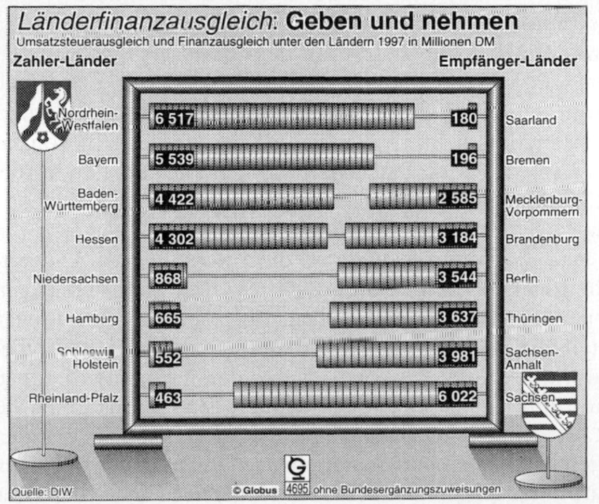

(z. B. Grundsteuer, Gewerbesteuer, Vergnügungssteuer, Hundesteuer; ein Teil der Gewerbesteuer wird an das jeweilige Bundesland abgeführt). Im kommunalen Finanzausgleich ergänzt das Land aus seinen Mitteln die Einnahmen der Gemeinden (*fiskalische Funktion*), allerdings in unterschiedlichem Ausmaß (*Umverteilungsfunktion*), indem die Gemeinden unterschiedlich am **Gemeindeanteil** der **Gemeinschaftssteuern** (vgl. oben Abb. 10.3.2/1) beteiligt werden (Einkommen-, Körperschaft-, Umsatzsteuer). Diese sog. *Finanzmasse des allgemeinen Steuerverbundes* wird durch allgemeine Zuweisungen (**Schlüsselzuweisungen**) und **Bedarfszuweisungen** (auch aus dem Aufkommen anderer Steuern, nach Prüfung im Einzelfall verteilt. Abb. 10.3.2/5 verdeutlicht – wenngleich anhand der Kaufkraft, die jedoch hier analog zur Steuerkraft betrachtet werden kann – die kommunalen Unterschiede im Bundesgebiet.

Die **Gemeinden** sind das schwächste Glied im System des Finanzausgleichs. Während die gesetzlich bedingten Ausgaben ständig zunehmen (z. B. im Sozialhilfebereich), stagniert der Gemeindeanteil am Steueraufkommen, und den Gemeinden stehen – im Gegensatz zu den Ländern – nur begrenzte Verschuldungsmöglichkeiten offen (vgl. weiter unten).

In sehr vielen Fällen müssen lokale Vorhaben durch eine **Mischfinanzierung** zwischen Gemeinde, Land und Bund realisiert werden; man kennt die entsprechenden Hinweise auf den Baustellenschildern: «Hier baut die Gemeinde ... mit Unterstützung des Landes ... und des Bundes ...». Aber auch die Länder kommen oft ohne die Unterstützung des Bundes nicht aus, so daß Aufgaben, die eigentlich Ländersache sind, nur in Kooperation mit dem Bund geplant, durchgeführt und finanziert werden können. Dabei benötigt das Land nicht nur die Zustimmung des Bundes, sondern auch der anderen Länder. Für den Bürger nicht ersichtlich, hat sich daher ein Geflecht von fast eintausend Gremien entwickelt, in dem sich Bund und Länder über die diversen Vorhaben abstimmen.

(6) Eine weitere Ebene des Finanzausgleichs (neben den Bundes-, Länder- und Gemeindeebenen) ist die **internationale Umverteilung** innerhalb der Europäischen Union. Die EU finanziert sich unmittelbar aus eigenen Einnahmen aus Zöllen, den Agrarabschöpfungen und einer Beteiligung an den Mehrwertsteuereinnahmen der Mitgliedstaaten, im übrigen durch Zuweisungen aus den nationalen Budgets. Die Diskussion um die nationalen Anteile am EU-Haushalt (die Bundesrepublik ist der größte Netto-Zahler) hängt sehr eng mit den vielschichtigen Problemen und dem immensen Finanzbedarf aufgrund der **EU-Agrarpolitik** zusammen, ein Themenbereich, den wir im Rahmen

dieser Arbeit nicht würdigen können. Im Zusammenhang mit der zunehmenden EU-Integration und der Verwirklichung des EU-Binnenmarktes ist davon auszugehen, daß auch eine Angleichung der noch sehr unterschiedlichen Steuerstrukturen der Mitgliedsländer erfolgen wird (vgl. auch Abschn. 13.5). Insgesamt ist ein Trend erkennbar, den indirekten Steuern mehr Bedeutung einzuräumen und die direkten Steuern zurückzuführen.

10.3.2.2. Reform des Finanzausgleichs

Die horizontalen und vertikalen Ausgleichszahlungen werden jährlich neu berechnet und mit dem jeweiligen «Gesetz über den Finanzausgleich» beschlossen. Seit der Wiedervereinigung hat sich das Geber-

Abb. 10.3.2/5: Landkarte der Kaufkraft

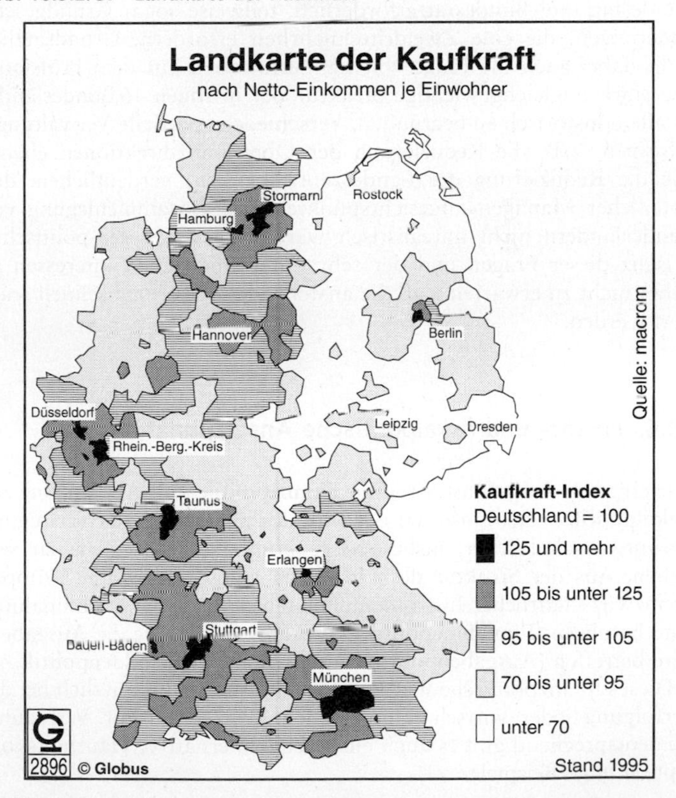

Nehmer-Verhältnis zwischen den Bundesländern so stark verschoben, daß es von einigen Geberländern – allen voran Baden-Württemberg und Bayern – als untragbar angesehen wird; sie bemühen sich daher um eine – noch ausstehende – verfassungsrechtliche Neuordnung. Insbesondere beanstanden sie, daß Länder, die ursprünglich eine hohe Finanzkraft pro Einwohner aufweisen, nach durchgeführtem Finanzausgleich hinter finanzschwächeren Bundesländern liegen – ein widersinniges Ergebnis, das allerdings von anderen Ländern bestritten wird, u. a. mit dem Hinweis auf «Sonderbelastungen», die sich z. B. aus dem für das ganze Bundesgebiet relevanten Betrieb der Seehäfen Bremens und Hamburgs ergäben.

Die gegenwärtigen Regelungen des Finanzausgleichs gelten bis zum Jahr 2004. Für eine Reform des Finanzausgleichs im Rahmen der Finanzverfassung sind Gesetzesänderungen mit Zustimmung von Bundestag und Bundesrat erforderlich, teilweise sogar Grundgesetzänderungen, die eine Zweidrittelmehrheit erfordern. Grundsätzlich steht dabei auch die Frage von Länderfusionen auf dem Prüfstand. Die stark ungleichgewichtige Struktur der heutigen 16 Bundesländer ist allein historisch zu begründen. Verschiedene partielle Verwaltungsreformen (z. B. die Reduzierung der Oberfinanzdirektionen ebenso wie die Reduzierung der Landeszentralbanken) verdeutlichen, daß unter eher Managementgesichtspunkten eine Zusammenlegung von Bundesländern nicht unrealistisch wäre. Angesichts der politischen Brisanz dieser Fragen und der sehr unterschiedlichen Interessen ist daher nicht zu erwarten, daß die anstehenden Reformen schnell realisiert werden.

10.4. Finanz- und fiskalpolitische Ansatzpunkte

Wie eingangs ausgeführt, ist unter **Finanzpolitik** – als Abgrenzung zur **Fiskalpolitik** – das Einsetzen des (Bundes-)Haushalts zur Verfolgung gesamtwirtschaftlicher, insbesondere konjunktureller Ziele zu verstehen. Aus der Struktur des Haushalts ergeben sich drei Gruppen finanzwirtschaftlicher Instrumente: erstens solche, die die Einnahmeseite berühren (**Einnahmepolitik**), zweitens solche, die die Ausgabenseite betreffen (**Ausgabenpolitik**, und drittens die **Schuldenpolitik**.

Dieses finanzpolitische Instrumentarium steht grundsätzlich bei der Verfolgung jeder wirtschaftspolitischen Konzeption zur Verfügung. Dementsprechend gibt es auch eine Reihe alternativer Haushaltskonzepte. Einige Beispiele:

10.4.1. Budgetkonzepte

Eine politisch orientierte Haushaltspolitik wird den Staatshaushalt als Instrument verstehen, durch dessen Einsatz bzw. Gestaltung bestimmte Wirkungen erreicht und Ziele verfolgt werden sollen. Aus einer Vielzahl von Budgetkonzepten werden im folgenden einige wichtige herausgegriffen (vgl. oben Abb. 10.1/1).

(1) Eine **keynesianisch** orientierte Politik wird das Konzept der **antizyklischen** Haushaltsgestaltung verfolgen, indem die Haushaltsstruktur von Einnahmen, Ausgaben und Schulden auf die konjunkturelle Entwicklung reagiert. Einem Konjunkturabschwung sollte auf der Einnahmeseite durch Steuerentlastungen und auf der Ausgabenseite durch zusätzliche Staatsausgaben entgegengewirkt werden. Das daraus resultierende Haushaltsdefizit sollte durch Verschuldung finanziert werden (**deficit spending**); diese Schulden sollten dann bei sich erholender Konjunktur wieder abgebaut werden. Eine ‹heißlaufende› Konjunktur (Boom) sollte umgekehrt durch Ausgabenkürzungen und Steuererhöhungen gedämpft werden.

(2) Als Gegensatz dazu ist das Konzept des **konjunkturneutralen Haushalts** hervorzuheben, das u. a. vom Sachverständigenrat propagiert wurde. Dabei handelt es sich um die Schätzung eines fiktiven Haushalts, von dem unter der Voraussetzung eines gegebenen Produktionspotentials weder kontraktive noch expansive Impulse ausgehen. Einnahmen, Ausgaben und Schulden müssen danach mit derselben Wachstumsrate wachsen wie das als Basis angenommene Produktionspotential. Abweichungen des tatsächlichen vom konjunkturneutralen Haushalt sind danach als konjunkturelle Impulse zu werten. Dies ist u. a. im Hinblick auf die öffentliche Verschuldung (vgl. Abschn. 10.5) von Bedeutung, indem zwischen einem konjunkturunabhängigen, strukturellen (nur langfristig abzubauenden) Haushaltsdefizit und konjunkturbedingten (kurz- bzw. mittelfristigen) Defiziten unterschieden werden kann. Das Konzept des konjunkturneutralen Haushalts ist vor allem für mittelfristige Ausgabenschätzungen von Bedeutung. Es muß dabei aber berücksichtigt werden, daß es sich primär um ein *Konzept zur Messung konjunktureller Wirkungen* handelt; bestimmte wirtschafts-/konjunkturpolitische Handlungsweisen werden nicht vorgegeben bzw. empfohlen.

(3) Vor allem im Zusammenhang mit angebotsorientierter Wirtschaftspolitik, die u. a. auch auf eine Rückführung der Staatstätigkeit abstellt, ist das in den USA entwickelte **Zero-Base-Budgeting** zu erwähnen. Vereinfachend ausgedrückt sollen in einen Haushaltsentwurf nicht die Werte aus der Vergangenheit fortgeschrieben bzw.

modifiziert übernommen werden, sondern man beginnt praktisch bei «Null», d.h. jede Haushaltsposition wird als neu betrachtet und daraufhin untersucht, ob sie für den zu erstellenden Haushalt unbedingt erforderlich ist. Im Grunde genommen sollte dies nach den Grundsätzen von Sparsamkeit und Wirtschaftlichkeit selbstverständlich sein, doch zeigt die Praxis der Haushaltsplanung, daß dies nicht immer der Fall ist. Zero-Base-Budgeting wurde übrigens vom früheren US-Präsidenten Jimmy Carter während seiner Amtszeit als Gouverneur des Bundesstaates Georgia erstmals dort eingeführt und wird seitdem erfolgreich angewendet. Mittlerweile haben weitere US-Bundesstaaten und auch einige Entwicklungs- und Schwellenländer (z.B. Indien) das Konzept des Zero-Base-Budgeting übernommen.

(4) Konzeptionell verwandt damit ist die sog. **Sunset Legislation**. Der Begriff («Sonnenuntergang») leitet sich daraus ab, daß – vor allem ausgabenwirksame – Gesetze zeitlich befristet werden, so daß bei Erreichen des «Verfalldatums» (Sunset) das Gesetz seine Gültigkeit verliert, sofern nicht vorab eine Verlängerung begründet und beschlossen wird. Dadurch soll die Transparenz von Maßnahmen erhöht werden, die in der Vergangenheit beschlossen wurden. Auf die damit implizierten ständigen Legitimations- und Kontrollprobleme kann hier nur pauschal verwiesen werden.

(5) Der Vollständigkeit halber sollen noch zwei weitere Konzepte skizziert werden, die jedoch in der Praxis kaum Bedeutung erlangt haben.

In den USA wurde zwischen 1913 und 1934 mit dem **Performance Budgeting** experimentiert. Nach diesem Konzept werden wirtschaftspolitische Ziele in adäquate Handlungen (Aktionen) ‹übersetzt›, die sich wiederum als Bedarf an Haushaltsmitteln konkretisieren. Dabei handelt es sich mehr um Kostenarten (z.B. Ausbau der Fernstraße XY) als um Kostenstellen (Straßenbaubehörde). Im mikroökonomischen Bereich der Unternehmen finden sich deutliche Parallelen zum Performance Budgeting im sog. *management by objectives*. Grundlage für derartige Ansätze sollte eine **Kosten-Nutzen-Analyse** sein. Auf die beträchtlichen methodischen Probleme, die dabei insbesondere bei öffentlichen Investitionen bestehen, kann hier nicht eingegangen werden.

Das **Planning-Programming-Budgeting-System (PPBS)** stellt sich als Regelkreis dar, bei dem – ausgehend von Planvorhaben – eine Programmierung der dafür erforderlichen Handlungen erfolgt, diesen entsprechende Haushaltsmittel zugewiesen werden und bei und nach der Durchführung durch Soll-Ist-Vergleich eine Korrektur der vorangehenden Phasen (für die nächste Haushaltsperiode) erfolgt. Letztendlich ist dies nichts anderes als eine Anwendung der Phasen des rationalen Entscheidungsprozesses (Planung-Entscheidung-Durchführung-Kontrolle) auf den Staatshaushalt; im Prinzip wird jede rationale Entscheidung diesem Schema folgen.

Daß ein ausgeglichener Haushalt jedoch nicht unmöglich ist, belegen die Beispiele der USA und Kanadas (Abb. 10.4.1/1), wo durch rigorose Sparmaßnahmen und einer radikalen Straffung des Steuerrechts (USA) Haushaltsgleichgewichte realisiert wurden.

Abb. 10.4.1/1: US-Staatsfinanzen

Ausgeglichener Haushalt in Kanada vorgelegt

Zum ersten Mal seit 1970 / Schulden sollen abgebaut werden

10.4.2. Haushalt und deutsches Stabilitätsgesetz

10.4.2.1. Entwicklung

Um zu verstehen, vor welchem Hintergrund das Stabilitätsgesetz entstanden ist, wird hier zunächst ein kurzer entwicklungsgeschichtlicher Abriß gegeben.

Die stabilisierungspolitisch ausgerichtete Wirtschaftspolitik in der Bundesrepublik war lange Zeit einseitig der Verantwortung der Bundesbank und damit der Steuerung durch geldpolitische Maßnahmen anvertraut. Gemäß § 3 des Gesetzes über die Deutsche Bundesbank von 1957 hat diese Institution «die Währung zu sichern», und durch § 12 ist sie verpflichtet, «die allgemeine Wirtschaftspolitik der Bundesregierung zu unterstützen». In der unmittelbaren Nachkriegszeit konnte die Bundesbank die ihr gestellte Aufgabe der Währungssicherung leicht erfüllen, da durch die herrschende Devisenbewirtschaftung die außenwirtschaftliche Flanke gesichert war. Die Einführung der DM-Konvertibilität im Jahre 1958 schwächte die Wirkungsmöglichkeiten der Geldpolitik erheblich, denn eine Politik der Geldverknappung mit hohen Zinssätzen hat z. B. zur Folge, daß ausländisches Geld angelockt und damit eine solche Politik zumindest teilweise unterlaufen wird, insbesondere dann, wenn die internationale Wirtschaftsverpflichtungen zunehmen.

Um eine Neuorientierung im Dialog zwischen Wissenschaft und politisch Verantwortlichen zu erleichtern, wurde zunächst das Gesetz über die Bildung eines **Sachverständigenrates** zur Begutachtung der gesamtwirtschaftlichen Entwicklung verabschiedet (1963). §2 des Gesetzes lautet: «Der Sachverständigenrat soll in seinem Gutachten die jeweilige gesamtwirtschaftliche Lage und deren absehbare Entwicklung darstellen. Dabei soll er untersuchen, wie im Rahmen der marktwirtschaftlichen Ordnung gleichzeitig Stabilität des Preisniveaus, hoher Beschäftigungsstand und außenwirtschaftliches Gleichgewicht bei stetigem und angemessenem Wachstum gewährleistet werden können. In die Untersuchung sollen auch die Bildung und Verteilung von Einkommen und Vermögen einbezogen werden.»

Dieses komplexe Zielbündel allein mit dem Instrumentarium der Notenbank (vgl. hierzu Kapitel 11) zu verfolgen, konnte nicht gelingen. Bereits 1956 existierte ein Gutachten der wissenschaftlichen Beiräte beim Bundesfinanz- und beim Bundeswirtschaftsministerium über «Instrumente der Konjunkturpolitik und ihre rechtliche Institutionalisierung», doch fehlten noch immer verbindliche Richtlinien über die Einbeziehung der Finanzpolitik in die Lenkung von Konjunktur und Wachstum.

Die Umsetzung des Versuchs, die Konjunkturpolitik auf eine neue Grundlage zu stellen, begann mit dem Kabinettsbeschluß vom 11. März 1964, in dem die Bundesminister für Wirtschaft und der Finanzen mit der Vorbereitung von gesetzlichen «Maßstäben zur Beeinflussung der konjunkturellen Entwicklung» betraut werden. Anfang Juli 1966 verabschiedete dann die damalige Regierung den «Entwurf eines Gesetzes zur Förderung der wirtschaftlichen Stabilität», das einseitig auf die Dämpfung konjunktureller Überhitzungserscheinungen ausgerichtet war. Als die Konjunktur im Herbst 1966 ihren Wendepunkt erreichte und sich weiter abschwächte, wurde dieser Entwurf dem Parlament zum ersten Mal vorgelegt und der Inhalt der veränderten Situation angepaßt. Das «Gesetz zur Förderung der Stabilität und des Wachstums der Wirtschaft» konnte am 10. Mai 1967 in 3. Lesung vom Parlament verabschiedet und am 2. Juni vom Bundesrat gebilligt werden. Es trat am 14. Juni 1967 endgültig in Kraft.

10.4.2.2. Möglichkeiten

Das Stabilitätsgesetz von 1967 ist keynesianisch geprägt (vgl. auch die Übersicht in Abb. 10.4.2/1).

Ein großer Block des Bundeshaushalts – sowohl auf der Einnahme- als auch auf der Ausgabenseite – steht für finanzpolitische Zielsetzungen kurzfristig nicht zur Disposition. Viele Tatbestände, von denen Staatseinnahmen und -ausgaben abhängen, sind gesetzlich geregelt, so daß eine veränderte Politik das Gesetzgebungsverfahren zu durchlaufen hätte. Dies würde es dem Staat aber unmöglich machen, flexibel auf konjunkturelle Veränderungen reagieren zu können. Das Stabilitätsgesetz sieht daher eine Reihe finanzpolitischer Maßnahmen vor, die von der Bundesregierung durch Rechtsverordnungen ergriffen werden können, allerdings in den meisten Fällen nur mit Zustimmung des Bundesrats.

Für die Einnahmepolitik ist die Möglichkeit von besonderer Bedeutung, die Einkommen- und Körperschaftsteuern für höchstens ein Jahr um maximal 10% zu erhöhen oder zu senken bzw. die entsprechenden Steuervorauszahlungen anzupassen («**Konjunkturzuschlag**»). Dabei fällt auf, daß auf eine Veränderung der unmittelbar preisbeein-

Abb. 10.4.2/1: Mögliche Maßnahmen nach dem Stabilitätsgesetz

Bei Hochkonjunktur	Bei Abschwächung der Konjunktur
• Stillegung von Mitteln in der Konjunkturausgleichsrücklage • Zusätzliche Tilgung von Schulden • Beschränkung der Kreditaufnahmen der öffentlichen Hand • Streckung oder Zurückstellung von Investitionen • Verstärkung der Offenmarktgeschäfte der Bundesbank • Erhöhung der Einkommen- bzw. Körperschaftsteuer für maximal 1 Jahr um bis zu 10% («Konjunkturzuschlag») • Beschränkung der Abschreibungsmöglichkeiten • Anpassung der Vorauszahlung auf Einkommen- oder Gewerbesteuer nach oben	• Entnahme von Mitteln aus der Konjunkturausgleichsrücklage • Zusätzliche öffentliche Ausgaben, ggf. über Kredite finanziert («deficit spending») • Beschleunigung geeigneter Investitionen («Investitions- bzw. Beschäftigungsprogramme») • Verstärkung der Finanzhilfen von Bund an Länder bzw. von Ländern an Gemeinden • Herabsetzung der Einkommen- bzw. Körperschaftsteuer für maximal 1 Jahr um bis zu 10% • Einführung von Investitionszulagen • Nachträgliche Anpassung der Einkommen- oder Gewerbesteuervorauszahlungen nach unten

flussenden Verbrauchsteuern verzichtet wird. Wenn eine ‹normale› Nachfragereaktion unterstellt wird, wären direkt preisverändernde Maßnahmen einleuchtender als indirekt wirkende Einkommensteuer-Veränderungen.

Als weitere (dämpfende) Maßnahme können Abschreibungsmöglichkeiten eingeschränkt werden, was für Unternehmen eine höhere Steuerbelastung bedeutet. Anregend wirken sollen Investitionshilfen im Wege eines Steuerabzugs bei der Einkommen- und Körperschaftsteuer. Allerdings ist zu berücksichtigen, daß Investitionen in erster Linie von den erwarteten Absatzchancen einer Unternehmung abhängen, so daß Kostenaspekte nicht unbedingt im Vordergrund stehen.

Auf die Einnahmeseite beziehen sich auch Vorschriften, welche die Kreditaufnahme der öffentlichen Hände betreffen. Die Bundesregierung kann dabei einen sog. «**Schuldendeckel**» auflegen, indem die Kreditaufnahme der staatlichen Gebietskörperschaften bis auf 80% des Durchschnitts der letzten fünf Haushaltsjahre limitiert werden kann.

Dieser Schuldendeckel wirkt sich auch auf der Ausgabenseite aus, wenn geplante Ausgaben nicht mehr finanziert werden können. Zu dieser Maßnahmengruppe zählt auch die Möglichkeit des Bundesfinanzministers, die Durchführung öffentlicher Maßnahmen auszusetzen oder über einen längeren Zeitraum als geplant zu strecken. Analog können zur Konjunkturanregung geeignete Investitionsvorhaben beschleunigt geplant und durchgeführt werden.

Im Boom soll der Staat andererseits die sich nun verstärkenden Steueraufkommen nicht prozyklisch in voller Höhe verausgaben, sondern Mehreinnahmen (zumindest teilweise) in der **Konjunkturausgleichsrücklage** bei der Deutschen Bundesbank stillegen. Diese ist somit einem Sparkonto vergleichbar, auf das der Staat in guten Zeiten einzahlt und auf das er in schlechten Zeiten zurückgreifen kann – sofern vorhanden. Die Auffüllung der Konjunkturausgleichsrücklage kann durch die Bundesregierung (mit Zustimmung des Bundesrates) angeordnet werden. Dies geschieht allerdings automatisch, sofern die oben erwähnte Erhöhung der Einkommen- und Körperschaftsteuer vorgenommen wurde: Mehreinnahmen aus dieser Maßnahme *müssen* stillgelegt werden. Dieses Konzept ist zwar theoretisch einleuchtend und überzeugend, doch ist es in der Praxis lediglich im Zeitraum 1970–1977 und auch nur mit bescheidenen Beträgen realisiert worden. Dies sollte bei der Diskussion um das Stabilitätsgesetz nicht übersehen werden. Als finanzgeschichtlicher Vorläufer kann der sog. **Julius-Turm** angesehen werden: Im Julius-Turm der Zitadelle Berlin-Spandau wurden nach dem deutsch-französischen Krieg 1870/71 Goldmark aus der französischen Entschädigung deponiert, aus denen im Kriegsfall Ausgaben finanziert werden sollten. Der erste Bundesfinanzminister Fritz Schäfer (1949–1957) schuf durch Einlagen bei der Bank deutscher Länder bis 1956 einen neuen ‹Julius-Turm› mit Mitteln, die für die Besetzungskosten und für die damals geplante Europäische Verteidigungsgemeinschaft vorgesehen waren, aber nicht vollständig abgerufen wurden. Diese Mittel wurden dann 1957–59 in den Bundeshaushalt eingestellt und verausgabt.

10.4.2.3. Kritik

Keynesianische Konjunkturspritzen und Beschäftigungsprogramme sind hinsichtlich ihrer Wirksamkeit heftig umstritten. Kritiker nachfrageorientierter Politik argumentieren, daß solche Maßnahmen nur konjunkturellen, nicht aber strukturell bedingten Problemen nachhaltig entgegenwirken können. Da das gegenwärtige Beschäftigungsdefizit strukturell bedingt sei – deutlich sichtbar am hohen Niveau der Arbeitslosigkeit trotz anhaltenden Wirtschaftswachstums («jobless growth») – können Konjunkturprogramme nur Strohfeuereffekte auslösen, die bald verpuffen und lediglich in Form anhaltender Tilgungs- und Zinsbelastungen des öffentlichen Haushalts als Ausdruck wachsender Staatsverschuldung Bestand hätten (vgl. auch Abschn. 9.3).

Auch das Stabilitätsgesetz wird in diesem Zusammenhang kritisch beurteilt. Geht man der Frage nach, ob eine Wirtschaftspolitik anhand der zur Verfügung stehenden Instrumente überhaupt konsequent durchgeführt werden kann, stößt man bei näherer Betrachtung auf «Lücken» im Stabilitätsgesetz: (1) Zwischen expansiven und kontraktiven Maßnahmen besteht eine Asymmetrie. Die Aussetzung von Sonderabschreibungsmöglichkeiten, die Einschränkung der degressiven Abschreibung und die sog. Investitionsprämie entsprechen sich nicht. Da die Abschreibungsvarianten das steuerpflichtige Einkommen betreffen, die «Investitionsprämien» dagegen einen Abzug von der Steuerschuld darstellt, wirken sie nur bei vorliegenden Gewinnen. (2) Eine Verpflichtung zur Stillegung anfallender Steuermehreinnahmen (durch Veränderung der Abschreibungsmodalitäten oder progressionsbedingte Mehreinnahmen durch Steuererhöhungen) besteht nicht. (3) Die einzelnen Gebietskörperschaften werden unterschiedlich stark eingebunden. Die Vorschriften über die Konjunkturausgleichsrücklage erstrecken sich z. B. nicht auf die Gemeinden. (4) Trotz der Bezeichnung «Gesetz zur Förderung der Stabilität und des Wachstums der Wirtschaft» sind keine wachstumspolitischen Instrumente enthalten. Ebenso bestehen keine Interventionsmöglichkeiten zur Erreichung des Ziels «außenwirtschaftliches Gleichgewicht».

10.4.3. Steuern und Steuerwirkungen

10.4.3.1. Einige Begriffe

Der Oberbegriff von Zahlungen, die an ‹den Staat› aufgrund öffentlich-rechtlicher Vorschriften zu leisten sind, heißt **Abgaben**. Abgaben sind insbesondere Steuern, Gebühren und Beiträge. **Steuern** sind Zahlungen ohne direkt zurechenbare Gegenleistungen. Natürlich erhält der Steuerzahler indirekt für seine Zahlungen öffentliche Güter (vgl. oben Abschn. 10.2), aber diese sind den Zahlungen nicht direkt zuzurechnen wie Gebühren (vgl. anschließend). Weiter oben wurde dabei unterschieden zwischen **direkten Steuern**, die bei demjenigen erhoben werden, der sie wirtschaftlich tragen soll (Steuersubjekt und Steuerträger sind identisch), und **indirekten Steuern** (wie der Mehrwertsteuer oder den Verbrauchsteuern), die von demjenigen, der sie abzuführen hat (Steuersubjekt), auf den Endverbraucher (Steuerträger) z. B. in den Preisen überwälzt werden: Die Biersteuer wird bei der Brauerei erhoben; Steuersubjekt und Steuerträger sind also nicht identisch. Steuern im Außenwirtschaftsverkehr heißen **Zölle**.

Gebühren werden nur dann erhoben, wenn der Abgabenpflichtige bestimmte staatliche Leistungen in Anspruch nimmt (sich z. B. einen Reisepaß ausstellen läßt). Zahlung und Gegenleistung sind folglich direkt zurechenbar. **Beiträge** werden zur Deckung der Kosten bestimmter öffentlicher Leistungen erhoben, welche im öffentlichen Interesse für einen bestimmten Personenkreis erbracht werden, z. B. Anliegerbeiträge für Straßenbau und Kanalisierung. Beiträge sind gleichfalls der Leistung wirtschaftlich direkt zuzurechnen, allerdings oft nur als potentiellen Gegenleistungen: Ob jemand z. B. die Sozialversicherungsbeiträge tatsächlich in Form von Arbeitslosenunterstützung jemals in Anspruch nimmt, ist offen.

Für die Entrichtung von Abgaben sind gesetzliche Grundlagen erforderlich. In diesen wird der **Tatbestand** beschrieben, der zur Abgabenpflicht führt, wobei – hier am Beispiel der Steuer – der **Steuergegenstand** (z. B. das Einkommen), die **Bemessungsgrundlage** (z. B. die steuerpflichtige Einkommenssumme nach Berücksichtigung aller Abzüge), der **Steuersatz** (Steuertarif) (i. d. R. in Prozent), der **Steuerschuldner** und der **Steuergläubiger** (Bund, Land, Gemeinde) zu präzisieren sind. Trotz grundsätzlicher **Steuerpflicht** kann sich dabei durchaus eine **Steuerschuld** von Null ergeben, z. B. bei bestimmten Befreiungstatbeständen.

10.4.3.2. Reaktionen auf Steuererhebung

Steuern werden von den Belasteten zumeist als unliebsam empfunden, so daß die Steuerpflicht bestimmte **Wirkungen** hervorrufen kann. Zunächst kann man versuchen, die geleistete Zahlung durch entsprechende Aktivitäten (z.B. Umsatzausweitung) wieder zu verdienen (**Steuereinholung**) oder durch Preiserhöhungen die Steuerlast weiterzugeben (**Steuerüberwälzung**). Man kann der Steuer auch ausweichen, indem man den Steuertatbestand nicht erfüllt (**Steuervermeidung**): Wer keinen Alkohol trinkt, zahlt keine Branntweinsteuer. Diese Wirkung kann seitens des Staates durchaus erwünscht sein; man spricht dann von einer **Prohibitivsteuer.** Im politischen Raum werden bestimmte Steuern (u.a. Tabak-, Branntweinsteuer) gern in diesem Sinne interpretiert, doch ist ganz offensichtlich, daß diese Steuern, die zu den wichtigen staatlichen Einnahmequellen zählen (vgl. Abb. 10.3.2/2), sicher nicht zufällig gerade auf preisunelastischen Steuerbeständen lasten, d.h. daß der Steuerbürger trotz der steuerbedingten Verteuerung in der Regel die Steuer nicht vermeidet, sondern konsumiert und fiskalisch durchaus erwünscht Abgaben leistet (Abb. 10.4.3/1).

Eine krasse Form ist die (strafbare) **Steuerhinterziehung**, d.h. der Steuerpflichtige verschweigt z.B. Steuertatbestände. Abgeschwächt gilt dies für die **Steuerverkürzung**, bei der der Steuertatbestand ‹beschönigt› wird. Von **Steuerumgehung** spricht man, wenn die Möglichkeiten der Rechtsnormen mißbräuchlich ausgenutzt werden.

10.4.3.3. Direkte und indirekte Steuern

Die (Verbrauch-)Steuern nennt man **indirekte Steuern**, weil – bürgerlich gesprochen – die Beziehung zwischen Steuerzahler (Konsument) und Finanzamt nur indirekt über den Verkäufer der Ware besteht; der Verkäufer ‹kassiert› die Steuer und führt sie an das Finanzamt ab. Indirekte Steuern gelten tendenziell als ‹unsozialer› als direkte Steuern, da die Bezieher niedriger Einkommen einen größeren Teil ihres

Abb. 10.4.3/1: Erhöhung der Steuereinnahmen

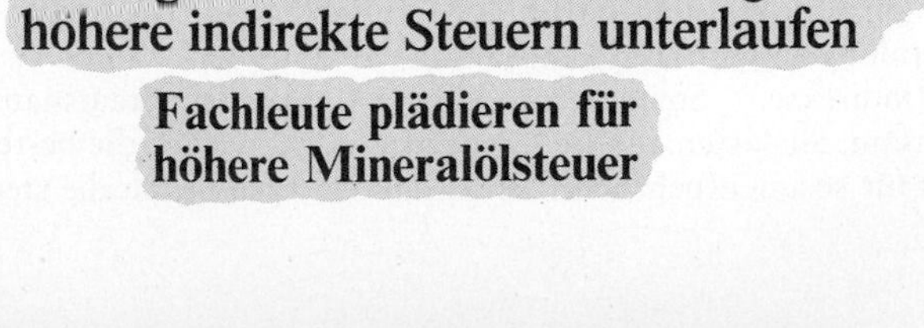

Strategien der Steuervermeidung durch höhere indirekte Steuern unterlaufen

Fachleute plädieren für höhere Mineralölsteuer

Einkommens konsumieren als Besserverdienende und somit relativ stärker von indirekten Steuern belastet werden.

Direkte Steuern wie die Lohn-, Einkommen- und Körperschaftsteuern werden direkt vom Steuerpflichtigen an das Finanzamt abgeführt. (Daß bei der Lohnsteuer ein **Quellenabzug** durch den Arbeitgeber erfolgt, ändert nichts an der prinzipiell direkten Beziehung.) Systeme direkter Besteuerung erfordern im Vergleich zu indirekten Steuern einen viel größeren administrativen Aufwand, da i. d. R. eine Vielzahl von Ausnahmen und Steuerentlastungen sowie die Steuerprogression zu berücksichtigen sind; die deutsche Einkommensteuer ist ein prägnantes Beispiel. Auch auf der Seite des Steuerpflichtigen stellen direkte Steuern sehr viel größere Anforderungen als indirekte. Da der Steuerpflichtige seine Steuern oft selbst angeben muß (Steuererklärung), bieten sich vielfältige Möglichkeiten, die Steuerbelastung abzuschwächen, so daß indirekte Steuern tendenziell umfassender abgeschöpft werden als direkte. Hierbei spielt die Steuermoral der Steuerpflichtigen (vgl. oben die Reaktionsmöglichkeiten auf die Steuererhebung) und die staatlichen Sanktionsmöglichkeiten eine wichtige Rolle. Die Steuermoral hängt auch davon ab, ob die Steuerpflichtigen die Belastungen als gerecht empfinden und wie kompliziert die rechtlichen Regelungen sind.

Die einfachsten indirekten Abgaben sind **Zölle**, da dabei nur die Überwachung der meist wenigen Grenzübergangsstellen zu erfolgen hat. In vielen Entwicklungsländern stellen Zölle daher den größten Teil der Staatseinnahmen dar. Insgesamt ist das Aufkommen aus indirekten Steuern in ökonomisch schwächer entwickelten Ländern meist bedeutsamer als die direkte Besteuerung. Aus diesem Grunde sind internationale Quervergleiche über die Steuerbelastung (vgl. oben z. B. Abschn. 10.2.2) oft wenig aussagekräftig, weil die Belastungen durch indirekte Steuern meist nicht erfaßt werden.

10.4.3.4. Steuersatz und Steueraufkommen

Steuern waren und sind das traditionelle Mittel der Staatsfinanzierung. Der Erfindungsreichtum des Staates – gleichgültig, ob es sich um Alleinherrscher oder demokratisch gewählte Regierungen handelt – war dabei beachtlich: Die historische Skala der Steuergegenstände reicht von Alkohol über Bärte, Bedürfnisanstalten (pecunia non olet: Geld stinkt nicht) und Spielkarten bis zu (Straßen-)Zöllen. Eines ist allen (indirekten) Steuern zur Finanzierung des Staatshaushaltes gemeinsam: Sie lasten auf Steuergegenständen, welche die besteuerten Bürger für so unentbehrlich halten, daß sie auch durch die steuerlich bedingte Verteuerung nicht sonderlich vom Kauf oder Gebrauch abgehalten werden, formular gesprochen: es handelt sich in aller Regel um ein preis- oder einkommensunelastisches Nachfrageverhalten.

Wie die Ausführungen in Abschn. 10.4.3.2 zeigen, sind aber auch bei direkten Steuern vielfältige Reaktionen des Steuerpflichtigen möglich. Hohe Steuersätze regen dazu an, die Steuerbelastung möglichst zu verringern.

Den Zusammenhang zwischen Steuersatz und Steueraufkommen verdeutlicht eine inzwischen berühmt gewordene Darstellung des Amerikaners Arthur B. Laffer. Die **Lafferkurve** (Abb. 10.4.3/2) zeigt, daß mit zunehmendem Steuersatz die Steuereinnahmen zunächst (degressiv) steigen, jedoch von einem bestimmten Punkt an absolut sinken, da eine hohe Besteuerung schließlich doch Abschreckungseffekte freisetzt. Eine Erhöhung der Tabaksteuer z. B. würde solange ein erhöhtes Steueraufkommen bedeuten, bis die steuerbedingte Verteuerung zu einer Aufgabe des Tabakkonsums auf breiter Basis führt. Analoge Überlegungen gelten auch für Einkommensteuern, wobei hohe Steuersätze zur Flucht in Steueroasen verleiten. Überhaupt ist festzustellen, daß mit steigender Steuerlast der **Steuerwiderstand** und damit ein Verfall der Steuermoral zunimmt, um der Belastung zu entgehen.

Sofern die U-förmige Lafferkurve präzise zu ermitteln wäre, ließe sich ein optimaler Steuersatz bestimmen. Laffer hat übrigens durch seine Theorie dazu beigetragen, daß US-Präsident Reagan im Wahlkampf 1981 versprach, die Steuern zu senken, um insbesondere den Unternehmern Anreize zu beschäftigungsanregenden Investitionen zu geben (vgl. auch Kap. 9 zur Angebotstheorie). In der Praxis führten die Steuersenkungen zu so drastischen Rückgängen der Staatseinnah-

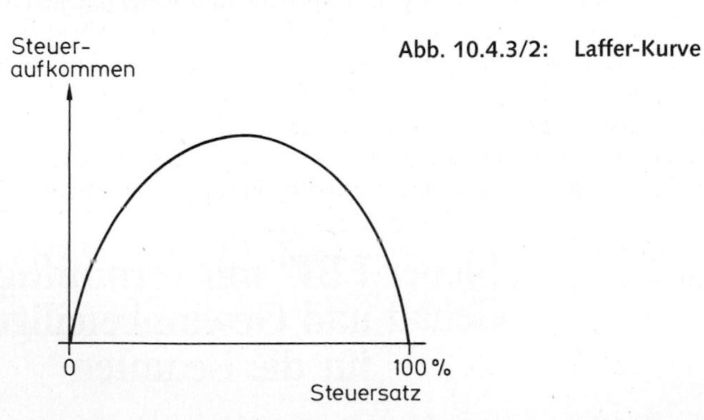

Abb. 10.4.3/2: Laffer-Kurve

men, daß zum einen korrigierende Steuererhöhungen erforderlich wurden, zum anderen die Staatsverschuldung kräftig erhöht werden mußte.

10.4.3.5. Ausschöpfung des Steuerpotentials

Angesichts der knappen Kassen der öffentlichen Hände – nicht nur in Deutschland, dies gilt in vielen Ländern – ist es eigentlich erstaunlich – oder auch nicht –, daß staatlicherseits elementare betriebswirtschaftliche Erkenntnisse nicht angewendet werden. Die Möglichkeiten von Einsparungen auf der *Ausgabenseite* werden nur unzureichend genützt. Abschn. 10.4.3.6 geht darauf ein, ebenso wie Abschn. 10.5.1.3. Die Forderung nach erhöhten *Steuereinnahmen* resultiert zumeist in einer Anhebung von Steuersätzen. Daß dies – für das Einnahmeergebnis möglicherweise gefährliche – Reaktionen hervorruft, wurde gerade in Abschn. 10.4.3.2 ausgeführt. Daher läge es so nahe, die bestehenden Steuergesetze einfach konsequenter anzuwenden und somit das Steuerpotential besser auszuschöpfen.

Natürlich erfordert dies möglicherweise mehr Personal. Ohne die Frage nach der Arbeitsproduktivität der Steuerverwaltungen überhaupt berühren zu wollen, liegen andere Fragen auf der Hand: *Mehreinsatz von Steuerbeamten* – also eine Beschäftigungsmaßnahme – würde sich mit höchster Wahrscheinlichkeit sehr schnell amortisieren (Abb. 10.4.3/3). Erstens würden damit Steuererklärungen sehr viel schneller bearbeitet werden können und zu Steuerbescheiden (d. h. Einnahmen) führen, als es gegenwärtig der Fall ist. Die damit verbundenen Liquiditäts- und Zinseffekte ließen sich einfach prognostizieren. Zudem könnte eine Vereinfachung der Steuergesetzgebung zum einen der Wirtschaft beträchtliche Kosten sparen, zum anderen auch eine Verringerung der zahllosen Einsprüche und Klagen gegen Steuerbescheide mit sich bringen (so mancher Steuerbescheid verjährt dabei). Zweitens würden mehr Prüfer im Bereich der Steuerprüfung und Steuerfahndung sich schnell selbst finanzieren. Weshalb man Steuerbeamte – vom Volumen her kleine – Lohn- und Einkommensteuererklärungen mühsam prüfen läßt, die möglicherweise zu ein paar hundert Mark Steuernachforderungen führen, ist unverständlich

Abb. 10.4.3/3: Reformvorschlag

„Steuer-FBI“ mit vernünftigem Gehalt und Gewinnbeteiligung für die Beamten angesichts der Tatsache, daß auch große Unternehmen mangels Personal nur in großen zeitlichen Abständen geprüft werden und steuerliche Großschuldner fast problemlos Steuerminderungen in Millionenhöhe gegenüber dem Fiskus durchsetzen können. Kaum ein Unternehmer würde wohl auf gewinnträchtige Mehreinnahmen verzichten, nur weil er dafür mehr Leute einstellen müßte. Aber der Staat. Hier wäre eine andere Einsatzplanung nicht schlecht, und dies würde ja nicht nur den Fiskus freuen, sondern auch die Notwendigkeit von Steuererhöhungen an anderer Stelle verringern.

All dies geschieht jedoch nicht; vielmehr verlassen Steuerbeamte in zunehmendem Maße die Verwaltungen und verdingen sich auf der anderen Seite, in der sog. ‹freien Wirtschaft›, zu sehr viel besseren Bezügen und ohne den Frust des Behördenalltags mit kaum Beförderungsaussichten. Dies kann im Hinblick auf ‹den Staat› kaum als umsichtige Personalpolitik und Personalführung bezeichnet werden, und fiskalisch ist es ausgesprochen ineffizient. Das betriebswirtschaftliche Selbstverständnis der öffentlichen Verwaltung ist schlicht katastrophal.

10.4.3.6. Öffentliche Verschwendung

Ein jährliches ‹Schwarzbuch› des Bundes der Steuerzahler beklagt die andere Seite des Haushaltsproblems: Die Verschwendung öffentlicher Mittel auf der Ausgabenseite. Drastische Kostenüberschreitungen bei öffentlichen Investitionen sind die Regel, Fehlplanungen und unnötige Ausgaben an der Tagesordnung: Abb. 10.4.3/4 führt eine kleine Liste von Beispielen auf. Dabei soll gar nicht einmal auf die Administration im engeren Sinne gezielt werden, sondern auf die politische Ebene der Verwaltungen – einschließlich des Bundestages –, wo in vielen Fällen das Steuergeld mit vollen Händen für Reisen, Aufwand, unnötige Beschaffungen («Dezemberfieber», tritt auch schon im Frühjahr auf) und Prestige zum Fenster 'rausgeworfen wird. Fachleute schätzen das Volumen der Verschwendung auf 40–50 Milliarden DM pro Jahr. Konservativ geschätzt.

Bedauerlicherweise gibt es kaum Sanktionsmöglichkeiten. Dafür müßte den Verantwortlichen schon Vorsatz oder grobe Fahrlässigkeit bei der Verschwendung öffentlicher Mittel nachgewiesen werden, und dies gelingt meist nicht, obgleich die Möglichkeiten existiert. Dem einzelnen Beamten werden bei Dienstreiseabrechnungen kleinlich ein paar Mark gestrichen. Gravierende Pannen wie bei der Lautsprecherinstallation im Deutschen Bundestag, bei Schleuderverkäufen von Unternehmen durch die Treuhand, bei ungerechtfertigter Nieder-

Abb. 10.4.3/4: Öffentliche Verschwendung

- **Baunatal** (Hessen): Altenheim mit 142 Bewohnern kauft Brotschneidemaschine, die 220 Scheiben Brot in der Minute schneidet.
  Kosten: 17 000 DM
- **Bonn:** Verbreiterung einer Eisenbahnunterführung, weil sich Radfahrer und Fußgänger nicht einigen konnten, wer «Vorfahrt» hat.
  Kosten: 6,5 Mio. DM
- **Dresden:** Gesundheitsministerium richtete sich einen Fitneßraum ein.
  Kosten: 12 000 DM
- **Emden:** Neue Container-Umschlaganlage wird nicht genutzt.
  Kosten: 66 Mio. DM
- **Essen:** Hundezählung. **Kosten: 17 000 DM**
- **Mainz:** Neue Geräteprüfhalle wird nur 6 bis 8 Wochen im Jahr genutzt.
  Kosten: 1,8 Mio. DM
- **Mengen** (Bad.-Württ.): Nachtbeleuchtung für Flugplatz, der so gut wie nie im Dunkeln genutzt wird. **Kosten: 710 000 DM**
- **Nürnberg/Weiden:** Asphaltschicht der A 93 wurde zu dick aufgetragen, so daß größere Lastwagen nicht mehr unter der Brücke durchfahren konnten.
  Nachbesserungskosten: 100 000 DM
- **St. Blasien** (Bad.-Württ.): Neubau der Bundesbahn wird als Unterstellraum für Faschingswagen genutzt. **Kosten: 410 000 DM**
- **Wiesbaden:** Kehrmaschinen beschädigen Bürgersteige.
  Jährliche Kosten: 130 000 DM
  Beschädigte Fugen werden jetzt mit Spezialmörtel ausgefüllt.
  Kosten: 400 000 DM
- **Wuppertal:** 250 000 Strafzettel wurden mit falschen Seriennummern gedruckt. **Kosten: 32 000 DM**

Statistische Angaben: Ausgewählte Fälle aus dem Schwarzbuch des Bundes der Steuerzahler

schlagung von Steuerschulden, bei schlampiger Bauplanung sind haushaltsrechtlich aber nur in den seltensten Fällen sanktionierbar; einen *Straf*tatbestand der Veruntreuung von Steuergeldern (Amtsuntreue) gar gibt es im Strafgesetzbuch nicht. Die Prüfinstanzen sind meist effizient. Ein zürnender Prüfbericht des Bundesrechnungshofes hat aber keine Konsequenzen, obgleich dieser routinemäßig vorschreibt, daß die Haftungsfrage zu prüfen sei und ggf. Schadenersatzansprüche geltend gemacht werden müßten. Ein Regreßverfahren müßte aber in der Regel von einer vorgesetzten Ebene derselben Behörde eingeleitet werden, und dabei scheint es mancherlei Hemmungen zu geben.

Der Bund der Steuerzahler fragt – meines Erachtens zu Recht – weshalb trotz der Vielzahl der dargestellten, sattsam bekannten Ansatzpunkte nichts geschieht. Strafanzeigen des Steuerzahlerbundes blieben bisher erfolglos; die Strafverfolgungsbehörden haben sich nicht dazu durchringen können, auch nur bedingten Vorsatz oder gar bewußten Vorsatz festzustellen. Wahrscheinlich liegt die Erklärung in dem Kernsatz «Wasch mir den Pelz, aber mach mich nicht naß!» (vgl. Abb. 10.4.3/5), denn eine Veränderung eingefahrener Verhaltensweisen und Sachverhalte – möglicherweise zu eigenen Ungunsten – ist sicherlich nicht attraktiv. Die Folge zu niedriger Staatseinnahmen im Vergleich zu – relativ gesehen – zu hohen Staatsausgaben ist logischerweise Staatsverschuldung. Der folgende Abschnitt wird sich diesem Problem widmen.

Abb. 10.4.3/5: Steuerreformen?

Zeichnung: Stuttmann, Lübecker Nachrichten (Bild 4.8.96)

10.5. Staatsverschuldung

10.5.1. Ursachen der Staatsverschuldung

10.5.1.1. «Deficit Spending»

Zunächst einmal ist festzuhalten, daß es völlig normal und sinnvoll ist, wenn sich ein Staat verschuldet. Die Staatseinnahmen, also im wesentlichen Steuereinnahmen, werden von speziellen Fachgremien laufend beobachtet und für die Zukunft geschätzt. Da die zeitliche Verteilung der Staatseinnahmen sich nicht a priori mit der zeitlichen Verteilung der Ausgaben decken wird, sind sehr kurzfristige sog. **Kassenverstärkungskredite** zur Sicherung der Zahlungsfähigkeit des Staates unumgänglich, zum großen Teil vorhersehbar und unproblematisch. Außerdem sind Steuerschätzungen mit Unsicherheiten behaftet und können sich als falsch erweisen, so daß auch in diesem Falle eine ausgleichende (unvorhersehbare) Kreditaufnahme erforderlich wird.

Eine andere Ursache staatlicher Kreditaufnahme besteht – wie erwähnt – im sog. ‹**deficit spending**› im Rahmen der antizyklischen Finanzpolitik, d. h. durch bewußte Verschuldung des Staates, um eine zu schwache private Nachfrage durch staatliche Maßnahmen zu ergänzen. Diese konjunkturell bedingte Verschuldung wäre mittelfristig im nächsten konjunkturellen Aufschwung aus den dann einsetzenden Steuermehreinnahmen wieder abzubauen und somit vom Prinzip her gleichfalls unproblematisch (sofern dieses Prinzip beachtet wird).

10.5.1.2. Strukturelle Verschuldung

Eine kritische Ursache der (wachsenden) Staatsverschuldung ist die **strukturelle Verschuldung**. Sie beruht auf einer anhaltenden Finanzierungslücke im Haushalt, die dadurch entsteht, daß längerfristig die Struktur der Staatsausgaben zu Mittelabflüssen führt, die nicht durch entsprechende Steuereinnahmen gedeckt werden können. Historisch gesehen waren häufig Kriegs(folge)ausgaben der Anlaß für enorm wachsende Haushaltsdefizite, die nur über wachsende Verschuldung des Staates mit entsprechenden inflationären Folgen finanzierbar waren. Das Schreckgespenst des Staatsbankrotts, den Deutschland nach dem Ersten und Zweiten Weltkrieg – umschrieben als Währungsreform – erleben mußte, spielt auch heute in der Diskussion eine wichtige Rolle. Die Rüstungsausgaben sind allerdings heute mit ihrem Anteil von unter 10% am Haushalt eher unbedeutend. Den größten Einzeletat verwaltet der Bundesarbeitsminister mit 173 Mrd. Mark (1999); das ist mehr als ein Drittel von 488 Mrd. DM (1999). An zweiter Stelle folgt bereits der Posten «Bundesschuld», also die Ausgaben für Zinsen auf Kredite, mit 86 Mrd. Mark (1999).

Aufgrund der massiven Haushaltswirkungen durch die Wiedervereinigung kann das strukturelle Defizit des Bundeshaushalts gegenwärtig nicht solide quantifiziert werden. Solange ein strukturelles Defizit aber nicht verringert werden kann (dies gilt unabhängig von den einigungsbedingten Haushaltsproblemen seit 1990), muß es durch ständige Neuverschuldung, die den Schuldenstand erhöht, finanziert werden.

Die Entwicklung der **öffentlichen Verschuldung** in der Bundesrepublik weist **vier Phasen** auf: In der ersten, der Wiederaufbauphase, ist eine – aus heutiger Sicht – recht zurückhaltende Schuldenpolitik zu beobachten. Mit Inkrafttreten des Stabilitätsgesetzes im Jahre 1967 und der Umsetzung keynesianischen «deficit spendings» nahm die Verschuldung deutlich zu. Die politische «Wende» 1982 bedeutete wirtschaftspolitisch den Übergang zu einer angebotsorientierten Politik und dem erkennbaren Bestreben, die Staatsaktivitäten zu reduzieren: Dies läßt sich an der Verringerung der Staatsquote nach 1982 nachvollziehen (vgl. oben Abb. 10.2.2/1) und zeigt sich auch in dem Versuch, die Staatsverschuldung (relativ) zu verringern. Dies wurde zunächst durch eine günstige konjunkturelle Entwicklung und hohe Gewinnabführungen der Deutschen Bundesbank erleichtert. Diese «Konsolidierungsphase» endet etwa 1984. Ab 1990 erfolgte dann ein abrupter Anstieg der Staatsverschuldung, bedingt durch die Notwendigkeit, die enormen Ausgaben, die sich aus dem Beitritt der neuen Bundesländer ergaben, zu großen Teilen durch Kreditaufnahmen zu finanzieren (vgl. Abb. 10.5.1/1).

Derartige «Sondereffekte» sind natürlich in anderem Licht zu sehen als eine Entwicklung ohne solche externen Impulse, doch bleibt das grundsätzliche Problem eines strukturellen Defizits.

Abb. 10.5.1/1: Staatsverschuldung

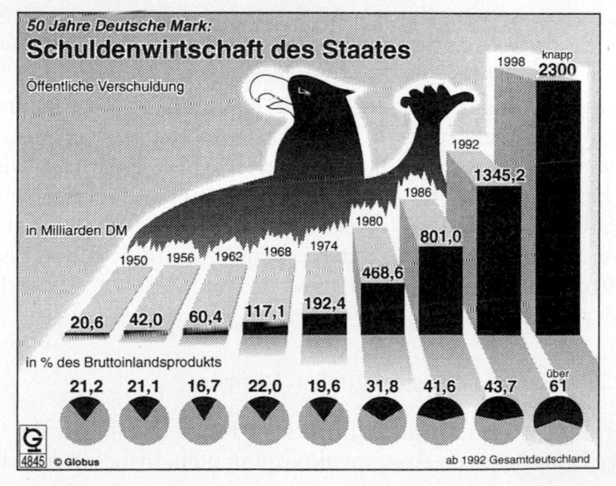

Vom Schuldenhügel zum Schuldenberg – so könnte die Geschichte der staatlichen Verschuldung in Deutschland überschrieben werden. Im Jahr 1950 betrug die Staatsverschuldung 20,6 Milliarden Mark. Das entsprach 21,2 Prozent der Wirtschaftsleistung (Bruttoinlandsprodukt). Heute haben die öffentlichen Haushalte einen Schuldenberg von schätzungsweise 2300 Milliarden Mark aufgetürmt. Bedrückender als die absoluten Milliardenbeträge ist die Schuldenlast. Sie hat sich seit den 50er Jahren fast verdreifacht und beträgt heute über 61 Prozent der Wirtschaftsleistung.

Angesichts der haushaltsmäßigen Belastungen aufgrund der Wiedervereinigung ist in der näheren Zukunft auch nicht mit einer Verringerung des strukturellen Defizits zu rechnen. Es muß allerdings auch betont werden, daß die öffentliche Verschuldung der Bundesrepublik im internationalen Vergleich keineswegs auffällig ist (vgl. unten Abb. 10.5.2/4). Allerdings sollte sich daraus kein Gewöhnungseffekt ergeben, um die Folgen der Staatsverschuldung nicht zu verharmlosen (vgl. Abschn. 10.5.3).

Gelegentlich wird die Meinung vertreten, strukturalistische Erklärungen für Haushalts- oder Zahlungsbilanzdefizite oder für die ‹strukturelle› Inflation seien Schutzbehauptungen und daher falsch, denn keine dieser strukturellen Ursachen seien unvermeidlich. Offensichtlich aber handelt es sich bei solchen Auseinandersetzungen um unterschiedliche Interpretationen des Begriffs **‹strukturell›**. Er ist keineswegs als Entschuldigung für Politiker zu versehen, denen dann ein Alibi für angeblich unabwendbare Tatbestände an die Hand gegeben würde; dieses wäre sicher eine falsche Auslegung. ‹Strukturell› ist vielmehr so zu verstehen, daß ein Mißverhältnis zwischen zwei Größen besteht, das seiner Natur nach **langfristig** bestehen wird. Aus welchen Gründen dieses Mißverhältnis entstanden ist, ist für den Begriff ‹strukturell› völlig unerheblich. Ein strukturelles Haushaltsdefizit kann auf selbstverschuldete Mißwirtschaft ebenso zurückzuführen sein wie auf exogene, d. h. hier: unbeeinflußbare Faktoren. Niemand dürfte bestreiten, daß für geologisch benachteiligte Länder wie etwa in der Sahel-Zone ein strukturelles Defizit hinsichtlich der Nahrungsmittelversorgung besteht. Entscheidend für die Kategorisierung ‹strukturell› ist allein die Verkrustung des betrachteten Zustandes und somit der Zeithorizont.

10.5.1.3. Ursachen des strukturellen Defizits

Das Strukturproblem beginnt bereits im Kleinen, z. B. für die unvollständige Erfassung von Ausgabenkomponenten, insbesondere der Folgekosten öffentlicher Investitionen (vgl. Abb. 10.5.1/2), sowie für optimistische Kostenvoranschläge, die geeignet sind, den Entscheidungsträgern die Genehmigung öffentlicher Ausgaben zu erleichtern.

Abb. 10.5.1/2: Folgekosten

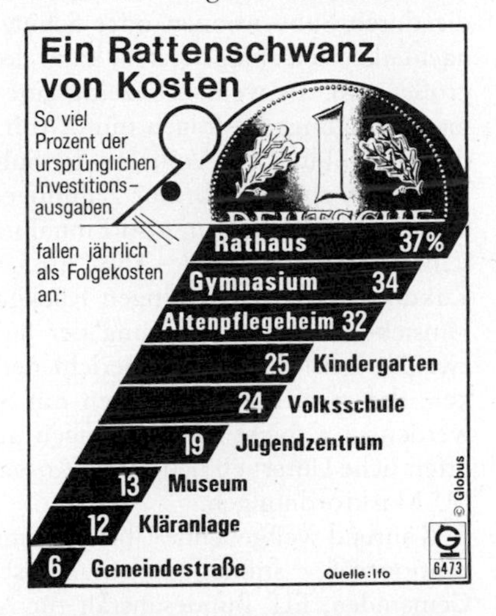

(1) Staatskonsum

Eine strukturelle Finanzierungslücke wird insbesondere begünstigt durch exzessiven **Staatskonsum** (Personal- wie Sachausgaben), was zu einer ständigen Überbeanspruchung des Haushalts führen kann. Bei strukturellem Haushaltsdefizit muß die Finanzierungslücke durch Erhöhung der Einnahmen (Steuererhöhungen) und/oder Kürzung der Ausgaben geschlossen werden, wenn nicht ein ständig wachsender Schuldenberg mit entsprechend wachsenden Zins- und Tilgungsverpflichtungen aufgetürmt werden soll. Steuererhöhungen führen in der Regel (jedoch nur unter bestimmten Voraussetzungen; vgl. Abschnitt 10.3.2) zu den angestrebten Mehreinnahmen, sind aber politisch unpopulär, so daß dieses Instrument meist nur sehr zögernd eingesetzt wird.

(2) Subventionen

Ebenso unpopulär sind Ausgabenkürzungen, vor allem im Sozial- und Subventionsbereich. **Subventionen** sollten vom Prinzip her nur gewährt werden, um temporären Störungen des internationalen Wettbewerbs entgegenzuwirken oder um unannehmbare soziale und wirtschaftliche Nachteile zu mildern. In manchen Bereichen sind Subventionen – ebenso wie Schutzzölle – jedoch zu Dauereinrichtungen denaturiert, die den eigentlichen Zweck, nämlich einen Schutzeffekt als Hilfe zur Selbsthilfe, verdrängt haben. In solchen Fällen sind Subventionen gesamtwirtschaftlich eher bedenklich, da sie erforderliche Strukturanpassungen überflüssig erscheinen lassen. Wenn eines Tages die durch Subventionen oder Schutzzölle kaschierten Wettbewerbsnachteile offen zutage treten, kann der gesamtwirtschaftliche Schaden größer sein, als wenn frühzeitig eine Anpassung an veränderte Rahmenbedingungen erfolgen muß. Abb. 10.5.1/3 gibt einen Einblick in die Vielzahl und das Volumen der Subventionszahlungen: daraus geht auch hervor, daß nicht nur Zahlungen, also Ausgaben, sondern auch Steuervergünstigungen, also Einnahmeverzicht, haushalts- und damit schuldenwirksam sind. Abb. 10.5.1/4 läßt auch für die nähere Zukunft keinen nachhaltigen Rückgang der Subventionen erwarten. Hinsichtlich der Abgrenzung der Subventionen, z. B. im (jeweiligen zweijährigen) **Subventionsbericht** der Bundesregierung, ist anzumerken, daß nicht alle Zahlungen mit Subventionscharakter mitgezählt werden, u. a. nicht die Zahlungen an Bundesbahn, Bundespost und öffentliche Unternehmen sowie Ausgaben im Zusammenhang mit den EU-Marktordnungen.

Während weitgehende Übereinstimmung darüber besteht, daß Subventions*geber* immer der Staat ist (insbesondere Bund, Länder, Gemeinden, EU, Bundesanstalt für Arbeit), werden als Subventions*empfänger* teils nur die Unternehmen («Subventionskern»), teils auch die privaten Haushalte erfaßt. Logischerweise ergeben sich daraus beträchtliche statistische Unterschiede, je nachdem, welche Abgrenzungen gewählt werden.

Abb. 10.5.1/3: Subventionen I

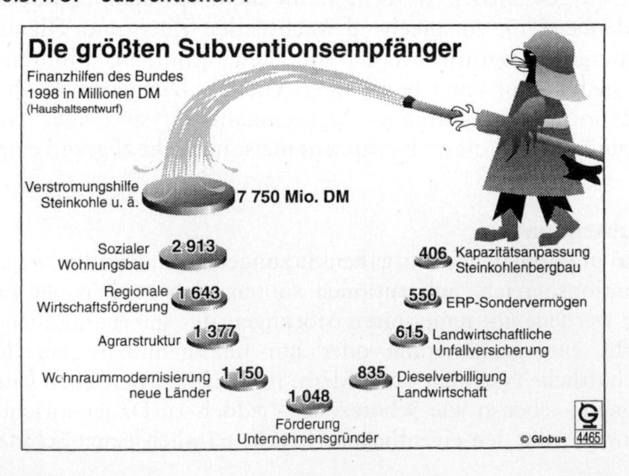

Abb. 10.5.1/4: Subventionen II

Subventionen: Wohin die Milliarden fließen

Öffentliche Finanzhilfen und Steuervergünstigungen in der Abgrenzung des Instituts für Weltwirtschaft in Milliarden DM

	1993	1994	1995	1996	1997
I. Sektorenspezifische Subventionen	159,7	164,2	136,9	145,5	148,6
davon: Verkehr	36,8	40,8	44,7	49,6	49,1
Wohnungsvermietung	30,5	32,3	33,0	35,3	36,4
Landwirtschaft	31,8	29,6	28,8	28,7	31,0
Bergbau	10,6	10,7	10,9	12,2	12,4
Treuhandanstalt	31,2	32,2	–	–	–
Sonstige	18,9	18,6	19,5	19,7	19,6
II. Branchenübergreifende Subventionen	38,5	38,2	42,0	42,1	38,6
davon: Regional- und Strukturpolitik	22,7	20,2	21,6	21,8	17,7
Förderung betrieblicher Funktionen	7,3	9,0	9,9	10,3	10,0
Beschäftigungspolitik	7,1	7,5	9,1	8,6	9,6
Umweltpolitik	1,4	1,5	1,4	1,4	1,4
III. Subventionen an (halb)staatliche Einrichtungen	108,8	106,4	105,5	105,1	103,7
darunter: Kindertagesstätten	16,9	17,4	17,5	17,5	17,2
Theater/Museen/Kultur	16,0	15,8	16,0	16,1	16,4
Krankenhausförderung/ Rehabilitationseinrichtungen	16,0	16,4	16,4	16,5	16,3
Insgesamt	307,0	308,8	284,4	292,7	290,9

Subventionen an Krankenhausförderung, Kindertagesstätten, Kultureinrichtungen: nur Finanzhilfen vom Bund, Ländern und Gemeinden; Quelle: Boss/Rosenschon (1998)

Quelle: Informationsdienst IWD-Online, 15. 10. 98, Ausgabe Nr. 42, Jg. 24

Hinsichtlich des Zwecks der Subventionen ist zu unterscheiden zwischen *Erhaltungshilfen* (Landwirtschaft, Bergbau, Schiffbau), *Anpassungshilfen* an den Strukturwandel (i.d.R. Kapazitätsabbau, Stilllegungen) und zukunftsgerichteten *Produktivitätshilfen* (Forschung und Entwicklung, Technologietransfer). Gut ein Drittel der Subventionen wird strukturerhaltend eingesetzt werden, rd. 60% beziehen sich auf (resignierende?) Anpassung; nur knapp 5% gehen in zukunftsorientierte Investitionen.

Grundsätzlich gesehen stören Subventionen den Wettbewerb und den Ausleseprozeß am Markt. Sie schwächen die Leistungsbereitschaft und den Willen zur Selbsthilfe. Insbesondere aber beeinträchtigen Erhaltungssubventionen den Strukturwandel und stellen dabei eine Wachstumsbremse dar. Verkrustete Strukturen lassen sich dann später nur schwer wieder aufbrechen. «Nothilfen» sollten kein Dauerzustand werden; der kurzfristige Nutzen ist meist kleiner als der langfristige Schaden.

(3) Gesetzliche Regelungen
Ein Großteil der öffentlichen Ausgaben ist kurzfristig überhaupt nicht zu reduzieren, da sie gesetzlich geregelt sind (Sozialbereich) oder sich nur zu Lasten anderer wirtschaftlicher Ziele reduzieren lassen (Personalabbau versus Arbeitslosigkeit). Der Ausgabenblock des Staates ist zudem mit vielen Tabuzonen versehen, was vor allem auf Subventionen zutrifft. Der Zwang zum Sparen ist angesichts wachsender Schuldenberge mittlerweile jedoch massiv. Ein anderer beträchtlicher Ausgabeposten – die Landwirtschaft – steht aus innen- und EU-politischen Gründen (noch nicht) nicht zur Disposition, obgleich das Beharren auf Agrarsubventionen seitens der Europäischen Gemeinschaft eine wesentliche Ursache für das vorläufige Scheitern der GATT-Verhandlungen im Rahmen der sog. Uruguay-Runde war. Die Inflexibilität des Ausgabenblocks nach unten wird auch durch haushaltsrechtliche Vorschriften beeinflußt. Zwar ist von den Grundsätzen der Sparsamkeit und Wirtschaftlichkeit auszugehen, doch werden die Titelansätze im Haushaltsplan zum großen Teil auf der Basis der Daten der Vergangenheit ermittelt. Daher ist eine Neigung feststellbar, bewilligte Titelansätze auch dann auszuschöpfen, wenn dies objektiv nicht unbedingt erforderlich wäre, um keine verfallenden Mittelreste entstehen zu lassen und so die Bemessungsgrundlage für die künftigen Titelansätze zu kürzen (sog. ‹**Dezemberfieber**›). Allerdings tritt dieses Phänomen auch während und sogar gleich zu Beginn des Haushaltsjahres auf, so daß man auch schon von einem «**Januarfieber**» hört.

(4) «Unrentable» Investitionen
Die erwähnten kurzfristigen Kassenverstärkungskredite (meist als Schatzwechsel oder als Buchkredite bei der Zentralbank) sind ebenso richtig und wichtig wie eine vorübergehend konzipierte konjunkturelle Verschuldung. Unbedenklich und sinnvoll ist auch eine Kreditfinanzierung öffentlicher Investitionen, die betriebswirtschaftlich rentabel sind, so daß der **Schuldendienst** (Verzinsung plus Tilgung) aus den investitionsbedingten Rückflüssen zu leisten ist. Ein Großteil der öffentlichen Investitionen fließt aber in den Infrastrukturbereich und ist somit nicht unmittelbar rentabel. Betriebswirtschaftliche Rentabilitätskriterien müssen bei derartigen Investitionen ersetzt werden durch soziale Kosten-Nutzen-Analysen. Infrastrukturinvestitionen

sind vielfach Vorleistungen für private Investitionen und können multiplikative Folgewirkungen hervorrufen, die insgesamt gesehen eine auf den ersten Blick unrentable Investition gesamtwirtschaftlich rentabel machen. So kann die verkehrsmäßige Erschließung einer Region Industrieansiedlungen begünstigen, in deren Gefolge das Steueraufkommen aus Lohn-, Gewerbe-, Umsatzsteuer etc. steigt. In der Praxis stellen sich allerdings dabei eine Reihe von Bewertungsproblemen, z. B. im Hinblick auf die Festlegung des Zinsfußes oder der zu erwartenden Nutzen, die häufig nur politisch zu lösen sind. Die Methodik von sozialen Kosten-Nutzen-Analysen läßt in dieser Hinsicht viel Spielraum.

(5) **Konsum oder Investition?**
Hierbei stellt sich auch die Frage, was **Staatskonsum** und was **Staatsinvestitionen** sind. Zum Konsum zählen nach den Abgrenzungen der volkswirtschaftlichen Gesamtrechnung (VGR) Personal-, Sach- und Rüstungsausgaben (!). So ist z. B. der Bau einer Kaserne Staatskonsum, während das Errichten eines Verwaltungsgebäudes eine Investition darstellt. Andererseits sind bestimmte Konsumausgaben – z. B. Beamte im Dienstleistungsbereich – Vorleistungen für privatwirtschaftliche Aktivität und somit indirekt produktiv. Die Abgrenzung zwischen (unproduktivem) Konsum und (produktiven) Investitionen ist nicht immer einleuchtend.

(6) **Marktkonformität**
Eine Finanzierung öffentlicher Ausgaben durch Verschuldung wird auch mit dem Argument befürwortet, daß Kredite freiwillig gewährt werden, während eine Steuerfinanzierung Zwang bedeutet. Hinzu kommt, daß sich die Finanzierungslast bei Krediten über einen längeren Zeitraum verteilen läßt, als dies bei Steuerfinanzierung möglich wäre.

Die Notwendigkeit zur Verschuldung mindert sich für den Bundeshaushalt in dem Maße, wie die **Bundesbank** aufgrund des Bundesbankgesetzes einen Teil ihres Bilanzgewinns an den Bund abführen kann. In einigen Jahren handelte es sich dabei um erhebliche Summen in Milliardenhöhe (vgl. Abschn. 11.7) (Abb. 10.5.1/5). Die **Ausschüttung des Bundesbankgewinns** wird daher wegen ihrer nur bedingt möglichen Vorhersehbarkeit als zu unsichere Finanzierungsquelle für den Bundeshaushalt kritisiert. Zudem gilt sie Kritikern als inflationsträchtige Quelle der Geldmengenvermehrung (vgl. Abschn. 4.4.2 u. 11.8).

Zusammenfassend lassen sich bei den Ursachen für die enorm gestiegene Verschuldung in den letzten fünfzehn Jahren drei Aspekte hervorheben: Erstens wurde das theoretische Prinzip des antizykli-

Abb. 10.5.1/5: Bundesbankgewinne

Jahr	Jahresüberschuß (Mrd. DM)	an Bonn abgeführt (Mrd. DM)
1988	11,5	10,0
1989	10,3	9,9
1990	9,1	8,3
1991	15,2	14,5
1992	14,7	13,1
1993	18,8	18,3
1994	10,9	10,2
1995	10,9	10,3
1996	9,4	8,8
1997	24,2	24,2
1998	16,2	16,2

Das öffentliche Defizit sinkt wegen eines hohen Bundesbankgewinns
Neuverschuldung geht 1998 um 25 Milliarden DM zurück / Steuereinnahmen steigen / 1999 nimmt Defizit wieder zu

schen Verschuldens und Entschuldens nicht beachtet, indem die in Abschwungphasen verursachten Defizite nicht in den anschließenden Aufschwungphasen abgebaut wurden. Allerdings muß man zugestehen, daß es schon beträchtlicher Weitsicht und politischen Durchsetzungsvermögens bedarf, um in einer Aufschwungphase rechtzeitig konjunkturelle Bremsen zu ziehen. Zweitens wurde durch ständig wachsende, vor allem sozialpolitisch motivierte Ansprüche an den Staat eine Ausgabendynamik in Gang gesetzt, die sich offensichtlich an zu optimistischen langfristigen Wachstumserwartungen orientierte und so ein strukturelles Defizit schuf, das in der kurzen Frist nicht zu beseitigen sein wird. Drittens ergaben sich neuerdings durch die Wiedervereinigung nicht vorhersehbare Haushaltsbelastungen.

10.5.2. Struktur der öffentlichen Verschuldung

Die Struktur der öffentlichen Verschuldung hat sich im Zeitablauf gewandelt. Zunächst ist hervorzuheben, daß sich die Staatsverschuldung auf alle drei Gebietskörperschaften bezieht, also auf Bund, Länder und Gemeinden, daneben aber auch auf Parafisci wie die Sozialversicherungsträger, Sondervermögen und Bundesbahn und Bundespost usw., obgleich selten alle Positionen statistisch ausgewiesen werden.

Die meisten Statistiken (nicht so Abb. 10.5.2/1) beschränken sich in der Darstellung aber auf die Verschuldung der Gebietskörperschaften. Dabei ist zwischen verschiedenen Schuldbegriffen zu unterscheiden.

Abb. 10.5.2/1: Schuldenstand

öffentliche Schulden Ende 1997 (Mrd. DM)	
Bund	906
Länder (West)	506
Länder (Ost)	90
Gemeinden (West)	163
Gemeinden (Ost)	42
Fonds «Deutsche Einheit»	80
ERP-Sondervermögen	34
Bundeseisenbahnvermögen	78
Erblastentilgungsfonds*)	322
Ausgleichsfonds «Steinkohleeinsatz»	3

*) Verbindlichkeiten des Kreditabwicklungsfonds, Verbindlichkeiten aus der Übernahme der Gesamtverschuldung des Republikhaushalts der ehemaligen DDR, Verbindlichkeiten der Treuhandanstalt, Verbindlichkeiten von Wohnungsunternehmen und privaten Vermietern von Wohnraum im Gebiet der ehemaligen DDR.

Die jährlich aufgenommenen Kredite bezeichnet man als **Neuverschuldung**, wobei die Gesamtsumme der in einem Haushaltsjahr neu eingegangenen Kreditverpflichtungen die **Brutto**-Neuverschuldung ergibt. Da aber im selben Haushaltsjahr auch Tilgungen zu leisten sind, ergibt sich die **Netto**-Neuverschuldung als Bruttoneuverschuldung minus Tilgungen (vgl. Abb. 10.5.2/2). Die Nettoneuverschuldung dient als Ausgleich zwischen den Ausgaben und Einnahmen im jeweiligen Haushaltsplan. Solange sie einen positiven Wert hat, also größer ist als Null, wächst der bereits bestehende Schuldenberg um diesen Betrag zusätzlich an. Die Nettoneuverschuldung kann auch negativ sein, wenn die Summe der in einem Jahr zu leistenden Tilgungen die Summe der Bruttokreditaufnahme übersteigt. Dann und nur dann würde der ‹Schuldenberg› verringert. Die öffentliche Verschuldung ist wegen möglicher negativer Effekte (vgl. weiter unten) – nicht immer zu Recht – der Kritik ausgesetzt.

Daher ist es verständlich, daß gelegentlich zu beschönigenden Ausdrucksweisen gegriffen wird, um das Problem abzuschwächen. Die Aussage «Die Wachstumsrate der Nettoneuverschuldung hat abgenommen» klingt zwar sehr kompliziert und für die meisten unverständlich, aber nach Beruhigung und Schuldenkonsolidierung. Tatsächlich sagt dies aber nur aus, daß die «Zunahme» abgeschwächt ist; dies bezieht sich jedoch nur auf die Wachstumsrate, also auf die «Geschwindigkeit». Tatsächlich steigen die Schulden jedoch weiter an.

Die Länder- und Kommunalhaushalte weisen zum Teil erhebliche Defizite und entsprechende Verschuldung auf (Abb. 10.5.2/3). Da die

Kommunen nur begrenzten Zugang zum Kapitalmarkt haben, sind sie in hohem Maße von Ausgleichszahlungen seitens «ihrer» Bundesländer im Rahmen des vertikalen Finanzausgleichs abhängig (vgl. Abschn. 10.3.2).

International gesehen ist die Verschuldung der öffentlichen Hände in der Bundesrepublik ungeachtet der gewaltigen Schuldsummen aber nicht sonderlich auffällig (Abb. 10.5.2/4). Ein Schuldenstand von höchstens 60% des BIP war eine der Bedingungen, die in den Beschlüssen von Maastricht (1992) als Beitrittsbedingung zur EU-Wirtschafts- und Währungsunion aufgestellt wurden.

10.5.3. Formen öffentlicher Verschuldung

Die Formen der Verschuldung der öffentlichen Hände sind vielfältig. In diesem Abschnitt werden nur die wichtigsten Begriffe erläutert.

Abb. 10.5.2/2: Nettokreditaufnahme

Verschuldung
Brutto-kredit-aufnahme
Tilgungen
Netto-kredit-aufnahme
Haushalt
Netto-kredit-aufnahme
Einnahmen
Ausgaben
insgesamt bestehende Schulden
Netto-kredit-aufnahme
bereits bestehende Schulden

Abb. 10.5.2/3: Länderschulden

Als Ordnungskriterium für öffentliche Schulden dient die Fälligkeit bzw. Laufzeit. Nach dem Vertrag von Maastricht ist jegliche Kreditfinanzierung des staatlichen Haushalts durch die Zentralbanken **verboten.**

Die kurzfristigste und flexibelste Form der öffentlichen Kreditaufnahme stellen **Direktausleihungen** durch private Kreditinstitute dar. **Schatzwechsel** stellen Wechselverbindlichkeiten von Bund, Ländern, der Post und der Bahn dar. Es handelt sich um Geldmarktpapiere mit einer Laufzeit von 3 bis 6 Monaten, die zur Behebung vor-

Abb. 10.5.2/4: Staatsverschuldung international

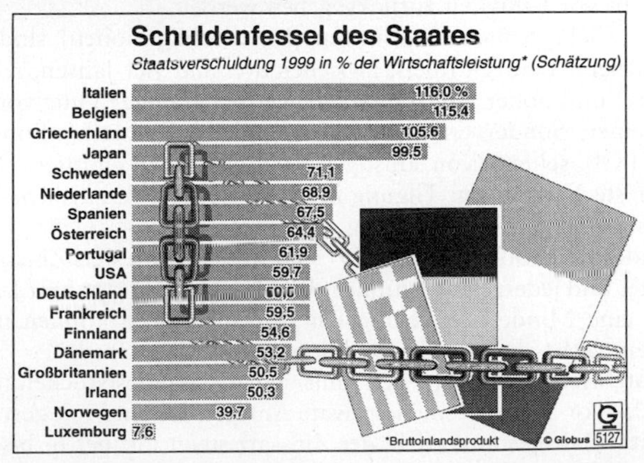

übergehender Liquiditätsschwierigkeiten gegeben werden. Es erfolgt keine Verzinsung, sondern (wie bei unverzinslichen Schatzanweisungen), vorweg einer Diskontierung, d.h. der Zins wird direkt von der Darlehenssumme abgezogen. Schatzwechsel sind im Wege des Diskontgeschäfts refinanzierbar, also geldnahe. Da sie auch eine wichtige Rolle in der **Offenmarktpolitik** der Bundesbank spielen, dürfen sie seitens der öffentlichen Hände nur im Benehmen mit der Bundesbank ausgegeben werden.

Eng verwandt mit Schatzwechseln sind **Schatzanweisungen** (Schätze). Es handelt sich bei diesen «Schätzen» um kurz- und mittelfristige Schuldverschreibungen, die von öffentlichen Stellen emittiert werden. Man unterscheidet zwischen verzinslichen und unverzinslichen Schatzanweisungen. **Verzinsliche Schatzanweisungen** sind wie festverzinsliche Anleihen mit Zinsscheinen ausgestattet und haben eine Laufzeit von drei Monaten bis zu mehreren Jahren. **Unverzinsliche Schatzanweisungen** (U-Schätze) werden hingegen ohne Zinskoupon und somit ohne laufende Verzinsung ausgestattet. Die Verzinsung des Kapitals erfolgt im Zuge der Tilgung. Der Emissionskurs ergibt sich somit durch Diskontierung des Rückzahlungsbetrages. Die Laufzeit dieser unverzinslichen Schatzanweisungen beträgt sechs Monate bis zu zwei Jahren. Sie werden bevorzugt von Banken als Geldanlage übernommen, da sie erstklassige Geldmarktpapiere darstellen.

Auch bei den längerfristigen Finanzierungskrediten sind verschiedene Formen zu unterscheiden. **Finanzierungsschätze** sind eine Sonderform der U-Schätze mit einer Mindeststückelung von DM 1000,– und ein- oder zweijähriger Laufzeit. Sie werden durch Diskontierung verzinst, (über den Bankapparat) nur an Private abgegeben und können nicht vor Fälligkeit zurückgegeben werden.

Verzinsliche Schatzanweisungen (**Kassenobligationen**) sind Anleihen mittlerer Laufzeit (meist zwischen drei und vier Jahren, z.T. auch darüber) und hoher Stückelung. Sie werden in erster Linie vom Bund und seinen Sondervermögen, den Ländern, Spezialkreditinstituten (KfW, IKB), seltener von sonstigen Kreditinstituten emittiert. Ausstattung: feste Verzinsung, Tilgung in einem Betrag. Verzinsliche Schatzanweisungen sind lombardfähig.

Bundesobligationen (seit 1979) sind mit einem festen Zinssatz ausgestattet und jederzeit verkäuflich. Ihre Laufzeit beträgt fünf Jahre. Sie haben eine Mindeststückelung von 100,– DM und können nur von Privaten, nicht aber von Bankinstituten erworben werden.

Schatzbriefe wenden sich mit einer Mindeststückelung von DM 50,– vor allem an kleine private Anleger. Sie sind mit gestaffelten Zinssätzen ausgestattet, d.h. der Zinssatz steigt mit der 6- bis 7jährigen Laufzeit, wobei die Zinsen je nach Typ (A oder B) ausgezahlt oder kumuliert werden. Nach einer Sperrfrist von einem Jahr können Schatzbriefe jederzeit zurückgegeben werden.

Die langfristigste Kreditform sind festverzinsliche Anleihen («**Rentenpapiere**») von Bund, Bundesbahn oder Bundespost, die an der Börse gehandelt werden und daher jederzeit liquidierbar sind (vgl. Abschnitt 11.4.6).

Eine spezielle Schuldform sind **Schuldscheindarlehen**. Es handelt sich dabei um mittel- und langfristige Darlehen, die gegen Schuldschein oder Schuldurkunde (gem. § 607 BGB bzw. § 344 HGB) gewährt werden. Der Schuldschein ist dabei lediglich Beweisurkunde, kein Wertpapier. Kreditgeber sind Kapitalsammelstellen, insbesondere Sozialversicherungsträger, die Bundesanstalt für Arbeit, Versicherungsgesellschaft und Kreditinstitute. Kreditnehmer sind i. d. R. Unternehmen mit ausgezeichneter Bonität. Die Schuldscheine lauten auf hohe Summen und sind nicht börsen- und rückgabefähig.

Welche Verschuldungsform zu wählen ist, hängt von verschiedenen Überlegungen ab, die man in ihrer Gesamtheit als **Kredit-Management** (‹debt management›) bezeichnet. Dies erstreckt sich u. a. auf eine Kostenminimierung durch möglichst zinsgünstige Schuldformen sowie auch auf eine zeitliche Koordinierung von Schuldaufnahme und Tilgungen, u. a. auch um Ballungen zu vermeiden, die den Geld- bzw. Kapitalmarkt belasten können. Daher findet in Zusammenhang mit der Verschuldung öffentlicher Hände auch eine Absprache mit der Bundesbank statt.

Zum Kreditmanagement gehört insbesondere auch eine Anpassung der staatlicherseits angebotenen Konditionen (Zinsen, Ausgabekurse und damit Renditen) an die Entwicklung des Geld- und Kapitalmarktes (vgl. Abb. 10.5.3/1 und auch Abschn. 11.4.6). Allerdings erfolgt die Anpassung der Konditionen in der Regel mit halbtägiger Verzögerung, was im Hinblick auf Zinssenkungen zu erheblichen Nachläufern mit für die öffentlichen Hände ungünstigen Konditionen führen kann.

Abb. 10.5.3/1: Zinsanpassung

Der Zins am Geldmarkt steigt auf 3,65 Prozent

Bund erhöht Rendite

Höhere Zinsen für Bundes-Wertpapiere

10.5.4. Grenzen und Konsequenzen staatlicher Verschuldung

Der Kreditaufnahme des Staates sind rechtliche Grenzen gesetzt. Nach Art. 115 GG darf die Kreditaufnahme des Bundes die Summe der im Haushaltsplan veranschlagten Investitionen nicht überschreiten. (Dabei sei nochmals auf die nicht überzeugende Abgrenzung zwischen Staatskonsum und -investitionen verwiesen.) 1981 wurde von der damaligen Opposition eine Verfassungsklage eingereicht, da die im Haushaltsplan veranschlagte Nettoneuverschuldung die Höhe der geplanten Investitionen erheblich überschritt. 1992 ist der Haushalt des Saarlandes (auf Länderebene gelten analoge Vorschriften) zum vierten Mal nacheinander vom Landesrechnungshof für verfassungswidrig erklärt worden.

Das Bundesverfassungsgericht hat in einem Urteil im Jahr 1989 nähere Ausführungen zur Auslegung des Art. 115 GG gemacht, insbesondere hinsichtlich des Investitionsbegriffs. Offensichtlich sollte die Kreditbegrenzung des Art. 115 GG wohl nicht so formalistisch eng interpretiert werden, dann im Falle der Bedrohung des gesamtwirtschaftlichen Gleichgewichts kann gemäß Art. 115 GG von dieser Vorschrift ohnehin abgewichen werden, und im Stabilitätsgesetz ist eine Ermächtigung zur zusätzlichen Kreditaufnahme enthalten, die als Grundlage der antizyklischen Finanzpolitik anzusehen ist. Art. 109 GG beinhaltet die Möglichkeit, die Kreditaufnahme der Gebietskörperschaften durch Bundesgesetz zu regeln, was u. a. im Bundesbankgesetz bzw. im Stabilitätsgesetz durch Bestimmungen über Kreditobergrenzen (**Kreditplafonds** bzw. **Schuldendeckel**) erfolgt ist.

Ein wichtiger Aspekt wird in der allgemeinen Diskussion häufig übersehen. Die skizzierten Rechtsvorschriften beziehen sich auf die Kredit**aufnahme** des Staates, nicht aber auf seinen Schuldenstand. Der Verschuldung des Staates sind somit nur hinsichtlich seiner Geschwindigkeit, nicht jedoch hinsichtlich der absoluten Höhe rechtliche Grenzen gesetzt. Außerdem besteht nach dem Grundsatz der Gesamtdeckung aller Ausgaben durch alle Einnahmen keine Zweckbindung z. B. in dem Sinne, daß die aufgenommenen Mittel investiv verwendet werden müssen. Aber es dürfte deutlich geworden sein, daß auch die Begrenzung der Kreditaufnahme aufgrund der interpretationsfähigen Ausnahmeklauseln («Bedrohung des gesamtwirtschaftlichen Gleichgewichts») keine klar festzulegenden Verschuldungsgrenzen erkennen läßt.

Daher sind die *ökonomischen Konsequenzen* der öffentlichen Verschuldung um so bedeutsamer, wenn es darum geht, Grenzen der Verschuldung zu betrachten (Abb. 10.5.4/1).

Abb. 10.5.4/1: Schuldengrenze?

Die Schulden des Bundes steigen in astronomische Höhen
Gesamte öffentliche Verbindlichkeiten bei 1,6 Billionen / Die Zinslast schnürt den Haushalt ein

Ruf nach Gesetzen gegen die Staatsverschuldung

Zeitbombe der hohen Staatsverschuldung

(1) Zunächst einmal bedeutet eine zunehmende Verschuldung, daß ein ständig wachsender Teil der **Staatseinnahmen** bereits **blockiert** wird für den Schuldendienst (d.h. für Verzinsung und Tilgung); dies engt den finanzpolitischen Spielraum der öffentlichen Hand ein. Abb. 10.5.4/2 zeigt, daß statistisch auf jeden Einwohner Deutschlands – vom Kleinkind bis zum Greis – jährlich eine Zinslast von 1614 DM entfällt. Für Deutschland summiert sich dies auf eine Quote von 3,4% des Inlandsprodukts – wenig im Vergleich zu Griechenland mit 9,3% und Belgien und Italien mit je 7%, viel in Relation zu den USA mit 1,4% oder Japan mit 1,1%.

Wenn der Schuldendienst nicht aus den laufenden Einnahmen geleistet werden kann, sind neue Kredite zur Bedienung alter Schulden erforderlich, woraus sich eine Schraube ohne Ende ergibt (Abb. 10.5.4/3).

(2) Staatsverschuldung in größerem Umfange kann den heimischen Geld- und Kapitalmarkt so beanspruchen, daß die **Kreditzinsen steigen.** Der Zusammenhang mit der kreditinduzierten **Inflation** ist das

Abb. 10.5.4/2: Zinsbelastung

Zinsausgaben der öffentlichen Haushalte

Jahr	Mill. DM	DM je Einwohner
1950	624	13
1960	1919	35
1970	6864	112
1980	29597	481
1990	64773	1024
1994	114419	1405
1995	129402	1585
1996	130116	1589
1997	132416	1614

bis 1990: Früheres Bundesgebiet, ab 1994: Gesamtdeutschland

Abb. 10.5.4/3: Externe Verschuldung

Jahr	Deutsche Staatsschulden im Ausland (Mrd. DM)
1980	42
1985	112
1990	225
1993	510
1996	624
1997	705

Hauptargument gegen exzessive Staatsverschuldung, wobei wiederum der ständig auftauchende Zielkonflikt zwischen Konjunkturanregungen bzw. Beschäftigungsförderung und Preisniveaustabilität deutlich wird. In der jüngeren Vergangenheit lag der Anteil der staatlichen Kreditaufnahme an der gesamten Kreditaufnahme bei durchschnittlich 25%. Dabei ist aber zu beachten, daß am Kreditmarkt nicht ‹der Staat› als riesiger Kreditnehmer auftritt, sondern eine Vielzahl von einzelnen Kreditnehmern in Gestalt von Bund, Ländern und Gemeinden. Eine nachhaltige Beeinflussung des Zinsniveaus ist daher nur dann zu erwarten, wenn eine plötzliche und massive Erhöhung der staatlichen Kreditnachfrage insgesamt eintritt, welche die Ausdehnungsmöglichkeiten des Kreditangebots überfordert.

(3) In diesem Zusammenhang wird oft der sog. «**crowding-out**»-Effekt angeführt, d. h. daß der Staat private (Kredit-)Nachfrage verdrängt, was – neben zinssteigernden Effekten – zu Wachstumsverlusten führen könne.

Dabei ist zwischen güterwirtschaftlicher (realer) und finanzieller Verdrängung zu unterscheiden. Bei güterwirtschaftlichem ‹crowding-out› würde der Staat reale Ressourcen an sich ziehen, die bei unelastischem Güterangebot («Vollbeschäftigung») privaten Nachfragern nicht mehr zur Verfügung stehen, wodurch auch inflationäre Nachfragesog-Effekte ausgelöst werden können. Analog gilt dies hinsichtlich nachgefragter Finanzmittel auf den Geld- und Kapitalmärkten. Daß ein staatlicher Schuldner einem privaten aufgrund höherer Bonität überlegen sein kann, ist denkbar.

Hinzu kommt, daß staatliche Kreditnehmer auf steigende Preise bzw. Zinsen tendenziell unelastischer reagieren als private, da einmal aufgrund festliegender Ausgabenotwendigkeiten, aber struktureller Finanzierungslücken ein Deckungs-Zwang besteht. Zum anderen spricht man auch von einer gewissen **Zinsrobustheit** der staatlichen Kreditnachfrage (und dies gilt analog für Preise), da der Staatshaushalt ungeachtet haushaltsrechtlich vorgeschriebener Grundsätze wie

Sparsamkeit oder Wirtschaftlichkeit nicht nach kaufmännisch-betriebswirtschaftlichen Kriterien, sondern auch nach gesamtwirtschaftlichen geführt wird.

Ein Anstieg der Zinsen aufgrund steigender staatlicher Kreditnachfrage ist nur vorstellbar bei unelastischem Kreditangebot. Dies wird als «**Quellentheorie**» bezeichnet, da die Menge des aus einer Quelle ausströmenden Wassers pro Zeiteinheit konstant ist, so daß sich ein zusätzlicher Nachfrager nur auf Kosten eines anderen durchsetzen kann. Dem finanziellen ‹crowding-out›-Argument im Sinne der Quellentheorie wird entgegengehalten, daß der Staat zwar dem Geld- und Kapitalmarkt Mittel entzieht, diese aber meist auch umgehend wieder verausgabt, so daß sie letztlich den Finanzmärkten über das Bankensystem wieder zufließen. Das Grundprinzip dieser «**Fontänentheorie**» (die Fontäne nährt sich aus dem zurückfließenden Wasser) ist einleuchtend, jedoch empirisch nicht zwingend nachzuweisen und daher umstritten.

Im Zusammenhang mit Verdrängungs- oder Zinseffekten ist jedoch zwischen **interner** und **externer Verschuldung** zu unterscheiden, d. h. im Hinblick darauf, ob die Verschuldung innerhalb der eigenen Volkswirtschaft erfolgt oder durch Kreditaufnahme im Ausland. Der größte Teil der öffentlichen Schulden in der Bundesrepublik Deutschland ist interne Verschuldung. In vielen Entwicklungsländern hingegen existiert kein hinreichend funktionsfähiger Geld- oder Kapitalmarkt, so daß nur die Möglichkeit der externen Verschuldung besteht. Daraus ergeben sich häufig entsprechende Devisen-Rückzahlungsprobleme (vgl. Kap. 14).

(4) Ob durch ‹Verdrängung› nun ein **Wachstumsverlust** eintritt oder nicht, läßt sich nur spekulativ beantworten, würde aber voraussetzen, daß bei privater Verwendung der Mittel ein größerer Multiplikatoreffekt zu erwarten wäre als bei staatlicher Verwendung. Wie bereits angesprochen, hängen entsprechende Berechnungen davon ab, wieweit man Folge- und Nebenwirkungen erfassen und messen kann. Staatliche Maßnahmen erstrecken sich in großem Maße auf Infrastrukturinvestitionen, die im engeren Sinne nicht rentabel sind, aber – aufgrund ihrer Ergänzungs- und Anregungsfunktion für private Investitionen – gesamtwirtschaftlich anders beurteilt werden müssen als betriebswirtschaftlich. Der Einfluß staatlicher Vorleistungen auf die private Wertschöpfung ist insgesamt jedoch nur ungenau abzuschätzen, so daß in dieser Hinsicht das Verdrängungsargument weder stringent untermauert noch widerlegt werden kann. Auch läßt sich argumentieren, daß die am Kapitalmarkt verfügbaren Mittel zu großen Teilen für reine Finanzgeschäfte verwendet werden, ohne güterwirt-

schaftlich nachfragewirksam zu werden. In diesem Fall aber würde die staatliche Kreditaufnahme zur Finanzierung von Staatsausgaben zusätzliche Nachfrage bedeuten und Beschäftigungseffekte bzw. im Sinne der Nachfragesogtheorie einen inflationären Impuls bewirken können.

Das Verdrängungsargument träfe in jedem Fall dann nicht zu, wenn die staatliche Kreditaufnahme nicht auf dem inländischen Kapitalmarkt, sondern im Ausland erfolgte. Dann aber käme das Inflationsargument stärker zum Tragen, da zwar kein zinsbedingter Kostendruck, wohl aber Nachfragesog- und Geldmengeneffekte auftreten können.

(5) Schließlich hat die öffentliche Kreditaufnahme auch **Umverteilungseffekte**, da die Teilmenge der (meist) besser verdienenden privaten **Kreditgläubiger** von der Gesamtmenge der **Steuerzahler** refinanziert wird. Dem ist entgegenzuhalten, daß dieser Effekt durch ein progressives Besteuerungssystem zumindest abgemildert wird. d.h. derjenige, der dem Staat Mittel zu Verfügung stellen kann, wird tendenziell auch stärker besteuert als andere. Wie die Betrachtung des Verteilungsziels (vgl. Kap. 6) gezeigt hat, sollten Verteilungswirkungen – gleich welcher Maßnahme – nicht als unbedeutende Nebenwirkungen abgetan werden.

(6) Auch eine Verteilungswirkung im längerfristigen Zeitablauf ist zu berücksichtigen. Kreditfinanzierung heute zu tätigender Ausgaben kommt den heutigen Bürgern ohne Belastungen zugute. Verzinsung und Tilgung dieser Schulden muß aber in der Zukunft geleistet werden, so daß möglicherweise die nächste **Generation** noch die Schulden abzutragen hat, die heute gemacht wurden, ohne in gleichem Maße Nutznießer dieser Ausgaben zu sein.

(7) Möglich ist auch, daß ein staatliches Haushaltsdefizit die außenwirtschaftliche **Leistungsbilanz** belastet, u.a. weil sich ein Teil der Staatsnachfrage auf Importgüter erstreckt bzw. inländische Exportgüter beansprucht. Dieser theoretische Zusammenhang ist allerdings umstritten (wenngleich z.B. in den USA zu beobachten), da u.a. crowding-out-Effekte zu berücksichtigen sind und eventuelle zinstreibende Effekte bei flexiblen Wechselkursen zu einer Aufwertung der Inlandswährung und damit tendenziell zu einer Leistungsbilanzverbesserung führen können. Insgesamt aber gibt es viele Beispiele für Länder mit einem derartigen «Zwillingsdefizit» im Staatshaushalt und der Leistungsbilanz, so daß der vermutete Zusammenhang nicht von der Hand zu weisen ist.

Im Gegensatz zur Situation vieler anderer Länder bezieht sich die Verschuldung der Bundesrepublik Deutschland nur zu einem relativ geringen Teil auf externe Kreditgeber. Abb. 10.5.4/4 verdeutlicht im Zusammenhang u. a. mit Abb. 10.5.1/1, daß der Schuldenstand nur zu knapp einem Drittel aus externer Verschuldung besteht. Allerdings hat sich dieser Anteil in nur knapp drei Jahren (1990–93) von 17% auf 34% verdoppelt, insbesondere, um den nationalen Kapitalmarkt nicht zu sehr zu belasten. Im internationalen Vergleich ist eine externe Verschuldung in dieser Größenordnung angesichts der ökonomischen Kapazität Deutschlands jedoch (noch) unproblematisch. 1997 betrug die externe Verschuldung allerdings bereits 45%.

Wie auch in anderen Abschnitten werden die möglichen, tendenziellen (!) Folgen extensiver (!) Staatsverschuldung in einer Übersicht (Abb. 10.5.4/4) zusammengefaßt.

Finanzpolitik im Sinne von Einnahmen- und Ausgabenpolitik des Staates vollzieht sich eher unter den Blicken der Öffentlichkeit als der zweite wichtige Bereich staatlicher Wirtschaftspolitik: die Geld- und Kreditpolitik. Sie ist im wesentlichen Aufgabe der Deutschen Bundesbank, die zwar nicht im Verborgenen arbeitet, deren Maßnahmen von Zweck und Wirkung her jedoch aus rein fach-sprachlichen Gründen weniger leicht verständlich sein mögen. Das folgende Kap. 11 wird sich damit beschäftigen.

Abb. 10.5.4/4: Gefahren der Staatsverschuldung

Staatsverschuldung

Möglich sind:

- Blockierung des Haushalts (Zinsen)
- Belastung des Kapitalmarktes
  - Verdrängung («crowding out»)
  - Zinsanstieg
- Inflation durch
  - Nachfragesog
  - Kostendruck (Zinsen)
  - Geldmengen-Erhöhung
- Wachstumsverluste
- Umverteilung
  - viele Steuerzahler → weniger Gläubiger
  - zwischen den Generationen
- Verschlechterung der Leistungsbilanz, dadurch Tendenz zur Abwertung

11. Geld- und Kreditpolitik

11.1. Geldverfassung

Am 1. Januar 1999 begann die dritte und letzte Stufe der Europäischen Währungsunion. 11 der 15 Mitgliedstaaten der Europäischen Union – darunter auch Deutschland – haben endgültig auf ihre monetäre Souveränität verzichtet und den Euro als neue, gemeinsame Währung eingeführt. Zwar bleiben nationale Münzen und Banknoten noch bis maximal zum 30. Juni 2002 im Umlauf, doch sind sie nur noch «nicht-dezimale» Untereinheiten der neuen Währung. Ihre Euro-Umrechnungskurse – und damit auch ihre bilateralen Wechselkurse – wurden am 31. Dezember 1998 unwiderruflich festgelegt (vgl. Abb. 11.1/1). Gemessen an der Bevölkerung, dem Bruttoinlandsprodukt, den Welthandelsanteilen u. a. m. ist mit der Europäischen Währungsunion ein einheitlicher Wirtschafts- und Währungsraum entstanden, der gleichrangig neben dem der USA steht (vgl. Abb. 11.1/2).

Orientierung und Durchführung der Geldpolitik im «Euro-Land» werden dem **Europäischen System der Zentralbanken** (ESZB) übertragen, an dessen Spitze die **Europäische Zentralbank** (EZB) steht.

Abb. 11.1/1: Umrechnungskurse zum Euro

Währung	Währungseinheiten für 1 Euro
Belgischer Franc	40,3399
Deutsche Mark	1,95583
Spanische Peseta	166,386
Französischer Franc	6,55957
Irisches Pfund	0,787564
Italienische Lira	1936,27
Luxemburgischer Franc	40,3399
Holländischer Gulden	2,20371
Österreichischer Schilling	13,7603
Portugiesischer Escudo	200,482
Finnmark	5,94573

Quelle: Claus Tigges, Frankfurter Allgemeine Zeitung vom 02.01.99

Vom 1. Januar 1999 an ist die D-Mark nur noch eine „technische Unterwährung"

Abb. 11.1/2: Euroland vs. USA und Japan

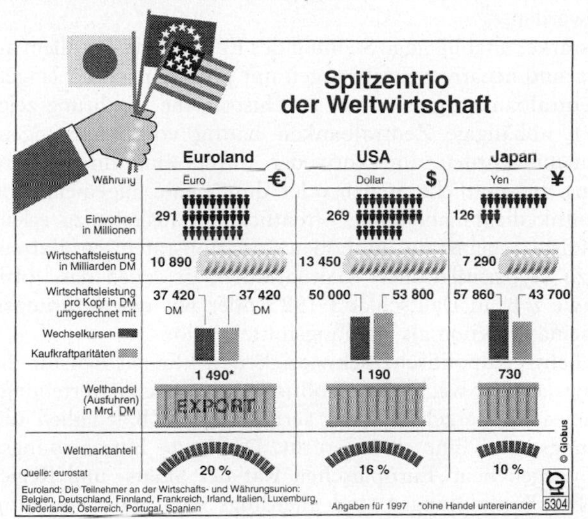

Rechtliche Basis des ESZB und der EZB sind sowohl internationale Vereinbarungen als auch nationale Gesetze. Bereits im **Maastrichter Vertrag** von 1992 wurden Zielsetzung, Aufgaben, Organisation und Kompetenzen des ESZB bzw. der EZB insbesondere in den Art. 105 bis 124 sowie im beigefügten **Protokoll über die ESZB/EZB-Satzung** geregelt.

Vorrangiges Ziel der EZB ist gemäß Art. 105 EUV[1] die Gewährleistung der Preisstabilität. Im Maastrichter Vertrag heißt es «Preisstabilität», gemeint im Sinne von Preisniveaustabilität (vgl. Abschn. 4.1). Nur insoweit dieses Ziel nicht beeinträchtigt wird, unterstützt die EZB die allgemeine Wirtschaftspolitik in der EU. Von herausragender Bedeutung ist Art. 108, in dem festgeschrieben wird, daß die EZB in ihrem geldpolitischen Handeln völlig autonom und an keinerlei Weisungen anderer Institutionen der EU oder nationaler Regierung gebunden ist. Sie ist lediglich dazu verpflichtet, dem Europäischen Parlament, dem Europäischen Rat der Staats- und Regierungschefs sowie der Europäischen Kommission jährlich einen Bericht über ihre geld- und währungspolitischen Aktivitäten vorzulegen. Außerdem kann das Europäische Parlament den EZB-Präsidenten oder andere Mitglieder des EZB-Direktoriums (vgl. Abschn. 11.2.1) zur Aus-

[1] In der Fassung des Vertrags von Amsterdam.

sprache vorladen. Doch auch hierbei dürfen ihnen keine Weisungen erteilt werden.

Die starke, unabhängige Stellung der EZB wurde vor allem auf dem Hintergrund negativer Erfahrungen mit politisch stärker eingebundenen Zentralbanken geschaffen. Die historische Erfahrung zeigt, daß politisch abhängige Zentralbanken häufig von Regierungen dazu mißbraucht wurden, um entweder durch eine direkte Kreditgewährung an staatliche Stellen oder durch eine allgemein «lockere» Geldpolitik die Finanzierung öffentlicher Haushalte zu erleichtern. Dies führte regelmäßig zu hohen Inflationsraten, in Extremfällen sogar zu Hyperinflationen – Situationen, in denen das «offizielle» Geld, wie z.B. in Deutschland 1923 oder vor der Währungsreform 1948, seine Funktion als Zahlungsmittel verlor.

Mögliche geldpolitische Schwierigkeiten können sich für die EZB allerdings aus der wechselkurspolitischen Kompetenzverteilung in der Währungsunion ergeben. Hier verfügt die EZB lediglich über ein Anhörungs- und Empfehlungsrecht. Die letzte Entscheidungsgewalt liegt hingegen beim **Europäischen Rat der Staats- und Regierungschefs**. Die Bestimmungen sind allerdings nicht ganz eindeutig. Art. 105 Abs. 2 des Maastrichter Vertrags betont ausdrücklich, daß Wechselkursvereinbarungen mit Drittländern das zentrale geldpolitische Ziel der EZB – Geldwertstabilität – nicht beeinträchtigen dürfen. Offen bleibt aber, wie in Situationen zu verfahren ist, in denen es genau über diese Frage zu Meinungsverschiedenheiten zwischen dem Rat und der EZB kommen sollte.

Geldpolitisch unproblematisch ist die Bestimmung (Art. 106 Abs. 2), daß die Mitgliedstaaten der Währungsunion weiterhin das Recht besitzen, Münzen zu prägen. Zum einen bedarf der Umfang des Münzgeldes in jedem Fall der ausdrücklichen Genehmigung durch die EZB. Zum anderen kann es nur mit Hilfe der EZB bzw. der angeschlossenen nationalen Zentralbanken in Umlauf gebracht werden.

Die im ESZB zusammen geschlossenen nationalen Zentralbanken agieren weiterhin auch im Rahmen nationaler Rechtsvorschriften. Diese wurden im Vorfeld der Währungsunion allerdings so geändert bzw. ergänzt, daß die völlige politische Unabhängigkeit aller beteiligten nationalen Zentralbanken sicher gestellt ist. Obwohl in Deutschland die Bundesbank bereits seit ihrer Gründung 1957 über eine weitgehende geldpolitische Autonomie verfügt, wurde auch das **Bundesbankgesetz (BbankG)** den neuen Gegebenheiten angepaßt. Demnach ist die Bundesbank jetzt integraler Bestandteil des ESZB, handelt im Rahmen der Richtlinien und Weisungen der EZB und unterstützt die allgemeine Wirtschaftspolitik der Bundesregierung nur noch insoweit, wie dies unter Wahrung ihrer Aufgaben im ESZB möglich ist (§§ 3, 6 und 12 BbankG). Ferner wurden alle Paragraphen aufgehoben, die sich auf die spezifischen geldpolitischen Instrumente der Bundesbank bezogen, die inzwischen durch das geldpolitische Instrumentarium der EZB ersetzt worden sind. Eine gewisse technische und fiskalpolitische Bedeutung kommt noch dem deutschen **Münzgesetz** zu (vgl. Abschn. 11.3.1). Demgegenüber sind die im **Außenwirtschaftsgesetz** enthaltenen Kompetenzen der Bundesregierung zur Reglementierung des Geld- und Kapitalverkehrs mit dem Ausland seit Beginn der Währungsunion faktisch endgültig obsolet geworden.

11.2. Europäische Zentralbank und Geschäftsbankensystem

11.2.1. Organisation der Europäischen Zentralbank

Das Europäische System der Zentralbanken (ESZB), das am 1. Juli 1998 seine Arbeit aufnahm, besteht aus der Europäischen Zentralbank (EZB) und den angeschlossenen nationalen Zentralbanken. Die EZB ist Nachfolgerin des Europäischen Währungsinstituts (EWI), das an der Vorbereitung der Währungsunion maßgeblich beteiligt war. Das ESZB umfaßt die Zentralbank **aller** 15 Mitgliedsstaaten der EU, d. h. auch die derjenigen 4 Länder – Dänemark, Griechenland, Großbritannien und Schweden –, die (noch) nicht der eigentlichen Währungsunion angehören. An den Entscheidungs- und Durchführungsorganen der EZB sind allerdings nur die 11 Euro-Staaten beteiligt (vgl. Abb. 11.2.1/1).

Sitz der EZB ist Frankfurt. Die Leitung der EZB obliegt einem **Direktorium**, das sich aus einem Präsidenten, einem Vizepräsidenten und 4 weiteren Mitgliedern zusammensetzt. Die Ernennung der Direktoriumsmitglieder erfolgt einvernehmlich durch den Rat der EU-Staats- und Regierungschefs. Die Amtszeit der Direktoren dauert 8 Jahre, eine Wiederernennung ist nicht zulässig. Auch durch diese Bestimmungen soll die unabhängige Stellung der EZB gestärkt werden. Nur bei der Erstbesetzung wurden aufgrund einer Ausnahmeregelung auch Direktoriumsmitglieder mit kürzeren Amtszeiten ernannt. Dadurch wird vermieden, daß in einem festen Acht-Jahre-Rhythmus jeweils das ganze Direktorium neu besetzt werden muß. Die gestaffelten Amtszeiten der ersten Direktoren ermöglichen in der Zukunft «gleitende» Übergänge, die die personelle Kontinuität der EZB wahren helfen.

Abb. 11.2.1/1: Organisation des ESZB und des EZB

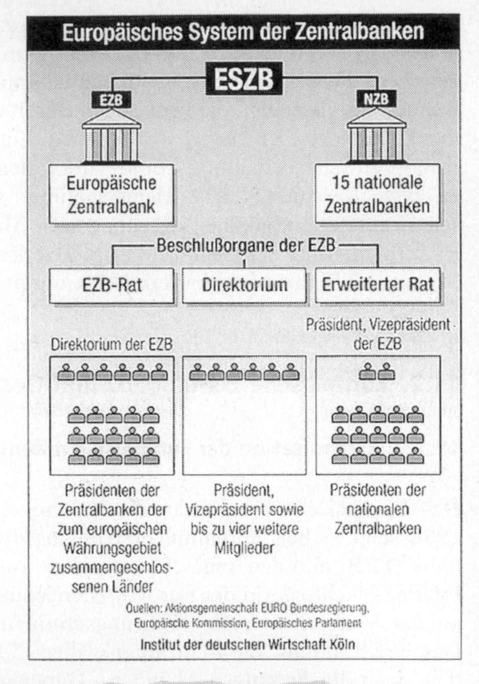

„Wir reagieren nicht auf politischen Druck"

Das Direktorium ist für die Vorbereitung und Umsetzung der geldpolitischen Beschlüsse des **EZB-Rates,** des eigentlichen Entscheidungsgremiums der EZB, verantwortlich. Dieser setzt sich aus dem Direktorium und den Präsidenten der an der Währungsunion teilnehmenden nationalen Zentralbanken zusammen. Zu Beginn der Währungsunion zählte der EZB-Rat also 17 Mitglieder. Geldpolitische Beschlüsse werden im EZB-Rat mit einfacher Mehrheit gefaßt. Sollte es, z. B. durch Enthaltung, zu einer Pattsituation kommen, entscheidet die Stimme des EZB-Präsidenten. Bei Beschlüssen, die das EZB-Grundkapital, die Währungsreserven sowie die Verteilung der EZB-Gewinne (vgl. Abschn. 11.8) betreffen, sind die Direktoriumsmitglieder nicht stimmberechtigt. Die Stimmen der nationalen Zentralbankpräsidenten werden in diesen Fällen mit den jeweiligen nationalen Anteilen am EZB-Grundkapital gewichtet. Es ist vorgesehen, die Anteile regelmäßig alle 5 Jahre nach einem Schlüssel neu zu berechnen, der die Wirtschaftskraft und die Bevölkerung der Teilnehmerstaaten berücksichtigt. Z. Zt. (1999) beträgt der deutsche Anteil 24,49 Prozent (vgl. Abb. 11.2.1/2). Da die 4 Nicht-Euro-Länder im EZB-Rat nicht vertreten sind, hat die Stimme des deutschen Bundesbankpräsidenten jedoch faktisch ein Gewicht von rd. 31 Prozent. Mit jedem Beitritt eines dieser (oder anderer) Länder zur Währungsunion wird zukünftig der deutsche Anteil automatisch sinken.

An den Sitzungen des EZB-Rates können sowohl der Präsident des EU-Rates als auch ein Mitglied der EU-Kommission teilnehmen. Sie sind jedoch nicht stimmberechtigt. Der EU-Ratspräsident kann dem EZB-Rat aber einen Antrag zur Diskussion vorlegen.

Neben dem EZB-Direktorium und dem EZB-Rat gibt es noch ein drittes Gremium, den sog. **Erweiterten Rat der EZB**. Außer den Mitgliedern des EZB-Rates umfaßt er noch die Präsidenten derjenigen nationalen Zentralbanken, die noch nicht der Währungsunion angehören. Der Erweiterte Rat verfügt lediglich über beratende Funktionen. Diese betreffen in erster Linie die Wechselkursvereinbarungen zwischen den Euro-Ländern und den noch nicht dazu gehörenden EU-Staaten (EWS II) sowie Fragen, die mit dem angestrebten Beitritt dieser Länder zusammenhängen.

In Deutschland ist für die konkrete Umsetzung der geldpolitischen Beschlüsse der EZB die Bundesbank verantwortlich. Sie wird von einem **Direktorium** und einem **Zentralbankrat** geleitet (vgl. Abb. 11.2.1/3). Die Mitglieder des Direktoriums (inkl. Bundesbankpräsi-

Abb. 11.2.1/2: Prozentuale Anteile der nationalen Zentralbanken am EZB-Grundkapital

Name der Zentralbank	Anteil in %
Nationale Bank van Belgie	2,8658
Danmarks Nationalbank	1,6709
Deutsche Bundesbank	**24,4935**
Bank von Griechenland	2,0564
Banco de Espana	8,8935
Banque de France	16,8337
Central Bank of Ireland	0,8496
Banca d'Italia	14,8950
Banque centrale du Luxembourg	0,1492
De Nederlandsche Bank	4,2780
Österreichische Nationalbank	2,3594
Banco de Portugal	1,9232
Suomen Pankki (Finnland)	1,3970
Sveriges Riksbank (Schweden)	2,6537
Bank of England	14,6811

Abb. 11.2.1/3: Struktur der Bundesbank

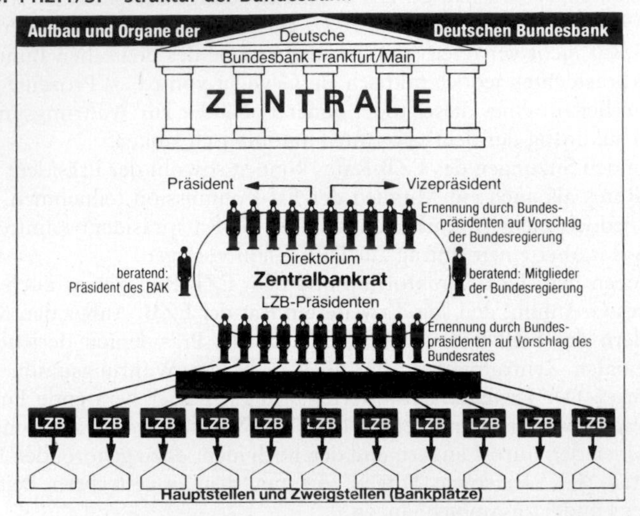

Der Euro verändert auch die Gestalt der Bundesbank

Kernaufgabe fällt weg / Rationalisierung und Verschlankung / Viele Funktionen bleiben / Neues Organisationstableau

Die Bundesbank wird Teil des Europäischen Zentralbanksystems

Mit Beginn der Währungsunion Verlust der Selbständigkeit / Das neue Bundesbankgesetz

Quelle: FAZ, 9. 8. 1997, 20. 12. 1998

dent und -vizepräsident) werden vom Bundespräsidenten auf Vorschlag der Bundesregierung ernannt. Der Zentralbankrat besteht aus dem Direktorium und den Präsidenten der **Landeszentralbanken.** Letztere werden ebenfalls vom Bundespräsidenten ernannt – allerdings auf Vorschlag des Bundesrates. Die Landeszentralbanken sind rechtlich nicht unabhängig, sondern Hauptverwaltungen der Bundesbank (vgl. Abb. 11.2.1/4). Seit 1992 gibt es nur noch 9 Landeszentralbanken. Insbesondere kleinere Bundesländer, wie z. B. Sachsen und Thüringen, müssen sich eine Landeszentralbank «teilen». Darüber hinaus existiert in der Bundesrepublik eine Vielzahl sog. **Bankplätze,** d. h. Orte, an denen die Bundesbank mit **Haupt-** oder **Zweigstellen** vertreten ist. Diese dezentrale Struktur gewährleistet, daß früher Maßnahmen der Bundesbank und jetzt geldpolitische Vorgaben der EZB ohne Verzögerung auf die gesamte Bundesrepublik ausstrahlen.

Nur im Bereich der sog. **Geschäftspolitik**, d. h. der technischen Ausgestaltung der EZB-Geldpolitik, verfügt die Bundesbank über einen –

Abb. 11.2.1/4: Hauptverwaltungen der Bundesbank

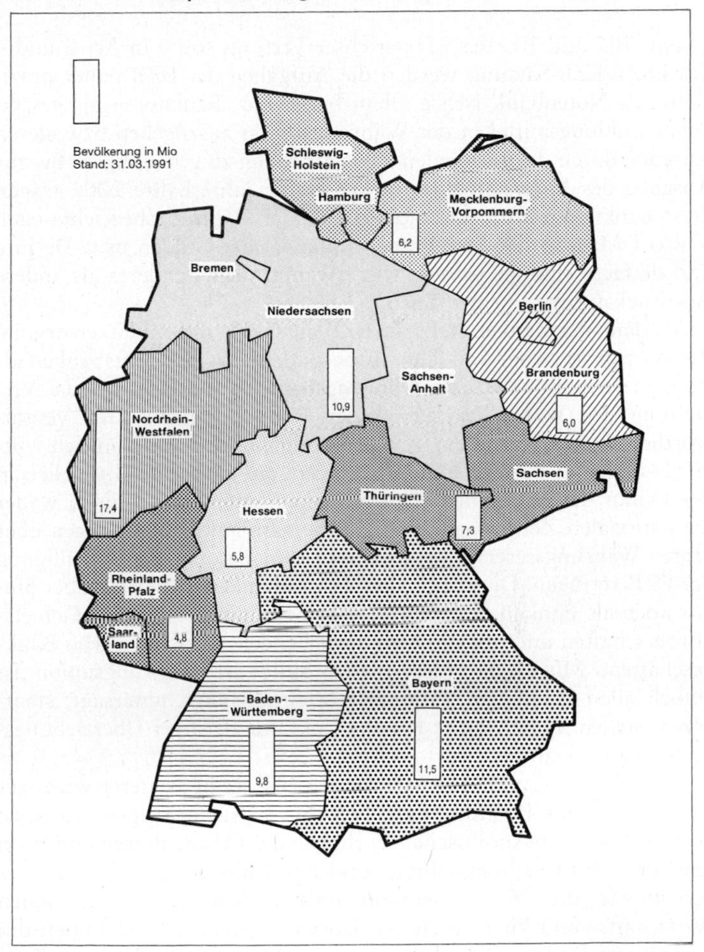

eng begrenzten – Gestaltungsspielraum. Es ist daher absehbar, daß in den nächsten Jahren Struktur und Organisation der Bundesbank erneut reformiert und gestrafft werden. Vermutlich wird die Zahl der Landeszentralbanken weiter reduziert. Möglich ist, daß als Ausgleich dafür dem Bundesrat ein Mitbestimmungsrecht bei der Ernennung der Direktoriumsmitglieder – eventuell inkl. Bundesbankpräsident – zugestanden wird.

11.2.2. Aufgaben der Europäischen Zentralbank

In Art. 105 und 106 des Maastrichter Vertrags sowie in Art. 3 und 4 des ESZB/EZB-Satzung werden die Aufgaben der EZB näher präzisiert. Als **Notenbank** ist sie allein berechtigt, Banknoten als gesetzliches Zahlungsmittel in der Währungsunion auszugeben bzw. deren Ausgabe durch die nationalen Zentralbanken zu genehmigen. Bis zur Ausgabe des Euro-Bargeldes in der ersten Jahreshälfte 2002 tragen diese Banknoten noch ihre alten nationalen Währungsbezeichnungen – also DM, französischer Franc, holländischer Gulden usw. De jure und de facto sind sie jedoch, wie erwähnt, nichts anderes als andere Ausdrucksformen für den Euro.

Als **Bank der Banken** stellt die EZB die Geld- und Kreditversorgung der Wirtschaft sicher und dient insbesondere den Geschäftsbanken als Refinanzierungsquelle. Als **Währungsbank** ist die EZB für die Verwaltung der Währungsreserven der Euro-Mitgliedsstaaten verantwortlich. Dabei wurde ein Teil der Währungsreserven von den Mitgliedsstaaten direkt der EZB übertragen, ein anderer Teil verblieb in der Obhut der nationalen Zentralbanken. Allerdings können weder die nationalen Zentralbanken noch die nationalen Regierungen über «ihre» Währungsreserven in größerem Umfang ohne die Einwilligung der EZB verfügen. Die nationalen Zentralbanken dienen darüber hinaus noch als **Banken des Staates**, d. h. sie führen Konten für Gebietskörperschaften und unterstützen diese bei der Abwicklung von Bankgeschäften. Mit Beginn der dritten Stufe der Währungsunion ist jedoch allen beteiligten nationalen Zentralbanken untersagt, staatlichen Stellen irgendwelche Kredite (inkl. kurzfristiger Überziehungskredite) zu gewähren.

Außerdem übernimmt die EZB noch eine Reihe weiterer wichtiger technischer und Beratungsaufgaben. So ist sie prinzipiell zu allen geld- und währungspolitischen Vorhaben der EU anzuhören und kann bzw. muß dazu Stellungnahmen und Empfehlungen abgeben. Ferner vertritt sie die Währungsunion nach außen in internationalen Wirtschafts- und Finanzgremien. Über die genauen Modalitäten der Außenvertretung wird allerdings noch verhandelt. Eine Verkomplizierung ergibt sich dadurch, daß den Teilnehmerländern der Währungsunion weiterhin das Recht zusteht, in internationalen Organisationen, wie z. B. im Internationalen Währungsfonds (IWF) oder bei der Bank für internationalen Zahlungsausgleich (BIZ), getrennt vertreten zu sein. Schließlich fördert die EZB über die nationalen Zentralbanken den reibungslosen Zahlungsverkehr zwischen den Kreditinstituten und wirkt an der Bankenaufsicht im «Euro-Land» mit. Für Deutschland bedeutet dies, daß das **Bundesaufsichtsamt für das Kreditwesen** in Berlin auch weiterhin – wie schon vor der Währungsunion – auf die «Amtshilfe» der Bundesbank zurückgreifen kann.

11.2.3. Geschäftsbankensystem

Das Geschäftsbankensystem hat sich in den Mitgliedsländern der Europäischen Währungsunion historisch unterschiedlich entwickelt. Aufgrund der jetzt einheitlichen Geldverfassung sowie den zunehmenden, EU-weiten Bankfusionen ist aber zu erwarten, daß sich in den kommenden Jahren diese Unterschiede stark verringern und einebnen werden. In Deutschland unterscheidet man herkömmlicherweise bei den Geschäftsbanken zwischen Universal- und Spezialbanken. Während **Universalbanken** eine breite Palette an Bank«produkten» anbieten, führen **Spezialbanken** – wie z. B. Hypothekenbanken, Teilzahlungskreditinstitute und Bausparkassen – nur bestimmte Bankgeschäfte durch. Während der letzten Jahre haben sich jedoch die Unterschiede zwischen Universal- und Spezialbanken zunehmend verwischt. Insbesondere die Großbanken sind dazu übergegangen, Spezialgeschäfte entweder selber direkt anzubieten oder eigene Tochterinstitute damit zu beauftragen. Gemäß der Eigentümerstruktur lassen sich die Geschäftsbanken außerdem in private Kreditinstitute, Sparkassen und Landesbanken in öffentlich-rechtlichem Eigentum sowie in Genossenschaftsbanken (Volks- und Raiffeisenbanken) unterscheiden. Abb. 11.2.3/1 gibt – in etwas anderer Abgrenzung – einen Überblick über die Größenordnungen.

11.3. Geldschöpfung und Geldmenge

11.3.1. Geldschöpfung

In modernen Volkswirtschaften kann Geld im Sinne von Zahlungsmitteln sowohl von der Zentralbank – im konkreten Fall der Europäischen Währungsunion: von der EZB bzw. von den nationalen Zentralbanken im Auftrag der EZB – als auch von Geschäftsbanken geschaffen («**geschöpft**») werden. Dabei sind folgende Zusammenhänge zu beachten.

Zentralbankgeld entsteht immer dann, wenn die Zentralbank (Finanz-)Aktiva (z. B. Wertpapiere oder Devisen) aufkauft oder – meist gegen Hinterlegung von Sicherheiten – Kredite gewährt. Umgekehrt wird Zentralbankgeld immer dann «vernichtet», wenn die Zentralbank (Finanz-)Aktiva verkauft oder ihre Kreditvergabe ein-

Abb. 11.2.3/1: Marktanteile im Bankensektor

	Zahl der Kredit-institute	Bilanz-summe (Mio. Euro)	in %	Kredite an Nichtbanken (Mio. Euro)	in %
Kreditbanken	288	1 379 709	25,9	741 807	24,0
• Großbanken	4	826 493	15,5	475 506	15,4
• Regionalbanken	204	448 980	8,4	234 018	7,6
• ausländische Banken	80	104 236	2,0	32 283	1,0
Landesbanken	13	1 023 680	19,2	475 591	15,4
Sparkassen	589	879 635	16,5	611 233	19,8
Genossenschaftliche Zentralbanken	4	197 523	3,7	56 221	1,8
Kreditgenossenschaften	2250	515 256	9,7	347 616	11,3
Realkreditinstitute	32	746 552	14,0	551 050	17,8
Bausparkassen	34	138 738	2,6	104 608	3,4
Banken mit Sonderaufgaben	14	440 154	8,3	201 045	6,5
Insgesamt	3224	5 321 247	100,0	3 089 171	100,0

Stand: Februar 1999

Quelle: Bundesbank, Bankenstatistik, April 1999; eigene Berechnungen

schränkt. Geschäftspartner der Zentralbank können im Prinzip alle übrigen Wirtschaftssubjekte sein, d. h. staatliche Stellen, Geschäftsbanken, private Unternehmen sowie private Haushalte. In der geldpolitischen Praxis beschränk(t)en sich jedoch die entsprechenden Geschäfte der Zentralbank weitgehend auf Geschäfte mit staatlichen Stellen, Geschäftsbanken und anderen Zentralbanken.

Zentralbankgeld kann sowohl die Form von **Bargeld** als auch die Form von Sichtguthaben (**Buch-** bzw. **Giralgeld**) bei der Zentralbank annehmen. Wie erwähnt, wird in der Europäischen Währungsunion das Bargeld noch bis zum Jahresanfang 2002 allein in Form der alten nationalen Münzen und Banknoten umlaufen. Der Euro bleibt hingegen bis zum 1. Januar 2002 «nur» Giralgeld, d. h. bis dahin können in Euro nur bargeldlose Zahlungen geleistet werden. Erst in der ersten Jahreshälfte 2002 – genauer: vom 1. Januar bis zum 31. Juni 2002 – wird dann der Euro auch als Bargeld die alten nationalen Banknoten und Münzen ablösen.

Die genaue Abgrenzung der **Zentralbankgeldmenge** richtet sich nach konkreten geldpolitischen Erfordernissen und kann unterschiedlich vorgenommen werden. Während der 1970er und 1980er Jahre orientierte sich die Bundesbank bei der Analyse und Durchführung ihrer Geldpolitik an einer eher eng definierten Zentralbankgeldmenge. Diese umfaßte den Bargeldumlauf bei den Nicht-Banken und die Sichtguthaben der Geschäftsbanken bei der Bundesbank. Nicht hinzu gerechnet wurden aus analytischen Gründen der Bargeldbestand der Geschäftsbanken sowie die Sichtguthaben der öffentlichen Haushalte bei der Bundesbank.

Ein Sonderproblem ist mit der Münzherstellung verbunden. Solange das Volumen der Münzausgabe allein von der Zentralbank kontrolliert wird, ist es geldpolitisch – vor allem mit Blick auf mögliche inflationäre Tendenzen – völlig unerheblich, ob die Herstellung der Münzen direkt in den Händen der Zentralbank liegt oder durch andere staatliche Stellen erfolgt. Aus fiskalischen Gründen halten jedoch die Regierungen vieler Staaten an ihrem historisch überkommenen Recht fest, selber Münzen zu prägen (**Münzregal**). Die Produktionskosten der Münzen liegen in der Regel weit unter den jeweils aufgeprägten Nennwerten («**Scheidemünzen**»). Bringt nun die Zentralbank diese Münzen entsprechend ihren eigenen geldpolitischen Erfordernissen in Umlauf und schreibt der Regierung den Gegenwert auf deren Sichtkonto bei der Zentralbank gut, kann die Regierung aus der Differenz zwischen Prägekosten und Nennwert einen beträchtlichen Münzgewinn («**Seigniorage**») erzielen. In Deutschland steht das Recht, Münzen zu prägen, dem Bund bzw. der Bundesregierung zu. Auf diese Weise flossen jährlich regelmäßig mehrere hundert Millionen DM als zusätzliche Einnahmen in den Bundeshaushalt – in Zeiten «leerer Staatskassen» sicherlich nicht unwillkommen. Gemäß dem Maastrichter Vertrag haben, wie erwähnt, die Euro-Mitgliedsstaaten bzw. deren Regierungen weiterhin das Recht, Münzen zu prägen. Die Münzausgabe erfolgt nach Genehmigung und mit Hilfe der EZB. Aus den geschilderten fiskalischen Gründen wird jedoch jede nationale Regierung bestrebt sein, einen möglichst großen Anteil der gemeinsamen Münzproduktion zu übernehmen. Eine endgültige Quotierung der Münzherstellung auf die Teilnehmerländer steht aber bislang noch aus.

Unter **Geschäftsbankengeld** werden Sichteinlagen bei Geschäftsbanken verstanden, mit denen Nicht-Banken Zahlungen leisten können. Diese Sichteinlagen können auf zweierlei Art entstehen. Zahlt ein Kunde A Bargeld, z. B. DM 1000,–, bei seiner Geschäftsbank G ein, erhält er im Gegenzug als Gutschrift auf seinem Girokonto eine Forderung gegenüber der Bank, über die er jederzeit verfügen kann (**passive Geldschöpfung**). Zu beachten ist, daß sich in diesem Fall die Geldmenge, über die A verfügen kann, nicht verändert hat. Dem Verlust an Bargeld in Höhe von DM 1000,– steht ein Anstieg der Sichtguthaben in derselben Höhe gegenüber. Es wurde lediglich Zentralbankgeld in Geschäftsbankengeld umgewandelt. Gleiches ist der Fall, wenn A diese DM 1000,– von seinem Konto auf das Konto eines Kunden B – sei es bei der gleichen Bank G oder sei es bei einer anderen Bank H – überweist. Zwar hat A nun DM 1000,– weniger zur Verfügung, dafür wurde aber B diese Summe gut geschrieben. Die gesamte Geldmenge des Nicht-Bankensektors (A und B) hat sich dadurch nicht verändert. Auch die Menge des Geschäftsbankengeldes blieb gleich. Es fand lediglich eine Umverteilung zugunsten von B statt.

Anders verhält es sich bei der **aktiven Geldschöpfung** durch die Geschäftsbanken. Aktiv können Geschäftsbanken Geld schaffen, indem sie entweder andere (Finanz-)Aktiva von Nicht-Banken ankaufen oder diesen Kredit gewähren. Ein Beispiel kann dies verdeutlichen: Kunde A verkauft seiner Geschäftsbank G Wertpapiere (z. B. Aktien) in Höhe von DM 1000,–. Diesen Betrag schreibt die Bank seinem Konto gut. Oder die Bank gewährt A einen Kredit über DM 1000,–. Auch dieser Betrag wird dem Konto des A gut geschrieben. In beiden Fällen verfügt A über **zusätzliche** Zahlungsmittel in Höhe von DM 1000,–, die er z. B. zur Begleichung einer Rechnung benutzen und sie weiter auf das Konto des B bei der gleichen Bank G oder einer anderen Bank H überweisen kann. Läßt B diesen Betrag zunächst ungenutzt auf seinem Konto liegen, so kann die Geschäftsbank G (oder H) den Betrag für ein neues Kreditgeschäft mit dem Kunden C verwenden, der es wiederum an einen Kunden D überweist.

Es scheint zunächst so, als ob auf diese Weise das Geschäftsbankengeld ins Unendliche anwachsen kann. Dem Geldschöpfungsprozeß durch die Geschäftsbanken sind jedoch Grenzen gesetzt. Erstens werden die Bankkunden in der Regel einen Teil des ihnen gewährten Kredits in Bar abziehen. Zweitens muß jede Geschäftsbank damit rechnen, daß Kunden ihre Sichteinlagen ganz oder teilweise ausbezahlt haben möchten. Für diesen Fall muß sie daher eine Barreserve anlegen bzw. zurückhalten. In vielen Staaten, wie z. B. früher in Deutschland oder jetzt in der Europäischen Währungsunion, werden die Geschäftsbanken sogar – drittens – von der Zentralbank dazu verpflichtet, eine bestimmte Mindestreserve bei der Zentralbank zu hinterlegen. Der **Bargeldbedarf** der Nicht-Banken, die **Barreserve** bei den Geschäftsbanken und – gegebenenfalls – das Halten von **Mindestreserven** bei der Zentralbank schränken den Geldschöpfungsprozeß der Geschäftsbanken prinzipiell ein. Er kommt zu seinem Ende, wenn das gesamte von der Zentralbank zur Verfügung gestellte Zentralbankgeld als Bargeld bei den Nicht-Banken, als Barreserven bei den

Geschäftsbanken oder als Mindestreserven bei der Zentralbank «gebunden» ist. Ein erneuter Geldschöpfungsprozeß der Geschäftsbanken ist dann nur möglich, wenn zuvor die Zentralbank neues Zentralbankgeld zur Verfügung gestellt hat.[2]

Wichtigster Unterschied zwischen der Geldschöpfung durch die Zentralbank und die Geschäftsbanken ist somit, daß die Zentralbank unbegrenzt, die Geschäftsbanken hingegen nur begrenzt Geld «schöpfen» können. Die Geldschöpfungskapazität der Geschäftsbanken ist dabei vom Volumen der Zentralbankgeldmenge abhängig.

11.3.2. Geldmengenkonzepte

Bei der Unterscheidung zwischen Zentralbank- und Geschäftsbankengeld stehen Art und Umfang der Geldschöpfung im Vordergrund. Für geldpolitische Zwecke wird jedoch noch auf andere Geldmengenkonzepte zurückgegriffen, die darüber Auskunft geben sollen, über wieviel Geld der gesamte Nicht-Bankensektor tatsächlich verfügt und nachfragewirksam einsetzen kann. Generell ist dabei zu bedenken, daß die übrigen Wirtschaftssubjekte nicht nur über Bargeld und Sichtguthaben verfügen, sondern in der Regel noch andere Finanzaktiva besitzen, die einen hohen Geld- bzw. Liquiditätsgrad aufweisen, d.h. relativ schnell – und oft nur mit geringen Zusatzkosten verbunden – in Bargeld und/oder Sichtguthaben umgewandelt und somit potentiell nachfragewirksam werden können. Die verschiedenen **Geldmengenkonzepte** unterscheiden sich nun darin, inwieweit sie diese geldnahen Vermögenswerte («Quasi-Geld») bei der Berechnung der jeweiligen Geldmenge – «Geldmengenaggregat» – mit einbeziehen. Im folgenden wird ausführlich auf die Geldmengenkonzeption der EZB eingegangen, da ihr für die konkrete Gestaltung der Geldpolitik im Euro-Raum eine besondere Bedeutung zukommt. Verglichen mit dem früheren Konzept der Bundesbank sind nicht nur einige begriffliche sondern auch substantielle Neuerungen zu verzeichnen.

Zunächst differenziert die EZB zwischen dem **Geldschöpfungs-** bzw. **MFI-Sektor** einerseits und dem **Geldhaltungs-** bzw. **Nicht-MFI-Sektor** andererseits. MFI steht hierbei für «monetäre Finanzinstitute» und umfaßt die EZB selbst, die angeschlossenen nationalen Zentralbanken, alle im Euro-Gebiet ansässigen Kreditinstitute sowie – weitgehend neu – andere Finanzinstitute (inkl. Geldmarktfonds), die Verbindlichkeiten mit hohem Geldgrad an Nicht-MFIs ausgeben. Zu den Nicht-MFIs gehören alle übrigen, ebenfalls in der Währungsunion

[2] Zum Geldschöpfungsmultiplikator vgl. Lehrbuch *Volkswirtschaftslehre.*

ansässigen Wirtschaftseinheiten, d. h. alle privaten Haushalte, Unternehmen, Finanzinstitute (soweit sie nicht unter die MFI-Definition der EZB fallen), Sozialversicherungsträger sowie Gebietskörperschaften mit Ausnahme der Zentralregierungen. Letztere gelten als «geldneutraler Sektor», da einerseits ihre kurzfristige Ausgabenpolitik nicht maßgeblich von den verfügbaren Geldbeständen abhängt und andererseits ihre Kreditvergabe an andere Wirtschaftssubjekte nicht kommerzieller Natur ist. Der Bargeldbestand, die Sichtguthaben und die geldnahen Forderungen der Zentralregierungen werden dementsprechend bei der Berechnung der Geldmengenaggregate nicht berücksichtigt. Hinzu gezählt werden allerdings geldnahe Verbindlichkeiten der Zentralregierungen, die sich in den Händen der Nicht-MFis befinden.

Wie geldtheoretisch und -politisch seit langem üblich, unterscheidet die EZB drei Geldmengenaggregate: Eine enge Geldmenge **M1**, eine mittlere **M2** und eine weit gefaßte **M3** (vgl. Abb. 11.3.2/1). Zu M1 zählt der Bargeldbestand der Nicht-MFIs und die täglich fälligen Einlagen – im wesentlichen die «alten» Sichteinlagen –, die diese im MFI-Sektor halten. M2 umfaßt außer den M1-Komponenten noch Einlagen mit einer Laufzeit von bis zu 2 Jahren sowie Einlagen mit einer vereinbarten Kündigungsfrist von bis zu 3 Monaten. Die «klassischen» Sparguthaben zählen demnach nicht mehr – wie früher bei der Bundesbank – zu M3, sondern werden von der EZB bereits in M2 erfaßt. Bei M3 kommen noch Schuldverschreibungen mit ursprünglichen Laufzeiten bis zu 2 Jahren, Repo-Geschäfte (d. h. Wertpapierpensionsgeschäfte) sowie Geldmarktfondsanteile und -papiere hinzu.

Abb. 11.3.2/1: Geldmengenkonzepte der EZB

Verbindlichkeiten[1])	M1	M2	M3
Bargeldumlauf	×	×	×
Täglich fällige Einlagen	×	×	×
Einlagen mit vereinbarter Laufzeit von bis zu 2 Jahren		×	×
Einlagen mit vereinbarter Kündigungsfrist von bis zu 3 Monaten		×	×
Repogeschäfte			×
Geldmarktfondsanteile und Geldmarktpapiere			×
Schuldverschreibungen bis zu 2 Jahren			×

[1]) Verbindlichkeiten des Geldschöpfungssektors und Verbindlichkeiten der Zentralregierung mit monetärem Charakter in den Händen des Geldhaltungssektors.

Quelle: EZB Monatsbericht, Februar 1999, S. 35

Abb. 11.3.2/2: Komponenten der EZB-Geldmenge M3 (in %)

(Dezember 1998)

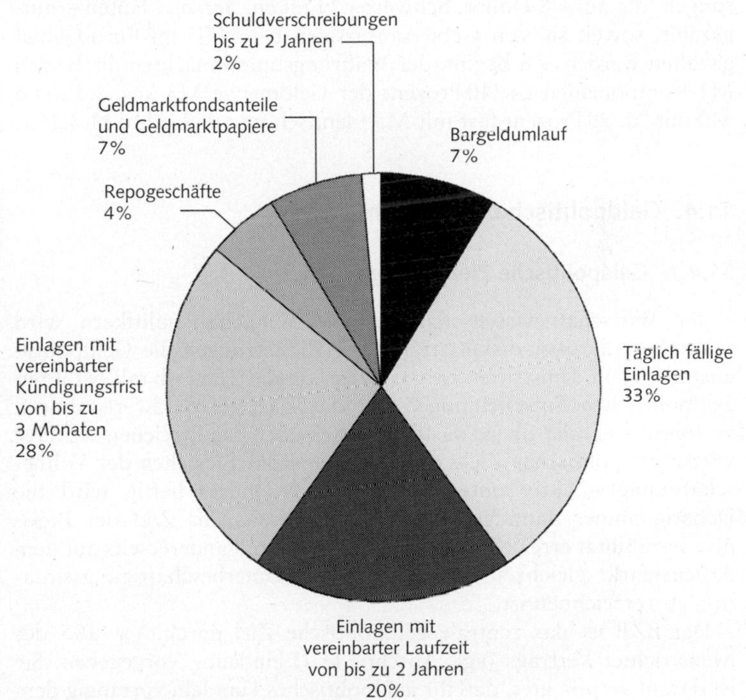

Anmerkung: Differenzen in den Summen durch Runden der Zahlen.

Quelle: EZB Monatsbericht, Februar 1999, S. 36

Die Neuberechnung der weiten Geldmenge M3 – insbesondere die Berücksichtigung der Geldmarktfondsanteile und -papiere – stellt eine wesentliche Erweiterung gegenüber älteren M3-Abgrenzungen dar, wie sie z. B. von der Bundesbank vorgenommen wurden (die Bundesbank hatte allerdings in den letzten Jahren bereits eine Geldmenge «M3 erweitert» berechnet, die weitgehend der EZB Geldmenge M3 entsprach, aber in der allgemeinen Öffentlichkeit wenig Beachtung fand). Die EZB möchte damit nicht nur die Finanz- und Bankenstatistiken in der Währungsunion weiter harmonisieren, sondern vor allem dem veränderten Anlageverhalten und den Finanzinnovationen Rechnung tragen, zu denen es während der letzten 10–15 Jahre gekommen ist. Zudem werden bei allen drei Geldmengenaggregaten auch auf Fremdwährungen lautende Forderungen – d.h. also Forderungen, die auf US-Dollar, Schweizer Franken, Yen etc. lauten – mitgezählt, soweit sie von Gebietsansässigen bei MFIs im Euro-Gebiet gehalten werden. Zu Beginn der Währungsunion machten die beiden M1-Komponenten ca. 40 Prozent der Geldmenge M3 aus, während M2 mit rd. 90 Prozent fast mit M3 identisch war (vgl. Abb. 11.3.2/2).

11.4. Geldpolitische Strategien

11.4.1. Geldpolitische Zielsetzungen

Unter Wirtschaftswissenschaftlern wie Wirtschaftspolitikern wird kontrovers darüber diskutiert, welche Zielsetzungen die Geldpolitik anstreben soll. Umstritten ist vor allem, ob die Zentralbank bei ihren geldpolitischen Entscheidungen nur das Ziel der Geldwertstabilität verfolgen soll oder ob sie darüber hinaus noch das Erreichen weiterer wirtschaftspolitischer Ziele – insbesondere das Erreichen der Vollbeschäftigung – aktiv unterstützen soll. Besonders heftig wird die Debatte immer dann geführt, wenn einerseits das Ziel der Preisniveaustabilität erreicht zu sein scheint, während andererseits auf dem Arbeitsmarkt gleichzeitig eine drückende Unterbeschäftigungssituation zu verzeichnen ist.

Der EZB ist das zentrale geldpolitische Ziel durch Art. 105 des Maastrichter Vertrags (vgl. Abschn. 11.1) eindeutig vorgegeben. Sie ist darauf verpflichtet, daß ihr geldpolitisches Handeln **vorrangig** dem Erreichen der Geldwertstabilität zu dienen hat. Geldwertstabilität wird dabei von der EZB rein binnenwirtschaftlich definiert. Sie sieht das Ziel Geldwertstabilität dann für erreicht an, wenn der für das gesamte Euro-Gebiet geltende «**harmonisierte Verbraucherpreisindex**» (**HVPI**) jährlich um weniger als 2 Prozent ansteigt (vgl. Abb. 11.4.1/1). Diese Quantifizierung wird jedoch von der EZB ausdrücklich nicht als ein direktes Inflationsziel verstanden, das jederzeit und unter allen Umständen einzuhalten ist bzw. – insbesondere bei Abweichungen «nach oben» – automatisch zu geldpolitischen Gegenmaßnahmen der EZB führen muß. Zum einen weist die EZB darauf hin, daß keine Zentralbank die Inflationsrate direkt beeinflussen kann. Möglich ist nur eine indirekte Steuerung über geldpolitische Wirkungsmechanismen, die ihrerseits nur mit einer gewissen Zeitverzögerung «greifen». Ein «Überschießen» der Inflationsrate über den anvisierten Grenzwert von 2 Prozent ist daher durchaus möglich. Zum anderen will sich die EZB durch die Veröffentlichung eines direkten Inflationsziels nicht selber unter unnötigen Handlungsdruck setzen. Dies gilt insbesondere für Situationen, in denen die Preissteigerungsrate – z. B. aufgrund außenwirtschaftlicher Einflüsse – kurzfristig und eventuell nur vorübergehend über die 2 Prozent-Richtlinie hinaus ansteigt.

Abb. 11.4.1/1: Harmonisierter Verbraucherpreisindex

Index soll Preisanstieg in der Euro-Zone erfassen

bü. BRÜSSEL, 22. Juli. Ein erweiterter Inflationsindex soll eine genauere Erfassung des Preisanstiegs in der Europäischen Union (EU) gewährleisten und dadurch die künftige Geldpolitik der Europäischen Zentralbank (EZB) auf eine verläßliche statistische Grundlage stellen. Durch die vom Ministerrat beschlossene Neuregelung werden bestimmte Dienstleistungen des Gesundheits- und Bildungswesens in den seit Januar 1997 gebräuchlichen „Harmonisierten Verbraucherpreisindex" (HVPI) einbezogen. Außerdem werden in Zukunft auch die Einkäufe von ausländischen Besuchern im HVPI des Herkunftslandes der Waren erfaßt. Schließlich berücksichtigt der überarbeitete Index die Konsumausgaben der „Anstaltsbevölkerung", zum Beispiel der Bewohner von Altersheimen. Nach Darstellung des für die Finanzpolitik zuständigen EU-Kommissars Yves-Thibault de Silguy wird der EU-Inflationsindex durch diese Anpassungen umfassender als die meisten nationalen Kenngrößen und nahezu 100 Prozent der gesamten Verbraucherausgaben abdecken. Nur die Kosten für die Eigennutzung von Wohnungen würden noch nicht erfaßt. Die Bedeutung des Inflationsindex liegt darin, daß aus den HVPI der einzelnen Mitgliedstaaten ein Verbraucherpreisindex für die elf Mitglieder der Währungsunion abgeleitet wird (VPI-EWU). Dieser soll von der EZB als Hauptinstrument für die Überwachung des Preisanstiegs in der Euro-Zone verwendet werden.

Quelle: Helmut Bünder, Frankfurter Allgemeine Zeitung, 23. 7. 1998

Da die Inflationsrate nicht direkt gesteuert werden kann, benötigt jede Zentralbank eine «geldpolitische Strategie», d. h. eine Zwischenzielgröße, an der sie ihr geldpolitisches Vorgehen ausrichten kann. Die Zwischenzielgröße soll sowohl in einem engen Zusammenhang mit der Inflationsrate stehen, als auch relativ unmittelbar von der Zentralbank beeinflußt werden können. Die EZB hat sich für eine geldmengenorientierte Strategie entschieden. Während der letzten Jahrzehnte wurden aber von verschiedenen Zentralbanken – darunter auch die Bundesbank – zeitweise auch zins- und liquiditätsorientierte Strategien praktiziert.

11.4.2. Geldmengenpolitik

Hinter der **geldmengenorientierten Strategie** steht die «quantitätstheoretische» Auffassung, daß es – vor allem mittelfristig – einen engen Zusammenhang zwischen Geldmengenentwicklung und Preisniveaustabilität gibt (vgl. Abb. 11.4.2/1 u. Abschn. 4.4.2). Ein (zu) hohes Geldmengenwachstum führt dieser Ansicht zufolge letztlich nur

Abb. 11.4.2/1: Geldmengenorientierte Strategie

„Die Europäische Zentralbank braucht eine eigene Strategie"
Issing: Die einzigartige Situation muß berücksichtigt werden / Ein Inflationsziel hat viele Nachteile

Referenzwert für die Euro-Geldmenge
EZB gibt erstes geldpolitisches Signal / Kein zusätzlicher Korridor

Entscheidung der EZB wird gutgeheißen
Lob für das Geldmengenziel

Wissenschaftler sprechen sich für Geldmengensteuerung in Europa aus
„EMU Monitor" verwirft Inflationsziel als intransparent / Angestrebte Teuerungsrate ein bis zwei Prozent

Quelle: FAZ

zu steigenden Inflationsraten. In der geldpolitischen Praxis stellt sich aber zunächst die Frage, welche der verschiedenen Geldmengen von der Zentralbank sinnvollerweise als Zwischenziel bzw. Indikator ausgewählt werden soll. Wie erwähnt, berechnet die EZB drei unterschiedliche Geldmengenaggregate M1, M2 und M3. Ihre Geldpolitik richtet sie jedoch in erster Linie an der Entwicklung der Geldmenge M3 aus. Empirische Untersuchungen haben ergeben, daß im Vergleich zu M1 und M2 die Geldmenge M3 im Zeitablauf am wenigsten schwankt. Außerdem weist M3 einen gewissen zeitlichen Vorlauf und eine große Parallelität zur Entwicklung der Inflationsrate auf (vgl. Abb. 11.4.2/2). Im Einklang mit der sog. **potentialorientierten Geldpolitik** hat die EZB zu Beginn der Währungsunion für M3 einen Referenzwert von 3,5% festgelegt, d. h. M3 soll mit einer jährlichen Wachstumsrate von 4,5% expandieren.

Der potentialorientierten Geldpolitik liegen folgende Überlegungen zugrunde: Erstens soll das Geldmengenwachstum ein spannungsfreies, d. h. inflations- wie deflationsfreies Wirtschaftswachstum ermöglichen. Hierfür orientiert sich die EZB am mittelfristigen, jährlichen Wachstum des gesamtwirtschaftlichen Produktionspotentials im Euro-Land, das auf 2,5% geschätzt wird. Zweitens ist zu berücksichtigen, daß die Umlaufgeschwindigkeit des Geldes im langfristigen Durchschnitt jährlich um 0,5–1% abnimmt. Um dies zu kompensieren, muß die Geldmenge um zusätzliche 0,5–1% wachsen. Und drittens sieht die EZB eine Preissteigerungsrate von 1–1,5% sowohl aus statistischen wie aus prinzipiellen Gründen durchaus mit ihrer Definition von Geldwertstabilität für vereinbar an. Insgesamt ergibt sich daraus ein Referenzwert von 4,5% für das jährliche M3-Wachstum.

Abb. 11.4.2/2: Geldmenge M3 und die Preisentwicklung im Euro-Währungsgebiet

Längerfristige Entwicklung der Geldmenge und der Preise für das Euro-Währungsgebiet
(Veränderung gegenüber dem vergleichbaren Vorjahreszeitraum in %)

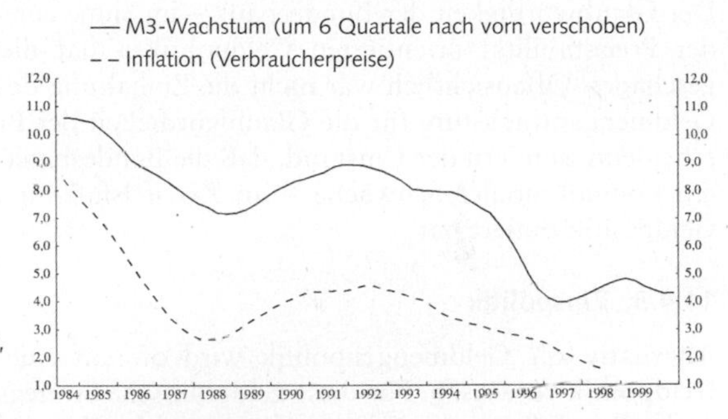

Quelle:
EZB Monatsbericht,
Februar 1999,
S. 39

Euro-M 3 wächst langsamer

FRANKFURT, 26. März (Reuters). Das Geldmengenwachstum in den Ländern des Euro-Raums hat sich im Februar nach einem deutlichen Anstieg im Vormonat wieder verlangsamt. Die Geldmenge in der Abgrenzung M 3 sei im Februar im Jahresvergleich um 5,2 Prozent gestiegen, nach 5,6 Prozent im Januar, teilte die EZB am Freitag in Frankfurt mit. Der Rückgang sei wesentlich auf das geringere Wachstum der kurzfristigen Einlagen zurückzuführen, des größten unter den sieben Bestandteilen von M 3. Im Dezember hatte das Geldmengenwachstum noch 4,5 Prozent betragen.

Quelle: FAZ, 27.3.1999

Ähnlich wie bei der Definition der Geldwertstabilität möchte die EZB den Referenzwert aber nicht als starres Geldmengen(wachstums)ziel verstanden wissen. Insbesondere sieht sie sich nicht automatisch zum geldpolitischen Eingreifen verpflichtet, falls die tatsächliche Geldmengenentwicklung nach oben oder unten von dem vorgegebenen Referenzwert abweichen sollte.

Trotz dieser Erläuterungen wird der Referenzwert in der Öffentlichkeit weithin als «offizielles» Geldmengenziel der EZB interpretiert. Da aber eine punktgenaue Einhaltung kaum möglich ist, könnte die EZB zukünftig – ähnlich wie vor ihr die Bundesbank – dazu übergehen, einen Korridor mit Ober- und Untergrenzen für das angestrebte jährliche Geldmengenwachstum zu benennen. Allerdings war die Bundesbank bei diesem Vorgehen nur in der Hälfte der Fälle «erfolgreich». In den anderen Fällen lag das Geldmengenwachstum jeweils über dem zuvor angekündigten Korridor (vgl. Abb. 11.4.2/3). Der Glaubwürdigkeit der Bundesbank – im Sinne einer strikt am Ziel der Preisstabilität orientierten Geldpolitik – hat dies jedoch nicht geschadet. Offensichtlich war nicht die Einhaltung des Zwischenziels Geldmengenwachstum für die Glaubwürdigkeit der Bundesbank entscheidend, sondern der Umstand, daß die Bundesbank – selbst in Zeiten konjunktureller Schwäche – im Zweifelsfall für eine restriktive Geldpolitik optiert hat.

11.4.3. Zinspolitik

Alternativ zur Geldmengenpolitik wird oft auf eine **zinsorientierte Geldpolitik** verwiesen. Für diese geldpolitische Strategie sprechen sich in der Regel diejenigen Wirtschaftswissenschaftler und -politiker aus, die dafür eintreten, daß die Geldpolitik außer dem Ziel der Preisniveaustabilität noch weitere – insbesondere beschäftigungspolitische – Ziele verfolgen soll. Die geldpolitische «Regel» in diesem Fall lautet, daß die Zentralbank in Zeiten konjunktureller Abkühlung die Zinsen

Abb. 11.4.2/3: Geldmengenziele der Bundesbank

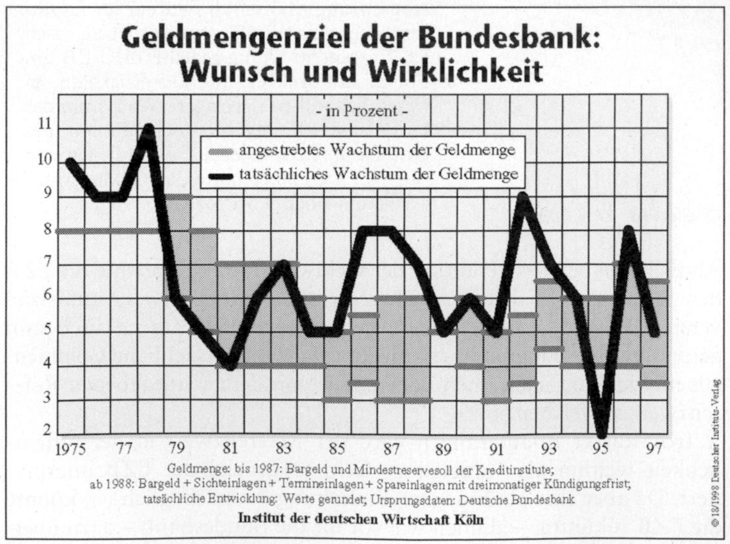

Quelle: iwd, Nr. 18, 30. 4. 1998, S. 5

senken, in Phasen der Hochkonjunktur sie hingegen erhöhen soll. Ökonomen und Politiker, die eine allein am Ziel der Geldwertstabilität orientierte Geldpolitik favorisieren, lehnen diese Strategie ab. Sie sehen darin eine «stop-and-go»-Politik, die mittelfristig keine Preisniveaustabilität gewährleistet. So bleibe unklar, an welchem Marktzinssatz sich die Zentralbank orientieren soll. Der – kurzfristige – Geldmarktzinssatz kann zwar von der Zentralbank relativ direkt beeinflußt werden, hat aber bzgl. der weiteren Inflationsentwicklung nur eine begrenzte Aussagekraft. Die – langfristigen – Kapitalmarktzinsen sind ihrerseits nur schwer von der Zentralbank zu beeinflussen. Wesentlich grundsätzlicher ist das Problem, welches konkrete Zinsniveau von der Zentralbank anvisiert werden soll. Die Ableitung eines Zinsniveauziels analog zum Geldmengen(wachstums)ziel scheint kaum möglich. Zu beachten ist jedoch, daß jede Zentralbank ihre Zinssätze als geldpolitische Instrumente einsetzt und so faktisch Zinspolitik im engeren Sinne betreibt. Dies gilt selbstverständlich auch für die EZB.

11.4.4. Liquiditätspolitik

Während der 1960er und 1970er Jahre spielte ein weiteres geldpolitisches Konzept, die sog. **Liquiditätspolitik**, eine gewichtige Rolle für die geldpolitische Praxis der Bundesbank. Mit Blick auf die Bankenliquidität wurde zwischen primären, sekundären und freien Liquiditätsreserven unterschieden. Unter **primären Liquiditäts-** bzw. **Überschußreserven** wurde die positive Differenz zwischen tatsächlich gehaltenen Zentralbankguthaben der Geschäftsbanken und ihren Mindestreserven verstanden. Zu den **sekundären Liquiditätsreserven** zählen alle Finanzaktiva der Geschäftsbanken, die diese jederzeit in Zentralbankgeld «umwandeln» konnten. Dazu gehörten (1) nicht ausgenutzte Rediskontkontingente, d. h. Wechselbestände, die die Geschäftsbanken an die Bundesbank verkaufen konnten (2) inländische Geldmarktpapiere, deren Ankauf die Bundesbank ebenfalls zugesagt hatte, und (3) auf Fremdwährungen lautende Auslandsanlagen der Geschäftsbanken. Solange feste Wechselkurse bestanden, konnten insbesondere letztere von den Geschäftsbanken nahezu problem- und risikolos dazu genutzt werden, um sich Zentralbankgeld zu besorgen. Zur Verteidigung der vereinbarten Währungsparitäten war die Bundesbank dazu verpflichtet, fast unbeschränkt Devisen aufkaufen zu müssen. Primär- und Sekundärreserven bildeten die **freien Liquiditätsreserven** der Geschäftsbanken.

Mit der liquiditätsorientierten Geldpolitik waren mehrere konzeptionelle Probleme verbunden. Zum einen wurden zu verschiedenen

Zeiten unterschiedliche Aktiva zu den sekundären Liquiditätsreserven hinzugezählt. Dies war in erster Linie von den jeweils bestehenden Wechselkursregelungen abhängig. Zum zweiten bestand – ähnlich wie bei der zinsorientierten Geldpolitik – nur ein schwacher Zusammenhang zwischen der Liquiditätsausstattung der Banken und der Preisniveauentwicklung. Und schließlich ließ sich wiederum kein eindeutig quantifizierbares Liquiditätsziel ableiten, an dem sich die Zentralbank – analog zum Geldmengenziel – mittelfristig hätte ausrichten können. Erneut ist darauf hinzuweisen, daß jede Zentralbank über geldpolitische Instrumente verfügt, mit der sie die Bankenliquidität direkt beeinflussen kann. Dazu gehören u. a. die Mindestreservesätze, Kontingentierungen sowie die Zulassung bzw. der Ausschluß von Wertpapieren oder sonstigen Aktiva für Geschäfte mit der Zentralbank. Mit dem Einsatz derartiger Instrumente betreibt die Zentralbank de facto direkte Liquiditätspolitik, auch wenn sich ihre mittelfristige Geldpolitik nicht an einer Liquiditätsgröße orientiert.

11.5. Geldpolitisches Instrumentarium

Die EZB verfügt über eine Vielzahl unterschiedlich ausgestalteter, geldpolitischer Einzelinstrumente. Art. 20 ESZB/EZB-Satzung spricht dem EZB-Rat zudem das Recht zu, mit qualifizierter Mehrheit darüber zu entscheiden, bestehende Instrumente zukünftig anders zu gestalten bzw. ganz neue Instrumente einzuführen. Die Geschichte der Bundesbank läßt erwarten, daß es auf lange Sicht auch dazu kommen wird. Jede Zentralbank muß im Laufe der Zeit auf Änderungen im Geschäftsbankensektor («Finanzinnovationen») und gegebenenfalls auch auf wechselkurspolitische Veränderungen reagieren. Das geldpolitische Instrumentarium ist dann den neuen Gegebenheiten anzupassen und zu «modernisieren». Ihre verschiedenen Instrumente faßt die EZB zu drei großen Gruppen zusammen: Die Offenmarktgeschäfte, die ständigen Fazilitäten und die Mindestreserven (vgl. Abb. 11.5/1). Zu beachten ist, daß der Einsatz dieser Instrumente weitgehend dezentral, d. h. über die beteiligten nationalen Zentralbanken, erfolgt.

11.5.1. Offenmarktgeschäfte

11.5.1.1. Kriterien

Unter **Offenmarktgeschäften** versteht man den – endgültigen oder befristeten – Kauf oder Verkauf von Finanzaktiva durch die Zentral-

Abb. 11.5/1: Geldpolitische Instrumente der EZB

bank. Die einzelnen Geschäfte lassen sich nach der rechtlichen Ausgestaltung, dem angewandten Verfahren, dem Rhythmus und der Laufzeit weiter differenzieren. Bei der **rechtlichen Ausgestaltung** kann es sich um definitive Käufe bzw. Verkäufe, um Käufe bzw. Verkäufe mit gleichzeitiger Rückkaufsvereinbarung (Pensionsgeschäfte) oder um Kreditgeschäfte gegen Sicherheitsstellung (Pfandkredite) handeln. Bei den **Verfahren** werden von der EZB sowohl Tenderverfahren als auch sog. liberale Geschäfte angewandt. Die einzelnen Geschäfte können in einem täglichen, wöchentlichen, monatlichen sowie regelmäßigen oder unregelmäßigen **Rhythmus** stattfinden. Nach der **Laufzeit** lassen sich 2-Wochen- und 3-Monats-Geschäfte sowie standardisierte und nichtstandardisierte Geschäfte unterscheiden.

Die Vielfalt der Offenmarktgeschäfte hat die EZB nochmals gebündelt. Gemäß den geldpolitischen Intentionen, die mit den jeweiligen Instrumenten verwirklicht werden sollen, unterscheidet sie vier Kategorien von Offenmarktgeschäften: Hauptrefinanzierungsgeschäfte, längerfristige Refinanzierungsgeschäfte, Feinsteuerungsoperationen und strukturelle Operationen (vgl. Abb. 11.5.1/1). In allen Fällen geht die Initiative zum Geschäftsabschluß von der EZB aus. Dies unterscheidet die Offenmarktgeschäfte von den ständigen Fazilitäten.

Abb. 11.5.1/1: Offenmarktgeschäfte und ständige Fazilitäten

Geldpolitische Geschäfte	Transaktionsart: Liquiditätsbereitstellung	Transaktionsart: Liquiditätsabschöpfung	Laufzeit	Rhythmus	Verfahren
Offenmarktgeschäfte					
Hauptrefinanzierungsinstrument	• Befristete Transaktionen	–	• Zwei Wochen	• Wöchentlich	• Standardtender
Längerfristige Refinanzierungsgeschäfte	• Befristete Transaktionen	–	• Drei Monate	• Monatlich	• Standardtender
Feinsteuerungsoperationen	• Befristete Transaktionen • Devisenswaps	• Devisenswaps • Hereinnahme von Termineinlagen • Befristete Transaktionen	• Nicht standardisiert	• Unregelmäßig	• Schnelltender • Bilaterale Geschäfte
	• Definitive Käufe	• Definitive Verkäufe	–	• Unregelmäßig	• Bilaterale Geschäfte
Strukturelle Operationen	• Befristete Transaktionen	• Emission von Schuldverschreibungen	• Standardisiert/nicht standardisiert	• Regelmäßig und unregelmäßig	• Standardtender
	• Definitive Käufe	• Definitive Verkäufe	–	• Unregelmäßig	• Bilaterale Geschäfte
Ständige Fazilitäten					
Spitzenrefinanzierungsfazilität	• Befristete Transaktionen	–	• Über Nacht	• Inanspruchnahme auf Initiative der Geschäftspartner	
Einlagefazilität	–	• Einlagenannahme	• Über Nacht	• Inanspruchnahme auf Initiative der Geschäftspartner	

Quelle: EZB, Die einheitliche Geldpolitik in Stufe 3. Allgemeine Regelungen für die geldpolitischen Instrumente und Verfahren der ESZB, September, S. 7

11.5.1.2. Hauptrefinanzierungsgeschäfte

Wie der Name bereits andeutet, sind die **Hauptrefinanzierungsgeschäfte** das quantitativ bedeutsamste geldpolitische Instrument, mit dem die EZB die Geldversorgung der Geschäftsbanken beeinflussen will. Materiell bestehen die Hauptrefinanzierungsgeschäfte aus Wertpapierkäufen durch die EZB, wobei bereits beim Ankauf eine Rückkaufsvereinbarung mit den beteiligten Geschäftsbanken abgeschlossen wird. Ökonomisch gesehen handelt es sich also um die Verknüpfung eines Kassa- mit einem Termingeschäft. Diese Verbindung wird auch **Pensionsgeschäft** genannt, da die EZB die besagten Wertpapiere für eine befristete Zeitspanne quasi «in Pension» nimmt. Die Wertpapiere, die für diese Geschäfte in Frage kommen, müssen bestimmten Anforderungen hinsichtlich Bonität, Laufzeit usw. genügen. Sie werden von der EZB in speziellen Verzeichnissen ausgewiesen. Die Hauptrefinanzierungsgeschäfte finden zu öffentlich bekannt gemachten Terminen jeweils einmal pro Woche statt; ihre Laufzeit beträgt 2 Wochen. Beim Geschäftsabschluß stellt die EZB den Banken einen Zinssatz – «Pensions-» oder «Repo-Satz» – in Rechnung, den sie aufgrund der großen Bedeutung der Hauptrefinanzierungsgeschäfte selber als **Europäischen Leitzins** bezeichnet. Praktisch erfolgt die Zinszahlung dadurch, daß die EZB die Wertpapiere zum aktuellen Marktkurs ankauft, während die Geschäftsbanken für den Rückkauf einen höheren Rückkaufpreis zu entrichten haben.

Erhöht die EZB den Zinssatz, möchte sie damit signalisieren, daß sie eine «restriktivere» Geldpolitik verfolgen will. Für die Geschäftsbanken wird es teurer, sich mit Zentralbankgeld zu versorgen. In der Regel werden sie den höheren Zinssatz in Form steigender Kreditzinsen und/oder reduzierter Kreditvergabe an ihre Kunden weitergeben. Beides wäre aus Sicht der EZB in einer derartigen Situation durchaus erwünscht. Eine Zinssenkung bedeutet hingegen, daß sich die Banken bei der EZB billiger Zentralbankgeld verschaffen («refinanzieren») können. Die Weitergabe dieses Zinsimpulses in Form sinkender Kreditzinsen und/oder einer Ausweitung der Kreditvergabe erfolgt jedoch oft nicht so rasch, wie von der EZB erhofft.

Zum Start der Europäischen Währungsunion im Januar 1999 legte die EZB den Leitzins auf 3% fest, senkte ihn aber wenige Monate später erstmals auf 2,5%. In Deutschland traten die Hauptrefinanzierungsgeschäfte an Stelle der sog. **Wertpapierpensionsgeschäfte**, denen sie sowohl in technischer Ausgestaltung wie in geldpolitischer Bedeutung weitgehend gleichen. Vor Beginn der Währungsunion wickelte die Bundesbank rd. 70% des Refinanzierungsbedarfs der Geschäftsbanken über Wertpapierpensionsgeschäfte ab. Die früher üblichen Wechsel-Rediskontgeschäfte sind entfallen.

11.5.1.3. Längerfristige Refinanzierungsgeschäfte

Im Rechtscharakter und angewandten Verfahren sind die **längerfristigen Refinanzierungsgeschäfte** mit den Hauptrefinanzierungsgeschäften identisch. In Rhythmus und Laufzeit unterscheiden sie sich allerdings darin, daß sie nur einmal monatlich stattfinden und für eine Zeitdauer von 3 Monaten abgeschlossen werden. Ziel dieser Geschäfte ist es, die Geldversorgung des Bankensektors zu verstetigen. Quantitativ soll das Volumen deutlich unter dem der Hauptrefinanzierungsgeschäfte liegen. Von den zur Anwendung kommenden Zinssätzen sollen nach dem Willen der EZB keine geldpolitischen Signale ausgehen. Ob die Finanzwelt und die breitere Öffentlichkeit dies genauso sehen werden, wird entscheidend davon abhängen, ob und inwieweit die Zinsentwicklung bei den längerfristigen Refinanzierungsgeschäften merklich vom Europäischen Leitzins abweichen wird. In Deutschland ersetzen die längerfristigen Refinanzierungsgeschäfte die früheren Rediskontgeschäfte, bei denen die Bundesbank Handelswechsel gegen Berechnung des sog. **(Re)-Diskontsatzes** von den Geschäftsbanken aufkaufte.

11.5.1.4. Feinsteuerungsoperationen

Die dem Geldschöpfungsprozeß der Geschäftsbanken zugrunde liegende Bankenliquidität kann kurzfristig und unvorhergesehen starken Schwankungen unterliegen. Um zu verhindern, daß dadurch sprunghafte Änderungen der Geldmenge und übergroße Zinsausschläge ausgelöst werden, kann die EZB **Feinsteuerungsoperationen** durchführen, mit denen sie die Liquiditätsausstattung der Banken noch präziser und flexibler steuern kann. Neben definitiven und befristeten Käufen und Verkäufen von Wertpapieren können auch befristete Devisengeschäfte zum Einsatz kommen. Analog zu den Wertpapierpensionsgeschäften verknüpfen diese sog. **Devisenwaps** den An- und Verkauf von Fremdwährungen (z.B. US-Dollar) gegen Euro durch die EZB mit einer Rückkaufsvereinbarung durch die Geschäftsbanken. Die Differenz zwischen Termin- und Kassakurs wird als **Swapsatz** bezeichnet. Bezogen auf den Kassakurs gibt er an, zu welchem Zinssatz die EZB bereit ist, derartige Geschäfte mit den Geschäftsbanken abzuschließen. Im Rahmen der Feinsteuerungsoperationen besteht darüber hinaus für die Banken die Möglichkeit, bei der EZB **verzinsliche Termineinlagen** zu hinterlegen – eine Möglichkeit, die es früher so bei der Bundesbank nicht gab. Der Einsatz dieses Instruments ist vor allem für Fälle vorgesehen, in denen die EZB rasch «überschüssige» Liquidität im Bankensektor abschöpfen möchte. Alle Feinsteuerungsoperationen finden in einem unregelmäßigen Rhythmus und mit nichtstandardisierten Laufzeiten statt, sind demnach Instrumente für kurzfristige geldpolitische Sonderfälle.

11.5.1.5. Strukturelle Operationen

Um die Liquiditätsstruktur einzelner Banken oder des gesamten Bankensektors zu beeinflussen, stehen der EZB dieselben Mittel zur Verfügung, die schon bei den Feinsteuerungsoperationen erwähnt wurden. Darüber hinaus kann sie aber im Rahmen **struktureller Operationen** noch zusätzlich eigene **Schuldverschreibungen** herausgeben («emittieren»). Es handelt sich um ein weiteres Instrument, mit dem Liquidität im Bankensektor absorbiert werden kann. Erwerben die Geschäftsbanken diese Schuldverschreibungen, «verlieren» sie im gleichen Umfang Zentralbankgeld. Ihre Fähigkeit, Kredite zu vergeben, wird eingeschränkt. Im Gegenzug ist die EZB dazu verpflichtet, die Schuldverschreibungen zu verzinsen und bei Fälligkeit wieder einzulösen, d. h. gegen Zentralbankgeld zurückzukaufen. Die Funktion der EZB-Schuldverschreibungen übernahmen früher in Deutschland die sog. Mobilisierungs- und Liquiditätspapiere. Rechtlich gesehen handelt es sich um Schuldtitel (Schatzwechsel und -anweisungen) des Bundes, die dieser der Bundesbank «kostenlos» – d. h. ohne daß die Bundesbank dafür dem Bund Kredit gewährte – zur Verfügung stellen mußte.

11.5.1.6. Tenderverfahren und bilaterale Geschäfte

Bei der Abwicklung der verschiedenen Offenmarktgeschäfte, die in den Abschn. 11.5.1.2 bis 11.5.1.5 vorgestellt wurden, kommen zwei Verfahren zur Anwendung: zum einen das Ausschreibungs- bzw. Tenderverfahren, zum anderen die sog. bilateralen Geschäfte.

(1) Das **Tenderverfahren** wird dadurch charakterisiert, daß die Geschäftstermine und -bedingungen von der EZB mit Hilfe privater Wirtschaftsinformationsdienste, wie z. B. AP/Dow Jones/Telerate oder Reuters, öffentlich bekannt gemacht werden (vgl. Abb. 11.5.1/2). Prinzipiell können sich alle Geschäftsbanken an diesen Ausschreibungen beteiligen. Je nach Art der Zinsfestsetzung kann weiter zwischen Mengen- und Zinstenderverfahren unterschieden werden. In beiden

Abb. 11.5.1/2: Offenmarktgeschäfte und Tenderverfahren (I)

Verfahrensschritte bei Tenderverfahren

Schritt 1: Tenderankündigung
- a) Ankündigung durch die EZB über Wirtschaftsinformationsdienste
- b) Ankündigung durch die nationalen Zentralbanken über nationale Wirtschaftsinformationsdienste und direkt gegenüber einzelnen Gesprächspartnern (wenn dies notwendig erscheint)

Schritt 2: Vorbereitung und Abgabe von Geboten durch die Geschäftspartner

Schritt 3: Zusammenstellung der Gebote durch das ESZB

Schritt 4: Tenderzuteilung und Bekanntmachung der Tenderergebnisse
- a) Zuteilungsentscheidung der EZB
- b) Bekanntmachung des Zuteilungsergebnisses

Schritt 5: Bestätigung der einzelnen Zuteilungsergebnisse

Schritt 6: Abwicklung der Transaktionen

Am 4. Januar 1999 erstes EZB-Offenmarktgeschäft

ctg. FRANKFURT, 18. September. Das erste Offenmarktgeschäft der Europäischen Zentralbank (EZB) wird am 4. Januar 1999 um 15.30 Uhr ausgeschrieben. Das hat die EZB bekanntgegeben. Danach ist für den ersten Wertpapiertender, der zur Steuerung von Zinsen und Liquidität am Geldmarkt dienen wird, eine Laufzeit von 13 Tagen vorgesehen. Die Zuteilung erfolge am 5. und die Gutschrift – wegen des Dreikönigstages – am 7. Januar. Die Wertpapierpensionsgeschäfte werden in der Regel eine Laufzeit von zwei Wochen haben und das wichtigste Mittel für die Refinanzierung der Banken sein. Der für diese Tender geltende Zinssatz wird auch der Zins sein, mit dem die Mindestreserveeinlagen der Banken verzinst werden. Das erste längerfristige Refinanzierungsgeschäft will die EZB am 12. Januar ausschreiben. Es seien drei Tender mit jeweils einem Drittel des Zuteilungsbetrages und Laufzeiten von 42, 70 und 105 Tagen vorgesehen, heißt es. Die Zuteilung sei für den 13. Januar, die Gutschrift für den 14. Januar geplant.

Quelle: Bundesband, Informationsbrief zur WWU, Nr. 9; FAZ, 19.9.1998

Fällen wird das Gesamtvolumen des abzuschließenden Geschäfts von der EZB im Voraus festgelegt (vgl. Abb. 11.5.1/3). Beim **Mengentender** schreibt die EZB aber auch den Zinssatz vor, zu dem sie das jeweilige Geschäft abschliessen möchte («Zinsführerschaft»). Die Geschäftsbanken geben daraufhin Gebote ab, wie viele Wertpapiere sie beispielsweise der EZB zum angegebenen Zinssatz verkaufen wollen. Übersteigt die Summe der Angebote das von der EZB ausgeschriebene Gesamtvolumen, wird eine Zuteilungsquote nach einfachem Dreisatz ermittelt. Ein Zahlenbeispiel kann das Vorgehen verdeutlichen: Die EZB bietet an, zu einem Zinssatz von 3,5% Wertpapiere in einem Gesamtumfang von 10 Mrd. Euro aufzukaufen. Die Geschäftsbanken geben aber Angebote ab, die sich insgesamt auf 43 Mrd. Euro aufsummieren. Die Zuteilungsrate ergibt sich dann als Quotient aus Ausschreibungs- und Angebotsvolumen (10:43), d.h. sie beträgt im Beispiel 23%. Man spricht auch von einer 23% **Repartierung.** Dies bedeutet, daß eine Geschäftsbank, die ein Angebot über

500 Mio. Euro abgegeben hat, schließlich nur in Höhe von 115 Mio. Euro zum Zuge kommt.

Beim **Zinstender** legt hingegen die EZB außer dem Gesamtvolumen nur einen Mindestzinssatz fest. Die Geschäftsbanken geben dann an, zu welchem Zinssatz und in welchem Umfang sie bereit sind, das Offenmarktgeschäft mit der EZB abzuschließen. Die eingehenden Gebote werden anschließend von der EZB in Höhe des jeweils angegebenen Zinssatzes geordnet. Die weitere Zuteilung kann nach dem holländischen oder dem amerikanischen Verfahren vorgenommen werden. Beim **holländischen Verfahren** werden – beginnend mit dem höchsten Zinssatz – alle Gebote berücksichtigt, bis ein Zinssatz erreicht ist, bei dem das gesamte Volumen ausgeschöpft wurde. Der Abschluß aller Geschäfte erfolgt nun zu diesem einheitlichen (Grenz-) Zinssatz. Verbleibt ein Rest, wird dieser – ebenfalls zum selben Zinssatz – repartiert. Beim **amerikanischen Verfahren** erfolgt die Zuteilung zu den tatsächlichen Gebotssätzen, d. h. die Zinssätze, zu denen die einzelnen Geschäfte abgeschlossen werden, können variieren.

Die EZB unterscheidet in ihrer Terminologie noch zwischen Standard- und Schnelltender. Angesprochen wird damit, wie schnell die Ausschreibungsverfahren durchgeführt werden. Bei **Standardtendern** können zwischen Ausschreibung, Gebotsabgabe und Zuteilung bis zu 24 Stunden liegen. Bei **Schnelltendern** erfolgt die Abwicklung hingegen innerhalb 1 Stunde; sie kommen vor allem bei Feinsteuerungsoperationen zum Einsatz.

(2) **Bilaterale Geschäfte** sind Offenmarktgeschäfte, die ohne öffentliches Ausschreibungsverfahren durchgeführt werden. Wiederum lassen sich zwei Unterverfahren unterscheiden. Bei bilateralen Geschäften im engeren Sinne sprechen die EZB bzw. die angeschlossenen nationalen Zentralbanken mögliche Geschäftspartner gezielt direkt an. Der Kreis der beteiligten Geschäftsbanken ist dementsprechend begrenzt; im Extremfall kann es sich sogar um ein Einzelgeschäft zwischen der EZB und einer einzigen Bank handeln. Über die Konditionen und Ergebnisse dieser Geschäfte gibt die EZB in der Regel keine öffentlichen Stellungnahmen ab. Bilaterale Geschäfte im weiten Sinne umfassen auch Offenmarktgeschäfte, die die EZB über Börsen oder Marktvermittler abwickelt. Der «Kundenkreis» ist entsprechend größer, außerdem ist eine größere Öffentlichkeit über die Geschäftsabwicklung informiert.

11.5.2. Ständige Fazilitäten

Die zweite Instrumentengruppe, die der EZB für ihre Geldpolitik zur Verfügung steht, sind die **ständigen Fazilitäten**. Sie umfassen sowohl

Abb. 11.5.1/3: Offenmarktgeschäfte und Tenderverfahren (II)

Geldpolitische Geschäfte des Eurosystems (Tenderverfahren)
(Mio EUR, Zinssätze in % p.a.)

Gutschriftstag	Hauptrefinanzierungsgeschäfte					
			Mengentender	Zinstender		
	Gebote (Betrag)	Zuteilung (Betrag)	Festsatz	Marginaler Zuteilungssatz	Gewichteter Durchschnittssatz	Laufzeit (Tage)
	1	2	3	4	5	6
1999 7. Jan.	481 625	75 000	3,00			13
13	563 409	48 000	3,00			14
20.	593 418	59 000	3,00			14
27.	689 467	69 000	3,00			14
3. Febr.	757 724	62 000	3,00			14
10.	911 302	65 000	3,00			14
17.	896 138	62 000	3,00			14
24.	991 109	78 000	3,00			14
3. März	1 100 797	67 000	3,00			14
10.	950 369	75 000	3,00			14
17.	335 249	44 000	3,00			14
24.	372 647	102 000	3,00			14
31.	118 683	39 000	3,00			14
7. April	67 353	67 353	3,00			14

Längerfristige Refinanzierungsgeschäfte							
Gutschriftstag				Mengentender	Zinstender		
		Gebote (Betrag)	Zuteilung (Betrag)	Festsatz	Marginaler Zuteilungssatz	Gewichteter Durchschnittssatz	Laufzeit (Tage)
		1	2	3	4	5	6
1999	14. Jan.	79 846	15 000		3,13		42
	14.	39 343	15 000		3,10		70
	14.	46 152	15 000		3,08		105
	25. Febr.	77 300	15 000		3,04		91
	25. März	53 659	15 000		2,96	2,97	98

Quelle: EZB Monatsbericht, April 1999, S. 6*

die Spitzenrefinanzierungs- wie die Einlagenfazilitäten. Bei den **Spitzenrefinanzierungsfazilitäten** handelt es sich um die Möglichkeit der Geschäftsbanken, sich kurzfristig – «über Nacht» – durch das Überziehen von Sichtkonten bei der EZB zu verschulden. Die EZB räumt den Banken also eine Art kurzfristigen Überziehungskredit ein. Allerdings müssen die Geschäftsbanken bei Inanspruchnahme dieser Refinanzierungsmöglichkeiten Sicherheiten leisten, die als Pfand zu hinterlegen sind bzw. an denen Pfandrechte eingeräumt werden. Die Finanzaktiva, die als Sicherheiten in Frage kommen, weist die EZB ebenfalls in eigenen Verzeichnissen aus. Die Bundesbank als ausführendes Organ faßt alle Sicherheiten, die eine einzelne Geschäftsbank stellen kann, in sog. «**Pfandpools**» zusammen. Beim Abschluß eines entsprechenden Geschäfts wird diesem dann kein bestimmtes Pfand zugeordnet, sondern nur noch geprüft, ob der Pfandpool als Ganzes für den Geschäftsabschluß ausreicht. In der geldpolitischen Intention und technischen Ausgestaltung entsprechen die Spitzenrefinanzierungsfazilitäten den früheren Lombardkrediten der Bundesbank.

Neu für Deutschland sind die **Einlagenfazilitäten**. Sie bieten den Geschäftsbanken die Möglichkeit, bei der EZB – erneut «über Nacht» – Einlagen zu halten, die von der Zentralbank verzinst werden.

Im Gegensatz zu den Offenmarktgeschäften geht bei den ständigen Fazilitäten die Initiative von den Geschäftsbanken aus. Allerdings sind die zur Anwendung kommenden Zinssätze ein wichtiger Teil der EZB-Geldpolitik, da sie als sog. **Zinskanal** die Entwicklung der Geldmarktzinsen begrenzen (vgl. Abschn. 11.6). Zusammen mit dem Zinssatz der Hauptrefinanzierungsgeschäfte übernehmen sie die Leitzinsfunktion. Zu Beginn der Währungsunion lag der Zinssatz der Spitzenrefinanzierungsfazilität bei 4,5% und bei der Einlagenfazilität bei 2,0%. Im April 1999 senkte die EZB zum ersten Mal beide Zinssätze auf 3,5 bzw. 1,5%.

11.5.3. Mindestreserven

Die dritte Instrumentengruppe umfaßt die **Mindestreserven**. Die EZB hat alle im Euro-Gebiet ansässigen monetären Finanzinstitutionen dazu verpflichtet, einen bestimmten Prozentsatz ihrer Verbindlichkeiten bei ihr bzw. den nationalen Zentralbanken als Sichtguthaben zu halten. Welche Bankverbindlichkeiten mindestreservepflichtig sind und welche Mindestreservesätze berechnet werden, bestimmt die EZB in ihrer Mindestreservepolitik. Zu Beginn der Währungsunion waren insbesondere Bankverbindlichkeiten reservepflichtig, die zur Geld-

Abb. 11.5.3/1 Mindestreserven

1. Mindestreservebasis der reservepflichtigen Kreditinstitute
(Mrd EUR)

Reservebasis per	Insgesamt	Verbindlichkeiten mit einem Reservesatz von 2%			Verbindlichkeiten mit einem Reservesatz von 0%		
		Einlagen (täglich fällig, mit vereinbarter Laufzeit und Kündigungsfrist von bis zu zwei Jahren	Schuldverschreibungen mit vereinbarter Laufzeit von bis zu zwei Jahren	Geldmarktpapiere	Einlagen mit vereinbarter Laufzeit und Kündigungsfrist von über zwei Jahren	Repogeschäfte	Schuldverschreibungen mit vereinbarter Laufzeit von über zwei Jahren
	1	2	3	4	5	6	7
1999 1. Jan.	8408,5	4726,4	87,3	133,4	1101,9	448,1	1911,4
Ende Jan.	8599,0	4837,2	78,3	142,2	1105,4	510,6	1925,2
Ende Febr.(p)	8621,9	4802,5	82,4	141,1	1110,9	541,1	1944,0

EZB-Rat beschließt eine verzinste Mindestreserve

„Der Euro-Raum kommt auch ohne Mindestreserve aus“

Quelle: EZB Monatsbericht, April 1999, S. 7*

menge M2 zählen, aber auch Geldmarktpapiere. Im Unterschied zu früheren deutschen Gepflogenheiten wurde allerdings nur ein einheitlicher Mindestreservesatz von 2% berechnet. Für einige der reservepflichtigen Verbindlichkeiten, wie z.B. Einlagen mit Laufzeiten von über 2 Jahren oder Repo-Geschäfte, wurde ein Reservesatz von 0% festgelegt, d.h. diese Bankverbindlichkeiten sind faktisch mindestreservefrei (vgl. Abb. 11.5.3/1).

Die Einführung von Mindestreserven für den gesamten Euro-Raum war lange Zeit heftig umstritten. Wie in Abschn. 11.3.1 dargestellt wurde, wird der Geldschöpfungsprozeß der Geschäftsbanken durch die Mindestreservepflicht eingeschränkt. Strukturell sind diese Banken daher gegenüber anderen Banken benachteiligt, die in Ländern ansässig sind, die keine Mindestreservepflicht kennen (vgl. Abschn. 11.7). Trotzdem entschied sich die EZB dafür, dieses Instrument zu übernehmen. Insbesondere in Krisensituationen sind Mindestreserven ein außerordentlich schnell und massiv wirkendes Instrument, um den Bankensektor mit Liquidität zu versorgen bzw. überschüssige Liquidität abzuschöpfen. Um die Benachteiligung der Geschäftsbanken im Euro-Gebiet gegenüber ausländischen Banken zu verringern, wurden allerdings – wie oben erwähnt – Ausnahmen zugelassen und ein insgesamt niedriger Mindestreservesatz bestimmt. Nicht zuletzt werden die Mindestreserven – ebenfalls entgegen früherer Bundesbankpraxis – mit dem Euro-Leitzins verzinst.

11.6. Geldmarkt und Leitzinsen

11.6.1. Begriff des Geldmarkts

Unter Geldmarkt versteht man im engeren Sinne den Handel von kurzfristig nicht benötigten Zentralbankguthaben (**Überschußreserven**) unter Geschäftsbanken. Hat z.B. eine Hausbank der Großindustrie durch Gehaltszahlungen am Monatsanfang einen kurzfristigen Liquiditätsbedarf, so kann sie am Geldmarkt von einer anderen Bank, die eher Privatkunden betreut, die dort gegebenenfalls aufgelaufenen Liquiditätsüberschüsse ausleihen. Dieser **Interbankenhandel** geschieht meist per Telefon. Je nach Fristigkeit der gehandelten Gelder wird zwischen dem (wichtigen) Markt für **Tagesgeld** und dem Monats-, Dreimonatsgeld usw. unterschieden. Inzwischen treten am Geldmarkt auch Großunternehmen und vor allem Geldmarktfonds als Akteure auf. Letztere sind Investmentfonds, die das von ihnen verwaltete Vermögen ganz oder teilweise am Geldmarkt anlegen. Durch den Erwerb entsprechender Fondsanteile können sich somit auch private Haushalte und Unternehmen indirekt am Geldmarkt beteiligen, deren liquide Mittel für ein direktes Engagement nicht ausreichen. Durch den Geldmarkthandel zwischen den Banken, (Groß-)Unternehmen und Geldmarktfonds verändert sich der Bestand an umlaufendem Zentralbankgeld nicht, da dieses ja nur durch die Zentralbank – die EZB – geschaffen oder vernichtet werden kann. Dies ändert sich, wenn der Geldmarkt im weiten Sinne betrachtet wird. Hier tritt als weiterer Akteur die EZB auf, die – vor allem über ihre Haupt- und längerfristigen Refinanzierungsgeschäfte – die Liquidität der Banken kurz- und mittelfristig zu beeinflussen versucht.

11.6.2. Leitzinsen und Zinsstruktur

Die Geschäftsbanken, Unternehmen und Geldmarktfonds berechnen sich für die am Geldmarkt getätigten Kreditgeschäfte natürlich untereinander Zinsen. Die Höhe der Zinsen richtet sich in der Regel nach der Fristigkeit der gehandelten Gelder. Die niedrigsten Zinssätze werden bei Tagesgeldern, die höchsten bei Geldmarktpapieren mit Laufzeiten über ein Jahr verlangt. Da der Geldmarkthandel dezentral erfolgt, läßt die Europäische Bankenvereinigung täglich jeweils einen Referenzzinssatz, den sog. **Euribor** («European Interbank Offered Rate») für die Laufzeiten 1 Woche sowie 1 bis 12 Monaten erheben. Fast 60 Banken – zum größten Teil aus dem Euro-Gebiet, teilweise aber auch aus den übrigen EU- und sogar Nicht-EU-Ländern – melden ihre jeweiligen Angebotszinssätze, aus denen dann – unter Vernachlässigung von Extremwerten – der entsprechende Durchschnittswert ermittelt wird. Mit derselben Methode berechnet darüber hinaus die EZB den sog. **Eonia** («Euro Overnight Index Average»), der den Durchschnittssatz für Tagesgeld angibt (vgl. Abb. 11.6.2/1). Diese standardisierten Zinssätze sind von großer Bedeutung, da sie als entscheidende Bezugsgröße für viele weitere Kreditverträge, Anleihen

Abb. 11.6.2/1: Geldmarktzinssätze

Geldmarktsätze unter Banken

Euribor neu — Tagesgeld: Euro Overnight Index Average (Eonia) – % (Vortag: 2,52%)

Prozent	28.4.	29.4.		28.4.	29.4.		28.4.	29.4.
1 Monat	2,57100	2,56900	5 Monate	2,60100	2,59800	9 Monate	2,66500	2,66400
2 Monate	2,58100	2,57800	6 Monate	2,60700	2,60500	10 Monate	2,66800	2,67100
3 Monate	2,58800	2,58500	7 Monate	2,61800	2,61500	11 Monate	2,67500	2,67600
4 Monate	2,59500	2,59200	8 Monate	2,62900	2,65000	12 Monate	2,67800	2,67800

Quelle: FAZ, 30.4.1998

und Derivategeschäfte dienen. Steigende Zinssätze deuten im Allgemeinen auf eine Liquiditätsverknappung auf dem Geldmarkt hin, fallende Zinsen hingegen auf eine sich entspannende Situation.

In diesem Zusammenhang kommt den Zinsen, die die EZB bei ihren Hauptrefinanzierungsgeschäften und den ständigen Fazilitäten erhebt bzw. gewährt, eine besondere Funktion als **Leitzinsen** zu. Im Normalfall wird jede Geschäftsbank, die Zentralbankgeld benötigt, zunächst bestrebt sein, ihren Bedarf über die von der EZB ausgeschriebenen Hauptrefinanzierungsgeschäfte zu decken – von den längerfristigen Refinanzierungsgeschäften wird im folgenden abstrahiert –, da der dabei zu zählende Zins in der Regel unter den Geldmarktzinssätzen liegt. Durch sich zeitlich überlappende Geschäfte kann die einzelne Bank von Woche zu Woche jeweils entscheiden, ob sie das Gesamtvolumen ihrer Wertpapiergeschäfte mit der EZB erhöhen oder verringern will. So wirkt diese Art der Geldbeschaffung quasi als Substitut für die Tages- oder Wochengeldaufnahme auf dem Geldmarkt, obwohl die Hauptrefinanzierungsgeschäfte eine Laufzeit von 2 Wochen haben. Nur wenn die Bank bei den EZB-Ausschreibungen nicht genügend zum Zuge kommt oder kurzfristig Liquidität benötigt, wird sie auf – teurere – Geldmarktkredite ausweichen. Allerdings ist dem Tagesgeldsatz auf dem Geldmarkt durch die Einrichtung der Spitzenrefinanzierungsfazilität bei der EZB eine **Zinsobergrenze** gesetzt. Da sich die Geschäftsbanken dort zu einem von der EZB vorgegebenen Zinssatz kurzfristig Übernachtkredite in nahezu unbegrenzter Höhe besorgen können, werden sie nicht bereit sein, für Tagesgelder auf dem Geldmarkt einen höheren «Preis» (Zins) zu zahlen. Nur wenn die EZB in geldpolitisch angespannten Zeiten den Spitzenrefinanzierungskredit mengenmäßig begrenzt («kontingentiert»), ist dem Anstieg der Tagesgeldzinsen nach oben keine Grenze gesetzt.

Andererseits wird jede Bank, die Zentralbankgeld zur Verfügung stellen will, versuchen, mindestens den Zinssatz der EZB-Hauptrefinanzierungsgeschäfte zu verlangen. Aufgrund eines Liquiditätsüberhangs können die Geldmarktzinsen dennoch unter Druck geraten. Dem Absinken des Tagesgeldsatzes ist aber durch die EZB-Einlagenfazilität auch eine **Zinsuntergrenze** gesetzt. Da die Banken diese Fazilität dazu benutzen können, um Übernachteinlagen – ebenfalls in zunächst unbegrenzter Höhe – bei der EZB zu halten, die von der Zentralbank auch verzinst werden, wird keine Geschäftsbank bereit sein, Tagesgelder auf dem Geldmarkt zu einem niedrigeren Zinssatz auszuleihen. Mit anderen Worten: Die Zinssätze der Spitzenrefinanzierungs- und Einlagenfazilitäten bilden einen **Zinskanal**, in dem sich die Tagesgelder auf dem Geldmarkt bewegen. Der Zinssatz der

Abb. 11.6.2/2: Leitzinsen und Geldmärkte

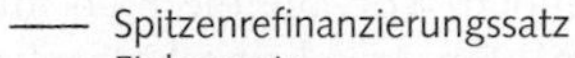

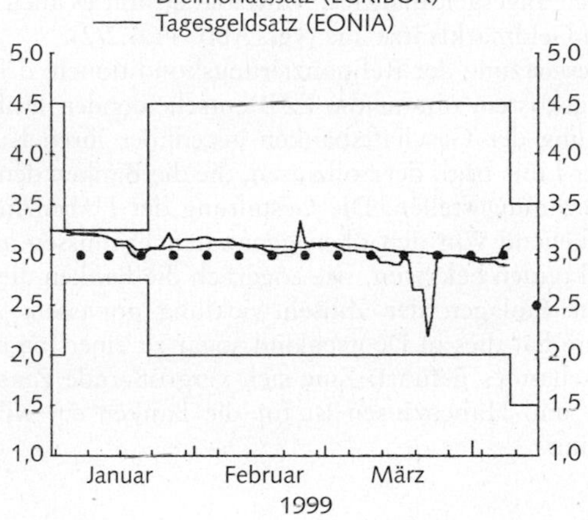

Quelle: EZB

EURO-LEITZINSEN

Refinanzierung (Refi)		
Hauptrefi-Satz		
2-Wochen-Tender, wöchentlich	(fällig 12. 5. 1999)	2,50%
2-Wochen-Tender, wöchentlich	(fällig 19. 5. 1999)	2,50%
Längerfristiger Refi-Satz		
3-Monats-Tender, monatlich	(fällig 27. 5. 1999)	3,04%
3-Monats-Tender, monatlich	(fällig 1. 7. 1999)	2,96%
3-Monats-Tender, monatlich	(fällig 29. 7. 1999)	2,53%
Zinskanal für Tagesgeld		
Spitzenrefinanzierungsfazilität	(seit 9. 4. 1999)	3,50%
Einlagefazilität	(seit 9. 4. 1999)	1,50%
Mindestreserve		
Verzinsung	(seit 14. 4. 1999)	2,50%

Europäische Zentralbank lässt Leitzins unverändert

IMF empfiehlt weitere Zinssenkung

Die EZB senkt den Leitzins auf 2,5 Prozent

Die Rücknahme um einen halben Prozentpunkt überrascht / Die Finanzmärkte reagieren positiv

Quelle: EZB Monatsbericht, April 1999, S. 9; Handelsblatt, 5. 5. 1999, NZZ 3. 99, FAZ 4. 99

Hauptrefinanzierungsgeschäfte gibt hingegen als **Europäischer Leitzins** die zentrale Zinstendenz vor, die die EZB mit ihrer Geldpolitik anstrebt (**Signalfunktion**). Ein Anheben oder Senken dieser drei Zinssätze hat also unmittelbare Auswirkungen auf das Zinsniveau des europäischen Tagesgeldmarktes. Mittelbar strahlt es auch auf die längerfristigen Geldmarktsätze aus (vgl. Abb. 11.6.2/2).

Durch Festsetzung der Refinanzierungskonditionen, d. h. der Geldbeschaffungskosten, nimmt die EZB entscheidenden Einfluß auf die Zinsgestaltung der Geschäftsbanken gegenüber ihren Kunden. Dies gilt in erster Linie bzgl. der Sollzinsen, die die Banken den Kreditnehmern in Rechnung stellen. Die Gestaltung der Habenzinsen ist hingegen weitgehend von den oben genannten Einflüssen abgekoppelt. Viele Bankkunden beklagen, wie zögerlich die Banken die Guthabenzinsen ihrer Einlagen der Zinsentwicklung anpassen. Anfang der 1990er Jahre hat dies in Deutschland sogar zu einer Intervention des Bundeskartellamtes geführt. Eine sich vergrößernde Zinsmarge zwischen Soll- und Habenzinsen ist für die Banken ein willkommener Zusatzgewinn.

11.7. Exkurs: Offshore-Märkte

Offshore- oder **Xeno-Märkte** (Xeno (griech.) = fremd) umfassen alle Geld- und Kreditgeschäfte in einer Währung außerhalb ihres Geltungsbereichs als gesetzliches Zahlungsmittel (**Fremdwährungsgeschäfte**). Vor dem Beginn der Europäischen Währungsunion und der Einführung des Euro als eigenständiger Währung wurden diese Märkte auch **Euro-Märkte** genannt. Diese Bezeichnung wird im allgemeinen Sprachgebrauch zunehmend weniger benutzt, da sie doppelt mißverständlich ist. Zum einen existieren Offshore-Märkte nicht nur an europäischen Finanzplätzen; zum anderen hat(te) die Bezeichnung «Euro» in diesem Zusammenhang nichts mit der gemeinsamen europäischen Währung gleichen Namens zu tun.

Geld- und Kreditgeschäfte können auf diesen Märkten in jeder beliebigen Währung durchgeführt werden, weshalb – früher – auch von Euro-Dollar-, Euro-DM- oder Euro-Pfund-Märkten gesprochen wurde. Eine Fremdwährungstransaktion kann beispielsweise zwischen einer deutschen und einer japanischen Bank auf Dollarbasis abgewickelt werden. Ferner läßt sich nach der Fristigkeit der gehandelten Gelder zwischen Offshore-Geld-, Offshore-Kredit- und Offshore-Kapitalmärkten (bzw. – früher – Euro-Geld-, Euro-Kredit- und Euro-Kapitalmärkten) unterscheiden.

Die Offshore-Märkte entstanden in den 1950er Jahren. 1958 führten die wichtigsten westeuropäischen Staaten die Konvertibilität ihrer Währungen ein. Gleichzeitig wiesen die USA ein großes, anhaltendes Leistungsbilanzdefizit aus, so daß die auf dem Weltmarkt «schwimmenden» US-Dollars Anlagemöglichkeiten außerhalb der USA suchen mußten. Die Situation wurde verschärft durch die Einführung von Höchstzinssätzen seitens der USA für kurzfristige Einlagen bei amerikanischen Banken (sog. Regulation Q des Federal Reserve Act) sowie weitere restriktive Maßnahmen in den USA. Da andererseits nichtamerikanische Nachfrager nur in eingeschränktem Maße Dollarkredite bei amerikanischen Banken erhalten konnten, bildete sich – zunächst in London – der **Euro-Dollar-Markt.** Im Zeitablauf entstanden weitere Fremdwährungsmärkte mit jeweils ausländischen Banken, u. a. in Paris, Zürich, Luxemburg, den Bahamas, den Cayman-Inseln, Panama, Bahrein, Hongkong, Singapur, Tokyo («Asien-Dollar-Markt») sowie seit Anfang der 1980er Jahre sogar in New York selbst. Vor allem auf den Inselgruppen (daher die Bezeichnung «Offshore») (engl.) = vor der Küste liegend) sind Banken oft nicht als Institute präsent, sondern unterhalten lediglich Briefkastenfirmen. Neben den bereits «vagabundierenden» Eurodollars wurde der Markt seit Anfang der 1970er Jahre auch durch die Überschüsse der OPEC-Staaten gespeist.

Zu den **Offshore-Geldmärkten** zählen Sichtguthaben bei Geschäftsbanken sowie Termineinlagen mit festen Laufzeiten zwischen 1 Tag und 1, 3 oder 6 Monaten, die als Kredite oder Wertpapiere auf dem **Sekundärmarkt** gehandelt werden. Die Zinssätze auf dem nach wie vor wichtigsten Fremdwährungsmarkt in London orientier(t)en sich am **Libor**, der «London Interbank Offered Rate», d. h. am Londoner Geldmarktzins zwischen den Banken, der je nach Bonität um kleinere oder größere Zuschläge erhöht wird. Mit Beginn der Europäischen Währungsunion wurde der Libor durch den sog. **Euro-Libor** ersetzt, doch dürfte der Euribor (vgl. Abschn. 11.6.2) als umfassenderer Referenzzinssatz bedeutsamer werden (vgl. Abb. 11.7/1). Rund 80% des Volumens der Offshore-Geldmärkte wurde in Dollar abgewickelt. Die Einführung des Euro könnte in Zukunft zu einer Verschiebung zugunsten der neuen Währung führen.

Die Offshore-Geldmärkte zeichnen sich durch einige **Besonderheiten** aus. Erstens unterliegen sie – im Gegensatz zu nationalen Geld- und Kreditmärkten – keiner währungspolitischen Kontrolle einer Zentralbank. Insbesondere besteht keine Mindestreservepflicht. Die Steuerbelastung ist an vielen Offshore-Marktplätzen sehr niedrig. Und aufgrund der relativ wenigen, aber meist sehr großen Marktteil-

Abb. 11.7/1: «Euro»-Geldmarktzinsen

Eurogeldmarktsätze unter Banken (in Prozent)

4.5.1999	1 Monat	2 Monate	3 Monate	6 Monate	12 Monate
Euro	2,5000– 2,6000	2,5000– 2,6000	2,5100– 2,6100	2,5600– 2,6600	2,6200– 2,7200
US-$	4,8000– 4,9200	4,8400– 4,9600	4,8800– 5,0000	4,9500– 5,0500	5,1900– 5,3100
£	5,2200– 5,3200	5,2200– 5,3200	5,1500– 5,2500	5,2000– 5,3000	5,2800– 5,3800
sfr	0,7800– 0,9100	0,8300– 0,9600	0,9300– 1,0100	0,9500– 1,0500	1,0800– 1,2100
YEN	0,0500– 0,1500	0,0600– 0,1600	0,0300– 0,1300	0,0500– 0,1500	0,0600– 0,1600
kan-$	4,5500– 4,6500	4,4600– 4,5900	4,4600– 4,5900	4,4300– 4,5600	4,4900– 4,6800
Dr.	9,5500–10,0000	8,9000– 9,2000	8,9000– 9,2000	9,1500– 9,5500	8,3500– 8,5500
A-$	4,5600– 4,7600	4,5600– 4,7600	4,5600– 4,7600	4,5600– 4,7600	4,6800– 4,8800
NZ-$	4,4300– 4,5600	4,4400– 4,5700	4,5000– 4,6200	4,5600– 4,6800	4,6500– 4,8500
HK-$	4,5600– 4,8100	4,8100– 5,0600	4,9300– 5,1800	5,2500– 5,5000	5,7500– 6,1300
n.–Zloty	13,2500–13,3500	13,1000–13,3000	13,0000–13,3000	12,7000–13,2000	11,9500–12,5000
SG-$	0,6000– 1,4000	0,7000– 1,3000	0,9000– 1,3000	1,0000– 1,8000	1,7500– 2,0000
Rand	14,0000–14,5000	13,8500–14,2500	13,8700–14,2500	13,3700–13,7500	13,4000–13,8000
tsch.–Krone	6,8500– 7,0500	6,8000– 7,0000	6,7100– 6,9100	6,6400– 6,8400	6,6400– 6,8400

$ = 24 Monate 5,5100–5,5400. 36 Monate 5,6600–5,6900. Euro = 24 Monate 2,8500–2,8900. 36 Monate 3,0300–3,0700.

Eonia (Euro) = 2,5200% (03.05.1999) **Euribor** (Euro) = 1 Mon. 2,56700%, 2 Mon. 2,57500%, 3 Mon. 2,58100%, 6 Mon. 2,60300%, 12 Mon. 2,68000% **Euro-Libor** (Euro) = 1 Mon. 2,56563%, 2 Mon. 2,57375%, 3 Mon. 2,58125%, 6 Mon. 2,60088%, 12 Mon. 2,67875% **Libor** ($) = 1 Mon. 4,90375%, 2 Mon. 4,95375%, 3 Mon. 5,00000%, 6 Mon. 5,07250%, 12 Mon. 5,31000%

Tauziehen um den Referenz-Zinssatz im europäischen Geldmarkt

Der Euribor wird den Euro-Libor wahrscheinlich verdrängen / Handel stellt um / Berechnung durch 57 Banken

Quelle: Handelsblatt, 5. 5. 1999

nehmern halten sich die Personal- und Verwaltungskosten der beteiligten Geschäftsbanken in Grenzen. Wegen dieser Wettbewerbsvorteile sind die Offshore-Marktzinsen niedriger als auf den nationalen Märkten. Zweitens vollziehen sich die Kredittransaktionen auf den Offshore-Märkten in der Regel ohne Stellung von Sicherheiten. Das Teilnehmerspektrum ist deshalb auf «Adressen» allererster Bonität begrenzt. Die Fremdwährungsmärkte sind in erster Linie Interbankenmärkte zwischen Geschäftsbanken, Währungsbehörden und staatlichen Institutionen, von denen einige ständig, andere nur gelegentlich am Markt auftreten. Hinzu kommen noch (Groß-)Unternehmen und Institutionen mit erstklassiger Bonität. Drittens erfolgen die Abschlüsse formlos per Telefon, Fax oder andere elektronische Kommunikationsmittel und werden erst anschließend schriftlich bestätigt. Die absolute Zuverlässigkeit und die unbedingte Einhaltung von Terminen gelten als ungeschriebenes Gesetz. Bei Verstößen dagegen wäre ein Marktteilnehmer umgehend «draußen». Viertens werden auf den Offshore-Geldmärkten nur sehr große, «runde» Beträge gehandelt.

Zu den **Offshore-Kreditmärkten** zählen – zumeist verbriefte – Kredittransaktionen mit Laufzeiten von 3–10 Jahren und länger. Eine besondere Finanzierungsform ist der **Roll-Over-Kredit** mit einer Laufzeit von mehreren Jahren. Der Zins wird jedoch dabei – auf Basis eines Referenzzinssatzes (früher z. B. Libor; jetzt Euro-Libor oder Euribor) – der aktuellen Entwicklung kurzfristig angepaßt. Auf den **Offshore-Kapitalmärkten** werden langfristige Anleihen (früher Eurobonds genannt) allererster staatlicher und privater «Adressen» und supranationaler Emittenten (z. B. Weltbank) gehandelt. Die Offshore-Kreditmärkte werden oft von Kapitalnehmern beansprucht, deren Bonität nicht ausreicht, um selber auf den Offshore-Kapitalmärkten Anleihen zu begeben.

Der besonderen Leichtigkeit der Kreditaufnahme und -vergabe – gerade auch bei sehr hohen Beträgen – ist es u. a. zu verdanken, daß die im Gefolge der diversen Öl- und Verschuldungskrisen auftretenden Störungen finanziert werden konnten. Andererseits begünstigen dieselben Charakteristika auch spekulative Verstärkungen von Störungen. Die Problematik der Offshore-Märkte liegt daher insbesondere in den durch keinerlei währungsbehördlichen Restriktionen begrenzten Kreditschöpfungsmöglichkeiten und der sich daraus möglicherweise unkontrolliert ergebenden Erhöhung der inländischen Geldmenge.

Für «normale» Unternehmen sind die Offshore-Märkte wegen der geforderten erstklassigen internationalen Bonität und der sehr hohen Beträge nicht von unmittelbarem Interesse. Es besteht jedoch die indirekte Möglichkeit, daß z. B. eine Bank mit erstklassiger Bonität als Marktteilnehmer auftritt und die günstigen Konditionen, die sie erreichen kann, teilweise an ihre Kunden weitergibt.

11.8. Gewinne der Europäischen Zentralbank und Staatshaushalt

Im Gegensatz zu Geschäftsbanken ist das Handeln einer Zentralbank nicht gewinnorientiert. Im Vordergrund steht vielmehr das Erreichen geldpolitischer Ziele – im konkreten Fall der EZB primär das Erreichen von Preisniveaustabilität.

Dennoch fließen der EZB aus ihren verschiedenen Aktivitäten Einnahmen zu. Dazu gehören vor allem Zinseinnahmen aus den diversen Offenmarktgeschäften und der Inanspruchnahme der Spitzenrefinanzierungsfazilität, Kursgewinne bei Devisentransaktionen sowie Zinsgewinne aus der Anlage von (zumeist auf US-Dollar lautenden) Währungsreserven im Ausland. Ausgaben entstehen u. a. durch (1) Zinszahlungen an Geschäftsbanken im Zusammenhang mit einigen Offenmarktgeschäften, der Inanspruchnahme der Einlagenfazilität und den Mindestreserven, (2) Zinszahlungen auf Auslandsverbindlichkeiten, (3) Personal- und allgemeine Sachkosten sowie (4) – vernachlässigbar gering – Herstellungskosten der Banknoten. Da eine Zentralbank wichtige Einflußparameter, wie z. B. Zinssätze, selbst kontrolliert, übersteigen die Einnahmen in der Regel die Ausgaben um ein Vielfaches, und die Zentralbank kann ihre jährliche Gewinn- und Verlustrechnung mit einem **Gewinn** abschließen.

Ein weiterer wichtiger Einflußfaktor auf die Gewinnentstehung können Änderungen der Bewertung der **Währungsreserven** sein. In den beiden Jahren vor Beginn der Europäischen Währungsunion wurde dies am Beispiel der Bundesbank besonders deutlich. Diese war gesetzlich dazu verpflichtet, ihre Währungsbestände inkl. Goldvorräte nach den aktienrechtlichen Bestimmungen des sog. (strengen) **Niederstwertprinzip** zu bewerten. Vereinfacht gesagt, mußte sie bei der Bilanzierung der Währungsreserven aus dem aktuellen Marktwert, dem ursprünglichen Anschaffungskurs und dem möglichen Verkaufserlös den niedrigsten Wert auswählen. Ein einmal gewählter niedrigster Bewertungskurs konnte anschließend im Zeitablauf beibehalten werden. Da die Bundesbank dazu tendierte, die möglichen Verkaufserlöse an den historischen Kurstiefständen auszurichten, entstanden vor allem durch den erneuten Anstieg des Dollarkurses erhebliche stille Reserven. Beim stufenweisen Übergang zum **Marktwertprinzip** wurden diese stillen Reserven 1997 und 1998 aufgedeckt. 1997 führten sie zu einem Rekordgewinn der Bundesbank von 24 Mrd. DM, der weitgehend an den Bund ausgeschüttet wurde. 1998 flossen die aufgedeckten stillen Reserven in Höhe von erneut fast 25 Mrd. DM nicht mehr in die Gewinnberechnung ein. Gemäß den neuen Rechnungslegungsgrundsätzen der EZB wurde der Bewertungsgewinn auf einem Ausgleichsposten auf der Passivseite der Bundesbankbilanz verbucht. Die EZB und die anderen beteiligten nationalen Zentralbanken werden zukünftig genauso verfahren. Die im Ausgleichsposten ausgewiesenen Bewertungsgewinne stehen dann nur zum Ausgleich möglicher Bewertungsverluste zur Verfügung.

Die meisten geldpolitischen Geschäfte der EZB werden dezentral über die angeschlossenen nationalen Zentralbanken abgewickelt. Entsprechend entsteht auch der größte Teil des EZB-Gewinns zunächst dezentral. Erst bei der Jahresabschlußrechnung werden die (Teil-) Gewinne bei der EZB zentral aufsummiert. Bis zu 20% des Gesamtgewinns – den genauen Prozentsatz bestimmt der EZB-Rat – fließen in den allgemeinen Reservefonds der EZB. Der Rest wird gemäß den Anteilen am EZB-Grundkapital auf die jeweiligen nationalen Zentralbanken verteilt. Der Beitrag einer nationalen Zentralbank zum Gesamtgewinn ist technisch sehr stark von der Höhe des «nationalen» Bargeldumlaufs abhängig. Der deutsche Anteil am gesamten Bargeldumlauf in der Währungsunion beträgt rd. ein Drittel, der Anteil der Bundesbank am EZB-Grundkapital hingegen nur knapp 25%. Deutschland würde also durch dieses Verfahren tendenziell benachteiligt. Um die Gewinn«umverteilung» möglichst gering zu halten, beschloß daher der EZB-Rat bereits 1998, von einer Ausnahmeregelung Gebrauch zu machen und – zunächst nur bis einschließlich 2002 – die Gewinnermittlung und -verteilung um diesen Effekt zu «bereinigen» (vgl. Abb. 11.8/1).

Die Bundesbank ist verpflichtet, ihren Gewinnanteil, soweit er nicht zur Aufstockung gesetzlich vorgeschriebener oder sonstiger Rücklagen dient, an den Bund abzuführen. Dieser ist wiederum dazu verpflichtet, einen Teil des ausgeschütteten Gewinns zur Tilgung langfristiger Schulden (z. B. im Rahmen des Erblastentilgungsfonds) zu verwenden. Der größte Teil steht allerdings für die allgemeine Finanzierung des Bundeshaushaltes frei zur Verfügung. Angesichts eines chronischen Budgetdefizits sind Bundesbankgewinne aus Sicht des Staates natürlich eine erfreuliche Erscheinung. 1992 bis 1998 standen so im Durchschnitt immerhin jährlich 14,4 Mrd. DM zur Haushaltsfinanzierung zur Verfügung (vgl. Abb. 11.8/1). Aus geldpolitischer

Abb. 11.8/1: Bundesbankgewinne

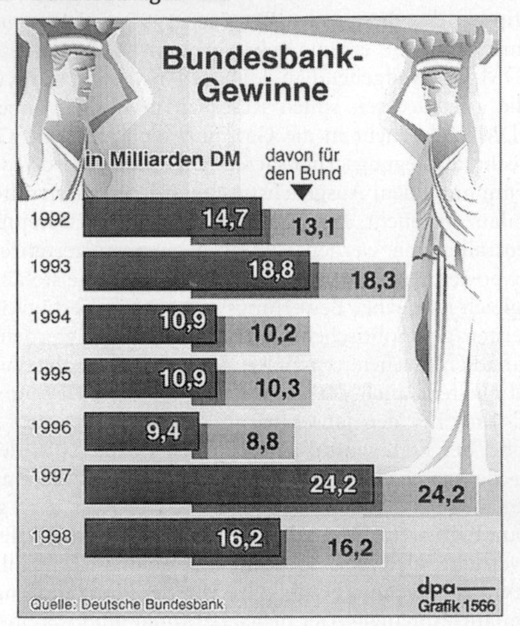

Sorge um die Verteilung der künftigen EZB-Gewinne

Die bestehende Regelung benachteiligt die Bundesbank / Spielräume in der Satzung sollen genutzt werden

Kompromiß über Gewinne der EZB

Die Bundesbank überweist 16 Milliarden DM nach Bonn

Gewinn 1998 niedriger als im Vorjahr

Quelle: Frankfurter Rundschau, 16.4.1999, FAZ

Sicht ist hingegen die Abführung von Bundesbankgewinnen an den Bund nicht unproblematisch, da sie eine schlagartige, massive Geldschöpfung bedeutet, die nicht ohne weiteres durch gegensteuernde, geldmengenvermindernde Maßnahmen der Bundesbank kompensiert werden kann. Die Bundesbank verfolgt deshalb erfahrungsgemäß schon einige Monate vor der Gewinnausschüttung eine recht enge Liquiditätspolitik. Die Neugestaltung des geldpolitischen Instrumentariums (u. a. verzinsliche Mindestreserven und Einlagenfazilität) und die neuen Bewertungsvorschriften werden aber vermutlich dazu führen, daß die ausgeschütteten Bundesbankgewinne in den kommenden Jahren nicht mehr ganz so hoch ausfallen werden.

11.9. Perspektiven der Geldpolitik

Die Begründung einer supranationalen Geldpolitik innerhalb der Europäischen Währungsunion stellt eine gravierende Veränderung der bisherigen Strukturen dar. Die Schaffung eines gemeinsamen Währungsraumes ist eine große Chance für die innereuropäische Entwicklung. Wenn es der EZB gelingt, eine auf Geldwertstabilität orientierte Geldpolitik durchzusetzen, dürften sich die stabilitätspolitischen Bedenken, die sich mit der künftigen Einhaltung der sog. **Konvergenzkriterien** verbinden, deren Erfüllung Voraussetzung war für den Beitritt zur EWU (vgl. Abschn. 12.7.6), verflüchtigen. Eine gewisse Skepsis ist dessenungeachtet angebracht, denn das gegenwärtige absolut niedrige Inflations- und Zinsniveau wird sich kaum auf Dauer halten lassen. Methodisch ist dabei aus geldpolitischer Sicht vor allem problematisch, wenn die Entwicklung in den Mitgliederstaaten unterschiedlich verlaufen. Wie soll sich die zentralisierte Geldpolitik verhalten bei asymmetrischen Entwicklungen, wenn sich z.B. Deutschland in einer Aufschwungphase befindet und Frankreich im Abschwung?

Ein wirtschaftspolitisches Strukturdefizit ergibt sich vor allem daraus, daß zwar die Geldpolitik zentral gesteuert wird, während Finanzpolitik, Lohnpolitik und Sozialpolitik weiterhin auf nationaler Ebene entschieden werden. Wirtschaftspolitik kann nicht nur mit der Geldpolitik gemacht werden. Die Koordinations- und Kooperationserfordernisse auf anderen Gebieten werden die EU noch sehr beanspruchen.

12. Wechselkurs- und Währungspolitik

In diesem Abschnitt wird der Begriff ‹**Währung**› nur im Hinblick auf **ausländische** Währungen verwendet. Da spätestens ab dem 1. Juli 2002 der Euro alleiniges Zahlungsmittel für Deutschland ist, ebenso wie für Belgien, Finnland, Frankreich, Italien, Irland, Luxemburg,

Niederlande, Österreich, Portugal und Spanien (vgl. Kapitel 12.6.5), bezieht sich der Begriff «Ausland» aus der Sicht von Deutschland nur auf Länder, die nicht an der europäischen Währungsunion teilnehmen. Umgekehrt umfaßt der Begriff «Inland» nicht mehr nur Deutschland in seinen nationalen Grenzen, sondern alle Teilnehmerländer der Währungsunion. Deswegen ist diese Klarstellung insofern von Bedeutung, als die Europäische Zentralbank (EZB) zur Sicherung der Währungsstabilität verpflichtet ist, womit die Kaufkraft des Euro gemeint ist. Im Mittelpunkt der auslandsbezogenen Währungspolitik steht der **Wechselkurs**, der das Austauschverhältnis zwischen zwei Währungen bezeichnet. Dies bedeutet einerseits, daß es ebensoviele Wechselkurse gibt wie ausländische Währungen, andererseits, daß eine Vielzahl von Wechselkursnotierungen durch die Einführung des Euro weggefallen sind bzw. werden.

12.1. Devisenmarkt

12.1.1. Wechselkursbegriffe

Der Wechselkurs zwischen zwei Währungen kann zweierlei aussagen.

(1) Zum einen drückt er den Preis in Inlandswährung aus für eine Einheit ausländischer Währung; dies bezeichnet man als **Preiswechselkurs**, z. B.:

1 USD = 0,9439 EUR

d. h. 1 amerikanischer Dollar (USD) kostet in Deutschland 0,9439 Euro. Am Bankschalter oder in den Devisennotierungen der Tageszeitungen ist oft eine verkürzte Schreibweise üblich:

USD 0,9439.

Für die jeweiligen ausländischen Währungen werden in der Praxis unterschiedliche ‹Kürzel› verwendet. Der amerikanische Dollar wird beispielsweise dargestellt als **US-$** oder als **USD** (dies entspricht dem ‹BIC›, dem International Bank Identifier Code; vgl. unten Abb. 12.1.1/5). Gelegentlich wird der Leser auch auf seine Geographiekenntnisse geprüft, indem statt des Währungskürzels im Sinne von ‹Stadt-Land-Fluß› die betreffende Devisenbörse (hier: ‹**New York**›) angegeben wird, oder es wird nur ‹**USA**› angegeben, wobei der Leser dann wissen muß, daß es sich um amerikanische Dollars handelt. Beim Dollar und den anderen gängigen Währungen ist das auch meist problemlos, aber ob jeder z. B. bei Türkei, Brasilien oder Neuseeland sattelfest ist?

(2) Der Kehrwert des Preiswechselkurses ist der **Mengenwechselkurs:** 1 USD = 0,9439 EUR entspricht – wertmäßig identisch –

1 EUR = 1,0594 USD

(gerundet). Der Mengenwechselkurs drückt aus, welche «Menge» ausländischer Zahlungsmittel man für generell eine Einheit Inlandswährung tauschen kann. Ausnahmen von dieser Regel sind die Notierungen türkischer Lirasi/Pfund und indonesischer Rupien, die sich auf 0,1 EUR beziehen. An den Börsen, den Bankschaltern und in der Presse werden seit der Einführung des Euros Mengenwechselkurse notiert. Ein ausländischer Preiswechselkurs ist folglich aus Inlandssicht identisch mit einem inländischen Mengenwechselkurs. Die Unterscheidung zwischen Preis- und Mengenwechselkursen wird im Zusammenhang mit der Betrachtung von Wechselkursänderungen in Abschn. 12.4 von Bedeutung sein.

Für die Praxis sind zwei weitere Begriffspaare von Bedeutung.

Zunächst ist zu unterscheiden zwischen **Ankaufs-** und **Verkaufskursen**, beides aus Banksicht: Der Ankaufskurs (**Geldkurs**) liegt bei der Mengennotierung über dem Verkaufskurs (**Briefkurs**), da Banken ausländische Währungen nur zu höheren Preisen verkaufen werden (der Kunde tauscht DM/EUR in Fremdwährung), als sie ihrerseits beim Ankauf zahlen müssen (der Kunde tauscht Fremdwährung zurück in DM/EUR). In Abb. 12.1.1/1 ist außerdem ersichtlich, daß zwischen **Devisenkursen** einerseits und **Sortenkursen** (synonym: **Notenkursen**) andererseits unterschieden wird. Devisenkurse gelten für den bargeldlosen Zahlungsverkehr (Überweisungen auf bzw. von Girokonten, Wechseleinreichungen, Schecks, auch Reiseschecks), Sortenkurse beziehen sich auf Bargeld.[1] Gegenstand des Devisenhandels sind jedoch nur Bankguthaben. Der Sortenverkaufskurs, der von den meisten Banken weiterhin als Preiswechselkurs notiert wird, da für die Bankkunden die Mengennotierung noch ungewohnt ist, ist höher als der Devisenverkaufskurs, d.h. ein Kunde, der sich ausländisches Bargeld kaufen möchte, zahlt einen höheren Preis, als wenn er sich Reiseschecks ausstellen ließe. Allerdings sind dabei oft genauere Berechnungen für einen Kostenvergleich erforderlich. Zwar sind die Sortenkurse für den Kunden ungünstiger als die Devisenkurse, doch fallen bei Devisenabrechnungen über Euroschecks, Reiseschecks oder Kreditkarten Nebenkosten an, die nicht immer legal sind (Abb. 12.1.1/2): Wer z. B. einen Euroscheck in Spanien auf Pesetas ausstellt,

[1] Ganz exakt gesehen beziehen sich Notenkurse nur auf Banknoten, Sortenkurse auf Banknoten und Münzen.

Abb. 12.1.1/1:
Wechselkurs-Notierungen

Devisenkurse zum Euro (1 Euro =)

22.04. Land	Währung*	Referenzkurse (13 Uhr) Geld	Brief	Interbankenhandel 18:03 Uhr	Veränd. in % seit 1.01.**
Australien°°	A-$	1,6110	1,6610	1,6273/6301	+16,69
Dänemark°	dkr	7,4128	7,4528	7,4299/4366	+0,73
Griechenland°°	Dr	319,6500	333,6500	327,0187/1864	+0,52
Großbritannien°	£	0,6578	0,6618	0,6573/6578	+8,02
Hongkong°°	H$	8,1035	8,3235	8,2152/2178	+10,55
Japan°	Yen	127,1100	127,5900	126,9700/0500	+4,23
Kanada°	can-$	1,5709	1,5829	1,5697/5711	+13,69
Neuseeland°°	nz-$	1,9080	1,9680	1,9340/9379	+14,83
Norwegen°	nkr	8,2389	8,2869	8,2680/2780	+8,23
Polen°°	Zl	4,1700	4,3700	4,2631/2692	-4,87
Schweden°	skr	8,8820	8,9300	8,8994/9094	+6,78
Schweiz°	sfr	1,5995	1,6035	1,5992/6006	+0,52
Südafrika°°	H-Rd.	6,2900	6,5900	6,4513/4605	+7,12
Tschechien°°	Czk	37,1600	38,5600	37,9360/9660	-7,26
USA°	US-$	1,0567	1,0627	1,0597/0601	+10,41

* Alle Währungsangaben beziehen sich auf einen Euro. ** im Vergleich zum Mittelwert der aktuellen Referenzkurse
° Quelle: EuroFX von öffentlichen und Genossenschaftsbanken, °° Quelle: Dresdner Bank

Euro-Währungen · Referenzkurse

1 € = 1,95583 DM	1 € = 2,20371 hfl	1 € = 1936,27 itl	1 € = 5,94573 Fm
1 € = 6,55957 FF	1 € = 166,386 Pt	1 € = 13,7603 Ats	
1 € = 40,3399 bf	1 € = 200,482 Es	1 € = 0,787564 I£	

Wechselkurse für Urlauber

22.04.in DM	Währung	Ankauf	Verkauf
Ägypten*	1 eg £	0,4233	0,6329
Australien	1 A-$	1,1094	1,2841
Argentinien	100 arg. Peso	149,4712	210,9849
Belgien/Lux***	100 bfr	4,8484	
Brasilien	100 Real	73,8606	145,0912
Dänemark	100 dkr	25,1069	27,5469
Finnland***	100 Fmk	32,8947	
Frankreich***	100 FF	29,8164	
Griechenland	100 Dr	0,5234	0,6775
Großbritannien	1 £	2,8162	3,0346
Hongkong	1 HK-$	0,2008	0,2609
Indien**	1 Rupie	0,0247	0,0527
Indonesien*	100 Rupien	0,0112	0,0327
Irland Rep.***	1 Ir £	2,4834	
Israel	1 Shekel	0,3421	0,5349
Italien***	100 Lire	0,1010	
Japan	100 Yen	1,4634	1,5817

22.04.in DM	Währung	Ankauf	Verkauf
Kanada	1 Can-$	1,1607	1,3171
Kenia**	1 K-Sh	0,0176	0,0355
Korea Süd*	100 Kwr	0,0879	0,2254
Kroatien*	100 Kuna	21,2845	30,6125
Malaysia	1 Ringgit	0,2928	0,5303
Malta*	1 M £	4,2334	4,9894
Marokko**	100 Dirham	16,2242	20,9740
Mexico	100 mex. Pesos	13,5352	23,1459
Neuseeland	1 NZ-$	0,8770	1,0988
Niederlande***	100 hfl	88,7517	
Norwegen	100 nkr	21,8163	24,9309
Österreich***	100 ATS	14,2136	
Pakistan	1 pak. Rupie	0,0137	0,0479
Polen**	100 Zloty	40,6364	50,0596
Portugal***	100 Esc	0,9756	
Rumänien**	100 Lei	0,0040	0,0360
Saudi-Arabien	1 Saudi-Riyal	0,4117	0,5264

21.04.in DM	Währung	Ankauf	Verkauf
Schweden	100 skr	20,3754	23,2588
Schweiz	100 sfr	119,7325	124,6943
Singapore	1 S-$	0,9740	1,1485
Slowak. Rep.*	100 Sk	3,9056	4,9569
Slowenien*	100 Tolar	0,6894	1,3559
Spanien*, ***	100 Ptas	1,1755	
Sri Lanka*	1 Rupie	0,0176	0,0450
Südafrika*	1 H-Rd.	0,2126	0,3821
Thailand	100 Baht	3,5561	5,7524
Tschech. Rep.*	100 Czk	4,7299	5,5328
Türkei*	100 Ltq	0,0005	0,0008
Tunesien**	1 tun. Din	1,1208	1,8539
Ungarn*	100 Fr	0,6565	0,9408
USA	1 US-$	1,7748	1,9044
Venezuela	1 Bolivar	0,0008	0,0048
Zypern*	1 zypr. £	2,9544	3,6085

Quellen: BfG Bank, Frankfurt; Reisebank AG, München; * Einfuhr begrenzt, ** Einfuhr verboten, *** feststehender Wechselkurs, bei dem je nach Bank unterschiedliche Gebühren anfallen

Abb. 12.1.1/2: Umtauschkosten

Geldumtausch in Europa kommt den Kunden oft teuer zu stehen

Auslandszahlungen sollen schneller und billiger werden

Kosten von durchschnittlich 25 Prozent / 16 Wochen unterwegs / Brüssel will Abhilfe schaffen

muß damit rechnen, daß die einlösende Bank in Spanien dafür eine Gebühr erhebt. Nach dem Euroscheck-Abkommen ist dies rechtswidrig: Euroschecks müssen in der Landeswährung ohne Abzug von Gebühren eingelöst werden. Lediglich die Heimatbank, bei der die Umrechnung in den – hier – DM- bzw. Euro-Gegenwert erfolgt, kann eine Provision in Höhe von z. Zt. 1% des DM- bzw. Euro-Gegenwerts erheben. Was viele nicht wissen: Wer trotzdem im Ausland eine Gebühr bezahlen muß, sollte sich eine Quittung darüber ausstellen lassen, die ihm vom Deutschen Sparkassen- und Giroverband erstattet wird. Insbesondere spanische und französische Banken neigen zur Mißachtung dieser (rechtsverbindlichen) EU-Vorschrift. In Frankreich einen Euroscheck einlösen zu wollen, kann ohnehin ein dorniger Hindernislauf werden. Natürlich ist es möglich, daß private Wechselstuben zum einen schlechtere Wechselkurse, zum anderen Gebühren erheben, und zwar sowohl bei Schecks als auch bei Bargeld. Der Vorteil einer einheitlichen europäischen Währung läßt sich hierbei deutlich erkennen. Ob es günstiger ist, Geld im Ausland einzutauschen oder bereits im Heimatland, hängt vom jeweiligen Zielland ab; mal ist es günstiger, mal nicht.

Der Unterschied zwischen Devisen- und Sortenkursen erklärt sich daraus, daß den Banken durch Bargeldgeschäfte u.a. Transport-, Lager-, Personal- und Versicherungskosten entstehen, die bei bargeldlosem Verkehr nicht anfallen.

In den Medien wird meist nur *ein* Wechselkurs genannt, also nicht zwischen Geld- und Briefkurs unterschieden. Es handelt sich dabei um den sogenannten **Mittelkurs**, der bis Anfang 1999 an der Devisenbörse in Frankfurt beim sog. **Fixing** durch einen amtlich bestellten Devisenmakler verbindlich festgelegt wurde. Dieses amtliche Fixing wurde durch das neue Devisenkursfixing abgelöst (Abb. 12.1.1/3). Jeweils montags bis freitags um 13 Uhr (Frankfurter Ortszeit) wird der Devisenkurs in Form von Referenzkursen von elf Landesbanken und vier Spitzeninstituten aus dem genossenschaftlichen Bereich bestimmt. Die privaten Großbanken sind (noch) nicht am neuen Fixing zugelassen. Die Referenzkurse dienen auch gegenüber den Bankkunden als Abrechnungsbasis, die Abrechnungskonditionen sind den Banken selbst überlassen, womit die Usancen des bisherigen

Abb. 12.1.1/3: Eurofixing (20.04.99)

Währung	Mittelkurs	Marge	Briefkurs	Geldkurs
EURUSD (am. Dollar)	1,0648	0,0030	1,0618	1,0678
EURJPY (jap. Yen)	125,55	0,240	125,31	125,79
EURGBP (brit. Pfund)	0,6585	0,0020	0,6565	0,6605
EURCHF (schweiz. Franken)	1,6040	0,0020	1,6020	1,6060
EURCAD (kanad. Dollar)	1,5820	0,0060	1,5760	1,5880
EURSEK (schwed. Kronen)	8,9071	0,0240	8,8831	8,9311
EURNOK (norweg. Kronen)	8,2768	0,0240	8,2528	8,3008
EURDKK (dän. Kronen)	7,4327	0,0200	7,4127	7,4527

Quelle: Reuters/Bundeskartellamt (Margen)

Referenzpreise ersetzen Devisenfixing

Fixings erhalten bleiben. Die Ermittlung und die Veröffentlichung des Mittelkurses erfolgt durch die Nachrichtenagentur Reuters. Aus den gemeldeten Referenzkursen wird letztlich das arithmetische Mittel gebildet. Derzeit werden acht Währungen ermittelt, deren Notierung in Euro in Form der Mengennotierung erfolgt (Abb. 12.1.1/3). Ausgehend vom Mittelkurs werden dann der Geld- und Briefkurs unter Berücksichtigung der angegebenen Margen errechnet.

Der allergrößte Teil des Devisenkassahandels vollzieht sich außerbörslich und fast ausschließlich per Telefon oder Fax bzw. Telex. Dabei ist zwischen **Eigengeschäften** zu unterscheiden, denen keine Kundenaufträge zugrunde liegen, und der Abwicklung von **Kundengeschäften**, deren Risiko durch «**Glattstellungen**», d. h. entsprechend gegenläufige Transaktionen, jeweils kompensiert wird. Kassageschäfte für Kunden führen Kreditinstitute durch Selbsteintritt als Kommissionäre aus, Termingeschäfte (vgl. unten) sind Eigengeschäfte der Kreditinstitute. Außer den Kreditinstituten sind spezielle Makler am Devisenmarkt tätig.

Im Hinblick auf die Gewinnüberlegungen ist zwischen *Spekulation* und *Arbitrage* zu unterscheiden. Bei **Kurs-Arbitragen** werden Kursunterschiede genützt, die *zum selben Zeitpunkt* an verschiedenen Börsenplätzen auftreten, z. B. wenn man Dollar in Tokio zu 0,9440 EUR kaufen und in London zu 0,9450 EUR verkaufen kann (analog gibt es **Zinsarbitragen**, mit denen Zinsdifferenzen zwischen verschiedenen Geldmärkten ausgenutzt werden). Kursarbitragen sind relativ selten, weil durch die Vernetzung der Informationssysteme derartige Vorteile sofort von vielen Devisenhändlern ausgenutzt werden, so daß sich die

Kursunterschiede durch entsprechende Angebots- und Nachfrageverschiebungen sofort einebnen. Mit **Kurs-Spekulationen** wird auf entsprechende Kursentwicklungen *im Zeitablauf* gesetzt; z. B. würde es in Erwartung steigender Dollarkurse lohnend sein, heute Dollars zu kaufen, um sie später mit Gewinn zu verkaufen. Vgl. auch unten Abschn. 12.1.2.

Im allgemeinen Sprachgebrauch wird häufig von Devisen als Oberbegriff für ausländische Zahlungsmittel gesprochen, doch ist dies offensichtlich sachlich nicht korrekt, weil Bargeld keine Devisen, sondern Sorten bzw. Noten sind. Die Sorten- bzw. Notenkurse können von den Banken individuell bestimmt werden, wobei sich die Institute in der Regel nach den Empfehlungen ihrer Girozentralen richten. Abb. 12.1.1/4 gibt einen Überblick über die verschiedenen Wechselkursbegriffe. Dabei sind noch zwei Ergänzungen erforderlich: Bei Einreichen von Schecks, die auf ausländische Währung lauten, rechnen die Banken zum sog. **Sichtkurs** ab, der unter dem Devisengeldkurs liegt, da der DM-Betrag dem Einreicher früher gutgeschrieben wird («E. v.», d. h. Eingang vorbehalten), als die ankaufende Bank den

Abb. 12.1.1/4: Wechselkurs-Begriffe (Bsp. US-$) 22.4.99

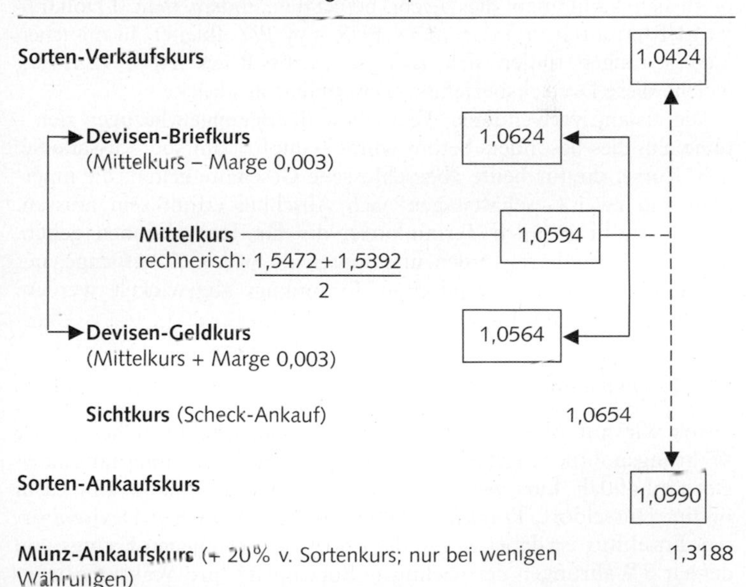

Quelle: HypoVereinsbank/Reuters

Scheckbetrag beim Bezogenen einziehen kann. Für diese – einige Tage ausmachende – ‹Kredit›zeit wird daher der etwas ungünstigere Sichtkurs berechnet (der Kursabschlag beträgt in der Regel die halbe Spanne zwischen Devisenbrief- und -geldkurs). Münzen werden vielfach gar nicht zurückgekauft und wenn doch, dann zu einem im Vergleich zu Banknoten meist sehr ungünstigen Münzkurs (meist rd. 20% über dem Sortenankaufkurs).

Abb. 12.1.1/5 enthält zur Veranschaulichung Kursangaben von einigen weniger gebräuchlichen Währungen, da sich die «Kurszettel» in den Medien verständlicherweise auf die wichtigsten Währungen beschränken. Die Abbildung enthält in der zweiten Spalte auch den von den ‹normalen› Devisenkürzeln abweichenden «BIC», den «International Bank Identifier Code», der jede Währung mit drei Buchstaben bezeichnet: Der Euro beispielsweise wird danach mit EUR abgekürzt, der amerikanische Dollar mit USD, der schweizer Franken mit CHF statt mit sfr. Die deutsche Devisenbörse in Frankfurt weist auch den BIC aus.

In vielen Fällen ist es erforderlich, das Wertverhältnis zweier ausländischer Währungen zueinander zu bestimmen, z.B. US-$ zu Yen. Natürlich kann man dies leicht berechnen, indem man 1 Dollar = xx EUR ermittelt und daraus xx EUR = yy JPY ableitet. In manchen Tageszeitungen finden sich aber sog. **Cross Rates** (Abb. 12.1.1/6), welche diese Dreiecksbeziehung unmittelbar ausdrücken.

Die bislang verwendeten Wechselkursüberlegungen bezogen sich – ohne daß dies besonders betont wurde – implizit auf sog. **Kassakurse**, d.h. Kurse, die für heute abgeschlossene Geschäfte gelten, die innerhalb von zwei Geschäftstagen nach Abschluß erfüllt sein müssen. Daneben gibt es auch **Terminkurse**, die für Transaktionen gelten, die heute vereinbart werden und später als zwei Geschäftstage, per Termin, zum heute vereinbarten Terminkurs abgewickelt werden. Abschn. 12.1.3 geht hierauf näher ein.

12.1.2. Devisenhandel

Bevor wir auf ökonomische, teilweise technische Einzelheiten der Währungspolitik eingehen, soll der Hintergrund des internationalen Devisenhandels kurz beleuchtet werden. In Deutschland gibt es in Berlin, Düsseldorf, Frankfurt, Hamburg und München Devisenbörsen. Frankfurt ist dabei wegen des dort vorgenommenen **Fixings** von derzeit 8 Währungen der wichtigste Börsenplatz (pro Währung beansprucht das Fixing nur wenige Minuten). Diese offiziellen Börsen haben für den internationalen Devisenhandel allerdings nur nachge-

Abb. 12.1.1/5: Exotische Währungen

Währung	Abkürzung	EUR/1 Einheit	Einheiten/1 EUR
Andorranischer Franc	ADF	0.1618	6.1777
Andorranische Pesete	ADP	0.006378	156.717
Afghanische Afghani	AFA	0.0001915	5220.25
Albanischer Lek	ALL	0.006385	152.047
Angolanischer Kwanza	AON	4.619e-06	216411
Aruba Florin	AWG	0.5081	1.9672
Barbados-Dollar	BBD	0.4548	2.198
Bangladeschischer Taka	BDT	0.01871	53.0817
Bahrain-Dinar	BHD	2.4124	0.4143
Burundi-Franc	BIF	0.002077	481.356
Bermuda-Dollar	BMD	0.9095	1.099
Brunei-Dollar	BND	0.5329	1.8757
Bolivianischer Boliviano	BOB	0.1596	6.2643
Bahama-Dollar	BSD	0.9095	1.099
Bhutanischer Ngultrum	BTN	0.02144	46.6196
Botsuanischer Pula	BWP	0.1947	5.1128
Belize-Dollar	BZD	0.4548	2.198
Chilenischer Peso	CLP	0.001838	543.346
Chinesischer Renminbi Yuan	CNY	0.1099	9.0972
Costa-Rica-Colón	CRC	0.003303	302.61
Dschibuti-Franc	DJF	0.005053	191.039
Dominikanischer Peso	DOP	0.05479	18.0236
Algerischer Dinar	DZD	0.01409	70.9331
Ecuadorianischer Sucre	ECS	0.0001051	9341.5
Estnische Krone	EEK	0.06415	15.5771
Ägyptisches Pfund	EGP	0.266	3.7503
Äthiopischer Birr	ETB	0.1212	8.2481
Fidschi-Dollar	FJD	0.4614	2.1621
Falkland-Pfund	FKP	1.4864	0.6725
Ghanaischer Cedi	GHC	0.0003813	2587.6
Gibraltar-Pfund	GIP	1.4864	0.6725
Gambischer Dalasi	GMD	0.08194	12.034
Guatemaltekischer Quetzal	GTQ	0.1331	7.5114
Guyana-Dollar	GYD	0.006063	164.85
El-Salvador-Colón	SVC	0.1037	9.6108

Quelle: eigene Zusammenstellung

ordnete Bedeutung. Nur ein Bruchteil des Devisenhandels (ca. 1–2%) läuft über die Devisenbörsen, während sich der ‹eigentliche› Devisenhandel im telefonisch oder über Terminals abgewickelten ‹vor-› oder ‹nachbörslichen› Handel (**Telefonverkehr**) abspielt, wobei die Händler

Abb. 12.1.1/6: Cross-Rates

Devisen-Cross-Rates					
22.04. 18:01 Uhr	€	$	£	Yen	sfr
1 €	–	1,0599	0,6576	127,0100	1,5999
1 $	0,9435	–	0,6204	119,8321	1,5095
1 £	1,5208	1,6119	–	193,1564	2,4331
100 Yen	0,7900	0,8345	0,5177	–	1,2597
1 sfr	0,6250	0,6625	0,4110	79,3862	–

Quelle: Süddeutsche Zeitung

hinsichtlich ihrer Kursstellungen völlig frei sind: An- und Verkaufskurse im Devisenhandel richten sich jeweils nach Angebot und Nachfrage; die Kurse schwanken entsprechend (Abb. 12.1.2/1). An der Devisenbörse wickeln die Banken vorrangig nur bestimmte Kundenaufträge ab und decken ihren Spitzenbedarf ab.

Im Geschäft zwischen den Banken und Devisenhändlern werden die Kurse angewendet, die sich am freien Devisenmarkt (also weitestgehend im Telefonverkehr) bilden und die sich laufend ändern können. Im Privatkundengeschäft legen die Banken den Fixingkurs bzw. eigene Referenzkurse ihren Transaktionen zugrunde. Die zwischenstaatlichen Transaktionen, z. B. zwischen den Notenbanken, werden zu den Referenzkursen der Zentralbank abgewickelt. Auch bei der Ermittlung des Zollwertes bei Einfuhren wird ein Umrechnungsfaktor ermittelt, der auf dem Referenzkurs der Zentralbank basiert. Dagegen werden zur Umrechnung in Statistiken oder bei juristischen Auseinandersetzungen die entsprechenden Tageswerte des Fixings herangezogen.

Neben den Banken und den darauf spezialisierten Devisenhändlern und -maklern treten auch größere Industrieunternehmen und Han-

Abb. 12.1.2/1: Devisenhandel I

DEVISENMARKT

Dollar kräftig erholt

Franken unter Druck

Yen weiter schwach

Der Euro bleibt schwach

delshäuser direkt am Devisenmarkt als Teilnehmer auf. Das äußere Bild bei Devisenhändlern bzw. -maklern hat sich verändert. Zunächst sitzen sie (immer noch) in einem Dschungel von Telefonen und bedauern, nur zwei Ohren zu haben; mit den wichtigsten Geschäftspartnern sind sie in der Regel durch Standleitungen verbunden (die Telefonkosten sind entsprechend) (Abb. 12.1.2/2). Heute wird die Szene zusätzlich von Monitoren beherrscht, auf denen die sich an vielen Orten der Welt bildenden Kurse gleichzeitig verfolgt werden können; Computer vollführen in Sekundenschnelle komplizierte Rechenoperationen.

Dennoch herrscht oft Hektik, denn gerade wegen dieser technischen Hilfsmittel ist der Devisenmarkt für alle recht transparent geworden, und das Ausnützen von Vorteilen muß blitzschnell gehen. Daher hat sich auch eine eigene, für den Außenstehenden oft unverständliche Sprache entwickelt. Devisenkurse werden meist bis in die vierte Stelle nach dem Komma berechnet. Solche Zahlenkolonnen wären aber viel zu zeitraubend und fehlerträchtig. Wenn der Dollarkurs für einen Euro beispielsweise um 1,06 USD liegt, dann wird sich ein Devisenhändler überlegen, welchen Kurs er «stellen» wird, z.B. «fünfundzwanzig, fünfunddreißig». Das bedeutet, daß er zu 1,0625

Abb. 12.1.2/2: Devisenhandel II

Quelle: FAZ v. 6.11.1990, Abdruck mit freundlicher Genehmigung (Foto: Wolfgang Eilmes)

USD/EUR zu kaufen bereit ist (sein Geldkurs) und für 1,0635 USD/EUR (sein Briefkurs) verkaufen würde. Die Differenz zwischen diesen beiden Kursen, über die jeder Händler für sich selbst entscheidet, beträgt üblicherweise zehn Stellen. Dabei gibt es unter Devisenhändlern übliche Gebräuche (Usancen): Eine angerufene Bank *muß* einen Geld- und einen Briefkurs nennen (‹stellen›), und wenn der Anrufer es so möchte, *muß* die angerufene Bank zu diesen Kursen kaufen bzw. verkaufen. Natürlich kann man auch einmal «Abwehrkonditionen», d.h. unrealistische Kurse nennen. Dann wird man hören: «Thanks, but we saw its lightly better», und der Anrufer wird an anderer Stelle seinen Kontakt abschließen.

Auch die gehandelten Beträge werden meist verkürzt wiedergegeben: «100 Dollar» sind 100 Millionen Dollar, und mit dem Ausruf «an Sie!» ist gerade ein Verkauf bzw. mit «von Ihnen!» ein Kauf abgeschlossen worden. Ein Devisenmakler, der also nicht auf eigene Rechnung arbeitet, verdient pro 1-Millionen-Dollar-Kontrakt 25 Dollar von jeder ‹Seite›, d.h. sowohl Käufer als auch Verkäufer zahlen dem Vermittler diesen Betrag. Kursdifferenzen von tausendstel Pfennigen summieren sich dabei zu erheblichen Summen. Wenn ein Händler «50 Dollar» (also 50 Mio. Dollar) zu 1,0630 gekauft und zu 1,0633 verkauft hat, er also «drei Stellen gut gemacht» hat, hat er – möglicherweise innerhalb weniger Sekunden – 15 000 Euro gewonnen. Bei den gewaltigen Summen, die tagtäglich umgesetzt werden, können sich somit Gewinne – oder Verluste – gleichfalls zu stolzen Zahlen addieren, so daß man sich vorstellen kann, unter welcher nervlichen Belastung diese Kontrakte abgeschlossen werden. Und alles am Telefon: Das gesprochene Wort eines Devisenhändlers gilt; andernfalls wäre er sehr schnell «draußen». Erst anschließend werden schriftliche **Händlernoten** erstellt, die dann als Grundlage für Buchführung und buchmäßige Abwicklung dienen. Viele Devisenhändler zeichnen als Gedächtnisstütze das telefonische Geschehen auf Tonband auf; mancher Streitfall läßt sich so schnell klären, unabhängig davon, daß dies juristisch nicht als Beweismittel dient. Gegebenenfalls teilt man sich den Schaden. Aber wie gesagt: Das gesprochene Wort gilt, und man kennt sich: Die meisten Händler sprechen sich (meist auf englisch) nur mit dem Vornamen an.

Nach dem durch dubiose Devisengeschäfte ausgelösten Zusammenbruch der Herstatt-Bank im Jahre 1974 wurde seitens der Bundesbank durchgesetzt, daß eine organisatorische Dreiteilung stattfindet, indem der Devisenhandel (am Telefon), die Abwicklung der geschlossenen Geschäfte (ggf. Verkauf von Wertpapieren, in denen Devisen angelegt waren, sowie Überweisung («Anschaffung») der verkauften Beträge) und Buchung organisatorisch getrennt erfolgen, um Mauscheleien unmöglich zu machen.

Der internationale Devisenhandel läuft aufgrund der Verschiebung der Zeitzonen rund um die Uhr; wenn in Europa geschlossen wird, läuft in New York das Geschäft noch, und über Nacht kann sich viel verändert haben. Da nur ein Bruchteil der Umsätze über die offiziellen Börsen läuft, ist das Gesamtvolumen des Devisenhandels schwer zu schätzen. 1998 wurde das Handelsvolumen an den Devisenbörsen auf 2690 Milliarden Mark geschätzt. Insgesamt wird davon ausgegangen, daß täglich Billionenbeträge an den internationalen Devisenmärkten umgesetzt werden. Dies ist ein Vielfaches des täglichen Güterhandelsvolumens in der Welt. Dabei steht der Dollar im Mittelpunkt, denn der Markt z. B. für direkte Franken/Yen-Geschäfte ist «eng»; vielmehr wird man Franken gegen Dollar verkaufen und mit den Dollar anschließend Yen einkaufen: Der Dollar fungiert als «Vehikelwährung».

12.1.3. Kassa- und Termingeschäfte

Als **Kassakurse** bezeichnet man die Wechselkurse, die für Geschäfte gelten, die sofort abgewickelt werden (**Spotgeschäfte**), während **Terminkurse** für Geschäfte gelten, die erst zu einem späteren Zeitpunkt auf der Basis des heute vereinbarten Kurses abgewickelt werden. Während sich die Kassakurse an den Devisenmärkten nach Angebot und Nachfrage bilden, werden die Terminkurse von Anbietern der Devisen-Termingeschäfte ‹gesetzt›. Termin- und Kassakurse weichen in der Regel voneinander ab.

12.1.3.1. Report und Deport

Ist der Terminkurs höher als der Kassakurs, so spricht man von einem Aufschlag (**Report**), ist er niedriger, von einem Abschlag (**Deport**). Ob eine Währung mit Report oder Deport gehandelt wird, hängt in erster Linie von den **Zinsunterschieden** zwischen den betreffenden Ländern ab. In Abb. 12.1.3/1 wird beispielsweise der US-Dollar mit einem Aufschlag ausgewiesen. Dies liegt daran, daß das Zinsniveau in der Bundesrepublik niedriger liegt als in den USA. Der Käufer von Termindollars muß erst per Termin Euro liefern, kann also in der Zwischenzeit diesen Euro-Betrag am Eurogeldmarkt nur niedrigverzinslich anlegen, während der Verkäufer der Termindollars diesen Dollarbetrag zwischenzeitlich am US-Markt höherverzinslich anlegen kann. (Ob dies tatsächlich geschieht, ist für die Kursbildung unerheblich.) Dieser Zinsnachteil für den Termin-Käufer wird daher durch

Abb. 12.1.3/1: Devisen-Termin-Markt

	Zinsen am Eurogeldmarkt unter Banken					
22. 04. (%)	Tagesgeld	1 Monat	2 Monate	3 Monate	6 Monate	1 Jahr
Euro	2,4000–2,6500	2,34–2,59	2,35–2,60	2,36–2,61	2,36–2,61	2,45–2,70
US-$	4,4375–4,6875	4,65–4,90	4,70–4,95	4,73–4,98	4,78–5,03	4,97–5,22
brit.-£	5,2500–5,5000	5,12–5,37	5,12–5,37	5,07–5,32	5,02–5,27	5,09–5,34
sfr	0,6250–0,8750	0,67–0,92	0,71–0,96	0,75–1,00	0,75–1,00	0,90–1,15
Yen	0,0000–0,2500	0,00–0,20	0,00–0,20	0,00–0,20	0,00–0,20	0,00–0,25

Quelle: Süddeutsche Zeitung

	Terminhandel: Swapsätze					
	1 Woche	1 Monat	2 Monate	3 Monate	6 Monate	1 Jahr
EUR/ USD	4.5/4.7	20.0/20.3	42.0/42.6	61.9/62.8	128.1/129.5	268.2/271.2
EUR/ CHF	–5.0/–4.5	–22.7/–22.0	–45.2/–43.6	–66.5/–64.0	–129.4/–126.3	–245.4/–237.6

Quelle: HypoVereinsbank

einen Aufschlag ausgeglichen, so daß der Termindollarkurs höher liegt als der Kassakurs. Abb. 12.1.3/1 verdeutlicht dies: Der US-Dollar wird am Euro-Geldmarkt höher, der Schweizer Franken dagegen niedriger verzinst als der Euro, folglich weisen die Termin-Notierungen (**Swaps**) für den $ einen Report und für sfr einen Deport auf. Daß die Reports und Deports mit zunehmender Laufzeit des Termingeschäfts – und damit zunehmender Wahrscheinlichkeit, daß sich Änderungen ergeben – gleichfalls im Sinne einer Risikoprämie größer werden, dürfte einleuchten. Der Unterschied zwischen Termin- und Kassakurs wird als **Swap** bezeichnet bzw., wenn er in Prozenten des Kassakurses ausgedrückt wird, als **Swapsatz**. Devisentermingeschäfte (*«futures»*) spielen eine große Rolle in der kaufmännischen Praxis. Ein Exporteur, der mit Zahlungsziel liefert, kann sich gegen das Wechselkursrisiko durch einen Terminverkauf des zu erwartenden, später eingehenden Devisenerlöses absichern; ein Importeur, der auf Kredit kauft, wird sich analog durch einen Terminkauf absichern. Aber auch der allgemeine Geldmarkt operiert mit Terminkontrakten:

Die EZB bietet Swapgeschäfte an, um An- und Verkaufswünsche von Devisen zu stimulieren und damit Einfluß auf die Wechselkurse zu nehmen oder – und dies steht heute im Vordergrund – um die Geldmenge durch Geldexport ‹feinzusteuern›. Wenn beispielsweise der

Terminkurs für den Dollar 1,0438 und der Kassakurs 1,0436 ist (von Geld- und Briefkursen sei hier wiederum abgesehen), dann besteht ein Ansatz, Dollar jetzt zu kaufen und per Termin zurückzuverkaufen. Zwischenzeitlich können die Dollars im Ausland zinsbringend angelegt werden. Somit lohnen sich bei entsprechend hohen Zinsunterschieden Termingeschäfte, wenn die Termindevisen mit Deport gehandelt werden. Ein entsprechend gesetzter Swapsatz seitens der EZB kann somit dazu beitragen, dem Markt vorübergehend Liquidität zu entziehen oder zur Verfügung zu stellen.

12.1.3.2. Devisenpensionsgeschäfte

Eine Variante besteht in sog. **Devisenpensionsgeschäften**, die sich analog zum Wertpapierlombard bzw. zu Wertpapierpensionsgeschäften vollziehen und als Offenmarktgeschäfte auf Zeit zu betrachten sind (vgl. Abschn. 11.5.4 und 11.5.6). Dabei werden Geschäftsbanken vorübergehend Devisen übertragen und somit Liquidität entzogen, was letztlich dieselben Wirkungen hat wie ein Swapgeschäft. Während bei **Swapgeschäften** ein Termin- mit einem Kassageschäft gekoppelt ist – z. B. verkauft die EZB Devisen und kauft sie per Termin zurück –, gibt es auch Termingeschäfte ohne Kassageschäft (sog. **Outright-Geschäfte**). Sie dienen hauptsächlich dazu, Spekulationen hinsichtlich der Wechselkursentwicklung entgegenzuwirken. So würden bei Aufwertungserwartungen hinsichtlich des Euros Devisen per Termin angekauft, um den Anreiz zu spekulationsbedingten Devisenzuflüssen zu mildern. Würde also der Euro zwischenzeitlich aufgewertet, so hätte der Devisenverkäufer durch den Terminkurs kaum einen Aufwertungsverlust zu tragen. Swapgeschäfte werden auch zwischen den Notenbanken getätigt, um Devisen zu besorgen, die zur Kursstützung beispielsweise im EWS II benötigt werden. Analog werden am Markt aufgekaufte Devisen in Outrightgeschäften per Termin an ausländische Notenbanken zurückverkauft.

Devisentermingeschäfte dienen im kaufmännischen Bereich in erster Linie dazu, sich gegen mögliche Verluste aus Wechselkursänderungen abzusichern. Die damit verbundenen Kosten – u. a. in Form von Kursabschlägen gegenüber dem Kassakurs – könnten somit als Versicherungsprämie bezeichnet werden

In Deutschland werden Terminkurse von den Kreditinstituten in Abhängigkeit von den Zinsunterschieden zwischen den beteiligten Währungen «gestellt». Bei Termingeschäften sind volle Monate üblich, d. h. 30, 60, 90, 180 oder 360 Tage, es können aber auch «gebrochene Termine» vereinbart werden, wenn das Basisgeschäft dies nahelegt. Kunden, die keine Kaufleute sind, müssen i.d.R. für Termingeschäfte Sicherheiten leisten.

12.1.3.3. Devisenoptionen

Eine weitere Variante der Wechselkursabsicherung, allerdings mit beträchtlichen spekulativen Charakter, stellen **Devisen-Optionen** (Abb. 12.1.3/2) dar. Dabei erwirbt der Erwerber z.B. einer Devisen-Verkaufsoption das Recht, Devisen, die er beispielsweise aus Exporterlösen erzielt, innerhalb eines bestimmten Zeitraums zu einem festgelegten Kurs zu verkaufen. Der Vertragspartner, der sog. **Stillhalter**, ist zur Abnahme verpflichtet, auch wenn sich der Kurs aus seiner Sicht ungünstig entwickelt hat. Wenn z.B. der Dollar-Kassakurs (Preisnotierung) zum vereinbarten Zeitpunkt niedriger liegt als der vereinbarte Optionskurs, wird der Optionsinhaber sein Verkaufsrecht ausnutzen und folglich einen besseren Kurs erzielen als am Kassamarkt. Liegt der Kassakurs höher als der Optionskurs, wird der Optionsinhaber die Option verfallen lassen. Derartige Devisenoptionen haben einen entsprechenden – nicht unbeträchtlichen – Marktpreis. Wenn das Optionsrecht darin besteht, eine Währung kaufen zu dürfen, spricht man von einer **Call-Option**, beim Verkaufsrecht von einer **Put-Option**. Wird die Option nicht ausgenutzt, verfällt dieser Preis u.U. in voller Höhe. Aufgrund des deutlich **spekulativen Charakters** und der im Vergleich zu Devisen-Termingeschäften deutlich höheren Kosten bieten sich Optionsgseschäfte weniger zur kaufmännischen Wechselkursabsicherung an.

Die günstigste Form, sich gegen Wechselkursschwankungen abzusichern, besteht im kaufmännischen Bereich darin, Rechnung auf DM, bzw. Euro lauten zu lassen, d.h. das Wechselkursrisiko wird auf die Handelspartner abgewälzt. Ob dies möglich ist, hängt insbesondere von der Marktposition, von der Stärke am Markt und dem Vertrauen der Handelspartner in die nationale Währung ab. Die Außenhandelsstatistiken belegen, daß rund 80% der deutschen Exporte in DM ‹**fakturiert**› wurden, d.h. daß die Rechnung auf DM lautet, und im Importbereich waren es immerhin rund 53% DM-Faktura. Ob der Euro ebenfalls diese Bedeutung erreicht, wird sich erst in der nächsten Zeit erweisen müssen.

12.1.4. Dollar-Dominanz

Über 80% aller Devisenumsätze vollziehen sich in Dollar. Im internationalen Devisenhandel war die DM – nach dem US-Dollar – zur zweithäufigsten Währung geworden (zuvor war dies der japanische

Abb. 12.1.3/2: Währungsoptionen

Kaufoptionen (Call)%					Verkaufoptionen (Put)%			
Basis	1 Monat	3 Monate	6 Monate	1 Jahr	1 Monat	3 Monate	6 Monate	1 Jahr
EUR/$								
1.0866	0.46–0.51	1.24–1.31	2.20–2.29	3.78–3.90	2.20–2.25	2.57–2.64	2.92–3.01	3.24–3.36
1.0717	0.90–0.95	1.79–1.86	2.86–2.95	4.54–4.66	1.25–1.30	1.74–1.81	2.21–2.30	2.61–2.79
1.572	1.63–1.68	2.56–2.63	3.65–3.74	5.34–3.46	0.62–0.67	1.17–1.24	1.68–1.77	2.18–2.30
$/DM								
1.8000	3.96–4.05	4.63–4.75	5.26–5.42	5.83–6.05	0.83–0.92	2.23–2.36	3.96–4.12	6.80–7.02
1.8250	2.28–2.37	3.18–3.30	4.03–4.20	4.87–5.09	1.64–1.73	3.27–3.39	5.22–5.38	8.29–8.50
1.8500	1.15–1.24	2.16–2.29	3.11–3.27	4.03–4.26	3.02–3.11	4.74–4.87	6.75–6.92	9.88–10.1

Quelle: HypoVereinsbank

Yen): Bei fast 40% aller Transaktionen weltweit wurde ausländische Währung gegen DM gehandelt. Dies ist völlig unabhängig vom Ort der Transaktionen: Die meisten Währung-gegen-DM-Transaktionen wurden über London abgewickelt: dreimal mehr als in Frankfurt. Allerdings werden in London auch mehr Dollar-Transaktionen abgewickelt als in den USA. Als Transaktionsplatz liegt Deutschland dabei noch hinter Singapur, der Schweiz und Hongkong. Im europäischen Raum fungierte die DM allerdings sehr stark als «**Vehikel-**» oder **Ankerwährung**; viele europäische Nachbarländer verzeichneten deutlich mehr DM- als Dollar-Transaktionen. Über die Stellung des Euro auf den Handelsmärkten und die Akzeptanz durch die Handelspartner liegen noch keine Angaben vor. Im Devisenmarkt geht insgesamt die Bedeutung der **Kassamärkte** zurück zugunsten der **Termin-** oder **Swapmärkte**, die verstärkt zur Risikoabsicherung verwendet werden, und der **Devisenoptionsmärkte**, die in hohem Maße spekulativen Zwecken dienen (vgl. oben).

Auch im internationalen Güterhandel dominiert der Dollar: Ein Großteil der Außenhandelsrechnungen wird international in Dollar ausgestellt («fakturiert») (vgl. Abb. 12.1.4/1). Im deutschen Außenhandel hingegen dominiert (noch) eindeutig die DM als Fakturierungswährung (Abb. 12.1.4/2). Dies wird sich in den nächsten Jahren deutlich auf den Euro verlagern. Insgesamt erklärt sich daraus die wichtige Stellung des Dollars in den internationalen Handels- und Finanzbeziehungen. Das erhebliche Übergewicht der Finanztransaktionen über die Handelsbewegungen macht aber auch deutlich, daß die Handelsströme zwar ein wichtiger, aber eben nur einer von vielen Einflußfaktoren für die Wechselkurse sind.

Abb. 12.1.4/1: Fakturierung I

In Japan beherrscht der Dollar die Außenhandelsszene

Fakturierungswährungen im Außenhandel
– in Prozent des Wertes der jeweiligen Aus- und Einfuhren –

	Eig. Währung		US-Dollar		D-Mark		Engl. Pfund		Franz. Franc	
	Export	Import	Export	Import	Export	Import	Export	Import	Export	Import
USA	98,0	85,0	98,0	85,0	1,0	4,1	1,0	1,5	*	1,0
Bundesrep. Deutschland	82,7	45,4	7,0	28,9	82,7	45,4	1,5	2,2	2,6	3,7
Japan	28,9	2,3	66,3	93,0	1,9	2,0	0,9	2,0	0,3	1,0
England	75,9	30,3	*	*	*	*	75,9	30,3	*	*
Frankreich	62,4	35,8	11,6	28,7	10,2	14,1	3,2	3,8	62,4	35,8
Italien	31,3	9,1	31,1	50,6	21,5	20,2	2,7	5,1	6,4	0,8
Schweiz	82,8	38,0	7,1	27,0	7,8	24,0	*	5,0	1,2	6,0

* keine Angaben

Quelle: Internationaler Währungsfonds

Quelle: AW

Abb. 12.1.4/2: Fakturierung II

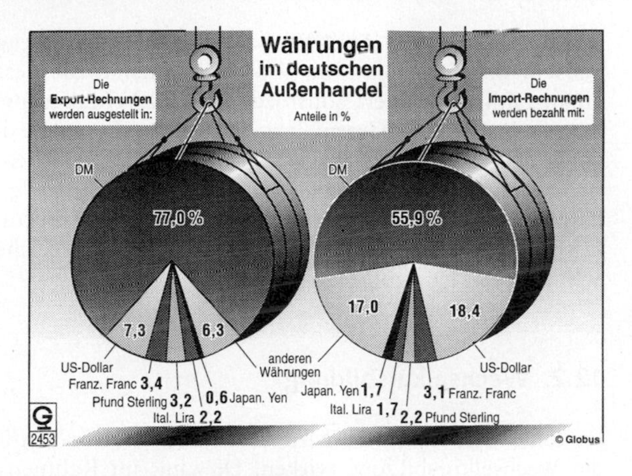

12.1.5. Exkurs: Zur Geschichte des Dollars

Den amerikanischen Dollar gibt es seit 1792, also seit über 200 Jahren. Zunächst herrschte aber – auch bedingt durch den amerikanischen Bürgerkrieg – ein Währungswirrwarr. Zum Ende des Bürgerkriegs gab es rund 7000 verschiedene Banknoten von etwa 1500 Ausgabeinstituten; ein Drittel des Geldumlaufs galt als gefälscht. Erst die Geldscheine der Nordstaaten, die «Greenbacks», setzten sich als Banknoten durch. Vom Wort her leitet sich «Dollar» aus Silbermünzen ab, die seit 1515 aus Silber geprägt wurden, das aus Minen in Joachimsthal im Erzgebirge gefördert wurde. Die «Joachimsthaler Silbermünze» hat sich im Zeitlauf über «Taler» zu «Dollar» abgeschliffen.

Bis zur Unabhängigkeit der ehemaligen englischen Kolonien in Nordamerika galt dort das englische Pfund als gesetzliches Zahlungsmittel, allerdings neben einer Vielzahl von verschiedenem Warengeld als Geldsurrogaten – Tabak, Felle, Schießpulver, Muschelschmuck – und dem spanisch-mexikanischen Peso. Nach der Unabhängigkeit fehlte zunächst Bargeld, und so blieb auch zunächst der mexikanische Real mit im Umlauf, der im Sprachgebrauch Peso (span.: Gewicht) genannt wurde. Erst 1857 verlor er die Eigenschaft als gesetzliches Zahlungsmittel, als eine amerikanische Währung eingeführt wurde, die man allgemein nur «Dollar» nannte. Man sagt auch, daß das Dollarzeichen $ die zusammengeschobene Abkürzung «P'S» für Peso ist (FAZ 28. April 1999). Interessant ist auch, daß die Ein-Dollar-Note metaphysische Elemente enthält: Über der Pyramide von Gizeh, um die sich eine Vielzahl von Interpretationen ranken, ist das esotherische sog. «Dritte Auge» abgebildet.

Die USA haben im April 1994 neue Banknoten ausgegeben, die erstmals in der Geschichte der USA die Unterschrift des amtierenden Finanzministers tragen, sonst jedoch keine Veränderung im Vergleich mit den bisherigen «Greenbacks» aufweisen. Es wird jedoch erwogen, völlig neue Banknoten zu gestalten, da die Dollarscheine als das am leichtesten nachzumachende Papiergeld gelten: Viele ausländische Banken nehmen keine 100-Dollar-Noten an. Die diskutierten Sicherheitsmaßnahmen umfassen Hologramme, Wasserzeichen und einen Schutz gegen Farbkopieren.

12.2. Wechselkursbildung

Im folgenden Abschnitt wird untersucht, welche Einflußgrößen auf die Wechselkursbildung wirken. Dies gilt im Rahmen der Europäischen Währungsunion für den Euro genauso wie für nationale Währungen in anderen Ländern. Als Inland gilt dabei der gesamte Euro-Raum (Euroland), als Ausland entsprechend ein Nicht-Mitgliedsland der EWU.

12.2.1. Einflußgrößen

Der Wechselkurs als Wertverhältnis zwischen in- und ausländischer Währung ergibt sich aus Angebot und Nachfrage an den Devisenmärkten, wobei sieben **Einflußfaktoren** zu unterscheiden sind:

• *An erster Stelle* ist der **Außenhandel** zu nennen. Wer Güter importiert, wird Nachfrager nach ausländischer Währung im Inland, oder der ausländische Lieferant wird Anbieter von inländischer Währung im Ausland. Wer Güter exportiert, wird entweder in ausländischer Währung bezahlt, die dann im einfachsten Fall am inländischen Devisenmarkt angeboten wird, oder der ausländische Käufer wird in seinem Land Nachfrager nach der Währung des Exporteurs.

Indirekt sind somit auch unterschiedliche Einkommensentwicklungen wechselkursbeeinflussend, da bei steigendem (Volks-)Einkommen die Importnachfrage meist überproportional zunimmt und tendenziell leistungsbilanzverschlechternd wirkt (vgl. Abschn. 5.3.1).

• Eine *zweite Quelle* sind **Erwartungen** hinsichtlich der künftigen Entwicklung des Wechselkurses (**Kursspekulation**). Wenn die heutige Dollarpreisnotierung 0,94 € ist und erwartet wird, daß der Dollarpreis steigt, dann lohnt es sich, heute Euro in Dollars zu tauschen und diese später – nach erfolgtem Preisanstieg – wieder in Euro zurückzutauschen. Umgekehrt besteht ein Anreiz, Dollarbestände zu verkaufen, wenn zu erwarten ist, daß der Dollarpreis sinkt, weil dann die ehemaligen Dollarbestände später günstig zurückgekauft werden können. Natürlich setzt dies entsprechend hohe Kursschwankungen unter Berücksichtigung der jeweiligen An- und Verkaufskurse voraus, damit sich solche Tauschgeschäfte lohnen.

Kursunterschiede an verschiedenen Orten zum selben Zeitpunkt sind nur in sehr geringen Grenzen möglich. Wenn es möglich wäre, in Frankfurt Dollars gegen Euro günstig einzukaufen, um sie in Tokio sofort danach mit Gewinn wieder gegen Euro zu verkaufen, würde eine Flut solcher Geschäfte dafür sorgen, daß sich die EUR/Dollar-Kurse in Frankfurt und Tokio wieder soweit annähern, daß sich diese **Kursarbitrage** nicht mehr lohnte. Abweichungen im selben Zeitpunkt können daher nur bestehen aufgrund von – im Telefon und Telexhandel allerdings recht geringen – unterschiedlichen Abwicklungskosten. Der wesentliche Aspekt ist daher nicht **Arbitrage**, sondern **Spekulation.**

Die Kursspekulation geht davon aus, daß Veränderungen bei den übrigen hier behandelten Einflußfaktoren sich auf den Wechselkurs auswirken werden.

Die Erwartung, daß sich der Wechselkurs ändern wird, trägt durch die erwartungsbedingten Verhaltensweisen dazu bei, daß die erwartete Veränderung tatsächlich eintritt: In *Erwartung* eines steigenden (fallenden) Kurses erhöht sich die Devisennachfrage (das Devisenangebot), wodurch der Kurs *tatsächlich* steigen (fallen) kann (sog. «selffullfilling prophecy»).

• Als *dritter Faktor* sind unterschiedliche **Inflationsraten** anzusehen. Wenn die Wertaufbewahrungsfunktion der Inlandswährung durch Inflation stark beeinträchtigt wird, kann es naheliegen, Guthaben in stabile ausländische Währungen zu tauschen. Unterschiedliche Inflationsraten spielen eine große Rolle bei den Bestimmungsfaktoren der Wechselkurse.

• Der *vierte* wechselkursbestimmende Faktor sind unterschiedliche **Zinsniveaus** im In- und Ausland. Wenn beispielsweise das amerikanische Zinsniveau deutlich höher ist als das deutsche, dann besteht ein Anreiz, Euro in Dollars zu tauschen und diese auf amerikanischen Konten anzulegen. Analog besteht für amerikanische Kreditnehmer ein Anreiz, Kredite in der Bundesrepublik statt in den USA aufzunehmen, wobei die aufgenommenen Gelder dem Kreditverwendungszweck entsprechend in Dollars getauscht werden. In beiden Fällen ergibt sich also Nachfrage nach US-Dollars aufgrund der Ausnutzung von internationalen Zinsunterschieden (**Zinsarbitrage**).

Dabei ist aber anzumerken, daß die Zinsunterschiede eine gewisse

Größenordnung haben müssen, bevor sich die Zinsarbitrage lohnt, denn An- und Verkauf von Devisen ist mit Kursunterschieden und Nebenkosten verbunden (Abwicklungsgebühren, Provisionen, Courtage, Spesen, ggf. Kurssicherungskosten durch **Termingeschäfte** etc.). Das Kursrisiko aufgrund des Zeitunterschiedes zwischen An- und Verkaufstermin läßt sich durch die erwähnten Termingeschäfte ausschließen (vgl. Abschn. 12.1.3).

• *Fünftens* ergeben sich aus dem langfristigen **Kapitalverkehr**, insbesondere durch Veränderungen der Direktinvestitionen, die sich meist an der erwarteten Rendite orientieren, Devisenzu- und -abflüsse.

• *Sechstens* stellen bewußte Devisenan- und -verkäufe der **Notenbanken** zur Wechselkursbeeinflussung einen wesentlichen Einflußfaktor dar (auch hierauf wird noch zurückzukommen sein), und

• *siebtens* beeinflussen aktuelle oder erwartete politische **Krisen** sowie Nachrichten über die Entwicklung wichtiger Daten wie z. B. der

Abb. 12.2.1/1: Wechselkursbeeinflussende Faktoren I

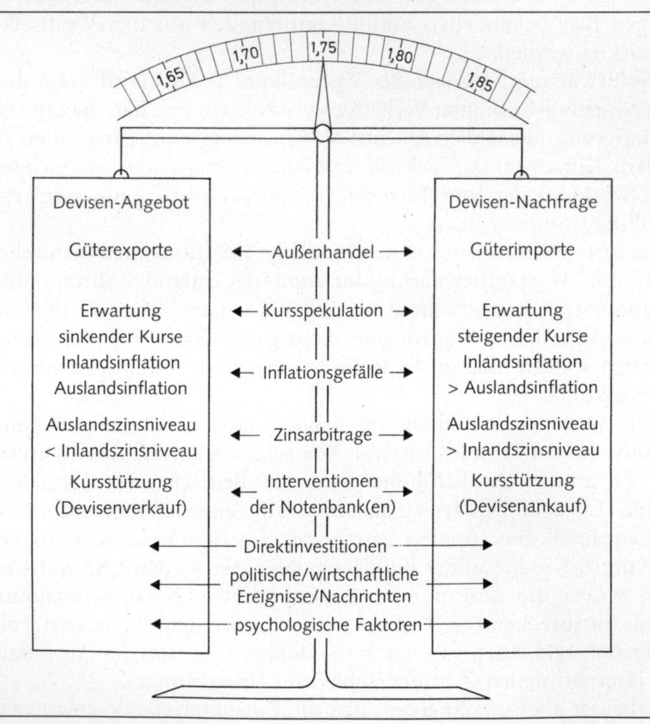

amerikanischen Handelsbilanz die Wechselkursbildung, so daß auch eher **psychologische Faktoren** hinzukommen.

Abb. 12.2.1/1 faßt dies zusammen, wobei wiederum zu betonen ist, daß es sich um tendenzielle Wirkungen handelt. Eine Erhöhung der Güterexporte bewirkt – für sich genommen – aus deutscher Sicht zwar eine Erhöhung des Devisenangebots (bzw. – wenn in Euro fakturiert wird – eine Erhöhung der Euro-Nachfrage im Ausland), und somit würde der Devisenkurs tendenziell steigen (bei Mengennotierung). Der Güterhandel stellt jedoch nur *einen* Einflußfaktor bezüglich des Wechselkurses dar. Wenn simultan die Kapitalexporte (d. h. Devisennachfrage) zunehmen, kann dies den ersten Effekt durchaus überkompensieren, so daß der Devisenkurs nicht steigt, sondern sinkt.

Es dürfte dabei auch erneut erkennbar werden, welche Vielfalt gegenseitiger Abhängigkeiten besteht: Der Wechselkurs wird vom Außenhandel beeinflußt, aber auch umgekehrt werden Import- und Exportentscheidungen von Wechselkursveränderungen berührt. Unterschiedliche Inflationsraten können neben Geldmengeneffekten u. a. auch von Wechselkursen und Außenhandel bedingt sein (Stichwort: importierte Inflation). Zinsunterschiede mögen Geldmengen- oder Inflationsursachen haben, etc. Finanz-, Geld-, Währungs-, Außenhandelspolitik sind sowohl untereinander als auch mit den ihrerseits gegenseitig voneinander abhängigen wirtschaftspolitischen Zielen eng verzahnt. Dies erklärt auch, weshalb man beispielsweise aus deutscher Sicht einer Zinsänderung in Japan so große Aufmerksamkeit schenkt, denn diese wird sich möglicherweise auf den Dollarkurs und damit auf den deutschen Außenhandel und damit auf die deutsche Konjunktur auswirken können (vgl. auch Abb. 12.2.1/2).

Abb. 12.2.1/3 verdeutlicht, daß insbesondere auch von politischen Ereignissen starke Einflüsse auf einen flexiblen Wechselkurs ausgehen

Abb. 12.2.1/2: Wechselkursbeeinflussende Faktoren II

Leitzinsbeschlüsse drücken den Kurs des US-Dollars

Die Zinsschere zwischen Deutschland und den USA könnte sich weiter öffnen

Gute Konjunkturdaten treiben den Dollarkurs

können. Klare Gesetzmäßigkeiten lassen sich daraus jedoch kaum ableiten: Politische Krisen lösten meist Dollarschwächen aus, beispielsweise die Watergate-Krise, der folgende Rücktritt Nixons ebenso wie die Iran-Contra-Affäre und der Putschversuch in der Sowjetunion. Andererseits führte der Beginn des Afghanistan-Kriegs zum Kursanstieg – ebenso wie das *Ende* des Vietnam-Kriegs oder des Golf-Kriegs. Die Wahl Carters zum Präsidenten weckte wenig Dollar-Hoffnung, die Reagans umso mehr. Ob die Herzerkrankung von Rußlands Präsident Jelzin, die Probleme des US-Haushaltes oder die Europäische Währungsunion: Die Kursreaktion hängt offenbar davon ab, ob der Devisenmarkt mit den betreffenden Ereignissen positive oder negative *Erwartungen* hinsichtlich der weiteren ökonomischen Entwicklung verbindet. Ein klares Beispiel sind die negativen Einschätzungen aufgrund der riesigen Handelsbilanz- und Haushaltsdefizite der USA, die in der zweiten Hälfte der 80er Jahre zu einem gewaltigen Kursverfall des Dollars innerhalb von nur drei Jahren von 3,50 DM auf rd. 1,50 DM führten: Der Devisenmarkt hatte kein Vertrauen in die US-Wirtschaft mehr. Aufgrund der Beendigung des Kalten Krieges hat die Bedeutung des Dollars als «Zufluchtswährung» bei Krisen offensichtlich abgenommen.

Abb. 12.2.1/3: Politik-Einflüsse

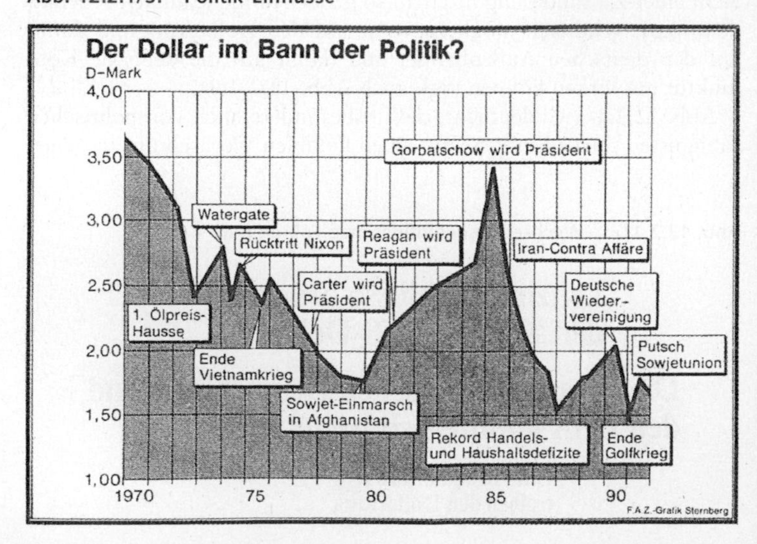

12.2.2. Wechselkurs-Theorien

Die vorstehend betrachteten, unterschiedlichen Einflußfaktoren treten in der Wirklichkeit also mehr oder weniger stark, aber gleichzeitig auf. Daher ist es so ausgesprochen schwer, oder besser: unmöglich, die Wechselkursentwicklung seriös vorherzusagen (vgl. unter Abb. 15.2.2/3). Außer in wirklich eindeutigen Situationen, in denen ganz kurzfristige Reaktionen mit an Sicherheit grenzender Wahrscheinlichkeit zu erwarten sind, sind Prognosen über eine mittelfristige Entwicklung eines (flexiblen) Wechselkurses reine Spekulation, unsicherer als der tägliche Wetterbericht (vgl. auch Abschn. 15.2.2).

Dennoch gibt es Versuche, den ‹richtigen› Wechselkurs ökonomisch zu bestimmen. Wenn das zutreffend gelänge, könnte man aus einem Abweichen des tatsächlichen Wechselkurses die nun zu erwartende Reaktion ableiten: Aber das klappt meist nicht, weil sich derartige Ansätze zumeist auf nur *einen* Einflußfaktor konzentrieren, die vielen übrigen aber aus der Betrachtung ausklammern.

Die **Kaufkraftparitäten-Theorie** geht davon aus, daß der Wechselkurs den Unterschied zwischen den Kaufkräften zweier Währungen widerspiegelt. Wenn beispielsweise ein Fahrrad in Aland 100 A-Mark kostet, in Benesien 200 B-Taler, dann würde – vereinfacht gesagt – der Wechselkurs zwischen A-Mark und B-Taler 1 : 2 sein, d. h. 1 A-Mark = 2 B-Taler. Formaler gesprochen: Man vergleicht den Wert (Preis) eines bestimmten Warenkorbes in Aland (in A-Mark) mit dem Preis desselben Warenkorbes in Benesien (in B-Talern): Das Preisverhältnis beider Warenkörbe entspricht dann dem Wechselkurs im Sinne der Kaufkraftparität. Wäre der tatsächliche Wechselkurs 1 : 3, dann wäre die A-Mark über- bzw. der B-Taler unterbewertet, und es würde aus aländischer Sicht ein Anreiz bestehen, Fahrräder in Benesien zu kaufen. Auf ähnlichen Überlegungen beruhen Berechnungen wie in Abb. 12.2.2/1, die ausdrücken, ob man für 100 DM im Ausland mehr oder weniger Waren kaufen kann als in Deutschland.

Der Internationale Währungsfonds hat Statistiken umgerechnet, indem nicht die offiziellen Wechselkurse verwendet werden, sondern die abgeleiteten Kaufkraftparitäten (Abb. 12.2.2/2). Im Ergebnis wurden dadurch «die Armen reicher und die Reichen ärmer» – ohne daß sich irgend etwas an der Situation verändert hätte, aber es sieht doch schon weniger dramatisch aus.

Völlig unberücksichtigt bleibt dabei die Beziehung der jeweiligen Preise zum *Einkommen*, d. h. die **Kaufkraft des Einkommens**: Im obigen Beispiel könnte es so sein, daß die 100 A-Mark einem halben Monatslohn entspricht, während die 200 B-Taler in Benesien

Abb. 12.2.2/1: Kaufkraftvergleich

gerade ein Wochenlohn sind. Das Einkommensverhältnis wäre dann 1 : 4.

Die **Zinsparitätentheorie** erklärt den Wechselkurs in analoger Weise, indem das Verhältnis der Zinsniveaus dem Wechselkurs entsprechen müßte. Daß der Einfluß des Zinsgefälles, auf den sich die Zinsparitätentheorie stützt, ebensowenig immer eindeutig nachzuweisen ist wie der des Inflationsgefälles, von dem die Kaufkraftparitätentheorie ausgeht, dürfte offensichtlich daran liegen, daß derartige Theorien jeweils einen Einflußfaktor isoliert herausstellen, sich in der

Abb. 12.2.2/2: Kaufkraft-Wechselkurs

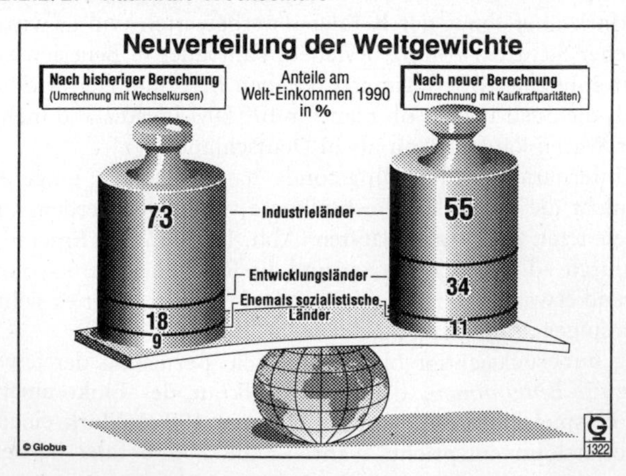

Realität jedoch verschiedene Einflüsse überlagern. In aller Regel sind monokausale Theorien, die die anderen Variablen vernachlässigen bzw. als konstant unterstellen oder in die Nebenbedingungen verweisen, nur unzureichend empirisch nachzuweisen.

Veränderungen der dargestellten Faktoren führen zu Veränderungen des Angebots- und Nachfrageverhaltens an den Devisenmärkten. Ob sich daraus auch ein neuer Wechselkurs ergibt, hängt von der Art des betreffenden Währungssystems ab.

12.3. Wechselkurssysteme

12.3.1. Flexible Wechselkurse

Man unterscheidet zwei Wechselkurssysteme – solche mit «**festen**» und solche mit **flexiblen** Wechselkursen; vielfach werden Elemente beider Systeme kombiniert. Bei flexiblen Wechselkursen bewirkt eine Veränderung von Angebot oder Nachfrage nach ausländischer Währung einen neuen Wechselkurs. Zum Beispiel wird eine anhaltende Erhöhung der Nachfrage nach US-Dollars bei unverändertem Angebotsverhalten zu einem Anstieg des Preiswechselkurses führen, da manche Nachfrager, die aufgrund des zu knappen Angebots nicht zum Zuge kämen, bereit sein werden, einen höheren Preis zu zahlen: Ein Nachfrageüberhang löst eine Art Versteigerungseffekt aus (vgl. auch Abschn. 4.4.1).

In der graphischen Darstellung (Abb. 12.3.1/1) bedeutet eine Erhöhung der Nachfrage nach US-Dollars eine Rechtsverschiebung der Nachfragekurse von N zu N', d. h. daß bei einem Preiswechselkurs von 0,94 statt 60 Mio. Dollar (Punkt Q) nun 80 Mio. nachgefragt werden (Punkt W). Da zu 0,94 nur 60 Mio. angeboten werden

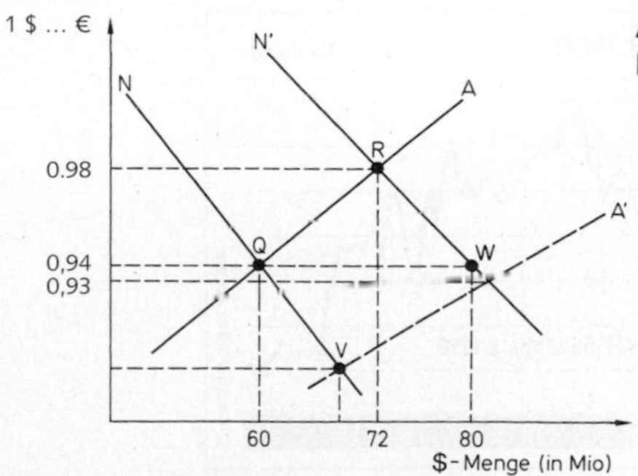

Abb. 12.3.1/1: Prinzip flexibler Wechselkurse

(Punkt Q) (und sich dieses Anbieterverhalten auch nicht ändert: die Kurve A verlagert sich nicht), bewirkt der Nachfrageüberhang einen Anstieg des Wechselkurses auf $ 0,98 (Punkt R). Zu diesem Kurs stimmt wiederum die angebotene mit der nachgefragten Dollarmenge (72 Mio. $) überein, und dieser Kurs wird solange gelten (**Gleichgewichts-Wechselkurs**), bis eine erneute Änderung im Anbieter- oder Nachfrageverhalten eintritt, wodurch sich die Angebots- oder Nachfragekurve verschiebt. Auf die Erläuterung weiterer Beispiele (Angebotserhöhung: Verschiebung der Angebotskurve von A zu A'; etc.) kann wohl verzichtet werden (Punkt V in der Abbildung).

Flexible Wechselkurse entsprechen somit weitestgehend dem Prinzip marktwirtschaftlicher Preisbildung, von dem die ökonomische Theorie so oft grundsätzlich ausgeht. Aus dem englischen Sprachgebrauch ist der Ausdruck ‹**Floating**›, übernommen worden, da der flexible Wechselkurs im Zeitablauf «auf den Wellen der Marktkräfte schwimmt» (floatet).

Wie Abb. 12.3.1/2 zeigt, können diese Schwankungen recht beträchtlich sein. Wir werden darauf zurückkommen.

12.3.2. Fixe Wechselkurse

Fixe Wechselkurse im strengen Wortsinn sind fast nur in Ländern anzutreffen, in denen die Wechselkurse administrativ festgelegt werden: Sofern sich die Kursbildung aber am Markt vollzieht, handelt es sich bei «fixen» Wechselkursen um Systeme mit *fast fixen* bzw. *kaum flexiblen* Wechselkursen. Bei fixen Wechselkursen ist die Orientierungsmarke ein – autonom oder in zwischenstaatlichen Vereinbarungen – festgelegtes Verhältnis zwischen zwei Währungen (**Parität** bzw.

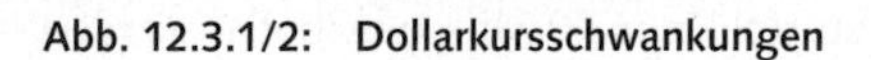

Abb. 12.3.1/2: Dollarkursschwankungen

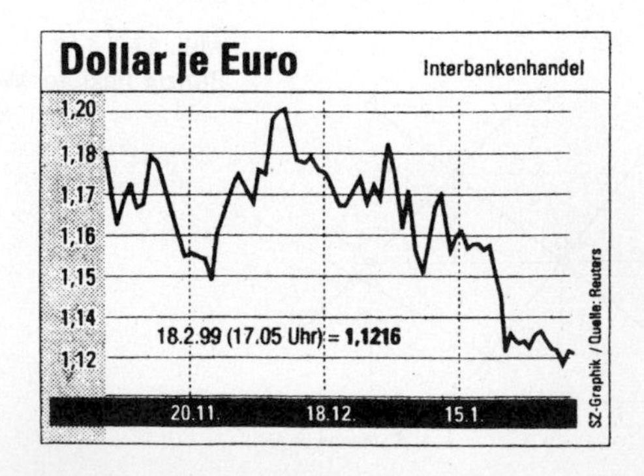

Leitkurs), das im Prinzip ständig gelten soll. Dies würde erfordern, daß der sich aus Angebots- und Nachfrageverhalten an den Devisenbörsen ergebende Wechselkurs *immer* der vereinbarten Parität entspricht, die nicht selten bis in die fünfte oder sechste Stelle nach dem Komma definiert ist. Es wäre unrealistisch, dies für die Praxis zu unterstellen, da sich über Nacht oder über die Wochenenden, wenn die Devisenbörsen geschlossen sind, Kauf- und Verkaufswünsche aufstauen. Daher ist es bei «fixen» Wechselkursen – wie z.B. innerhalb des **Europäischen Währungssystems** bis August 1993 – zulässig, daß die sich am Devisenmarkt bildenden Kurse vom Leitkurs bzw. der Parität nach oben oder unten abweichen, wobei das Ausmaß der zulässigen Abweichung wiederum Vereinbarungssache zwischen den betreffenden Ländern ist. Im ehemaligen, 1973 zusammengebrochenen internationalen Währungssystem auf der Basis des Abkommens von **Bretton Woods** war eine Abweichung von ± 1% zulässig gewesen; im Europäischen Währungssystem war eine **Bandbreite** von ± 2,25% vereinbart worden, die im August 1993 auf ± 15% erweitert wurde, was einer faktischen Aufgabe des EWS gleichkam (vgl. unten Abschn. 12.7.2). Seit Januar 1999 nehmen vorerst nur Dänemark und Griechenland am EWS II (dem Nachfolgemodell des EWS) teil. Die tolerierte Schwankungsbreite bei den Dänischen Kronen liegt wieder bei +/− 2,25%, bei der Griechischen Drachme weiter bei +/− 15%.

Innerhalb der Bandbreite ist der Wechselkurs flexibel. Probleme entstehen dann, wenn der Wechselkurs aus der Bandbreite auszubrechen droht. Dann müssen die beteiligten Notenbanken eingreifen (intervenieren), weshalb die entsprechenden Höchst- bzw. Mindest‹preise› auch als oberer bzw. unterer **Interventionskurs** bezeichnet werden. Wenn beispielsweise der Kurs der dänischen Krone (DKK) gegenüber dem Euro aufgrund zunehmenden Angebots an Euros fällt (Verschiebung der Angebotskurve von A zu A′ in Abb. 12.3.2/1), dann würde der Preiswechselkurs von DKK 13,4041 (Punkt Q) theoretisch sinken auf DKK 12,6000 (Punkt V). Die EZB ist aber verpflichtet, dänische Kronen solange aufzukaufen (Rechtsverschiebung der Nachfragekurve von N zu N′), bis der Kursverfall der Krone auf eine zulässige Abweichung innerhalb der Bandbreite begrenzt wird (Punkt W).

Analog zu diesem **Stützungskauf** der Zentralbank ist die dänische Nationalbank verpflichtet, Euro zu verkaufen und eigene Währung anzukaufen. Im Europäischen Währungssystem ist als Besonderheit eingebaut, daß die Notenbanken bereits zum Eingreifen verpflichtet sind, wenn drei Viertel der insgesamt möglichen Abweichungen vom

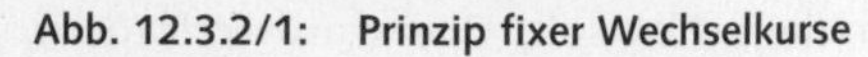

Abb. 12.3.2/1: Prinzip fixer Wechselkurse

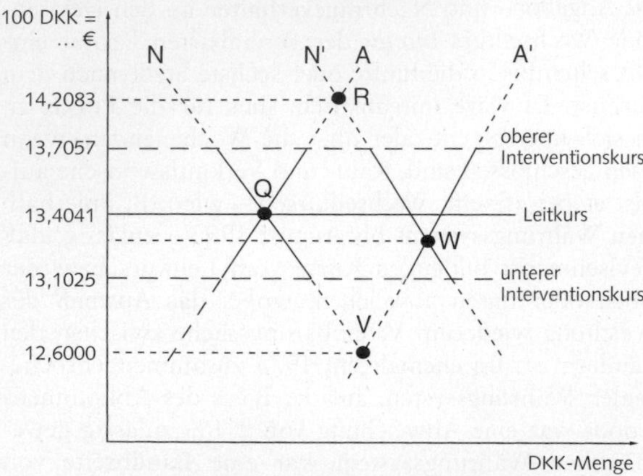

Leitkurs ausgeschöpft sind. Entsprechende Überlegungen gelten für ein drohendes Überschreiten des vereinbarten Höchstkurses (Punkt R in Abb. 12.3.2/1).

Bei der Behandlung der Faktoren, die auf die Wechselkursbildung wirken, wurde bereits darauf hingewiesen, daß Angebot und Nachfrage am Devisenmarkt auch vom Verhalten der Notenbanken mitbestimmt wird. Bei fixen Wechselkursen leitet sich dies – wie dargestellt – aus der Eingreifverpflichtung der Notenbanken bei Erreichen der Interventionspunkte ab. Aber auch bei flexiblen Wechselkursen sind die Notenbanken als Nachfrager oder Anbieter ‹Am Markt›. Der Unterschied besteht darin, daß die Notenbanken bei fixen Wechselkursen intervenieren *müssen*, bei flexiblen aber nur Kurspflege eingreifen *können* (Abb. 12.3.2/2).

Anhaltende Interventionen der Notenbank(en) sind nicht unproblematisch. Stützungskäufe können zu unerwünschter Vergrößerung der Geldmenge führen, denn die intervenierende Notenbank kauft Fremdwährung gegen Abgabe von heimischer Währung, d. h. Zentralbankgeld. Wenn dies über einige Tage in größerem Umfang durchgeführt

Abb. 12.3.2/2: Stützungskäufe

Notenbanken kaufen massiv Dollar

Interventionen bremsen den Kursrutsch des Dollars

wird, können sich leicht Milliardenbeträge ergeben. Vor dem Austritt des britischen Pfunds und der italienischen Lira aus dem EWS im September 1992 soll die Bundesbank beispielsweise Stützungskäufe in Höhe von 92 Milliarden Mark getätigt haben. Umgekehrt bedeuten Stützungsverkäufe, daß die Notenbank in der Regel ihre Devisenbestände abbauen muß (Abb. 12.3.2/3) bzw. – wenn diese nicht reichen oder aus anderen Gründen nicht angetastet werden sollen – daß sie die benötigten Devisen bei anderen Notenbanken kaufen oder leihen muß. Auch dies kann offensichtlich kein Dauerzustand sein. Dagegen spricht auch, daß neben den Notenbankinterventionen – wie oben ausgeführt – eine Vielzahl anderer Faktoren auf die Wechselkurse einwirken, so daß die Notenbanken sich kaum nachhaltig gegen einen starken Markttrend stemmen können (Abb. 12.3.2/4).

Abb. 12.3.2/3: Stützungs-Verkäufe

Die Währungsreserven der Bundesbank sinken allmählich

Normalisierung nach den Unruhen im Europäischen Währungssystem / Umfangreiche Dollargeschäfte

Paris sind keine Devisenreserven geblieben

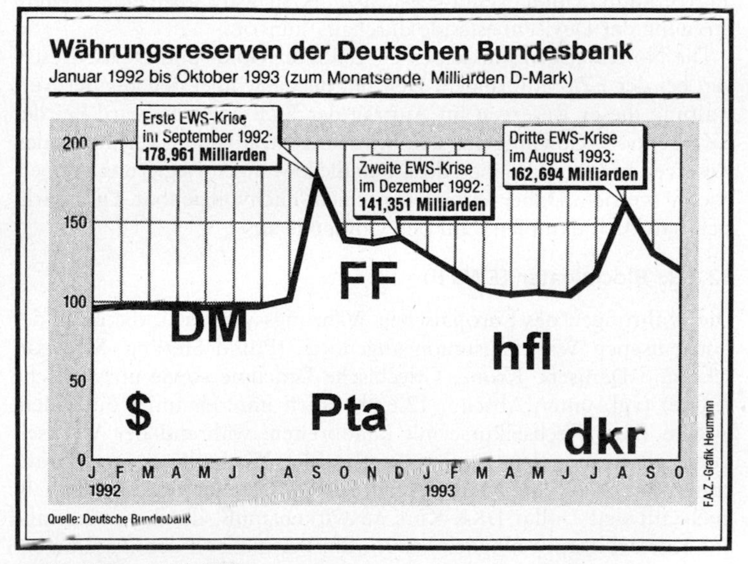

Quelle: FAZ v. 12. 11. 1993

Abb. 12.3.2/4: Markt-Kraft

Auf Dauer setzt sich der Devisenmarkt durch
Enger Zusammenhang zwischen Inflationsgefälle und Wechselkurs

Bei ihren Dollar-Interventionen „spuckt die amerikanische Fed häufig gegen den Wind“

Ein kleiner Exkurs zu den **Währungsreserven:** Die Industrieländer verfügen über insgesamt (noch) rund 83 Prozent aller Goldreserven in der Welt – die jedoch keine Erträge bringen. Insbesondere die Notenbanken der Länder, die an der Europäischen Währungsunion teilnehmen, gehen daher mehr und mehr dazu über, ihre Währungsreserven in renditeträchtige Vermögenswerte zu investieren, und stoßen in großem Umfang Goldbestände ab. Mitte der 80er Jahre hielt die Bundesbank noch 44 Prozent ihrer Reserven in Gold, heute (1999) sind es nur noch 14 Prozent. Ein Teil der Bestände wird bei der Federal Reserve Bank in New York gelagert, ein Teil bei der Landeszentralbank in Mainz. Die einzige Reservewährung der Bundesbank ist der Dollar; entstehende Pfund- oder Frankenbestände werden am selben Tag verkauft. Unter Renditegesichtspunkten wäre aber eine breitere Streuung der Devisenbestände durchaus sinnvoll.

Die Notenbanken müssen einen Teil ihrer Gold- und Devisenreserven bei der EZB einbringen. Der Teil der Gewinne, der aus der Verwaltung dieser Reserven im Auftrag der EZB entsteht, wird bei der EZB gepoolt. Gewinne aus den bei den Zentralbanken verbleibenden Reserven hingegen können direkt an die jeweiligen Regierungen überwiesen werden. Daher ist eine Umschicht nachvollziehbar. Dies wirkt sich natürlich dämpfend auf den Goldpreis aus.

12.3.3. Blockfloaten (EWS II)

Die Währungen des Europäischen Währungssystems II, die nicht der Europäischen Währungsunion angehören (Pfund Sterling, Schwedische und Dänische Krone, Griechische Drachme sowie norwegische Krone) (vgl. unten Abschn. 12.6) beruhen untereinander auf einem System fixer Wechselkurse mit Bandbreiten, während der Wechselkurse gegenüber dem Dollar ein flexibler Wechselkurs ist. Daraus ergibt sich, daß eine Veränderung des EUR/Dollar-Kurses sich z. B. auch auf den Dollar-DKK-Kurs auswirken muß, da sonst Gewinne aus Kursarbitragen möglich wären. Ein Beispiel soll den Zusammenhang verdeutlichen:

Angenommen, zwischen Euro und dänischen Kronen gelte ein Leitkurs von 1 : 7,5. Im Ausgangszeitpunkt t_1 entspricht 1 Dollar 0,9 EUR und gleichzeitig 6,75 DKK (Abb. 12.3.3/1). Nun verändert sich im Zeitpunkt t_2 der flexible Dollarkurs, indem sich der Dollar gegenüber des Euros aufwertet auf 1 : 1,2. Da der Wechselkurs zwischen Euro und dänischen Kronen 1 : 7,5 festgelegt ist, würde sich – bei dem ursprünglichen $/DKK-Kurs – nun folgendes Tauschgeschäft lohnen: 1 Dollar wird in 1,2 EUR getauscht, diese in 9 DKK und diese zurück in 9 : 6,75 = 1,33 Dollar – eine wundersame Geldvermehrung. (Daß in diesem Beispiel nicht zwischen Geld- und Briefkursen unterschieden wird, ändert nichts am Prinzip. Bei einer differenzierten Betrachtung müßten lediglich entsprechend große Kursunterschiede angenommen werden.)

Abb. 12.3.3/1: Blockfloaten I

Zeitpunkt \ Währung	$		EUR		DKK
t_1	1	:	0,9		
			1	:	7,5
	1		:		6,75
t_2	1	:	1,2		
			1	:	7,5
	1		:		9

Die Vorteilhaftigkeit solcher Dreiecksgeschäfte (**Kursarbitrage**) sind so offenkundig, daß sich u. a. durch eine Flut solcher $/DKK-Tauschgeschäfte die Nachfrage nach Dollars bzw. das Angebot an DKK erhöht, so daß sich der (flexible) $/DKK-Kurs entsprechend verändern wird, so daß sich Dreiecksgeschäfte nicht mehr lohnen. In unserem Beispiel würde sich ein neuer Kurs von 1 : 9 einstellen. Die angenommene Euro-Abwertung gegenüber dem Dollar wird also aufgrund der freien Marktkräfte an den Devisenmärkten eine entsprechende DKK-Abwertung nach sich ziehen. Dies gilt sinngemäß für die übrigen Währungen des EWS II-Verbundes. Stellt man aufeinanderfolgende Auf- und Abwertungen im Zeitablauf dar, wie in Abb. 12.3.3/2, ergibt sich eine Art Schlange. Insgesamt bezeichnet man diesen Zusammenhang als **Blockfloaten**, da der EWS-Verbund insgesamt ‹wie ein Floß auf den Wellen des Dollarkurses schwimmt›.

Wenn bei fixen Wechselkursen der vereinbarte Leitkurs über längere Zeit hinweg nur durch ständige Stützungskäufe bzw. -verkäufe

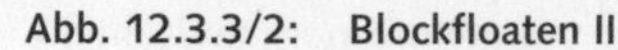
Abb. 12.3.3/2: Blockfloaten II

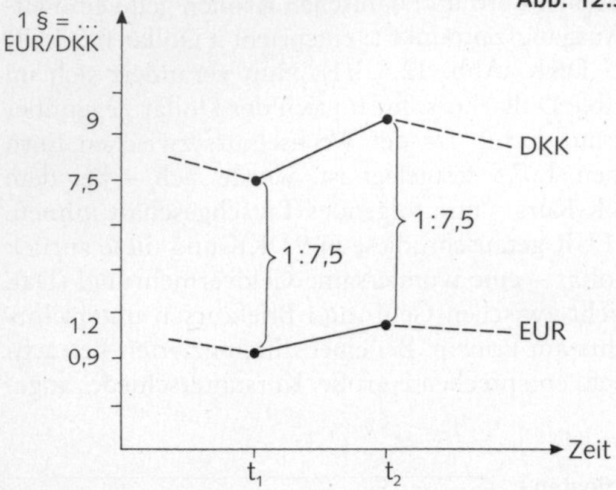

der Notenbanken verteidigt werden kann, so ist dies ein sicheres Indiz dafür, daß der vereinbarte Leitkurs unrealistisch ist und nicht den Gegebenheiten des Marktes entspricht. Dann liegt es nahe, die künstliche finanzielle Beatmung aufzugeben und einen neuen Leitkurs vertraglich zu vereinbaren (sog. **Stufen-Flexibilität**). Für die Länder, die nach der Währungsunion im Europäischen Währungssystem II verblieben sind, bedeutet dies eine beträchtliche politische Anstrengung. Aufgrund des Einstimmigkeitsprinzips müssen alle beteiligten Länder den neuen bilateralen Leitkursen zustimmen. Da eine Wechselkursänderung verschiedene ökonomische Konsequenzen hat, ist das zähe Ringen um die Durchsetzung der eigenen Position verständlich (vgl. unten Abschn. 12.4). Da jedoch die Teilnehmerländer am EWS II auf den Beitritt zur Währungsunion durch immer geringer werdende Bandbreiten vorbereitet werden sollen, ist für die nächste Zeit kaum mit Änderungen der Leitwährungskurse zu rechnen.

12.3.4. Gespaltene und andere Wechselkurse

Üblicherweise wird vereinfachend nur zwischen fixen und flexiblen Wechselkursen unterschieden. Bei näherer Betrachtung gibt es jedoch noch weitere Differenzierungen.

Bei **flexiblen** Wechselkursen (floating) ist zu unterscheiden zwischen solchen, die sich wirklich (weitgehend) völlig frei am Markt bilden (beispielsweise der EUR-Kurs gegenüber dem australischen Dollar), und solchen, die teilweise massiv durch international abgestimmte Interventionen der verschiedenen Notenbanken beeinflußt werden, wie z. B. der US-Dollar. Man spricht dabei auch von «**managed floa-**

ting» oder auch – um den Eingriff in die Kräfte des freien Marktes zu verdeutlichen – von «**schmutzigem Floating**» (Karl Schiller).

Eine spezielle, dem flexiblen Wechselkurs nahe verwandte Variante von Wechselkurssystemen stellt das «**crawling peg**» dar. Dabei handelt es sich um automatisch erfolgende Wechselkursanpassungen, die entweder durch die Veränderung bestimmter, genau festgelegter Indikatoren ausgelöst werden (beispielsweise erfolgt bei überschüssigem Devisenangebot bestimmter Dauer eine entsprechende Aufwertung der Inlandswährung) oder die in einem bestimmten zeitlichen Rhythmus erfolgen (beispielsweise erfolgt bei galoppierender Inflation monatlich eine Abwertung um 5%). Der Sinn solcher Mechanismen ist im ersteren Fall die Herauslösung der meist kontrovers bewerteten Entscheidung über Ja oder Nein einer Wechselkursänderung aus der politischen Diskussion. Man spricht dabei von sog. **Regelmechanismen** (vgl. Kapitel 15), um bestimmte Entscheidungen zu entpolitisieren. Im zweiten Fall sollen durch das «crawling» zudem die Wirkungen einer abrupten massiven Abwertung dosiert und damit abgefedert werden.

Bezüglich **fixer** Wechselkurse ist festzustellen, daß es sich – wie ausgeführt – in den meisten Fällen gar nicht um im strengen Wortsinn fixe (d.h. starre) Wechselkurse handelt, sondern um «**quasi-fixe**», d.h. fast fixe Wechselkurse: Im EWS II beispielsweise sind die bilateralen Kurse innerhalb der Bandbreite flexibel. In einigen Fällen gibt es jedoch tatsächlich fixe Wechselkurse: So existierte zwischen Belgien und Luxemburg eine Währungsunion, indem der belgische Franc (BEF bzw. bfr) und der luxemburgische Franc (LUF bzw. lfr) im Verhältnis 1 : 1 aneinander gekoppelt sind. Außerdem bestand auch zwischen dem niederländischen Gulden (NLG bzw. hfl) und der DM sowie zwischen dem österreichischen Schilling (ATS bzw. öS) und der DM eine *faktische* Währungsunion mit starrem Kursverhältnis, das bei jeder Wechselkursveränderung innerhalb des EWS in den letzten Jahren beibehalten wurde.

In vielen Ländern (Venezuela, Argentinien, Ägypten, Rußland) gab es **gespaltene Wechselkurse** (synonym: **multiple** Wechselkurse) (Abb. 12.3.4/1). Dabei handele es sich um unterschiedliche Kurse je nach Art der Transaktion, um bestimmte Geschäfte zu fördern bzw. zu behindern. Beispielsweise gab es z.B. für den russischen Rubel einen Wechselkurs für «normale», private Handelstransaktionen, einen abgewerteten (für Importzwecke schlechtern) Kurs für private Finanztransaktionen oder einen aufgewerteten (besseren) Kurs für staatliche Transaktionen. Seit März 1999 müssen alle Transaktionen über die russische Nationalbank laufen (vgl. Abschn. 12.3.5). Die meisten gespaltenen Devisenkurse (z. B. südafrikanischer Rand, nigerianische Naira) wurden jedoch abgeschafft. Neben «offen» gespaltenen Kursen gibt es auch verdeckte (versteckte, verschleierte) Kursspaltung mit Hilfe von Einfuhr- oder Ausfuhrzöllen oder -steuern oder entsprechenden Subventionen oder Entlastungen. In gewisser Weise kann man auch von einem gespaltenen Wechselkurs sprechen, wenn es neben dem offiziellen Kurs einen **Schwarzmarktkurs** gibt. In den meisten Ländern sind Schwarzmarktgeschäfte illegal und werden entsprechend geahndet. Es gibt aber auch Beispiele für Schwarzmärkte (in der Vergangenheit u. a. Ägypten oder El Salvador), in denen der Devisenschwarzmarkt (in)offiziell geduldet und gleichzeitig (in)offiziell kontrolliert wurde, d. h. die Gewinne flossen in bestimmte Kanäle.

Sofern der Schwarzmarkt nicht inoffiziell toleriert wird, sind Schwarzmarkt-Tauschgeschäfte riskant: Zum einen drohen in vielen Ländern empfindliche Strafen, und staatliche Spitzel provozieren zum illegalen Umtausch. Zum anderen werden insbesondere Touristen bei solchen Geschäften oft betrogen, indem ihnen z. B. falsche oder ungültige Banknoten angedreht werden oder sie beim Geldabzählen übervorteilt werden: Ein in einem Banknotenbündel gefaltet enthaltener Geldschein kann leicht als zwei Scheine gezählt werden.

In manchen Ländern ist zu beobachten, daß – vor allem bei galoppierender Inflation – die nationale Währung (z. B. Peso) verdrängt wird von einer stabilen externen Währung (z. B. Dollar), so daß sich eine inoffizielle **Parallelwährung** ergibt, in der die Preise ausgedrückt und Transaktionen abgewickelt werden. Bei starker Inflation sollte möglichst immer nur soviel getauscht werden, wie für die nächsten Transaktionen erforderlich ist, weil u. U. schon nach wenigen Tagen ein günstigerer Kurs gilt.

Abb. 12.3.4/1: Gespaltene Wechselkurse (Rubel; 1993)

– Handelsrubel	1 $ =	1,67 Rubel
– offizieller Kurs	1 $ =	0,55 Rubel
– Touristenkurs	1 $ =	5,50 Rubel
– Schwarzmarktkurs	1 $ =	15,00 Rubel

Vier verschiedene Rubel-Kurse

Nigeria schafft den gespaltenen Devisenkurs ab

Zusammenfassend lassen sich also folgende Wechselkurssysteme unterscheiden:

- wirklich freie Wechselkurse (Euro gegen australischen Dollar),
- freie Wechselkurse mit Interventionen («managed floating»: US-Dollar),
- «crawling peg» (Ende der 80er Jahre: jugoslawischer Dinar),
- de jure absolut fixe Wechselkurse (bis Ende 1998 Währungsunion Belgien–Luxemburg),
- de facto absolut fixe Wechselkurse (bis Ende 1998 DM:hfl, DM:öS),
- relativ fixe Wechselkurse mit Bandbreite (quasi-fixe Wechselkurse: früheres EWS-System bis Ende 1993),
- gespaltene Wechselkurse (ehemals Rubel, Rand, Ägyptische Pfund, etc.).

12.3.5. Konvertibilität der Währung

Für den Außenhandel sind nur **voll konvertible Währungen** unproblematisch. Wenn eine Währung voll konvertibel ist, kann sie – aus der Sicht des betreffenden Landes – ohne Beschränkungen in unbegrenzter Höhe in jede beliebige andere Währung getauscht werden. Der Euro ist eine solche Währung. Andererseits gibt es auch **teilkonvertible Währungen**: Im Falle der sog. **inneren Konvertibilität** können Devisen in beliebiger Art und Höhe in Inlandswährung getauscht werden, oder präziser: erworbene Devisen – z. B. aus dem Export – *müssen* in das Inland transferiert und bei entsprechenden Stellen, meist Staatsstellen, getauscht werden. Ausnahmen müssen beantragt und genehmigt werden. Für Importe können die entsprechenden Devisen auch nur bei eben diesen Stellen – auf Antrag – erworben werden. Kapitaltransaktionen sind dann meist genehmigungspflichtig. Je nach der Strenge des Antragsprinzips ist der Unterschied zur Devisenbewirtschaftung dann oft nicht mehr groß.

Eine voll konvertible Währung bedeutet logischerweise eine sehr viel stärkere, aber auch (administrativ) leichtere Integration des betreffenden Landes in den Weltmarkt als bei eingeschränkter Konvertibilität (Abb. 12.3.5/1). Hierfür muß das Land makroökonomisch wie mikroökonomisch gerüstet sein: Wenn das Vertrauen in die

Abb. 12.3.5/1: Konvertibilität

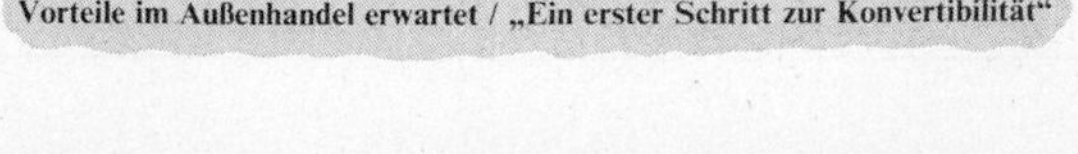

China vereinheitlicht den Wechselkurs

Vorteile im Außenhandel erwartet / „Ein erster Schritt zur Konvertibilität"

Inlandswährung schwach ist, z. B. aufgrund der Inflationsentwicklung, besteht eine Tendenz zur Kapitalflucht. Andererseits erhöht sich für die inländischen Unternehmen der importbedingte Wettbewerbsdruck, sofern nicht – statt der Devisenkontrolle – andere Formen der Protektion praktiziert werden (vgl. Kap. 13, insbes. Abschn. 13.7.1.3).

12.3.6. Währungsreformen

Länder mit gravierenden ökonomischen Problemen weisen meist zwei klare Symptome auf: eine galoppierende Inflation und einen sich laufend verschlechternden Wechselkurs. Abb. 12.3.6/1 verdeutlicht beispielhaft den Kursverfall solcher Währungen Anfang der 90er Jahre. Mittlerweile ist die tschechische Krone fast voll konvertibel, ebenso hat sich die Konvertibilität des ungarischen Forint und des polnischen Zloty verbessert. Analoge Entwicklungen sind in Lateinamerika und Afrika deutlich zu beobachten.

Abb. 12.3.6/1: Kursverfall

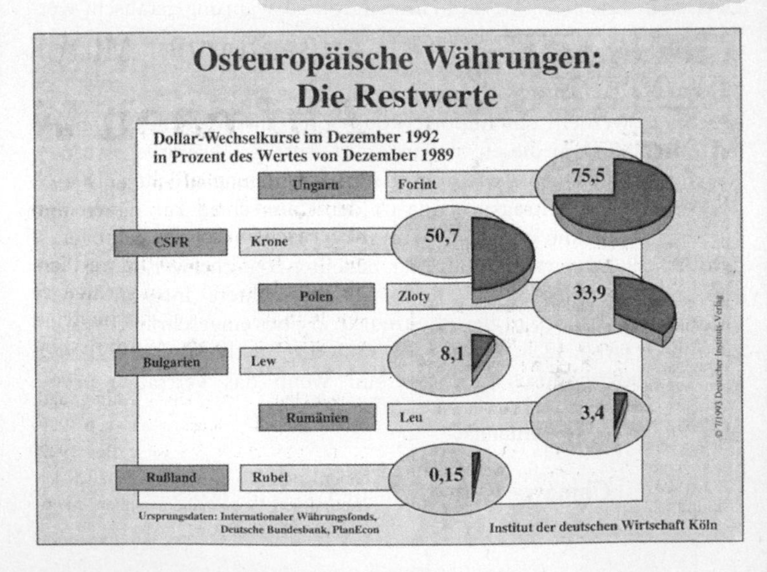

Der Wechselkursverfall ist i. d. R. seinerseits nur ein Symptom, eine Reaktion auf eine Hyperinflation, die zu massiver Kapitalflucht anregt und folglich eine entsprechende Nachfrage nach Auslandswährung bedeutet. Ein Festhalten an unrealistischen Wechselkursen, um z. B. die Importpreise ‹stabil› zu halten und damit die importierten Inflationskräfte einzudämmen, verschlimmert das Fluchtproblem nur noch.

Eine Freigabe des Wechselkurses ist dann zwar – partiell gesehen – die richtige Reaktion, doch löst sie natürlich das zugrunde liegende Problem nicht. Meist steigt der Wechselkurs dann in schwindelnde Höhen (1 Dollar = 1000 Rubel bedeutet 1 Rubel = 0,001 Dollar), bis das Land sich zu einer Währungsreform entschließt (Abb. 12.3.6/2).

Abb. 12.3.6/2: Währungsreform

ARGENTINIEN:
Neue Währung

Belgrad streicht sechs
Nullen von den Geldnoten

BRASILIEN / Neue Währung ab Mitte des Jahres – Regierung hofft auf sinkende Inflation

Mit dem „Real" gegen die Wirklichkeit

Natürlich ist das Ersetzen der alten durch eine neue Währung nur ein Kurieren am Symptom. Sofern es nicht gelingt, durch entsprechende Maßnahmen die ursächliche Hyperinflation in den Griff zu bekommen, wird sich auch die neue Währung rasch entwerten, und das Spiel beginnt von neuem. U. a. Brasilien und Argentinien haben dafür bereits viel Anschauungsmaterial geliefert. Vgl. auch oben Abschnitt 4.2.1 zu Hyperinflationen.

12.4. Wechselkursänderungen

12.4.1. Begriff

Die Begriffe Auf- bzw. Abwertung hängen eng zusammen und können möglicherweise auf ein und dieselbe Situation zutreffen. Dies hängt mit der oben betrachteten Unterscheidung zwischen Preis- und Mengenwechselkursen zusammen. So ist eine Aufwertung des Dollars gegenüber dem Euro singgemäß identisch mit einer Abwertung des Euros gegenüber dem Dollar:

Als **Abwertung** des Euros bezeichnet man die Tatsache, daß sich der Wechselkurs von z. B. 1 EUR = 1,10 USD verändert zu 1 EUR = 1,05 USD, d. h. der Mengenwechselkurs sinkt. Das bedeutet gleichzeitig aber, daß der Dollar teuer wird. Berechnet man die entsprechenden Preiswechselkurse (= Mengenwechselkurs aus Sicht der USA), so steigt der Preiswechselkurs bei der betrachteten Abwertung des Euros von USD 0,91 auf USD 0,95. Um deutlich zu machen, weshalb eine Währungsabwertung am Devisenmarkt zu u. U. heftigen Reaktion führt, bzw. weshalb in Systemen fester Wechselkurse die Einigung über Leitkursveränderung so schwierig ist, werden im folgenden die Wirkungen und Auf- bzw. Abwertungen auf volkswirtschaftliche Größen betrachtet, wobei wir das bisherige Beispiel weiterverwenden.

12.4.2. Wirkungen

12.4.2.1. Wirkungen auf die Leistungsbilanz

Zunächst zum **Export**. Wenn ein deutscher Exporteur Ware zu einem Preis von 1000,– EUR anbietet, dann kostet sie aus der Sicht eines Käufers nach der Euro-Abwertung (bzw. $-Aufwertung) nun 50,– $ weniger als vorher. Bei ‹normaler› Reaktion führt eine Preissenkung zu einer Erhöhung der Güternachfrage, so daß tendenziell die deutschen Exporte steigen. Analoge Wirkung hätte eine Aufwertung des Euros. Dabei ist aber darauf hinzuweisen, daß es eine Reihe von Beispielen für anomale Reaktionen gibt, darunter auch die deutsche Exportentwicklung: Die DM ist seit der Währungsreform gegenüber dem Dollar gewaltig aufgewertet worden – ursprünglich war die Parität $ 4,20! –, doch sind die Exporte ständig gestiegen. Das liegt an verschiedenen Faktoren, die hier nicht vertieft werden können, u. a. auch am Image ‹made in Germany›, das vielen Produkten auf den Weltmärkten eine Quasimonopolstellung verschaffte, vor allem aber auch daran, daß stets zu wenig oder zu spät aufgewertet wurde, so daß per Saldo immer noch ein ‹Rest› von Unterbewertung der DM übrig blieb. Im Normalfall aber bedeutet eine Aufwertung der eigenen Währung eine Erschwernis für die eigenen Exporte (Abb. 12.4.2/1).

Was die **Importe** anbelangt, so wird eine Ware, die bisher 1000,– USD kostete, nun aus deutscher Sicht auf der Basis unseres obigen Zahlenbeispiels um 40,– EUR teurer, d. h. es besteht damit – bei normaler Reaktion – eine Tendenz zu niedrigeren Importen. Die Leistungsbilanz des Abwertungslandes verbessert sich somit. Die Erhöhung der Importpreise betrifft insbesondere den Dienstleistungsimport in Form von Urlaubsreisen ins Ausland, die entsprechend teurer werden. Für die ausländischen Anbieter bedeutet diese tendenzielle Leistungsbilanzverschlechterung ihres Landes einen Nachfrageausfall, wenn man unterstellt, daß die bisherigen Importe des anderen,

Abb. 12.4.2/1: DM-Aufwertung

Cassella-Bilanz durch Währungsschwankungen beeinträchtigt

DM-Aufwertung trübt die deutschen Exportchancen

Einfuhr-Preise
Stabilitäts-Import

Dollarkurs drückt die Benzinpreise

abwertenden Landes Teile der bisherigen Inlandsnachfrage ersetzten und nun aufgrund der Importverteuerung Nachfrage nach Inlandsgütern zurückgeht (vgl. Abb. 12.4.2/2). Bei entsprechend kräftigen Absatzeinbußen kann dies zum Entstehen oder Verschärfen einer **Unterbeschäftigungssituation** führen. Andererseits bedeutet die Leistungsbilanzverschlechterung bei einer Aufwertung **Verminderung** eines gegebenen **Inflationsdrucks**, da sich die Importe verbilligen (Abnahme der importierten Kostendruckinflation) und die Exporte zurückgehen (Abnahme eines etwaigen Nachfragesogs bzw. Abnahme der Ausweitung der Geldmenge durch Zufließen und Umtauschen ausländischer Währung in inländische). Daß die Inflationsrate in der Bundesrepublik vor einigen Jahren so nachhaltig gesunken war und 1986 praktisch bei Null lag, ist insbesondere auch darauf zurückzu-

Abb. 12.4.2/2: Dollarraum

Deutsch-Amerikanischer Handel
abhängig vom Wechselkurs

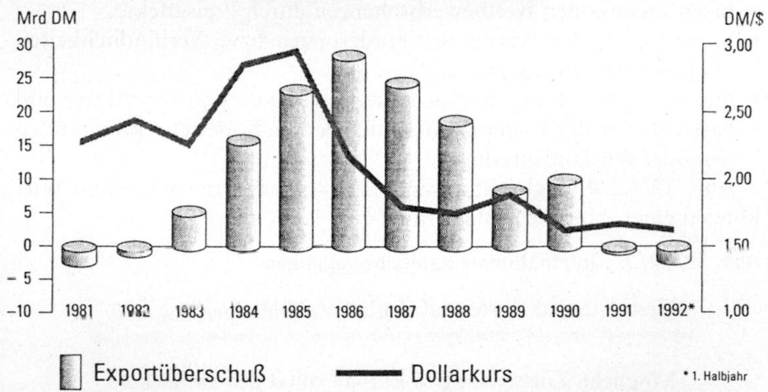

führen, daß sich der Effekt sinkender Ölpreise noch um den Effekt eines sinkenden Dollarkurses verstärkte. Ohne diese beiden externen Impulse hätte die deutsche Inflationsrate sicherlich spürbar höher gelegen.

12.4.2.2. Probleme

Hier zeigt sich erneut der klassische Konflikt zwischen den Zielen Preisniveaustabilität und hoher Beschäftigungsstand: Wir werden darauf im Kap. 16 zurückkommen. Eine Aufwertung führt weiterhin dazu, daß eventuell bestehende Zinsvorteile im Ausland verstärkt genutzt werden können, da derselbe Zinsertrag in ausländischer Währung mit weniger Inlandswährung zu erzielen ist (vgl. Abb. 12.4.2/3), wodurch gleichfalls bei Abfluß von inländischer Währung ins Ausland eine Verringerung der inländischen Geldmenge begünstigt wird (von sich daraus wieder ergebenden Folgewirkungen auf den Wechselkurs ist hier abgesehen).

Ein bewußtes Vermeiden bzw. Hinauszögern einer Aufwertung, oder anders ausgedrückt: eine bewußte Unterbewertung einer Währung wirkt somit ähnlich wie ein Schutzzoll gekoppelt mit Exportsubventionen. Dies erklärt vielleicht, weshalb in der Regel gezögert wird, bei fixen Wechselkursen einem Aufwertungsdruck auf die eigene Währung zügig und in angemessener Höhe nachzugeben. Andererseits kann dies auch als Wettbewerbsverzerrung interpretiert werden, welche die Anpassungsnotwendigkeit an veränderte Weltmarktbedingungen verschleiert.

Aus betriebswirtschaftlicher Sicht können drei generelle Auf- bzw. Abwertungswirkungen unterschieden werden.

- Beeinflussung der **Wettbewerbschancen** durch Preiseffekte,
- Veränderung des Wertes der **Forderungen** bzw. **Verbindlichkeiten** aufgrund der Wechselkursänderung
- und ebenfalls damit einhergehend die Veränderung von Aktiv- und Passivposten der **Unternehmensbilanzen** (z. B. bei Direktinvestitionen oder Auslandskrediten).

Abb. 12.4.2/4 vergleicht zusammenfassend die (tendenziellen) Wirkungen einer Ab- und Aufwertung.

Abb. 12.4.2/3: Internationale Kapitalbewegungen

Börse Istanbul wartet auf Zufluß ausländischen Kapitals
Aufgrund hoher Zinsen und Nettozahlungen an das Ausland stehen wenig inländische Mittel bereit

Mögliche Zinssenkung in Europa stützt den Dollarkurs
Flucht in das Pfund wegen deutscher Steuer- und Wirtschaftspolitik / Der Devisenmarktbericht

Abb. 12.4.2/4: Zusammenfassung der Wirkungen einer Wechselkursänderung

Wirkung auf	Euro-Abwertung (aus deutscher Sicht)	Dollar-Aufwertung (aus amerikanischer Sicht)
• Mengenwechselkurs	1 € = 1,10 $ 1 € = 1,05 $ ↓ sinkt	1 $ = 0,91 € 1 $ = 0,95 € ↑ steigt
• Preiswechselkurs (Kehrwert Mengenwechselkurs)	1 $ = 0,91 € 1 $ = 0,95 € ↑ steigt	1 € = 1,10 $ 1 € = 1,05 $ ↓ sinkt
volkswirtschaftliche Effekte		
• Importpreis	↑ ⇨ Importnachfrage ↓	↓ ⇨ Importnachfrage ↑
• Exportpreis	↓ ⇨ Exportnachfrage ↑	↑ ⇨ Exportnachfrage ↓
• Leistungsbilanz (Normalreaktion)	verbessert sich	verschlechtert sich
• Beschäftigung	kann sich verbessern	kann sich verschlechtern
• Inflationstendenz	steigt (importierte Inflation)	nimmt ab
betriebswirtschaftliche Effekte		
• Wettbewerbschancen	der Exporteure ↑ der Importeure ↓	der Exporteure ↓ der Importeure ↑
• Forderungen u. Verbindlichkeiten (in Fremdwährung)	werden ‹mehr Euro wert›	werden ‹weniger $ wert›
• Bilanzierung (von Fremdwährungsposten)	$-Aktiva u. -Passiva werden ‹mehr Euro wert›	Euro-Aktiva u. -Passiva werden ‹weniger $ wert›

12.4.2.3. Wirkungen auf die Terms-of-Trade

Durch eine Abwertung der Inlandswährung werden die eigenen Exportgüter aus der Sicht des Auslandes billiger, die ausländischen Importgüter aus der Sicht des Inlands teurer, so daß sich eine Tendenz zur **Verbesserung der Leistungsbilanz** ergibt. Dies läßt sich auch anhand des Begriffs ‹**Terms of Trade**› erläutern (vgl. auch Abschn. 13.2.2). Unter diesem wörtlich mit «Handelsbedingungen» zu übersetzenden Begriff versteht man das Verhältnis der Exportpreise zu den Importpreisen, z. B. jeweils ausgedrückt in Export- und Importpreisindizes. Eine Abwertung der Inlandswährung, welche die Exportpreise senkt und die Importpreise erhöht, würde zu einer ‹Verschlechterung› der Terms of Trade führen, da mit dem Erlös einer konstanten Menge an Exportgütern nur noch eine kleinere Menge an Importgütern ‹bezahlt› werden kann. Analog ergibt sich, daß eine Aufwertung der Inlandswährung eine Verbesserung der Terms of Trade bedeutet.

12.4.2.4. Wirkungen auf die Beschäftigung

Aus der Verschlechterung der Terms of Trade bei einer Abwertung mit Verbilligung der Export- und Verteuerung der Importgüter folgen wiederum **positive Effekte für die Beschäftigung** im Inland, und hier ist auch die Hauptantriebskraft für den Wunsch nach Abwertung der eigenen Währung im internationalen Kontext zu sehen. Da aber die positiven Effekte des abwertenden Landes mit entsprechenden negativen Effekten in den dadurch aufwertenden Ländern einhergehen, ist es verständlich, daß um jeden Prozentpunkt erbittert gerungen wird (vgl. Abb. 12.3.2/2). Der Preis für die beschäftigungsfördernden Effekte der Abwertung ist in einem **Verstärken inflationärer Kräfte** zu sehen, zunächst durch Erhöhung des importierten Kostendrucks bei preisunelastischen Gütern und möglicherweise im Zeitablauf durch Nachfragesog- und Geldmengeneffekte aufgrund steigender Exportnachfrage (Abb. 12.4.2/5). Viele Länder griffen daher bei Abwertungen vorübergehend zu Preisstops. Der positive Beschäftigungseffekt wird aber allgemein als wichtiger betrachtet, wie auch das historische Beispiel des sog. Abwertungswettlaufs im Gefolge der Weltwirtschaftskrise von 1929 deutlich macht, als viele Länder fast gleichzeitig versuchten, sich durch Abwertung Beschäftigungsvorteile gegenüber anderen zu verschaffen.

Abb. 12.4.2/5 verdeutlicht exemplarisch, daß eine Abwertung der eigenen Währung international keine Seltenheit ist.

Abb. 12.4.2/5:
Abwertungen

Polen wertet den Zloty ab
Verbesserung der Exportchancen / Inflationsziel gefährdet

Abwertung der türkischen Lira um 28 Prozent
Sorge über die Inflation / Widerstand gegen Sanierungsprogramm

Wechselkurs als Wettbewerbshilfe
Die Wechselkurse der drei Visegrad-Länder werden künstlich niedrig gehalten, um so die Exporte über günstigere Preise zu fördern.

(Anmerkung: Visegrad-Länder: Ungarn, Polen [damalige] CSFR)

12.4.2.5. Elastizitäten und J-Kurve

Ob eine Abwertung allerdings tatsächlich die zu erwartende Leistungsbilanz-verbessernde Wirkung hat, ist nicht sicher:

Die Abwertung verteuert ohne Verzögerung die Importe, so daß diese nominal steigen. Ob sie gütermäßig gedrosselt werden, so daß der Importwert insgesamt sinkt, hängt von der Elastizität der Importnachfrage ab. Ob und wie intensiv diese auf die Verteuerung der Importgüter mit Nachfragerückgang reagiert, kann präzise nur für den Einzelfall bestimmt werden. Dies gilt analog für die Exporte, die nominal billiger werden, wobei aber unbestimmt ist, ob und wie elastisch die Exportnachfrage mengenmäßig darauf reagiert (**Elastizitäts-Pessimismus**).

Hinzu kommt kurzfristig der sog. «**J-Kurven-Effekt**». Zur Veranschaulichung sei als Beispiel eine Abwertung des Euro gegenüber dem US-Dollar gewählt:

Alle Importrechnungen, die auf Dollar lauten (in Dollar «fakturiert» sind), werden damit teurer. Dies ist allgemein die Regel, denn in den meisten Ländern kann man als Grundsatz davon ausgehen, daß Importe in der Währung des Lieferlandes fakturiert sind; nur in Ländern mit «harter», begehrter Währung ist dies oft nicht der Fall. Importrechnungen in Euro hingegen werden von der Abwertung nicht betroffen, wohl aber der ausländische Exporteur, der jetzt zwar denselben DM-Betrag erhält, wie bei Vertragsabschluß verabredet, jedoch beim Umtausch dieses Betrags weniger Dollar erhält, als er ursprünglich kalkuliert hatte. Bei zukünftigen Geschäften wird er dies wohl berücksichtigen und seine Euro-Lieferpreise nach Deutschland entsprechend nach oben anpassen. Dann wird sich auch für diese Fälle die Importverteuerung auswirken.

Was die Exporte anbelangt, so werden diese nach den gerade angestellten Überlegungen vorrangig in Euro fakturiert sein. Eine Wechselkursveränderung hat demnach bei bestehenden Euro-Kontrakten keinen Effekt für den Exporteur, wohl aber für den Importeur in den USA, der den vereinbarten Euro-Betrag nun mit weniger Dollar kaufen kann als gedacht; aus seiner Sicht werden folglich die Exportwaren billiger. Wäre der Exportkontrakt in Dollar fakturiert, so würde der deutsche Exporteur dafür mehr Euro eintauschen können, als er kalkuliert hatte. Daher kann er in Zukunft seine Exportpreise in Dollar senken, ohne Einbußen bei seinen Euro-Erlösen zu erleiden.

Zusammengefaßt wird das ‹J› deutlich (vgl. Abb. 12.4.2/6): Wegen des Übergewichts der Fakturierung in der Währung des jeweiligen Lieferlandes verteuern sich – in Euro ausgedrückt – die Importe bei gleichbleibenden oder nur gering ansteigenden Euro-Exporterlösen, d. h. die Leistungsbilanz verschlechtert sich zunächst, oder anders ausgedrückt: Das Leistungsbilanzdefizit nimmt zunächst zu (abfallender Art der J-Kurve). Erst wenn die Preislisten angepaßt und die Preisveränderungen über die jeweiligen Import- und Exportelastizitäten zu Nachfragereaktionen führen, können die Importe sinken bzw. die Exporte steigen, so daß sich die Leistungsbilanz verbessert (aufsteigender Ast der Kurve).

Wenn (auch wiederholte) Abwertungen der eigenen Wirtschaft nicht auf die Sprünge helfen oder Abwertungen aus anderen (z. B. politischen) Gründen nicht möglich sind, werden Länder mit Leistungsbilanzdefiziten zu anderen importdämpfenden und exportanregenden Maßnahmen greifen; auf diese beobachtbare, mit dem Begriff **Protektionismus** beschriebene Tendenz wird im Kap. 13 eingegangen.

Nach der vorausgegangenen Klärung einiger devisentechnischer

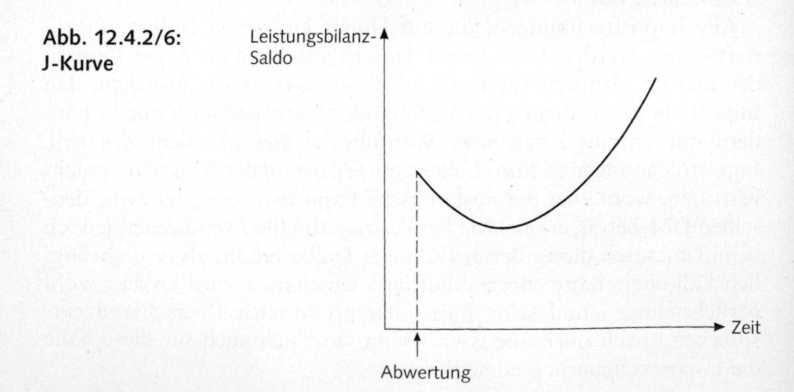

Abb. 12.4.2/6: J-Kurve

Zusammenhänge werden in den folgenden Abschnitten Aspekte der Währungsintegration betrachtet, die insbesondere – aber nicht nur – im Zusammenhang mit dem europäischen Binnenmarkt und der europäischen Währungspolitik von Bedeutung sind.

12.5. Währungsintegration

12.5.1. Fixe oder flexible Wechselkurse?

Obgleich die im ehemaligen Internationalen Währungssystem auf der Grundlage des Abkommens von Bretton Woods vereinbarten fixen Wechselkurse gegenüber dem US-Dollar als **Leitwährung** seit 1973 aufgehoben sind, ist der US-Dollar immer noch als wichtigste internationale Währung anzusehen; dies dürfte sich auch mit der Einführung des Euro nicht ändern. Die DM hat gegenüber dem Dollar eine breite Skala von Wechselkursen durchlaufen. Noch vor Gründung der Bundesrepublik wurde die DM-Dollar-Parität am 1. Mai 1949 auf 3,33 DM festgelegt. Bereits nach wenigen Monaten erfolgte eine 20prozentige DM-Abwertung auf 4,20 DM pro US-Dollar, die bis zu Beginn der 60er Jahre Bestand hatte. Die kräftigste Abwertung gegenüber der DM mußte der Dollar im Zuge der internationalen Währungskrise im Jahr 1971 mit 13,6 Prozent hinnehmen: Beim Zusammenbruch des Systems von Bretton Woods notierte die US-Währung mit 2,90 DM. Im März 1973 begann das **Blockfloaten** der europäischen Währungen gegenüber dem Dollar. Als historischer Tiefstkurs wurde der Dollar zu einem Kurs von **1,39 DM** gehandelt (vgl. Abb. 12.5.1/1). Die gewaltigen Aufwertungen gegenüber dem US-Dollar konnte die deutsche Exportwirtschaft nur verkraften (die Veränderung von 4,20 DM bis 1,39 DM entspricht einem Aufwertungssatz von 302 Prozent!), weil die Nachfrage nach ihren Produkten («Made in West Germany») relativ preisunelastisch war. Der Euro dagegen erwies nach seiner Einführung nicht die gleiche Stärke wie die DM gegenüber dem Dollar. Bei einer Erstnotierung von 1,1669 USD verlor er im ersten Quartal 99 nach einem Höchststand von 1,1913 ca. 11 Prozentpunkte und erreichte Ende April einen (damaligen) Tiefstand von 1,0558 (vgl. Abb. 12.5.1/2).

Das Hauptargument für **fixe Wechselkurse** liegt – vor allem aus kaufmännischer Sicht – in der sicheren **Kalkulierbarkeit** im Zeitablauf. Das wichtigste Gegenargument besteht – wie oben schon erwähnt – darin, daß zur Verteidigung unrealistisch gewordener fixer Wechselkurse die Notenbank entweder – bei Abwertungssog der

Abb. 12.5.1/1: DM-Dollar-Geschichte

Fix-Kurs-System von Bretton Woods	
1. 5. 1949	1 US-$ = 3,33 DM
1. 9. 1949	1 US-$ = 4,20 DM
6. 3. 1961	1 US-$ = 4,00 DM
27. 10. 1969	1 US-$ = 3,66 DM
21. 12. 1971	1 US-$ = 3,22 DM
12. 2. 1973	1 US-$ = 2,90 DM
19. 3. 1979	**Freigabe des Wechselkurses**
bisheriger Tiefstkurs:	
19. 4. 1995	1 US-$ = 1,3620 DM

Inlandswährung z. B. aufgrund eines Leistungsbilanzdefizits – laufend ausländische Währung abgeben muß (**Stützungsverkauf**), was zum **Abbau von Devisenreserven** bzw. ggf. internationaler **Verschuldung** führen kann, oder – bei Aufwertungsdruck auf die Inlandswährung, z. B. aufgrund eines Leistungsbilanzüberschusses – laufend ausländische Währung ankaufen muß (**Stützungskauf**), wodurch sich die **Geldmenge** inflationär ausweiten kann.

Bei **flexiblen Wechselkursen** hingegen würden sich Zahlungsbilanzstörungen, die auf internationale Preis-, Kosten- oder Zinsunterschiede zurückzuführen sind, durch die dadurch ausgelösten Devisen-

Abb. 12.5.1/2: USD/EUR-Kursentwicklung

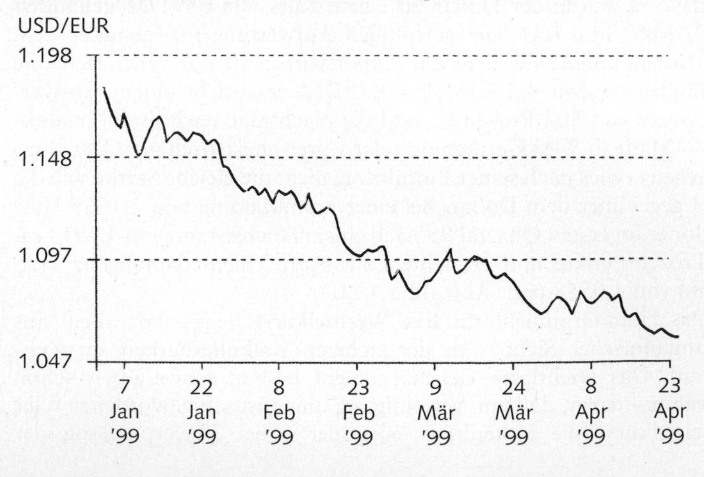

bewegungen zu großen Teilen von **selbst beheben**. Dies bedeutet, daß dann in nationaler Hinsicht Wirtschaftspolitik betrieben werden kann, die nicht durch entgegengerichtete Einflüsse von der «außenwirtschaftlichen Flanke» bedroht wird: Die Notenbank hat keine Interventionspflicht mehr am Devisenmarkt (Abb. 12.5.1/3). Hier nur ein Beispiel: Eine erfolgreiche binnenwirtschaftliche (Preis-)Stabilitätspolitik würde – unter sonst gleichen Voraussetzungen – bei höherem ausländischen Preisniveau tendenziell zu Exportüberschüssen führen. Diese aber bringen – wie dargestellt – inflationäre Impulse mit sich und würden die Stabilitätspolitik durch importierte Inflationskräfte gefährden. Bei flexiblen Wechselkursen hingegen würden die Devisenzuflüsse zu einer Aufwertung der Inlandswährung führen, wodurch Preis- oder Zinsunterschiede eingeebnet würden.

Abb. 12.5.1/3: Floating

Guatemala

Freigabe des Quetzal-Kurses

Guatemala hat den Wechselkurs für seine Landeswährung den Quetzal (Q) freigegeben. Damit entfällt das System der täglichen US-$-Versteigerungen, darüber hinaus ist die Zentralbank nicht mehr zum An- und Verkauf von US-$ verpflichtet. Private Nachfrager müssen sich nun über die Geschäftsbanken des Landes eindecken. (Dresdner Bank Nr. 4 / April 1994)

Man spricht daher auch von den «**Selbstheilungskräften**» flexibler Wechselkurse. Diese sollten aber nicht überschätzt werden, denn es wäre unrealistisch zu glauben, daß flexible Wechselkurse auf güterwirtschaftliche Ungleichgewichte angemessen reagieren. Wegen des Übergewichts des reinen Devisenhandels über die Handelsströme und die langfristigen Kapitalbewegungen können sich sogar völlig entgegengesetzte Entwicklungen ergeben, z.B. daß bei einer Zunahme des amerikanischen Handelsbilanzdefizits der Dollar nicht – wie theoretisch zu erwarten wäre – schwächer wird (abwertet), sondern ganz im Gegenteil aufwertet.

Der **Hauptvorteil** flexibler Wechselkurse liegt dessenungeachtet darin, daß sie automatisch auf Marktveränderungen reagieren, d.h. keine anhaltenden Falschbewertungen («**misalignments**») möglich sind. Wechselkursanpassungen bei fixen Wechselkursen – auch innerhalb des EWS, vgl. Abschn. 12.6 – erfolgten meist «zu spät» und «zu schwach». Eine Unterbewertung der Währung wirkt folglich auf der Importseite wie ein Schutzzoll, auf der Exportseite wie eine Exportsubvention.

Der **Hauptnachteil** flexibler Wechselkurse liegt in der **schwierigen Kalkulierbarkeit** im Zeitablauf, die über längere Fristen nur unbefriedigend durch Termingeschäfte abzusichern ist. Fixe Wechselkurse sind eine unabdingbare **Voraussetzung für Integrationsbestrebungen**, z. B. innerhalb der Europäischen Gemeinschaft; flexible Wechselkurse sind für national autonome Wirtschaftspolitik praktikabler. Die Tatsache, daß das bisherige Europäische Währungssystem vom Prinzip fester Wechselkurse ausging und als Beitrittsvoraussetzung zur europäischen Währungsunion (EWU) die Wechselstabilität als eines der Konvergenzkriterien (vgl. Abschn. 12.6.5.3) formulierte, während gegenüber «Drittländern» flexible Wechselkurse gelten, mag diese Aussage untermauern.

Die Eingriffe der nationalen Notenbanken am Devisenmarkt sind also auf der einen Seite – wie früher im EWS – vertraglich bedingt und hängen auf der anderen Seite bei flexiblen Wechselkursen – wie gegenüber dem US-Dollar – von der freien Entscheidung der Notenbanken hinsichtlich der Kursbeeinflussung ab. Ein wichtiger Punkt ist dabei hervorzuheben: Bei fixen Wechselkursen kann eine Leitkurs- bzw. Paritätsänderung nur durch Regierungsbeschluß (in Abstimmung mit ausländischen Regierungen) herbeigeführt werden. Bei flexiblen Wechselkursen hingegen liegt es im Ermessen der Notenbanken (sofern sie autonom sind), Auf- oder Abwertungen hinzunehmen, ihnen entgegenzuwirken oder sie sogar herbeizuführen. Damit verfügt eine autonome Notenbank bei flexiblen Wechselkursen neben ihren sonstigen geld- und kreditpolitischen Instrumenten über ein weiteres Instrument, mit dem Einflüsse auf der Handels-, Kapital- und Devisenströme ausgeübt und binnenwirtschaftliche Maßnahmen unterstützt werden können. Allerdings muß man dabei im Auge behalten, daß selbst Beträge von vielen Millionen bei der Wechselkursfindung im internationalen Kontext nur Akzente setzen können. Eine nachhaltige Beeinflussung von Wechselkursen ist nur durch gemeinsames, abgestimmtes Verhalten wichtiger Notenbanken zu erwarten (vgl. Abb. 12.5.1/4).

Bevor auf die Perspektiven der monetären Integration in der Europäischen Union eingegangen wird (Abschn. 12.6), werden zunächst einige grundsätzliche Aspekte der Währungsintegration dargestellt.

12.5.2. Integrations-Strategien

Die Schaffung einer **Währungsunion** bedeutet allgemein die *Vereinheitlichung des Währungssystems* zwischen zwei oder mehreren Part-

Abb. 12.5.1/4: Wechselkurspolitik

Wim Duisenberg gegen aktive Wechselkurspolitik

ctg. FRANKFURT, 23. Oktober. Der aktive Einsatz des Wechselkurses als politisches Instrument kostet mehr, als er nützt. Dies ist nach Ansicht von Wim Duisenberg, Präsident der Europäischen Zentralbank, die Lehre, die Europa aus den früheren Wechselkursturbulenzen gezogen hat.

Quelle: Claus Tigges, Frankfurter Allgemeine Zeitung

nerländern, wobei grundsätzlich nur noch eine Währung für alle Partnerländer gemeinsam existiert. Dabei gibt es sowohl verschiedene Formen, auf die gleich eingegangen wird, als auch zwei verschiedene Strategien.

Die erste ist die Position der «*Ökonomisten*», wonach eine monetäre Integration nur stattfinden kann bzw. soll, wenn die ökonomische Integration (Zollunion/gemeinsamer Markt/Wirtschaftsunion) als Voraussetzung vollendet oder doch zumindest sehr weit fortgeschritten ist. Also: erst ökonomische Integration, dann monetäre (sog. «*Krönungstheorie*»). Um es einmal kraß zu sagen: Da kann man meist lange warten. Die andere Position ist die der «*Monetaristen*» (wobei dieser Begriff *nicht* – so wie bei *Milton Friedman* – als Gegensatz zu Vertretern des *Keynesianismus* gemeint ist). Die Monetaristen im hier gemeinten Sinne vertreten die Auffassung, daß eine frühzeitige monetäre Integration die ökonomische Integration vorantreibe und fördere. Also: erst monetäre Integration, dann ökonomische. Diese Variante ist bei der Konstruktion des Europäischen Währungsverbundes gewählt worden, da dieser – ab 1979 – existierte, ohne daß zumindest ein Binnenmarkt realisiert worden wäre. Auch die Maastrichter Beschlüsse der EG zur Schaffung einer Währungsunion ab 1. 1. 1999 waren in diesem Sinne geprägt. Die monetaristische Integrationsstrategie liegt auch der Franc-Zone zugrunde (vgl. Exkurs am Schluß dieses Abschnitts).

12.5.3. Integrations-Formen

(1) Die schwächste Form der Währungsintegration in der **Wechselkursverbund**, wie z. B. das Europäische Währungssystem (EWS I bzw. II; vgl. ausführlich anschließend Abschn. 12.6). Dabei werden für die beteiligten nationalen Währungen untereinander feste Wechselkurse vereinbart (im EWS **Leitkurs** genannt), von denen die aktuellen Marktkurse aber – je nach gewähltem Währungssystem mehr oder weniger innerhalb bestimmter **Bandbreiten** – abweichen dürfen. Im

EWS z. B. konnten die Marktkurse bis August 1993 um je 2,25%, seitdem um je 15% über bzw. unter den vereinbarten Leitkursen liegen. Teilnehmerländer am neu formulierten EWS (EWS II) mit Beitrittsabsichten zur EWU sollen zukünftig darauf durch eine Verengung der Bandbreiten vorbereitet werden. Z. B. liegt die Bandbreite für die dänische Krone derzeit bei 2,25%. Die beteiligten Staaten sind verpflichtet, ggf. durch Interventionen sicherzustellen, daß ihre Währung voneinander nicht um mehr als die verabredete Bandbreite abweichen. Währungsverbünde sind relativ lose monetäre Integrationen und – wie die Praxis des EWS zeigte – relativ starken wechselkursbeeinflussenden Faktoren ausgesetzt, so daß gelegentlich Auf- oder Abwertungen erforderlich werden oder Währungen aus dem Verbund ausscheiden. Vgl. auch Abb. 12.5.3/1.

Abb. 12.5.3/1: Währungsverbund

Währungsverband auf Rubelbasis beschlossen

Rußland, Kasachstan und Usbekistan als Mitglieder

(2) Die nächst intensivere Form monetärer Integration ist die **Wechselkursunion**, bei der es keine Bandbreiten gibt, die Wechselkurse also völlig fix oder starr sind. Eine Wechselkursunion existierte beispielsweise formal zwischen Belgien und Luxemburg oder innerhalb der sog. **Franc-Zone** zwischen Frankreich und 14 afrikanischen sowie einigen anderen überseeischen Staaten (vgl. den Exkurs im Anschluß an diesen Abschnitt). Daneben gibt es nicht-formelle, **faktische Wechselkursunionen**, z. B. früher zwischen Deutschland, den Niederlanden, Belgien, Österreich und der Schweiz: In allen vier Fällen wurde der Wechselkurs zur DM viele Jahre lang absolut stabil gehalten, so daß sich faktisch ein Fünferverbund gebildet hatte (vgl. Abb. 12.5.3/2).

(3) Solche Wechselkursunionen sind Vorstufen, sind Quasi-Währungsunionen. Eine ‹richtige› **Währungsunion** setzt eine gemeinsame Währung der beteiligten Länder voraus. Dabei gibt es wiederum drei Varianten:

Abb. 12.5.3/2: Faktische Wechselkursunion

DM-Bindung des Schillings wird weiter beibehalten

Ungarn: D-Mark als Leitwährung

(a) Zum einen können sich die Partnerländer auf eine der bereits in Umlauf befindlichen nationalen Währungen einigen, so wie es 1990 bei der Währungsunion zwischen der Bundesrepublik und der Ex-DDR zunächst der Fall war (vgl. auch Abb. 12.5.3/3).

Abb. 12.5.3/3: Währungsunion

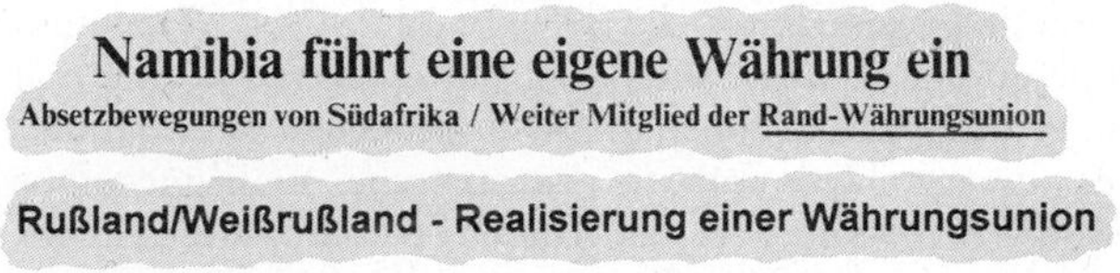

Namibia führt eine eigene Währung ein

Absetzbewegungen von Südafrika / Weiter Mitglied der Rand-Währungsunion

Rußland/Weißrußland - Realisierung einer Währungsunion

(b) Zum anderen können sich die Partnerländer – theoretisch – auf eine ‹dritte›, externe nationale Währung einigen; für diese Variante gibt es jedoch kein praktisches Beispiel.

(c) Drittens können die Mitglieder der Währungsunion eine neue, supranationale Währung einführen, die in keinem Mitgliedstaat oder einem anderen Land in Umlauf ist, wie es 1999 in der Europäischen Gemeinschaft mit dem Euro geschehen ist. Im folgenden wird – nach einem Exkurs über die Franc-Zone – anschließend die Struktur des bisherigen Europäischen Währungssystems dargestellt, bevor auf die Europäische Währungsunion eingegangen wird.

12.5.4. Optimale Währungsräume

Hinsichtlich der regionalen Abgrenzung von Währungsunionen – sei es in Form der oben angesprochenen Wechselkursunion (2) oder der Währungsunion i. e. S. (3) – versucht die sog. **Theorie optimaler Währungsräume (OWR)**, Kriterien zu entwickeln[1]. Als Währungsraum wird dabei ein Gebiet verstanden, innerhalb dessen eine Gruppe von Ländern mit gemeinsamer Währung oder mit nationalen Währungen – bei voller Konvertibilität – mit absolut festen Wechselkursen miteinander verbunden sind, wobei der Währungsraum nach außen ‹floated›. Die Mitglieder des Währungsraums geben dabei ihre währungspolitische Autonomie an eine supranationale Zentralbank ab. ‹Optimal› ist der Währungsraum dann, wenn trotz der Aufgabe des wirtschaftspolitischen Instruments der Wechselkursänderung – im Falle flexibler Wechselkurse – die Vorteile überwiegen, die sich aus der Währungsunion ergeben.

[1] Ihr prominentester Vertreter, *Robert Mundell*, hat 1999 den Wirtschafts-Nobelpreis erhalten.

Es gibt eine Vielzahl von Abgrenzungskriterien, die jedoch jeweils den Nachteil besitzen, sich nur auf *eine* ökonomische Größe zu stützen. Beispielsweise ist es danach sinnvoll, wenn ein relativ kleines Land, das eine intensive Handelsverflechtung mit einem großen Nachbarland hat, einen festen Wechselkurs beibehält. Genau dies war z.B. der Fall bei Belgien, Österreich oder den Niederlanden gegenüber Deutschland. Insgesamt ist die Theorie optimaler Währungsräume nicht operational genug, um daraus im konkreten Fall politische Handlungsratschläge abzuleiten. Dennoch ließen sich daraus Überlegungen heranziehen, daß die Europäische Währungsunion sich zunächst auf einen Kern weniger Länder beschränkt, welche im Sinne der Kriterien eines OWR (Konvergenzkriterien) Erfolgsaussichten haben.

12.5.5. Exkurs: Die Franc-Zone

Eine Wechselkursunion stellt auch die **Franc-Zone** dar. Frankreich hat sie formal 1939 für seine damaligen Kolonien geschaffen, faktisch bestand sie schon Ende des 19. Jahrhunderts im Rahmen des «*Empire Français*». Bis zur Unabhängigkeit der Kolonien in den 60er Jahren wurde die gesamte Franc-Zone zentral von Paris aus gesteuert. 1973 und 1975 erfolgten umfassende Reformen, die zu einer gewissen Dezentralisierung führten. Über die Mitgliedschaft Frankreichs an der EWU sind auch die CFA-Länder de-fakto-Mitglieder der EWU, ebenso wie Andorra, Monaco, San Marino und der Vatikanstaat (vgl. Abb. 12.5.5/1).

Im Zentrum der Franc-Zone steht der konvertierbare **Franc-CFA** (*Communauté Financière Africaine*): In jedem der 14 afrikanischen Mitgliedstaaten kursiert ein CFA-Franc (ein «schwarzer Franc») auf national unterschiedlichen Banknoten, der in einem absolut festen Kursverhältnis zum französischen Franc (dem «weißen Franc») steht: 1 FRF = 100 F-CFA bzw. 1 F-CFA = 0,01 FRF.

Dieses Kursverhältnis gilt seit Januar 1994: der CFA-Franc wertete abrupt um 50% ab, nachdem 46 Jahre lang – seit 1948 – die Parität von 1 : 50 (0,02 : 1) gegolten hatte. Die alte Parität war angesichts der ökonomischen Situation der CFA-Länder schon seit langem völlig unrealistisch gewesen und wurde nur aus offensichtlichen politischen und entwicklungsstrategischen Gründen beibehalten. Ökonomisch gesehen war die Abwertung schon lange überfällig. Aufgrund der oben (Abschn. 12.4.2.1) beschriebenen abwertungsbedingten Importverteuerung hatten sich die CFA-Länder jedoch bis zuletzt gegen eine Wechselkursanpassung gewehrt; andererseits können einige CFA-Län-

Abb. 12.5.5/1: Mitglieder der EWWU

de-facto-Mitglieder durch CFA-Währungsabkommen mit Frankreich

Komoren Franc
1. Komoren

Franc der Afrikanischen Finanzgemeinschaft
2. Benin
3. Burkina Faso
4. Elfenbeinküste
5. Guinea Bissau (seit 5/98)
6. Mali
7. Niger
8. Senegal
9. Togo

Franc der finanziellen Zusammenarbeit in Zentralafrika
10. Äquatorialguinea
11. Gabun
12. Kamerun
13. Kongo-Brazzaville
14. Tschad
15. Zentralafrikanische Republik

Mitglieder gemäß Vertrag über die EWWU (Vertrag von Maastricht)

€

1. Belgien
2. Deutschland
3. Finnland
4. Frankreich
5. Irland
6. Italien
7. Luxemburg
8. Niederlande
9. Österreich
10. Portugal
11. Spanien

de-facto-Mitglieder durch Währungsabkommen mit EU-Staaten

€

1. Andorra
2. Monaco
3. San Marino
4. Vatikan
(5. Mönchsrepublik Berg Athos)*

* mit Beitritt Griechenlands zur EWWU

der durchaus mit Exportauftrieb rechnen. Im Sprachgebrauch wird i. d. R. von *der* Franc-Zone gesprochen, obgleich es faktisch drei sind, denn es gibt zwei afrikanische und eine pazifische Franc-Zone mit einem Franc-CFP; hierzu weiter unten. Die Franc-Zonen sind weltweit eine einzigartige Konstruktion.

Die Franc-Zone stellt ein Beispiel für einen *«monetaristischen»* Ansatz im oben erwähnten Sinne dar: Die ökonomistische Strategie würde – zumindest – von einer Zollunion ausgehen; dies aber würde die beteiligten Länder ihrer wichtigsten Einnahmequelle zur Finanzierung des Staatshaushalts berauben – und auch für viele Staatsdiener, welche für die administrative Abwicklung z. B. der Zollabfertigung zuständig sind, den Wegfall lukrativer Nebeneinnahmen bedeuten.

Die afrikanische Franc-Zone besteht aus zwei Währungsgebieten, die von zwei Notenbanken verwaltet wird (Abb. 12.5.5/2): Die Westafrikanische Franc-Zone wird von ihrer Zentralbank in Dakar/Senegal aus verwaltet, die zentralafrikanische Franc-Zone von Jaundé/Kamerun aus. Ursprünglich gehörten der CFA-Zone weitaus mehr Länder an, u. a. in Nordafrika und Nahost, vorübergehend sogar das Saarland. Eigentlich bedeutete Franc-CFA «Franc des Colonies Françaises d'Afrique», wurde dann später unter Wahrung des Kürzels in «Franc de la Communauté Financière Africaine» (Westafrika) bzw. «Franc de la Coopération Financière en Afrique Centrale» umgetauft. Heute ist die verbliebene Franc-Zone auf das Armenhaus Afrikas geschrumpft. Die monetären Beziehungen zwischen beiden Zentralbanken laufen über das französische Schatzamt (*«Trésor»*), welches der Banque de France unterstellt ist.

Für eine Reihe von französischen überseeischen Départements – im EG-Jargon ÜLG genannt: überseeische Länder und Gebiete –, die nicht der französischen Notenbank unterstehen, gibt es einen eigenen Währungsraum mit dem **Franc-CFP** (*Change Franc Pacifique*), der von zwei Notenbank-ähnlichen französischen Institutionen verwaltet wird.

Folgende Kriterien kennzeichnen die Franc-Zonen:

- unbegrenzte Konvertierbarkeit der beteiligten Währungen untereinander; dies bedeutet über die freie Konvertibilität des FRF (jetzt: Euros) auch weltweite Eintauschfreiheit der CFA-Francs. Die

Abb. 12.5.5/2: Franc-Zone

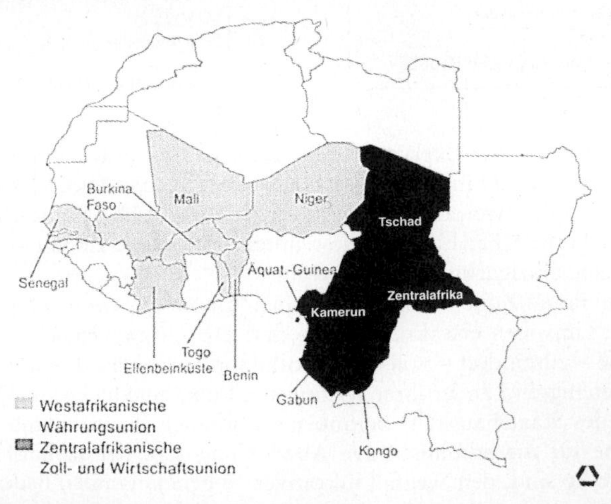

FRF/CFA-Konvertibilität wird durch eine Garantie des französischen Finanzministeriums gesichert;

- absolut feste Parität zum FRF und darüber zum Euro, die nur vertraglich durch einstimmigen Beschluß der beteiligten Länder geändert werden kann,
- völlige Transferfreiheit für Devisen in diesen Währungsräumen, d. h. alle beteiligten Staaten haben abgestimmte Devisenbestimmungen, die denen Frankreichs vergleichbar sind.

Die beiden afrikanischen Zentralbanken unterhalten beim französischen Schatzamt Verrechnungskonten, über welche die Zahlungsvorgänge untereinander, mit Frankreich und mit Drittländern verbucht und verrechnet werden. Aufgrund der völlig freien Konvertibilität der CFA-Francs zum FRF/EUR haben die beteiligten Staaten Zugriff auf jede beliebige Art konvertibler Devisen. Dies sichert den Mitgliedstaaten der Franc-Zone ihre internationale Zahlungsfähigkeit. Die Länder sind verpflichtet, 65% ihrer Devisen in einen gemeinsamen Pool einzubringen, können andererseits ihre «Operationskonten» aber bei Zahlungsbilanzproblemen auch überziehen. Diese Währungsgarantie ist für die afrikanischen und pazifischen Länder der entscheidende Vorteil der Franc-Zone.

Für Frankreich bedeutete diese Konstruktion faktisch eine Ausweitung des nationalen Wirtschaftsraums auf den afrikanischen Kontinent bzw. in die pazifischen Gebiete. Die Franc-Zonen stellen somit aufgrund der freien Konvertierbarkeit der CFA-Francs in den FRF/EUR eine – auch vielen Fachleuten meist völlig unbekannte, verdeckte – *Ergänzung des Europäischen Währungsverbundes* dar, denn Frankreich repräsentiert – so gesehen – zahlreiche weitere Länder in Afrika und im Pazifik.

Die konkrete Konstruktion der Franc-Zone als Währungsunion ist nicht unproblematisch. Intern wird kritisiert, daß Frankreich – unbeschadet der formellen Autonomie und der statutenmäßigen Mitbestimmungs- und Mitentscheidungsrechte der Mitgliedstaaten – doch ein erhebliches Übergewicht hat. Die Konvertibilitätsgarantie Frankreichs erstreckt sich z. B. nur auf Forderungen und Verbindlichkeiten der afrikanischen Zentralbanken, nicht der jeweiligen Regierungen oder einzelner Unternehmen. In diesen Fällen ist ausländischen Gläubigern nicht mit Konvertibilitäts- und Transfergarantien geholfen, wenn die jeweiligen Schuldner nicht zahlen können oder wollen. Dem Vorteil der völligen Kapitalverkehrsfreiheit steht zudem der Nachteil eines beträchtlichen Devisenabflusses gegenüber, da afrikanisches Kapital in starkem Maße in renditesicherere und risikoärmere außerafrikanische Anlagen fließt. Dies dürfte auch beträchtliche Summen aus Entwicklungshilfeleistungen umfassen. Der Kapitalmangel ist eine der Hauptursachen für die ökonomischen Probleme der afrikanischen Länder.

Die Schaffung einer Währungsunion hat im CFA-Franc-Bereich also nicht die Impulse gebracht, die für einen erkennbaren wirtschaftlichen Aufschwung erforderlich wären. Die ökonomische Integration fehlt: Obgleich die afrikanische Franc-Zone z.B. so unterschiedliche Länder umfaßt wie das bitterarme Burkina Faso und das reiche Ölland Gabun, sind sich die Wirtschaftsstrukturen der Franc-Zonen-Länder sehr ähnlich. Nur 10% ihres Gesamtexports entfällt auf den intraregionalen Handel, in Zentralafrika sogar nur 1–2%; Frankreich bezieht nur 1,1% seiner Importe aus der Franc-Zone und liefert nur 1,4% seiner Exporte dorthin.

12.6. Rückblick: EWS I

Der folgende Abschnitt geht auf das Europäische Währungssystem ein, das zwar einerseits mit der Schaffung des Wechselkursverbundes gleichfalls einer monetaristischen Strategie im oben definierten Sinne gefolgt war, andererseits aber doch die ökonomische Integration mit der Schaffung des Binnenmarktes ab 1993 so weit vorangetrieben hat, daß die Währungsunion seit 1999 nicht ohne eine ökonomische Basis ‹schwebt›.

12.6.1. Historischer Hintergrund

Die Entstehung des Europäischen Währungssystems (EWS) muß im geschichtlichen Zusammenhang gesehen werden. Noch während des Zweiten Weltkriegs wurde 1944 auf der Konferenz von Bretton Woods, einem kleinen Gebirgsort im US-Bundesstaat New Hampshire, die Gründung des **Internationalen Währungsfonds** (IWF) beschlossen. Dieser sollte über ein System fixer Wechselkurse (mit Bandbreiten von ± 1%) gegenüber der Leit- und Reservewährung US-Dollar wachen. Dieses System, das auch als Bretton-Woods- oder IWF-System bezeichnet wird, stützte sich insbesondere darauf, daß die amerikanische Regierung garantierte, staatliche Dollarguthaben jederzeit in Gold einzutauschen: Als «Wechselkurs» wurde 1 Unze Feingold = 35 Dollar festgesetzt.

Bedingt durch verschiedene Faktoren (u.a. die Rüstungsausgaben im Vietnamkrieg) wuchsen die Dollarbestände im Ausland so an, daß das Vertrauen in die Goldeinlösegarantie abbröckelte (*Dollarschwemme*). Insbesondere Frankreich unter Staatspräsident de Gaulle tauschte in großem Stil Dollarbestände gegen Gold ein, so daß die amerikanischen Goldvorräte im legendären Fort Knox dahinschmolzen. In diesen Zeitraum fiel auch die Abwertung des britischen Pfunds als zweitwichtigster Reservewährung und die Spaltung des Goldpreises in einen freien Kurs für die privaten Märkte und einen festen für offizielle Transaktionen sowie die Freigabe der Wechselkurse verschiedener Währungen – darunter der DM – im Jahr 1968.

Den entscheidenden Stoß bekam das Bretton-Woods-System am 15. 6. 1971, als Präsident Nixon die Goldeinlösegarantie des Dollars aufhob und den Dollar gegenüber dem Gold abwertete. Eigentlich hätten die USA den Dollarkurs – wie jedes andere Land auch – durch Interventionen verteidigen müssen (Goldverkäufe gegen Dollar), doch die Nixon-Regierung entschied anders: «Der Dollar ist unsere Währung, aber Euer Problem» (Finanzminister Conally). Zunächst wurde – vergebens – versucht, durch Erweiterung der Bandbreiten von ± 1% auf ± 4,5% das IWF-System zu retten, doch erfolgte 1973 der endgültige **Zusammenbruch** mit der allgemeinen Freigabe der Wechselkurse.

Die EG-Staaten beschlossen allerdings, zwar gegenüber dem Dollar zu «floaten», andererseits aber ihre Währungen enger aneinander zu binden, und vereinbarten bereits damals eine Bandbreite von 2,25%, woraus sich das sog. **Blockfloaten** ergab; das Grundprinzip wird oben in Abschn. 12.3.3 erläutert. Danach ergaben sich verschiedene Zwischenkonstruktionen, die als «**Schlange**» bzw. «**Schlange im Tunnel**» Eingang in die Literatur gefunden haben. Einzelheiten dazu sind hier entbehrlich. Am 13. 3. 1979 trat dann das **Europäische Währungssystem (EWS)** in Kraft (Abb. 12.6.1/1).

Das EWS wurde am 1. 1. 1999 durch die Europäische Währungsunion (EWU) abgelöst, in welchem sich 11 der 15 EU Mitglieder zusammenfanden (vgl. Abschn. 12.7). Die verbleibenden Währungen, die der EWU nicht beitreten wollten oder konnten (Pfund Sterling, Schwedische Krone, Dänische Krone und Griechische Drachme), sind untereinander und gegenüber dem Euro in einem Wechselkursverbund verbunden, den man EWS II nennt, da er in seiner Funktionsweise mit dem bisherigen System übereinstimmt. Zum historischen Verständnis werden im folgenden die Strukturelemente des früheren EWS I ausführlicher dargestellt.

Das EWS bestand aus **drei Komponenten**: der Europäischen **Wahrungseinheit** ECU, dem **Interventionssystem** bezüglich der Verteidigung der vereinbarten Leitkurse der nationalen Währungen gegenüber der ECU sowie einem **Kreditsystem** zwischen den beteiligten Notenbanken.

Abb. 12.6.1/1: Bretton-Woods-System

Von festen zu freien Wechselkursen

Eine Chronik des Weltwährungssystems von Bretton Woods

1. bis 22. Juli 1944: Über vierzig Staaten legen im amerikanischen Bergdörfchen Bretton Woods die Grundlage für ein neues Weltwährungssystem. Sie gründen den Internationalen Währungsfonds (IWF) und die Weltbank. Der Wert des Dollar wird in Gold festgelegt (je Feinunze 35 Dollar). Die Vereinigten Staaten sind verpflichtet, Gold zu diesem Preis zu kaufen und zu verkaufen. Die Wechselkurse aller Währungen werden in Dollar fixiert.

1. März 1947: Der Währungsfonds nimmt seine Geschäfte auf.

8. Mai 1947: Den ersten Kredit auf den Währungsfonds (25 Millionen Dollar) zieht Frankreich.

14. August 1952: Die Bundesrepublik Deutschland wird nach ihrem Beitritt zum Bretton-Woods-Abkommen Mitglied in Währungsfonds und Weltbank. Der DM-Wechselkurs zum Dollar wird auf 4,20 DM je Dollar festgesetzt.

5. März 1961: Erste Aufwertung der D-Mark (1 Dollar = 4 DM).

24. Oktober 1962: Die „Allgemeine Kreditvereinbarung“ zwischen Währungsfonds und „Zehner-Gruppe“ tritt in Kraft. Die Zehner-Gruppe gewährt dem Fonds eine Kreditlinie von 6 Milliarden Dollar.

6. August 1969: Der Währungsfonds richtet ein Konto für Sonderziehungsrechte (SZR) ein.

17. März 1968: Der Goldmarkt wird gespalten in einen offiziellen und einen privaten.

30. September 1969: Der Wechselkurs der D-Mark wird vorübergehend freigegeben, um die Spekulation abzuwehren.

27. Oktober 1969: Die zweite DM-Aufwertung (1 Dollar = 3,66 DM) beendet die Freigabe des DM-Wechselkurses.

1. Januar 1970: Die erste SZR-Zuteilung.

1. Juni 1970: Kanada läßt den Wechselkurs des kanadischen Dollar frei schwanken.

10. Mai 1971: Die Bundesrepublik und die Niederlande geben ihre Wechselkurse frei, um weitere Dollarzuflüsse abzuwehren. Dauer: bis 17. Dezember.

15. August 1971: Der amerikanische Präsident Nixon kündigt die amerikanische Goldeinlösungspflicht auf.

17./18.Dezember 1971: Der Dollar wird gegenüber dem Gold erstmals abgewertet. Der offizielle Preis lautet jetzt 38 (statt 35) Dollar je Feinunze. Die G-10-Staaten setzen neue Leitkurse für die wichtigsten Währungen fest (Smithsonien Agreement).

24. April 1972: Die „Währungsschlange im Tunnel“ wird geboren. Die Wechselkurse der EG-Währungen werden gegenüber einem weiterhin fixierten Dollar-Kurs innerhalb einer engen Schwankungsbreite gehalten.

23. Juni 1972: Das britische Pfund bricht aus der „Schlange“ aus, sein Wechselkurs wird freigegeben.

2. März 1973: Die Bundesbank stellt die Stützungskäufe für den Dollar ein. Das bedeutet eine Freigabe des DM-Wechselkurses. Auch die übrigen westlichen Industriestaaten geben die Wechselkurse frei.

19. März 1973: Die Europäische Gemeinschaft geht zum gemeinsamen „Floating“ (Block-Floating) gegenüber dem nunmehr frei beweglichen Dollar-Kurs über („Währungsschlange im See“, Beschluß vom 11. März).

15./17. November 1974: Das erste „Weltwirtschafts-Gipfeltreffen“ der Fünfer-Gruppe (damals noch ohne Kanada und EG) in Rambouillet.

7./8. Januar 1976: Mit dem Währungstreffen von Jamaika beginnt die neue Ära des „nichtreformierten“ Währungssystems. Freischwankende Wechselkurse werden durch IWF-Satzungsänderung legitimiert.

12./13. August 1982: Mexiko schließt seinen Devisenmarkt. Beginn der sogenannten Schuldenkrise vor allem in Lateinamerika, aber auch der Entwicklungsländer insgesamt.

22. September 1985: Im New Yorker Plaza-Hotel versuchen Finanzminister und Notenbank-Chefs der fünf großen Industrieländer (Vereinigte Staaten, Bundesrepublik, Großbritannien, Frankreich, Japan), den Höhenflug des Dollarkurses zu bremsen („Plaza-Akkord“).

22. Februar 1987: Im Pariser Louvre versuchen Finanzminister und Notenbank-Chefs der fünf großen Industrieländer den Fall des Dollar-Kurses aufzufangen („Louvre-Akkord“).

12.6.2. Die ECU

Sprachlich besteht Unsicherheit, ob es «die» oder «der» ECU war. Aus der Übersetzung als Europäische Währungseinheit (European Currency Unit) ergibt sich eindeutig «die» ECU, im Sprachgebrauch wurde jedoch dessenungeachtet oft von «dem» ECU gesprochen. Die Abkürzung ECU hat übrigens nichts mit dem Ecu zu tun, einer französischen Goldmünze aus dem Mittelalter, obwohl man in Frankreich vermutlich nicht unglücklich ist über diese Namensähnlichkeit. Die Europäische Währungseinheit war eine reine Recheneinheit und wurde als «Warenkorb» aus allen am EWS beteiligten Währungen ermittelt. Der Begriff Warenkorb kann bildlich verstanden werden, indem von jeder Währung ein bestimmter Betrag in den Korb bezahlt wurde. Diese Beträge wurden auf der Basis der Bruttoinlandsprodukte, des Anteils am innergemeinschaftlichen Handel sowie an den Quoten des Kreditsystems festgelegt und verschiedentlich revidiert. Mit Inkrafttreten des Maastrichter Vertrages wurden sie abschließend festgelegt. Die absoluten Währungsbeträge mußten – um DM, FF, hfl, bfr etc. ‹auf einen Nenner› bringen, d. h.: um die ECU in einer bestimmten Währung ausdrücken zu können – durch entsprechende Wechselkurse in die jeweilige Währung umgerechnet werden.

Abb. 12.6.2/1 zeigt – im oberen Teil – die absoluten Beträge, die in den ECU-Korb ‹eingezahlt› wurden. Für die Umrechnung dieser Beträge, zum einen in andere EWS-Währungen, zum anderen in den Wert des ECU insgesamt, mußten Wechselkurse verwendet werden. Um Orientierungs- bzw. Zielwerte zu erhalten, mußten von den EWS-Ländern im Rahmen von Regierungsverträgen **Leitkurse** ausgehandelt werden. Diese orientierten sich an den ökonomischen Realitäten, insbesondere an den sich an den freien Devisenmärkten bildenden Kursen, wurden dann aber für eine gewisse Zeit festgeschrieben. Die Leitkurse waren also keineswegs willkürlich, konnte jedoch von der konkreten Marktsituation durchaus abweichen; ggf. mußten sie neu verhandelt und neu festgesetzt werden (vgl. unten). Abb. 12.6.2/1 zeigt im unteren Teil die Multiplikation der – ausgehandelten – Währungsbeträge zum ECU-Korb mit den – ausgehandelten – **bilateralen Leitkursen** zur DM, woraus sich in diesem Beispiel der Wert der ECU in DM ergibt: 1 ECU = 1,96992 DM (sog. **ECU-Leitkurs**). Durch entsprechende Vorgehen für die anderen EWS-Währungen ergeben sich die analogen ECU-Leitkurse für die einzelnen nationalen Währungen (Abb. 12.6.2/2). Abb. 12.6.2/3 verdeutlicht das daraus resultierende relative «Kräfteverhältnis».

Die ECU hatte im EWS verschiedene **Funktionen**. Erstens war sie

Abb. 12.6.2/1: ECU-Zusammensetzung

a) grundsätzlich:

	Währungsbetrag		× Wechselkurs	=	...	DM
+	3,431	bfr/lfr	×	=	...	DM
+	0,6264	DM	×	=	...	DM
+	0,1976	dkr	×	=	...	DM
+	1,44	Dr	×	=	...	DM
+	1,393	Esc	×	=	...	DM
+	1,332	FF	×	=	...	DM
+	0,2198	hfl	×	=	...	DM
+	0,008552	IrL	×	=	...	DM
+	151,8	Lit	×	=	...	DM
+	0,08784	L	×	=	...	DM
+	6,6885	Pta	×	=	...	DM
		= 1 ECU		=		

b) konkret:

	Währungsbetrag		× Wechselkurs	=	...	DM
+	3,431	bfr/lfr	× 4,84839	=	0,166348	DM
+	0,6264	DM	× –	=	0,6264	DM
+	0,1976	dkr	× 26,2163	=	0,0518	DM
+	1,44	Dr	× 0,77478	=	0,011157	DM
+	1,393	Esc	× 1,08122	=	0,01506	DM
+	1,332	FF	× 29,8164	=	0,39715	DM
+	0,2198	hfl	× 88,75193	=	0,195077	DM
+	0,008552	IrL	× 2,67895	=	0,0229	DM
+	151,8	Lit	× 0,11651	=	0,176862	DM
+	0,08784	L	× 2,44483	=	0,214754	DM
+	6,6885	Pta	× 1,373858	=	0,09189	DM
		= 1 ECU		=	1,96992 DM	

Leitkurswährung, wie im nächsten Abschnitt ausgeführt wird. Zweitens diente sie in verschiedensten Zusammenhängen als **Rechengröße**, beispielsweise bei der Festsetzung von Agrarpreisen. Drittens war sie **Reservemedium**, d. h. die Notenbanken hielten einen Teil ihrer Währungsreserven – neben Dollar und anderen Währungen – in ECU. Viertens war sie **Zahlungsmittel** zwischen den Notenbanken, die ihre Transaktionen untereinander teilweise in ECU abwickelten, und fünftens war sie **Anlagemedium:** So konnten Anleihen in ECU aufgelegt und gezeichnet und – auch von privater Seite – Konten in ECU geführt werden.

Abb. 12.6.2/2: ECU-Leitkurse (Stand: 1995)

Währung	ECU-Leitkurs (1 ECU = ... WE)
Deutsche Mark	1,96992
Pfund Sterling	0,805748
Franz. Franc	6,60683
Ital. Lira	1690,76
Holl. Gulden	2,21958
Belg./Lux. Franc	40,6304
Dän. Krone	7,51410
Irisch. Pfund (Punta)	0,735334
Span. Peseta	143,386
Portug. Escudo	182,194
Griech. Drachme	254,254

Beispiel: 1 ECU = 1,96992 DM = 6,60683 FF
daraus folgt:
100 DM = 335,386 FF
100 FF = 29,8164 DM

12.6.3. Der Interventionsmechanismus

Das Wechselkurssystem des EWS war grundsätzlich ein System fixer Wechselkurse mit Bandbreiten, so wie es oben in Abschn. 12.3.2 ausführlich beschrieben wurde. Dies bedeutet, daß die Devisenkassakurse in einem bestimmten Ausmaß von den vereinbarten (bilateralen) Leitkursen abweichen durften. Grundsätzlich waren dies jeweils 2,25% ‹nach oben› bzw. ‹nach unten›. Für einige Länder – Italien, Spanien, Portugal, Großbritannien – galten aufgrund spezifischer Probleme vorübergehend ±6%: Spanien trat dem EWS im Jahre 1989 bei,

Abb. 12.6.2/3: ECU-Gewichtung

ECU-Anteile der nationalen Währung	
DM	32,63%
Französischer Franc	19,89%
Britisches Pfund	11,45%
Holländischer Gulden	10,23%
Belgischer/Luxemburgischer Franc	8,25%
Italienische Lira	8,16%
Spanische Peseta	4,50%
Dänische Krone	2,56%
Irisches Pfund	1,06%
Portugisischer Escudo	0,71%
Griechische Drachme	0,53%

Großbritannien 1991, Portugal 1992. Großbritannien und Italien verließen den Verbund 1992 aufgrund der auftretenden Krise. Am 2. August 1993 beschlossen die dafür zuständigen Notenbankchefs und Finanzminister – aufgrund massivster Abwertungstendenzen einiger EWS-Währungen (vgl. Abb. 12.6.3/1 u. 2) eine Ausweitung der Bandbreite für die verbliebenen EWS-Währungen auf ± 15%. Abb. 12.6.3/3 verdeutlicht, wie z. B. der französische Franc quasi ‹befreit› auf die ‹richtige› Höhe weit außerhalb der ursprünglichen Bandbreite absackte. Nur Deutschland und die Niederlande hielten untereinan-

Abb. 12.6.3/1: Das EWS in der Krise

Das Europäische Währungssystem in einer Krise
London und Rom suspendieren die Teilnahme
Flucht in die Mark / Peseta abgewertet / Kritik an der Bundesbank / Warten auf das Referendum

Neue Mittelkurse im EG-Währungssystem

EG-Notenbanken um ein Gegensteuern bemüht

Der Druck der Spekulanten schwächt den Franc
Notenbanken intervenieren den ganzen Tag / Gemeinsame Erklärung / Wer behält die Nerven?

Abb. 12.6.3/2: Bandbreiten-Erweiterung

Abdruck mit freundlicher Genehmigung des Handelsblatt

Abb. 12.6.3/3: Kursfreigabe

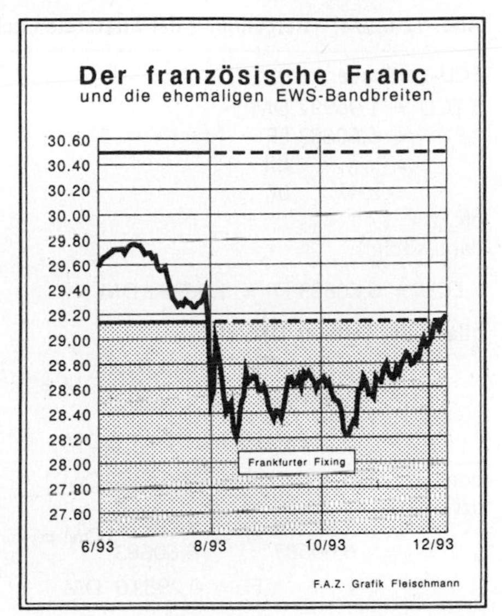

der weiterhin an der engen Bandbreite fest (die faktisch allerdings nicht ausgenutzt wurde). Bei einer Bandbreite von 30% konnte man m. E. aber kaum noch von ‹festen› Wechselkursen mit Abweichungstoleranzen sprechen; im Ergebnis wurde das ‹Festkurs›-System – zumindest vorübergehend – aufgegeben, und das EWS existierte nur noch rudimentär.

Unabhängig von der aktuellen Ausnahmesituation waren für den Interventionsmechanismus zwei Werte wichtig: einmal der Wert der ECU auf der Basis der Leitkurse, zum anderen der aktuelle Wert auf der Basis der täglichen Devisenkassakurse. Aus den festgelegten ECU-Leitkursen ließen sich die jeweiligen bilateralen Leitkurse und die Abweichungs-Bandbreiten ableiten; Abb. 12.6.3/4 verdeutlicht dies. Um festzustellen, ob sich die Tageskurse der EWS-Währungen innerhalb der Bandbreiten bewegten, wurden die bilateralen Leitkurse täglich mit den Devisenkassakursen verglichen.

Solange sich die Devisenkassakurse innerhalb der Bandbreite bewegten, waren folglich die vertraglichen Bedingungen der Höchst- bzw. Mindestkurse eingehalten. Sofern jedoch ein Wechselkurs aus dieser Bandbreite auszubrechen drohte, waren die Notenbanken **verpflichtet**, durch entsprechende **Interventionen** – in unbegrenzter Höhe – gegenzusteuern, so wie es in Abschn. 12.3.2 dargestellt wurde: Wenn z. B. der Kurs des FF in Deutschland (zu stark) sank, mußte die

Abb. 12.6.3/4: Berechnung der bilateralen Leitkurse

ECU-Leitkurse:

1 ECU = 1,96992 DM
= 6,60683 FF
= x, y hfl
= z, w bfr
etc.

daraus folgt:

1 ECU = 6,60683 FF = 1,96992 DM

bilateraler Leitkurs DM/FF:

$$\frac{6{,}60683}{1{,}96992}\ \text{FF} = \frac{1{,}96992}{1{,}96992}\ \text{DM} =$$

3,35386 FF = 1 DM

oder 335,3857 FF = 100 DM

bzw.

$$\frac{6{,}60693}{6{,}60683}\ \text{FF} = \frac{1{,}96992}{6{,}60683}\ \text{DM} =$$

1 FF = 0,29816 DM

oder **100 FF = 29,8164 DM**

Bandbreiten aus deutscher Sicht:

	34,2887	Höchstkurs bei + 15%
	30,4872	Höchstkurs bei + 2,25%
100 FF =	29,8164 DM	Leitkurs
	29,1454	Mindestkurs bei – 2,25%
	25,3438	Mindestkurs bei – 15%

Deutsche Bundesbank FF aufkaufen (**Stützungskauf**), während parallel dazu die französische Notenbank dem in Frankreich steigenden Kurs der DM mit **Stützungsverkäufen** von DM begegnen mußte. Über Art und Umfang dieser Maßnahmen fanden laufende telefonische Absprachen zwischen den Notenbanken statt. In der Praxis bestand allerdings bereits vor Erreichen der Bandbreite die Pflicht zu Interventionen, nämlich wenn Dreiviertel der zulässigen Abweichung überschritten wurden (**intra-marginale Intervention**). Ein Erreichen dieser **Abweichungsschwelle** wurde durch den Vergleich der ECU-Tageswerte mit den ECU-Leitkursen festgestellt.

Gleichzeitig mit der Festlegung der unwiderruflichen Euro-Paritäten der EWU-Währungen wurden auch Leitkurse im EWS II für die Dänische Krone und die Griechische Drachme zum Euro festgelegt. Die späteren Teilnehmerländer (sog. Pre-Ins) sollen durch eine individuelle, laufende Verengung der Bandbreiten auf die EWU vorbereitet werden. Abb. 12.6.3/5 zeigt die Kursentwicklung in den ersten Monaten des Jahres 1999.

Im Abschn. 12.3.2 wurde ausgeführt, daß massive und anhaltende Interventionen **negative Konsequenzen** haben können; beispielsweise führen Stützungskäufe zu einer Ausweitung der Geldmenge, was inflationäre Impulse bedeuten kann. Daher hatten Stützungsinterventionen grundsätzlich einen **zeitlich begrenzten** Charakter. Bei anhaltenden Störungen war es erforderlich, die Leitkurse zu überdenken und das Paritätengitter zu überarbeiten. Da die daraus resultierenden Auf- und Abwertungen entsprechende ökonomische und politische Konsequenzen hatten (vgl. Abschnitt 12.4), waren solche **«realignments»** nicht immer unproblematisch gewesen. Dennoch sind die Leitkurse in der Geschichte des EWS verschiedentlich verändert worden (vgl. Abb. 12.6.3/6); von einem System «fester» Wechselkurse konnte keine Rede sein. In erster Linie waren dafür Zahlungsbilanzungleichgewichte und unterschiedliche Inflationsraten in den Mitgliederstaaten verantwortlich.

12.6.4. Das Kreditsystem

Zur Absicherung der Leitkurse wurde im Rahmen des EWS ein sog. **Beistandssystem** geschaffen, wobei im EWS II die Anpassungslast der Intervention bei eventuellen Wechselkursschwankungen vorwiegend bei den Nicht-EWU-Ländern liegt. Für Stützungsverkäufe ausländischer Währung beispielsweise stellten sich die Notenbanken **kurzfri-**

Abb. 12.6.3/5: Euro-Leitkurse im EWS II

	Leitkurs	tolerierte Schwankungsbreite
DKK/EUR	7,46038	+/– 2,25 Prozent
GRD/EUR	353,109	+/– Prozent

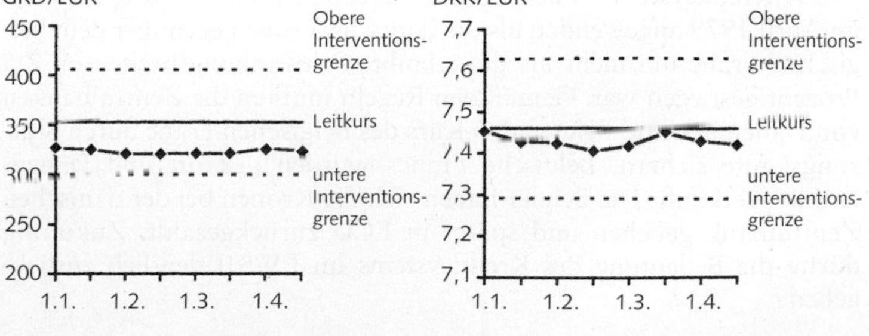

GRD/EUR
450
400
350
300
250
200
1.1. 1.2. 1.3. 1.4.
Obere Interventionsgrenze
Leitkurs
untere Interventionsgrenze

DKK/EUR
7,7
7,6
7,5
7,4
7,3
7,2
7,1
1.1. 1.2. 1.3. 1.4.
Obere Interventionsgrenze
Leitkurs
untere Interventionsgrenze

EWS-Leitkursänderungen

Aufwertung (+) bzw. Abwertung (–) der D-Mark in Prozent

Datum	Prozent
24. 9. 79	+1,01
30. 11. 79	+0,14
23. 3. 81	–2,47
5. 10. 81	+5,61
22. 2. 82	–0,34
14. 6. 82	+3,61
21. 3. 83	+5,36
22. 7. 85	+0,15
7. 4. 86	+4,68
4. 8. 86	+1,30
12. 1. 87	+2,54
8. 1. 90	+0,69
14. 9. 92	+0,81
17. 9. 92	+0,26
23. 11. 92	+3,26
1. 2. 93	+0,87
14. 5. 93	+0,17

Quelle: Deutsche Bundesbank

© 31/1993 Deutscher Instituts-Verlag

Abb. 12.6.3/6: EWS-Leitkursänderungen

stige Kredite in unbegrenzter Höhe zur Verfügung. Diese Kreditlinien (die übrigens in ECU berechnet wurden) wurden verzinst und mußten in kürzester Frist getilgt werden. **Mittelfristige Kredite** erforderten einen Beschluß der Notenbankenpräsidenten, wobei jedes EWS-Land sowohl eine Schuldnerquote als auch eine Gläubigerquote hatte, d.h. sowohl Anspruch auf Kredit hatte als auch als Gläubiger ausleihen mußte. Derartige Kredite waren mit wirtschaftspolitischen Auflagen verbunden, etwa im Hinblick auf die Geld- bzw. Zinspolitik der betreffenden Notenbank.

Das Kreditsystem – auch Beistandsmechanismus – wurde erstmals im April 1979 angewendet, als die dänische Krone gegenüber dem belgischen Franc um mehr als die erlaubte Schwankungsbreite von 2,5 Prozent gestiegen war. Gemäß den Regeln mußten die Zentralbanken von Dänemark und Belgien den Kurs des belgischen Franc durch Stützungskäufe sichern. Belgische Francs wurden gekauft und Dänen-Kronen verkauft. Die Belgier haben sich die Kronen bei der dänischen Zentralbank geliehen und später in ECU zurückgezahlt. Zukünftig dürfte die Bedeutung des Kreditsystems im EWS II deutlich zurückgehen.

Das EWS stellte in seiner Konstruktion offensichtlich einen Kompromiß zwischen Festkurssystemen, Flexibilität und Währungsunion dar. Der folgende Abschnitt 12.7 geht auf die seit 1. 1. 1999 bestehende Europäische Währungsunion ein.

12.7. Die Europäische Währungsunion

12.7.1. Ausgangssituation

Im Dezember 1991 wurde auf dem EG-Gipfeltreffen in **Maastricht** beschlossen, daß spätestens am 1. Januar 1999 eine **Europäische Währungsunion** mit einer gemeinsamen europäischen Währung in Kraft treten soll. Offensichtlich bedurfte es dieses, der Schaffung des EG-Binnenmarktes ab 1993 vergleichbaren politischen Kraftaktes, um den Integrationsprozeß voranzutreiben: Auch bei diesem Beschluß wurde – wie bei der Schaffung des EWS – die Theorie verworfen, daß eine vollendete Wirtschaftsgemeinschaft Voraussetzung für eine Währungsunion sei, denn von einer Harmonisierung des ökonomischen Hintergrundes der heute 15 EG-Staaten kann noch keine Rede sein. In der politischen Realität hat sich folglich die Theorie durchgesetzt, daß die ökonomische (und politische) Integration durch die monetäre Integration vorangetrieben werden wird. Seit 1999 gibt es – wie geplant – die **Europäische Wirtschafts- und Währungsunion (EWWU** bzw. **EWU**).

Die Verwirklichung der EWWU brachte vielfältige Probleme mit sich und stand mehr als einmal in Frage. Ländern wie Großbritannien und Dänemark wurde nach öffentlichem Protest eine Sonderrolle innerhalb der EU zugesprochen, die es ihnen erlaubt, die Teilnahme an der Endstufe der Europäischen Währungsunion einseitig aufzukündigen (sog. **opt-out-Klausel**). In der Bundesrepublik bestand und besteht z. T. auch nach der Einführung des Euros die Befürchtung, die harte DM werde im Zusammenschluß mit weniger stabilen EU-Währungen «geopfert».

Überdies gerieten im Zuge der EWS-Turbulenzen im Sommer 1993, die zur erwähnten Erweiterung der Bandbreiten geführt haben, gerade die teilweise zum sog. Hartwährungsblock zählenden EU-Währungen (französischer und belgischer Franc sowie Dänen-Krone) unter massiven Abwertungsdruck. Jedoch notierten alle drei Währungen nach anfänglichen – spekulationsbedingten – Kursverlusten ab 1994 wieder innerhalb ihrer alten Bandbreiten.

12.7.2. Integrationsstufen

Die Europäische Währungsintegration vollzieht sich nach den Maastrichter Verträgen in drei Stufen. Die **erste Stufe** begann bereits ab Juli 1990. Ihre Ziele umfaßten insbesondere:

- Beseitigung physischer, technischer und steuerlicher Schranken im Kapitalverkehr,
- Verbesserung der wirtschafts- und finanzpolitischen Koordination durch Vorlage sog. Konvergenzprogramme,
- Verwirklichung einheitlicher Finanzregeln,
- Teilnahme (möglichst) aller EU-Länder am EWS,
- Beseitigung von Hemmnissen bei der privaten Vewendung der ECU,
- Verstärkte Koordination in Geld- und Devisenpolitik durch die Notenbanken.

Die erste Stufe wurde ökonomisch untermauert durch die Realisierung des **Binnenmarktes** ab 1. 1. 1993.

Am 1. 1. 1994 begann die **zweite Stufe (Übergangsphase)**. Dazu wurde ein Europäisches Währungsinstitut (EWI) mit Sitz in Frankfurt geschaffen. Es sollte die Europäische Währungseinheit ECU weiterentwickeln, freiwillig übertragene Währungsreserven der nationalen Notenbanken verwalten und allgemein die Voraussetzungen für die Schaffung einer Europäischen Zentralbank (EZB) nach dem Modell der Deutschen Bundesbank fördern. Das EWI hatte in dieser Übergangszeit allerdings keine geldpolitischen Kompetenzen; die Autonomie der nationalen Notenbanken blieb erhalten. Neu war allerdings das Verbot der Finanzierung öffentlicher Haushalte durch die Notenbanken. In der zweiten Stufe wurden auch diejenigen nationalen Notenbanken, die noch von ihren Regierungen abhängig waren, autonom. Bereits durch die Maastrichter Verträge wurden die Währungsgewichte im ECU-Korb festgeschrieben.

Bis zum 31. Dezember 1996 sollte der **Europäische Rat** mit qualifizierter Mehrheit entscheiden, ob die Voraussetzungen für einen Übergang zur **dritten Stufe** (Endstufe) vorliegen und wann diese zu vollziehen ist. Die Entscheidung ist für den ursprünglich geplanten Termin 1. 1. 1999 gefallen (Abb. 12.7.2/1). Diese «vollständige monetäre Integration» bedeutet die Abschaffung nationaler Währungen DM, Franc, Gulden etc. und der Einführung einer gemeinsamen Währung vor.

Das Europäische Zentralbankensystem (EZBS) und die Europäische Zentralbank (EZB), die aus dem EWI hervorging, nahmen ab dem 1. Juli 1998 ihre Tätigkeit auf. Das EZBS besteht aus EZB und den nationalen Zentralbanken. Die EZB hat ein Statut erhalten, das Verfassungsrang hat und nicht – wie z. B. das Bundesbankgesetz –

Abb. 12.7.2/1: Monetäre Integrationsstufen

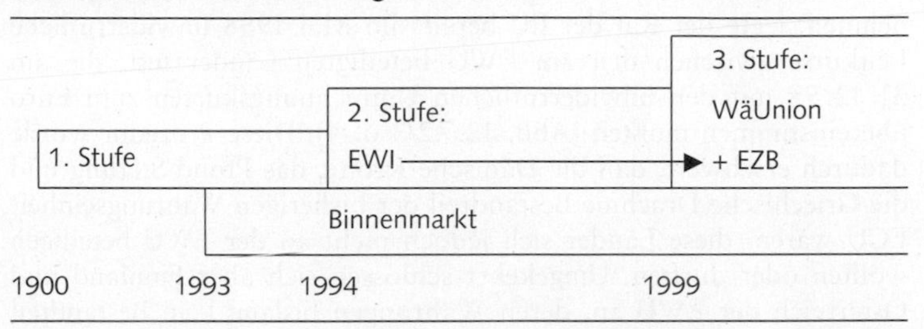

lediglich ein einfaches und theoretisch leicht zu änderndes Gesetz ist. Die EZB ist dem Ziel der Sicherung der Geldwertstabilität verpflichtet, wodurch ausgeschlossen wird, daß nationale bzw. supranationale Haushalte durch die Notenbank finanziert werden. Insbesondere ist die EZB hinsichtlich ihrer Wechselkurspolitik unabhängig. (Abb. 12.7.2/2 gibt eine Übersicht über die Struktur der ESZB und seine Ziele. Für die geldpolitischen Instrumente der EZB vgl. oben Abb. 11.5/1. Als Teil des ESZB ist der Bundesbank, wie auch allen anderen Nationalbanken der EWU-Länder, die Möglichkeit zur autonomen Geldpolitik entzogen. Ihre anderen Aufgaben (z. B. Bankenaufsicht, Emission der Wertpapiere des Bundes) bleiben unberührt (vgl. Kap. 11).

Abb. 12.7.2/2: ESZB und EZB

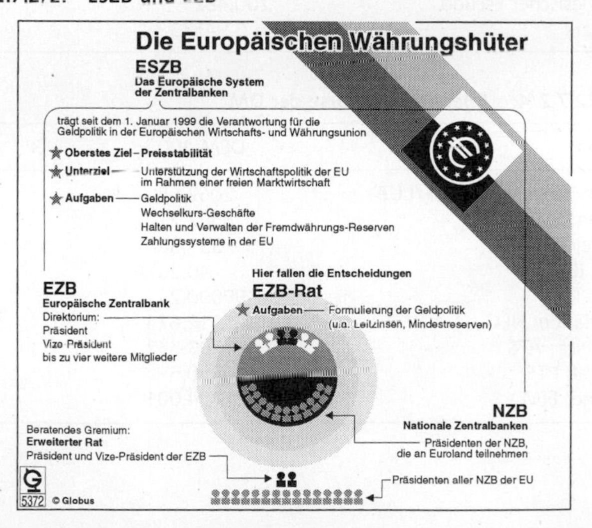

Um der zu erwartenden Spekulation den Wind aus den Segeln zu nehmen, legte der Rat der EU bereits im Mai 1998 unwiderrufliche Leitkurse zwischen den am EWU beteiligten Länder fest, die am 31. 12. 98 mit den unwiderruflichen Umrechnungskursen zum Euro übereinstimmen mußten (Abb. 12.7.2/3 u. 4). Diese Prozedur wurde dadurch erschwert, daß die Dänische Krone, das Pfund Sterling und die Griechische Drachme Bestandteil der bisherigen Währungseinheit ECU waren, diese Länder sich jedoch nicht an der EWU beteiligen wollten oder durften. Umgekehrt schlossen sich aber Finnland und Österreich der EWU an, deren Währungen bislang kein Bestandteil der ECU waren.

Abb. 12.7.2/3: Umrechnungskurse zum Euro

Währung	Währungseinheiten für 1 Euro
Belgischer Franc	40,3399
Deutsche Mark	1,95583
Spanische Peseta	166,386
Französischer Franc	6,55957
Irisches Pfund	0,787564
Italienische Lira	1936,27
Luxemburgischer Franc	40,3399
Holländischer Gulden	2,20371
Österreichischer Schilling	13,7603
Portugiesischer Escudo	200,482
Finnmark	5,94573

Abb. 12.7.2/4: Bilaterale Leitkurse der DM

Position	DEM 100 =
Belgien/Luxemburg: BEF/LUF	2062,55
Spanien: ESP	8507,22
Frankreich: FRF	335,386
Irland: IEP	40,2676
Italien: ITL	99000,2
Niederlande: NLG	112,674
Österreich: ATS	703,552
Portugal: PTE	10250,5
Finnland: FIM	304,001

12.7.3. Beitritt zur EWU: Die Konvergenzkriterien

Voraussetzung für den Beitritt zur Währungsunion war und ist die Erfüllung bestimmter **Konvergenzkriterien** durch die Mitgliedsländer. Sie beziehen sich – verkürzt gesagt – auf
- stabile Preise,
- geordnete Staatsfinanzen,
- stabiles Zinsniveau und
- stabile Wechselkurse.

Die betrachteten Variablen sollen sich in den Teilnehmerländern einander annähern, also ähnliche Werte annehmen (konvergieren). Die Konvergenzkriterien hängen miteinander zusammen. Im Zentrum der Beobachtung stehen dabei vor allem zwei Verschuldungskriterien.

Die jetzigen 11 Mitgliederländer der EWU werden auch ***Ins*** genannt, ergänzt durch Länder, deren baldiger Beitritt wahrscheinlich ist (***Pre-Ins***) und solchen, die auf längere Sicht draußen bleiben (***Outs***). Auch die **Theorie optimaler Währungsräume** kommt – wie oben erwähnt – zu dem Schluß, daß es zu einem Europa der zwei bzw. drei Geschwindigkeiten kommen wird – im Sinne der Ins-, Pre-ins und Outs. Kritiker sprechen von einer 3-Klassen-Gesellschaft. Insgesamt ergab sich ein **Zielkonflikt** zwischen einer möglichst großen Teilnehmerzahl an der Währungsunion auf der einen Seite («Vernunft statt Kommastellen») und dem Beharren auf einer akuraten Erfüllung der Konvergenzkriterien («nur keine Konzessionen»).

(1) Schuldenstand

Die staatlichen Schulden dürfen insgesamt 3 Prozent des Bruttoinlandsprodukts (BIP) nicht überschreiten. Eine hohe Staatsverschuldung belastet den Kapitalmarkt und bewirkt tendenziell eine Ausweitung der Geldmenge und hohe Zinsen, was sich wiederum inflationär und abwertend auswirken kann. Die Diskussion konzentrierte sich längere Zeit darauf, ob «3,0%» auf keinen Fall überschritten werden dürfen. Dabei ist hervorzuheben, daß der Prozentsatz ‹gesetzt› wurde und sich nicht aus ökonomischen Überlegungen ‹berechnen› läßt: Es ist im Ergebnis ziemlich unerheblich, ob ein Land 2,9 oder 3,0 oder 3,1 oder auch 3,2% ausweist. Die Bedeutung lag hier vorrangig im Prinzipiellen, d. h. bei der Frage, wie streng man auf der Erfüllung vertraglich vereinbarter Kriterien bestehen will.

Die Formulierungen im Vertrag von Maastricht lassen übrigens durchaus eine Überschreitung des 3,0-Wertes zu, allerdings nur, wenn entweder die Relation «ausnahmsweise und vorübergehend» überschritten ist oder «erheblich und laufend» zurückgegangen ist und nun in der Nähe des Referenzwertes liegt. Letzteres traf z. B. auf Italien zu, das nicht sehr nahe an den Referenzwert von 3% gekommen war. Der Europäische Rat hatte dabei einen gewissen Entscheidungsspielraum, weil die Vertragsformulierungen eine Abweichung von den numerischen Kriterien durchaus zulassen. Es handelte sich also um eine in hohem Maße politische Entscheidung, welche Länder teilnehmen sollten. Insgesamt war man relativ großzügig.

(2) Neuverschuldung

Die Neuverschuldung (Nettokreditaufnahme, vgl. Kap. 10) *darf nicht höher sein als 60% des BIP*. Je höher die Nettokreditaufnahme ist, desto mehr steigt die gesamte Staatsverschuldung. Eine hohe Staatsverschuldung blockiert – wegen der hohen Tilgungs- und Zinsverpflichtungen – die Beweglichkeit der Finanzpolitik (vgl. Kap. 10) und handicapt den Staat bei der Umsetzung einer gemeinsamen Wirtschaftspolitik.

(3) Inflationsrate

Die Inflationsrate (gemessen am Verbraucherpreisindex – vgl. Kap. 4) *soll im Jahr vor dem Beitritt zur EWU nicht mehr als 1,5 Prozentpunkte höher sein als der Durchschnitt der drei stabilsten Länder*. Das Inflationskriterium spricht wahrscheinlich für sich (Vernichtung von Geldvermögen, im Gegensatz zu Realvermögen: z. B. Immobilien). Gegenwärtig hat Deutschland in Europa die niedrigste Inflationsrate.

(4) Zinsniveau

Das langfristige Zinsniveau soll mindestens ein Jahr vor dem Beitritt nicht höher liegen als im Durchschnitt der drei stabilsten Länder. Ein höheres Zinsniveau beeinträchtigt tendenziell die ökonomische Entwicklung, bremst die Nachfrage, lenkt Kapital aus Realinvestitionen in Finanzinvestitionen, behindert damit Wachstum und Beschäftigung. Besonders deutlich kann man dies an den privaten Bauinvestitionen sehen, die sehr zinsempfindlich sind, aber auch allgemein ist die kreditfinanzierte private Nachfrage zinselastisch. Auch das Zinskriterium ist nur relativ definiert, und der Abstand von 2 Prozentpunkten ist ökonomisch nicht stringent abzuleiten, sondern nur plausibel. Gegenwärtig (1999) ist das Zinsniveau in Deutschland ausgesprochen niedrig, was wahrscheinlich nicht zu halten sein wird.

(5) Währungsstabilität

Die Währungen müssen mindestens zwei Jahre lang in den Bandbreiten des EWS verblieben sein. Dies trifft heute folglich nur noch auf die Teilnehmer am EWS II zu. Das Kriterium der stabilen Wechselkurse soll sicherstellen, daß nur solche Währungen an der Währungsunion teilnehmen, die sich bereits über einen längeren Zeitraum hinweg als stabil und «zuverlässig» erwiesen haben. Der Zeitraum von lediglich zwei Jahren leitet sich aus der relativ geringen Vorlaufphase seit Inkrafttreten des Maastrichtvertrags ab. Italien und Finnland waren beispielsweise wirklich gerade noch im allerletzten Augenblick im Dezember 1996 dem EWS beigetreten – im Hinblick auf 1.1.99. Inflation und Zinsen wirken sich tendenziell destabilisierend auf den Wechselkurs aus, indem sie auf eine Abwertung hinwirken.

Die meisten der Teilnehmerländer der EWU haben bis 1998 erhebliche Anstrengungen unternommen, um die im Vertrag von Maastricht verankerten Konvergenzkriterien – mehr oder weniger überzeugend – zu erfüllen (Abb. 12.7.3/1). Dabei wurde nicht selten mit

Abb. 12.7.3/1: Konvergenzkriterien

Konvergenzstand im Jahr 1997

Angaben in %	Inflation	Zinsen	Öffentliche Finanzen	
			Defizit	Gesamtverschuldung
Belgien	1,40	5,70	2,1	122,2
Dänemark	2,10	6,20	+ 0,7	65,1
Deutschland	1,40	5,60	2,7	61,3
Finnland	1,30	5,90	0,9	55,8
Frankreich	1,20	5,50	3,0	58,0
Griechenland	5,20	9,80	4,0	108,7
Großbritannien	1,80	7,00	1,9	53,4
Irland	1,20	6,20	+ 0,9	66,3
Italien	1,80	6,70	2,7	121,6
Luxemburg	1,40	5,60	+ 1,7	6,7
Niederlande	1,80	5,50	1,4	72,1
Österreich	1,10	5,60	2,5	66,1
Portugal	1,80	6,20	2,5	62,0
Schweden	1,90	6,50	0,8	76,6
Spanien	1,80	6,30	2,6	68,8
Schwellenwert	2,70	7,80	3,0	60,0
unterlegte Felder:	Schwellenwert überschritten			
weiße Felder:	Schwellenwert eingehalten			

Quelle: Europäische Kommission

allerlei statistischen Tricks gearbeitet, um die Ergebnisse schönzurechnen. Dies ist bei drei eindeutig feststellbaren Kriterien, der Inflation, beim Zinsniveau und beim Wechselkurs kaum möglich, wohl aber bei den Verschuldungskriterien bezüglich der Solidität des Haushalts:

Viele Staaten, die gerne von Anfang an dabei sein wollen, reduzieren bzw. reduzierten den Verschuldungsdruck durch listenreiche Tricks. Allgemein sind drei Varianten möglich, um die Staatsverschuldung zu ‹drücken›:

- **Verkauf von Aktiva,** um Einnahmen zu erhöhen (solche **Einmalaktionen** [«Verkauf von Tafelsilber»] werden auch mit dem Argument der Privatisierung verteidigt),
- **Vorziehen von Einnahmen** oder
- zeitliche **Verschiebung von Ausgaben** oder **Verlagerung** von Ausgaben und Schulden in den Privatsektor. Dabei sei auch an die Ausführungen zu den Neben- und Schattenhaushalten erinnert (Abschn. 10.3.1.2).

Solche als Buchungstricks, **kreative Buchführung** oder kosmetische Verschönerungen kritisierten Einfälle und phantasievollen Erfindungen müssen vom Statistischen Amt der EU – EuroStat – anerkannt werden, weil dieses Amt die offiziellen Zahlen ermittelt. Diese Behörde ist fest in französischer Hand. Den Preis für die originellste Idee verleih ich – Zufall oder nicht – Frankreich. Frankreich kassierte einen Riesenzuschuß der privaten französischen Telekom für die Gegenleistung, später Pensionsleistungen zu übernehmen. Das dicke Ende kommt also irgendwann in vielen Jahren. Heutiger Effekt: –0,45% bei der Statsverschuldung. Belgien hat die Fluggesellschaft Sabena, zwei Banken und die Telekom privatisiert. **Privatisierungen** bringen Einnahmen und verlagern ehemalige Staatsschulden in den Privatsektor, wo sie für das Konvergenzkriterium nicht mehr mitgezählt werden (Bundesbahn, Bundespost) (dto. Spanien hatte 1997/98 den größten Privatisierungsschub in seiner Geschichte). Öffentliche Schulden werden von Privaten übernommen, während der Staat nur noch für die Schulden garantiert. Ein zentrales Problem liegt darin, daß – wenn an sich solide Staaten zu solchen Maßnahmen greifen – sie dies schlecht anderen Staaten verwehren können.

Aber auch in Deutschland wurde schöngerechnet. Vielleicht erinnert sich der Leser noch an den Vorschlag von Finanzminister Waigel, die **Goldreserven** der Bundesbank höher zu bewerten. Dies wäre durchaus möglich gewesen und ökonomisch gar nicht einmal unsinnig, denn sie wurden nach dem Niederstwertprinzip zum Anschaffungswert bilanziert und haben tatsächlich einen viel höheren Marktwert. Der entstehende Buchgewinn der Bundesbank wäre dann an den

Finanzminister ausgeschüttet worden. Ein Sturm der Entrüstung und Empörung, nicht nur seitens der Bundesbank, hat die Verwirklichung dieser Idee verhindert. Auch ein Verkauf der staatlichen **Rohölreserven** wurde überlegt. Die restlichen **Bundesanteile** an der Postbank und der Telekom wurden ebenso wie Lufthansaaktien – vorübergehend – an die staatseigene Kreditanstalt für Wiederaufbau verkauft: eine zusätzliche Einnahme.

In Deutschland, Spanien und anderen Ländern wurden und werden staatliche **Baumaßnahmen** durch Private vorfinanziert: z. B. finanzieren private Investoren eine Straße, Sozialwohnungen, Stromleitungen, Mülldeponien oder Behördengebäude; der Staat mietet oder least die Investition, was natürlich den kurzfristigen Finanzaufwand verringert. Analog kann man öffentliche Gebäude verkaufen und zurückmieten. **Belgien** hat **Goldreserven verkauft**, um Schulden zurückzuzahlen. **Italien** verschafft sich über eine eilig eingerichtete **Eurosteuer** zusätzliche Einnahmen, die in einigen Jahren zurückgezahlt werden sollen – mit Zustimmung von EuroStat. Außerdem wurden Teile der sog. **Schattenwirtschaft** (Schwarzarbeit, Hausarbeit) dem BIP zugeschätzt.

Unterschiede in den in der Öffentlichkeit gehandelten **Zahlen** erklären sich übrigens teilweise daraus, daß einige Zahlen auf der Volkswirtschaftlichen Gesamtrechnung (**VGR**) beruhen, andere auf der Finanzstatistik, die unterschiedliche Abgrenzungen der öffentlichen Hände beinhalten. Ende 1998 errechnete das Statistische Bundesamt in Wiesbaden – eine Fernsehmoderatorin hat es früher einmal durch einen wunderschönen Versprecher zum Bhuddistischen Standesamt umgewidmet – plötzlich einen Verschuldungsgrad statt von 3,2% nun von gerade 3% aus, eine sog. Punktlandung. Man sprach vom ‹Wunder von Wiesbaden›. Erklärt wurde dies mit turnusgemäßen Revisionen der VGR. Beispielsweise wurden die Defizite der öffentlichen Krankenhäuser – angeblich auf Drängen des Statistischen Amtes der EU – *EuroStat* – ausgeklammert (Effekt: –0,2%), aber die Revision ergab allgemein geringere Ausgaben und höhere Einnahmen, als zuvor geschätzt wurden.

Wichtig ist aber, daß solche Stabilitätskriterien nicht nur kurzatmig, mit hechelnder Zunge (Bundesbankpräsident Tietmeyer) und kurzfristig erreicht werden, sondern eine grundsätzlich solide Situation beschreiben. Das scheint zwar immer gut nachvollziehbar. Neben realwirtschaftlichen Anpassungserfolgen haben offenbar auch strohfeuerartige einmalige Aktionen und kosmetische statistische Operationen dazu beigetragen. Der Konvergenzerfolg ist daher in erster Linie als Stichtagserfolg anzusehen. Dies berührt natürlich die Frage, was geschehen soll, wenn ein Land nach dem Beitritt die Kriterien nicht mehr beachtet.

Auf deutschen Druck wurde daher im Dezember 1996 in Dublin im Nachgang zu den Maastricht-Verträgen der sog. **Stabilitätspakt** (und Wachstumspakt) geschlossen und im April 1997 in Nordwijk und im Juli 1997 in Amsterdam konkretisiert. Dieser auch **Maastricht II** genannte Ergänzungsvertrag fordert dauerhafte finanzpolitische Solidität und ermöglicht für den Fall einer Abweichung von den vereinbarten Stabilitätskriterien sogar theoretisch **Sanktionen** der Partnerländer in Form von, allerdings nicht automatisch. Das Verfahren ist kompliziert:

Wenn ein Land z. B. das Verschuldungskriterium verletzt, erstellt die Europäische Kommission einen **Bericht. Der Wirtschafts- und Finanzrat der EU (ECOFIN)** beurteilt, ob besondere Umstände vorliegen, die vom Rat entschuldigt werden können (Art. 10 EGV). Geschieht dies nicht, kann das Mitglied mit qualifizierter Mehrheit (derzeit 62 von 87 Stimmen) der Stimmen der Mitglieder der Währungsunion zu Gegenmaßnahmen aufgefordert werden (für ein Veto reichen also 26 Stimmen). Wenn – wiederum durch Ratsbeschluß – festgestellt wird, daß den Empfehlungen ‹nicht wirksam› Folge geleistet wurde, muß das Land eine **Sicherheitseinlage** in Höhe von 10% des Wertes über ‹3› leisten, sofern der Rat dies nicht entschuldigt. Wenn das Kriterium auch im folgenden Jahr verletzt wird, ist eine erneute Einlage fällig. Wenn das Kriterium auch im dritten Jahr nicht erfüllt wird, verfallen beide Einlagen – werden also nicht zurückgezahlt –, wiederum durch Beschluß des Rates. Diese Bußgelder können pro Jahr maximal 0,5% des BIP ausmachen.

Dieser Sanktionsmechanismus dürfte in der Praxis **nicht so reibungslos** funktionieren, denn die Entscheidung über die Verhängung eines Bußgeldes erfordert bis zu 2½ Jahren und hängt von einer Reihe von politischen Entscheidungen ab, wobei die Betroffenen über sich selbst mitentscheiden. Es gibt **keine Automatik**, die abschreckende Wirkung ist folglich gering.

12.7.4. Euro-Aspekte für die Praxis

Die Währungsunion ist keine Währungs*reform*. Es handelt sich grundsätzlich nur um eine wertneutrale Umrechnung von einer Währung in eine andere: Alle Geldgrößen werden zu einem einheitlichen Kurs umgerechnet; die Zahlen ändern sich, der Wert bleibt. Dennoch sind Anpassungen erforderlich, auf die – so ist immer noch festzustellen – viele nicht hinreichend vorbereitet sind. Jedes Kreditinstitut hält Material bereit, im Buchhandel gibt es zahllose Angebote.

Für eine Übergangszeit wird es zwei gesetzliche Zahlungsmittel geben. Dabei gelten zunächst zwei Grundsätze: «kein Verbot» und «kein Zwang». Das bedeutet, daß es jedem einzelnen freisteht, ob und wann er innerhalb des Übergangszeitraumes auf den Euro umstellt. Erst ab 1. 1. 2002 wird der Euro Pflicht; die DM verliert dann ihre Eigenschaft als gesetzliches Zahlungsmittel, und von diesem Zeitpunkt an ersetzt der Euro auch im Bargeldverkehr die bisherigen nationalen Banknoten und Münzen, allerdings nicht über Nacht: Die Umtauschfrist soll bis zum 30. 6. 2002 gelten, doch ist davon auszugehen, daß auch späterer Geldumtausch möglich sein wird. Der 1. 1. 2002 ist ein schlechter Termin (Inventur, Schlußverkauf), daher wird überlegt, das Bargeld bereits im Oktober 2001 oder erst im Februar 2002 einzuführen. Ab 1. 7. 2002 sind die nationalen Währungen dann kein gesetzliches Zahlungsmittel mehr, aber der Eintausch ist weiterhin möglich.

Bei den **Münzen** ist die Seite mit den Wertbezeichnungen in allen Teilnehmerländern gleich gestaltet, die andere Seite wird mit national unterschiedlichen Symbolen gestaltet, in Deutschland beispielsweise mit dem Brandenburger Tor oder dem Bundesadler. Die Stückelungen sind 1, 2, 5, 10, 20 und 50 Cent sowie 1 und 2 Euro. Die **Banknoten** hingegen werden einheitlich gestaltet, teilweise in recht kräftigen Farben: Die Vorderseite enthält berühmte europäische Bauwerke aus verschiedenen Stilepochen und Ländern. Die Stückelungen werden 5, 10, 20, 50, 100, 200 und 500 Euro sein. Die alten Scheine aufzuheben, dürfte sich nicht lohnen; der Sammlerwert wird gering sein. Inhaber schwarzer Konten können aufatmen: Zwar war daran gedacht, daß nur steuerlich deklarierte Konten umgestellt werden dürften, doch wäre der Kontrollaufwand zu groß. Außerdem könnten DM-Konten vorher problemlos in z. B. Dollarkonten getauscht werden, und die Kontrollen wären gegenstandslos. Daher ist mit einem verstärkten Rückfluß von gehortetem **Falschgeld** zu rechnen; dies ist bereits jetzt zu beobachten. Nach wie vor ist dabei der 100-Mark-Schein das ‹attraktivste› Fälschungsobjekt.

Die Europäische Kommission hat Mühe gehabt, ein neues Zeichen («Signet») für den Euro zu finden. Aus 30 Entwürfen wählte man schließlich das große C aus, das durch zwei horizontale, an den Seiten abgeschrägte Balken wie ein E aussieht (Abb. 12.7.4/1). Entworfen hatte das Zeichen der bereits lange im Ruhestand lebende, heute 84jährige Graphiker Arthur Eisenmenger, und zwar schon vor Jahrzehnten. Die Kommission hat dies jedoch in keiner Weise erwähnt, sondern im Gegenteil behauptet, das Zeichen sei von einer Arbeitsgruppe entwickelt worden und habe keinen rechten Vater. Das Zei-

Abb. 12.7.4/1: Der Euro

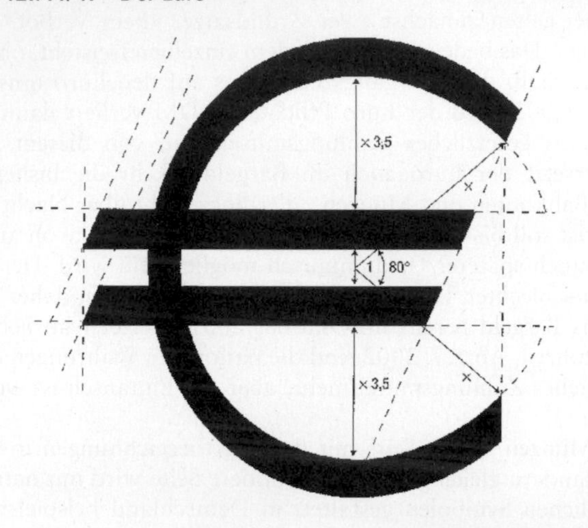

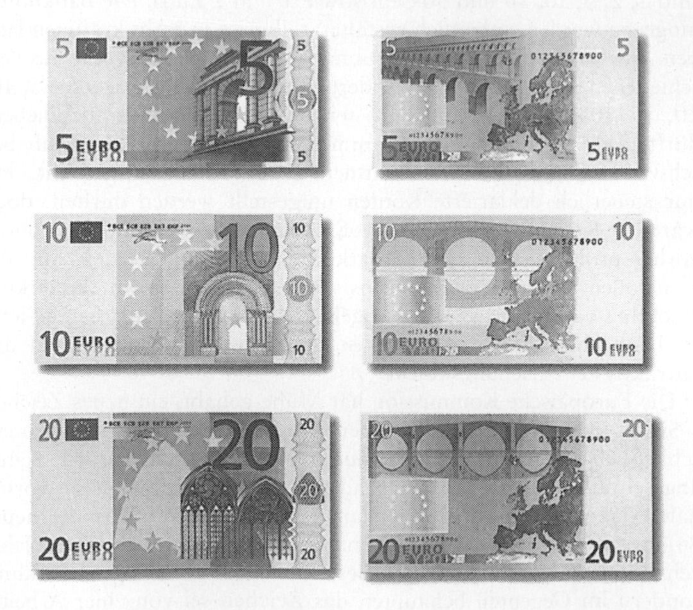

Quelle: Thomas Heumann, Frankfurter Allgemeine Zeitung v. 02.05.98

chen sei eine Kombination «aus dem griechischen Epsilon als Symbol für die Wiege der europäischen Zivilisation, dem Buchstaben E für Europa und den Parallelen als Symbol für Stabilität» (Eckhardt Kauntz in FAZ 28.4.1999). Vielleicht sollte man den Gedanken des geistigen Eigentums nicht nur im Großen anwenden.

12.7.4.1. Allgemeine Veränderungen

(1) Keine Tauschkosten mehr
Zunächst bedeutet der Wegfall möglicher Währungsschwankungen volks- und betriebswirtschaftlich die Beseitigung von Unsicherheit und damit auch den Wegfall von Kurssicherungs- und Transaktionskosten: Im Reiseverkehr braucht man kein Geld mehr zu wechseln; Tauschkosten entfallen; nicht verbrauchte Münzen können weiterverwendet werden.

(2) Vertragskontinuität innerhalb der EU
Verträge aller Art, die über das Jahr 2001 hinausgehen, müssen wegen der Euroumstellung weder neu abgeschlossen werden, noch brauchen sie gekündigt zu werden. Die Umstellung auf den Euro rechtfertigt in keinem Fall die einseitige Kündigung oder den Anspruch auf Änderung geschlossener Verträge (Kaufverträge, Lieferverträge, Hypotheken- und Kreditverträge [Zinsen, Laufzeit, Tilgung], Mietverträge, Versicherungen, wertmäßige Bezugnahmen in Grundbüchern). Das Prinzip der **Vertragskontinuität** ist im Maastricht-Vertrag verankert und per EU-Verordnung beschlossen. Jede Erwähnung der DM in Gesetzen, Verordnungen und privatrechtlichen Verträgen wird ab 1. 1. 2002 schlicht durch Euro ersetzt (bzw. eine entsprechende Interpretation), auf die juristische Gültigkeit der Verträge hat dies keinen Einfluß. Auch ohne physische Änderung der Beträge – Überschreiben von DM mit Euro – bleiben geschlossene Verträge gültig, es müssen keine neuen Dokumente erstellt werden. Bestehende Verträge – gleich welcher Art – werden spätestens zum 1. 1. 2002 auf Euro umgestellt, sofern keine vorherigen Anpassungen erfolgt sind:

Im gegenseitigen Einvernehmen können natürlich Vertragsanpassungen erfolgen. Stimmt eine Partei einem solchen Vorschlag nicht zu, wird er nicht wirksam. Schweigen gilt im Privatkundenbereich nicht als Zustimmung; vielmehr ist eine ausdrückliche Zustimmung erforderlich. Bei neuen Verträgen ist es hingegen zulässig, eine Euroklausel einzubauen, nach der jede Vertragspartei nach Euroeinführung das Recht zur einseitigen Kündigung hat; bei bestehenden Verträgen müssen beide Seiten zustimmen.

Bei **Mietverträgen** (wie bei allen anderen über das Jahr 2001 hinausreichenden Verträgen) kann vereinbart werden, ob Zahlung vor 2002 in Euro erfolgen sollen. Die Euroumstellung berechtigt aber in gar keinem Fall zu einseitigen Vertragsänderungen, insbesondere nicht zu Mieterhöhungen. Auch auf bestehende **Versicherungen** hat die Euroumstellung keinen Einfluß. Die Versicherungsunternehmen sind nicht zu einseitigen Vertragsänderungen berechtigt (insbesondere nicht zu Beitragserhöhungen), sie können bzw. müssen (ab 2002) lediglich die DM-Werte in Euro umrechnen. Versicherungsnehmer haben daher auch keinen Anspruch auf Ausstellung neuer Policen. Versicherungen können aber in der Übergangszeit in gegenseitigem Einvernehmen auf Euro umgestellt werden, und während der Übergangszeit können Auszahlungen in DM oder Euro erfolgen. Ab 2002 erfolgen alle Auszahlungen, Prämienzahlungen und Schadensregulierungen in Euro.

Bei **Lebensversicherungen** und langfristigen **Sparprogrammen** besteht die Gefahr, daß durch steigende Inflation das Ersparte an Wert verliert. Eine Kündigung solcher Verträge ist jedoch nicht zu empfehlen, weil man dabei nur einen Teil des eingezahlten Kapitals zurückerhält. Zudem könnten Steuervorteile für Verträge mit mindestens 12 Jahren Laufzeit gefährdet werden, weil Vertragsänderungen steuerlich als Neuabschluß gewertet werden.

(3) **Kontoführung**

Während im Bargeldverkehr weiterhin die nationalen Banknoten und Münzen gelten, sind im bargeldlosen Zahlungsverkehr **Euro-Konten** seit 1. 1. 1999 möglich (System der Doppel- oder Parallelwährung), so daß bis Ende 2001 Wahlfreiheit besteht, ob ein Konto in DM oder Euro geführt wird. Aufträge zur Einrichtung von Euro-Girokonten und -Sparbüchern können jederzeit gegeben werden. Die Umstellung von **Daueraufträgen** muß – bankabhängig – ggf. separat in Auftrag gegeben werden; **Freistellungsaufträge** werden automatisch umgestellt. Die **Kontoauszüge** werden sowohl die entsprechenden DM- als auch die Eurobeträge ausweisen. Alle Beträge werden Pfennig- bzw. Cent-gerecht umgerechnet.

Die Kreditinstitute verrechnen untereinander seit 1. 1. 1999 in Euro, wobei zwischen Auftragswährung und Kontowährung zu unterscheiden ist, denn die Gutschrift kann wieder auf einem DM-Konto erfolgen. Gutschriften und Lastschriften können bis Ende 2001 auch in DM in Auftrag gegeben werden. Die **Überweisungsformulare** lassen dementsprechend die Währungswahl zu. Eine Zahlungsanweisung sollte möglichst in der Fakturierungswährung erfolgen, weil sonst ggf. automatische Mahnverfahren durch Rundungsdifferenzen ausgelöst werden können. Bei **Lastschriftverfahren** wird eine DM-Belastung bei einem auf Euro umgestellten Konto in Euro umgerechnet. Die Gutschrift erfolgt je nach gewählter Kontoführung in DM oder Euro. Analoges gilt für den Scheck- und Wechselverkehr. **Kreditkarten und Schecks** können bis 31. 12. 2001 wie bisher benützt werden. Ab 1. 1. 2002 werden noch verbliebene **DM-Konten** automatisch auf Euro umgestellt, ebenso Daueraufträge.

Der **Staat** läßt sich Zeit: Während die deutschen Behörden bis Ende 2001 in der DM-Welt verharren werden und u. a. auf Steuererklärungen und Sozialversicherungsbeiträgen in DM bestehen, stellen andere Länder bereits früher um – dies ist keine Auszeichnung für den Technologiestandort Deutschland. Die Bundeshaushalte 2000 und 2001 werden noch in DM aufgestellt, auch die Haushaltsführung erfolgt in DM. Zahlungen der Bürger an den Staat können aber bereits in Euro erfolgen. Auch die Sozialversicherungsträger stellen erst zum 1. 1. 2002 um.

(4) Lohn- und Gehaltszahlungen
Die Lohn- und Gehaltsabrechnungen können bis 2002 nur mit Zustimmung der Betroffenen auf Euro umgestellt werden. Überweisungen können in der Übergangszeit jedoch in DM oder Euro überwiesen werden. Die Gutschrift erfolgt entsprechend der vom Arbeitnehmer gewählten Denominierung seines Kontos. Die Abrechnung mit den Sozialversicherungsträgern muß bis 2002 in DM erfolgen.

12.7.4.2. Anpassung in den Unternehmen

Die Unternehmen werden sich in fast allen strategischen und operativen Bereichen umstellen und anpassen müssen. Die Dimensionen der erforderlichen Umstellungen und Anpassungen werden vielfach unterschätzt; es gibt kaum einen Unternehmensbereich, der nicht betroffen ist. Insbesondere die strategische Anpassung kommt tendenziell in vielen Unternehmen zu kurz, wo die Umstellung lediglich als rein organisatorische bzw. rechnerische Aufgabe mißverstanden wird. Der erforderliche Kosten-, Personal- und Zeitaufwand für die Umstellung sollte nicht unterschätzt werden. Bei Bedarf an Zulieferungen, externer Beratung und Unterstützung wird man sich in vielen Bereichen auf Engpässe einstellen müssen. Auf Einzelheiten kann hier nicht eingegangen werden, aber einige Aspekte sind hervorzuheben.

- **Umstellungstermin**

Eine zentrale Frage ist die Wahl des ‹richtigen› Umstellungstermins während des maximal dreijährigen Übergangszeitraums. Einige

Unternehmen werden erst dann reagieren, wenn es sich nicht mehr vermeiden läßt, also in letzter Minute, kurz bevor die Umstellung gesetzlich vorgeschrieben ist. Andere, vor allem Großunternehmen, die international operieren, haben sich bereits umgestellt; andere haben dies mit Softwareumstellungen zur Jahrtausendwende gekoppelt. In jedem Fall werden alle in die Übergangszeit bis 2002 in beiden Währungswelten der DM und des Euro leben müssen.

- **Währungswechsels außerhalb Europas**

Gelegentlich kommt die Frage auf, ob im Sinne des Grundsatzes «Treu und Glauben» des deutschen Rechts (§ 242 BGB) ein Wegfall der Geschäftsgrundlage gegeben ist. Grundsätzlich nein: Im deutschen wie im analogen nationalen Recht der EU-Partner setzt dies besonders schwere Störungen der ökonomischen Verhältnisse mit unzumutbaren Folgen für eine Vertragspartei voraus: Dies ist, wie gerade erwähnt, bei EU-Binnengeschäften nicht gegeben. Eine einseitige Kündigung z. B. von Lieferverträgen durch Lieferanten scheidet damit also aus. Bei Geschäften mit **Drittlandsberührung**, insbesondere, wenn Nicht-EU-Recht gilt, ist die Situation hingegen nicht einhellig zu beurteilen und vielfach unklar, so in Osteuropa, Mittel- und Südamerika, aber auch in den USA mit unterschiedlichem Bundesstaatenrecht. Hier empfiehlt sich eine entsprechende Rechtsberatung bzw. Klärung mit dem Partner. In den meisten Ländern wird ein Ersatz von DM durch Euro wohl akzeptiert werden, weil im internationalen Recht weitgehend anerkannt ist, daß das Währungsstatut durch das Recht des Landes bestimmt wird, in dessen Währung die Schuld ausgedrückt ist («lex monetae»).

- **Liefer- und Zahlungsbedingungen, Finanzierungen**

Bei über 2001 hinaus gehenden Geschäften (u. a. Akkreditiven, Inkassi) ist es ratsam, eine Konvertierungsklausel (Kontinuitätsklausel) zu vereinbaren wie etwa *«xy DM or official Euro-countervalue»* («xy DM oder Gegenwert in Euro gemäß offiziellem Umrechnungskurs»). Das vertraute Instrument der Wechsel(re-)diskontierung durch die Bundesbank fällt in Zukunft weg. Dennoch wird man auch in Zukunft Wechsel z. B. bei seiner Hausbank diskontieren können, jedoch wohl zu einem höheren Diskontsatz. Folglich wird auch die Finanzierung mit Wechseln teurer.

Für die **Geldanlage** ergeben sich neue Möglichkeiten, denn durch den Euro entsteht der größte Anleihe- und Aktienmarkt der Welt. Für den Geldanleger werden die Angebote transparenter. Auch die Kreditangebote der Banken werden international besser vergleichbar; bei der Kapitalbeschaffung können sich neue Möglichkeiten ergeben. **Zinsen** berechnen sich grundsätzlich unabhängig von der zugrunde liegenden Währung. Bei ungünstiger Entwicklung der Euro-Stabilität (steigende Inflationsrate) dürften auch die Zinsen steigen. Dies kann zu steigenden Finanzierungskosten führen. Ohne pessimistisch zu sein, dürfte hiervon ausgegangen werden, weil das derzeit ausgesprochen niedrige deutsche Zinsniveau im Euroraum nicht zu halten sein dürfte. Wenn möglich, sollte man sich durch entsprechende Laufzeiten oder längerfristige Zinsbindungen das gegenwärtig niedrige Niveau sichern.

12.7.5. Gesamtwirtschaftliche Perspektiven

Der Euro ist keine historisch gewachsene Währung. Vertrauen in sowie Glaubwürdigkeit und Stabilität der DM können nicht einfach ‹vererbt› werden. Trotz eines erheblichen Vertrauensvorschusses, gestärkt durch die unabhängige Position der Europäischen Zentralbank, sind einige Befürchtungen nicht gegenstandslos. Der Euro ersetzt keine notwendigen wirtschaftspolitischen Reformen, vielmehr wird er die Reformdefizite u.a. in der Finanz-(Steuer-), Lohn- und Sozialpolitik noch deutlicher zum Vorschein bringen und damit den Druck auf die Politik erhöhen.

Die meisten der Teilnehmerländer der EWU haben erheblich Anstrengungen unternommen, um die im Vertrag von Maastricht verankerten **Konvergenzkriterien** zu erfullen. Neben realwirtschaftlichen Anpassungserfolgen haben allerdings auch strohfeuerartige einmalige Aktionen und kosmetische statistische Operationen dazu beigetragen. Der Konvergenzerfolg ist daher in erster Linie als Stichtagserfolg anzusehen, unbeschadet des sog. Stabilitätspaktes, der für den Fall einer Abweichung von den vereinbarten Stabilitätskriterien sogar theoretisch Sanktionen der Partnerländer vorsieht. Realistischerweise wird man aber davon auszugehen haben, daß nicht alle 11 Länder, deren ‹performance› Grundlagen für die innere und äußere Stabilität des Euro sind, die Anpassungszügel bei Bedarf nicht auch einmal lockern werden. Sowohl die interne als auch die externe Eurostabilität sind jedoch eine Art gewogener ökonomischer Mittelwert aller beteiligten Länder, und dieser wird sich daher nicht auf dem Niveau der niedrigsten Werte einpendeln, sondern - wenn auch nicht dramatisch – darüber.

Der Ausschluß von Wechselkursänderungen schweißt die EWU-Staaten unwiderruflich zusammen. Dies kann durchaus zu Verzerrungen und Spannungen bei der ökonomischen und sozialen Entwicklung führen. Möglicherweise bilden sich zwei Ländergruppen heraus, nämlich eine, welche den Kern der EWU bildet, und eine andere mit ökonomisch und strukturell schwächeren Ländern, die mit dieser Kerngruppe nur loser verbunden sind.

Sofern der ökonomische **Wert des Euro** in Zukunft nicht deutlicher positiv von seinem politischen Wert überlagert wird, ist daher davon auszugehen, daß die zuletzt in Deutschland gewohnten Inflations- und Zinsraten tendenziell steigen werden. Der Wechselkurs des Euro zum US-Dollar hat im Vergleich zum DM-Dollar-Wechselkurs im Laufe von 1999 bereits eine gelinde Abwertung erfahren. Zwischen diesen Entwicklungen bestehen offenbar Rückkopplungseffekte. Allerdings dürfte der Euro wegen des sog. «Tankereffekts» gegenüber dem Dollar insgesamt weniger schwanken als die DM allein, weil der Euro ‹schwerer im Wasser liegt›. Wie Abb. 12.7.5/1 zeigt, ist der Eurokurs jedoch zunächst einmal unter Druck geraten.

Für den **Wettbewerb** bedeutet der Euro zunächst mehr Markttransparenz auf den Waren, Dienstleistungs- und Faktormärkten, d.h. Kosten und Preise lassen sich nun europaweit direkt vergleichen. Hinzu kommt eine zusätzliche Markttransparenz durch das Internet, so daß auch kleine Preisunterschiede europaweit ausgenutzt werden können. Für viele Unternehmen eröffnen sich aber bisher ungenutzte

Abb. 12.7.5/1: Euro-Dollar-Kurs

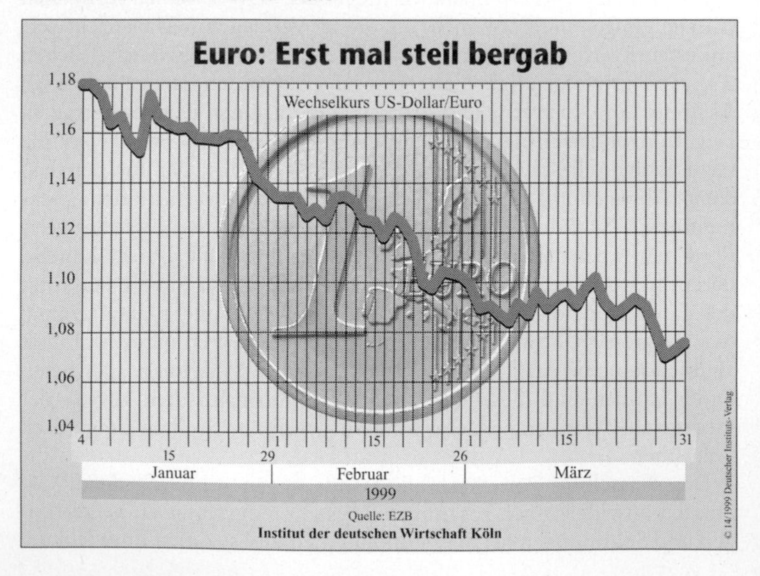

Chancen im europäischen Umfeld, andere werden gegen zunehmenden Wettbewerbsdruck ankämpfen müssen. Insbesondere bei Billiggütern und im Versandhandel schlugen die Zahlungskosten ins Ausland besonders zu Buche. Kurssicherungs- und Währungstauschkosten entfallen nun.

In jedem Fall werden die **Verbraucher** profitieren. Durch die entstehende Markttransparenz können sie europaweit Angebote aus dem In- und Ausland besser vergleichen; tendenziell dürfte sich ein preissenkender Effekt einstellen. Bei der Euroumrechnung werden Auf- oder Abrundungen erfolgen müssen. Bisher gewohnte Signalpreise (Schwellenpreise) verschwinden (1,99 oder 9,99 DM), neue entstehen. In vielen Fällen wird die Gelegenheit genutzt werden, nach oben abzurunden, nicht zuletzt bei den öffentlichen Gebühren, aber vielleicht auch bei Versicherungssummen. Beim ‹Aufrunden› ist zu beachten, ob der Markt sehr preiselastisch ist und Konkurrenten dadurch Vorteile erlangen können. Möglicherweise müssen Packungsgrößen oder Füllmengen angepaßt werden, um ‹runde› Preise zu ermöglichen, wie z. B. bei Zigarettenpackungen für Automaten. Noch nicht umgestellte Automaten werden während der Übergangszeit weiterhin DM annehmen und ausgeben.

Ein **Inflationsschub** durch Aufrundungen bei der Euro-Umstellung dürfte wegen des Wettbewerbsdrucks kaum zu befürchten sein, wenngleich partielle preisniveausteigende Effekte eintreten können. Es ist beispielsweise denkbar, daß Unsicherheiten bezüglich der Stabilität des Euro zu Flucht in Sachanlagen führt. Dies kann mit steigenden Immobilienpreisen einhergehen, obgleich gegenwärtig eher stagnierende und sinkende Preise zu beobachten sind.

Ein sehr wichtiger und gleichermaßen sensibler Punkt ist – nicht nur aus deutscher Sicht – der Euroeffekt auf die **Beschäftigung.** Die Prognosen für Europa insgesamt sind positiv, und dies dürfte vor dem Hintergrund der bisherigen Erfahrungen mit der europäischen Wirtschaftsintegration auch realistisch sein. Der bisherige, für Investoren wichtige Standortvorteil einer starken DM fällt weg; bei Banken entfallen komplette Geschäftsfelder im Devisenhandel. Den Zwang zu Kostensenkungen werden viele Unternehmen nicht abfedern können; Preisunterschiede von bis zu 40% für ein und dasselbe Produkt innerhalb Europas werden sich nicht mehr halten lassen. Beispielsweise kostet eine Aspirintablette in Deutschland 34 Pfennig, in Spanien 20; ein Fiat Punto kostet in Paris 20% weniger als in Hamburg. Manche Unternehmen werden versuchen, durch unterschiedliche Verpackungen zu verschleiern, daß es sich um identische Produkte handelt, aber dies dürfte sich nicht lange aufrechterhalten lassen. Preisunterschiede dürften sich in erster Linie in der Bandbreite der anfallenden Transportkosten bewegen, welche billigere Importe faktisch verteuern. Auf nationaler Ebene wird das Bild jedoch differenzierter sein, und neben beschäftigungspolitischen Gewinnern wird es auch Verlierer geben. Dies gilt weniger pauschal als sektoral:

Einige Branchen in Deutschland werden profitieren, andere Einbußen erleiden. Nach einer Untersuchung der Deutschen Bank werden sich kurzfristig Chancen eröffnen für Softwarehersteller, Papierindustrie, Druckindustrie und die Automatenindustrie. Sowohl von Chancen als auch von Kosten sind kurzfristig betroffen Banken, der Einzelhandel und die Tourismusindustrie. Eher mittel- bis langfristig werden andere Branchen tangiert. Dabei ist zu differenzieren zwischen Branchen mit hohem Auslandsanteil: (Chemie, Stahl, Maschinenbau, Straßenfahrzeugbau, Elektrotechnik) und zinsintensiven Branchen (Bauindustrie, Hypothekarkreditbranche). Hingegen sind Wirtschaftsbereiche mit hohem Inlandsanteil wie Kunststoffverarbeitung, Ernährungsgewerbe) weniger oder erst später betroffen.

Es ist seriös kaum möglich, einen Netto-Beschäftigungseffekt zu prognostizieren, auch wenn sich viele daran immer wieder versuchen. Die wenig treffsicheren Einschätzungen im Zusammenhang mit der deutschen Wiedervereinigung sollten wirklich zur Vorsicht mahnen. Es besteht sicher kein Grund zur Panik, aber auch kein Anlaß, von der Euroeinführung ‹blühende Gärten› und in Deutschland einen signifikanten Rückgang der Arbeitslosigkeit zu erwarten. Die strukturellen Defizite im globalen Kontext stehen dem entgegen, und deutsche Unternehmen werden im Zuge der Globalisierung auch weiterhin Arbeitsplätze ins – nicht nur europäische – Ausland verlagern. Innerhalb Europas gelten nicht mehr Spanien und Portugal, sondern eher Tschechien und Polen als die interessantesten Standorte, weil im Zloty- und Kronenraum noch Abwertungsvorteile zu erwarten sind: Dies vergrößert die Kostenunterschiede zu den hiesigen Produzenten. Auch die Konkurrenz zwischen den Steuersystemen wird zunehmen, denn flexible Unternehmen nutzen schon heute die steuerlichen Standortvorteile innerhalb Europas. Die Bemühungen um eine Harmonisierung der Steuerstrukturen – beispielsweise auch der Mehrwertsteuer und der Unternehmenssteuern – werden zunehmen.

Insgesamt wird die Standortkonkurrenz zunehmen. Die südeuropäischen Länder werden den Hochlohnregionen – Deutschland, Niederlande und Frankreich – Arbeitsplätze abnehmen, und der Druck auf das Lohnniveau wird zunehmen, mit einer Tendenz zur Angleichung nach unten, die bereits jetzt beobachtbar ist. Aus Sicht der deutschen Gewerkschaften wird daher gefordert, daß Tarifverhandlungen europaweit koordiniert und soziale Mindeststandards vereinbart werden – eine auf längere Sicht wenig realistische Perspektive, denn nicht nur sind die Gepflogenheiten in der Lohnfindung und die Mentalitäten der Gewerkschaften sehr unterschiedlich, zu unterschiedlich sind auch die Wirtschaftskraft und die Produktivität der Regionen. Und schließlich fehlt für die Vereinbarung von Mindeststandards auch der gemeinsame Vertragspartner, denn auf Arbeitgeberseite gibt es kaum beobachtbare Tendenzen der gesamteuropäischen Interessenvertretung.

In Kap. 11 wurde schon ausgeführt, daß die Zentralisierung der Geldpolitik dadurch beeinträchtigt wird, daß Finanzpolitik, Lohnpolitik und Sozialpolitik weiterhin auf nationaler Ebene entschieden werden. Die Integrationsdichte hat aber heute einen gewissen Sättigungsgrad erreicht. Über die Neuordnung der europäischen Finanzen wird erst 1999 befunden, aber Deutschland hat schon deutlich gemacht, daß seine Last als Nettozahler reduziert werden muß. Der Nationalstaat ist weder tot noch überholt und wird sich stärker zur Geltung bringen als bisher.

12.8. Agrar-Wechselkurse

Der Vollständigkeit halber ist noch im historischen Rückblick auf das System der sog. «**grünen Paritäten**» einzugehen: Im Agrarbereich wurden im Rahmen der verschiedenen Marktordnungen für bestimmte landwirtschaftliche Produkte Preise festgelegt, zu denen z. B. die sog. **Interventionsstellen** Agrarüberschüsse aufkaufen. Diese Preise wurden in ECU definiert und mußten in nationale Währung umgerechnet werden. Allerdings erfolgte dies nicht zu den Leitkursen bzw. den Devisenkassakursen, sondern zu Verrechnungskursen, die nur innerhalb des Agrarsystems ein Jahr lang galten – daher; «grüne» Kurse. Die grünen Kurse wurden mit der Währungsunion abgeschafft. Mit der Einführung des Euros gibt es für die Landwirte keine währungsbedingten Preisschwankungen mehr (vgl. Abb. 12.8/1).

„Euro bringt deutschen Bauern Vorteile"

Stü. BONN, 1. Januar. Mit der Einführung des Euro gibt es künftig für die Bauern keine währungsbedingten Preisschwankungen mehr. Erstmals gälten für alle Landwirte in den Euro-Staaten tatsächlich gleiche Marktordnungspreise, hob der Deutsche Bauernverband in einer Stellungnahme hervor. Deshalb seien dauerhafte Vorteile für deutschen Bauern zu erwarten. Bisher habe besonders die deutsche Landwirtschaft darunter gelitten, daß D-Mark-Aufwertungen zu Absenkungen der Marktordnungspreise in D-Mark führten. Der Bauernverband wies gleichzeitig darauf hin, daß der Euro-Umstellungskurs von 1,95583 DM zu einer Ermäßigung der Marktordnungspreise um 1,4 Prozent führt. Denn bisher galt für diese Stützungspreise ein sogenannte grüner Kurs von 1,98391 DM je Ecu, mit dem die von der EU festgesetzten Preise in D-Mark umgerechnet wurden.

Abb. 12.8/1: Euro im Agrarmarkt

Quelle: Heinrich Stuwe, Frankfurter Allgemeine Zeitung

13. Außenhandelspolitik

«Was die Weltwirtschaft angeht,
so ist sie verflochten.»
(Kurt Tucholsky)

Außenhandelspolitik – oder kürzer: Handelspolitik – ist in umfassendem Sinne zu verstehen: Hierzu zählen nicht nur die unmittelbar handelsbezogenen Regelungen und direkt handelswirksamen Maßnahmen (z.B. Zolltarife, Handelsabkommen etc.), sondern auch alle anderen Aspekte, die indirekt mit dem Außenhandel verknüpft sind (Technologietransfer, Steuerpolitik etc.). Eine sachliche Abgrenzung von ‹Handelspolitik› ist schwierig, denn – etwas überspitzt gesagt: – es gibt kaum einen Bereich der Wirtschaftspolitik, der keine außenwirtschaftlichen Implikationen hat. Faktisch gehören zur Handelspolitik alle Rahmenbedingungen und Maßnahmen, deren *Zweck* es ist, den Außenhandel zu beeinflussen. Umgekehrt werden handelspolitische Maßnahmen auch für Zwecke eingesetzt, die nicht direkt im Außenhandelsbereich liegen, sondern eher politischen Charakter haben (vgl. Abschn. 13.2.3).

13.1. Internationale Handelsverflechtungen

13.1.1. Grobstruktur des Welthandels

Abb. 13.1.1/1 zeigt die Grobstruktur der internationalen Handelsverflechtung. An der Verteilung des Welthandels – gemessen an den Exporten – auf die drei Ländergruppen (westlich orientierte) Industrieländer, Transformationsländer (ehemalige Ostblockländer), Entwicklungsländer zeigen sich deutliche Unausgewogenheiten: In den westlichen Industrieländern leben zwar nur 16% der Weltbevölkerung (in der EU 7%), doch entfallen auf sie mit 68% gut zwei Drittel der Weltexporte (EU 37%), und sie verfügen über 80% des Weltsozialprodukts (EU 25%). Die Transformationsländer bestreiten 3,4% der Weltexporte, die Entwicklungsländer knapp 28%.[1]

Die Abhängigkeit von Handelsbeziehungen zwischen den Ländergruppen ist unterschiedlich: Die Industrieländer mit hohem Einkommen machen rund 80% ihrer Handelsbeziehungen unter sich aus. In den östlichen Reformländern (incl. China) sind es nur rund 28% interner Handel, während 42% des Entwicklungsländer-Handels auf sog. **Süd-Süd-Handel** zwischen Entwicklungsländer entfallen, in sehr vielen Regionen allerdings erheblich weniger. Wie Abb. 13.1.1/1 erkennen läßt, sind die Handelsbeziehungen zwischen den Industrieländern und den Entwicklungs-/Transformationsländern asymmetrisch, indem diese Form des Handels für die Industrieländer geringere

Abb. 13.1.1/1: Welthandelsströme

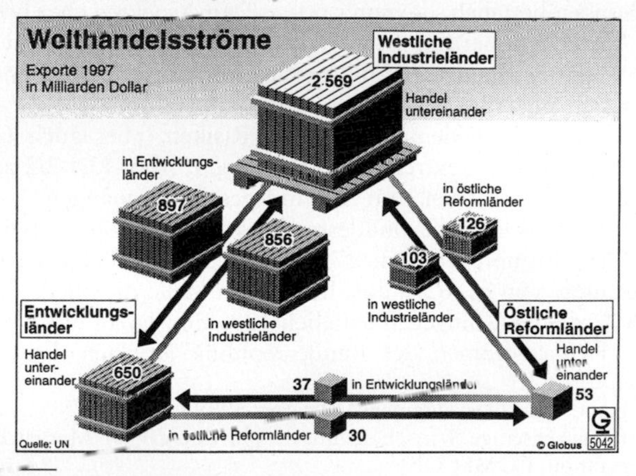

[1] Zahlen nach Weltbank: World Development Indicators 1998, UN und EUROSTAT, EU Kommission.

Bedeutung hat als für die Entwicklungs-/Transformationsländer (18,2% des Handels für Industrieländer, 78,1% für Entwicklungs-/ Transformationsländer).[2]

Abb. 13.1.1/2 verdeutlicht die Dominanz der westlichen Industrieländer in den internationalen Handelsbeziehungen. Nach dem Zusammenbruch des Ostblocks bzw. des RGW[3] bemühen sich viele seiner Mitgliedstaaten um eine verstärkte Integration in die Weltwirtschaft.

13.1.2. Zur Position der Bundesrepublik im Welthandel

Der Außenhandel ist für die Wirtschaft der Bundesrepublik ein außerordentlich wichtiger Bereich. Die **Exportquote** – d.h. das in Prozenten des Bruttoinlandsprodukts ausgedrückte Volumen des Exports – ist von rund 19% im Jahre 1970 auf rund 25% (1999) (nach einem durch die deutsche Wiedervereinigung bedingten Rückgang auf 22% 1993) angestiegen, die **Importquote** im selben Zeitraum von 20% auf 26% (1993: 22%).[4] Letzteres kann man auch so interpretieren, daß fast ein Viertel des Güterwertes, den wir für unseren Lebensstandard benötigen, aus dem Ausland bezogen wird. Die Importquote spiegelt damit auch die **Abhängigkeit** der inländischen Güterversorgung vom Ausland wider, sei es bei Vorleistungen, die für die inländische Produktion benötigt werden, sei es bei Fertigprodukten. Viele wichtige Rohstoffe müssen (teilweise vollständig) importiert werden (vgl. Abb. 13.1.2/1), wodurch auch politische Abhängigkeiten bedingt werden können, d.h. daß mit Ländern aus ökonomischen Gründen Handelsbeziehungen bestehen, die unter politischen Aspekten eher bedenklich sind. Auch ein hoher Exportanteil bedeutet analog eine starke Abhängigkeit vom Ausland: Konjunkturschwankungen des Auslands übertragen sich über die Nachfrage nach Exportgütern auf die Inlandskonjunktur. Dies bedeutet zweifellos Risiken, aber auch Chancen. Viele Branchen sind extrem exportabhängig; Abb. 13.1.2/2 zeigt, wie stark einzelne Branchen vom Auslandsgeschäft abhängen.

International liegt die Bundesrepublik mit einer gesamtwirtschaftlichen Exportquote von rd. 27% im Mittelfeld: Belgien weist eine Exportquote von rd. 62% aus, Irland von 68%, die Niederlande von rd. 49%, die USA hingegen lediglich 12% und Japan nur 6%.[5]

Das Exportvolumen der Bundesrepublik ist nach den USA das

---

[2] Weltbank: World Development Indicators 1998.

[3] Rat für gegenseitige Wirtschaftshilfe, engl.: Council for Mutual Economic Cooperation, COMECON.

[4] Statistisches Bundesamt.

[5] Quelle: EUROSTAT 1998.

Abb. 13.1.1/2: Regionale Exportanteile

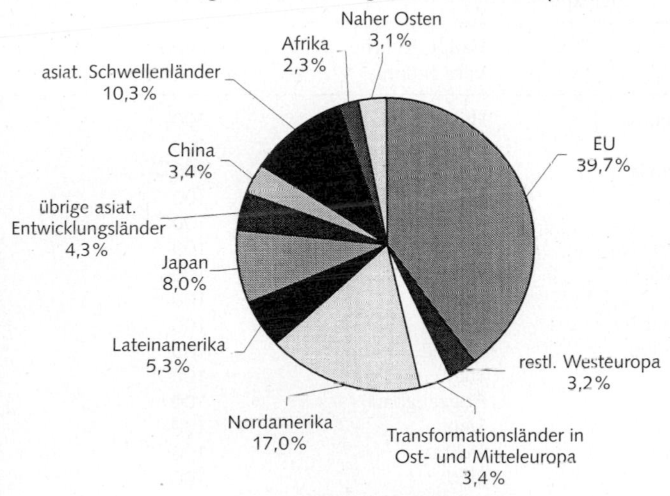

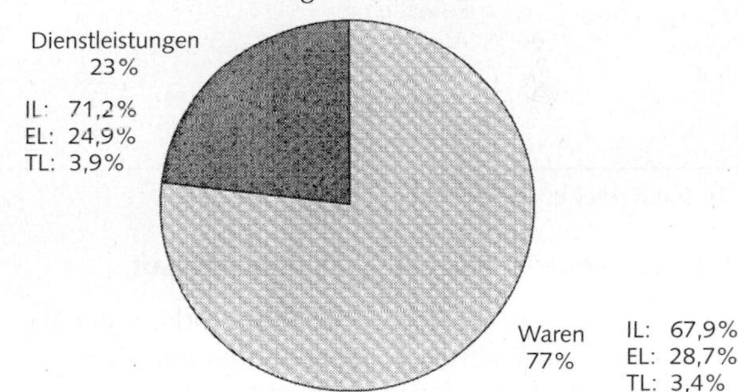

Quelle: IWF: Zahlungsbilanzdaten 1998, Weltbank: World Development Indicators 1998

größte der Welt; beide Länder lieferten sich in den vergangenen Jahren ein Kopf-an-Kopf-Rennen an der Spitze der Liste der größten Exportnationen (Abb. 13.1.2/3). Der Hauptanteil des Außenhandels der Bundesrepublik wickelt sich dabei mit Industrieländern, und dabei wiederum mit den EU-Partnern ab (rd. 54%; vgl. Abb. 13.1.2/4), wobei Frankreich sowohl bei den Importen als auch bei den Exporten (aus deutscher Sicht) mit deutlichem Abstand an der Spitze der Handelspartner steht.

Abb. 13.1.2/1: Importabhängigkeit der Bundesrepublik

Importabhängigkeit

Rohstoff	Hauptsächliche Verwendung	Importanteil in Prozent
Aluminium	Flugzeugbau	100
Asbest	Bremsen	100
Baumwolle	Stoffe	100
Chrom	Stahl	100
Kobalt	Computer	100
Mangan	Stahl	100
Molybdän	Stahl	100
Nickel	Stahl	100
Phosphat	Dünger	100
Quecksilber	Chemie, Elektro	100
Tantal	Stahl	100
Titan	Flugzeugbau	100
Vanadium	Stahl	100
Wolfram	Elektro	100
Zinn	Blech	100
Kupfer	Kabel	99
Silber	Fotochemie	98
Eisenerz	Auto-, Schiffbau	98
Erdöl	Energie	96
Blei	Batterien	92
Zink	Draht (Messing)	71

Quelle: Statistisches Bundesamt 1998

13.1.3. Die aktuelle Situation der Weltwirtschaft

In den letzten beiden Jahren war die Entwicklung der Weltwirtschaft durch Finanz- und Währungskrisen in Asien und Rußland, sowie Krisenanzeichen in Lateinamerika gekennzeichnet. Die Ursache der Währungskrisen war eine Wechselkursbindung ohne ausreichende Strukturreform. Feste Wechselkurse wurden mit steigenden außenwirtschaftlichen Ungleichgewichten unglaubwürdig, und es kam zu Spekulationen und massiven Abwertungen.

In den südostasiatischen Schwellenländern war das schnelle wirtschaftliche Wachstum z. T. von ansteigenden makroökonomischen Ungleichgewichten (hohe Zahlungsbilanzdefizite und Auslandsverschuldung) und strukturellen Problemen (z. B. Intransparenz und mangelnde Aufsicht im Finanzsektor) begleitet. Trotzdem floß weiterhin meist kurzfristiges (fast 70%) ausländisches Kapital zu, denn die

Abb. 13.1.2/2: Branchen-Exportquoten

Außenhandelsverflechtung Stand 1998

Export-quote	Branche	Export-quote	Branche
51,6	Fahrzeugbau	27,1	Metall, Metallerzeugnisse
47,4	Maschinenbau	26,9	Gummi-, Kunststoffwaren
46,5	Chemische Industrie	19,2	Möbel, Schmuck, Recycling
40,4	Büro- und Elektrotechnik	17,1	Glas, Keramik, Steine, Erden
38,5	Medizin-, Meß- und Regelungstechnik, Optik	17	Papier, Verlag, Druck
31,9	Bergbau und Verarbeitendes Gewerbe	11,7	Holzgewerbe
		11,3	Ernährung und Tabak
29,3	Textil, Bekleidung, Leder	4,1	Mineralölverarbeitung

Quelle: Statistisches Bundesamt, IW Köln, DIW 1998

Abb. 13.1.2/3: Die größten Verkäufer auf dem Weltmarkt

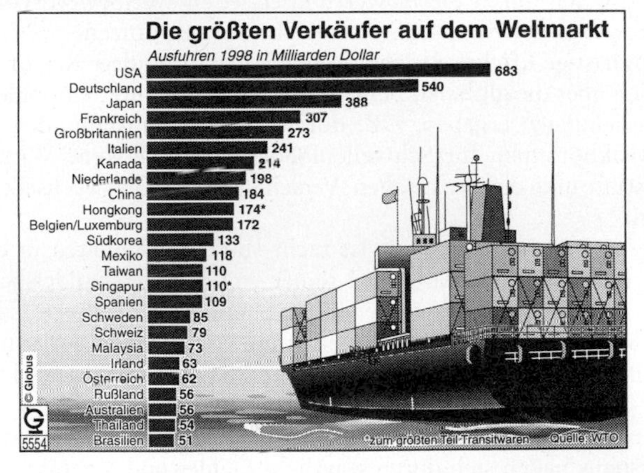

Gläubiger hatten scheinbar keine Zweifel an der Verteidigung des festen Wechselkurses. Der zunehmende Druck auf die Währungen führte seit Mitte 1997 zur Aufhebung der Bindung der Währungen (zumeist an den US-Dollar). In der Folge wurde massiv ausländisches Kapital aus den Ländern abgezogen und der Wechselkurs ihrer Währungen extrem abgewertet. Dies ließ die Aktienkurse einbrechen und führte zu einer Krise des Finanz- und Bankensystems («**Asienkrise**»). Mit Hilfe von beträchtlichen Zinssteigerungen wurde gegen-

Abb. 13.1.2/4: Handelspartner der Bundesrepublik (Ländergruppen)

Außenhandelsanteil der Bundesrepublik Deutschland nach Ländergruppen

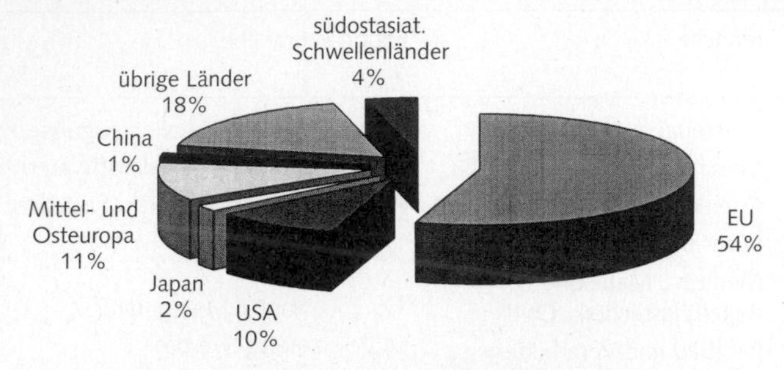

Quelle: Deutsche Bundesbank: Monatsbericht Dez. 1998, Statistisches Bundesamt

gesteuert, aber die notwendigen Reformen werden nur zögerlich umgesetzt. Produktion und Binnennachfrage sind drastisch gesunken. Deshalb werden die asiatischen Schwellenländer zur Überwindung der Krise den durch die Abwertung erzielten Wettbewerbsvorteil für eine Exportoffensive in außerasiatische Staaten nutzen.

Langfristige Effekte der asiatischen Krise für andere Regionen können sich über die globalen Finanzmärkte und die internationalen Handelsbeziehungen ergeben, z. B. durch die Kreditausfälle, den Anstieg der Risikoprämien für Schwellenländer, das gesunkene Wirtschaftswachstum und die drastischen Verschiebungen der Wechselkursrelationen.

Die japanische Wirtschaft ist recht stark mit Krediten in der Krisenregion involviert. Aufgrund seiner engen Außenhandelsbeziehungen in der Region (etwa $\frac{1}{5}$ der Exporte und $\frac{1}{6}$ der Importe) ist Japan auch im Handelsbereich stark betroffen, vor allem da der dämpfende Einfluß auf japanische Exporte in einer Phase anhaltender wirtschaftlicher Schwäche und trägem Wachstum erfolgt, denn Japan befindet sich in einer Rezession und Strukturkrise. Die Schwächen des Bankensystems ließen sich durch staatliche Gelder und Verstaatlichungen lindern, so daß sich mit staatlicher Unterstützung ein weitreichender Zusammenbruch des japanischen Finanzsystems vermeiden ließ. Auch Japan wird seine Exporte in die EU und die USA erhöhen, um der Krise zu begegnen.

In Rußland führten Versäumnisse der Reformpolitik und institutionelle Schwächen der russischen Wirtschaft zum Ausbruch der «**Rußlandkrise**», die ebenfalls in die Aufhebung der Wechselkursbindung und massive Abwertungen mündete.

In **Lateinamerika** sind ebenso Anzeichen einer Krise zu erkennen gewesen. Auch dort ist die externe Verschuldung (v. a. die kurzfristige) relativ hoch, jedoch ist der Bankensektor relativ solide. Der durch die Währungskrisen in Asien und in Rußland bedingte Vertrauensverlust der internationalen Finanzmärkte in die Entwicklungsperspektiven vieler Schwellenländer hat bei internationalen Gläubigern zum Abzug von Kapital auch aus Lateinamerika geführt, so daß die Währungen dieser Länder unter massiven Druck gerieten. Durch eine drastische Erhöhung der kurzfristigen Zinsen und eine restriktive Finanzpolitik wurden zwar ähnliche Währungsturbulenzen wie in Asien abgewehrt, dies konnte aber nur auf Kosten eines Wachstumseinbruchs – verstärkt durch geringere Exporterlöse aufgrund der durch die Nachfrageausfälle im Zuge der Asienkrise ausgelösten Rückgänge der Rohstoffpreise – erkauft werden.

Die übrigen Industrieländer werden unterschiedlich von den direkten und indirekten Effekten der Krisen betroffen. Zusätzlich zu den relativ geringen direkten Effekten durch bilaterale Handelsbeziehungen (sinkende Nachfrage nach europäischen und amerikanischen Waren in den Krisenregionen) werden die indirekten Effekte des langsameren Wachstums der Industrieländer wegen der gesunkenen Exportchancen sich stärker auswirken.

Auf Kosten der Industrieländer werden die Exporte der Krisenökonomien nach Nordamerika und Westeuropa wegen ihrer wechselkursbedingt verbesserten internationalen Wettbewerbsfähigkeit wachsen. Dies erfordert, daß die Weltwirtschaft die höheren Exporte aufnimmt, d. h. in den Industrieländern müssen die Binnennachfrage ansteigen und/oder Importe von anderen Handelspartnern auf Krisenländer umgelenkt werden.

Die gesunkenen Rohstoffpreise haben in den USA und Westeuropa trotz der rückläufigen Exporte die Binnenkonjunktur gestützt. Dazu floß das aus den Schwellenländern abgezogene Kapital in die als «sicher» geltenden Industrieländer und somit sanken die langfristigen Zinsen auf sehr niedrige Sätze.[6]

13.2. Ziele der Außenhandelspolitik

Die Außenhandelspolitik wird in aller Regel dieselben übergeordneten Ziele verfolgen wie die übrigen Politikbereiche der Wirtschaftspolitik

[6] Weinert, Günter: Labile Weltwirtschaft, in: Wirtschaftsdienst, Nr. 11, 78. Jg. 1998, S. 636.

wie Geld- oder Finanzpolitik, so daß die Zieldiskussion hier eigentlich überflüssig sein müßte. Dennoch ist dieser Aspekt hier von Interesse, weil deutlich werden soll, daß die Außenhandelspolitik ganz eindeutig instrumentalen Charakter hat und im Interesse des Inlands eingesetzt wird, und dies gilt in analoger Weise für die Entwicklungszusammenarbeit («Entwicklungshilfe»), wenngleich dort mit gewissen Einschränkungen; vgl. Abschn. 14.3.

13.2.1. Drei Erkenntnisse der Theorie

• Erstens: Die theoretischen Analysen ergeben, daß internationaler Handel allen Beteiligten nützen kann. Grundsätzlich ist daher **Freihandel** die richtige Strategie – sofern die entsprechenden Voraussetzungen dafür gegeben sind. Dies ist jedoch nicht der Fall.
• Zweitens: Sofern die Rahmenbedingungen für Freihandel nicht realisiert sind, ist es rational, die eigene Wirtschaft vor den – dann negativen – Impulsen des Weltmarkts zu schützen. Argumente für **Protektion** liefern neben der traditionellen Schutzzoll-Theorie und keynesianischen Ansätzen neuerdings auch die Thesen der Neuen Wachstumstheorie (vgl. Abschn. 2.4.3).
• Drittens: Die **rechtlichen Rahmenbedingungen** des Außenhandels sind grundsätzlich auf Freihandel orientiert; dies gilt für GATT/WTO ebenso wie für das Europäische Recht wie für das deutsche Außenwirtschaftsrecht. Auf allen Rechtsebenen sind jedoch – kongruent – Ausnahmen verankert, welche protektionistische Maßnahmen zulassen. Allerdings müssen sie entsprechend begründet, präziser: verpackt sein. Damit beschäftigt sich Abschn. 13.7. Zunächst aber sollen einige Abschnitte in der Entwicklung des Welthandels umrissen werden.

13.2.2. Entwicklungen im Welthandel

13.2.2.1. Außenhandelspolitische Konzeptionen

Konsequente Folgerung der im Kap. 9 eingehender beschriebenen klassischen Grundprinzipien der freien Marktwirtschaft ist für den Außenhandel die Forderung nach **Freihandel**. Offensichtlich aber ergeben sich in der Realität ökonomische Probleme, die sich nicht im Sinne der Theorie und zum Wohle der Benachteiligten von selbst lösen. In solchen Situationen liegt es nahe, an den Selbstheilungskräften des Marktes zu zweifeln und auf staatliche Beeinflussung und Eingriffe in den Wirtschaftsablauf zu setzen. Von besonderer Bedeutung waren dabei auch hier die Theorien von *John Maynard Keynes* (vgl.

Kap. 9 und Abschn. 13.5). U.a. liefert er auch eine theoretische Rechtfertigung für die Behinderung des freien **Außenhandels** durch protektionistische (staatliche) Maßnahmen. Diese stützen sich aber auch auf Elemente des **Merkantilimus**, nach dem ein vorrangiges Ziel staatlicher Politik **Autarkie** ist, also ökonomische Unabhängigkeit vom Ausland. Die eigene Machtposition wird danach durch Überschüsse im Außenhandel mit anderen Ländern gestärkt, so daß Zahlungsüberschüsse in den Außenwirtschaftsbeziehungen (eine aktive Zahlungsbilanz) angestrebt werden. Auf die Einschränkung und Behinderung des Freihandels durch protektionistische Maßnahmen wird weiter unten eingegangen.

Mit anhaltenden und zunehmenden ökonomischen Problemen jedoch wuchs die Kritik an den keynesianischen Theorien, und es erfolgte auf nationaler Ebene in vielen Ländern eine Rückbesinnung auf die Grundsätze der (neo-)klassischen Wirtschaftstheorie. Mit der Forderung, die Staatsinterventionen zu reduzieren, steht nicht mehr die Stärkung der Nachfrage, sondern des Güterangebots im Mittelpunkt. Entsprechend wird eine solche Wirtschaftspolitik als **Angebotspolitik** und die zugrunde liegende Wirtschaftstheorie als **neo-klassisch** oder **neo-liberal** bezeichnet. Wie noch auszuführen sein wird, werden die entsprechenden Forderungen nach Außenhandelsliberalisierung zwar gern an die Adresse anderer formuliert, jedoch kaum im eigenen Land in die Praxis umgesetzt.

Im Zusammenhang mit den Grundsätzen der Außenhandelstheorie und -politik ist dabei auch die sehr umstrittene Frage zu beachten, wem die sich aus den internationalen Wirtschaftsbeziehungen ergebenden Vorteile zufallen. Während nach der klassischen Theorie unbehinderter Freihandel letztendlich allen Beteiligten nützt, argumentieren andere ökonomische Schulen, daß sich aufgrund ungleicher Voraussetzungen gerade durch internationalen Handel eine asymmetrische Verteilung von Vor- und Nachteilen ergibt. Hierbei ist insbesondere an die im Gegensatz zur **kapitalistischen** klassischen Theorie häufig auf **marxistische** Schulen zurückgehende **Dependenz-** und **Imperialismustheorien** zu denken, nach denen die heutigen Entwicklungsländer ehemals durch die Kolonialmächte und heute durch die Industrieländer in Abhängigkeit gehalten wurden bzw. werden (vgl. Abschn. 14.1.2).

Freihandelsbeschränkende Maßnahmen solcherart benachteiligter Länder sind dann in einem ganz anderen Licht zu sehen als die merkantilistischen Ursprungs.

13.2.2.2. Phasen im Welthandel

Zusammenfassend lassen sich im historischen Rückblick folgende Phasen im Welthandel unterscheiden:

- Im Zuge der industriellen Revolution wurde bis etwa Mitte des 18. Jahrhunderts das *Freihandelskonzept* in großem Stile verwirklicht. Die Handelsbeziehungen waren dabei komplementär, indem die Industriestaaten (Kolonialmächte) Fertigprodukte in die Kolonien lieferten, aus denen sie Rohstoffe bezogen. Aus monetärer Sicht war diese Phase gekennzeichnet durch den sog. **Goldstandard,** d.h. daß die nationalen Währungen in einer festen Relation an den Goldwert gebunden und die Geldmenge in einer festen Relation von den Goldreserven des betreffenden Landes abhing. Eine Verringerung der Goldreserven bedeutete – verkürzt – eine Verringerung der umlaufenden Geldmenge, um eine Abwertung der Inlandswährung zu verhindern.
- Mit dem zunehmenden Aufkommen von Konkurrenz zwischen den Industrieländern im Kampf um Absatzmärkte kamen bis zum Ende des 19. Jahrhunderts immer mehr *protektionistische Elemente* im Welthandel auf. Die Handelsstrukturen wurden – neben weiterbestehenden komplementären Strukturen – auch substitutional, da die Industrieländer ähnliche Güter auf den Weltmärkten anboten.
- Der I. Weltkrieg stellte einen gravierenden Einschnitt im Welthandel dar. Er verschärfte den *Protektionismus*. Im Gefolge der Weltwirtschaftskrise ab 1929 wurde mit den o.a. Konzepten des Keynesianismus auch eine theoretische Fundierung für staatliche Eingriffe in die nationale und internationale Wirtschaft geliefert. Der mit dem Weltkrieg zusammengebrochene reine Goldstandard wurde abgelöst durch den **Gold-Devisen-Standard,** bei dem die umlaufende Geldmenge von den Gold- *plus* den Devisenreserven abhängt.
- Der II. Weltkrieg verschärfte zunächst die *protektionistischen Tendenzen*; andererseits begannen jedoch bereits ab 1941 Gespräche und Verhandlungen zwischen den Westmächten mit dem Ziel, die schwer gestörten Welthandelsbeziehungen wieder auf eine ‹normale› Basis zu stellen. Diese Vorgespräche konkretisierten sich nach der berühmten Konferenz von **Bretton Woods** im Jahre 1944 in der Schaffung des GATT und der Gründung von IWF und Weltbank (vgl. Abschn. 13.6). Die Bretton-Woods-Phase des internationalen Währungssystems war gekennzeichnet durch eine Weiterentwicklung des Gold-Devisen-Standards durch die Orientierung am US-Dollar als Leitwährung und den Einbezug von Sonderziehungsrechten (SZR) in die Währungsreserven.

- Nach dem II. Weltkrieg lassen sich drei Phasen unterscheiden: Zunächst dominierten tendenziell *freihändlerische Konzepte*; u. a. wurden im Rahmen des GATT umfassende Zollsenkungen und andere handelsliberalisierende Maßnahmen durchgesetzt. Dieser Phase wurde mit der 1. Ölkrise 1973 ein Ende gesetzt.
- Ab 1973 – verschärft durch die 2. Ölkrise 1979 – nahmen wieder *protektionistische Tendenzen* zu. Diese Phase dauert praktisch bis in die Gegenwart an.
- Andererseits verstärkten sich im Rahmen der sog. Uruguay-Runde des GATT Bemühungen um eine Wieder-Liberalisierung des Welthandels mit Tendenzen regionalen Freihandels.

13.2.2.3. Tendenzen im Welthandel

Im Welthandel zeichnen sich gegenwärtig verschiedene **Tendenzen** ab.

Erstens werden **marktwirtschaftliche Strukturen** auch von ehemals zentralverwaltungswirtschaftlich geprägten Ländern übernommen, nicht nur in Osteuropa, sondern auch in vielen Entwicklungsländern (sog. Transformations- und **Reformstaaten**). Natürlich gibt es dabei nicht «das» marktwirtschaftliche Modell, sondern eine Vielzahl von individuellen Varianten. Diese Entwicklung wird auch von internationalen Organisationen wie GATT/WTO und dem IWF gefördert. Eine marktwirtschaftliche Orientierung ist tendenziell freihändlerisch geprägt. In diesem Zusammenhang sind zwei, grundsätzlich widersprüchliche Aspekte zu beobachten:

Zweitens vollzieht sich eine erkennbare **Regionalisierung** des internationalen Handels, indem sich begrenzte Integrationsräume entwickeln, die intern Freihandel bereits realisieren bzw. anstreben. In Europa steht der **Europäische Wirtschaftsraum** (**EWR**) mit der **Europäischen Union**, assoziierten osteuropäischen Staaten und der **Europäischen Freihandelszone** (**Rest-EFTA**) im Vordergrund. Seit Anfang 1994 bilden in Nordamerika die USA, Kanada und Mexiko mit der **NAFTA** (*North American Free Trade Association*) die derzeit zweitgrößte Freihandelszone nach dem EWR. In Südamerika sind verschiedene Integrationsansätze wiederbelebt bzw. ins Leben gerufen worden, u. a. der Südamerikanische Gemeinsame Markt (**MERCOSUR**: Mercado Comun del Sur). In Asien will die **ASEAN** die bisher eher lose Kooperation in eine Freihandelszone überführen (**AFTA**). In Afrika gibt es eine Reihe von Integrationsansätzen, die über bloße Absichtserklärungen bereits hinausgekommen sind, wie z. B. die **ECOWAS** (Economic Community of West African States).

Drittens ist festzustellen, daß diese freihandelsorientierten Tendenzen, die sowohl allgemein ordnungspolitisch als auch konkret im regionalen Kontext zu beobachten sind, überlagert werden von einem verdeckten **Protektionismus** gegenüber Drittländern, der sich in einer Flut von sog. nicht-tarifären Handelshemmnissen äußert (sog. **Neo-Protektionismus**) (vgl. Abschnitt 13.7.1).

Viertens verändert sich die Struktur des internationalen Handels in regionaler Hinsicht in dem Sinne, daß in zunehmendem Maße **Schwellenländer** den etablierten Industrieländern Konkurrenz machen (Abb. 13.2.2/1).

Abb. 13.2.2/1: Schwellenländer

Asien drängt auf den Weltmarkt

Westeuropa verzeichnet den größten Handelsrückgang der Nachkriegsgeschichte

Die asiatischen Exportnationen holen an den internationalen Märkten kräftig auf

Lateinamerika - die nach Ostasien zweite große Wachstumsregion

Fünftens verändert sich die Struktur des internationalen Handels in sektoraler Hinsicht in dem Sinne, daß in zunehmendem Maße der **Dienstleistungshandel** an Bedeutung gewinnt. So sind laut OECD heute bereits 58% der weltweit Beschäftigten im Dienstleistungssektor tätig, Dienstleistungen machen 63% des Weltsozialprodukts aus (Industriewaren nur 33%).[7] Dienstleistungen machen 23% des Welthandels aus, sie wachsen doppelt so schnell wie der Warenhandel (knapp 9% jährlich 1980–1997 gegenüber 4,5% Wachstum des Güterhandels).[8]

Sechstens nimmt der Welthandel (Export) gegenüber der Weltwirtschaftsleistung (Produktion von Waren und Dienstleistungen) überproportional zu. So hat sich, wie Abb. 13.2.2/2 zeigt, die Weltwirtschaftsleistung – also das ‹Weltsozialprodukt› – von 1950 bis 1997 etwa versechsfacht, während der Welthandel sich im gleichen Zeitraum verfünfzehnfacht hat und sich bis 2000 sogar verzwanzigfachen wird. Darin drückt sich eine zunehmende internationale Arbeitsteilung aus, die es den Staaten erlaubt, sich auf die Produktion der-

[7] Quelle: OECD 1998.

[8] vgl. Fischer, Bernhard: Globalization and the Competitiveness of Regional Blocks, Intereconomics Vol. 33, Nr. 4, Juli/Aug. 1998, S. 164–170, S. 164.

jenigen Leistungen zu konzentrieren, die den größten Ertrag bringen (vgl. dazu auch Abschn. 13.3).

13.2.3. Außenhandels- und Außenpolitik

Außenhandelspolitik dient also, um es hier nochmals aufzugreifen, der Verfolgung *übergeordneter Ziele*, die auch für andere (Wirtschafts-)Politikfelder als Vorgaben anzusehen sind: Dies bezieht sich zum einen auf gesellschaftspolitische Leitbilder, zu denen insbesondere das Liberalismusprinzip, die Achtung der Menschenrechte und in zunehmendem Maße der globale Umweltschutz (*«global commons»*) zählen, zum anderen – daraus abgeleitet – auch auf die ordnungspolitische Philosophie, die man für Deutschland mit dem Begriff «marktwirtschaftliche Orientierung» beschreiben kann.

Handelspolitische Maßnahmen werden folglich nicht nur zur Verfolgung direkt ökonomischer Zielsetzungen eingesetzt werden. Auf übergeordneter, politischer Ebene dient Handelspolitik auch der Einbindung in inter- oder supranationale *Staatenverbunde*, im Falle Deutschlands also insbesondere der Integration in die Europäische Union. Vor diesem Hintergrund sind auch Bemühungen zu sehen, bestimmte Staaten ökonomisch durch eine geeignete Außenhandelspolitik zu stabilisieren. Hierbei ist vor allem an Zollpräferenzen, Kooperations- und Assoziationsabkommen zu denken (auf EU-Ebene; vgl. Abschn. 13.7.2). Dies gilt für die noch recht labilen osteuropäischen Staaten ebenso wie für bestimmte Entwicklungsländer, deren

Abb. 13.2.2/2: Weltexport und Weltwirtschaftsleistung

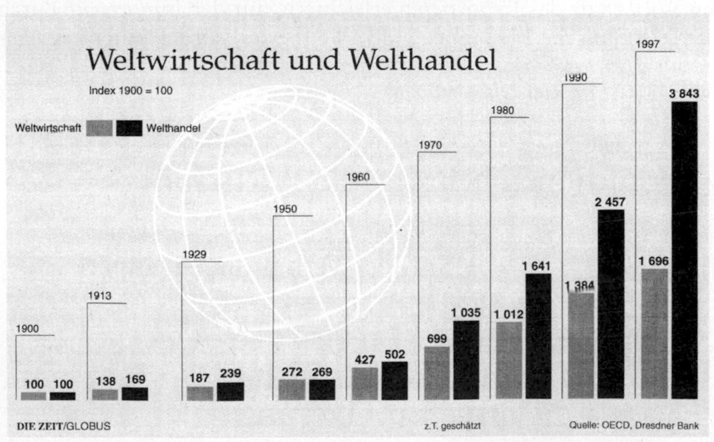

politische Struktur sie mit Sicherheit nicht zu den besten Freunden machen würde, die aber regionalstrategisch als wichtig angesehen werden, und beispielsweise auch für die Türkei, deren NATO-strategische Bedeutung unübersehbar ist.

Andererseits wird auch versucht, internationales Wohlverhalten durch handelspolitische Maßnahmen zu erzwingen; sie können sowohl Zuckerbrot als auch Peitsche sein. Dies wird insbesondere durch *Handelsboykotts* und *-embargos* deutlich, mit denen gegen Länder vorgegangen wird, welche den Weltfrieden und die internationale Sicherheit bedrohen. Allerdings beweist der exzessive Langmut bei der Umsetzung solcher kollektiver Maßnahmen, daß es dabei selten eine gemeinsame Interessenlage gibt: Angedrohte Repressionen verkümmern leicht zu hilflosen Drohgebärden, weil weder politische Willen noch die praktischen Voraussetzungen in hinreichendem Maße gegeben sind, internationalen Druck auszuüben. Das «Handelsembargo» gegen Serbien beispielsweise war löcherig wie ein Schweizer Käse (vgl. Abb. 13.2.3/1).

Natürlich erschöpft sich die Zielorientierung der nationalen Außenhandelspolitik nicht in dieser konzeptionellen und politisch-strategischen Sphäre, sondern dient auch der Verfolgung konkreter, durchaus egoistischer *nationaler Wirtschaftsziele* (die dann wieder ihrerseits als instrumental für übergeordnete Ziele anzusehen sind). Dazu zählen insbesondere die Beschäftigungssicherung bzw. die Bekämpfung von Arbeitslosigkeit und die Sicherstellung der Versorgung der Bevölkerung mit Gütern (einschließlich Dienstleistungen). Dabei sollen außenhandelspolitische Maßnahmen auf der *Exportseite* der nationalen Wirtschaft das Exportieren erleichtern, auf der *Importseite* durch handelspolitische Maßnahmen den Wettbewerbsdruck seitens auslän-

Abb. 13.2.3/1: Handelssanktionen

REST-JUGOSLAWIEN / Belgrad sieht ökonomische Talfahrt – Altes Niveau erst in 18 Jahren

Sanktionen belasten die Wirtschaft

CHINA / Christopher droht Peking mit Handelssanktionen

USA über Verhaftungen empört

HAITI / Die Lebensmittelpreise explodieren –
Die Oberschicht versorgt sich mit Waren aus der Dominikanischen Republik

Das Embargo trifft nur die arme Bevölkerung

discher Konkurrenten abschwächen oder gänzlich kompensieren. In diesem Zusammenhang spricht man auch beschönigend von «**strategischem Handel**»:

Diese Handelsstrategie erstreckt sich auf verschiedene Aspekte. Einige Sektoren oder Branchen gelten als Schlüssel-, Wachstums- oder Zukunftsindustrien. Sie sollen daher als strategische Branchen staatlich gefördert werden, da von ihnen angenommen wird, daß ihre Entwicklung auf andere Sektoren ausstrahlt. Zweitens wird der Wettbewerb durch Importkonkurrenz nicht gerade gefördert, sondern im Gegenteil gebremst. Drittens wird der Marktzugang in – analog geschützten Märkten im Ausland – durch staatliche Subventionen erleichtert. Deutschland hat sich dabei früher mehr als andere Länder zurückgehalten; eine sog. **Industriepolitik**, d. h. die gezielte staatliche Förderung war sowohl nach außen hin politisch sensibel als auch ordnungspolitisch bedenklich (weil nicht neoklassisch staatsfrei). Frankreich, die USA und Japan z. B. waren da immer schon sehr viel robuster. Insbesondere Japan ist ein interessantes Beispiel, weil das *Ministerium für internationalen Handel und Industrie (MITI)* (eine vergleichbare Institution gibt es weder in Deutschland noch in den USA) zwar der privaten Industrie keine Vorschriften machen kann, was sie zu tun und zu lassen hat, die japanische Privatwirtschaft sich aber offenbar auch freiwillig, ohne juristischen oder massiven ökonomischen Druck und sehr viel enger an staatlichen Orientierungsdaten ausrichtet, als dies z. B. in Deutschland der Fall ist.

Zunehmend wichtig wird allgemein – auch bei uns – der direkte Einsatz des *außenpolitischen Apparats*. Dazu zählt, daß bei politischen Konsultationen im Ausland die Delegationen, welche Politiker begleiten, auch und insbesondere Vertreter der nationalen Wirtschaft umfassen, daß auf der politischen Ebene das Klima bereitet wird für verstärkte Wirtschaftskontakte, was von bloßer Imagepflege über Kooperations-Rahmenabkommen, Investitionsschutz- und Doppelbesteuerungsabkommen bis hin zu massivem politischen Druck reicht (der sich z. B. in sog. «Selbstbeschränkungsabkommen» niederschlagen kann, vgl. weiter unten). Ehemalige Politiker werden aufgrund ihrer Erfahrungen und Kontakte – im In- und Ausland – auch gern ins unternehmerische Lager geholt. Während die offensichtlichen ökonomischen Interessen auf der außenpolitischen Ebene optisch früher eher heruntergespielt wurden, werden die ökonomisch motivierten politischen Interventionen heute schon deutlicher – teilweise ungeniert (einige Industrieländer haben da wenig Hemmungen) – offen zugegeben (Abb. 13.2.3/2). Deutlich wird dies auch daran, daß die diplomatischen Vertretungen im Ausland, die sich früher eher sehr

Abb. 13.2.3/2: Außenpolitisch im Dienste der Wirtschaft

Die Botschaften sollen Exporteuren helfen
Förderung von Einzelgeschäften / Runderlaß des Auswärtigen Amts

Clinton will Exporterfolge

Die amerikanische Außenpolitik dient jetzt vorwiegend der Öffnung ausländischer Märkte

zurückhaltend in die Niederungen unternehmerischer Probleme und Interessen begaben, heute durchaus Serviceleistungen anbieten. Dazu gehören Marktbeobachtung, Kontaktvermittlung und allgemeine Beratung ebenso wie auch schon mal die Hilfestellung bei Ausschreibungen im Ausland und der Überwindung bürokratischer Hemmnisse. Auch arbeiten die Botschaften neuerdings verstärkt mit den (privaten) deutschen Außenhandelskammern und der (staatlichen) Bundesstelle für Außenhandelsinformationen (BfAI) zusammen (letztere unterhält ein Netz von Auslandskorrespondenten in sehr vielen Ländern). Umgekehrt können Exporteure des Gastlandes mit entsprechender Unterstützung der diplomatischen Vertretungen rechnen.

Im folgenden Abschnitt werden Aspekte betrachtet, die für internationale Handelsbeziehungen sprechen.

13.3. Gründe für Außenhandel

13.3.1. Nichtverfügbarkeit von Gütern

(1) **Fehlende Produktionsfaktoren** bedeuten Nichtverfügbarkeit oder unzureichende Produktion bestimmter Güter. Ähnlich verhält es sich mit bestimmten Rohstoffen wie Kupfer, Öl oder Uran, die nur in einigen Ländern anzutreffen sind, in anderen überhaupt nicht. Sofern solche Güter benötigt werden, muß man sie importieren. Dies erklärt auch, weshalb teilweise Handelsbeziehungen mit Ländern beibehalten werden, die man politisch nicht unbedingt zu seinen Freunden zählt: hier werden oft Kompromisse gemacht. Auch Importe aufgrund **temporärer Produktionsausfälle** durch Naturkatastrophen oder Streiks lassen sich auf diese Nichtverfügbarkeitsthese zurückführen. Die Nichtverfügbarkeit bestimmter Produktionsfaktoren wie z.B. bestimmte klimatische Gegebenheiten ließe sich u.U. (allerdings mit enormen Kosten) beheben. So könnte man Bananen in Treibhäusern

züchten oder in der Wüste künstliche Bewässerungssysteme in großem Stil anlagen. Da andere Anbieter dieselben Güter jedoch – einschließlich erforderlicher Transportkosten – günstiger anbieten können, ist diese Überlegung unrealistisch. Ein wichtiger **Produktionsfaktor**, über den viele Länder nur in unzureichendem Maße verfügen, ist **Arbeit**. Dies mag auf den ersten Blick widersprüchlich erscheinen angesichts der weltweiten Arbeitslosigkeit. In vielen Entwicklungsländern sind Arbeitslosenquoten von weit über 25% gängig (wobei nur die offizielle Arbeitslosigkeit ausgewiesen wird, nicht jedoch das meist erhebliche Ausmaß der verdeckten Arbeitslosigkeit). Dennoch leiden gerade diese Länder unter einem Mangel an qualifizierten Arbeitskräften. Die Produktion vieler Güter erfordert – neben einer entsprechenden Kapitalausstattung – eine qualifizierte Berufsausbildung. Hier besteht in den meisten Entwicklungsländern ein großes Defizit. Während unausgebildete, unqualifizierte Arbeitskraft im Überfluß angeboten wird, und auch an Akademikern oft kein Mangel besteht, fehlen Facharbeiter. Die existierenden Aus- und Fortbildungssysteme können mit dem wachsenden Bedarf qualitativ und quantitativ nicht Schritt halten. Das erforderliche Arbeitskräftepotential aber läßt sich, im Gegensatz zu Sachkapital wie Maschinen, nicht einfach importieren, und hierin ist ein zentrales Wachstums- und Entwicklungshemmnis zu sehen.

(2) Als Triebkraft für internationale Handelsbeziehungen ist auch eine **Überversorgung** der eigenen Bevölkerung mit bestimmten Gütern zu sehen, so daß sich das Überangebot gleichsam ein Ventil im internationalen Handel sucht (sog. **«vent-for-surplus»-Theorie**) (Ventil für Überschüsse). Dies gilt beispielsweise auch für landwirtschaftliche Überschüsse der Europäischen Gemeinschaft und der USA, die ihre Agrarüberproduktion zum Teil rücksichtslos zu subventionierten **Dumpingpreisen** (d.h. zu niedrigeren Preisen als im eigenen Inland, mit denen andere Länder, die auf ihre Agrarexporte angewiesen sind, nicht mithalten können), auf dem Weltmarkt abzusetzen versuchen. Diese Exportsubventionen verstoßen klar gegen den Geist des GATT-Vertrages (vgl. Abschn. 13.6.1), sind jedoch aufgrund einer Ausnahmeregelung(!) formalrechtlich zulässig. Die Auseinandersetzungen um die Agrarsubventionen haben auch den Abschluß der **Uruguay-Runde**, der für Ende 1990 terminiert war, verhindert und bis Dezember 1993 hinausgezögert. Letztlich mußte die EU doch Zugeständnisse in ihrer protektionistischen Agrarpolitik machen.

(3) Überschuß als Erklärung für Handelsbeziehungen ist vielfach die Folge bewußter **Spezialisierung**. Dies kann zu Problemen führen, wenn die Exportpalette nur aus wenigen Gütern besteht und die Exporterlöse der wesentlichen Exportgüter zurückgehen. Abb.

13.3.1/1 u. 2 verdeutlichen, wie sehr einige Länder von einem oder wenigen Exportgütern abhängen. In einer derartigen Situation kann ein Land gezwungen sein, seine Exportgüter auch zu ungünstigen Preisen zu verkaufen, wenn es überhaupt etwas verdienen will. Dies erklärt auch die auf den ersten Blick widersprüchlich anmutende Tatsache, daß manche Entwicklungsländer, die ein Nahrungsmitteldefizit haben und ihre Bevölkerung nur durch Nahrungsmittelimporte versorgen können, selber Nahrungsmittel exportieren. Diese Exporte stellen dabei die einzige Einkommensquelle dar, mit denen die für wichtige Importgüter dringend benötigten Devisen beschafft werden können. Verbleibende Finanzlücken können dann nur durch Verschuldung geschlossen werden, wie es auch das Beispiel einiger OPEC-Länder (u. a. Nigeria und Mexiko) belegt.

(4) Hinsichtlich der **Struktur internationaler Handelsbeziehungen** sind zwei Formen zu unterscheiden:

Einmal können sich die Güterstrukturen der Handelspartner durch den Außenhandel gegenseitig ergänzen. Man spricht dann von **komplementären** Strukturen und – da die gehandelten Güter aus unterschiedlichen Wirtschaftsbereichen stammen, z. B. Rohstoffe gegen Werkzeuge getauscht werden – von **intersektoralem Handel.** Daneben ist zu beobachten, daß deutsche Autos nach Italien und italienische nach Deutschland geliefert werden. Man spricht hier von **intra-sektoralem Handel.** Da sich die Handelspartner mit ihren Gütern Konkurrenz machen, bezeichnet man diese Strukturen als **substitutional**, denn die gehandelten Güter können sich gegenseitig ersetzen. Substitu-

Abb. 13.3.1/1: Exportabhängigkeit I

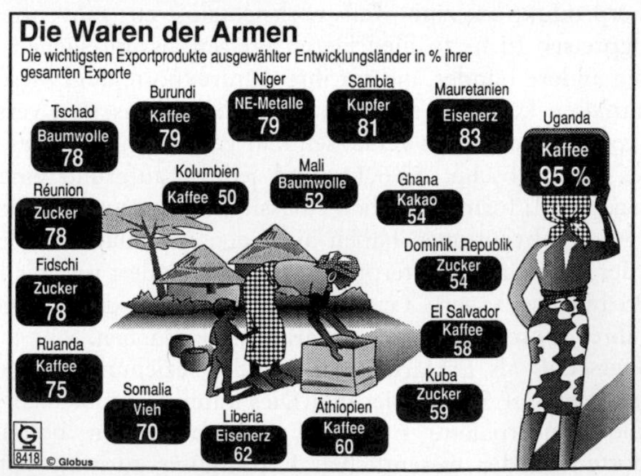

Abb. 13.3.1/2: Exportabhängigkeit II

Abhängigkeit von Rohöl-Exporten (1996)		
	in Prozent der Exporte	in Prozent des BIP
Iran	80	
Saudi-Arabien	90	35
Vereinigte Arabische Emirate	66	33
Kuweit	90	
Qatar	80	30
Oman	75	40
Brunei		50
Bahrein	60	30
Kongo	83	
Nigeria	95	30
Gabun	77	
Venezuela	78	27

Quelle: La zone franc, rapport annuel; CIA World Factbook 1998

tionale Handelsbeziehungen sind letztlich auf die These von der Nichtverfügbarkeit von Gütern zurückzuführen: Aus der Sicht des Nachfragers sind eben ausländische Produkte in dieser bestimmten Variante nicht im Inland verfügbar («Produktdifferenzierung»), wobei ein gewisser Snob-Effekt mitspielen mag («subjekte Nichtverfügbarkeit» im Gegensatz zur eingangs beschriebenen objektiven Nichtverfügbarkeit).

Intra-sektoraler Handel ist vorrangig zwischen höher entwickelten, industrialisierten Volkswirtschaften beobachtbar. Voraussetzungen sind sowohl differenzierte Nachfragestrukturen mit entsprechender Kaufkraft als auch im Produktionsbereich differenzierte Varianten prinzipiell ähnlicher Güter. Länder mit geringer Kaufkraft und undifferenzierten Produktionsstrukturen weisen im wesentlichen komplementäre Handelsbeziehungen auf. Intra-sektoraler Handel bedeutet somit auch Konkurrenzbeziehungen zwischen den Anbietern, so wie es beispielsweise auf dem Automobilmarkt zu beobachten ist. In dem Maße, wie ausländische Konkurrenz für die inländischen Anbieter zur Bedrohung wird, wächst allerdings auch die Neigung zu protektionistischen Maßnahmen; hierauf wird in Abschn. 13.7.1 eingegangen.

13.3.2. Kosten- und Preisunterschiede

Sofern die betreffenden Güter im Inland grundsätzlich in gleicher Qualität verfügbar sind, ist also die Nichtverfügbarkeit kein Importmotiv. Import kann dann aufgrund von **Kosten- und Preisvorteilen** ausländischer Anbieter sinnvoll sein, und analog sind Kostenvorteile von Inländern Anreiz für ausländische Exportnachfrage. Dies kann sich auf Rohstoffe, Halb- oder Fertigprodukte beziehen.

13.3.2.1. Faktor-Proportionen-Theorem

Die Kosten der bei der Güterproduktion eingesetzten Produktionsfaktoren leiten sich unter marktwirtschaftlichen Bedingungen u.a. daraus ab, in welchen *Mengen* sie vorhanden sind, d.h. ob sie *reichlich* zur Verfügung stehen oder knapp sind, bzw. ob sog. Besitzrechte *(property rights)* an den Produktionsfaktoren existieren, sie also frei zugänglich sind oder für die Verwendung ein Nutzungsentgelt anfällt (z.B. Brauchwasser). Dies gilt für Bodenschätze, Rohstoffe, Energiequellen und Bodenflächen ebenso wie für Kapital und Arbeit. Klimabedingungen haben als externe Effekte positive oder negative Wirkung auf die Kostenfunktion. Unterschiedliche Qualität der Produktionsfaktoren drückt sich in unterschiedlichen **Faktorproduktivitäten** aus, d.h. dem Mengenverhältnis von Produktionsergebnis und Faktoreinsatz.

Ergeben sich die Kostenunterschiede aufgrund dieser «Naturgegebenheiten», spricht man von **Ricardo-Gütern**. Der englische Ökonom *David Ricardo* (1772–1823) entwickelte daraus eine Theorie zur internationalen Arbeitsteilung: In einem Land, in dem beispielsweise Arbeitskräfte knapp sind, werden die Löhne vergleichsweise höher sein als in einem Land, in dem ein Überangebot an Arbeitskräften besteht. Wenn nun die Produktion bestimmter Güter besonders arbeitsintensiv ist, dann sind natürlich Länder im Vorteil, die ein vergleichsweise niedrigeres Lohnniveau haben. Dies erklärt bei manchen Gütern auch den Preisvorteil (süd-)ostasiatischer und japanischer Anbieter in Europa oder Amerika. Auf eine Darstellung der zugrundeliegenden **Theorie komparativer Kostenvorteile** muß hier verzichtet werden.

Wenn man diese Erkenntnis verallgemeinert, bedeutet dies, daß Länder, in denen Arbeitskräfte oder Rohstoffe relativ zur Kapitalausstattung gesehen im Überfluß verfügbar und dementsprechend billig sind, bei der Produktion arbeits- oder rohstoffintensiver Güter, die zudem eine relativ einfache Produktionstechnologie erfordern, im Vorteil sind. Umgekehrt sind Länder, die über eine hohe Kapitalausstattung bzw. ein hohes Maß an «Know-how» und Technisierung verfügen, bei der Produktion kapital- oder technologieintensiver Güter im Vorteil.

Diese Überlegungen, die auf *David Ricardo* und *Adam Smith* zurückgehen, sind in der Theorie als **Faktor-Proportionen-Theorem** bekannt. Es wurde von *E. Heckscher* und *B. Ohlin* entwickelt und stützt sich auf die These, daß die Faktorproportionen, also die relative Verfügbarkeit der Produktionsfaktoren Arbeit und Kapital in einem Land, die Faktorpreise bestimmen, die sich im Zeitablauf aufgrund der internationalen Handelsaktivitäten der Länder angleichen (**Faktorpreisausgleich**). Theoretisch ist dies auch einleuchtend, doch bilden sich die Preise für Arbeit, Rohstoffe oder Kapital in der Praxis nicht nach den theoretischen Gesetzmäßigkeiten vollkommener Märkte. Sicherlich haben manche Länder mit hoher Dauerarbeitslosigkeit (Indikator für reichliches Vorhandensein des Produktionsfaktors Arbeit) ein im internationalen Vergleich niedriges Lohnniveau und können dadurch gegenüber Hoch-Lohnniveau-Länder einen Wettbewerbsvorteil bei arbeitsintensiver Güterproduktion realisieren. Andererseits führt dies und eine hohe Arbeitslosigkeit in den Industrieländern nicht dazu, daß die Löhne aufgrund des Überangebots an Arbeitskräften sinken, da in der Regel Mindestlohnvorschriften bzw. Tarifabschlüsse dies verhindern.

Der Hauptgrund für kostengünstigere ausländische Produktion liegt meist im Bereich der **Lohnkosten**. In vielen Sektoren – u. a. Textilien, Spielwaren, Elektrogeräte – erfolgt die internationale Güterproduktion vorrangig in **Billiglohnländern**, meist Entwicklungs- und Schwellenländer, wobei die Fertigprodukte anschließend in die lohnkostenintensiveren Industrieländer importiert werden. Abb. 13.3.2/1 verdeutlicht beispielhaft die erheblichen internationalen Lohnkostendifferenzen, u. a. auch – noch – innerhalb der EU.

Abb. 13.3.2/1: Internationale Arbeitskosten

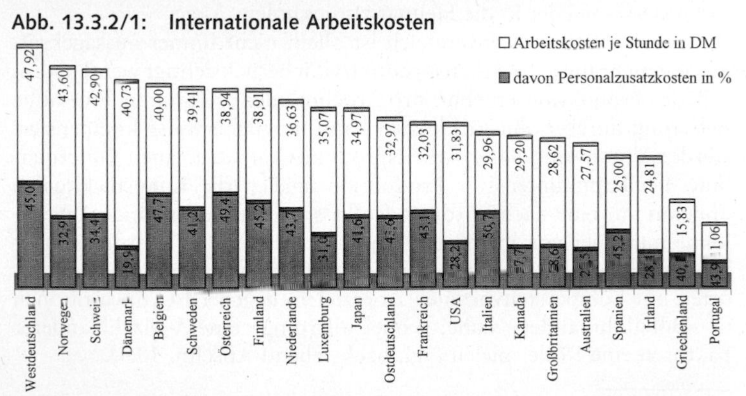

Quelle: Institut der deutschen Wirtschaft Köln: iw-Trends 2/1998

Das schlechte Abschneiden der Bundesrepublik bei diesem Kostenvergleich ist vor allem auf die hohe Belastung mit **Personalzusatzkosten** zurückzuführen. Hervorzuheben ist, daß nicht nur Sachkapital i. e. S., sondern auch Dienstleistungen «abwandern» (Flugzeugwartung, Softwareentwicklung, Konstruktionsplanung etc.). Angesichts der weltweiten Servicemöglichkeiten hat Deutschland dabei zunehmend weniger Standortvorteile.

Hierbei schlagen u. a. auch kürzere Arbeitszeiten (= kürzere Maschinenlaufzeiten) und längere Urlaubszeiten als in anderen Ländern und höhere Beitragssätze in den Sozialversicherungen zu Buche, ferner die betriebliche Altersversorgung, 13. Monatsgehalt, Vermögensbildung, Mutterschutz, Lohnfortzahlung bei Krankheit etc. Während die Direktentgelte in Deutschland von 1972 bis 1997 um rd. 334% gestiegen sind, haben die Lohnzusatzkosten mit rd. 481% viel stärker zugenommen.[9] Betonenswert sind die relativ niedrigen Lohnsätze in den USA. Im Vergleich mit «richtigen» Billiglohnländern wie Taiwan oder Brasilien sind die EU-Billiglohnländer Griechenland und Portugal (noch) teuer. Es ist allerdings festzustellen, daß die Arbeitskosten vor allem in den sog. Drachenländern (Hongkong, Singapur, Südkorea, Taiwan) teilweise kräftig ansteigen, insbesondere aufgrund der Knappheit von qualifizierten Arbeitskräften im Fernen Osten. Bei den Personalzusatzkosten erklärt sich der Anstieg durch den Ausbau des sozialen Netzes. Die Drachen geraten damit unter Druck, denn sie bekommen zudem Konkurrenz aus anderen Schwellenländern (Mexiko, Indonesien, Malaysia, Thailand), aus Osteuropa (Polen, Ungarn, Tschechien haben noch niedrigere Arbeitskosten) und aus Industrieländern, die ausgelagerte Produktionszweige – nun hochtechnisiert – wieder in die Heimat zurückholen. Aber:

Der reine Lohnkostenvergleich ist allein nicht immer aussagekräftig. Vielmehr muß die **Arbeitsproduktivität** berücksichtigt werden, d. h. z. B. das Produktionsergebnis pro Arbeiter oder pro Stunde. Eine hohe Belastung durch Lohnstückkosten kann möglicherweise kompensiert werden durch eine hohe Arbeitsproduktivität, d. h. auch Güterqualität. Bei kapitalintensiver Produktion spielen die Lohnstückkosten ohnehin nur eine nachgeordnete Rolle, so daß dafür niedrige Arbeitslöhne nur einer von mehreren Aspekten ist. Wenn es allerdings möglich ist, eine hohe Arbeitsproduktivität auch in ausländischen Standorten mit Lohnkostenvorteilen zu erzielen, liegen Direktinvestitionen in «Billiglohnländer» nahe, wobei allerdings eine Vielzahl anderer Faktoren eine Rolle spielen (vgl. nachstehend Abschn. 13.4).

---

[9] Quelle: Institut der deutschen Wirtschaft Köln 1998.

Komparative Kostenvorteile lassen sich auch – nach neueren Theorieansätzen – auf die oligopolitische Struktur der Anbieterseite zurückführen. Diese begünstigt die Bewahrung z. B. auch von Know-how-Vorteilen, ermöglicht aggressive Preispolitik. Zudem lassen sich komparative Kostenvorteile durch staatliche Maßnahmen schaffen bzw. verstärken, etwa durch Exportsubventionierung.

13.3.2.2. Produkt-Zyklen

Die sog. **Produkt-Zyklus-These** kann man als Weiterentwicklung des Faktor-Proportionen-Ansatzes zur Erklärung von Kostenunterschieden bezeichnen und in Zusammenhang bringen mit Direktinvestitionen im Ausland. Nach der Produkt-Zyklus-These von *Vernon/Hirsch* durchläuft ein (industrielles) Produkt *drei Phasen*: Bei der Produktentwicklung als erster Phase wird relativ viel qualifizierte Arbeitskraft benötigt. Danach ist in der zweiten Phase zum Aufbau der industriellen Produktionskapazität ein relativ großer Kapitaleinsatz auf hohem technischen Niveau erforderlich, der in der dritten Phase durch Vereinfachung für die Serienfertigung sinkt. Da in der dritten Phase nur Kapital ohne hohe technologische Anforderungen und nur relativ wenig qualifizierter Arbeitseinsatz erforderlich ist, hätten die Entwicklungsländer bei standardisierten Massenproduktionen einen Kostenvorteil.

Arbeitsteilige Spezialisierungsmuster, die sich auf Kostenvorteile aufgrund der Produktzyklusthese zurückführen lassen, sind in der Realität durchaus zu beobachten. Rohstoffintensive Bereiche sind beispielsweise die Ledererzeugung und -verarbeitung oder die Holzbearbeitung, arbeitsintensiv war die Produktion in der Feinmechanik und Elektrotechnik sowie – vor einer beträchtlichen Kapitalintensivierung – die Produktion von Textilien und Bekleidung. In der dritten Produktzyklusphase ist z. B. die Produktion von Haushaltsgeräten, Elektronik, Büromaschinen oder Sportartikeln einzuordnen. Hieran wird deutlich, daß Schwellen- und Entwicklungsländer auch im industriellen Bereich in zunehmendem Maße zu Konkurrenten der etablierten Anbieter aus Industrieländern werden.

13.3.2.3. Terms-of-Trade

Im Zusammenhang mit Kosten- und Preisunterschieden sind die **Terms-of-Trade** von Bedeutung. Damit bezeichnet man das Tausch- bzw. Preisverhältnis zwischen Gütern oder Gütergruppen (d. h. sinngemäß: «Bedingungen des Handels»), wobei man sich z. B. auf das

Verhältnis der – in Preisindizes dargestellten – Exportpreise zu den Importpreisen bezieht (es gibt noch eine Reihe anderer Konzepte):

$$\text{Terms-of-Trade} = \frac{\text{Exportpreis-Index}}{\text{Importpreis-Index}}$$

Wenn die Exportpreise steigen und/oder die Importpreise sinken, «verbessern» sich die Terms-of-Trade, im umgekehrten Fall «verschlechtern» sie sich. Veränderungen der Terms-of-Trade drücken somit aus, ob mit denselben Exportmengen mehr oder weniger Importgüter «bezahlt» werden können.

Die Spezialisierung eines Landes auf die Produktion eines oder mehrere (Export-)Güter kann somit zu einer Verschlechterung der Terms-of-Trade führen, wenn die Spezialisierung zu Kostenvorteilen aufgrund der Massenproduktion und somit zu Preissenkungen führt. Wenn die Preissenkungen keine angemessene Reaktion der nachgefragten Mengen bewirkt, was bei Rohstoffen (Sättigungstendenzen) und anderen Güter mit einer geringen Importelastizität der Fall ist, verschlechtert sich neben den Terms-of-Trade auch die Leistungsbilanz des exportierenden Landes, d.h. die «Einnahmen» sinken und die «Ausgaben» steigen (Kap. 5 und Abschn. 13.3.4).

13.3.3. Importabhängigkeit und Importkonkurrenz

Abgesehen von dem Vorteil, durch Importe sonst nicht verfügbare Güter beschaffen zu können, kann dies im Bereich der Vorleistungen auch zu Problemen führen, wenn durch unerwartete Engpässe – Streiks, Unwetter, Brandschaden, Transportschäden etc. – benötigte Lieferungen ausbleiben. Während bei Bezügen aus dem benachbarten Ausland oft schnell Ersatz gefunden werden kann, ist dies bei Lieferungen von Rohstoffen, die nur aus bestimmten Ländern bezogen werden können, nicht immer möglich.

Importe, die nicht auf das Nichtverfügbarkeitsmotiv zurückzuführen sind, können eine entsprechende Konkurrenz für inländische Anbieter darstellen (Abb. 13.3.3/1). Selten ist, daß diese Importkonkurrenz auch als positiv interpretiert wird (Abb. 13.3.3/2), obgleich der Zwang zur Innovation in anderem Zusammenhang gerne Entwicklungsländern angepriesen wird, wenn es darum geht, sie von den Vorzügen der Handels-, sprich: Importliberalisierung in *ihren* Ländern zu überzeugen. Dennoch gibt es eine Vielzahl von partiellen Ansätzen, insbesondere die Importpolitik zu liberalisieren (Abb. 13.3.3/3).

Doch der Schein trügt: Wegen der meist als negativ empfundenen Importkonkurrenz gibt es – unbeschadet der theoretisch überzeugen-

Abb. 13.3.3/1: Importkonkurrenz

Anteil der Importe am Inlandsmarkt der Bundesrepublik Deutschland in %

Spielwaren, Sportgeräte, Schmuck	81	Feinkeramik	41
Lederwaren	74	Eisen und Stahl	40
Büromaschinen, EDV	70	Gummiverarbeitung	38
Textilien	65	Chemie	38
Papier, Pappe	57	Elektrotechnik	32
Feinmechanik, Optik	56	Straßenfahrzeuge	30
Bekleidung	53	Maschinen	25

Billiglohnländer bleiben in der Textilindustrie auf dem Vormarsch

Schiffbau beklagt „ruinösen Druck" aus Osteuropa
Abbau der Beihilfen gefordert / Gegenwärtig erzielbare Preise decken nirgends die Baukosten

Importkohle bringt Druck auf die Braunkohle
Personalabbau in Ost und West

Immer mehr Importe von Damenbekleidung

den Vorteile des Freihandels, wie sie von der (neoklassischen) Außenhandelstheorie postuliert werden – in der Praxis eine Fülle von handelsbehindernden Maßnahmen (sog. **Protektion**), die darauf gerichtet sind, inländische Unternehmen vor billiger und/oder besserer ausländischer Konkurrenz zu schützen. Dabei ist zu beachten, daß der vom Wortsinn her positive, ja beschützende Begriff «Protektion» faktisch eine massive Behinderung bis hin zur Zerstörung ausländischer Konkurrenzunternehmen (und entsprechender Arbeitsplätze) bedeuten kann.

13.3.3/2: Positive Importimpulse

Internationaler Wettbewerbsdruck erhöht die Produktivität
McKinsey: Deutsche Wirtschaft teuer und unproduktiv / In vielen Branchen hinter Amerika und Japan

13.3.3/3: Importliberalisierung

Kolumbien bekennt sich zum Freihandel

China will Importquoten bis 1997 abschaffen

Gewinne durch Importlockerung

EG will 75 % der Hochzölle abbauen

Keine durchgreifende Marktöffnung in Japan

13.3.4. Exportmotive

Die ausländische Nachfrage nach inländischen Exportgütern, d.h. weshalb Ausländer ‹bei uns› kaufen, läßt sich spiegelbildlich durch die vorangehenden Importmotive erklären. Im Hinblick auf Exportgeschäfte liegt das betriebswirtschaftliche Interesse allgemein in der Umsatz- bzw. Gewinnerzielung, spezieller betrachtet in der Kapazitätsauslastung und damit der Beschäftigungssicherung des Unternehmens (Abb. 13.3.4/1). Daraus leitet sich die Möglichkeit der Kostendegression ab, aufgrund von Skaleneffekten *(economies of scale)* und damit verbesserter Wettbewerbsfähigkeit im Ausland und Inland. Abb. 13.3.4/2 zeigt, daß mit zunehmender Kapazitätsauslastung der Anteil der Fixkosten pro Stück abnimmt, so daß kostentheoretisch gesehen ein Anreiz zur betrieblichen Vollbeschäftigung besteht. Abb. 13.1.2/2 oben verdeutlichte bereits, daß verschiedene Branchen der Wirtschaft teilweise erheblich von der Auslandsnachfrage abhängig sind. Hinzu kommen auch Überlegungen der regionalen **Risikostreuung**, sofern die Exportorientierung regional hinreichend diversifiziert ist, um nicht zu sehr von einzelnen Märkten abhängig zu sein. Vgl. in diesem Zusammenhang auch oben Abschn. 13.1.2 zur Position der Bundesrepublik im Welthandel.

Ein spezieller Aspekt ist die sog. **passive Veredelung**, bei der – vorrangig aus Kostengründen – unfertige Güter zur Be- oder Verarbeitung ins lohnkostengünstigere Ausland «exportiert» und die «veredelten» Fertigprodukte anschließend wieder re-importiert werden. Der Textilbereich ist ein klassisches Beispiel hierfür. Natürlich handelt es sich dabei nicht um Export im strengen Wortsinn, denn die betreffenden Güter sollen letztendlich im Inland zur Verfügung stehen.

Auf gesamtwirtschaftlicher Ebene gibt es viele Beispiele von Ländern, die sich auf die Produktion weniger Güter (meist Rohstoffe oder Agrarprodukte) spezialisiert haben (sog. **Monokulturen**). Diese Volkswirtschaften produzieren dann ein im Verhältnis zur Binnennachfrage

13.3.4/1: Exportmotive

Chancen für deutsche Unternehmen im Nahen Osten

Außenhandel: 200 000 Arbeitsplätze gefährdet

Rückgang der Ausfuhren und Einfuhren um fünf Prozent erwartet

Auslandsnachfrage sorgt für Anstieg der Industrieerzeugung um rund zwei Prozent

großes Überangebot an bestimmten Gütern, das dann ein Ventil auf dem Weltmarkt braucht (**vent-for-surplus-Theorie**).

Ein Land, das sich auf die Produktion eines oder weniger (Export-)Güter spezialisiert, geht damit ein erhebliches Risiko ein, indem es sich von der Weltmarktnachfrage und den Weltmarktpreisen abhängig macht (vgl. oben Abb. 13.3.1/1). Spezialisierung soll prinzipiell dazu führen, daß das Land billiger und/oder besser anbieten kann als andere Konkurrenten. Dabei wird unterstellt, daß als «normale» Reaktion sinkende Preise zu einer Zunahme der Nachfrage des Auslands führen. Dies ist jedoch keineswegs immer der Fall. Gerade im Fall von Rohstoffen zeigen sich *Sättigungstendenzen*, die teilweise auch durch die von den Verwendern angewandten Produktionsverfahren technisch bedingt sein können. Sinkende Angebotspreise führen dann nicht zu steigender Nachfrage. Wenn die Exportnachfrage *unelastisch*, d.h. unterproportional auf Preissenkungen in den Lieferländern bzw. auf Einkommenserhöhungen in den Importländern reagiert, wird der (negative) Preiseffekt nicht durch einen (positiven) Mengeneffekt kompensiert, so daß die Exporterlöse bei fallenden Preisen sogar sinken können.

Bedenklich ist in diesem Zusammenhang auch, wenn ein Land Anbauflächen für Nahrungsmittel nun beispielsweise für den Baumwollanbau nutzt, denn Baumwolle kann man nicht essen. Fallende Baumwollpreise oder sinkende Exportnachfrage können dann leicht Versorgungsprobleme auslösen, denen nur durch massive Importe begegnet werden kann, welche wiederum zu einer externen Verschuldung führen können. Der *Internationale Währungsfonds* stellt seinen Mitgliedern unter bestimmten Voraussetzungen für solche Exporterlösausfälle spezielle Kredite zu Sonderkonditionen zur Verfügung. Auch die Europäische Gemeinschaft hat im Rahmen ihrer *Lomé-Verträge* mit den sog. *AKP-Ländern* (Entwicklungsländer aus Afrika, der

Abb. 13.3.4/2: Fixkostendegression

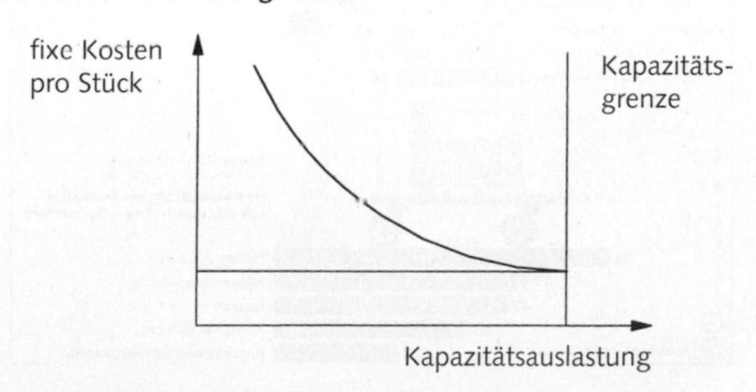

Karibik und dem Pazifik) mit dem *STABEX-Programm* die Kompensation von Exporterlösausfällen eingebaut.

13.4. Direktinvestitionen

Für die Versorgung ausländischer Märkte gibt es grundsätzlich drei Möglichkeiten:

- *Warenexport*, d. h. eine direkte Lieferbeziehung zwischen Exporteur und ausländischem Käufer,
- *indirekten Export*, d. h. der Hersteller liefert an einen Zwischenhändler, der den ausländischen Markt versorgt,
- Produktion *im Ausland* für den inländischen Markt; dies bedeutet, Kooperation mit ausländischen Partnern und/oder **Direktinvestitionen** im Ausland.

Wenn sich ein Unternehmen dafür entscheidet, Produktionsanlagen im Ausland zu errichten, statt im Inland produzierte Güter zu exportieren, spielen natürlich eine ganze *Vielzahl von Kriterien* eine Rolle. Wie Abb. 13.4/1 zeigt, sind als Standortvorteile des Auslandes Aspekte hervorzuheben wie günstigere Produktionskosten (vor allem Personalkosten) und bessere Arbeitsproduktivität; es spielen aber auch Kriterien wie Transportkostenminimierung bzw. Verbrauchernähe, Steuervorteile, Wegfall von Zollschranken, u. v. m. eine nicht zu unterschätzende Rolle. Die meisten dieser Überlegungen gelten analog

Abb. 13.4/1: Standort Deutschland – Standort Ausland

Standort Deutschland
Standort Ausland

Von je 100 Unternehmen nennen als Gründe für die **Verlagerung der Produktion ins Ausland**

Personalkosten	82
Produktion im Absatzgebiet	28
Konzentration auf Kerngeschäft*	25
Höhere Flexibilität	23
Kapazitätsauslastung	22

Von je 100 Unternehmen nennen als Gründe für die **Rückverlagerung der Produktion aus dem Ausland nach Deutschland**

Höhere Flexibilität	62
Kapazitätsauslastung	47
Qualität	43
Koordinationskosten	36
Konzentration auf Kerngeschäft*	23

Mehrfachnennungen

Quelle: Fraunhofer ISI Stand 1997

5086 © Globus *Outsourcing

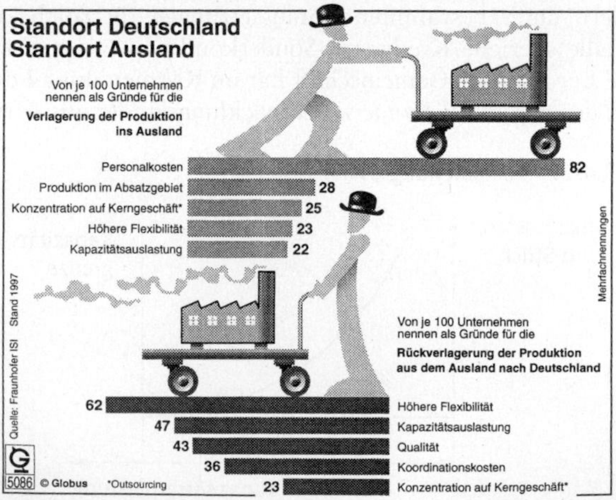

für die Direktinvestitionen von Ausländern in der Bundesrepublik, wie z.B. die Marktnähe für die Rohstoffverarbeitung. Abb. 13.4/1 u. 2 verdeutlichen einige Pro- und Contra-Argumente aus der Sicht ausländischer Investoren. Die USA und die EU binden das Gros der Direktinvestitionen. Die USA investieren etwa die Hälfte ihrer ausländischen Direktinvestitionen in der EU, vor allem in Großbritannien (65% der US-Investitionen in der EU) Frankreich, Schweden und den Niederlanden. Umgekehrt fließen auch aus der EU knapp die Hälfte (44%) ihrer Direktinvestitionen außerhalb der EU in die USA und machen dort 59% der Direktinvestitionen aus dem Ausland aus. Direktinvestitionen innerhalb der EU machen 45% aller Direktinvestitionen aus (in Deutschland ist der Anteil der EU-Partner an den Direktinvestitionen 70%, deutsche Direktinvestitionen in EU-Staaten belaufen sich auf 48% der gesamten deutschen Direktinvestitionen) (Abb. 13.4/3).[10] Ausländische Direktinvestitionen stellen zwar auf der einen Seite Konkurrenz für inländische Anbieter dar, erhöhen jedoch andererseits – analog zu Güterimporten – den Wettbewerbsdruck und können folglich leistungssteigernd wirken. Zudem schaffen Direktinvestitionen Arbeitsplätze und sind somit beschäftigungspolitisch erwünscht und bedeuten aus Zahlungsbilanzsicht Kapital- und Devisenimport, was zum Ausgleich eines Leistungsbilanzdefizits beitragen kann.

Für die Weltwirtschaft insgesamt ist festzustellen, daß die grenz-

Abb. 13.4/2: Investitionsmotive

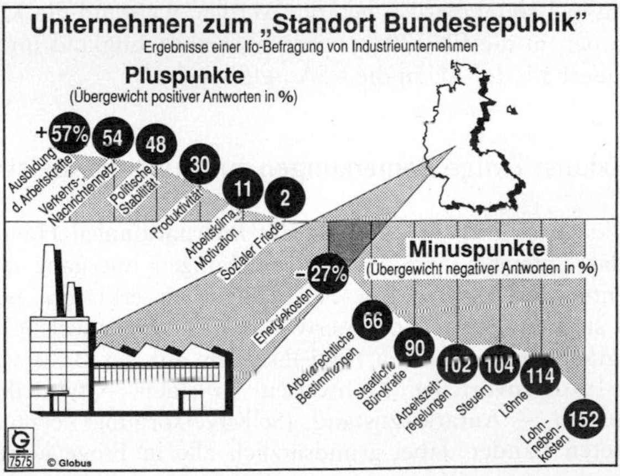

[10] Quelle: EUROSTAT, EU-Kommission, US DoC BEA 1998.

Abb. 13.4/3: Rangliste ausländischer Investoren in der Bundesrepublik

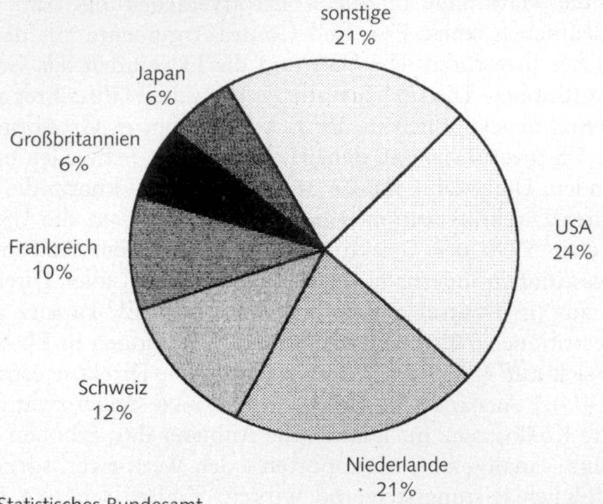

Quelle: Statistisches Bundesamt

überschreitenden Direktinvestitionen in der Vergangenheit schneller zugenommen haben als der Welthandel, sie jedoch in der Gegenwart – vielleicht unter dem Eindruck der Schuldenkrise – einen rückläufigen Trend aufweisen. Für die Bundesrepublik ist dabei festzustellen, daß nach Daten des Bundeswirtschaftsministeriums lediglich 3% der deutschen Direktinvestitionen im Ausland in Entwicklungsländern, vor allem in Lateinamerika, getätigt werden, während die Masse der Investitionen in die EU (39%), vorrangig nach England und Frankreich, außerhalb der EU in die USA (44%) geht.[11]

13.5. Exkurs: Einige Bemerkungen zur Außenhandelstheorie

Die (volkswirtschaftliche) **Theorie des internationalen Handels** versucht, das Entstehen von Handelsbeziehungen mit ganz ähnlichen Argumenten wie den soeben behandelten zu erklären. Besonders bekannt sind dabei – wie oben erwähnt – Theorien, welche die Vorteilhaftigkeit internationalen (Frei-)Handels auf der Basis von (Produktions-)**Kostenvorteilen** nachweisen. In einem – modellhaft angenommenen – **Autarkiezustand** (Selbstversorgung) erzeugen die betrachteten Länder dabei grundsätzlich alle in Frage kommenden

[11] Quellen: BMWi, EUROSTAT, EU-Kommission, US DoC BEA 1998.

Güter selbst. Annahmegemäß liegen ähnliche Produktionsstrukturen, sowie ähnliche Präferenzen der Nachfrager vor. Vor diesem Hintergrund sollte sich dann jedes Land auf die Produktion des oder der Güter spezialisieren, die es im Vergleich mit anderen Ländern – bei gleicher Güterqualität – aufgrund von unterschiedlicher Faktorausstattung kostengünstiger herstellen kann. Es erfolgt also eine Spezialisierung und ein Übergang zu komplementären Strukturen; jedes Land erzeugt – im Vergleich zur Autarkiesituation – von bestimmten Gütern mehr, als es selbst benötigt, verzichtet andererseits auf kostenungünstigere Produktionen und tauscht die erzeugten Güter mit anderen Ländern aus. Dadurch kann im Endergebnis entweder dieselbe (zusammengefaßte) Produktionsleistung der beteiligten Länder billiger produziert werden (Minimalprinzip) oder mit demselben Mitteleinsatz wie vorher nun mehr produziert werden (Maximalprinzip). In letzterem Fall dürften die damit verbundenen möglichen Wachstums- und Beschäftigungseffekte unmittelbar einleuchten: der Export als Wachstumsmotor.

Auf der modelltheoretischen Ebene sind diese Überlegungen auch einleuchtend, und man fragt sich, weshalb es dann nicht zu weltweitem Freihandel und Wohlstand gekommen ist, wenn durch Spezialisierung und Handel alle Beteiligten theoretisch profitieren. Der Grund für die Diskrepanz zwischen Theorie und Praxis ist einfach: Zum einen gehen diese Theorieansätze von **Annahmen** aus, die in der Realität nicht in der Art vorliegen. In der Realität bilden sich die Preise für Arbeit, Rohstoffe oder Kapital eben nicht nach den theoretisch unterstellten Gesetzmäßigkeiten vollkommener Märkte. Grundsätzlich ist zwar beobachtbar, daß manche Länder mit hoher Dauerarbeitslosigkeit auch ein im internationalen Vergleich niedriges Lohnniveau haben. Andererseits führt aber hohe Arbeitslosigkeit in den Industrieländern nicht dazu, daß die Löhne aufgrund des Überangebots an Arbeitskräften sinken, da in der Regel Mindestlohnvorschriften bzw. Tarifabschlüsse dies verhindern. Ferner müßten im Zuge der Spezialisierung die Produktionsfaktoren – sowohl Arbeitskräfte als auch Kapital (Betriebsmittel, Werkstoffe, Rohstoffe) – aus der nun aufgegebenen Güterproduktion abgezogen und in die auszubauende Produktion anderer Güter übernommen werden können – ein derartig massiver Strukturwandel ist wenig realistisch. Zum anderen klammern diese Außenhandelstheorien den Aspekt weitgehend aus, zu welchen *Bedingungen* sich der Handel nach der Spezialisierung vollzieht, d. h. insbesondere, zu welchen Preisen. Damit wird auch einleuchten, daß sich Vor- und Nachteile des internationalen Handels durchaus asymmetrisch verteilen können, so daß einige Länder profitieren, andere hingegen weniger oder gar nicht. Zudem gehen diese Theorien von komplementären Handelsbeziehungen aus und lassen sich so nicht auf substitutionale (Konkurrenz-)Strukturen übertragen, welche vielfältigen Anlaß zur Protektion geben können. Anzumerken ist auch, daß komparative Kostenunterschiede nicht statisch sind, sondern sich im Zeitablauf verändern können, beispielsweise indem bislang benachteiligte Länder einen technologischen Rückstand aufholen (Japan, Südkorea, Taiwan). Die nun bedrängten Länder lassen i. d. R. den eigentlich erforderlichen und sinnvollen Strukturwandel aber nicht ohne weiteres zu, sondern versuchen, sich durch protektionistische Maßnahmen zu schützen.

Dennoch ist das o. a. Faktorproportionentheorem in abgewandelter Form durchaus in manchen Bereichen zu beobachten: In der Textilindustrie verfügen beispielsweise süd(ost)asiatische und süd(ost)europäische Länder über Lohnkostenvorteile. Dies führte einmal zum Vordringen ausländischer Konkurrenten auf den europäischen Markt, zum anderen aber auch dazu, daß westeuropäische Produzenten Teile ihrer Produktion in die Billiglohnländer auslagerten. Gleichzeitig verstärkte diese Konkurrenz den Anreiz, den teuren Faktor Arbeit durch Kapital, also Maschinen, zu ersetzen, so daß heute in der Textilindustrie neben traditionell arbeitsintensiven auch weitgehend automatisierte Produktionsverfahren üblich sind. In dem Maße aber, wie sich der Anteil der Löhne an den gesamten Produktionskosten reduzierte, verringerte sich auch der Anreiz, in Billiglohnländer auszuwandern, so daß manche ausländische Filiale geschlossen und die Produktion – nun erheblich kapitalintensiviert – nach Europa zurückverlagert wurde.

Insgesamt bleibt aber bei all diesen Theorieansätzen die Frage unbeantwortet, wie z. B. Länder mit relativ billigen, arbeits- oder rohstoffintensiven Exportprodukten teure(re) Importprodukte «bezahlen» sollen.

13.6. Außenhandelsrecht

In Abschn. 1.4 sind die Zusammenhänge zwischen den verschiedenen **Rechtsebenen** (nationales, supranationales und internationales Recht) ausführlich behandelt worden, die auch für alle wirtschaftspolitischen Sachverhalte gelten. Da eine ausführliche Darstellung der für den Außenhandel bzw. die Außenwirtschaft geltenden Rechtsnormen den Rahmen sprengen würde, enthält dieses Kapitel lediglich einen Überblick. Eine vertiefte Darstellung findet sich im Lehrbuch des

Autors *Außenwirtschaft für Unternehmen – Binnenmarkt und Weltmarkt*, Stuttgart 1993 (2. Aufl. 2000), das sich auf langjährige Erfahrung in der internationalen Managementberatung stützt.

13.6.1. Internationales Handelsrecht: GATT/WTO

13.6.1.1. Entstehung

Auf der internationalen Rechtsebene ist vor allem das **Allgemeine Zoll- und Handelsabkommen** (**GATT**): *General Agreement on Tariffs and Trade*) relevant. Das GATT trat 1948 in Kraft und wurde zuletzt von 130 Staaten angewendet. Am 1.1. 1995 wurde es in die **Welt-Handels-Organisation** (**WTO**: *World Trade Organization*) überführt. Dies wurde im Rahmen der Uruguay-Runde des GATT beschlossen, die mit der Abschlußerklärung in Marrakesch/Marokko im April 1994 formal abgeschlossen wurde. Die Abschlußerklärung wurde von 117 Staaten unterzeichnet. Dabei sind die im Rahmen des GATT bereits vereinbarten Bestimmungen in vielen Punkten überarbeitet, insgesamt aber inhaltlich in das nun gültige WTO-Abkommen übernommen worden, das von jedem einzelnen Mitgliedstaat ratifiziert werden muß.

Das GATT-Basisabkommen von 1947/48 war ein Kompromiß: Ursprünglich war geplant, die mit der Konferenz von Bretton Woods 1944 gegründeten UN-Institutionen durch eine Handelsorganisation zu ergänzen. Der **Internationale Währungsfonds** (**IWF**) ist für Währungs- und Finanzfragen zuständig; die **Weltbank** beschäftigt sich mit der Unterstützung der wirtschaftlichen Entwicklung, heute vorrangig von Reform- und Entwicklungsländern (**IBRD**: *International Bank for Reconstruction and Development*, meist aber kurz *Weltbank* genannt). Diese Konstruktion sollte durch eine **Internationale Handels-Organisation** (**ITO**: *International Trade Organization*) ergänzt werden. Pikanterweise wurde dieses Vorhaben ausgerechnet von den Vereinigten Staaten nicht ratifiziert, die den Vorschlag entwickelt hatten (sog. *Havanna-Charta*). Zwischenzeitlich waren aber bereits Verhandlungsergebnisse im Bereich der Zollpolitik erzielt worden, die dann – als Provisorium gedacht – zunächst vorläufig in Kraft gesetzt wurden. Das GATT war damit formal gesehen keine Institution, sondern lediglich ein internationaler Handelsvertrag. Dieses Provisorium hatte also rund 45 Jahre Bestand. Das GATT hatte seinen Sitz in Genf; um den Sitz der neuen WTO, die das GATT 1995 institutionell ablöste, hatte sich auch die Bundesrepublik beworben und Bonn vorgeschlagen. Die WTO wird jedoch auch weiterhin in Genf residieren.

13.6.1.2. Grundsätze

Das GATT/WTO-Abkommen wird von drei zentralen Grundsätzen bestimmt. Nach dem Grundsatz der **Liberalisierung** sollen tarifäre und nicht-tarifäre Handelshemmnisse weitestgehend abgebaut werden. Das GATT forderte dabei keinen bedingungslosen Freihandel, denn es gibt zahlreiche Ausnahmebedingungen, aber eben ein konsequentes Vorantreiben der Liberalisierung. Der Grundsatz der **Meistbegünstigung** besagt folgendes: Wenn Aland dem Staat Benesien eine Handelsvergünstigung einräumt, dann soll diese auch für Cedonien gelten. Dies wird auch als Grundsatz der **Nicht-Diskriminierung** bezeichnet. In einem weiteren Sinne bedeutet dies auch, daß ausländische Waren dieselbe Behandlung – z. B. hinsichtlich der Besteuerung oder Erfüllung technischer Normen – erfahren sollen wie inländische (**Inländer**(gleich)**behandlung** oder synonym: **Paritätsklausel**). Nach dem dritten Grundsatz der **Gegenseitigkeit** (**Reziprozität**) soll Benesien eine von Aland erhaltene Handelsvergünstigung in analoger Weise auch Aland gewähren. Diese drei Grundsätze hängen eng zusammen: Eine einzige bilaterale Liberalisierung zwischen Aland und Benesien hätte wegen der Meistbegünstigung und Gegenseitigkeit – theoretisch – automatisch zu multilateraler, letztlich weltweiter Liberalisierung führen müssen. Offensichtlich ist dies aber nicht der Fall, da es eine Vielzahl von Ausnahmen gibt.

13.6.1.3. Ausnahmen

Das Verbot der Diskriminierung bzw. das Gebot der Meistbegünstigung gilt nicht für *Integrationsräume* (Freihandelszonen, Zollunionen, gemeinsame Märkte; vgl. dazu Abschn. 13.7.2), deren Mitglieder sich untereinander Präferenzen einräumen können, ohne sie an Drittländer weiterzugeben. *Entwicklungsländer* genießen eine Reihe von Sonderrechten, die sich aus Teil IV des GATT-Vertrages ableiten, der 1965 als Ergebnis der sog. Kennedy-Runde in das Basisabkommen eingefügt wurde. Ausnahmen vom Liberalisierungsgebot beziehen sich auf Handelsbeschränkungen aus *nicht-ökonomischen* Gründen, u. a. zum Schutz des Lebens und der Gesundheit von Menschen, Tieren und Pflanzen, zum Schutz der öffentlichen Sicherheit und zur Wahrung wesentlicher internationaler Sicherheitsinteressen, sofern diese Maßnahmen nicht diskriminierend angewendet werden. Für eine Reihe von *Sektoren* (u. a. Landwirtschaft, Fischerei, Textil) bestehen Ausnahmen, ebenso zum Schutz der Zahlungsbilanz oder um einer Unterversorgung mit Gütern zu begegnen. Schließlich können Anti-Dumping- und Anti-Subventions-Maßnahmen ergriffen werden.

13.6.1.4. GATT-Verhandlungen

In der Vergangenheit sind die ursprünglichen Bestimmungen des GATT von 1948 aufgrund der veränderten Rahmenbedingungen laufend überarbeitet und angepaßt worden, weniger durch Veränderungen des Basisvertrags als durch Zusatzabkommen (**Kodizes**), u. a. bezüglich Anti-Dumping, Subventionen, technische Normen und öffentliches Auftragswesen. Die 1. Runde (*Havanna-Runde*) fand bereits 1947 in Genf statt und wurde in Havanna beendet, die 2. Runde 1949 in Annecy/Frankreich (gleich nebenan), die 3. Runde 1951 in Torquay/England, die 4. Runde 1956 in Genf, die 5. Runde (*Dillon-Runde*) 1960–61 in Genf, die 6. Runde (*Kennedy-Runde*) 1964–1967 in Genf, die 7. Runde (*Tokyo-Runde*) 1973–1979, die – letzte – 8. Runde (*Uruguay-Runde*) 1986–1993.

Ungeachtet ihrer geographischen Bezeichnungen finden die sich über einen längeren Zeitraum erstreckenden Runden in aller Regel in Genf statt, lediglich wichtige Eröffnungs- und Abschlußkonferenzen auch an anderen Orten. Die Kennedy-Runde erbrachte umfassende Zollsenkungen und die erwähnte Vertragsergänzung bezüglich der Entwicklungsländer, die Tokyo-Runde beschäftigt sich insbesondere mit der Problematik nicht-tarifärer Handelshemmnisse; die Uruguay-Runde behandelte – neben dem Dauerbrenner nicht-tarifärer Handelshemmnisse – u. a. den Dienstleistungshandel (**Allgemeines Abkommen über den Handel mit Dienstleistungen – GATS**: *General Agreement on Trade in Services*), den Schutz geistigen Eigentums (Patente, Lizenzen, Warenzeichen), den Mißbrauch von Anti-Dumping-Maßnahmen sowie Agrarprobleme. In der Zukunft werden Umweltfragen (*«Öko-Dumping»*) und das Problem sozialer Normen (*«Sozialdumping»*) im Zentrum stehen.

In der Uruguay-Runde wurde die Gründung der Welthandelsorganisation WTO (World Trade Organisation) vereinbart, die am 1. Januar 1995 ihre Arbeit aufnahm. Die Aufgabe der WTO ist die Stärkung des Wettbewerbs zwischen Ländern durch Liberalisierung ihrere Handelsbeziehungen. Bisherige Verhandlungsrunden hatten nur das staatliche Verhalten im Visier, in der Uruguay-Runde wurde erstmals auch der Unternehmenssektor mit einbezogen. Denn der Abbau staatlichen Schutzes vor ausländischer Konkurrenz hat bei den Unternehmen vielfach zur Schaffung eigener wettbewerbsschädlicher Abwehrmechanismen (z. B. durch Zurückhaltung oder Mißbrauch von Informationen oder Quersubventionen innerhalb eines Konzerns) geführt. Um diesem zu begegnen, wurden in der Uruguay-Runde weitere multilaterale Abkommen geschlossen, die sowohl staatliche als auch private Akteure binden. Das Abkommen über Basistelekommunikationsdienste z. B., verabschiedet gemäß dem Rahmenabkommen GATS im Februar 1997, deckt 90% der weltweiten Einnahmen in diesem Bereich ab und sieht vor, den Handel zu liberalisieren und zu deregulieren, Niederlassungsbeschränkungen abzubauen und wettbewerbswidrige Unternehmenspraktiken zu verhindern; ebenso verhält es sich mit den Abkommen über die Informationstechnologieausstattung und Finanzdienstleistungen. Zudem wurden bestehende GATT-Regeln geändert bzw. neu interpretiert, z. B. das Prinzip der nationalen Gleichbehandlung. Diese betrifft nicht nur Zölle oder Abgaben, sondern auch Wettbewerbsgesetze. Diese dürfen ausländische Produkte weder formal noch faktisch diskriminieren, d. h. gehandelte Güter dürfen nicht nach ihrer Herkunft unterschieden werden. Dies betrifft aber nur die Importe; die WTO hat somit keine Handhabe gegen Exportkartelle. Erstmals wurde auch der Agrarmarkt und die Textilindustrie in die Verhandlungen einbezogen. Landwirtschaftliche Produkte werden zukünftig wie Industriegüter behandelt, d. h. die Ausnahmeregelung des GATT wird abgeschafft. Bis 2001 (bzw. 2005 für Entwicklungsländer) müssen alle Quoten in diesem Bereich in Zölle umgewandelt werden, inländische Subventionen und Importbeschränkungen müssen gesenkt werden. Auch der Textilsektor wird in Stufen bis 2005 liberalisiert und die bestehenden Quoten abgeschafft, sie können aber durch Antidumping-Maßnahmen, Subventionen und Zölle ersetzt werden. Freiwillige Selbstbeschränkungsabkommen für alle Warengruppen sind ab 1999 verboten.

Anfang 1996 wurde mit dem *Committee on Regional Trade Agreements* vom Rat der WTO eine Instanz geschaffen, die die zahlreichen regionalen Bündnisse, für die das GATT bekanntlich Ausnahmeregelungen getroffen hat, daraufhin untersuchen soll, ob sie mit den Regeln der WTO vereinbar sind und wie sie das multilaterale Handelssystem, das die WTO regelt, beeinflussen. Für Streitfälle ist eine Stelle ins Leben gerufen worden, der *Dispute Settlement Body* (DSB), an die sich Länder wenden können, die sich durch Maßnahmen anderer Staaten behindert fühlen, und die Entscheidungen (Panel) in solchen Streitfällen trifft. Das betroffene Land kann bei einer ebenfalls neu geschaffenen Berufungsinstanz *(Appellate Body)* Widerspruch gegen die Panel-Entscheidung einlegen. Die Entscheidung des Appellate Body sind bindend, außer wenn alle Parteien dagegen sind. Wenn der Dispute Settlement Body den Panel oder den Berufungsbericht des Appellate Body angenommen hat, muß die verlierende Partei entweder eine gangbare Umsetzung der Empfehlungen des Berichts vorschlagen oder Kompensationszahlungen mit der Beschwerde führenden Partei aushandeln. Erfolgt keines von beiden, kann der Dispute Settlement Body die andere Partei ermächtigen, Strafmaßnahmen (Sanktionen) wie Abwehrzölle zu ergreifen. Diese müssen nicht den gleichen Sektor betreffen. Die Schlichtungsinstanz ist ein Fortschritt gegenüber dem GATT und scheint wenigstens von den beiden Haupthandelsblöcken, der EU und Nordamerika, akzeptiert zu werden, da die EU seitdem 21, die USA 35 Fälle vor diese Instanz gebracht hat. Sie hat auch zu einer zügigen Beilegung von Handelsstreitfällen geführt. Fraglich bleibt aber, ob dadurch auf nationale Sanktionsmechanismen in Zukunft gänzlich verzichtet wird. Im Bananenstreit zwischen den USA und der EU hat die EU die Panel-Entscheidung vom September 1997 der WTO akzeptiert, die die EU verpflichtet, ihre Importregeln für Bananen, die lateinamerikanische Dollarbananen benachteiligen, gemäß den WTO-Bestimmungen zu ändern. Trotz der Änderung der EU-Bananenmarktordnung sehen die USA weiterhin die Dollarbananen benachteiligt und drohen mit Berufung auf nationales Handelsrecht mit hohen Strafzöllen auf EU-Produkte.[12]

13.6.2. Außenhandelsrecht der EU

Innerhalb des Binnenmarktes der EU sind seit 1. 1. 1993 die sog. **vier Freiheiten** verwirklicht: Freiheit des Warenverkehrs (schon lange), des Dienstleistungsverkehrs, des Kapitalverkehrs und des Personenverkehrs (i. S. v. Niederlassungsfreiheit). Art. 30 EUV läßt aber auch im Binnenmarkt – analog zum GATT/WTO-Abkommen – beschränkende Maßnahmen aus nicht-ökonomischen Gründen zu. Allerdings gibt es im Binnenmarkt keine warenbezogenen Grenzkontrollen mehr, so daß die Überwachung solcher nationaler Bestimmungen in der Praxis sehr schwierig ist (vgl. Abschn. 13.6.3). Noch zu lösende Harmonisierungsnotwendigkeiten im Binnenmarkt ergeben sich insbesondere im Steuerrecht (u. a. Mehrwertsteuer, Verbrauchssteuern). Nach Art. 133 EUV fallen die handelspolitischen Außenbeziehungen in die Kompetenz der EU. Daher kann ein einzelner Mitgliedstaat keine Handels- oder Präferenzabkommen abschließen. Die EU nimmt als Integrationsraum die entsprechenden Ausnahmen der GATT/WTO-Bestimmungen in Anspruch. Das Zollrecht ist weitestgehend harmonisiert (Zollsätze, Tarifsystem, Verfahrensrecht). Mit vielen Ländern hat die EU Präferenzabkommen, mit anderen noch weitergehende Assoziierungsabkommen geschlossen; die Entscheidung des Europäischen Parlamentes über eine Zollunion mit der Türkei steht noch aus. Gemeinsame Normen regeln auch den Agrarbereich. Die Harmonisie-

[12] Wirtschaftsdienst 12/1998, Nr. 12, 1998, 78. Jahrgang.

rung des Außenwirtschaftsrechts i.e.S. (u.a. Exportkontrollen bei ‹sensiblen› Gütern) steckt noch in den Anfängen.

13.6.3. Nationales Außenwirtschaftsrecht

Nach der in Abschn. 1.4 erläuterten Rechtssystematik kann sich nationales Recht nur in den Bereichen entfalten, für die es keine supranationalen Regelungen gibt. Das deutsche **Außenwirtschaftsgesetz** (**AWG**) von 1961 ist als Rahmengesetz konzipiert, das durch eine Rechtsverordnung (**Außenwirtschaftsverordnung AWV**) konkretisiert wird. Es gilt nur für das Hoheitsgebiet der Bundesrepublik (sog. Wirtschaftsgebiet). Die im AWG enthaltenen Beschränkungsmöglichkeiten in Form von Verboten und Genehmigungspflichten beziehen sich vorrangig auf nicht-ökonomische Gründe (u.a. zum Schutz des Lebens und der Gesundheit von Menschen, Tieren und Pflanzen, zum Schutz der öffentlichen Sicherheit und zur Wahrung wesentlicher internationaler Sicherheitsinteressen; analog zum GATT und zu Art. 30 EUV) sowie auf einige ökonomische Tatbestände (z.B. eine mögliche Bardepotpflicht bei störenden – massiven – Kreditzuflüssen). Neben dem AWG gibt es eine Vielzahl von anderen Gesetzen und Bestimmungen, aus denen sich Verbote und Beschränkungen (VuB) ergeben, die den grenzüberschreitenden Warenverkehr betreffen, insbesondere Rüstungsgüter und Waffen, sowie Hygiene- und Seuchenvorschriften.

Im Bereich der **Exportkontrollen** enthält das nationale AWG einige Bestimmungen, die auch auf EU-Ebene bzw. im UN-Recht normiert sind, um diese Bestimmungen nationalen Sanktionsmöglichkeiten zu unterwerfen (z.B. Geld- und Freiheitsstrafen). Das deutsche Exportkontrollrecht geht in einigen Aspekten über die auf EU-Ebene geschaffenen Normen hinaus. Aus Kreisen der Wirtschaft wird es daher als zu streng kritisiert, weil es Wettbewerbsnachteile im Vergleich mit weniger strikten Regelungen in anderen EU-Staaten bedeutet. Hierin spiegelt sich auch der Zielkonflikt wider, daß auf der einen Seite auch handelspolitische Maßnahmen zur Wahrung z.B. sicherheitspolitischer Interessen ergriffen werden sollen (u.a. die Embargos gegen Irak, Libyen oder Serbien/Montenegro), andererseits der erforderliche Kontrollaufwand zu Belastungen bei der Abwicklung des Außenwirtschaftsverkehrs führt. Hervorzuheben ist aber, daß sich die Überwachungen weitestgehend papiermäßig vollziehen, während eine physische Kontrolle des Warenverkehrs sich auf wenige, oft nur oberflächliche Stichproben beschränken muß.

13.7. Instrumente der Außenhandelspolitik

13.7.1. Protektion

13.7.1.1. Gründe für Protektion

Im historischen Rückblick zeigt sich recht deutlich, daß Länder immer dann zu protektionistischen Maßnahmen griffen und greifen, wenn ihnen aus dem Außenhandel Nachteile erwachsen.

Die Grundformen der Protektion verdeutlichen die relativ einfachen Gründe für Protektion: Durch **Importbehinderungen** soll unerwünschte Importkonkurrenz abgewehrt und die Nachfrage nach inländischen Produkten gestärkt werden. Analog sollen durch **Exportförderung** die Absatzchancen der einheimischen Wirtschaft auf dem Weltmarkt verbessert werden. Beides schafft Aufträge für die inländische Wirtschaft mit entsprechenden Beschäftigungseffekten; daraus resultieren Wachstumseffekte mit entsprechenden Steuereffekten (Abb. 13.7.1.1). Insgesamt also sollen protektionistische Maßnahmen die Wohlfahrt der betreffenden Volkswirtschaft erhöhen – dies ist in der Regel zu Lasten anderer Volkswirtschaften; hierzu weiter unten.

Protektionistische Maßnahmen aus *ökonomischen* Gründen sind nur ganz selten rechtlich zulässig. Pauschal gesehen dürfen sich – nach den GATT-Regeln – nur *Entwicklungsländer* auf entsprechende, ökonomisch motivierte Ausnahmeklauseln berufen, etwa zum Schutz der Zahlungsbilanz oder hinsichtlich Ausnahmen vom Prinzip der Gegenseitigkeit, um ihnen die Möglichkeit zur Beibehaltung von Fiskalzöllen zu belassen. Für *Industrieländer* sind allenfalls *Abwehrreaktionen*

Abb. 13.7.1/1: Protektion

Die Angst vor der „Festung Europa" wächst
Handelspartner kritisieren Protektionismus / Flut neuer Normen

Gegen Beschränkung der Fischimporte
Die Industrie und der Handel widersprechen den Fischern

Kritik an Importquoten

Zollbarrieren in Nordamerika

Weiterhin Schutz für EG-Fischer

Amerika droht mit Einfuhrverbot

Russische Regierung erhöht die Importzölle
Nun auch Nahrungsmittel betroffen / 30 Prozent auf Autos

gegen unfaire Handelspraktiken zulässig (u.a. bei Dumping oder Exportsubventionen). Ansonsten müssen *nicht-ökonomische* Gründe vorliegen, die zum Schutz der Gesundheit und des Lebens von Menschen, Tieren und Pflanzen über Sicherheitsinteressen bis – neuerdings zunehmend – zum Umweltschutz reichen.

Die für protektionistische Ziele zur Verfügung stehenden Maßnahmen umfassen ein weites Spektrum, wobei einige Maßnahmen zulässig sind, andere eigentlich nicht. Hinsichtlich der Art der protektionistischen Maßnahmen wird zwischen tarifärer und nicht-tarifärer Protektion unterschieden. **Tarifäre Protektion** bedeutet Schutz der inländischen Wirtschaft durch Zölle (engl.: *tariffs*), **nicht-tarifäre Protektion** ist der Oberbegriff für alle übrigen Schutzmaßnahmen.

13.7.1.2. Tarifäre Protektion

(1) Zollzwecke

Grundsätzlich sind zwei – sich gegenseitig ausschließende – Zwecke bei der Zollerhebung zu unterscheiden (vgl. Abb. 13.7.1/2):

Fiskalzölle sollen *Einnahmen* für den Staatshaushalt erbringen. Da sie das zu verzollende Gut entsprechend verteuern, setzt die Verwirklichung des Einnahmeziels voraus, daß die *Preiselastizität* der Nachfrage nach diesen Gütern möglichst klein ist, d.h. daß sich die Nachfrager möglichst wenig durch die Zollerhebung abschrecken lassen.

Das zweite Zollmotiv ist der **Wirtschaftszoll**. Sein Ziel ist nicht die Einnahmeerzielung, sondern der Schutz der inländischen Wirtschaft vor billiger ausländischer Importkonkurrenz (**Schutzzoll**). Die EU-Außenzölle sind eindeutig Schutzzölle. Aus nationaler Sicht besteht sowieso kein Einnahmeziel, da die von den nationalen Zollverwaltungen eingenommenen Zölle seit 1975 an den EU-Haushalt nach Brüssel abgeführt werden. Sie machen dort allerdings rd. 16%[13] der EU-Haushaltseinnahmen aus. Die von den deutschen Zollbehörden erhobenen Einnahmen belaufen sich zudem auf weniger als 0,05% der Staatseinnahmen. Das Schutzmotiv wird auch daran deutlich, daß Zölle in aller Regel mit zunehmendem Verarbeitungsgrad der importierten Güter zunehmen (**Zollprogression**), d.h. die verarbeitende inländische Industrie schützen, während im Zollgebiet nicht vorkommende bzw. nicht geförderte, aber produktionsnotwendige Rohstoffe gar nicht oder nur gering mit Zöllen belastet werden. Dies bezeichnet man als **effektive Protektion**, im Unterschied zur *nominalen Protek-*

[13] Quelle: EU-Kommission 1998: Zölle, Agrarabschöpfungen und Zuckerabgaben 1998: 16,7% der EU-Einnahmen; 1999: 16,1%.

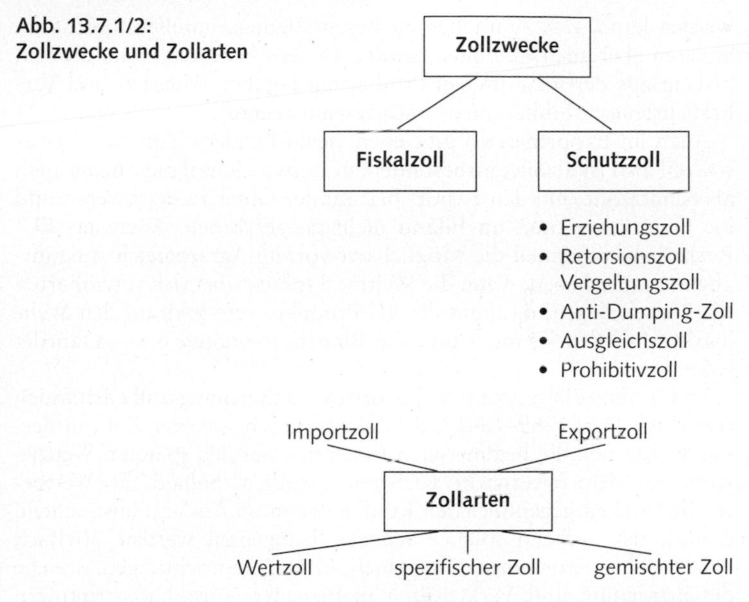

Abb. 13.7.1/2: Zollzwecke und Zollarten

tion, die sich aus den Zolltarifen für die jeweiligen Güter ablesen läßt. Je ausgeprägter die Zolltarife eine Progression mit zunehmendem Verarbeitungsgrad aufweisen, desto größer ist die effektive Protektion im Vergleich zur nominalen. Die EU erhebt z. B. auch in Abhängigkeit von der Jahreszeit *Saisonzölle* für Obst und Gemüse, um ihre eigene Produktion zu schützen.

Unter dem Gesichtspunkt der Protektion sind somit nur Schutzzölle als protektionistische Maßnahmen zu werten. Natürlich wirken auch Fiskalzölle handelshemmend, doch werden sie eben aus anderen wirtschaftspolitischen Gründen eingesetzt als Schutzzölle. Nach IWF-Angaben machen Zolleinnahmen in Burkina Faso 46% der Staatseinnahmen aus, im Sudan 43%, im Libanon 40%; in sehr vielen Staaten liegt der Anteil zwischen 25 und 35%. Daher ist es verständlich, wenn bestimmte Länder aus fiskalischen Gründen kein ausgeprägtes Interesse an einer Handelsliberalisierung haben. Sie befinden sich daher in einem Dilemma, wenn der IWF im Rahmen von Strukturanpassungsprogrammen zur Sanierung der Wirtschaft eine Importliberalisierung «empfiehlt»: Zuerst müßte bei Fiskalzöllen direkt auf Zolleinnahmen verzichtet werden, die nicht simultan durch andere Einnahmen (Steuern) kompensiert werden können. Hinzu kommt beim Wegfall von Schutzzöllen, daß durch Importe inländische Produktion verdrängt werden kann, was zum einen zu Beschäftigungseinbußen führt, zum anderen aber auch Einbußen bei den Steuern bedeuten kann, die sich bislang aus der inländischen Produktion ergaben (Umsatz- und Verbrauchsteuern, Einkommen- und Gewinnsteuern).

Auch im Exportbereich gibt es in vielen Ländern Zölle, und zwar sowohl als Fiskalzölle, insbesondere in Entwicklungsländern, als auch als Schutzzölle, um den Export bestimmter Güter zu erschweren und die Güterversorgung im Inland nicht zu gefährden. Auch das EU-Recht sieht potentiell die Möglichkeit vor, im Agrarbereich Ausfuhrabgaben zu erheben, wenn die Weltmarktpreise über den vereinbarten EU-Preisen liegen, da dann die EU-Produkte verstärkt auf den Weltmarkt abfließen könnten und die Binnenversorgung u. U. gefährdet wäre.

Das Schutzzollargument ist historisch als **Erziehungszoll** entstanden (*Friedrich List*; 1789–1846), d. h. als zeitlich begrenzter Zoll, in dessen Schutz sich die begünstigten Industrien auf den späteren Wettbewerb auf dem Weltmarkt vorbereiten sollten. Sobald die Wettbewerbsfähigkeit gegenüber den Konkurrenten im Ausland ausreichend gestärkt ist, soll ein solcher Schutzzoll abgebaut werden. Vielfach denaturieren Erziehungszölle jedoch zu Dauereinrichtungen, welche die Erstarrung und Verkrustung ineffizienter Wirtschaftsstrukturen begünstigen; die Abschottung des EU-Agrarmarktes vom Weltmarkt ist ein einschlägiges schlechtes Beispiel.

Sofern durch Zölle der Import völlig zum Erliegen kommt und faktisch ein Importverbot vorliegt, spricht man von **Prohibitivzoll**, während Zölle, die als Reaktion auf die Zollerhebung eines anderen Landes eingeführt werden, als **Retorsionszoll** oder **Vergeltungszoll** bezeichnet werden. In diesem Zusammenhang sind auch **Anti-Dumping-Zölle** als tarifäre Protektion gegen «Schleuderpreise» und **Ausgleichszölle** für staatlich subventionierte Ausfuhren anzuführen, welche ungerechtfertigt billige Importe auf ein ‹richtiges› Preisniveau anheben sollen (vgl. Abschn. 13.7.1.3).

(2) Zollarten

Es gibt zwei Zollarten: spezifische Zölle und Wertzölle. Ein Wertzoll bemißt sich in einem bestimmten *Prozentsatz* des Zollwertes (synonym: proportionaler Zoll), ein **spezifischer Zoll** (synonym: **Stückzoll**) bemißt sich pro quantifizierbarer Einheit (z. B. Gewicht, Volumen, Länge, Alkoholanteil, etc.). Auch die sog. **Abschöpfungen** im Agrarbereich sind in ihrer Wirkung faktisch Zölle. Als Variante gibt es **gemischte Zölle**, die Wertzölle und spezifische Zölle kombinieren. Während die Bestimmung von spezifischen Zöllen vergleichsweise problemlos ist, hat die Bestimmung des Zollwertes bei Wertzöllen entscheidenden Einfluß auf die Höhe der Zollabgaben: Der bloße Warenwert eines Importgutes z. B. gemäß der Handelsrechnung wird logischerweise geringer sein als die gesamten Bezugskosten einschließlich Fracht-, Verpackungs- und Versicherungskosten sowie Maklerprovisionen etc. Ob und welche Nebenkosten in den zu verzollenden Zollwert eingehen, unterliegt in der Praxis genauen Regelungen, weil die Zollbelastung z. B. durch manipulierte Rechnungen vermindert werden kann.

Zölle verteuern die zu importierenden Güter. Bei Wertzöllen ist die relative Belastung dabei *unabhängig* vom Wert des betreffenden Gutes: Ob eine Ware 100,– oder 100 000,– DM wert ist, beeinflußt bei gegebenem Zollsatz nicht die prozentuale Belastung. Zollabgaben und Zollwert entwickeln sich daher proportional.

Bei spezifischen Zöllen nimmt die relative Belastung hingegen mit steigendem Zollwert ab. Anders ausgedrückt: Relativ billige Güter werden durch spezifische Zölle stärker belastet (bzw. behindert) als vergleichbare teurere Güter (Schutzeffekt gegen Billigwaren), während der Schutzeffekt bei steigenden Weltmarktpreisen abnimmt.

In der *Volkswirtschaftstheorie* werden im Hinblick auf die gesamtwirtschaftlichen Zollwirkungen eine Reihe von Effekten unterschieden; die wichtigsten sind: der *Schutzeffekt* hinsichtlich der Möglichkeiten der geschützten Wirtschaftszweige, teurer anzubieten als die ausländische Konkurrenz; der *Einnahmeeffekt* hinsichtlich des Staatshaushaltes; der *Konsumeffekt*, der sich durch die Reaktionen der Nachfrager auf die zollbedingte Verteuerung der Importgüter und ggf. eine Verlagerung der Nachfrage auf substitutive Inlandsgüter ergibt; der *Terms-of-Trade-Effekt*, der die Veränderungen in der internationalen Wettbewerbsfähigkeit der inländischen Wirtschaft ausdrückt, hervorgerufen durch eine veränderte Relation der Preisindizes der Export- und Importgüter (*Terms-of-Trade*); der *Umverteilungseffekt*, der die Einkommensumverteilungen zwischen Verbrauchern und Anbietern beschreibt, die durch die Zollerhebung hervorgerufen werden. Es gibt noch andere Effekte. Auf diese Zusammenhänge wird hier jedoch nicht eingegangen.

13.7.1.3. Nicht-tarifäre Protektion

(1) Nicht-tarifäre Handelshemmnisse i. e. S.

Für viele Güterbereiche wurden im Laufe der GATT-Verhandlungsrunden zollsenkende oder zollbefreiende Maßnahmen beschlossen, so daß Protektion durch Erhöhung oder Einführung von Zöllen (abgesehen von Ausnahmefällen) gegen geltende Abkommen verstoßen würde. Die inländische Wirtschaft läßt sich jedoch auch durch andere Maßnahmen als Zölle schützen oder fördern. Die lange Liste dieser nicht-tarifären Maßnahmen belegt den Erfindungsreichtum, mit dem das bestehende GATT-Abkommen in der Praxis durchlöchert und umgangen wird. Das Arsenal **nicht-tarifärer Handelshemmnisse** umfaßt grobe und subtile Instrumente (vgl. Abb. 13.7.1/3). Das GATT hat eine Liste von 800 verschiedenen (!) Maßnahmen zusammengestellt.

Alle diese Maßnahmen, deren Liste täglich länger wird, lassen sich nicht umfassend ermitteln und entziehen sich daher vielfach einer Regelung und Kontrolle. Dennoch betreffen die Hauptanstrengungen internationaler Handelsverhandlungen gerade wie im GATT oder der **Welthandelskonferenz (UNCTAD)** die nicht-tarifären Handelshemmnisse, ohne daß sich bisher allerdings erkennbar größere Fortschritte erkennen ließen. Und dies ist nicht verwunderlich, solange diejenigen Länder, die Zugeständnisse machen, fürchten müssen, ihre eigenen ungelösten Probleme im Bereich von Beschäftigung, Wachstum oder Inflation durch Preisgabe bisher behaupteter Positionen noch zu verschärfen. Besonders anfällig für protektionistische Maßnahmen sind in der EU neben dem Agrarbereich sog. sensitive Produktionszweige wie Stahl, Textilien, Optik, Schuhe, Sportartikel, Möbel, Elektro(nik) oder die Automobilindustrie.

(2) EU-Agrarmarkt-Protektion

Ein besonders eklatantes Beispiel der Protektion stellt der EU-Agrarmarkt dar. Vereinfachend läßt sich sagen, daß durch Mindestpreise, die gegenüber dem Weltmarkt durch sog. Abschöpfungen gesichert werden, und staatliche Abnahmegarantien die EU-Landwirtschaft vor der potentiell viel billigeren Weltmarktkonkurrenz geschützt wird. Diese Maßnahmen leiten sich natürlich aus übergeordneten politischen und ökonomischen Überlegungen ab, auf die hier nicht einzugehen ist, doch sei als Fazit gesagt, daß die Konstruktion des EU-Agrarmarkt-Protektionismus zum einen rein ökonomisch gesehen eine ausgesprochen ineffiziente Lösung darstellt und zum anderen international eine Vielzahl von Problemen verursacht: Dabei sei nur an das beinahe Scheitern der sog. Uruguay-Runde des GATT erinnert, das auf ungelösten Interessengegensätzen zwischen der EU und den USA bezüglich der Agrar(export)subventionen zurückzuführen war, sowie an die Störung der Weltmarktpreisbildung bei bestimmten agrarischen Produkten (Weizen, Zucker), die für viele Entwicklungsländer eine wichtige Quelle ihrer Exporterlöse darstellen. Die EU-Agrarpro-

Abb. 13.7.1/3: Nicht-tarifäre Handelshemmnisse (Übersicht)

Formale Handelsbeschränkungen	Administrative Handelsbeschränkungen
Nichttarifäre Importbelastungen (Preisbezogene Maßnahmen) – Grenzzuschläge – Hafen- und statistische Taxen – Nichtdiskriminierende Verbrauchsteuern und Einschreibgebühren – Diskriminierende Verbrauchsteuern, staatliches Versicherungsobligatorium – Nicht- und diskriminierende Umsatzsteuern – Importdepot – Variable Abgaben – Konsulargebühren – Stempelsteuern – Verschiedene Sonder- und Zusatzsteuern *Mengenrestriktionen und ähnliche spezifische Handelsbeschränkungen* (Mengenbezogene Maßnahmen) – Lizenzvorschriften Kontingentierung und Quoten – Embargo – Exportbeschränkungen und -verbote – Devisen- und andere monetäre oder Finanzkontrollen – Staatliche Preisfestsetzungen und -kontrollen – Übernahme- und Leistungspflichten – Restriktive Geschäftsbedingungen – Diskriminierende bilaterale Abkommen – Diskriminierende Ursprungsregeln – Internationale Kartelle – Freiwillige Exportbeschränkungen (Orderly Marketing Agreements) *Diskriminierende Frachtansätze* (Flaggenprotektionismus)	*Beteiligung des Staates am Handel* – Subventionen und andere staatliche Beihilfen – Staatshandel, Staatsmonopole und Konzessionsvergabe – Importentmutigende Gesetze und Verordnungen – Probleme im Zusammenhang mit der allgemeinen Staatspolitik – Öffentliches Einkaufswesen – Steuererleichterungen, Kredit- und Bürgschaftsgewährung – Boykott *Technische Normen, Standards und Verbraucherschutzbestimmungen* – Gesundheits- und Sicherheitsbestimmungen – Pharmazeutische Kontrollvorschriften – Produktgestaltungsvorschriften – Herstellungsvorschriften – Industrienormen – Maß- und Gewichtsvorschriften – Beschriftungs- und Verpackungsvorschriften – Kennzeichnungsvorschriften – Verwendungsvorschriften – Vorschriften zum Schutz geistigen Eigentums – Markenrechtliche Bestimmungen *Zollabfertigung und weitere administrative Beschränkungen* – Antidumping-Politik – Zollberechnungsgrundlagen – Formalitäten der Konsularbehören – Beglaubigungsvorschriften – Administrative Schwierigkeiten – Warenklassifikation – Vorschriften betreffend Mustersendungen, Rücksendungen und Wiederausfuhren – Ausgleichszölle und -steuern – Beschwerderecht – Notrecht

Quelle: Frankfurter Institut für wirtschaftspolitische Forschung e.V., Argumente zur Wirtschaftspolitik, Nr. 12/Juni 1987, S. 3.

tektion läßt den List'schen Gedanken des vorübergehenden Schutzes vermissen: Sie ist zur Dauerprotektion entartet (Abb. 13.7.1/4). Vgl. auch Abschn. 13.7.1.4.

(3) Dumping und Exportsubventionen

Zu den protektionistischen Maßnahmen gehören – wie erwähnt – nicht nur Import-behindernde, sondern auch Export-fördernde Maßnahmen. Klassische Maßnahmen in diesem Bereich sind Dumping und Exportsubventionen.

(a) Dumpingabwehr

Grundsätzlich gibt es zwei Definitionen von Dumping: Nach der ersten liegt Dumping dann vor, wenn ein Anbieter seine Produkte zu **nicht-kostendeckenden Preisen** – unter Selbstkosten – verkauft. Diese Definition ist für die Praxis aus zweierlei Gründen problematisch. Zum einen kann der Tatbestand des Dumping folglich nur bei Kenntnis der Kostenkalkulation des Anbieters festgestellt werden. Da Dumping in bestimmten Fällen zu entsprechenden Gegenmaßnahmen berechtigt, wird ein betroffener Anbieter seine Kalkulation wohl kaum freiwillig aufdecken. Es stellt sich also ein kaum zu lösendes Feststellungs- bzw. Beweisproblem. Zum anderen – und dies ist wohl das schwerwiegendere Argument – kann es einem Anbieter wohl kaum verwehrt werden, im Zuge von Mischkalkulationen bestimmte Produkte auch unter Selbstkostenpreis anzubieten. Aus Verbrauchersicht bedeutet dies entsprechende Preisvorteile. Derartige Lockangebote sind im nationalen Handel gang und gäbe, warum also nicht im internationalen Kontext?

Folglich stützt sich die rechtliche Beurteilung von Dumping im internationalen Handel auf eine andere Definition. Danach liegt Dumping dann vor, wenn der Anbieter im Inland, also auf seinem Heimatmarkt, höhere Preise verlangt als im Ausland und Export-

Abb. 13.7.1/4: Agrarprotektion

Die EG macht die Grenzen dicht für Obst und Gemüse
Agrar-Chaos wird immer größer – Schutz für die eigene Erzeugung –Kritik aus der Industrie

Der Agrar-Protektionismus der EG behindert Exporte der Dritten Welt

Importbeschränkungen kosten mehr als sie bringen
Der Verbraucher zahlt die Zeche

märkten, der Exportpreis also unter dem sog. **Normalwert** liegt. Dieser Tatbestand ist auch ohne Industriespionage sehr leicht festzustellen. Allerdings ist er nur eine notwendige, nicht aber hinreichende Voraussetzung für (legale) Abwehrmaßnahmen gegen Dumping. Daneben muß eine bedeutende *Schädigung* eines Wirtschaftszweiges vorliegen oder drohen und der kausale *Zusammenhang* zwischen dieser Schädigung und dem Dumping nachgewiesen werden. Sofern die Voraussetzungen insgesamt erfüllt sind, ist ein von Dumping betroffenes Importland berechtigt, **Anti-Dumping-Zölle** zu erheben (vgl. Abb. 13.7.1/5).

Abb. 13.7.1/5: Anti-Dumping-Zölle

Anti-Dumping-Gesetze sind ein protektionistisches Werkzeug
EG will schnellere Anti-Dumping-Verfahren
Vorschlag an den Ministerrat / Bedenken bei den Importeuren
Dumpingverfahren gegen Japaner
Paris über Holz-Dumping besorgt
Bußen wegen Dumpings

(b) Exportsubventionen und Ausgleichszölle
Im Gegensatz zu Dumpingmaßnahmen, die auf privater, unternehmerischer Ebenen ergriffen werden, handelt es sich bei der Subventionierung von Export um *staatliche Maßnahmen*. Die protektionistische Wirkung von Exportsubventionen entspricht den Effekten von Dumping, indem das Exportangebot billiger sein kann, als es ohne diese Maßnahmen der Fall wäre. Als Schutzmaßnahme kann das betroffene Importland – sofern bestimmte Kriterien erfüllt sind – den Preisvorteil durch «Anti-Subventions-Zölle» abschöpfen, die **Ausgleichszölle** genannt werden (Abb. 13.7.1/6).

Abb. 13.7.1/6: Exportsubventionen

Rom lehnt Stopp der Stahlhilfen ab
Italien wehrt sich gegen Kapazitätsabbau
Subventionsstreit um Ilva beendet
„Keine direkte Subvention für den Asienhandel"

(4) Wechselkurs-Protektionismus
In den Grenzbereich der Protektion fallen Wechselkursänderungen; dies braucht nach den Ausführungen in Abschn. 12.4 wohl nicht nochmals ausgeführt werden. Als protektionistische Maßnahme ist die Wechselkursgestaltung aber nur dann zu werten, wenn sie bewußt im Hinblick auf die Erzielung bestimmter *Handelswirkungen* vorgenommen wird, d. h. nicht aufgrund *währungspolitischer* Erwägungen. Andernfalls handelt es sich lediglich um die Anpassung eines unrealistischen Wechselkurses an die ökonomische Realität, z. B. aufgrund unterschiedlicher Inflationsraten, so wie es innerhalb des EWS mehrfach zu beobachten war. Diese Motive sind naturgemäß selten eindeutig abzugrenzen. Eine unterbewertete Währung wirkt wie eine Exportsubvention. Allerdings ist zu berücksichtigen, daß Güter mit unzureichender Qualität oder preisunelastischer Nachfrage auch nach Abwertungen Absatzprobleme behalten werden. Auf der anderen Seite verteuert eine Abwertung die Importe (aus Sicht des Inlandes) und wirkt somit importbehindernd.

(5) Devisenbewirtschaftung
Devisenbewirtschaftung bedeutet meist *beschränkte* Konvertibilität; das Extrem absoluter Nicht-Konvertibilität findet sich heute nur noch in Einzelfällen (früher: ehemaliger Ostblock) oder nur als vorübergehende Maßnahme; meist gibt es dann entsprechende Höchstbeträge für den Umtausch. Vielfach werden die verfügbaren Devisen zugeteilt, z. B. auf der Basis von Importlizenzen.

Nur wenige Länder, darunter die Bundesrepublik, haben bisher die für ungehinderten Außenhandel erforderliche volle **Konvertibilität** ihrer Währung verwirklicht. In vielen Ländern gibt es mehr oder weniger starke Beschränkungen des Devisenverkehrs (Devisenbewirtschaftung).

In der Bundesrepublik sieht das **Außenwirtschaftsgesetz** AWG von 1961 eine Reihe von Beschränkungen vor, die bei Bedarf, d. h. zur Abwehr schädigender Einwirkungen aus fremden Wirtschaftsgebieten angewendet werden können. Hierzu zählen beispielsweise auch unerwünschte Devisenzuflüsse aus dem Ausland. Seit dem Übergang zu flexiblen Wechselkursen (1973) sind diese Beschränkungen des Geld- und Kapitalverkehrs nicht mehr in Kraft, könnten zwar jederzeit durch Rechtsverordnung der Bundesregierung wieder eingeführt werden (dies ist z. B. erforderlich gewesen im Zusammenhang mit den UNO-Sanktionen gegen Irak, Serbien/Montenegro, Libyen und Haiti), werden aber durch die EU-Währungsunion hinfällig.

Innerhalb der EU existieren kaum noch Devisenkontrollen. Mit dem Beginn der Zweiten Stufe der Europäischen Wirtschafts- und Währungsunion (EWWU) am 1.1. 1994 sind Beschränkungen des Kapital- und Zahlungsverkehrs zwischen den Mitgliedsstaaten verboten. Damit können auch die Beschränkungsmöglichkeiten des deutschen AWG nicht mehr gegenüber EU-Mitgliedern angewendet werden. Die Rest-EFTA-Staaten Norwegen und Island haben die Verpflichtungen zum freien Devisen- und Kapitalverkehr im Rahmen des EWR-Vertrags übernommen; die Schweiz praktiziert schon seit vielen Jahren keine Devisenkontrollen mehr. Da das Steuerrecht EU-intern noch viel Harmonisierungsbedarf aufweist, ist jedoch zu befürchten, daß Devisenrestriktionen durch steuerrechtliche Maßnahmen ersetzt werden. Innerhalb der OECD haben lediglich die Türkei und Mexiko noch nennenswerte Devisenkontrollbestimmungen.

Gegenüber Drittländern müßten – aus Sicht der EU – grundsätzlich auch sämtliche nationalen Restriktionen abgebaut werden, weil diese sonst auf dem Umweg über das liberalste Mitgliedsland unterlaufen und somit sinnlos gemacht werden können. Einschränkungen des freien Kapital- und Zahlungsverkehrs gegenüber Drittländern, also Rückschritte in der Liberalisierung – sind nur durch einstimmigen Beschluß des EU-Ministerrats – auf Vorschlag der EU-Kommission möglich (in Notsituationen, bei schwerwiegenden Störungen auch ‹nur› mit qualifizierter Mehrheit) –, und zwar nur für sechs Monate und nach Anhörung des Europäischen Währungsinstituts bzw. – in der Dritten Stufe der Währungsunion – der Europäischen Zentralbank. Bei politisch motivierten Maßnahmen – z.B. bei Embargos – können auch nationale Alleingänge erfolgen, sofern die EU nicht tätig wird.

13.7.1.4. Folgen der Protektion

Die Weltbank hat 1991 festgestellt, daß 20 der 24 OECD-Mitglieder protektionistischer sind als vor zehn Jahren; 28% der Einfuhren in OECD-Länder aus Entwicklungsländern unterliegen nicht-tarifären Handelshemmnissen; nur noch 7% des Welthandels entsprechen voll und ganz den GATT-Bestimmungen. Allein zwischen der EU und den USA bestanden Anfang der 90er Jahre rund 200 Konfliktbereiche, die teilweise zu offenen Handelskriegen führten und führen. Für Protektionismus besonders anfällige Problemsektoren sind insbesondere Stahl, Textilien, Bekleidung, Flugzeuge, Schiffbau, Automobile, Unterhaltungselektronik, Kohle, Sojabohnen und allgemein Agrarprodukte. Hier besteht ein klarer Widerspruch zwischen dem immer wieder seitens der Industrieländer proklamierten freien Welthandel und ihrem konkreten Handeln. Appelle für Freihandel, die auf keinem Wirtschaftsgipfel fehlen, wirken daher zunehmend unglaubwürdig, und der Ausspruch, der Freihandel werde mit dem Schwert des Protektionismus verteidigt (Quelle unbekannt), spricht für sich.

In Folge der Krise in vielen Schwellenländern wird der europäische Handelsbilanzüberschuß sinken und das hohe amerikanische Defizit wachsen, woraus sich neue Handelskonflikte ergeben könnten.[14] Das Weltwirtschaftsforum in Davos, dessen ursprüngliche Rolle die Suche nach Lösungen für weltwirtschaftliche Probleme ist, war 1999 überschattet von zunehmenden finanziellen und handelsbezogenen Spannungen zwischen der EU, den USA und Japan.

(1) Folgen im Importraum

Durch Protektionsmaßnahmen kommt es zu Handelsumlenkungen, indem bisherige ausländische Lieferanten ersetzt werden durch inländische, wobei inländisch im weiteren Sinne zu interpretieren ist und z.B. nicht deutsche, sondern europäische Lieferanten bedeutet, also Lieferanten innerhalb des Protektionsraumes. In diesem Raum kommt es durch Protektion also u.U. zu Handelsschaffung. Aus der Sicht des bzw. der protektionistischen Staaten bedeutet dies somit positive Effekte wie die Erhaltung von Arbeitsplätzen, die anderenfalls durch billigere oder bessere ausländische Konkurrenz vernichtet würden (dies ist in der Regel das zentrale Motiv für Protektion), fiskalische Effekte (Steuermehreinnahmen), Leistungsbilanzverbesserung und u.U. Devisenersparnisse. Durch den so erzielten höheren Außenbeitrag tendiert die Inlandswährung jedoch zu einer *Aufwertung*, was den ursprünglichen Vorteil wieder kompensieren kann, von entsprechenden Gegenreaktionen betroffener Handels‹partner› einmal abgesehen. In anderem Zusammenhang hat Reichskanzler Otto von Bismarck 1879 in einer Debatte über Schutzzölle gesagt:

«Die abstrakten Lehren der Wissenschaft lassen mich in dieser Beziehung völlig kalt, ich urteile nach der Erfahrung, die wir erleben. Ich sehe, daß die Länder, die sich schützen, prosperieren, ich sehe, daß die Länder, die offen sind, zurückgehen.»

Wer unmittelbar und negativ von ausländischer Konkurrenz bedroht wird, hat natürlich ein subjektiv verständliches Interesse an staatlicher Protektion; Lobbyisten versuchen dementsprechend, die staatliche Wirtschaftspolitik zu beeinflussen. Andererseits halten Befürworter protektionistischer Maßnahmen sich (mindestens) ein

---

[14] Weinert, Günter: Increased Risks for the World Economy, in: Intereconomics Jan./Febr. 1998, Vol. 33, Nr. 1, S. 46–52.

Auge zu, denn durch Protektion können auch **negative Effekte** im «geschützten» Land auftreten: Die Konsequenzen von nicht-tarifären Handelshemmnissen tragen einmal die Verbraucher in Form von *höheren Preisen*, als sie bei unbehindertem Handel möglich wären; ein Blick auf die EU-Agrarpreise belegt dies (Abb. 13.7.1/7). Dies gilt direkt für Fertigprodukte und indirekt für Vorleistungen, deren Kosten in die inländische Produktion eingehen. Dies kann sich auch negativ auf die *Exportchancen* anderer Sektoren auswirken, was zu *Einkommens- und Beschäftigungsverlusten* führen kann. Negativ wirken sich auch Vergeltungsmaßnahmen anderer Länder aus, welche die Absatz- und Beschäftigungsmöglichkeiten der Exportwirtschaft beeinträchtigen können. Zudem besteht die Gefahr (und die Tendenz), daß die durch protektionistische Maßnahmen abgeschirmten Wirtschaftszweige in ihrer *Innovationskraft erlahmen* und sich verkrusten, ineffiziente Strukturen bilden und wegen des fehlenden internationalen Wettbewerbsdrucks technischer Fortschritt und Modernisierungsinvestitionen unterbleiben. Nicht nur die Abschottung des damaligen RGW ist ein Beispiel dafür. Kundenorientierung, Anpassungsflexibilität, technische und kostenmäßige Effizienz lassen nach, und die internationale Wettbewerbsfähigkeit geht verloren bzw. wird gar nicht erst erreicht. Die dadurch nicht eintretenden Wachstumseffekte können auch als potentielle Beschäftigungsverluste und nicht-realisierte Steuereinnahmen interpretiert werden. Die Kosten sind nicht seriös zu quantifizieren, doch besteht die Vermutung wohl nicht zu Unrecht, daß die durch die Protektion geschützten inländischen Arbeitsplätze dadurch sehr teure Arbeitsplätze sind. Finanziert wird dies durch höhere Verbraucherpreise oder aus Steuermitteln. Zudem bedingt die Überwachung der Protektion auch Kosten, sowohl auf der staatlichen Ebene durch die Notwendigkeit eines entsprechenden Verwaltungsapparats als auch auf Unternehmensebene, indem die entsprechenden Formalitäten zu beachten und zu erfüllen sind.

Abb. 13.7.1/7: Protektionswirkungen

Die Einfuhrausgleichsabgabe auf marokkanische Tomaten haben die Arbeitsgemeinschaft der Verbraucherverbände (AGV) und der Bundesverband Deutscher Fruchthandelsunternehmen (BDF) kritisiert. Die vom der EG-Kommission auf 1,40 DM je Kilogramm festgesetzte Abgabe gilt vom 7. April an. Die AGV sprach von einem Strafzoll auf preiswerte und schmackhafte Tomaten aus dem Süden, die den teuren Glashaustomaten aus dem Norden Konkurrenz machten. dpa/vwd.

OECD-Schätzungen quantifizierten Protektions-Verwaltungskosten im Schnitt mit 2–5% des Importhandelswertes. Ein weiterer Aspekt besteht grundsätzlich darin, daß staatlicher Protektionismus die Tendenz zeigt, daß die staatlichen Interventionen sich ausbreiten und Eingriffe auch in anderen Bereichen nach sich ziehen («**Ölflecken-Theorie**»). Nachteilig ist auch die Möglichkeit von Vergeltungsaktionen des Auslandes (vgl. Abschn. 13.7.1.5).

(2) Folgen auf der Exportseite

Die Konsequenzen von protektionistischen Maßnahmen für die Exporteure bzw. Exportländer liegen auf der Hand und werden hier nur der Vollständigkeit halber nochmals summarisch erwähnt: Importprotektion verringert die Absatz-, damit die Beschäftigungs-, Wachstums- und Gewinnmöglichkeiten auf seiten der Exporteure; dies gilt analog für Exportprotektionismus, der die Absatzmöglichkeiten anderer Länder auf dem Weltmarkt beeinträchtigt oder zunichte macht (Stichworte: EU-Agrar-Exportsubventionen).

Betriebswirtschaftlich kann dies im Extrem – bei zu starker Abhängigkeit von Einzelmärkten – zu Konkursen führen, volkswirtschaftlich ist festzuhalten, daß der Import-/Exportprotektionismus bestimmter Staaten andere in ihrer Entwicklung behindert und insbesondere auch dazu beigetragen hat, daß bestimmte Entwicklungsländer in zunehmende Verschuldung geraten sind. Angesichts der ganz eindeutigen jeweiligen Interessenverteilung zwischen Protektionisten und negativ Betroffenen ist es müßig, diesen Aspekt hier zu vertiefen.

13.7.1.5. Reaktionsmöglichkeiten

Das Abschotten nationaler Märkte durch protektionistische Maßnahmen bedeutet aus Sicht der ‹ausgesperrten› potentiellen Lieferanten geringere Exportmöglichkeiten, damit – mit den entsprechenden umgekehrten Vorzeichen – Beschäftigungsverluste, fiskalische Einbußen etc. Protektion stimuliert folglich Reaktionen.

(1) Anpassen

Anpassung ist hier zunächst statisch gemeint, indem durch Protektion benachteiligte Lieferanten bzw. Exportländer z. B. die Absatz- bzw. Gewinneinbußen einfach hinnehmen – theoretisch denkbar, aber nicht sehr einleuchtend. Realistischer ist, daß sie versuchen werden, statt in die geschützten Märkte in andere Marktsegmente zu liefern – eine Form der **Handelsumlenkung.** Natürlich verlagert sich dadurch das Problem der Verdrängung nur und wird somit möglicherweise an anderer Stelle zu Reaktionen führen. Dynamische Formen der Anpassung hingegen versuchen, die Protektionsmauern zu überwinden, zu umgehen oder zu unterlaufen.

(2) **Umgehen**
Sofern potentielle Absatzmärkte durch Zölle geschützt sind, kann versucht werden, durch Senkung der Produktionskosten und/oder Verbesserung der Produktqualität – trotz Importzoll – konkurrenzfähig zu bleiben. So gesehen, würde Protektion sogar innovativ wirken.

Gängiger als eine Überwindung von Protektionsschranken hingegen sind Versuche, derartige Schutzmauer zu umgehen. Beispiele dafür finden sich bei Direktinvestitionen, durch welche die Produktion in den Protektionsraum verlagert wird, denn Zölle – oder auch Importquoten – treffen nur Importgüter, nicht hingegen die inländische Produktion. Insbesondere japanische Produzenten, die von Protektionsmaßnahmen betroffen wurden, haben in großem Umfang in der EU und den USA investiert. Und schließlich können Schutzzölle unterlaufen werden, indem auf unternehmerischer Ebene Dumping betrieben bzw. – aus der Sicht des exportierenden Staates – exportfördernde Subventionen gewährt werden. Dies wiederum kann entsprechende Anti-Dumping- bzw. Ausgleichszölle provozieren, auf welche die Exportseite wiederum reagieren wird etc. Eine weitere Reaktionsmöglichkeit sind daher auch harschere Maßnahmen:

(3) **Vergelten**
Letztendlich nützen derartige Kampfstrategien (vgl. Abb. 13.7.1/8) beiden Seiten nicht, denn sie führen tendenziell zu **Handelsvernichtung**, doch lassen sie sich innenpolitisch oft gut verkaufen, um die Aktionsbereitschaft und Durchsetzungskraft der Regierung zu dokumentieren. Friedlicher und wahrscheinlich mittelfristig erfolgreicher sind Verhandlungsstrategien:

(4) **Verhandeln**
Durch Verhandlungen kann versucht werden, protektionistische Maßnahmen aufzuheben, abzuschwächen oder zu verschieben. Dies kann bilateral erfolgen (meist) oder multilateral (seltener). Bilaterale Verhandlungen haben den Vorteil, daß sie verdeckter erfolgen können. In Verhandlungen kann auch die zunächst benachteiligte Exportseite noch Verbesserungen erzielen. Aus diesem Grunde zeigt sich auch eine zunehmende Tendenz zu bilateralen «freiwilligen» **Selbstbeschränkungsabkommen**, die aber nur noch bis 2000 erlaubt sind.[15]

[15] Quelle: OECD 1998.

Abb. 13.7.1/8: Handelskriege

Finnischer Netzbetreiber will amerikanischen Standard einführen

Nach dem Bananenstreit droht nun ein Handy-Zwist

Auge um Auge

Welche Produkte die USA u. a. wegen des Bananenstreits mit Strafzöllen belegen wollen

	Wert der betroffenen Exporte in die USA 1997*	
Warengruppe	Deutschland	EU insgesamt
Kunststoffe	30,7	85,6
Kaffee- und Teemaschinen	11,4	25,0
Faltkartons	9,1	25,5
Kekse, Waffeln	5,4	78,1
Bonbons	3,7	23,8
Batterien	2,3	31,1
Decken- und Wandlampen	2,2	22,1
Summe	70,7	501,2

* in Millionen Euro; Euro: EU-Kommission

Amerikaner drohen Europa mit weiteren Sanktionen

Amerika will Sanktionsliste gegen Japan vorlegen

Washington erwägt Klage im Rahmen des Gatt / Deutsche Ratschläge / Tokio fühlt sich unfair behandelt

Neuer Handelsstreit: Amerika und China

„Handelskrieg wäre ein Desaster"

13.7.2. Kooperation und Integration

Zwischen den Extremen des völligen Freihandels und (theoretisch) der völligen Abkopplung von internationalen Handelsbeziehungen werden in der Realität offensichtlich Zwischenformen praktiziert, welche die Vorteile des Freihandels mit den Vorteilen der Protektion verbinden sollen. Konkret bedeutet dies, daß bestimmte Länder miteinander kooperieren, sich gewisse – freihändlerisch orientierte – Präferenzen einräumen, jedoch gegenüber nichtbeteiligten **Drittländern** protektionistische Praktiken üben. Im Rahmen der zwischenstaatlichen Kooperation und Integration gibt es verschiedene Intensitätsstufen, die weiter unten dargestellt werden (Abschn. 13.7.2).

13.7.2.1. Entwicklung seit dem Zweiten Weltkrieg

Anfang 1999 waren mehr als 100 regionale Handelsabkommen bei der WTO registriert, von denen rund ein Drittel in den letzten zehn bis zwöf Jahren entstanden sind. Drei Aspekte kennzeichnen die Entwicklung der regionalen Integration seit dem 2. Weltkrieg:

- Die Ansätze regionaler Integration konzentrierten sich zunächst auf Westeuropa (EWG/EFTA).
- Nur ein kleiner Teil der Integrationsabkommen[16] von Entwicklungsländern hat ihren ursprnglichen Zeitplan realisieren können. Einige Integrationsabkommen sind durch neure Initiativen belebt worden.
- Die Intensität der ökonomischen Integration ist bei den zahlreichen Integrationsräumen sehr unterschiedlich. Meist handelt es sich um Freihandelszonen; die Zahl der (tatsächlichen) Zollunionen und gemeinsamen Märkte ist klein.

(a) Erste Phase regionaler Blockbildung

Die Entwicklung des Freihandels nach dem 2. Weltkrieg wurde und wird zum einen maßgeblich durch das GATT-Abkommen von 1948 beeinflußt. Im GATT-Abkommen sind in Artikel XXIV Ausnahmen vom Prinzip der Meistbegünstigung (Nicht-Diskriminierung) bei der Bildung von regionalen Wirtschaftsblöcken verankert. Hierbei ist vor allem an Zollunionen gedacht (vgl. Abschn. 13.7.2.5). Von dieser Ausnahmeregelung wurde bis zur Gründung der EWG jedoch so gut wie kein Gebrauch gemacht.

Die Entwicklung im Rahmen des GATT hängt eng zusammen mit der Entwicklung auf dem europäischen Kontinent. Der am 1. 1. 1958 in Kraft getretene Vertrag über die europäische Wirtschaftsgemeinschaft (EWG) bildet den vertraglichen Kern des europäischen Einigungswerks und stellt den Anfang regionaler Blockbildung dar. Ziel war die Errichtung eines Binnenmarktes zwischen den Gründungsmitgliedern Belgien, Frankreich, Deutschland, Italien, Luxemburg und den Niederlanden. Die Beweggründe für die Bildung der EWG sind insbesondere politischer Natur gewesen. So ging es zum einen um die Einbindung der BRD in das westliche Lager, zum anderen um die Bildung eines politisch und ökonomisch funktionierenden Blocks gegen das sozialistische Lager.

Die Bildung der EWG stand in den 60er Jahren im Mittelpunkt

[16] Die Begriffe ‹Freihandelsabkommen› und ‹Integrationsabkommen› sind grundsätzlich synonym zu verstehen; abgestufte *Formen* bzw. *Typen* werden in Abschn. 13.7.2.4 differenziert.

der ersten Phase regionaler Blockbildung. Sie war vor allem durch eine Welle von Freihandelsabkommen in Afrika und Lateinamerika gekennzeichnet. Diese Freihandelsabkommen hatten eine verstärkte Süd-Süd-Kooperation zum Ziel. In Afrika wurde beabsichtigt, die kolonialen Wirtschaftsstrukturen durch regionale Kooperation im Zuge der Dekolonialisierung zu beseitigen. In Lateinamerika versprach man sich von den Freihandelsabkommen positive Effekte auf die bis dahin wenig erfolgreichen nationalen Strategien der importsubstituierenden Industrialisierung.

Diese Entwicklungen beeinflußten maßgeblich die positive Weiterentwicklung in den multilateralen GATT-Verhandlungen. Als Hintergrund ist hierbei zu sehen, daß die erfolgreiche Bildung regionaler Wirtschaftsblöcke den inter-regionalen Handel fördert (Handelsschaffung) und der inter-regionale Handel weniger betont wird, so daß Länder, welche nicht an den Regionalblöcken partizipieren, durch Handelsablenkungen wirtschaftliche Nachteile erleiden können. Dies führte dazu, daß insbesondere die USA im Rahmen der GATT-Abkommen versuchten, den inter-regionalen Handel zu stärken.

Während diese erste Phase regionaler Blockbildung auf dem europäischen Kontinent erfolgreich verlief (neben der EWG wurde 1960 – auch als Reaktion auf die EWG – die EFTA gegründet), scheiterten die Versuche regionaler Blockbildung auf den anderen Kontinenten. Die Gründe hierfür sind vielfältig und haben insbesondere mit den Entwicklungsstrategien und der Struktur der beteiligten Länder zu tun:

- Die intra-industrielle Arbeitsteilung ist nur schwach entwickelt, d. h. der Außenhandel wird fast ausschließlich über wenige Rohstoffe abgewickelt. Dies galt und gilt für viele Entwicklungsländer.
- Die Strategien der importsubstituierenden Industrialisierung (z. B. in Lateinamerika) waren wenig erfolgreich.

Am 1. 1. 1973 schlossen sich Dänemark, Großbritannien und Irland der EWG an, und das Freihandelsabkommen zwischen EWG und EFTA trat in Kraft. Im Laufe der 70er Jahre entwickelte sich die Gemeinschaft immer mehr zu einem Handelsblock, der nach außen geschlossen auftrat (gemeinsamer Außenzoll, gemeinsame Agrarpolitik, gemeinsame Handelspolitik) und einen zunehmenden Teil der Welt über Kooperations-, Freihandels-, Assoziierungs- und Präferenzabkommen an sich gebunden hat (Europa, Mittelmeerraum, AKP-Staaten im Rahmen des Lomé-Abkommens).

(b) Regionale Blockbildung in den 80er Jahren

Mit der Süderweiterung der EU (Griechenland 1981, Spanien und Portugal 1986) und der Einheitlichen Europäischen Akte (EEA 1987) mit dem Ziel der Schaffung eines Binnenmarktes bis zum Jahr 1992 wurde eine neue Phase regionaler Integrationsbestrebungen ausgelöst. Gegenstand des Binnenmarktprogramms war die Schaffung eines einheitlichen Wirtschaftsraumes ohne Binnengrenzen, der neben dem freien Warenverkehr auch einen gemeinsamen Markt für Dienstleistungen, den freien Personenverkehr und die Niederlassungsfreiheit beinhaltete. Mit dem am 7. 2. 1992 geschlossenen Maastricht-Abkommen (**EU-Vertrag**) wurde die Entwicklung der EU vorangetrieben mit den drei Säulen **EG-Vertrag** (EGV, früherer EWG-Vertrag), gemeinsame Außen- und Sicherheitspolitik (GASP) und Zusammenarbeit in der Innen- und Justizpolitik.

Parallel hierzu fanden Verhandlungen mit der EFTA statt zur Bildung eines **Europäischen Wirtschaftsraumes** (EWR), welcher 1994 in Kraft trat. Darüber hinaus wurden im Rahmen der sog. **Europa-Abkommen** die Reformländer Mittel- und Osteuropas in einem ersten Schritt in den westeuropäischen Markt integriert. Dies führte unter anderem zur Gründung der **CEFTA** *(Central European Free Trade Association)* als Ausgleich und Ergänzung zur einseitigen Orientierung der Reformländer Osteuropas in Richtung Westen.

Der Erfolg der EU trug dazu bei, daß parallel zur Ausweitung und Vertiefung der Integrationszone auf dem europäischen Kontinent weltweit alte Integrationsansätze wiederbelebt wurden, oder es bildeten sich neue Freihandelszonen. In Nordamerika folgte dem Freihandelsabkommen der USA mit Kanada (1988) bereits 1992 die Bildung einer Freihandelszone unter Einschluß von Mexiko im Rahmen des **NAFTA**-Abkommens, das 1994 in Kraft trat. In Lateinamerika wurden bereits existierende Abkommen (**MCCA, Andengruppe**) überarbeitet und mit neuem Leben gefüllt oder – wie beim **Mercosur** – neue Abkommen geschlossen. Im asiatischen Raum waren ebenfalls – wenn auch schwächer ausgeprägt – seit den 80er Jahren verstärkte Bemühungen zur regionalen Integration festzustellen. Hier sind insbesondere Bestrebungen zur Bildung der Freihandelszone der ASEAN-Staaten (**AFTA**) in Südostasien zu nennen.

(c) **Regionale und inter-regionale Integration in den 90er Jahren**

Seit Ende der 80er Jahre ist weltweit eine Zunahme von Ansätzen regionaler, inter-regionaler und bilateraler Freihandelsabkommen zu verzeichnen. Bis Februar 1999 wurden 184 regionale Handelsabkommen bei der WTO angemeldet. Hiervon sind 110 gegenwärtig in Kraft getreten. Fast jedes Land der Welt ist Mitglied mindestens eines Integrationsabkommens; die wirtschaftlich stärksten Länder und Staatengruppen sind in Integrationsräume wie EU, NAFTA und APEC eingebunden. Zudem gibt es zahllose **bilaterale Freihandelsabkommen** zwischen einzelnen Ländern. Verschiedene Staaten versuchen, sich an bestehende Integrationsräume anzugliedern (NAFTA, EU); zwischen Freihandelsblocks gibt es bi-regionale Annäherungstendenzen (u. a. EU-Mercosur).

Dieser «Boom» an neuen Ansätzen und die Wiederbelebung alter Projekte der regionalen Integration hat wirtschaftliche und politische Ursachen. Zu den wirtschaftlichen Ursachen gehören der zunehmende internationale Wettbewerb, die schleppenden Fortschritte und Wirkungen der Uruguay-Runde des GATT und die politische Neuorientierung nach dem Ende des Ost-West-Konflikts. Regionale Integrationsabkommen bieten für die beteiligten Länder in dieser Situation eine Reihe von wirtschaftlichen und politischen Vorteilen (vgl. Abschn. 13.7.2.2).

Als Beginn und zugleich als eine Ursache für die Integrationsbemühungen anderer Länder kann die Einheitliche Europäische Akte (EEA) von 1986 angesehen werden. Neben den Integrationsfortschritten in Europa – der Vertiefung und Erweiterung der EG beziehungsweise EU – waren vor allem drei weitere Faktoren von Bedeutung:

- die Ungewißheit über den Ausgang der Uruguay-Runde des GATT,
- die «De-facto-Integration» infolge der Zunahme regionaler Handels- und Investititonsströme als Motive regionaler Integration zwischen Industrieländern sowie
- Bemühungen um regionale Kooperation und Integration als Reaktion auf andere regionale Integrationsfortschritte.

Neuere Integrationsansätze sind im Gegensatz zu früheren Bemühungen durch zwei Tendenzen gekennzeichnet: Wettbewerbs- und Weltmarktorientierung der Entwicklungsländer und einen «offenen Regionalismus». Entwicklungsländer versuchen, die Vorteile regionaler Integration in Bezug auf die Verbesserung der internationalen Wettbewerbsfähigkeit auszunutzen, die durch einen besseren Zugang zu den Märkten der Industrieländer oder die Schaffung größerer Märkte in den Ländern selbst erreicht werden können. Im Gegensatz zu früheren Integrationsbemühungen, die auf die Abkopplung von den Industrieländern setzten, sind diese Projekte konsequent weltmarktorientiert.

Im Vergleich mit früheren Integrationsansätzen wird bei Integrationsabkommen, die nach dem Prinzip des «**offenen Regionalismus**» arbeiten, versucht, die handelsumlenkenden Wirkungen und damit die Wohlfahrtsminderung von Nicht-Mitgliedern zu verhindern. Das Prinzip des offenen Regionalismus ist, daß die Bildung regionaler Integrationsräume nicht verbunden ist mit der Abschottung gegenüber Außenstehenden (Schlagwort von der «Festung» Europa). Vielmehr ist es das Ziel des offenen Regionalismus, auch außenstehende Länder durch Zugang zu den geschaffenen Märkten an den wirtschaftlichen Vorteilen der Integration teilhaben zu lassen oder diese zumindest nicht schlechter zu stellen. Beispiele sind der Wunsch Chiles, der NAFTA beizutreten, sowie die Einbindung der Türkei durch die Zollunion mit der EU.

In der jüngeren Vergangenheit hat der Trend zu regionalen Handelsabkommen angehalten. In **Afrika** umfaßt die neue Wirtschafts- und Währungsunion (UEMOA) die frankophonen Staaten Westafrikas und plant – u. a. – die Einführung eines gemeinsamen Außenzolls. In Südafrika werden Verhandlungen geführt zur Schaffung einer Freihandelszone zwischen den Mitgliedern der SADC *(South African Development Community)*. Innerhalb dieser Gruppe überarbeitet die SACU (*South African Customs Union:* Botswana, Lesotho, Namibia, Südafrika, Swasiland) ihre gemeinsame Zollpolitik. Die *East African Cooperation* (EAC II) treibt den Prozeß in Richtung auf eine Wirtschafts- und Währungsunion voran. Die afrikanischen Staaten des Lomé-Abkommens verhandeln gegenwärtig mit der EU über ein neues EU-AKP-Abkommen.

In den ***Americas*** ist zwischen 34 Staaten ein Abkommen unterzeichnet worden zur Schaffung einer Freihandelszone von Nord- bis Südamerika bis zum Jahr 2005 (FTAA: *Free Trade Area of the Americas*). In Lateinamerika werden verbreitete Ansätze zu unilateraler Handelsliberalisierung überlagert von einer Revitalisierung der existierenden regionalen Integrationsabkommen. Im Mercosur ist die Entwicklung eines gemeinsamen Außenzolltarifs vorangekommen. Hinzu kommen Abkommen mit einzelnen Ländern aus der Region bzw. mit früheren subregionalen Gruppierungen wie zwischen dem Mercosur und der Andengruppe (*Comunidad Andina:* CAN) oder zwischen Kanada und Chile. Hinzu kommen Überlegungen bezüglich einer *South American Free Trade Area* (SAFTA), die möglicherweise den gesamten Südkontinent umfassen würde.

In **Asien** schreitet die ökonomische Integration innerhalb der ASEAN voran. Als direkte Reaktion auf die Asienkrise haben die ASEAN-Mitglieder die Handelsliberalisierung und die Öffnung für Direktinvestitionen beschleunigt. In Zentralasien haben fünf junge Länder (Kasachstan, Kirkisische Republik, Tadschikistan, Turkmenistan, Usbekistan) mit Iran, Pakistan und der Türkei Gespräche über Handelsbeziehungen aufgenommen. Japan hat Südkorea eine Freihandelszone vorgeschlagen, die ggf. plurilateral erweitert werden könnte. Im Vorfeld haben beide Länder eine Reihe von gegenseitigen Handelsrestriktionen aufgehoben.

In **Europa** werden Vorbereitungen für die Osterweiterung betrieben. Der EU-Rat hat als erste Stufe Estland, Polen, Slovenien, die Tschechische Republik, Ungarn und Zypern zu Verhandlungen über eine Vollmitgliedschaft eingeladen. Die Verhandlungen über eine neue Generation von Freihandelsabkommen mit den Mittelmeerländern zur Schaffung einer MFTZ *(Mediterranean Free Trade Zone)* sind im Gange. Mit der Türkei ist die Zollunion realisiert. Zudem haben die EFTA-Staaten zahlreiche Freihandelsabkommen mit mittel- und osteuropäischen Ländern und den Mittelmeerländern geschlossen.

Seit Mitte der 90er Jahre haben **inter-regionale** Freihandelsansätze an Bedeutung gewonnen. Die EU führt Freihandelsgespräche auf inter-regionaler Ebene mit dem Mercosur, Mexiko, Kanada und Südafrika. Im Rahmen der neuen **Transatlantischen Partnerschaft** arbeiten die EU und die USA an der Abschaffung nicht-tarifärer Handelshemmnisse. Zu den wichtigsten **inter-regionalen Freihandelsabkommen** zählen:

- die *Asian-Pacific Economic Cooperation* (**APEC**), die auf die Schaffung einer Freihandelszone (*Pacific American Free Trade Area*, **PAFTA**) – bis zum Jahre 2010 für Industrieländer beziehungsweise 2020 für Schwellen- und Entwicklungsländer im asiatisch-pazifischen Raum abstellt;
- die *Free Trade Area of the Americas* (**FTAA**) oder *Western Hemisphere Free Trade Association* (**WHFTA**), deren Schaffung auf dem Gipfeltreffen der Organisation der Amerikanischen Staaten (**OAS**) 1994 in Miami beschlossen wurde. Ziel ist die Bildung einer Freihandelszone bis zum Jahr 2005.
- die *Transatlantic Free Trade Area* (**TAFTA**), die 1995 in den Gemeinsamen Aktionsplan der EU und der USA aufgenommen wurde. Hierbei werden Vorschläge zur Schaffung eines transatlantischen Wirtschaftsraumes zwischen Europa und den USA diskutiert.
- die *Mediterranean Free Trade Zone* (**MFTZ**) zwischen der EU und 12 Ländern des Mittelmeerraumes bis zum Jahr 2010, welche 1995 mit der Barcelona-Deklaration beschlossen wurde.
- Die EU visiert Freihandelsabkommen mit anderen regionalen Integrationsabkommen an. Beispielsweise laufen seit 1995 Verhandlungen über die Schaffung einer Freihandelszone zwischen der **EU** und dem **Mercosur** sowie zwischen der **EU** und **Südafrika** beziehungsweise zwischen der **EU** und der **SADC**. Die EU versucht auch, bei der Neuverhandlung des Lomé-Abkommens direkt mit Staaten-

gruppen zu verhandeln, und will damit auch indirekt regionale Integrationsprojekte in Entwicklungsländern fördern.

Von den aufgeführten inter-regionalen Abkommen tritt lediglich die APEC aktuell in Erscheinung. Darüber hinaus scheint der «Boom» an regionalen Integrationsprojekten, der Ende der 80er Jahre einsetzte, jetzt einer Konsolidierungsphase zu weichen. Die Bildung neuer regionaler Integrationszonen steht weniger im Vordergrund, vielmehr werden bestehende Integrationsräume neu ausgerichtet. Strategisch geben die meisten Integrationsräume dabei der Vertiefung der Integration den Vorzug gegenüber einer Erweiterung *(deepening* vs. *widening)*.

Parallel zur regionalen und inter-regionalen Integration verstärken sich **subregionale** Integrationsansätze, insbesondere im asiatischen Raum, wo sich grenzüberschreitend sog. **Wachstums-Dreiecke** als Mini-ASEANS bilden, beispielsweise zwischen Indonesien, Malaysia, Brunei und den Philippinen oder um das Mekong-Becken herum. Sie formieren sich im wesentlichen als lokale Freihandelszonen. Auf die völkerrechtlichen Feinheiten solcher Arrangements kann hier nicht eingegangen werden.

Die Effekte regionaler Integration manifestieren sich vielfach nur mittel- und langfristig und sind daher vor allem in den jüngeren Integrationsräumen noch nicht umfassend abzuschätzen (u. a. NAFTA, Mercosur). Bei einigen Integrationsabkommen ist abzusehen, daß sie nicht fristgerecht oder vollständig umgesetzt werden (SAARC, AFTA). Inter-regionale Integrationsabkommen stehen erst am Beginn der Umsetzung (wie TAFTA oder die WHFTA). Die EU, die NAFTA und der Mercosur weisen eine hohe Integrationsdynamik auf. Bei diesen Integrationsabkommen sind auch die dynamischen Effekte bereits zu beobachten. Die wichtigsten Integrationsabkommen hinsichtlich der Marktgröße sind NAFTA, EU, APEC; die drei Gravitationszentren der Weltwirtschaft Europa, Nordamerika und Japan/Südostasien sind in regionalen oder inter-regionalen Abkommen eingeschlossen. Besonderes Interesse genießen strukturell heterogene Freihandelszonen wie die NAFTA hinsichtlich der Tatsache, ob eine Übertragung von Wissen und Technologie und so der Aufbau von wissensbasierten Wettbewerbsvorteilen gelingt.

Die politischen Vorteile der regionalen Integration sind in vielen Abkommen zum Tragen gekommen, die ein höheres Liberalisierungstempo des Handels als die WTO realisieren. In der NAFTA und im Mercosur wird z. B. die Landwirtschaft einbezogen. Nicht-tarifäre Handelshemmnisse wurden innerhalb der EU und der NAFTA weitgehend abgebaut. Im Verlauf der *«deeper integration»* ist eine Koordinierung von Makro- und Sektorpolitiken in der EU und im SADC zu beobachten. In der NAFTA passen sich Kanada und Mexiko in einigen Bereichen wie Landwirtschaft an die Politik der USA an. Viele regionale Integrationsabkommen – Mercosur, SADC, ECOWAS, CARICOM, MCCA – treten kollektiv, als völkerrechtliche Subjekte, in internationalen Verhandlungen nach außen hin auf, z. B. auch in Verhandlungen mit der EU. Abb. 13.7.2/1 stellt die Integrationsabkommen nach ihrer geographischen Zuordnung zusammen. Abb. 13.7.2/2 enthält einige grundlegende Daten wichtiger Freihandelszonen.

Gemessen an der Wirtschaftskraft (Bruttoinlandsprodukt) ist die NAFTA der größte Integrationsraum mit rd. 8700 Mrd. USD (1997), gefolgt von der EU mit 8580 Mrd. USD. Der Mercosur weist 1135 und die ASEAN 745 Mrd. USD aus. Beim Anteil am Welthandel ist die EU bei den Exporten mit 44,7% der größte Integrationsraum, gefolgt von Asien (allgemein) mit 24,8%, Nordamerika (17,2%), Lateinamerika (5,2%), MOE (3,4%) und den übrigen Entwicklungsländern (4,7%). Bei den Importen liegt wiederum die EU an der Spitze mit 43,6%, vor Nordamerika (21,3%), Asien (20,1%), Lateinamerika (6,3%), MOE (3,8%) und den anderen Entwicklungsländern mit 4,9% (WTO-Zahlen).

Im Hinblick auf die Bevölkerung leben in der ASEAN 485 Mio. Menschen, in der NAFTA 392, in der EU 374 und im Mercosur 208 Mio. Menschen.

13.7.2.2. Ökonomische Wirkungen regionaler Integration

(a) **Statische Effekte**

(1) Freihandelsabkommen sind Teil einer exportorientierten Entwicklungsstrategie, sowohl in Industrie- als auch Entwicklungsländern. Regionale Integrationsabkommen sollen im ökonomischen Bereich **Vorteile** bringen, die allgemein unter dem Begriff **Handelsschaffung** zusammengefaßt werden (Viner 1950, Cecchini 1988). Statische Effekte, genauer gesagt: komparativ-statische Effekte beschreiben die Veränderungen, die sich unter sonst gleichen Voraussetzungen kurzfristig durch den Abbau tarifärer und nicht-tarifärer Handelshemmnisse ergeben: Die Abschaffung der Zölle verbilligt Importe; der Abbau anderer, nicht-tarifärer Handelshemmnisse erleichtert es den Unternehmen allgemein, sich international zu betätigen. Insgesamt führt dies dazu, daß sich zwischen den integrierenden Staaten Handelsbeziehungen neu entwickeln oder verstärken, von denen die beteiligten Staaten im Hinblick auf *Existenzsicherung* von Unternehmen, *Beschäftigung* von Arbeitnehmern und *Einnahmen* des Staates profi-

Abb. 13.7.2/1: Integrationsabkommen

Europa:
- European Union (EU),
- European Free Trade Association (EFTA),
- Central and Eastern European Free Trade Area (CEFTA),
- Baltische Freihandelszone (BFTA),

Nordamerika:
- North American Free Trade Agreement (NAFTA),

Lateinamerika und Karibik:
- Asociación Latinoamericana de Integración (ALADI),
- Mercado Común del Sur (Mercosur),
- Andengemeinschaft (Comunidad Andina, CAN),
- Mercado Común Centroamericano (MCCA),
- Caribbean Community and Common Market (CARICOM),

Asien und Australien:
- Closer Economic Relations Trade Agreement (CER),
- Association of South-East Asian Nations (ASEAN),
- ASEAN Preferetial Trading Arrangement (PTA),
- ASEAN Free Trade Association (AFTA),
- Bangkok-Agreement,
- South Asian Association for Regional Cooperation (SAARC),
- South Asian Free Trade Zone (SAFTA),
- Economic Cooperation Organisation (ECO).

Afrika und Mittlerer Osten:
- Arab Common Market (ACM),
- Gulf Cooperation Council (GCC),
- Arab Maghreb Union (UMA),
- Union Douanière des Etats de l'Afrique de l'Ouest (UDEAO),
- Communauté Economique de l'Afrique de l'Ouest (CEAO),
- Union Economique et Monétaire Ouest-Africaine (UEMOA),
- Union Douanière et Economique de l'Afrique Central (UDEAC),
- Communauté Economique des Etats de l'Afrique Central (CEEAC),
- Southern African Development Community (SADC),
- East African Community (EAC),
- Mano River Union (MRU)
- Economic Community of West African States (ECOWAS),
- Preferential Trade Area for Eastern and Southern African States (PTA),
- African Economic Community (AEC),
- Common Market of East and South African States (COMESA).

Inter-regionale Abkommen:

Existierend:
- Asian-Pacific Economic Cooperation (APEC),
- EU-AKP (Lomé-Abkommen),
- Mediterranean Free Trade Zone (MFTZ)

Im Verhandlungsstadium:
- Latin American Free Trade Area (LAFTA),
- Free Trade Area of the Americas (FTAA),
- Transatlantic Free Trade Area (TAFTA),
- EU- Mercosur, EU-Südafrika/SADC.

Abb. 13.7.2/2: Grundlegende Daten zu einigen Integrationsräumen

Abkommen	Gründungs-zeitpunkt	Integrations-partner	Integrationsraum – Fläche in km²	BIP in Mrd. $
EU	1958	15	3.130.199	7.201,70
EFTA	1960	4	447.790	280,60
Lomé IV	1975/1989[1]	EU + 70 AKP-Staaten	–	–
CEFTA	1992	6	782.051	502,10
NAFTA	1992	3	20.302.970	9.108,00
APEC	1989	17	43.407.571	18.824,60
ASEAN	1967/1992	9	4.184.737	1.887,00
SAARC	1985	6	3.997.860	2.061,02
ALADI	1980	11	19,027.984	2.819,10
Mercosur	1991	4	11.794.320	1.362,60
CAN	1969/1990	6	4.561.824	558,90
MCCA	1960/1994	7	411.954	89,40
CARICOM	1973	14	410.429	39,18
SADC	1992	14	9.086.455	356,95
ECOWAS	1975/1993	16	6.145.000	72,10

[1] Gründungszeitpunkt und Zeitpunkt der (letzten) Erneuerung des Abkommens.

Quelle: eigene Zusammenstellung, basierend auf World Fact Book, 1996

tieren. Dies läßt sich in der EU tatsächlich sehr gut beobachten: Der Handel zwischen den EU-Ländern erhöhte sich seit Gründung der Gemeinschaft um über 800% (vgl. Abb. 13.7.2/3). Von der zunehmenden regionalen Importkonkurrenz betroffene Unternehmen und Arbeitnehmer registrieren diese Integrationswirkungen direkt und un-

Abb. 13.7.2/3: Positive Effekte der Integration

EU-Beitritt fördert Österreichs Wachstum

Institut für Wirtschaftsforschung sagt Rationalisierungsdruck voraus

Amerikanisch-mexikanischer Handel wächst

Ein Ergebnis des Freihandelsabkommens

EG-Integration

Eine Erfolgsstory

mittelbar. Daß durch protektionistische Praktiken potentielle Arbeitsplätze *nicht* geschaffen werden und Staatseinnahmen *nicht* entstehen, ist hingegen meist nicht transparent. Methodisch ist es allerdings schwierig, integrationsbedingte Handelseffekte von anderen Einflußfaktoren abzugrenzen (Weltkonjunktur, Wechselkurse etc.).

(2) Neben der attraktiven Handelsschaffung kann nicht übersehen werden, daß eine Integration auch zwischenstaatliche **Probleme** bringen kann. Insbesondere ist zu berücksichtigen, daß die internen Handelsströme die Beziehungen zu jetzigen Drittländern ganz oder teilweise ersetzen können (**Handelsumlenkung** oder **-ablenkung**) (Abb. 13.7.2/4), mit entsprechend negativen Wirkungen auf die **Beschäftigung** und die **Staatsfinanzen** des benachteiligten Landes. Beispielsweise wurden die Handelsbeziehungen Marokkos oder Tunesiens, die u. a. Orangen, Oliven, Speiseöl etc. in die EU liefern, durch den Beitritt erst Griechenlands, dann Spaniens und Portugals zur EU nachhaltig erschwert, da den drei «EU-Südländern» nun keine Handelsbarrieren mehr zur EU gegenüberstanden. Analoge handelsablenkende Wirkungen würden sich umgekehrt für eben diese EU-Südländer ergeben, wenn im Zuge einer EU-Mittelmeer-Freihandelszone auch eine Liberalisierung der gegenwärtig noch protektionierten EU-Landwirtschaft erfolgt. Die EU wiederum hat durch die NAFTA etwa die Hälfte ihrer Marktanteile in Mexiko an die USA verloren.

Abb. 13.7.2/4: Handelsumlenkung

Brasilien: Angst vor dem nordamerikanischen Freihandel

(3) Der Wegfall von Importzöllen reduziert den Bruttoimportpreis und regt – bei entsprechenden Elastizitäten – die Nachfrage an. Dieser Importsog kann – wenn nicht analog eine Exportzunahme erfolgt – zu einem **Leistungsbilanzdefizit** führen mit entsprechend erforderlichem Kapitalimport (externe **Verschuldung**). Andernfalls erhöht sich die Nettonachfrage nach der Währung des Exportlandes.[17] Bei freiem **Wechselkurs** wird dies zu einem entsprechenden Kursanstieg der Auslandswährung (Abwertung der Inlandswährung) führen, sofern nicht gleichzeitig die Exportnachfrage seitens des betreffenden Auslandes eine Kompensation bewirkt. Eine völlige Wechselkursneutralität tritt nur ein, wenn die bilateralen Handelsbeziehungen symmetrisch sind.

[17] Von Sonderfällen in Ländern mit ‹interessanten› Währungen, in denen Importe wie Exporte in hohem Maße in Inlandswährung fakturiert werden (u. a. Deutschland), sei hier abgesehen.

Eine Abwertung verbessert zwar die Exportchancen, verteuert aber wiederum die Importe (immer entsprechende Preiselastizitäten vorausgesetzt). Dies betrifft dann alle Importgüter, die ggf. vorher sogar zollfrei waren. Eine abrupte Abschaffung der Binnenzölle würde zu entsprechend heftigen zahlungsbilanz- und währungstechnischen Reaktionen führen. Auch aus diesen Gründen – neben der Absicht, beschäftigungs- und wettbewerbspolitischen Druck abzufedern – erfolgen Zollreduktionen sowohl im Rahmen regionaler Integration als auch global im WTO-Kontext dosiert und über einen längeren Zeitraum verteilt. Besonders kompliziert wird die Situation, wenn – wie im Mercosur – ein wichtiger Handelspartner (Argentinien) seine Währung an den US-Dollar koppelt, während ein anderer (Brasilien) gleichzeitig seine Währung völlig freigibt. Die entsprechenden **Zahlungsbilanz-** und **Wechselkursreaktionen** sind dann nicht mehr den Effekten von Handelsschaffung und -umlenkung zurechenbar.

Die Perspektive sollte aber nicht nur auf die eher quantitativen Aspekte eines Zollabbaus in regionalen Freihandelszonen verengt werden. In vielen Ländern ist das externe Zollniveau im Rahmen der GATT-Runden deutlich abgesenkt worden. In der EU besteht gegenwärtig – bei völliger Zollfreiheit für einen großen Warenkorb – ein durchschnittlicher Außenzoll von rund 4%. Eine weitere Absenkung würde daher kaum einen signifikanten Preisdruck auslösen. Höhere Zollsätze sind – auch international – nur noch üblich in den Bereichen Textil und Kleidung, Stahl, Leder, Schuhe und Automobile. In dem Maße, wie tarifäre Maßnahmen zurückgenommen werden, gewinnen zum einen nicht-tarifäre Maßnahmen und die nationalen Binnenmarktpolitiken (z. B. bezüglich Produktionssubventionen) an Bedeutung. Zum anderen sollten eher qualitative Aspekte beachtet werden.

(b) Dynamische Effekte

(4) Die beschriebenen statischen Preis- und Handelseffekte eines Freihandelsabkommens sind sicherlich positiv und wichtig. Noch bedeutsamer sind aber die induzierten mittel- und langfristigen *dynamischen Effekte* der Integration. Ihre Berücksichtigung überwindet die Perspektive, daß Handel sich auf bewegliche Güter bezieht, während die Produktionsfaktoren in Art und Standort unbeweglich sind. Mittelfristig führt steigendes Volkseinkommen zu zunehmendem Sparen und Investition und regt das Wirtschaftswachstum weiter an. Langfristig regt Wachstum zur Innovation an, weil sich die Anreize zur Investition in neue **Technologien** verstärken. Dies gilt auch für Freihandelszonen, in denen sich vergleichsweise ineffiziente Länder ge-

genüber der Drittlandskonkurrenz durch protektionistische Maßnahmen schützen können. Sofern aber effizientere Nachbarländer auch aus dem Drittlandsgeschäft Nutzen ziehen, nimmt der Anpassungsdruck auf ineffiziente Unternehmen zu. Dies kann dazu führen, daß solche Unternehmen aus dem Markt gedrängt werden, wodurch sich das Bedüfnis der übrigen Wirtschaft nach Protektion gegenüber Drittländern vermindern kann. Insgesamt verstärkt sich der **Technologietransfer** innerhalb des Integrationsraumes ebenso wie der Transfer von außen durch Direktinvestitionen (vgl. auch im folgenden).

(5) Auf der Unternehmensebene führt die Handelsschaffung im vergrößerten Markt zu verstärktem mikroökonomischem Wettbewerb und zum Abbau von Monopolstellungen. Zunehmender Wettbewerbsdruck zusammen mit der Wahrnehmung von Marktchancen im vergrößerten regionalen Markt führt zu **Skalenerträgen** mit Mengen- und Preiseffekten und erweitert die Produktpalette. Insbesondere sind die positiven unternehmerischen und handelspolitischen **Lerneffekte** und Erfahrungen hervorzuheben, die sich aus der Zunahme des inter regionalen Handels und der Direktinvestitionen ergeben, u. a. bezüglich der Anwendung von *best practices* und der Bildung von Humankapital. Verbesserungen, die sich im Bereich der Arbeitsprozesse, der Unternehmensorganisation, des Managements etc. ergeben, werden als «X-Effizienz» bezeichnet (Leibenstein 1966). Analyserahmen wie für die *Trade Policy Reviews* der EU verdeutlichen das weite Spektrum solcher handelspolitisch induzierter Effekte.

(6) Obgleich es Gegenbeispiele gibt (Mercosur), wirkt sich die ökonomische Integration positiv auf die **makroökonomische Stabilität** der Mitgliedstaaten aus. Dies ist daher sowohl Voraussetzung für den Integrationserfolg (Abschn. 13.7.2.8) als auch Wirkung. Zu verzeichnende Instabilitäten wie im Rahmen der sog. Asienkrise seit 1997 sind jedoch nicht auf die Integrationswirkungen zurückzuführen, sondern auf externe Faktoren, welche die positiven Integrationswirkungen überlagern und überkompensieren. Auch für den Mercosur ist jedoch festzustellen, daß die früher chronischen galoppierenden Inflationen offenbar weitgehend gebändigt werden konnten, und dies gilt auch für Vietnam im Zusammenhang mit seinem ASEAN-Beitritt.

(7) Die Veränderung der Handelsströme und der Konsumstrukturen beeinflussen auch die **Investitionsströme.** Dabei ist zwischen Neuinvestitionen und Standortverlagerungen zu unterscheiden. Normalerweise sind Standortverlagerungen als Folge regionaler Integration selten, weil die Kosten der Verlagerung (incl. der Abschreibung bestehender Kapazitäten) tendenziell höher sind als die daraus resultierenden Nutzen. Neuinvestitionen werden elastischer auf regional

unterschiedliche Standortbedingungen reagieren. Dies gilt auch für ausländische Direktinvestitionen, die von den Entwicklungsperspektiven des entstehenden Integrationsraums angezogen werden, insbesondere im Hinblick auf die Größe und das erwartete Wachstum des regionalen Marktes. Dabei ist nach praktischen Erfahrungen weniger der Zollabbau der wichtigste Faktor, sondern die Beseitigung nichttarifärer Handels- und Investitionsbehinderungen. Hierzu zählt auch, wenn staatliche Beschaffungen nicht mehr nur national, sondern regional ausgeschrieben werden. Viele Direktinvestitionen erfolgen auch, um die externe Protektion des Integrationsraumes gegen Importe zu unterlaufen und den regionalen Markt ‹von innen› bedienen zu können. Die sog. **Inländerbehandlung,** d. h. Gleichbehandlung von in- und ausländischen Investoren im Hinblick auf inländische Vorschriften, ist für ausländische Direktinvestitionen nicht unbedingt eine notwendige Voraussetzung, sofern die Marktchancen entsprechend attraktiv sind.

Empirische Studien belegen allerdings, daß die Entwicklung von Investitionsströmen sich noch sehr viel schwieriger prognostizieren läßt als die Handelseffekte. Wegen der meist längerfristigen Bindungen orientieren sich Investoren sensibler an der politischen und makroökonomischen Stabilität als kürzerfristig disponierende Händler. Dies hängt auch von der erwarteten Marktdynamik ab, so daß in Mexiko der NAFTA-Effekt deutlich zu beobachten ist. Zudem spielt auch die Integrationstiefe eine Rolle: Integrationsräume, die erwarten lassen, daß sie über eine ‹flache› Handelsliberalisierung hinaus tatsächlich tiefe Integrationsstufen realisieren werden (Mercosur), ziehen eher Direktinvestoren an als in dieser Hinsicht unsicherere Regionen (CEAO). Grundsätzlich können Investitionsprognosen nur für den konkreten Fall gemacht werden.

Besondere Prognoseprobleme stellen auch dynamische Veränderungen in der Infrastruktur des Integrationsraums. Die staatliche Infrastrukturpolitik hat wiederum Rückwirkungen auf die ökonomischen Aktivitäten der Privatwirkungen, und *vice versa.* Die Parameter solcher Inter- und Autokorrelationen müssen in aller Regel aus Vergangenheitswerten abgeleitet werden und können politische Entwicklungsprozesse kaum berücksichtigen, es sei denn in alternativen Szenarien.

(8) Das ökonomische und politische Zusammenwachsen der Mitgliedstaaten eines Freihandelsraumes bewirkt auch eine allgemeine Tendenz zur **Harmonisierung.** Dies gilt sowohl sektoral und instrumental hinischtlich Annäherungen und Vereinheitlichungn in der Landwirtschafts-, Energie-, Verkehrs-, Geld-, Finanz- oder Zollpoli-

tik[18] als auch rechtlich und technisch hinsichtlich der Angleichung nationaler Rechtsnormen (ggf. sogar auf supranationaler Ebene wie in der EU) und der technischen und Umweltstandards.

Diese tendenziell internen positiven Effekte strahlen aber über steigende Importnachfrage auch positiv auf Drittländer aus, während die traditionellen Viner'schen Ansätze nur die kurzfristigen negativen Effekte der Handelsumlenkung berücksichtigten. Allerdings besteht weitgehende Übereinstimmung in der Einschätzung, daß die Drittländer in der Regel Nettoverlierer sind, wobei je nach Lage des konkreten Falles sich sehr unterschiedliche Wirkungen einstellen können.

(9) Handelsliberalisierung ist eine Folge eines politischen Umdenkens; sie ist (meist) zu sehen vor dem Hintergrund einer Veränderung der grundsätzlichen Staatsphilosophie und im Zusammenhang mit einem allgemeinen Klima von **Liberalisierung.** Dies war in Lateinamerika besonders deutlich zu beobachten, wo erst mit dem Niedergang der Militärregimes eine freihändlerisch und demokratisch ausgerichtete Staatskultur an Boden gewann, und auch auf einige asiatische Staaten trifft dies zu. Dies wirkt sich natürlich auch auf das makroökonomische Klima aus. Die Abschaffung von Handelsrestriktionen beseitigt die meisten bisher bestehenden Anreize zum **illegalen Handel** und trocknet Schmuggelaktivitäten stark aus (abgesehen von weiter bestehenden Verboten und Beschränkungen [V. u. B.]). Gleichzeitig verringert sich die ‹Notwendigkeit›, administrative Prozeduren (Lizenzen, Einfuhr- und Ausfuhrkontrollen, Devisenkontrollen etc.) durch Korruption zu ‹glätten›. Die damit verbundene Veränderung von Machtstrukturen geht nicht immer reibungslos vonstatten.

(10) Im Gleichschritt mit der Handelsliberalisierung erfolgt in den meisten Ländern auch ein Akzentwechsel weg von der staatlichen Intervention über Deregulierung hin zur Betonung **privatwirtschaftlicher Aktivitäten,** wobei Privatisierungen nur ein Symptom sind. Dies verändert die Entscheidungsstrukturen, verringert die staatlichen Kontrollen, vergrößert die individuellen Freiheiten und impliziert eine entsprechende staatspolitische Wertschätzung des individuellen Handelns. Ökonomische Liberalisierung ist ohne eine kongruente politische Reform kaum denkbar. Die Reduzierung der direkten Staatsintervention impliziert aber keineswegs einen schwachen Staat, sondern im Gegenteil: Der sich auf Kernfunktionen zurückziehende Staat muß ein starker Staat sein, der auch ohne die bisherigen Kon-

[18] Auch in Freihandelszonen mit unterschiedlichen Außenzolltarifen ist zu beobachten, daß die Zoll*verfahren* harmonisiert und vereinfacht werden. Besonders deutlich ist dies zwischen EU und EFTA zu beobachten.

trollmechanismen im Handelsbereich robust genug ist, die mit der regionalen Integration einhergehenden Anpassungsprobleme zu bewältigen.

(11) Die betrachteten vorrangig ökonomischen Effekte eines Freihandelsabkomens bewirken auch **soziologische Veränderungen** durch die Verbreiterung der Mittelschicht und das Entstehen neuer, einkommensstarker Käufergruppen. Dies bezieht sich sowohl auf die Produktpräferenzen der Nachfrager, die sich – auch beeinflußt durch Werbung und Tourismus – verstärkt an ausländischen Lebensstilen orientieren, als auch auf Art, Umfang und Qualität der unternehmerischen Werbekommunikation. Diese Veränderung der individuellen Wertestrukturen kann neben soziologischen auch politische Veränderungen nach sich ziehen.

(12) Auf der Unternehmensebene bedeutet der Wegfall zwischenstaatlicher (Schutz-)Zölle einen zunehmenden **Wettbewerbsdruck** aus den Partnerländern, dem nicht alle Unternehmen gewachsen sind; das Beispiel der Ex-DDR belegt die entstehenden Anpassungszwänge. Für die dabei von Arbeitslosigkeit betroffenen Arbeitnehmer ist die Aussicht auf einen Aufschwung in anderen Sektoren kein Trost. Viele Entwicklungsländer haben ein hohes Niveau an **effektiver Protektion,** so daß sie entsprechend stark von Importkonkurrenz betroffen wären. Angesichts der globalen Liberalisierung im Rahmen von WTO/GATT nimmt der internationale Wettbewerbsdruck allgemein deutlich zu. Beispielsweise liegt das Außenzollniveau der EU im Schnitt unter 4% und stellt – außer bei zahlreichen ‹sensiblen› Gütergruppen – keine Protektion mehr dar, die den Intra-Ländern signifikante Wettbewerbsvorteile verschafft. Da sich aber alle WTO-Länder zu Zollsenkungen verpflichtet haben, gibt es auch keine herausragenden Inseln der Protektion mehr. Die handelsschaffenden Effekte aufgrund des Zollabbaus sollten daher nicht überbewertet werden. Andere Aspekte werden dadurch wichtiger, zu denen insbesondere die Standortbedingungen für Direktinvestitionen werden. Industrielle Entwicklung, die in erster Linie auf zunehmenden Handel setzt, ist gegenüber einer investitionsorientierten Politik im Nachteil.

(13) Der **administrative Aufwand** ist bei der Erhebung von Zöllen wegen der vergleichsweise kleinen Zahl der Grenzkontrollstellen, Flughäfen oder Fluß- und Seehäfen relativ gesehen gering. Direkte und indirekte Steuern erfordern ein sehr viel differenzierteres Verwaltungssystem, auch unternehmensintern. Nicht von ungefähr stützen sich die Staatsbudgets vieler Entwicklungsländer in hohem Maße auf Zolleinnahmen. Handelsliberalisierung geht daher einher mit einer Umstrukturierung der **Einnahmen der Staatshaushalte**, ein Prozeß,

der administrativ verkraftet werden muß und in vielen Fällen von erheblichen Kapazitätsproblemen beengt wird.

(14) Ein besonderes Problem stellt die **Kontrolle** nicht-ökonomisch motivierter, import- und exportbezogener Verbote und Beschränkungen (V. u. B.) dar: Exportembargos, technische Standards, Rauschgiftkontrolle, Waffenhandel, Pornographieverbot, Umweltstandards etc. Da diese Restriktionen grundsätzlich weiter bestehen und teilweise sogar aufgrund regionaler Harmonisierungen auf nationaler Ebene eingeführt werden, muß ihre Einhaltung entsprechend überwacht werden. Während natürlich die Abschaffung von Abgaben auf dem intra-regionalen Warenverkehr ein zentrales Element der Handelsliberalisierung darstellt, bedeutet eine Beibehaltung der bisherign Grenzkontrollen zur Aufrechterhaltung nicht-ökonomisch und nicht-zolltariflich motivierter Kontrollen eine entsprechend weiterbestehende Behinderung des zwischenstaatlichen Warenverkehrs. Hinzu kommen erforderliche Kontrollen aus zolltechnischen Gründen (z. B. zur Feststellung des Warenursprungs zur Gewährung der intra-regionalen Zollpräferenzen) und aus steuertechnischen Gründen, um unterschiedliche Umsatzsteuersätze beim Grenzübertritt auszugleichen. Eine vollständige Abschaffung der warenbezogenen Grenzkontrollen (so wie in der EU) reduziert die staatlichen Kontrollmöglichkeiten ganz erheblich. Ein nicht unwichtiger Nebeneffekt besteht darin, daß durch den Wegfall von Zollformalitäten die Basis für statistische Datenerhebung verändert wird. In der EU mußte ersatzweise das IntraStat-System eingeführt werden. Abgesehen von Stichproben im Grenzgebiet bzw. im Binnenmarkt verlagern sich die Überwachungen des Warenhandels in die **Unternehmen,** denen zum einen in verstärktem Maße Buchführungspflichten auferlegt werden, und die zum anderen mit verstärkten und ausgedehnteren Betriebsprüfungen rechnen müssen. Dies wiederum erfordert entsprechend geschultes Personal auf Verwaltungsseite.

Aber auch bereits lange vor der Reduzierung bzw. Abschaffung von Grenzkontrollen im gemeinsamen Markt der EU hatte sich im Europäischen Wirtschaftsraum (EWR = EU + EFTA) die Notwendigkeit ergeben, die **Zollverfahren** so zu reformieren, daß der weitaus größte Teil der erforderlichen Kontrollen von den Grenzzollämtern auf Binnenzollämter verlagert wurde. Dies erforderte eine umfassende Harmonisierung der Abfertigungsverfahren, die auch anderen Integrationsräumen als Vorbild dienten.

(15) Parallel mit dieser Verlagerung ergeben sich auch Konsequenzen für die Finanzverwaltungen. Die Abschaffung von Zollkontrollen bedeutet für sich besehen weniger Personalbedarf. Mittelfristig kann

dies zu entsprechendem Stellenabbau und Verringerung der Personalausgaben führen, denn nicht immer produziert die Geschichte einen davon unabhängigen Personalbedarf: Sehr viele eigentlich aufgabenlos gewordene Beamte der deutschen Zollverwaltung an den bisherigen Binnengrenzen konnten durch den gleichzeitig aufkommenden Beratungsbedarf in ostdeutschen und osteuropäischen Zollverwaltungen eingesetzt werden. Gleichzeitig hat die deutsche Zollverwaltung eigentlich ‹artfremde› Aufgaben übernommen, wie u. a. die Kontrolle sozialabgabenpflichtiger Beschäftigungsverhältnisse auf Baustellen. Diese sehr besondere deutsche Situation läßt sich aber kaum so auf andere Länder übertragen, so daß sich oft ein Beharrungsvermögen der Administration beobachten läßt, die – wenn nicht Zölle – dann eben andere Aspekte an den Grenzen kontrolliert.

(16) Einige weitere Aspekte sind zu berücksichtigen:

- In der EU existiert (noch) ein vergleichsweise hohes Agrarpreisniveau, dem sich Neu-Mitglieder anpassen müssen, so daß die entsprechenden **Verbraucherpreise** meist deutlich über den Weltmarktpreisen liegen (Abb. 13.7.2/5).

Abb. 13.7.2/5: Bremsende Stimmen

AUSTRALIEN / Verbindung mit der Afta bringt nicht nur wirtschaftliche Vorteile

Handelsminister warnt vor zu großer Hast bei Integration in den asiatischen Raum

- Aufgrund der internen Handelsliberalisierung kann nicht immer verhindert werden, daß Güter mit niedrigeren **technischen Standards** und **Umweltstandards** importiert werden.
- Bei Freihandelszonen müssen **Ursprungsregeln** ausgehandelt werden, um zu verhindern, daß ‹Umwegimporte› über ein zollgünstigeres Mitgliedsland die Zolltarife eines anderen Landes unterlaufen (vgl. Abschn. 13.7.2.4). Komplizierte Ursprungsregeln mit entsprechendem administrativen Aufwand können sich handels- und importbehindernd auswirken.
- Die Einführung eines gemeinsamen Außenzolltarifs kann gemäß Art. XXVIII GATT ggf. **Kompensationsverhandlungen** erforderlich machen. Dies ist dann der Fall, wenn der gemeinsame Außenzoll für ein bestimmtes Gut höher ist als der ursprüngliche Zollsatz, den ein Mitgliedsland bisher gegenüber anderen Ländern erhob. In Verhandlungen mit betroffenen Handelspartnern muß dann nach dem GATT versucht werden, kompensierende Zollsenkungen bei ande-

ren Gütern zu erreichen. Sofern dies nicht möglich ist, können betroffene Länder ihrerseits Retorsionszölle (Vergeltungszölle) einführen, die allerdings als MFN-Zölle[19] auch für alle anderen Handelspartner des betreffenden Landes gelten müssen. Hierfür gibt es allerdings nur verschwindend wenige praktische Beispiele.

- Handelsumlenkende Effekte zum Nachteil von Drittländern können dazu führen, daß – ohne GATT-rechtlichen Zwang – auf der politischen Ebene **Kompensationen** ausgehandelt werden. Die erheblichen Zollsenkungen der EU in der Tokyo-Runde und der Uruguay-Runde sollten auch dazu beitragen, Drittländer für Nachteile aufgrund der EU-internen Handelsschaffung zu entschädigen. Auch Australien und Neuseeland haben 1983 ihr *Closer Economic Relations Agreement* und die USA und Kanada die NAFTA-Gründung mit Senkung ihrer Außenzölle begleitet. So gesehen, unterstützen für sich genommen inselhafte regionale Liberalisierungen tendenziell eine globale Liberalisierung. Dies entkräftet Vorwürfe bezüglich der Bildung von «Festungen», wie es der EU oft vorgeworfen wird. Während solche Konzessionen in einer Zollunion den Konsens aller Mitglieder voraussetzen, können sie in einer Freihandelszone autonom von jedem Land durchgeführt werden. Kanada hat unabhängig von den USA eine Vielzahl von Zollsenkungen vorgenommen, um den kanadischen Unternehmen den Wettbewerbsnachteil auszugleichen, den diese gegenüber amerikanischen Unternehmen hatten, solange die US Zölle niedriger waren als die kanadischen (Abb. 13.7.2/6).

(17) Der mit der Handelsliberalisierung verbundene Verzicht auf Zolleinnahmen muß natürlich haushaltspolitisch kompensiert werden, denn die implizierte Anregung privatwirtschaftlicher Aktivitäten

Abb. 13.7.2/6: Probleme der europäischen Integration

Der Beitritt zum Binnenmarkt bringt Liechtenstein mehr Bürokratie
Konflikt durch Mitgliedschaft in Schweizer Zollunion und EWR / Europäisches und Schweizer Recht überlappen sich

Madrid fordert Zugang zu Norwegens Fischgründen

Mit dem möglichen EU-Beitritt sehen die Schweden ihr Wohlfahrtssystem endgültig den Bach runtergehen

[19] Zölle auf der Grundlage des *Most Favoured Nations*-Prinzips. MFN-Zölle werden auf alle Einfuhren angewendet, für die keine Präferenzzölle gelten. Der Begriff ist irreführend, weil es sich vergleichsweise um die ungünstigsten Zollsätze handelt.

muß von komplementären staatlichen Investitionen gefördert werden (insbesondere im Bereich der Transport- und Kommunikationsinfrastruktur). Im Hintergrund steht die Erwartung, daß sich aus den induzierten statischen und dynamischen Effekten ökonomische Aktivitäten ergeben, die zu anderen Staatseinnahmen führen, u. a. Mehrwertsteuer, Verbrauchsteuern, Einkommensteuern, Unternehmensteuern, Vermögensteuern. Oft ist zu beobachten (EAC II, SADC), daß der Integrationsprozeß ins Stocken gerät, weil keine Kompensation der Zölle durch Steuereinnahmen erwartet werden kann. In Entwicklungsländern sind die entsprechenden **Steuersysteme** meist nur unzureichend entwickelt. Meist stützen sich die Staatsbudgets neben den Zöllen in starkem Maße auf indirekte Steuern. Das durch Handelsschaffung induzierte Mehraufkommen aus indirekten Steuern kann in der Regel die Zollausfälle nicht kompensieren, so daß sich der Ausgleich aus dem System der direkten Steuern ergeben muß. Diese sind zum einen administrativ komplizierter als indirekte Steuern (z. B. Einkommen- und Körperschaftsteuer). Zum anderen wurde in vielen Ländern die Notwendigkeit deutlich, die Steuerbasis besser auszuschöpfen, weil die Steuervorschriften nur sehr unvollständig angewendet und durchgesetzt werden. Gerade in Entwicklungsländern unterliegen große einkommensstarke Gruppen nur sehr geringen oder gar keinen Steuerbelastungen; das Steueraufkommen ist durch eine Vielzahl Vergünstigungen, Schlupflöcher, Privilegien und Korruption oft stark ausgehöhlt, da eine Vielzahl von Ausnahmen und anderen Privilegien gewährt werden. Eine Veränderung dieser Strukturen impliziert wieder **Verteilungswirkungen** und Machtverschiebungen, die politisch sehr sensibel sein können. Der zu erwartende Widerstand einflußreicher Kreise ist nur dann zu überwinden, wenn sich mit der erhofften Handelsschaffung eine entsprechende Überkompensation solcher partieller Nachteile verbindet. Allgemein dürfte dies nur von Regierungen realisierbar sein, die einen entsprechenden innenpolitischen Widerstand verkraften können.

(18) Eine Harmonisierung der Steuerstrukturen kann in einzelnen Ländern zu fiskalischen Einbußen führen oder zu notwendigen Veränderungen in den Finanzierungsmechanismen führen, wie beispielsweise in Dänemark, wo die Sozialversicherungen teilweise aus dem Mehrwertsteueraufkommen finanziert werden.

(19) Regionale Integrationsabkommen haben nicht nur eine ökonomische Agenda, die primär auf die Schaffung von Freihandel abstellt, sondern enthalten starke Elemente der **politischen Zusammenarbeit**. Die Mitgliedstaaten sind *Partner*länder, was sich auch auf die Art und die Qualität der unmittelbar nicht-handelsbezogenen

Zusammenarbeit auswirkt. Neben den ökonomischen Integrationswirkungen sind auch zwei weitere, eher politische Aspekte hervorzuheben. Zum einen ergibt sich (meist) tendenziell eine größere **politische Stabilität** in den einzelnen Mitgliedstaaten. Zum anderen muß auch der Zuwachs an Einfluß und das erhebliche **politische Gewicht** hervorgehoben werden, welches Integrationsräume insgesamt und auch die einzelnen Mitgliedsländer im internationalen Zusammenhang gewinnen können. So beachtliche ökonomische und politische Erfolge wie in der EU regen natürlich zur Nachahmung an (Abb. 13.7.2/7) und haben Magnetwirkung für umliegende Länder, wie der Beitritt von Finnland, Norwegen, Österreich und Schweden ebenso belegt wie die ‹Warteliste› der Länder, die gleichfalls Beitrittsabsichten haben. In fast allen Integrationsräumen sind ‹zentrifugale› Kräfte im Sinne einer Tendenz zur Erweiterung zu beobachten, entweder durch Neuaufnahme von Mitgliedern oder in Form von Verträgen mit Staaten oder anderen Integrationsräumen. Beispielsweise hat der Mercosur bilaterale Verträge geschlossen mit Chile und Bolivien und verhandelt mit der Andengruppe, so daß sich für eine eventuelle *Free Trade Area of the Americas* (FTAA) eine breitere politische Verhandlungsposition ergeben würde.

In dem Maße, wie Integrationsräume zu einer supranationalen Einheit zusammenwachsen, verändert sich auch die politische **Machtstruktur** innerhalb der Region. Während vor der Integration die einzelnen Mitgliedstaaten autonom und souverän ihre Handels- und Wirtschaftspolitik gestalten konnten, verlagern sich bei tieferer Integration in zunehmendem Maße Kompetenzen auf regionale Institutionen. Damit schwächen sich auch die Einflußmöglichkeiten nationaler *pressure groups* ab, die ggf. auf regionaler Ebene Allianzen

Abb. 13.7.2/7: Magnetwirkungen der EU

SÜDLICHES AFRIKA / Wirtschaftsgipfel beschließt Kooperation

EU als Vorbild für die Integration

LETTLAND / Der möglichst schnelle Beitritt zur Europäischen Union ist nächstes Anliegen

Zielstrebig wird die wirtschaftliche und politische Integration vorangetrieben

Osteuropäische Staaten drängen in die EU

Erweiterungsrausch

eingehen (müssen), was tendenziell schwieriger zu organisieren ist als nur im nationalen Kontext. Andererseits macht es eine Konzentration der Entscheidungsstrukturen innerhalb des Integrationsraumes – so wie Brüssel in der EU – für Lobbyisten oft auch einfacher, ihre Interessen zu vertreten.

Umgekehrt wächst die regionale Entscheidungsebene in eine – oft willkommene – Sündenbockfunktion hinein, hinter deren Verantwortung sich nationale politische Entscheidungsträger verstecken können. Dies ist in der EU deutlich beobachtbar; «die in Brüssel» können auch für manche nationale Fehlentscheidung verantwortlich gemacht werden, weil die Transparenz vieler Entscheidungsprozesse sehr zu wünschen übrig läßt. Der möglicherweise positiv zu bewertenden Diffusion der Entscheidungsmacht auf der regionalen Ebene steht daher eine tendenziell negative, intransparente Machtkonzentration auf der regionalen Ebene gegenüber. Auf die Aspekte der **Entscheidungsfindung** innerhalb der regionalen und supranationalen Organismen kann hier nicht weiter eingegangen werden.

Ein wichtiger Aspekt ist auch darin zu sehen, daß die Mitgliedsländer eines Integrationsraumes sich üblicherweise als *Partner* verstehen. Im Idealfall werden bestehende zwischenstaatliche Probleme gelöst und Spannungen abgebaut. Die EU ist ein prägnantes Beispiel dafür, aber ähnliche Beobachtungen lassen sich im Mercosur, in der ASEAN und der APEC machen. Daß dies nicht immer der Fall ist, belegen andererseits Konflikte wie zwischen Indien und Pakistan und auch das damalige Auseinanderbrechen der Ostafrikanischen Gemeinschaft (EAC I).

(20) Was die Reaktionen von Drittländern auf die Bildung eines regionalen Integrationsraums anbelangt, so stehen vier Optionen offen: Drittländer können versuchen,

- dem betreffenden Integrationsraum auch beizutreten (bzw. sich zu assoziieren),
- anderen Integrationsräumen beizutreten,
- mit anderen Ländern eine eigene Integration zu entwickeln oder
- versuchen, die globale Liberalisierung voranzutreiben, um die Abschottungseffekte von Integrationsräumen einzuebnen.

Für den Wunsch nach Beitritt zu einem bestehenden Integrationsraum gibt es zahllose Beispiele, von denen in der Gegenwart die Erweiterung der EU besonders prägnant ist, aber auch bezüglich der NAFTA, der ASEAN oder des Mercosur sind analoge Verhaltensmuster zu beachten. Sofern ein Beitritt nicht gelingt (EU–Türkei) oder selbst nicht gewünscht wird (Schweiz), ist zu beobachten, daß das betreffende Land dennoch bestrebt ist, kongruente Strukturen zu schaffen und möglichst partielle sektorale Abkommen zu schließen, insbesondere bezüglich Produktstandards, technischer Normen oder Zollverfahren, um die Ausschlußeffekte auf ein Minimum zu reduzieren. Die Schweiz steht der EU faktisch bereits sehr nahe, ohne daß eine formelle Assoziierung vorläge. Die Gründung der EFTA ist ein überzeugendes Beispiel für eine ‹Gegengründung› bezüglich der EWG, und auch die NAFTA kann als Reaktion auf die Verwirklichung des europäischen Binnenmarktes gewertet werden. Die Tatsache, daß es trotz erheblicher Schwierigkeiten gelungen ist, die Uruguay-Runde des GATT abzuschließen und die WTO zu gründen, ist sicherlich auch auf die Wiederbelebung existierender und Begründung neuer Integrationsbemühungen zurückzuführen: Da alle Länder in Bezug auf einige oder viele Integrationsräume Drittländer sind, haben alle ein Interesse daran, als Außenstehende nicht abgeschottet zu werden.

13.7.2.3. Regionale Integration und Freihandelspostulat

Das Paradigma des **Freihandels** verspricht eine Erhöhung der Weltwohlfahrt durch den Abbau von Handelsrestriktionen – allerdings auf der Grundlage einiger Annahmen, die in der Realität nicht verwirklicht sind. Dem Freihandels-Credo stehen daher die eher pragmatisch orientierten Positionen der **Protektionisten** gegenüber, die eine Einschränkung des Freihandels zum Schutz nationaler Interessen befürworten.

Zwischen den Extremen völligen Freihandels und der – theoretischen – völligen Abkopplung von internationalen Handelsbeziehungen werden in der Realität offensichtlich Zwischenformen praktiziert, welche die Vorteile des Freihandels mit den Vorteilen der Protektion verbinden sollen. Solche regionalen Integrationsabkommen beschreiten einen Zwischenweg, indem sie interne wirtschaftliche Liberalisierung mit externem Schutz verbinden. Für Integrationsräume ist daher typisch, daß Länder miteinander kooperieren, sich untereinander freihändlerische Präferenzen einräumen, jedoch gegenüber nichtbeteiligten **Drittländern** protektionistische Praktiken üben und sich gegenüber der übrigen Weltwirtschaft abgrenzen. Die internen Vorzugskonditionen werden dabei Nichtmitgliedern vorenthalten. Dies verstößt gegen den GATT-Grundsatz der Nichtdiskriminierung (analog: Meistbegünstigung), ist jedoch nach Art. XXIV GATT eine zulässige Ausnahme für Integrationsräume. Insgesamt gesehen ergibt sich in der Weltwirtschaft ein Flickenteppich liberalisierter, teilliberalisierter und nicht-liberalisierter Wirtschaftsräume.

Der Begriff und das Konzept der ökonomischen Integration gehen zurück auf Balassa (1961); danach haben sich zahllose, recht heterogene Definitionen entwickelt. Der gemeinsame Nenner ist dabei, daß sich nationale Volkswirtschaften zu einem gemeinsamen, einheitlichen multinationalen Wirtschaftsraum zusammenschließen. Die verschiedenen **Integrationstypen** lassen sich auf einem Kontinuum zwischen zwei Polen ansiedeln. Das eine Extrem stellen vollkommen souveräne und nicht integrierte Staaten dar, das andere Extrem ist eine Föderation (Bundesstaat), d.h. eine Verbindung oder Union zwischen zuvor unabhängigen Staaten zu einem einzigen, gemeinsamen Staat. Diese erhält direkt Macht über die Bürger (möglicherweise durch Wahlen legitimiert) und wird ein einziges Subjekt des Völkerrechts, während die Teilstaaten ihre individuelle völkerrechtiche Persönlichkeit verlieren, wohl aber ihre innergemeinschaftliche Rechtsidentität behalten.

Zwischen diesen beiden Polen sind integrierte Staaten an unterschiedlichen Stellen einzuordnen, wobei die Skala von eher loser Kooperation bis zur vollständigen Vereinigung (Föderation) reicht. Durch Völkervertragsrecht können integrierende Staaten ihre Beziehungen zueinander gestalten. Die Mitglieder von Integrationsräumen übertragen in unterschiedlichem Umfang einzelne **Souveränitätsrechte** auf supranationale Institutionen und schaffen damit in unterschiedlichem Ausmaß supranationales Recht, welches im Kollisionsfall nationales Recht ‹bricht›, das sie einvernehmlich auch ändern können.[20] Im Integrationsraum können dadurch neue, supranationale Akteure auftreten (Entscheidungsinstanzen, Verwaltungen). Die Mitgliedstaaten behalten jedoch ihre nationalstaatliche völkerrechtliche Souveränität (im Gegensatz zur Föderation).

Integration ist gleichzeitig ein **Zustand,** wobei alternativ der *status quo* oder ein Soll-Zustand gemeint sein kann, und ein **Prozeß**. Als Prozeß bedeutet Integration die Abschaffung von Diskriminierungen zwischen den Partnerländern durch tarifäre oder nicht-tarifäre Handelshemmnisse. Es gibt verschiedene Integrationsformen mit unterschiedlichen Intensitätsstufen der Integration, die im folgenden Abschnitt skizziert werden. In der Praxis werden in vielen Fällen diese

---

[20] Der Begriff ‹supranational› kann in zweierlei Weise interpretiert werden: Zum einen wird ‹supranational› oft verwendet, um allgemein eine Ebene oberhalb der nationalen Ebene zu beziehen; beispielsweise würde ein von mehreren Staaten gemeinsam betriebenes Forschungsinstitut danach als ‹supranational› bezeichnet. Die Schnittmenge mit ‹international› ist dabei sehr groß. Zum anderen bedeutet ‹supranational› in einer rechtlich engeren Interpretation eine eigene Rechtsebene mit supranationalen Kompetenzen, die nationales Recht brechen. Die letztere, rechtliche, ist die eigentlich korrekte und wird auch hier zugrunde gelegt.

Integrationsstufen nacheinander durchlaufen, doch ist dies nicht zwingend. Abschn. 13.7.2.8 zu den Erfolgsbedingungen der Integration geht auch auf einige strategische Aspekte der Integration ein.

13.7.2.4. Integrationsformen

(1) Koordinierung
Die Koordinierung (gegenseitige Abstimmung) von Politikbereichen einzelner Länder ist die mildeste Form der internationalen Zusammenarbeit. Sie beinhaltet keinerlei Souveränitätsaufgabe der beteiligten Staaten, lediglich eine gewisse Einschränkung. Die Vertragspartner verpflichten einander, sich in vereinbarten Teilbereichen der Politik gegenseitig über Handlungsabsichten zu unterrichten und diese aufeinander abzustimmen (Schaffung von Konvergenztendenzen).

(2) Handels- und Kooperationsabkommen
Unter Kooperation sind **zeitlich** und/oder **sachlich begrenzte** Abkommen zu verstehen, wobei zwischen betriebswirtschaftlicher Kooperation auf Unternehmensebene und staatlicher Kooperation auf Regierungsebene zu unterscheiden ist; in aller Regel vollziehen sich unternehmerische Kooperationen jedoch vor dem Hintergrund entsprechender Staatsverträge.

Zeitlich begrenzte **Unternehmenskooperationen** ergeben sich beispielsweise im Rahmen von Großprojekten wie dem Bau eines Staudamms. Sachlich begrenzte Kooperation kann z. B. bedeuten, daß verschiedene Unternehmen bei der gemeinsamen Nutzung von Forschungseinrichtungen, Produktionsstätten oder Vertriebswegen kooperieren. Die nächst intensivere Kooperationsform auf dieser Ebene wird oft als «**joint venture**» bezeichnet: Dabei bringen z. B. zwei Partner Kapital, Betriebsstätten und Know-how in ein gemeinsam betriebenes drittes Unternehmen ein, dessen Anteile z. B. 50 : 50 auf die Partner aufgeteilt sind. Die Grenze zur **Direktinvestition** ist dabei fließend.

Auf **staatlicher Ebene** bedeutet Kooperation z. B. den Abschluß von Handelsverträgen, in denen die rechtlichen und sonstigen Rahmenbedingungen für den Handel zwischen zwei Staaten geregelt werden (vgl. Abb. 13.7.2/8).

Diese Abkommen sind für die beteiligten Länder völkerrechtlich bindend. (Nochmals: In der EU sind dabei ‹nationale Alleingänge› nicht möglich, weil die Kompetenz dazu gemäß Art. 130 EUV bei der EU liegt.) In Abgrenzung zur Koordinierung werden hierbei jedoch bereits legislative Rechte gemeinsam wahrgenommen, während die

Abb. 13.7.2/8: Zwischenstaatliche Kooperationen

Stärkere Kooperation im asiatisch-pazifischen Raum

EU paraphiert Abkommen mit Kirgisien

EG schließt Fischereiabkommen mit Lettland

Handelsabkommen EG - Slowenien

Tansania, Kenia und Uganda einig

Wiederaufnahme der Kooperation beschlossen

exekutiven Souveränitätsrechte weiterhin bei den Vertragspartnern verbleiben. Erst bei Abtretung sowohl legislativer als auch exekutiver Rechte auf gemeinsame Organe, um eine gemeinsame – durchaus auch sachlich begrenzte – Politik zu betreiben, spricht man von Integration (vgl. Abschn. 13.7.2.5).

Handels- und Kooperationsabkommen sind keine Assoziierungs- oder Integrationsabkommen, d. h. mit ihnen werden keine weitergehenden Integrationsabsichten verabredet, die über handels- oder industriepolitische Aspekte hinausgehen. In Handelsabkommen wird z. B. die Lieferung und entsprechende Abnahme bestimmter Rohstoffe vereinbart, Formalitäten bei der gegenseitigen Ein- und Ausfuhr abgesprochen, Investitionsbedingungen festgelegt oder patentrechtliche Regelungen getroffen. Im asiatischen Raum beispielsweise gibt es die *Asean Pacific Economic Cooperation* (**APEC**), deren Ziel es ist, eine Koordinierung der wirtschaftlichen Zusammenarbeit zu verwirklichen zwischen den **ASEAN**-Staaten, die ihrerseits eine Freihandelszone anstreben (*Asean Free Trade Area*, **AFTA**) mit Australien, Japan, Kanada, USA, Südkorea, Neuseeland, China, Taiwan und Hongkong.

Kooperationsabkommen können sich auf die Zusammenarbeit in bestimmten Teilbereichen wie z. B. der Forschung oder der Zollverwaltung beziehen. Mit einer Reihe von Staaten bzw. Staatengruppen wurden seitens der EU Kooperationsabkommen geschlossen, u. a. mit den ASEAN-Staaten (1983), der Rio-Gruppe (1990, 11 südamerikanische Länder), sowie bilateral mit einer Reihe von lateinamerikanischen und asiatischen Staaten (Sri Lanka 1975, Indien 1981, Brasilien 1982, Pakistan 1985, Argentinien 1990, Chile 1990, Mexiko 1991, Uruguay 1991).

(3) Präferenzabkommen

Als nächst intensivere Stufe zwischenstaatlicher Beziehungen kann man Präferenzabkommen ansehen. Diese Abkommen stellen Ausnahmen dar von den o. a. GATT-Prinzipien der Gegenseitigkeit bzw. der **Meistbegünstigung:** Bei *einseitigen* Präferenzabkommen gewährt der eine Partner dem anderen unter Verzicht auf Gegenseitigkeit Vergünstigungen wie z. B. Zollbefreiungen beim Import, bei zweiseitigen Abkommen gilt dies gegenseitig. (Dies wird in Abb. 13.7.2/9 durch die ein- bzw. zweiseitigen Pfeile dargestellt.) Beide Formen stellen Ausnahmen vom Grundsatz der Meistbegünstigung dar. Dabei werden die Zölle ganz oder teilweise abgebaut. Meist ist das Warenspektrum begrenzt: Die Handelsliberalisierung erstreckt sich nur auf bestimmte Güter; für viele ‹sensible› Güter gibt es Ausnahmeregelungen. Die EU hat u. a. ein pauschales Präferenzabkommen mit der EFTA geschlossen, das durch bilaterale Zusatzabkommen ergänzt wird: Zum Beispiel hatte Norwegen Ende 1986 mit der EU ein Freihandelsabkommen für Industriegüter geschlossen, da eine Vollmitgliedschaft in der EU – schon aus damaliger Sicht – zu unannehmbaren Nachteilen für seine Fischereiwirtschaft führen würde. Ferner gibt es EU-Präferenzabkommen mit einer Vielzahl von **Mittelmeerländern** sowie ein **Allgemeines Präferenzsystem (APS)** für fast alle Entwicklungsländer *(General System of Preferences,* GSP*)*, und schließlich existiert mit dem **Lomé-Abkommen** unter Verzicht auf das Gegenseitigkeitsprinzip ein Präferenzabkommen für die **AKP-Länder** (Staaten aus Afrika, der Karibik und dem Pazifik). Damit soll diesen Ländern verstärkt der Zugang zum europäischen Markt geöffnet werden, um ihre wirtschaftliche Entwicklung zu fördern. Per Saldo hat dieses Abkommen offensichtlich keine herausragenden Veränderungen mit sich gebracht, denn kein vom Lomé-Abkommen begünstigter Staat hat sich bislang vom Status eines LLDC zu einem LDC ‹verbessern› können.

Die Bundesrepublik stützt sich in ihrer Außenhandelspolitik offiziell auf das Freihandelsargument. Die Mitgliedschaft in der sich laufend erweiternden Europäischen Wirtschaftsgemeinschaft macht dies ebenso deutlich wie die Unterzeichnung und Anwendung des Allgemeinen Zoll- und Handelsabkommens (**GATT**) sowie der Abschluß der **Lomé-Verträge** und analoger Abkommen mit einer großen Zahl von Entwicklungsländern. Diese Vertragsregelungen tragen deutlich den Stempel des Freihandelsarguments. Andererseits ist unverkennbar, daß das Protektionsargument keineswegs in den Hintergrund getreten ist:

- Im Landwirtschaftsbereich der EU etwa werden den inländischen Anbietern Preise garantiert, die nur durch massiven Mitteleinsatz aus

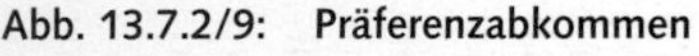
Abb. 13.7.2/9: Präferenzabkommen

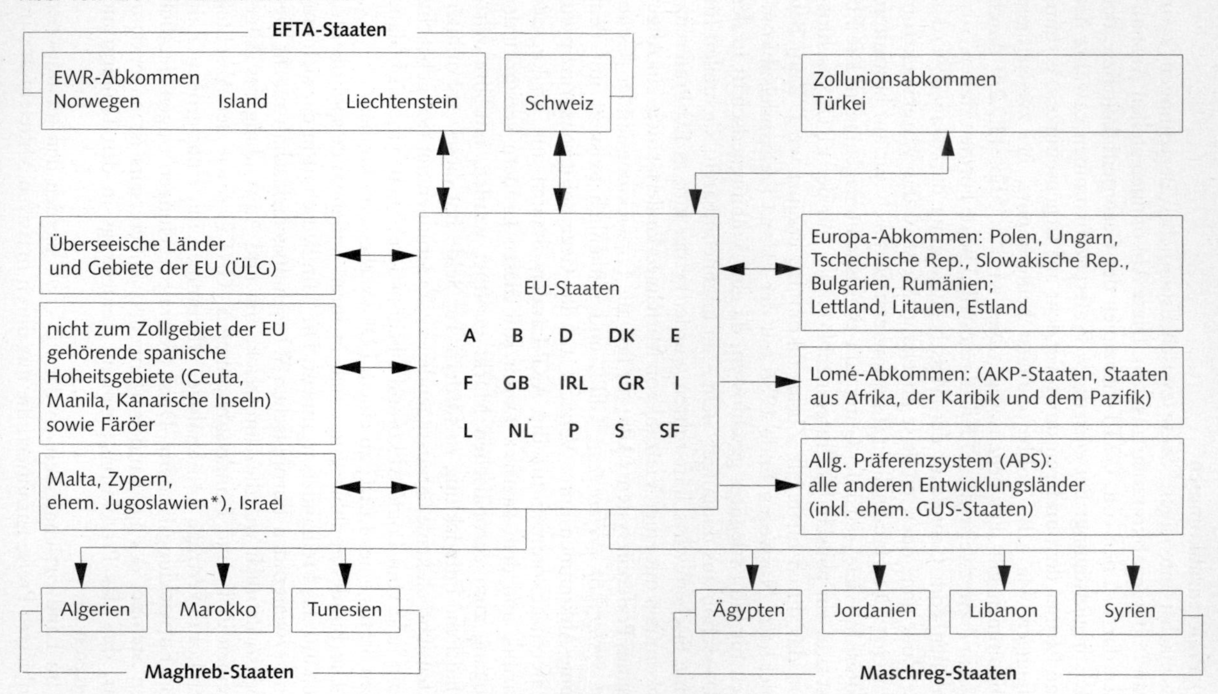
EFTA-Staaten
EWR-Abkommen
Norwegen
Island
Liechtenstein
Schweiz
Zollunionsabkommen
Türkei
Überseeische Länder und Gebiete der EU (ÜLG)
nicht zum Zollgebiet der EU gehörende spanische Hoheitsgebiete (Ceuta, Manila, Kanarische Inseln) sowie Färöer
Malta, Zypern, ehem. Jugoslawien*), Israel
EU-Staaten
A B D DK E
F GB IRL GR I
L NL P S SF
Europa-Abkommen: Polen, Ungarn, Tschechische Rep., Slowakische Rep., Bulgarien, Rumänien; Lettland, Litauen, Estland
Lomé-Abkommen: (AKP-Staaten, Staaten aus Afrika, der Karibik und dem Pazifik)
Allg. Präferenzsystem (APS): alle anderen Entwicklungsländer (inkl. ehem. GUS-Staaten)
Algerien
Marokko
Tunesien
Maghreb-Staaten
Ägypten
Jordanien
Libanon
Syrien
Maschreg-Staaten
*) außer Serbien, Montenegro
einseitige Präferenzgewährung
gegenseitige Präferenzgewährung

der EU-Kasse durchsetzbar sind, indem staatliche Interventionsstellen die nicht absetzbare Produktion aufkaufen, lagern oder vernichten oder durch sog. **Erstattungen** stark subventioniert auf den Weltmarkt schleusen. Die EU-Preise wären nicht haltbar, wenn nicht Importe aus Drittländern durch Schutzmaßnahmen abgeblockt würden. Durch sog. **Abschöpfungen** wird die Differenz zwischen dem in der Regel niedrigeren Weltmarktpreis und dem EU-Agrarpreis bereinigt. Abschöpfungen sind somit im Prinzip Importzölle, wobei allerdings die Zollhöhe nicht als fester Prozentsatz des Importwertes definiert ist, sondern sich mit dem (schwankenden) Weltmarktpreis verändert. Die EU-interne Handelsliberalisierung und Integration ist also mit nachhaltiger externer Protektion gekoppelt.

- Auch die Lomé-Verträge sind auf den zweiten Blick nicht so freihändlerisch, wie häufig dargestellt. Die Zollpräferenzen für Entwicklungsländer beziehen sich vor allem auf solche Produkte, durch deren Import keine inländischen Anbieter bedroht werden. Sofern diese Gefahr aber besteht, gibt es eine Reihe von Ausnahmeklauseln (so für ‹sensible› Produkte), die faktisch wiederum auf Protektion hinauslaufen.

Abb. 13.7.2/10 verdeutlicht die in ihrer Intensität zunehmende Präferenzgewährung für verschiedene Länder(gruppen). Faktisch gibt es nur sehr wenige Länder, die keinerlei Zollpräferenz in irgendeiner Form genießen: USA, Kanada, Japan, Australien, Neuseeland; ferner aus völkerrechtlichen Gründen: Taiwan (die EFTA gewährt jedoch Präferenzen) und der nördliche Teil Zyperns, der vom EuGH – zunächst ausgeschlossen wurde; ferner aus Embargo-bedingten Gründen Libyen, Serbien, Montenegro; aus politischen Gründen Nordkorea und Kuba.

Die Bedeutung der Präferenzgewährung muß aber relativiert werden. Die tarifäre Protektion der EU ist bis auf wenige Hochzollgüter – nicht allzu hoch: Im Durchschnitt liegt der Zollsatz bei 5%[21], Hochzollgüter (z.B. elektrische Maschinen und landwirtschaftliche Produkte wie Krebstiere und lebende Rinder) können mit 15–20% und mehr belastet sein, da je nach Einzelfall noch Agrarabschöpfungen oder Verbrauchssteuern hinzukommen (die Einfuhrumsatzsteuer als Pendant zur Mehrwertsteuer sowieso). Nach dem Meistbegünstigungsprinzip (**MFN**: *Most Favoured Nations Principle*) werden diese ‹normalen› Zollsätze auf alle nicht-präferenzbegünstigten Einfuhren angewendet (**Drittlandszölle** oder im internationalen Sprachgebrauch:

[21] Quelle: Weltbank: World Development Indicators 1998: Tariff barriers, OECD.

Abb. 13.7.2/10: **Präferenzpyramide**

Integration
(EU-Staaten)

Assoziierung
(Türkei: Zollunion)

EWR-Abkommen
(Freihandelsabkommen)
(Norwegen, Island, Liechtenstein; ähnlich: Schweiz)

Europa-Abkommen
(Freihandelsabkommen)
(Polen, Ungarn, Tschechische Rep., Slowakische Rep., Bulgarien, Rumänien; Lettland, Litauen, Estland)

Lomé-Abkommen
(AKP-Staaten)
(einseitige Reduzierung von Zöllen)

Länder des Mittelmeerraumes
(einseitige Reduzierung von Zöllen: Maghreb, Maschreg)
(gegenseitige Reduzierung von Zöllen: Malta, Zypern, Israel)
(außer für bestimmte Textilien)

Allgemeines Präferenzabkommen (APS)
(einseitige Reduzierung von Zöllen: in Abhängigkeit vom Entwicklungsstand)
(alle anderen Entwicklungsländer, inkl. ehem. GUS-Staaten)

alle anderen Industrieländer
(keine Präferenzen)

MFN-Zölle). Alle übrigen Einfuhren können also Vergünstigungen in Anspruch nehmen. Daher wird bereits von einer **Erosion der Präferenzen** gesprochen, denn der Sinn einer Vorzugsbehandlung ist insbesondere, daß andere sie nicht beanspruchen können. Wenn nun in zunehmendem Maße Präferenzen gewährt werden – in jüngerer Zeit vor allem durch die Einbeziehung der mittel- und osteuropäischen Staaten (MOE) in das APS und aufgrund von Freihandels- und Assoziierungsabkommen (vgl. auch nachfolgend), dann relativieren sich insbesondere die Präferenzen für Entwicklungsländer, auch im Rahmen des Lomé-Vertrages, deutlich. Faktisch gibt es nur sehr wenige Länder, die keinerlei Zollpräferenz in irgendeiner Form genießen (USA, Kanada, Japan, Australien, Neuseeland; ferner aus völkerrechtlichen Gründen: Taiwan (die EFTA gewährt jedoch Präferenzen) und der nördliche Teil Zyperns, der jüngst vom EuGH – zunächst – ausgeschlossen wurde; ferner aus embargobedingten Gründen Libyen, Serbien, Montenegro; aus politischen Gründen Nordkorea und Kuba).

(4) Assoziationsabkommen

Während Handels- und Kooperationsabkommen keine weitergehende Integration beabsichtigen, sind Assoziationsabkommen eher als Vorstufe der Integration anzusehen. Assoziierungen sind üblich zwischen Staatenverbänden (z.B. der Europäischen Union) und einzelnen Staaten. Der Begriff Assoziierung beschreibt ein besonderes Verhältnis zwischen einem Land und einer Staatengemeinschaft, das über bloße handelspolitische Vereinbarungen hinausgehen. Sie ist i.d.R. als eine Vorstufe zu einer Vollmitgliedschaft gedacht, so z.B. 1964 prinzipiell im Fall der Assoziierung der Türkei an die EU (obgleich der Prozeß aus – hier nicht zu behandelnden Gründen – ins Stocken geraten ist) oder 1962 bei der Assoziierung von Griechenland und 1971 bzw. 1973 von Malta und Zypern sowie seit 1991 von Polen, Ungarn, der Tschechischen und der Slowakischen Republik, Rumänien und Bulgarien an die EU (Abb. 13.7.2/11). Daneben wird der Begriff aber auch – mißverständlich – verwendet, z.B. im Zusammenhang mit der Gewährung von besonderen Zollpräferenzen an die AKP-Staaten des Lomé-Abkommens. Die EU bezeichnet diese Verträge heute – im Gegensatz zu früher – auch nicht mehr als Assoziierungsabkommen, ebensowenig wie die Kooperationsabkommen mit den Maghreb-Staaten, sondern es wird von **Interimsabkommen** gesprochen (u.a. Bulgarien, Rumänien).

In formeller Hinsicht besteht aus Sicht der EU auch der Unterschied, daß Assoziationsabkommen nach Art. 310 EUV (Amsterdam)

Abb. 13.7.2/11: Assoziationsabkommen

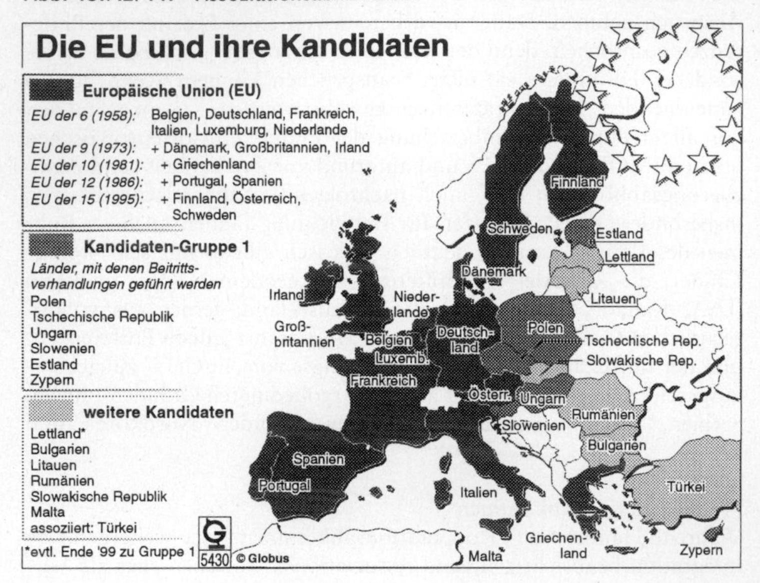

einstimmig vom Ministerrat beschlossen werden müssen, nachdem das Europäische Parlament gehört worden ist und institutionelle Vereinbarungen vorgesehen sind (z. B. die Einrichtung eines gemeinsamen beratenden Ausschusses), während bei Handelsabkommen nur die qualifizierte Mehrheit im Rat hinreichend ist (Art. 133 EUV); allerdings wird das Parlament in der Praxis auch vor Abschluß von Handelsverträgen eingeschaltet. Bei den o. a. Interimsabkommen werden i. d. R. zunächst Zollpräferenzen gewährt und eine schrittweise Realisierung einer Freihandelszone vereinbart. Assoziierte Staaten können zwar an Entscheidungsprozessen innerhalb der EG teilnehmen, aber nicht mitentscheiden («Sitz ohne Stimme»). Auch sind sie nicht berechtigt, an finanziellen Transfers teilzuhaben.

Von Integration i. e. S. sollte nur gesprochen werden, wenn sich die Partnerstaaten bemühen, einen gemeinsamen Wirtschaftsraum zu entwickeln. Nach den WTO-Regeln sind die Ausnahmen von den GATT-Prinzipien für Integrationszonen zulässig, wenn annähernd der gesamte Handel betroffen ist und die Handelsschranken gegenüber Drittländern nicht erhöht werden. Idealtypisch lassen sich folgende Integrationsformen unterscheiden (Viner 1950):

(5) Freihandelszone

Die schwächste Stufe der wirtschaftlichen Integration bezeichnet man als Freihandelszone (diese volkswirtschaftliche Integrationsform ist nicht zu verwechseln mit nationalen Sonderwirtschaftszonen, in denen z. B. Steuer- und andere Anreize zur Förderung der Exportindustrie gegeben werden). In einer Freihandelszone vereinbaren die beteiligten Länder, daß sie untereinander auf handelsbehindernde Maßnahmen, insbesondere Zölle, verzichten wollen. Nach außen können sie jedoch gegenüber Drittländern eine autonome Außenhandelspolitik betreiben. Die Handelsliberalisierung erstreckt sich grundsätzlich auf alle Güter. Eine gemeinsame Handelspolitik gegenüber Drittländern wird nicht vereinbart, insbesondere wird kein gemeinsamer Außenzoll festgelegt. Daher bleiben die unterschiedlichen nationalen tarifären und nicht-tarifären Regelungen der Mitgliedsländer gegenüber Drittländern bestehen.

Ein Beispiel für diese Integrationsform stellt die 1960 gegründete **Europäische Freihandelszone** dar (**EFTA**: *European Free Trade Association*). Von den zuletzt sieben Mitgliedern (Finnland, Island, Norwegen, Österreich, Schweden, Schweiz, Liechtenstein) sind Finnland, Österreich und Schweden zum 1. 1. 1995 als neue Mitglieder der EU aufgenommen worden. Damit verbleiben nur noch Norwegen, die Schweiz (zusammen mit Liechtenstein; beide Länder sind in einer Zollunion vereinigt) und Island als Rest-EFTA.[22] In einer Freihandelszone ist es z. B. möglich, daß der Einfuhrzoll für Staubsauger aus Drittländern in Norwegen 8,5% und in Island 80% beträgt. Daraus ergibt sich u. a. das technische Problem, daß für die Gewährung von Zollfreiheit jeweils geprüft werden muß, ob das betreffende Gut seinen **Ursprung** in einem Mitgliedsland der Freihandelszone hat, um zu verhindern, daß Waren aus Drittländern über das Mitgliedsland mit dem geringsten Außenzoll in andere Länder der Freihandelszone verbracht werden. Bei vollständiger Erzeugung eines Gutes in einem Land ist dies methodisch kein Problem, wohl aber, wenn Komponenten aus verschiedenen Ländern verwendet werden. Daher müssen für *alle* Güter Ursprungsregeln vereinbart werden, die üblicherweise für die einzelnen Produktgruppen unterschiedlich sind und teilweise erheblich voneinander abweichen.

---

[22] EU und EFTA bilden zusammen den Europäischen Wirtschaftsraum, durch den die Bedingungen des EU-Binnenmarkts auch für die EFTA-Länder gelten – außer für die Schweiz, die dem Vertrag in einer Volksabstimmung 1995 nicht beigetreten ist. Dies erfordert ein Geflecht bilateraler EU-Schweiz-Verträge, um faktisch wenigstens analoge Bedingungen herzustellen.

Die **Ursprungsprotokolle** zu Integrations- oder Assoziationsabkommen sind daher meist sehr umfangreich; auf Einzelheiten kann hier nicht eingegangen werden. Dies bedeutet einen entsprechenden administrativen Aufwand, denn Lieferanten müssen ihren Kunden eine Dokumentation über den Ursprung aller Produktbestandteile liefern, damit diese zollfrei importieren können. Gelegentlich ist dieser Aufwand so hoch, daß es kostengünstiger ist, den Ursprung nicht nachzuweisen und den regulären Drittlandszoll zu entrichten. Entsprechend wirken strenge Ursprungskriterien auch importbehindernd und können eine – unzulässige – Erhöhung von Außenzöllen ersetzen. Mittelfristig resultiert aus komplexen Ursprungsregeln ein gewisser Harmonisierungsdruck hinsichtlich der nationalen Zollpolitiken. Gegenwärtig werden Ursprungsregeln nur auf Warenimporte angewendet, doch nimmt die Diskussion zu, sie auch auf Dienstleistungen auszudehnen. Weitere Beispiele sind die Karibische Freihandelszone (CARIFTA) oder die ehemalige Lateinamerikanische Freihandelszone (LAFTA), und die USA, Kanada und Mexiko haben unlängst ein Freihandelsabkommen geschlossen (NAFTA: North American Free Trade Association) (Abb. 13.7.2/12).

Abb. 13.7.2/12: Freihandelszonen

Bolivien
Handelsminister plädiert für eine Freihandelszone aus Mercosur und Anden-Pakt

Freihandelsabkommen mit Estland

Freihandelszone in der Karibik

USA-MITTELAMERIKA / Washington plant Freihandelszone
Gore verspricht Zollabbau

(6) Zollunion

In der nächst höheren Integrationsstufe vereinbaren die Mitgliedsländer außer dem prinzipiellen internen Freihandel auch eine **gemeinsame Zollpolitik** gegenüber Drittländer; man spricht dann von einer **Zollunion.** Die Europäische Gemeinschaft umfaßt eine derartige Zollunion, so daß alle EU-Länder gegenüber Drittländern dieselben Zolltarife erheben. Die Bundesrepublik kann daher keine autonome Zollpolitik betreiben. Die Zollunion stellt die EU mit den Art. 12–29 ein Kernstück des EU-Vertrages dar (Abb. 13.7.2/13).

Abb. 13.7.2/13: Zollunion

EG-Zollunion mit Andorra

Cypern will Zollunion mit EG

Zollunion der Maghreb-Staaten geplant

CSFR - Zollunion vereinbart

(7) **Gemeinsamer Markt (Binnenmarkt)**

Sofern zur Zollunion mit internem Freihandel und gemeinsamen Außenzöllen hinzukommt, daß zwischen den Mitgliedern nicht nur die Güter (**Gütermobilität**), sondern auch die Produktionsfaktoren (Arbeit, Boden, Kapital) frei beweglich sind (**Faktormobilität**), spricht man von einem **gemeinsamen Markt**. Dies bedeutet u.a. freie Wahl des Arbeitsplatzes, so daß ein Benesier ohne weiteres in Aland arbeiten darf. Analoges gilt für den grenzüberschreitenden Immobilienerwerb und die freie Beweglichkeit des Kapitals (Direktinvestitionen, Beteiligungserwerb, freier Devisen- und Kapitalverkehr). In der Praxis gibt es zwar eine Reihe von Integrationsabkommen, die als gemeinsamer Markt firmieren, doch zeigt sich, daß die freie Faktormobilität in den meisten Fällen sehr unvollkommen ist. Insbesondere beim Kapitalverkehr bestehen fast immer Behinderungen durch Kapital- und Devisenkontrollen. Auch im Gemeinsamen Markt der EU gab es für eine Übergangszeit noch begrenzte Kapitalverkehrsbeschränkungen in Portugal und Griechenland bezüglich der Ein- und Ausfuhr von Vermögenswerten, bei Krediten, Termingeschäften, Wertpapiergeschäften und Direktinvestitionen, die teilweise noch genehmigungspflichtig sind.

Was die Mobilität des Produktionsfaktors Arbeit anbelangt, so ergeben sich daraus häufig Probleme. Wenn sich Länder mit unterschiedlichen Arbeitsmarktproblemen zusammenschließen, üben Länder mit relativ guten Beschäftigungswirkungen einen Zuwanderungssog auf andere aus, in denen die Arbeitslogiskeit höher ist. Hierfür liefert die EU, insbesondere im Zusammenhang mit der sog. **Süd-Erweiterung** und ihren Beziehungen zur assoziierten Türkei ausreichendes Anschauungsmaterial. Unbehinderte Migration (Freizügigkeit) wird in der Regel nur gewährt, wenn das Einwanderungsland selbst über zuwenig Arbeitskräfte verfügt, so wie es beispielsweise in der Bundesrepublik in den 60er Jahren der Fall war. Sofern die Beschäftigungssituation sich aber verschlechtert, sind die Gastarbeiter oft nicht mehr willkommen, wobei es manchmal – wie vor wenigen Jahren in Nigeria – zu regelrechten Zwangsvertreibungen kommen kann.

In der EU hat sich zur Kennzeichnung des gemeinsamen Marktes der Begriff ‹**Binnenmarkt**› durchgesetzt. Für sich genommen, beschreibt ‹Binnenmarkt› prinzipiell keine Integrationsstufe, sondern lediglich einen durch bestimmte Grenzen bzw. Abgrenzungen definierten internen Markt. So spricht man auch vom deutschen oder amerikanischen Binnenmarkt. Im EU-Zusammenhang hat sich der Begriff jedoch zu einem Terminus entwickelt: Mit der **Einheitlichen Europäischen Akte** (**EEA**) wurde 1986 zwischen den EU-Mitgliedsstaaten vereinbart, ab 1.1. 1993 einen EU-internen Binnenmarkt zu realisieren, der sich durch *«vier Freiheiten»* auszeichnet:

- Freiheit des Warenverkehrs,
- Freiheit des Dienstleistungsverkehrs (zusammen: Gütermobilität),
- Freiheit des Personenverkehrs einschließlich Niederlassungsfreiheit für Unternehmen und Selbständige (zusammen: Faktormobilität),
- Freiheit des Kapitalverkehrs.

Zusammen mit der – in der EEA nicht weiter behandelten – gemeinsamen Außenwirtschaftspolitik (Art. 113 EU-Vertrag) einschließlich eines gemeinsamen Außenzolltarifs erfüllt der EU-Binnenmarkt also die Kriterien einer Zollunion, geht aber insgesamt deutlich darüber hinaus. Besonderes Kennzeichen eines gemeinsamen (Binnen-)Marktes in diesem Sinne ist der Wegfall der Grenzkontrollen zwischen den Partnerländern.

Die Verwirklichung des Binnenmarktes erfordert daher eine Fülle von Harmonisierungen und Angleichungen auf der rechtlichen Ebene in den verschiedenen Sachgebieten. Abgesehen von anderen Angleichungen (wie z.B. ein gemeinsames Patentsystem) wäre für einen gemeinsamen Markt auch eine Harmonisierung der Steuersysteme erforderlich. In der EU, in der sich zur Kennzeichnung des gemeinsamen Marktes der Begriff Binnenmarkt durchgesetzt hat, werden die zollrechtlich unbehinderten Transaktionen durch die unterschiedlichen Steuersysteme beträchtlich behindert. So sind zwar keine zollrechtlichen Grenzabfertigungen mehr erforderlich, doch die steuerrechtlichen Unterschiede bedingen gegenwärtig noch ein kompliziertes Ausgleichssystem, das unternehmensintern beträchtlichen Verwaltungsaufwand erfordert. Mit dem realisierten Beitritt von Finnland, Österreich und Schweden stellt die EU den weltweit größten Gemeinsamen Markt dar.

Im Binnenmarkt gibt es eine Reihe von geographischen Besonderheiten. Verschiedene hoheitsrechtliche **souveräne Staaten** und andere Gebiete gehören *nicht* zum Gebiet der EU, sind aber Teil des Zollgebiets der EU, u.a. *Monaco, San Marino, Andorra*. Hier hat die EU jeweils Staatsverträge geschlossen, so daß diese Gebiete als Teil des Zollgebiets *angesehen* werden (**Zollgebietsfiktion**) bzw. formale **Zollanschlüsse** sind. Die *Vatikanstadt* hat einen Sonderstatus: Sie ist Drittland, gehört auch nicht fiktiv zum Zollgebiet der EU, die Gemeinschaft verzichtet aber auf die Erhebung von Eingangsabgaben (bei der Ausfuhr in die Vatikanstadt können allerdings Agrar-Ausfuhrerstattungen gezahlt werden). Umgekehrt gibt es Gebiete, die zwar zum Gemeinschaftsgebiet, nicht aber zum Zollgebiet der EU gehören, u.a. die deutsche Gemeinde *Büsingen* bei Schaffhausen (**Zollausschluß**, gehört zum Schweizer Zollgebiet, ferner *Campione*, eine italienische Enklave im Zollgebiet der Schweiz, *Helgoland* (zollfreier Status) und die französischen Départements *Guadeloupe, Martinique, Réunion* und *Französisch Guayana*.

(8) Wirtschaftsgemeinschaft

Die vierte Integrationsstufe bezeichnet man als Wirtschaftsgemeinschaft oder synonym: Wirtschaftsunion. Dies geht in dem Sinne über einen Binnenmarkt hinaus, daß auch die allgemeine nationale Wirtschaftspolitik zwischen den Partnerstaaten harmonisiert ist. Dies bedeutet beispielsweise abgestimmte Prioritäten hinsichtlich der Verfolgung alternativer wirtschaftspolitischer Ziele, z.B. ob der Beschäftigungsförderung oder der Inflationsbekämpfung Vorrang eingeräumt werden soll, welche Mittel dabei einzusetzen sind (z.B. geldpolitische oder finanzpolitische), welche Geldmengenpolitik verfolgt werden soll, wie mit der Staatsverschuldung umzugehen ist, etc. Weiterhin wäre eine Angleichung der Rechtssysteme erforderlich im Rahmen eines supranationalen Systems mit gemeinschaftlichen (supranationalen) Institutionen. Es dürfte auch in dieser Kürze deutlich werden, daß die Bezeichnung Europäische Wirtschaftsgemeinschaft noch keine Zustandsbeschreibung, sondern eine Absichtserklärung ist. Zur Verwirklichung der Wirtschaftsgemeinschaft im strengen definitorischen Sinne besteht noch erheblicher Harmonisierungsbedarf. Dennoch wird der Begriff Wirtschaftsgemeinschaft durchaus auch allgemeiner verwendet eben im Sinne einer wirtschaftlichen Gemeinschaft (vgl. Abb. 13.7.2/14). International gibt es eine Fülle von Integrations-

Abb. 13.7.2/14: Wirtschaftsgemeinschaft

Gemeinsamer Markt in Südamerika
Argentinien, Brasilien, Paraguay, Uruguay; Abbau der Zölle bis 1994

Gemeinsamer Markt am Schwarzen Meer?

Vorbild EG: Weltweit entstehen immer mehr Wirtschaftsgemeinschaften ansätzen. Die meisten erfüllen jedoch nicht die Kriterien für die Verwirklichung der jeweiligen Integrationsformen. So sind in der Regel die Zusammenschlüsse, die sich ehrgeizig als Gemeinsamer Markt oder Wirtschaftsgemeinschaft bezeichnen, nicht einmal Freihandelszonen mit interner Zollfreiheit. Die meisten Freihandelszonen bemühen sich um den Abbau der internen Zollschranken, doch gibt es nur wenige Beispiele für eine tatsächliche Verwirklichung dieses Ziels (u. a. EU, EFTA, NAFTA), während es sich bei den anderen weitgehend allenfalls um Präferenzräume handelt. Insgesamt ist eine Tendenz zu regionalen Zusammenschlüssen festzustellen, sei es in Europa (EWR), sei es in Nordamerika (NAFTA), sei es in Asien (AFTA). Aus der Sicht des Freihandels bedeutet dies die Bildung von partiellen Integrationszonen mit internen Präferenzregelungen (Abb. 13.7.2/15).

(9) Währungsunion

Wünschenswert – weil sinnvoll – ist es, die güter- und faktorwirtschaftliche Integration mit der monetären Integration einer Währungsunion zu verbinden. Dabei gibt es verschiedene Abstufungen, u. a. den Wechselkursverbund, wie er im Europäischen Währungssystem vorlag, oder die Währungsunion i. e. S. mit einer gemeinsamen Währung für alle Mitgliedsstaaten, wie sie seit Anfang 1999 mit der Europäischen Währungsunion verwirklicht wurde (vgl. ausführlich Abschn. 12.5.3).

In der EU wurde und wird diskutiert, ob eine Währungsunion die Existenz einer Wirtschaftsgemeinschaft voraussetzt oder ob die Bildung einer Wirtschaftsgemeinschaft durch die Existenz eines Währungsverbundes beschleunigt wird. Mit der Schaffung des Europäischen Währungssystems und der Entscheidung für die Europäische Währungsunion spätestens ab 1999 hatte sich derzeit die letzte Position durchgesetzt. Grundsätzlich kann man sagen, daß eine Währungsunion ohne tiefergehende ökonomische Integration zumindest laufende Probleme hervorrufen wird, so wie es die ursprünglich ständig erforderlichen Wechselkursanpassungen im EWS aufgrund der unterschiedlichen ökonomischen Entwicklung der EU-Länder belegten.

(10) Politische Union

Die intensivste Integrationsstufe stellt die völlige, auch politische Verschmelzung der Mitgliedsstaaten dar, so wie bei der Bundesrepublik mit ihren Bundesländern, den Vereinigten Staaten von Amerika, dem Indischen Bundesstaat oder der ehemaligen Union der sozialistischen Sowjetrepubliken. Für die EU könnte dies theoretisch den Übergang

Abb. 13.7.2/15: Wirtschafts-Bündnisse

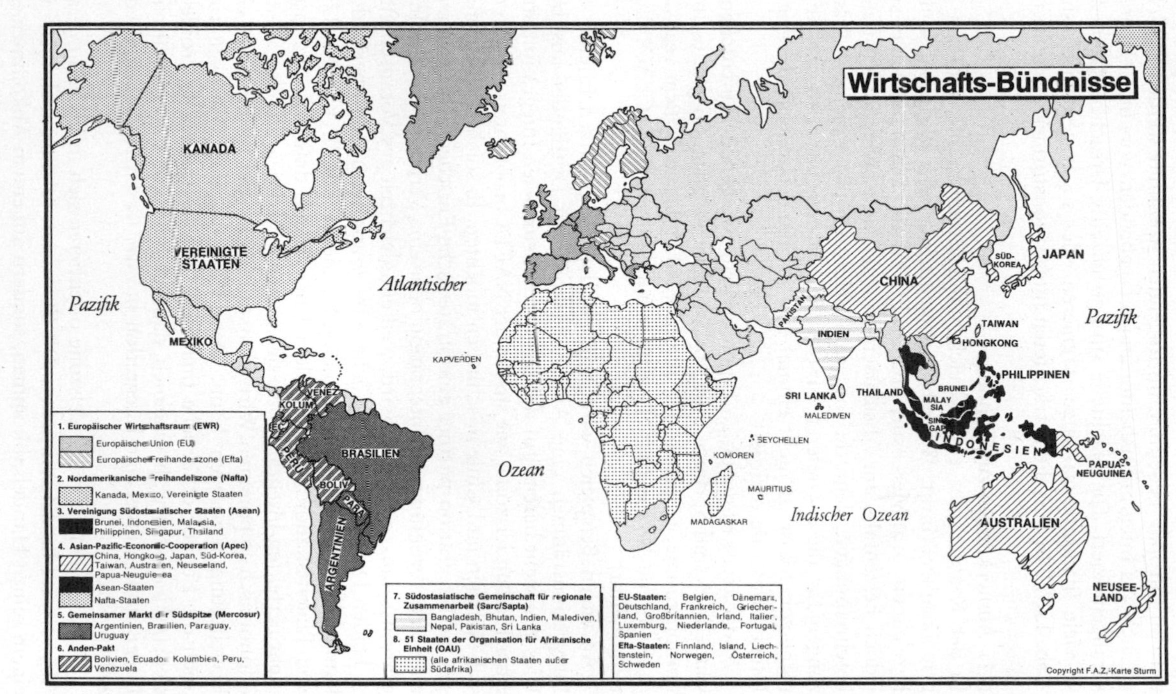

Quelle: FAZ v. 24.11.1993

von einem Staatenbund zu einem Bundesstaat der «Vereinigten Staaten von Europa» bedeuten. Im folgenden Abschnitt werden zunächst die sich aus Integrationsbemühungen ergebenden Vor- und Nachteile verallgemeinert. Die Nachteile sind gleichzeitig Ursachen dafür, daß so viele Integrationsansätze stagnieren oder sogar gescheitert sind. Abb. 13.7.2/16 faßt die betrachteten Integrationsformen zusammen.

(11) Anmerkungen zur Typologie

In der Realität gibt es zahlreichen Integrationsräume, die sich als gemeinsamer Markt, Wirtschaftsgemeinschaft oder Wirtschaftsunion bezeichnen (u. a. Mercosur, MCCA, ECOWAS). Dabei handelt es sich jedoch bestenfalls um Absichtserklärungen und nicht um Zustandsbeschreibungen, denn die insgesamt sehr anspruchsvollen Voraussetzungen für diese «tieferen» Integrationsformen liegen in der Regel nicht vor. Meist ist nicht einmal eine Freihandelszone als niedrigste Integrationsstufe realisiert.

Andererseits ist die obige Typologie kein zwingendes Stufenschema, sondern es sind Sprünge und Auslassungen möglich. So gibt es Integrationsräume, in denen der interne Freihandel noch nicht realisiert ist, während bereits partielle Faktormobilität existiert (CEAO: Kapitalmobilität).

An vielen Beispielen wird deutlich, daß die positiven Effekte von Integrationsräumen eine Anziehungskraft auf Drittländer ausüben. Dies geschieht bereits auf der noch nicht sehr tiefen Integrationsstufe einer Freihandelszone, wie sich in der NAFTA beobachten läßt, an die sich Bolivien und Chile anschließen möchten. In solchen Fällen müssen die Integrationspartner eine strategische Entscheidung treffen, ob eher eine Vertiefung der Integration oder eine Verbreiterung des Integrationsraums angestrebt wird, weil ein gleichzeitiges Voranschreiten in beiden Dimensionen schwächere Integrationsgruppen überfordern kann. Diese Frage stellt sich analog für die EU mit ihrer langen Liste von Beitrittskandidaten, mit dem Unterscheid, daß trotz der noch nicht perfekten Integration die bereits erreichte Integrationstiefe eines ökonomisch so potenten Wirtschaftsraumes wie der EU durchaus eine Erweiterung nahelegen kann. Dennoch wird eine Osterweiterung auch die EU vor erhebliche finanzielle und institutionelle Probleme stellen. Es ist sehr wahrscheinich, daß sich innerhalb des europäischen Integrationsraumes eine Integration in zwei Geschwindigkeiten vollziehen wird.

Die Ziele einer Freihandelszone orientieren sich in erster Linie am Abbau von Handelsschranken. Die EU basiert folglich auch nicht auf einem reinen Handelsabkommen, sondern auf einem Abkommen mit

Abb. 13.7.2/16: Intregationsformen

<table>
<tr><th>Kriterien</th><th colspan="6">Bezeichnung</th></tr>
<tr><td>Zusammenarbeit bei Einzelvorhaben</td><td colspan="6">partielle Kooperationsabkommen</td></tr>
<tr><td>Zollvergünstigungen zwischen den Mitgliedsländern</td><td colspan="6">Präferenzräume</td></tr>
<tr><td>allgemeine Zollfreiheit zwischen den Mitgliedsländern</td><td>Freihandelszone</td><td rowspan="2">Zollunion</td><td rowspan="3">gemeinsamer Binnen-Markt</td><td rowspan="4">Wirtschaftsgemeinschaft bzw. Wirtschaftsunion</td><td rowspan="6">vollständige (auch politische) Integration</td></tr>
<tr><td>gemeinsame Außenzölle gegenüber Drittländern</td><td></td></tr>
<tr><td>freie Mobilität der Produktionsfaktoren Arbeit, Boden und Kapital</td><td></td><td></td></tr>
<tr><td>gemeinsame, harmonisierte Wirtschaftspolitik</td><td></td><td></td><td></td></tr>
<tr><td>gemeinsame bzw. verkettete Währungen</td><td colspan="4">Währungsunion</td></tr>
<tr><td>gemeinsamer Staatsapparat (Legislative, Exekutive, Jurisprudenz)</td><td colspan="4"></td></tr>
</table>

koordinierten Politikbereichen, wozu auch eine gemeinsame Außenhandelspolitik gegenüber anderen Wirtschaftsblöcken gehört. Dies geschieht in einer Freihandelszone – wenn überhaupt – durch informelle Absprache und nicht durch gemeinsame Institutionen. Die Abwesenheit gemeinsamer politischer Institutionen erschwert ein koordiniertes Vorgehen in vielen Sektoren.

13.7.2.5. GATT-rechtliche Stellung von Integrationsräumen

Nach **Art. I** GATT müssen WTO-Mitglieder das Meistbegünstigungsprinzip anwenden *(Most Favoured Nations Principle,* MFN-*principle).*[23] Für regionale Integrationsräume gilt eine wichtige Ausnahme von diesem Prinzip. Diese ist in **Art. XXIV** normiert, der zentralen GATT-Norm für Integrationsräume. Sie gewährt dieses Privileg für Freihandelszonen oder Zollunionen, die zwischen den Mitgliedern den Handel erleichtern, ohne Barrieren gegenüber Drittstaaten zu errichten (Abs. 4). Nach Abs. 8 müssen Freihandelszonen und Zollunionen Zölle und andere Behinderungen des gegenseitigen Handels beseitigen, und zwar bezüglich *«substantially all the trade between their customs territories».* Das Liberalisierungsgebot ist jedoch nicht absolut; die Staaten können *«where necessary»* Abgaben oder andere Restriktionen beibehalten, und zwar nach Art. XI (quantitative Restriktionen), XII (aus Zahlungsbilanzgründen), XIII (nicht-diskriminierende Handhabung von quantitativen Restriktionen), XIV (Ausnahmen vom Nicht-Diskriminierungsgebot), XV (Währungsvereinbarungen) und XX (Allgemeine Ausnahmen; dies ist die *einzige* – und nur implizite – Verankerung des Umweltschutzes im GATT-Abkommen). Mitglieder von Zollunionen müssen dabei «in etwa» dieselben Außenzölle gegenüber Drittländern anwenden, die jedoch *«on the whole»* nicht höher sein dürfen als vor der Integration. Nach Art. XXIV Abs. 7 müssen Integrationsabkommen vorab beim GATT angezeigt und registriert (notifiziert) werden, so daß das GATT ggf. Vorschläge machen kann. Die Notifizierung erfolgt in der Praxis bereits zu dem Zeitpunkt, wenn eine Arbeitsgruppe einen Entwurf ausarbeitet, nicht erst bei Unterzeichnung des Abkommens, wie es der GATT-Wortlaut vorsieht.

In **Teil IV**, der 1965 in das GATT-Abkommen eingefügt wurde, werden spezifische Vorkehrungen getroffen, um Handel und Entwicklung von Entwicklungsländern zu fördern, auch wenn das *«sub-*

[23] Inhaltlich gleichbedeutend entspricht dies dem Nicht-Diskriminierungsprinzip.

stantially all trade»-Kriterium nicht erfüllt wird. Bei verschiedenen Anlässen wurden Teil IV und Art. XIV kombiniert, um Entwicklungsländern nicht-reziproke Präferenzen einzuräumen (so die EU bei den Lomé-Abkommen I–III).

Die sog. **Ermächtigungsklausel** *(enabling clause)* wurde 1979 im Zuge der Tokyorunde entwickelt und ermächtigt Entwicklungsländer, untereinander Präferenzabkommen zu schließen. Dies gilt auch für einseitige Präferenzabkommen zwischen Industrie- und Entwicklungsländern, beispielsweise das GSP/APS.

Auf der Grundlage von **Art. XXV** können die WTO-Mitglieder Ausnahmegenehmigungen *(waivers)* gewähren für sektorale Freihandelsabkommen (z. B. 1952 für das EGKS-Abkommen oder 1965 für den USA-Kanada-Autovertrag).

Sofern im Zuge der Integration bisherigen Handelspartnern Nachteile entstehen, weil frühere bilaterale Handelsabkommen an eine Zollunion angepaßt und Zollpräferenzen nicht aufrecht erhalten werden können, können die benachteiligten Länder nach Art. XXVIII Kompensation verlangen oder Ausgleichsmaßnahmen ergreifen.

Sowohl der WTO-/GATT-Vertrag als auch internationale bzw. regionale Handels- oder Umweltabkommen sind gleichberechtigte Elemente des allgemeinen Völkervertragsrechts. Sofern sich zwischen zwei Ländern in Bezug auf zwei internationale Verträge Kollisionen ergeben, ist die Sachlage nach der Wiener Vertragsrechtskonvention von 1969 zu beurteilen. Sofern beide Länder Vertragsparteien beider Abkommen sind, kann – ohne dies hier zu vertiefen – der später abgeschlossene Vertrag Normen des früheren ersetzen *(lex posterior)*. Damit hat der WTO-Vertrag von 1995 gegenüber früheren Abkommen eine dominante Position. Ist ein Abkommen für beide Länder nach dem 1. 1. 1995 gültig geworden, dominiert dieses gegenüber der WTO. Die Mitglieder eines Integrationsraums können somit untereinander Verabredungen treffen, die denen der WTO zuwiderlaufen. Ihre Anwendung auf Drittländer, die WTO-Mitglieder sind, ist nur unter Beachtung der WTO-/GATT-Kompatibilität möglich.

13.7.2.6. Motive der regionalen Integration

Zwei hauptsächliche Motive dominieren regionale Integrationsbemühungen: wirtschaftliche und politische Motive. Abb. 13.7.2/17 faßt dies in einem Überblick zusammen, und Abschn. 13.7.2.8 geht im Zusammenhang mit den Erfolgsbedingungen der Integration darauf näher ein. Bei einigen Integrationsräumen überlagern sich wirtschaftliche und politische Beweggründe (z. B. ASEAN/AFTA). Vielfach gibt

Abb. 13.7.2/17: Motive der regionalen Integration

Überwiegend politische Motive	Überwiegend wirtschaftliche Motive
• ASEAN	• EU
• SAARC	• NAFTA
• SADC	• APEC
• CARICOM	• Mercosur
• MCCA	• EFTA
• Lomé	• CEFTA
• ECOWAS	• MFTZ
• ALADI	• Andengemeinschaft (CAN)

es auch übergeordnete politische Motive, welche die ökonomischen Überlegungen in den Hintergrund rücken lassen. So haben beispielsweise einige Alt-Mitglieder der EU durch die Aufnahme Griechenlands, Spaniens und Portugals bzw. die Assoziierung und die Zollunion mit der Türkei Nachteile hinnehmen müssen, sei es durch zunehmenden Konkurrenzdruck im Agrarbereich, sei es aufgrund wachsender finanzieller Belastungen durch den EU-Haushalt. Offensichtlich spielen dabei neben langfristigen ökonomischen Vorteilserwartungen aber auch NATO-strategische Überlegungen eine Rolle.

13.7.2.7. Einige Strukturdaten

(a) Größe des geschaffenen Marktes und externer Handel

Die Größe des Integrationsraums als Markt ist in erster Linie wichtig hinsichtlich möglicher Handelseffekte. Je größer der Markt ist, desto stärker sind tendenziell die handelsschaffenden Effekte. Große Märkte beeinflussen zudem die weltweiten Güterströme.

Die wichtigsten Integrationsabkommen hinsichtlich der Größe ihrer Märkte sind EU, APEC und NAFTA. Von der TAFTA würde ein sehr starker handelsschaffender Effekt ausgehen. Neben der Größe der geschaffenen Märkte (Abb. 13.7.2/18) spielt die Höhe des externen Handels mit Drittländern ein Rolle. Abb. 13.7.2/19 gibt die Größenverhältnisse zwischen den verschiedenen Integrationsräumen hinsichtlich des BIP in Mrd. USD wieder. Hinsichtlich der Bedeutung der einzelnen Abkommen für den Welthandel ergibt sich ein ähnliches Bild wie hinsichtlich der Marktgröße, wobei sich hier die EU als «Handelsriese» hervorhebt.

(b) Entwicklungsniveau der Integrationspartner

Das Entwicklungsniveau und die wirtschaftlichen Strukturen der beteiligten Länder haben entscheidenden Einfluß auf den Integrations-

Abb. 13.7.2/18: Anteil der jeweiligen Abkommen am Welthandel

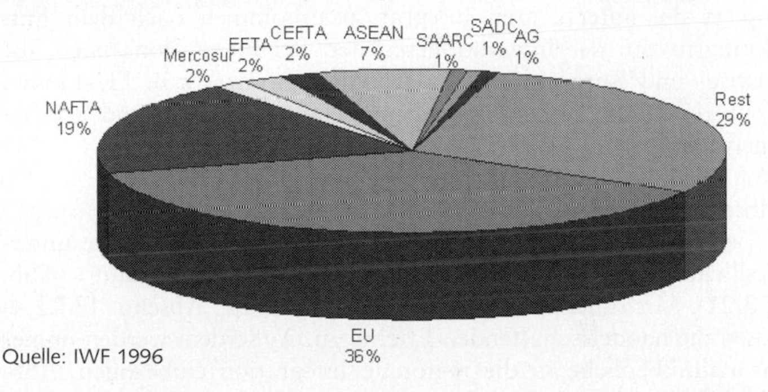

Quelle: IWF 1996

erfolg. Grundsätzlich sind die positiven Effekte für den Handel um so stärker, je höher das Entwicklungsniveau der beteiligten Länder ist, da die mit dem intra-industriellen Handel in substitutiven Handelsstrukturen verbundenen Effekte größer sind als die Handelseffekte zwischen Ländern mit niedrigerem Entwicklungsniveau und komplementären Wirtschafts- und Handelsstrukturen.

Es ist zwischen strukturell homogeneren und strukturell heterogenen Integrationsräumen zu unterscheiden. Strukturell homogene Integrationsräume umfassen nur Industrieländer (wie die EU) oder nur Entwicklungs- bzw. Transformationsländer (u. a. Mercosur, MCCA, CEFTA, Andengemeinschaft), heterogene Integrationsräume umfas-

Abb. 13.7.2/19: BIP in Mrd. $, aufgeteilt nach Sektoren

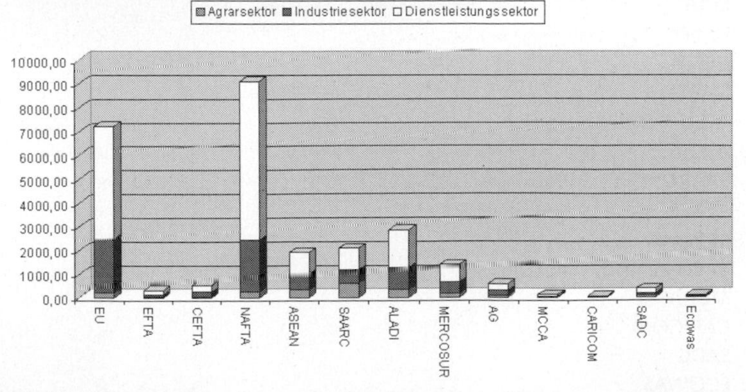

Quelle: Eigene Darstellung, basierend auf World Fact Book, 1996

sen verschiedene Ländergruppen (z. B. NAFTA). Abb. 13.7.2/20 gruppiert die untersuchten Integrationsabkommen nach dem Entwicklungsniveau der Integrationspartner. Bei Integrationszonen, die Industrie- und Entwicklungsländer umfassen (wie z. B. EU–Lomé), entfällt ein relativ hoher Handelsanteil auf Rohstoffe und arbeitsintensive Güter.

(c) Integrationstiefe

Die vier bedeutendsten Integrationsräume weisen einen sehr unterschiedlichen Stand der ökonomischen Integration auf (Abb. 13.7.2/21). Mit zunehmender Integrationstiefe (vgl. Abschn. 13.7.2.4) nehmen die handelsschaffenden Effekte zu. Außerdem werden immer mehr Politikbereiche in die regionale Integration einbezogen. Abb. 13.7.2/21 zeigt aber, daß nur wenige Abkommen auf *«deeper integration»* beruhen. Es ist jedoch zu beachten, daß nicht wenige Integrationsräume Namen führen, die nicht den geschaffenen, sondern den angestrebten Integrationszustand wiedergeben. Beispielsweise sind MCCA oder ECOWAS sicherlich keine gemeinsamen Märkte. Abb. 13.7.2/22 bezieht sich daher auf die faktisch angestrebte Integrationstiefe.

Abb. 13.7.2/20: Typisierung nach dem Entwicklungsniveau der Integrationspartner

Abkommen	Industrieländer	Schwellenländer	Entwicklungsländer
EU	×		
EFTA	×		
Lomé	×		×
CEFTA		×	
NAFTA	×	×	
APEC	×	×	×
ASEAN		×	×
SAARC			×
ALADI		×	×
Mercosur		×	×
Andengemeinschaft (CAN)			×
MCCA			×
CARICOM			×
SADC		×	
ECOWAS			×

Abb. 13.7.2/21: Integrationstiefe I

Integrationsebenen	EU	NAFTA	Mercosur	ASEAN-7
Freihandel Güter	5	4	2	2
Freihandel Dienstleistungen	4	3	1	2
Mobilität von Arbeitskräften	4	2	1	1
supranationale Institutionen	5	2	1	0
Koordination der monetären Politiken	4	1	0	0
Koordination der Fiskalpolitiken	1	0	0	0

eigene Darstellung, angelehnt an Proff/Proff 1996:394,
0 = niedrigster, 5 = höchster Integrationsgrad,
NAFTA: USA, Kanada, Mexiko,
Mercosur: Argentinien, Brasilien, Paraguay, Uruguay,
ASEAN-7: Brunei, Indonesien, Malaysia, Philippinen, Singapur, Thailand, Vietnam

Abb. 13.7.2/22: Integrationstiefe II

Abkommen	**Integrationstiefe**				
	Präferenzsystem	Freihandelszone	Zollunion	Gemeinsamer Markt	Wirtschaftsgemeinschaft
EU				×	(×)
EFTA		×			
Lomé	×				
CEFTA		(×)			
NAFTA		×			
APEC	×	(×)			
ASEAN		(×)			
SAARC		(×)			
ALADI	×				
Mercosur		(×)	(×)		
CAN		(×)	(×)		
MCCA			(×)		
CARICOM		(×)	(×)		
SADC		(×)			
ECOWAS		(×)			

(d) Umsetzung der Abkommen

Die erwarteten (positiven) Effekte (Abschn. 13.7.2.2) können nur eintreten, wenn die Abkommen auch tatsächlich realisiert werden. Einige Abkommen befinden sich noch in der Planungsphase bzw. Erprobungsphase wie die TAFTA oder die APEC, so daß die Effekte nur tendenziell geschätzt werden können. Bei einigen Abkommen wie ASEAN/AFTA oder SAARC ist abzusehen, daß sie im geplanten Zeitraum nicht vollständig umgesetzt werden können. Die oft gebräuchliche große Zahl von Ausnahmen hinsichtlich der Handelsliberalisierung kann die Umsetzung eines Abkommens verwässern oder verzögern. In einigen Abkommen konnten sehr schnell Liberalisierungsfortschritte erzielt werden (z. B. NAFTA oder Mercosur), andere wie der MCCA oder die ECOWAS sind bald ins Stocken gekommen (siehe hierzu Abschn. 13.7.2.8).

Weiterhin ist zu unterscheiden zwischen Integrationsabkommen, in denen ein Land dominiert und die Führung und das Tempo der Integrationsbemühungen bestimmen kann (vgl. nachstehend), und zwischen Abkommen mit einer ausgeglicheneren Struktur zwischen den beteiligten Ländern. Für die Realisierung der Integration ist auch von Bedeutung, ob Ausgleichsmechanismen innerhalb des Integrationsabkommens vorgesehen sind (wie bei der EU), so daß die Widerstände gegen eine interne Liberalisierung des Handels geringer sind. Die EU strebt einen Ausgleich der Lebensverhältnisse in Europa durch die Wirtschafts- und Währungsunion an und setzt dafür Mittel u. a. aus dem Strukturausgleichsfonds ein. Dies ist jedoch international eine Ausnahme; in den übrigen Integrationsräumen sind keine konkret funktionierenden Ausgleichsmechanismen zu beobachten.

13.7.2.8. Erfolgsbedingungen der Integration

Es fällt auf, daß kaum ein Integrationsabkommen zwischen Nicht-Industrieländern den ursprünglichen Zeitplan realisieren konnte. Angesichts der großen Vielfalt unterschiedlicher Integrationsansätze ist es kaum möglich, generalisierende Schlußfolgerungen zu ziehen und die Aussichten für den Erfolg eines Freihandelsabkommens abzuschätzen, da sehr viele und teilweise exogene Faktoren Einfluß auf die Entwicklungen innerhalb eines Integrationsraums ausüben. Der kontinuierliche Erfolg der EU ist – angesichts der gleichfalls kontinuierlichen Erweiterung und Vertiefung der Integration – im internationalen Quervergleich eine Ausnahmeerscheinung. Dennoch lassen sich einige Gesichtspunkte verallgemeinern, die sich tendenziell positiv oder negativ auf den Integrationserfolg auswirken. Pauschal lassen sie sich verdichten zu Homogenität, Wachstum und Stabilität (Langhammer 1993), aber bei näherer Betrachtung ergibt sich eine sehr viel differenziertere Struktur. Verschiedene der folgenden Überlegungen resultieren spiegelbildlich aus der vorangegangenen Betrachtung der Integrationswirkungen; einige Überlappungen sind daher unvermeidlich.

(a) Auswertung praktischer Erfahrungen

• **Politisches *commitment***

Von zentraler Bedeutung ist, daß die angestrebte ökonomische Integration **politisch** von allen Partnerländern wirklich **gewollt** und **unterstützt** wird; die englischen Begriffe *dedication* und *commitment* sind hier sehr treffend. Zwischen den Integrationspartnern müssen bindende Verpflichtungen möglich sein sowie der politische Wille, diese auch umzusetzen. In vielen Fällen werden Maßnahmen zwar verabredet, aber ihre Umsetzung unterbleibt. Die Wiederbelebung des Mercosur beispielsweise ist auf intensive diplomatische Aktivitäten der beteiligten Staatspräsidenten zurückzuführen. Der Zusammenbruch der damaligen Ostafrikanischen Gemeinschaft (EAC I) war insbesondere von tiefer gegenseitiger persönlicher Abneigung der Staatschefs verursacht worden. Für den Integrationserfolg genügt es nicht, daß die beteiligten Länder individuelle Vorteile sehen. Der politische Wille muß sich auch und vor allem auf gemeinsame Interessen erstrecken und nicht dann erlahmen, wenn es einmal mühsam wird: Man spricht vom sog. ALADI-Virus, wenn Staaten dazu übergehen, die vereinbarten Verpflichtungen nur soweit zu erfüllen, wie es ihnen gerade richtig erscheint.

Integrationsabkommen stellen ein dichtes Geflecht von Beziehungen dar, die sich auf viele Bereiche erstrecken und für einen langen Zeitraum gelten sollen. Hierdurch entsteht eine künstlich geschaffene, aber von den Beteiligten gewollte und akzeptierte **Interdependenz,** die dazu beiträgt, daß sich die Integrationspartner an das abgesprochene kooperative Verhalten gebunden fühlen. Die Durchführung gemeinsamer Politiken und Maßnahmen hängt davon ab, wie intensiv die Partner den erforderlichen Einsatz von finanziellen und personellen Mitteln und die Schaffung der erforderlichen rechtlichen und administrativen Rahmenbedingungen auch politisch unterstützen und umsetzen, und zwar bis hinunter auf die unterste Ebene. Insbesondere die lokalen Verwaltungsstrukturen hinken der Integrationsentwicklung meist hinterher.

Nationalismus ist ein schlechter Nährboden für regionale Integration. Daher ist wichtig, wie weit die Partner zu – zumindest partiellem – **Souveränitätsverzicht** bereit sind. Tiefergehende Integration wie in der EU führt auch zu einer **Rechtsgemeinschaft,** deren Mitglieder durch ein Geflecht von Regelungen verbunden sind. Häufig entstehen klare Erlaubnis- und Verbotsregeln, die ggf. von zentralen Instanzen überwacht werden können. Die Unterwerfung unter Sanktionen zur Einhaltung der Regelkonformität ist in erster Linie wichtig als Ausdruck des Kooperationswillens, denn solche Mechanismen werden in der Praxis kaum angewendet. Tendenziell werden Länder benachteiligt, die gemeinsame verabredete Regelungen umsetzen, während andere Staaten dies nicht tun; dies beeinträchtigt dann ihre Bereitschaft zu Souveränitätsverzicht. Die Neigung zur Abtretung von Souveränitätsrechten ist jedoch allgemein in allen Integrationsräumen ausgesprochen gering.

Jeder Integrationsprozeß ist gekennzeichnet durch Konflikte und Widersprüche, die sich aus den unterschiedlichen Interessen der beteiligten Länder ergeben. Ökonomische Integration setzt daher in jedem Fall **politische Harmonie,** zumindest Verträglichkeit voraus, die um so labiler sein wird, je größer die zwischenstaatlichen ökonomischen oder anderen Probleme sind. Eine Liberalisierung des Warenhandels impliziert eine wirtschaftspolitische Philosophie, die auch mit der allgemeinen Staatsphilosophie kongruent sein muß. Ohne eine weitgehend **demokratische Ausrichtung** bei gleichzeitig **dezentraler Staatsstruktur** ist eine privatwirtschaftliche Orientierung auf nationaler Ebene ebenso wenig aussichtsreich wie regionaler Freihandel.

Große **Heterogenität** der Wirtschafts- und Gesellschaftsordnungen stellt ein erhebliches Desintegrationspotential dar und führt oft dazu, daß der Integrationsansatz ins Stocken gerät oder sich nur auf relativ konfliktfreie Aspekte beschränkt. Beispielsweise hat der Mercosur als Markt für Brasilien nur eine nachrangige Bedeutung. Daher dürfte sich Brasilien im Konfliktfall zwischen seinen regionalen und weltmarktorientierten Interessen immer für die wichtigere globale Perspektive entscheiden. Statt einer multinationalen Integration entwickeln sich dann eher bilaterale und nur partielle Ansätze. Bei homogenen Integrationszonen sind die problembeladenen Anpassungszwänge geringer, der Widerstand gegen eine interne Liberalisierung ist entsprechend schwächer.

Positiv gesprochen heißt dies: Je größer die soziopolitischen Gemeinsamkeiten sind (Geschichte, Kultur, Religion, Sprache, politisches System, Rechtsordnung, Wirtschaftsordnung, Lebensstil, Konsumgewohnheiten), desto geringer sind die desintegrierenden Zentrifugalkräfte und desto ausgeprägter ist die kooperative Atmosphäre zwischen den Partnerländern. Insgesamt gesehen muß eine weitgehende Kongruenz der Vorstellungen herrschen. Über einen längeren Zeitraum hinweg nimmt das Verständnis für die Positionen der Partner ebenso zu wie die Fähigkeit, die eigenen Positionen zu relativieren. Die Partner verfügen dann oft über ähnliche Vorstellungen von einer fairen Lösung, wie z. B. in der NAFTA zu beobachten ist. Als besonders günstig erweist sich eine vorangegangene ‹stille Integration› *(silent integration)*, wie sie beispielweise vor der formellen Gründung der NAFTA in Form einer weitgehenden handelspolitischen, produktiven, sozialen und politischen Vernetzung vorlag.

- **Allgemeine ökonomische Rahmenbedingungen**

Je ähnlicher die kooperierenden bzw. integrierenden Länder sind, desto ausgewogener können sich die Vor- und Nachteile der Integration verteilen, insbesondere im Hinblick auf Handel, Direktinvestitionen und Beschäftigung. Allerdings ist eine Integration auf gemeinsamem *niedrigen* Entwicklungsstand kaum erfolgversprechend; ein gewisser ökonomischer Entwicklungsstand ist unabdingbar.

Die regionale Integration wird begünstigt, je größer die räumliche Nähe und die infrastrukturelle Erschließung der Partnerländer ist. Beispielsweise wurde der interne Handel in der ECOWAS jahrzehntelang von unzureichenden Straßenverbindungen behindert. Erst mit Hilfe externer Geber wurde in den letzten Jahren eine Küstenautobahn und ein Trans-Sahel-Highway realisiert. Auch bei empirischen Befragungen wird eine unzureichende Transportinfrastruktur immer wieder als besonders hemmender Faktor hervorgehoben.

- **Wirtschaftsstrukturen**

Bei **komplementären** Wirtschaftsbeziehungen müssen sich die Wirtschaftsstrukturen so ergänzen können, daß aus dem Güteraustausch keine gravierenden Zahlungsbilanzprobleme durch asymmetrische Beziehungen entstehen. Die Potentiale komplementärer Strukturen werden – insbesondere in Afrika – erstaunlich wenig genutzt. Komplementäre Strukturen führen meist zu Handelsschaffung im interindustriellen Handel im Integrationsraum. Je höher der Grad der Industrialisierung ist, desto besser sind die Chancen, Komplementarität und Komplexität der Arbeitsteilung durch Handel zu steigern. Substitutionelle Strukturen auf niedrigem Entwicklungsniveau führen kaum zu interregionaler Handelsschaffung; die Partnerländer bleiben – was den Handel anbelangt – tendenziell nach außen orientiert (MCCA, ECOWAS). Auf der anderen Seite sind sich solche Ländergruppen (z. B. auch die Mittelmeerländer) hinsichtlich ihrer Problemstrukturen und der Knappheit verfügbarer Mittel sehr ähnlich, so daß es sich anbietet, für gemeinsame Probleme Lösungen im Rahmen der regionalen Zusammenarbeit zu suchen.

Bei **substitutionalen** Faktor- und Ressourcenausstattungen bzw. **Wirtschaftsstrukturen** kommt es eher zu intra-industriellem Warenaustausch. Dies setzt jedoch ein höheres Entwicklungsniveau voraus, wie z. B. zwischen den EU-Ländern, um signifikanten intra-regionalen Handel entstehen zu lassen. Beispielsweise umfaßt der Mercosur

200 Millionen Menschen, aber nur knapp 10% verfügen über eine Kaufkraft, die dem Durchschnitt in Spanien entspricht. Auch die meisten afrikanischen Integrationsräume sind ökonomisch nur schwache Märkte. Gleichzeitig muß die Wettbewerbsfähigkeit der Partnerländer vergleichbar entwickelt sein, und die Wettbewerbsbedingungen sollten zumindest ähnlich sein, um Verzerrungen zu vermeiden. Dem Wettbewerbsrecht kommt daher eine wichtige Rolle im Integrationsprozeß zu.

Sofern realistischerweise von heterogenen Voraussetzungen der Partnerländer auszugehen ist, erfordert eine über partielle Kooperation hinausgehende Integration eine wirtschaftliche **Umstrukturierung** auf den nationalen Ebenen und beschränkt sich nicht auf bloße handelspolitische Überwindung nationaler Grenzen. Integration impliziert damit **Desintegration nationaler Strukturen,** wobei die nationalen Komponenten auf regionaler Ebene zu einer neuen Struktur zu amalgamieren sind. Integration ist für die beteiligten Eliten oft ein Instrument für eine Beteiligung an der globalen Herrschaft. Nicht zuletzt aus diesem Grund kann Integration nur langfristig zu verstehen sein und ist abzugrenzen gegen zeitlich oder funktional begrenzte Kooperationen.

• **Makroökonomische Rahmenbedingungen**

Wichtig ist, daß der Handelsliberalisierung innerhalb des Integrationsraums, die ja die Unternehmen zu Import- und Exportgeschäften anregen soll, nicht andere, **handelsbehindernde Faktoren** entgegenwirken. Dazu zählen sehr häufig steuerliche Verzerrungen und administrative Hemmnisse (z. B. Ursprungsregeln) in der Handelsabwicklung und bei Direktinvestitionen, hindernde Regelungen im Niederlassungs- oder Wettbewerbsrecht, unzureichende Möglichkeiten der Unternehmen, sich Informationen über Märkte, Kunden und Lieferanten zu verschaffen, allgemein mangelnde Management- und Marketingkompetenzen, Währungsrisiken, Devisenkontrollen, unzureichende Finanzierungs- und Zahlungsstrukturen, Behinderung in der Arbeitskräftemobilität durch Visapflichten oder durch das Arbeitsrecht, usw. Empirische Untersuchungen machen dabei deutlich, daß die inter-regionale Handelsschaffung insbesondere durch unzureichende Finanzierungsmöglichkeiten auf der privaten Ebene behindert wird. Besondere Bedeutung kommt daher auch den Rahmenbedingungen für interne Investitionen und ausländische Direktinvestitionen zu.

Je größer der Integrationsraum ist, desto stärker sind die handelsschaffenden Effekte, und zwar um so mehr, je höher die Zolltarife zwischen den Mitgliedsländern vor dem Zusammenschluß sind. Je niedriger der Außenzoll gegenüber Drittländern vor und nach dem Zusammenschluß ist, desto geringer ist die Handels*umlenkung*. Der Wegfall von Zöllen oder Steuern auf grenzüberschreitenden Warenverkehr und der Abbau nicht-tarifärer Handelshemmnisse ist eine notwendige, aber allein genommen keine hinreichende Voraussetzung für eine erfolgreiche ökonomische Integration.

Ein wichtiger Erfolgsfaktor sind stabile **makroökonomische und politische Rahmenbedingungen,** innerhalb derer sich die priavtwirtschaftlichen Aktivitäten vollziehen. Dies umfaßt auf der monetären Ebene realistische und verläßliche Wechselkurse,[24] eine weitgehend inflationsfreie Entwicklung, eine Politik der Privatisierung und der Unterstützung unternehmerischer Aktivitäten (einschließlich einer entsprechenden Steuerpolitik) sowie die Entwicklung eines funktionsfähigen Bankensystems. Ohne volkswirtschaftliche und politische Stabilität haben Integrationsbemühungen keine Basis; politische Turbulenzen in Paraguay und Ecuador im Jahr 1999 haben dies erneut gezeigt. Die beteiligten Staaten eines Integrationsraumes sind für die Gestaltung dieser Rahmenbedingungen zuständig, aber konkret vollzieht sich *ökonomische* Integration in erster Linie auf der Unternehmensebene und bei den Konsumenten. Integrationsfördernd ist daher, je stärker der Konsens und die Konvergenz der Wirtschaftspolitiken zwischen den Partnerländern ist. Im Mercosur stellt das vollkommene Fehlen einer Koordinierung der Wirtschaftspolitiken mit das größte Hemmnis dar.

Wenn die Rahmenbedingungen zu ungünstig sind, versandet privatwirtschaftliches Engagement schnell wieder. Die Notwendigkeit der Verzahnung der staatlichen und der privaten Ebene wird zunehmend erkannt und – beispielsweise in der ECOWAS II – auch formal festgeschrieben. Dies sollte sich jedoch nicht nur auf die Einbindung der Unternehmen erstrecken, sondern auch und insbesondere auf die **Partizipation** der übrigen Zivilgesellschaft.

- **Disparitäten und Differenzen**

Wenn Integrationsbemühungen stagnieren oder scheitern, ist dies meist auf zwei Ursachen zurückzuführen: auf **ökonomische Disparitä-**

[24] Eine monetäre Integration wie in der UEMOA oder der EU ist eine besonders günstige Rahmenbedingung für die güterwirtschaftliche Integration, ist jedoch nicht zwingend, und sie setzt auch die Erfüllung einiger Bedingungen voraus, die in vielen Integrationsräumen nicht gegeben sind. Vgl. Abschn. 13.7.2.8.

ten und/oder auf **politische Differenzen.** Ökonomische Disparitäten (Abb. 13.7.2/23) ergeben sich, wenn die beteiligten Länder eines Integrationsraumes sehr unterschiedliche **Voraussetzungen** mitbringen hinsichtlich Fläche, Einwohnerzahl, Infrastruktur, Verkehrsbedingungen, Verwaltungsstrukturen, Rohstoffvorräten, Wirtschaftskraft, Einkommensniveau, Beschäftigungsstand, Inflationsentwicklung, Import- und Exportabhängigkeit, Lohnniveau, Sozialstandards, Umweltstandards, geogaphischer Besonderheiten (Küstenland/Binnenland, Berge, Flüsse) etc. Unter liberalen Bedingungen suchen sich die

Abb. 13.7.2/23: Ökonomische Disparitäten

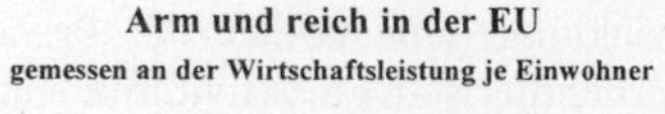

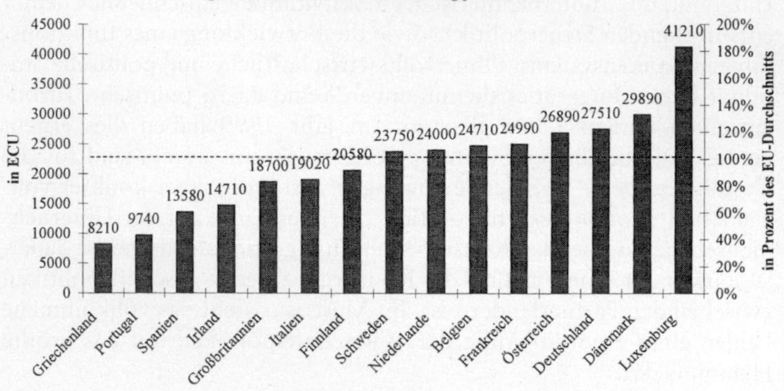

Quelle: Fischer Weltalmanach 1998

Arm und reich in der EU

Wirtschaftsleistung je Einwohner
(EU-Durchschnitt = 100%)

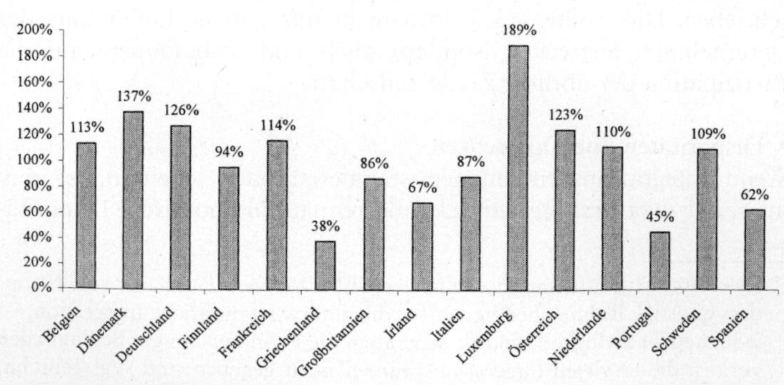

Quelle: Fischer Weltalmanach 1998

Produktionsfaktoren ihre Standorte nicht im Hinblick auf eine regional ausgewogene Entwicklung, sondern nach mikroökonomischen Effizienzkriterien. Ungleiche Wettbewerbsbedingungen und Faktormobilität können daher inter-regionale Ungleichheiten sogar verstärken, statt sie einzuebnen.

Die Dynamik eines regionalen Integrationsabkommens ist davon abhängig, inwieweit es den beteiligten Ländern gelingt, die in Abschnitt 13.7.2.2 beschriebenen positiven wirtschaftlichen und politischen Effekte, d.h. die Vorteile regionaler Integration auszunutzen und die zwischen den Partnerländern verabredeten Ziele des regionalen Integrationsprojekts zu realisieren. Dabei muß neben der internen Entwicklung gleichzeitig eine stärkere Integration in die Weltwirtschaft erreicht werden. Dies erfordert auch eine realistische Wechselkurspolitik. Das Beispiel des Mercosur belegt dabei, wie sehr der Integrationsprozeß von den Interessen des dominierenden Partnerlandes Brasilien abhängt, das sehr stark auf multilaterale weltwirtschaftliche Verflechtungen orientiert ist und für das der kleine Integrationsmarkt nur eine nachrangige Bedeutung hat.

Politische und ideologische Differenzen können den Integrationserfolg erheblich behindern. Ein extremes Beispiel sind die mehrfach gescheiterten Integrationsversuche Libyens mit Nachbarländern. Je ungleichgewichtiger sich die ökonomischen Vor- und Nachteile der Integration auf die Partnerländer verteilen, desto größer wird die Bedeutung ungelöster politischer, territorialer, ideologischer, ethnischer oder religiöser Konflikte, die zwischen den Integrationspartnern in der Ausgangssituation herrschen oder sich während des Integrationsprozesses entwickeln und die durch unbefriedigende Integrationswirkungen belebt oder verschärft werden. Konflikte wirken sich sehr nachteilig auf den Zustrom von Direktinvestitionen aus. Ohne Direktinvestitionen ist aber eine interne Handelsliberalisierung kein hinreichender Integrationsmotor.

- **Ausgleichsmechanismen**

Tendenziell profitieren größere, wirtschaftsstärkere Länder mehr von einer Integration als ihre kleineren, schwächeren Nachbarn. Innerhalb der meisten Süd-Süd-Integrationszonen, die teilweise als Gegengewicht zu den dominanten Industrieländern gedacht waren, haben sich asymmetrische Beziehungen entwickelt (Brasilien im Mercosur, Kenia in der EAC I, Nigeria in der ECOWAS etc.). Es gibt einige Beispiele für das Scheitern von Integrationsbemühungen aus diesen Gründen, so beispielsweise die Abspaltung der Andengruppe innerhalb der damaligen Lateinamerikanischen Freihandelszone (LAFTA), der Zusammenbruch der Ostafrikanischen Gemeinschaft (EAC I) zwischen Kenia, Uganda und Tansania sowie der Zerfall des Zentralamerikanischen Gemeinsamen Marktes (MCCA), der sogar in einem «Fußballkrieg» zwischen Honduras und El Salvador gipfelte. Auch im ASEAN-/APEC-Raum gibt es Tendenzen – vor allem getragen von Malaysia – zur Schaffung einer subregionalen *East Asian Economic Community* (EAEC). Abb. 13.7.2/24 verdeutlicht einen solchen ‹Knackpunkt›.

Wenn sich die positiven und negativen Effekte der Integration asymmetrisch auf die einzelnen Mitgliedstaten verteilen, wird schwächeren Partnern oft eine Sonderstellung und Ausnahmeregelung zugestanden, um diesem Desintegrationspotential entgegenzuwirken. Hierzu können auch – in Maßen – intraregionale **Kompensationssysteme** beitragen, entweder durch Paketlösungen mit gegenseitiger ‹Verrechnung› von Vor- und Nachteilen bei verschiedenen Teilaspekten (Zugeständnisse in der Fischereipolitik gegen Vorteile in der Holzindustrie) oder durch finanzielle **Transfers,** so wie es in der EU mit dem Europäischen Regionalfonds und verschiedenen anderen Fonds versucht wird. Dies ist insbesondere erforderlich, wenn in einigen Staaten der Staatshaushalt zu großen Teilen aus Zolleinnahmen aus dem Intra-Handel finanziert wurde, in einigen SADC-Staaten bis zu einem Drittel, in einigen anderen Staaten sogar 60–80%. Wenn es nicht gelingt, den liberalisierungsbedingten Ausfall der Zolleinnahmen aufzufangen, insbesondere durch eine Substitution durch andere Steuereinnahmen, die sich aus der Handelsschaffung ergeben, wird der Integrationserfolg gefährdet, und der vereinbarte Abbau von Handelshemmnissen kommt leicht ins Stocken. Ordnungspolitisch nimmt dabei die Tendenz zu, regionalen Disproportionalitäten mit staatlichen Eingriffen entgegenzuwirken. Ausmaß und Umfang von Ausnahmeregelungen sollten natürlich nicht dazu führen, daß das Integrationsabkommen vorrangig aus einer langen Liste von Sonderregelungen bezüglich des intra-regionalen Handels besteht.

Hinsichtlich der tarifären **Liberalisierung** fällt auf, daß sich der Abbau von Zöllen vorrangig auf solche Bereiche erstreckt, denen komplementäre Wirtschaftsbeziehungen zugrunde liegen: Zollfreiheit

Abb. 13.7.2/24: Streitpunkte

Neue Schlachten im Thunfischkrieg

Westeuropas Fischer fahren jetzt bewaffnet in den Atlantik / Streit um Fangrechte / Politik machtlos

Französische Fischkutter von Spaniern beschossen

bzw. stark zollvergünstigt sind vor allem solche Güter, die im präferenzgewährenden Raum nicht produziert, aber benötigt werden. In der EU beispielsweise sind dies insbesondere Rohstoffe. In anderen Bereichen, in denen aufgrund substitutionaler Beziehungen Konkurrenz erwachsen könnte, wie z. B. in der Landwirtschaft, gibt es teils gar keine Präferenzen bzw. sogar Behinderungen, teils nur unter dem Vorbehalt, daß sich keine Probleme ergeben dürfen (in der EU «sensible» Bereiche oder Güter genannt). Beispielsweise bestehen im Lomé-Abkommen zumindest potentielle Barrieren für industrielle Halb- und Fertigprodukte. Auffällig ist auch, daß regionale Integrationsabkommen oft die Landwirtschaft ausklammern oder besonderen Regelungen unterwerfen. Dies stellt natürlich gerade in stark agrarisch geprägten Integrationsräumen (u. a. ECOWAS) ein erhebliches Integrationshindernis dar.

In Integrationsräumen von Entwicklungsländern mit niedrigem ökonomischen Entwicklungsniveau muß die Handelsliberalisierung durch weitergehende Anstrengungen unterstützt werden, die sich insbesondere auf die Entwicklung der regionalen Infrastruktur, die Arbeitskräfte- und Kapitalmobilität und auf den Ausgleich regionaler Disparitäten beziehen. Hinsichtlich entsprechender **Ausgleichsfonds** zeigen die bisherigen Erfahrungen (außerhalb der EU), daß die finanziellen Mittel meist unzureichend sind und Verteilung und Verwaltung der Mittel ineffizient erfolgen. Die damalige *East African Community* ist zusammengebrochen trotz vorhandener Kompensationsvereinbarungen, die jedoch nicht umgesetzt wurden.

- **Institutionelle Kapazitäten**

Der politische Motor muß auch dafür sorgen, daß die institutionelle Entwicklung mit der ökonomischen Integration Schritt hält. Dies betrifft sowohl die Entwicklung hinreichender institutioneller Kapazitäten auf der nationalen Ebene als auch effiziente institutionelle und rechtliche Strukturen auf der regionalen, ggf. supranationalen Ebene. Der Integrationsprozeß in der EU wurde begleitet von der Entwicklung entscheidungsfähiger supranationaler Institutionen, die auch einen organisierten Interessenausgleich innerhalb institutionalisierter Verhandlungen leisten. Eine Begrenzung der Institutionalisierung auf die Exekutive (wie im Mercosur) erschwert die Partizipation der Bevölkerung im Integrationsprozeß. Nur schwach ausgebildete institutionelle Strukturen können zu Engpässen im Integrationsprozeß werden, weil mit zunehmender Integration die Probleme zunehmen und hierfür entsprechende Lösungs- und Koordinierungsmechanismen zur Verfügung stehen sollten.

Wenn zu viele dieser Voraussetzungen nicht erfüllt sind, können Integrationsansätze nicht den erhofften Aufschwung in der ökonomischen Entwicklung bringen. Der im Juli 1999 erneut veröffentlichte «UN-Index der menschlichen Entwicklung» stellt in bestürzender Deutlichkeit heraus, daß Handelsliberalisierung nur eine von vielen Erfolgsbedingungen ist: Die zwanzig «rückständigsten» Länder sind *alles* afrikanische Staaten, sie sind *alle* Mitglieder in Freihandelsabkommen, und sie sind *alle* Partner im EU-Lomé-Abkommen.

(b) Strategische Überlegungen

Die in Abschn. 13.7.2.3 skizzierten Integrationsformen legen eine Abfolge aufeinander aufbauender Integrationsstufen nahe. Dies ist in vielen Fällen auch beobachtbar, indem der erste Integrationsschritt zunächst in der Verwirklichung einer Freihandelszone besteht, die später zu einer Zollunion und dann zu einem gemeinsamen Markt und noch tiefer ausgebaut wird, so wie es in der EU geschehen ist. Die Bildung regionaler Integrationsräume wird daher häufig als Schritt und *second-best*-Lösung in Richtung auf eine multilaterale *first-best*-Lösung ökonomischer und ökologischer Probleme gesehen.

Überregional angelegte, sektoral begrenzte Integrationsprojekte können die Rahmenbedingungen und Voraussetzungen für Wirtschaftswachstum und Entwicklung verbessern, wie das Beispiel der damaligen SADCC zeigte. Dort war versucht worden, eine Alternative zur klassischen Integration via Marktintegration und Zollunion umzusetzen, indem die Kooperation schwerpunktmäßig auf die Entwicklung der Infrastruktur und die Entwicklung der Industrie durch Investitionsförderung ausgerichtet war. Als Restriktion erwies sich dabei aber die enorme finanzielle Abhängigkeit von Geberinstitutionen und das Fehlen übergreifender Koordinierungskompetenzen.

Allgemein kann man sagen, daß die Erfolgsaussichten von Kooperations- und Integrationsansätzen um so höher sind, je weniger ambitiös, d. h. je begrenzter die anfänglich beabsichtigte Zusammenarbeit ist; sie läßt sich natürlich im Zeitablauf ausweiten. Der Mercosur beispielsweise zeichnet sich durch eine (anfänglich) kleine Zahl von Mitgliedern und eine pragmatische Vorgehensweise aus. Strategisch günstig ist es für den Integrationserfolg, zunächst auf wenige Schritte, aber mit größerer Multiplikatorwirkung zu setzen, beispielsweise auf interne Null-Zollsätze und einen gemeinsamen Außenzolltarif. Diese wichtigen Schritte sind (faktisch) kaum reversibel. Interessanterweise weist das am wenigsten integrierte und am wenigsten institutionalisierte Gebilde der ASEAN im inter-regionalen Vergleich die besten ökonomischen (und friedenspolitischen) Erfolge auf, auch die SADC verfolgt einen sehr behutsamen Integrationskurs. Im Mercosur zeigt sich, daß die Mitgliedstaaten sehr hartnäckig an ihrer nationalen Souveränität festhalten, wodurch die Integrationsdynamik deutlich gebremst wird. Entsprechend minimalistisch ist der Grad der supranationalen Institutionalisierung. Kleinere Integrationsräume sind tendenziell erfolgreicher als größere. In Lateinamerika sind umfassendere Integrationsvorhaben durchgängig gescheitert; in Afrika sind kontinentale Pläne völlig illusorisch.

Grundsätzlich werden sich für jeden Integrationsraum im Zeitablauf die Fragen nach **Verbreitung** und **Vertiefung** der Integration stellen. Dies ist deutlich in der EU, aber auch in der NAFTA, im Mercosur und der ASEAN zu beobachten. Trotz verschiedener Versuche in der Theorie gibt es keine überzeugenden Erkenntnisse für die Abgrenzung eines «optimalen Integrationsraums»[25] im Hinblick auf die Größe oder die Zahl der Mitglieder oder ihrer notwendigen Verflechtungen zu Beginn des Integrationsprozesses.

Eine Verbreiterung der Mitgliederstruktur impliziert zunächst insbesondere statische handelsschaffende und -umlenkende Wirkungen. Bei heterogener Mitgliederstruktur, wie sie beispielsweise durch eine Osterweiterung der EU betont werden wird, vergrößern sich gleichzeitig die internen Anpassungsprobleme, die – wenn ihnen nicht durch geeignete Maßnahmen begegnet werden kann –, zu asymmetrischen Entwicklungen führen können. Dies tritt auch im Mercosur auf. Eine Erweiterung des Integrationsraumes setzt daher ein gewisses **Absorptionspotential** für integrationsbedingte Belastungen bei den übrigen Mitgliedern voraus. Diese Fähigkeit erhöht sich zweifellos im Zuge der Vertiefung der Integration, indem sich Strukturverzerrungen verringern und die Kooperations- und Kompensationsmechanismen verbessern. Zwischen Verbreitung und Vertiefung der Integration muß daher eine Balance gefunden werden, die jedoch nicht generell zu bestimmen ist.

Danach würde eine Verbreitung zunächst eine interne Konsolidierung voraussetzen. Dies belegen auch verschiedene, ursprünglich sehr breit angelegte Integrationsversuche in Afrika und Lateinamerika, deren Scheitern bzw. Stagnieren auf die große Zahl der Mitglieder und die dadurch bedingte starke Heterogenität zurückzuführen ist. Als Konsequenz haben sich sowohl in Lateinamerika als auch in Afrika subregionale Staatengruppen gebildet, um statt einer breiten, aber

[25] Für die monetäre Integration ist die Theorie optimaler Währungsräume hingegen sehr viel ausgebauter und fortgeschrittener. Vgl. auch Abschnitt 12.5.3.

‹flachen› Integration eine tiefere Integration zwischen nur wenigen Staaten anzustreben.

Dessenungeachtet kann es auch auf einer noch nicht allzu tiefen Stufe der Integration sinnvoll sein, den Integrationsraum zu vergrößern, denn ein wichtiger Aspekt der Integration ist in der daraus resultierenden politischen Verhandlungsmacht zu sehen. Eine graduelle Verbreiterung des Integrationsraums kann dabei eine spätere weitere Verbreitung und Vertiefung vorbereiten. Beispielsweise verfolgen die Mercosur-Staaten eine Politik der Anbindung weiterer Staaten und Staatengruppen durch bilaterale Verträge (Chile, Bolivien, Andengruppe). Dies verbessert die Verhandlungsmacht eines erweiterten Mercosur allgemein gegenüber den Industrieländern und insbesondere im Hinblick auf eine mögliche Verwirkung einer Lateinamerikanischen Freihandelszone oder gar im Rahmen einer Freihandelszone der Amerikas (FTAA). Gleichzeitig besteht ein strategischer Vorteil darin, daß die Anpassungszwänge in einem Integrationsraum, der aus ‹Nachbarn› besteht, geringer sind, als wenn sich die Heterogenität durch den Einbezug der nordamerikanischen oder europäischer Industrieländer *sehr* stark erhöht. Eine zunächst nur ‹südamerikanische› Integration könnte zu Skaleneffekten führen, welche die Absorptionsfähigkeit für den Anpassungsbedarf an eine spätere hemisphärische Integrationszone oder einer Kooperation mit den USA oder mit der EU verbessern würde.

14. Entwicklungspolitik

In diesem Abschnitt wird die Entwicklungszusammenarbeit als Bereich der nationalen Wirtschaftspolitik betrachtet. Ein ausführliches Eingehen auf die Probleme sog. Entwicklungsländer und auf die Entwicklungsproblematik insgesamt würde den Rahmen sprengen. Daher können nur einige Aspekte schwerpunktmäßig und eher plakativ und exemplarisch aufgegriffen werden. Diese Zurückhaltung und Beschränkung fällt schwer, denn der Autor ist seit 25 Jahren in der internationalen Entwicklungszusammenarbeit tätig.

14.1. Ausgangssituation

14.1.1. Die Akteure

Lange Zeit war es gebräuchlich, die Entwicklungsländer-Problematik mit dem Schlagwort **Nord-Süd-Konflikt** zu beschreiben. Dieser Begriff ist in vieler Hinsicht falsch, wird aber dennoch auch heute noch oft verwendet. Zunächst ist die geographische Einteilung nicht korrekt, denn zu den mit ‹Nord› bezeichneten Industrieländern zählen auch Australien und Neuseeland im Süden. ‹Nord› umfaßte tendenziell meist nur ‹West›, also die kapitalistischen Industrieländer bzw. die ehemaligen Kolonialmächte; im Zusammenhang mit ‹Nord-Süd› war vom Ostblock mit seinen Industrieländer-Regionen selten die Rede. Zumindest bis Ende der 80er Jahre war also eine Unterscheidung in Nord(West) und Nord(Ost) angebracht gewesen. Die Einteilung in Welten kam dem schon näher: Erste Welt (West), Zweite Welt (Ost), Dritte Welt (Süd).
Die Pauschalgruppierung Nord(West) war zwar recht grob, aber akzeptabel: Nordamerika, (West-)Europa und Australien bilden einen Club von Industrieländern – zusammengefaßt in der OECD –, deren Interessen und Probleme durchaus ähnlich sind, obgleich sich daraus die Frage stellt, ob z. B. Portugal oder Griechenland ‹richtige› Industrieländer sind. Die Zusammenfassung aller übrigen Länder als Entwicklungsländer unter dem Label ‹Süd› ist aber viel zu undifferenziert: Diese ‹Gruppe› umfaßt Länder wie Argentinien, Brasilien, Singapur und Südkorea, aber auch Papua-Neuguinea, Bangla Desh oder Kamerun – große und kleine Länder, reiche und bitterarme in einem Topf. Hinzu kommen heute die Länder des ehemaligen Ostblocks, die sog. *Transformationsländer*, und insbesondere China, wodurch sich die Zuordnung weiter kompliziert hat. Durch das Aufkommen sog. *Schwellenländer* kann man jedoch annäherungsweise drei Untergruppen bilden: ökonomisch potente **Schwellenländer**, die nach vielen Kriterien bereits Industrieländer sind – die **OPEC-Länder** spielen dabei eine Sonderrolle –, dann ‹normale› arme **Entwicklungsländer** und die besonders armen Länder, die **LLDC** *(Least Developed Countries)*; das ‹LL› steht zur Hervorhebung und Abgrenzung gegen die ‹normal armen› *Less Developed Countries*). Trotz dieser Unschärfe wird im folgenden verallgemeinernd von ‹Entwicklungsländern› gesprochen. Daß sich der Begriff ‹Entwicklung› üblicherweise, aber sehr verengend nur auf die ökonomische Entwicklung bezieht und nur selten auch in anderer Hinsicht interpretiert wird, soll hier nur am Rande erwähnt werden.

Obgleich das Kürzel LDC durchaus gebräuchlich ist (früher hieß es sogar *underdeveloped countries*), wird im Sprachgebrauch verbindlicher von *developing countries* (DC) gesprochen; das gilt auch im Deutschen: Aus unterentwickelten Ländern sind Entwicklungsländer geworden. Interessant ist die spanische Bezeichnung *«países en construcción»*. Damit gab es offiziell auch keinen Nord-Süd-Konflikt mehr: Die Entwicklungs*hilfe* hat sich zur Entwicklungs*zusammenarbeit* verändert.

Die zentrale Problematik wird in Abb. 14.1.1/1 u. 2 verdeutlicht: Den reichen Ländern des Nord(West)ens stehen vier Fünftel der Weltbevölkerung in den armen Ländern des Südens und des Nord(Ost)ens gegenüber. Die Unterschiede zwischen diesen Hauptgruppen werden dabei nicht kleiner, sondern nehmen tendenziell zu. Hierzu der nächste Abschnitt.

14.1.2. Entwicklungs-Philosophien

Die Entwicklungszusammenarbeit geht grundsätzlich davon aus, daß es möglich ist, den ökonomisch – sagen wir es platt – unterentwickelten Ländern dabei zu helfen, den Anschluß an die ökonomische Entwicklung des Nord(West)ens zu gewinnen. Dies ist das Konzept der **nachholenden Entwicklung**, basierend auf der **Modernisierungstheo-**

Abb. 14.1.1/1: Internationale Einkommensverteilung

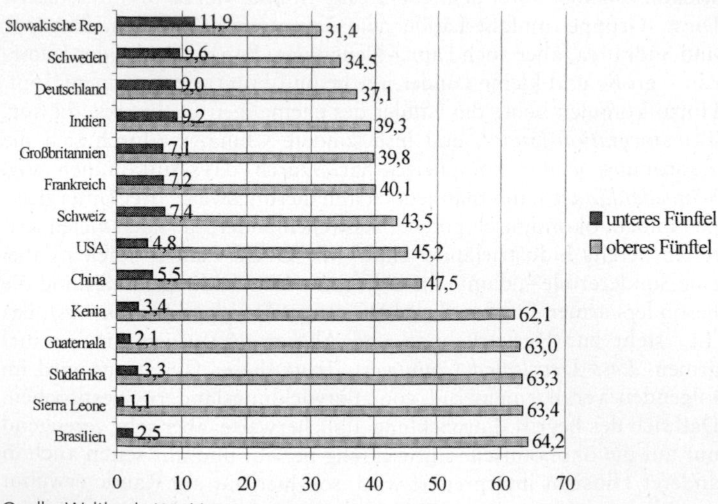

Quelle: Weltbank: World Development Indicators 1998

rie. Offenbar enthalten solche Begriffe sehr deutliche Wertungen hinsichtlich dessen, was ‹richtig› ist. Weltökonomisch betrachtet bedeutet dies zugleich den Versuch, die Volkswirtschaften des Südens in die Weltarbeitsteilung, also in den internationalen Handel zu integrieren (**Integrationsstrategie**). Die internationalen Institutionen GATT/WTO, IWF und Weltbank arbeiten ganz in diesem Sinne.

In krassem Gegensatz dazu standen Überlegungen, die in eine ganz andere Richtung wiesen. Ausgangspunkt war die Hypothese, daß die Probleme des Südens verursacht worden seien durch den Einfluß ehemals der *Kolonialmächte* und heute der (wesentlichen!) *Industrieländer*, insbesondere der *Transnationalen Konzerne* (‹*Multis*›). Der Süden («Peripherie») war abhängig gewesen und geworden vom Norden («Metropolen») (sog. **Dependenztheorie**). Dabei fungierte die Führungsschicht («Elite») eines Landes als ‹Brückenkopf› westlicher Interessen («Peripherer Kapitalismus»). Was lag also näher, als sich von den schädlichen Einflüssen des Nordens zu lösen, d.h. sich aus der internationalen Arbeitsteilung zurückzuziehen (**Abkopplungs-** oder **Dissoziationstheorie**)? Statt Nord-Süd-Beziehungen sollten die Entwicklungsländer untereinander zusammenarbeiten (**Süd-Süd-Koopertion**) und sich auf sich selbst besinnen (**autozentrierte Entwicklung**) und sich auf sich selbst und nicht auf Hilfe von außen verlassen (***self reliance***).

Dieser sozialistisch-östlich inspirierte Ansatz enthält sowohl richtige, als auch falsche Elemente. Richtig ist zweifellos, daß viele Probleme in Entwicklungsländern auf den Einfluß von Kolonialmächten zurückzuführen sind und daß andere Probleme auf die Macht der

Abb. 14.1.1/2: Dreigeteilte Welt

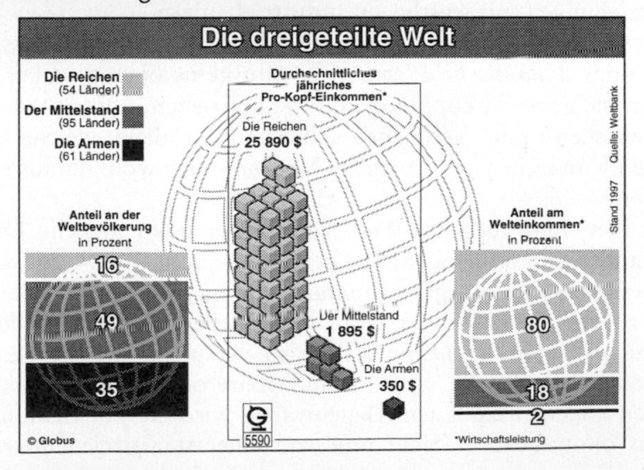

heutigen Industrieländer zurückgehen. Beispielsweise war für Afrika die Aufteilung von etwa 1000 verschiedenen Völkern in rd. 50 – teilweise völlig willkürlich abgegrenzte, oft Völker durchschneidende – Staaten kaum förderlich. Kein Wunder, daß daraus keine Nationen entstanden sind. Falsch ist aber, daß dies die einzigen Einflußfaktoren gewesen seien: Zum einen sind die lateinamerikanischen Länder bereits bis zu 100 Jahre unabhängig, zum anderen hat es zumindest während des Ost-West-Konflikts auch massive Ost-Süd-Beziehungen gegeben, die offenbar keine hinreichend positiven Impulse für die Entwicklung vermitteln konnten. Außerdem haben sich auch einige Länder im regionalen Süd-Süd-Kontext – wie man im Fußball sagen würde – ‹aufgestützt› und schwächere Nachbarn an die Wand gedrückt (u. a. Indien, Kenia), und schließlich wird seitens der Dependenztheoretiker insgesamt die **Eigenverantwortung** aller Entwicklungsländer-Regierungen wenn nicht ganz ignoriert, dann zumindest heruntergespielt. Wir kommen darauf zurück.

Unabhängig von der partiell korrekten Dependenz-Diagnose ist die Therapie gescheitert: Es gibt weltweit nicht ein einziges Land, das als Beispiel für eine erfolgreiche Abkopplung von den Nord-Süd-Beziehungen dienen könnte. China hat sich zwar unter Mao Tse Tung viele Jahre vom Weltmarkt abgekoppelt, ist aber allein wegen seiner riesigen Dimensionen als Beispiel ungeeignet: Im Extrem müßte man dann die ganze Welt als autark ansehen, was begrifflich unsinnig wäre. Weitere Beispiele (Japan (vorübergehend), Nordkorea, Albanien oder – bereits mit starken Abschwächungen – Tansania oder Kuba) sind weder vom Ergebnis her überzeugend noch von der Strategie her, denn all diese Länder pflegten durchgängig teilweise kräftige Außenhandelsbeziehungen mit westlichen Industrieländern.

Dieses Resultat überrascht nicht, denn der Abkopplungstheorie fehlt(e) das *dynamische Element*: Es gibt keine operationalen Analysen, wie sich eine Abkopplung konkret vollziehen sollte, was während der Zwischenstadien geschehen sollte und vor allem: welche internationalen Konsequenzen – auch im Norden – sich wohl daraus ergeben könnten.

Seit dem Ende des Ost-West-Konflikts mußten manche Entwicklungsländer nun umdenken: Bislang war es möglich gewesen, östliche und westliche Geber gegeneinander auszuspielen und Kapital ins Land zu ziehen, das sonst wohl nicht geflossen wäre. Sowohl der Westen als auch der Osten haben so versucht, manches Entwicklungsland als Bollwerk ihrer Einflußsphäre oder als Brückenkopf im anderen Lager auszubauen. Gegenwärtig wird die Entwicklungspolitik aus ökonomischer Sicht nun von einer staatsfreien, *marktwirt-*

schaftlichen Orientierung bestimmt, und auf politischer Ebene wird in zunehmendem Maße Nachdruck auf Liberalisierung und Demokratisierung gelegt; beides hängt nach westlichem Verständnis auch eng zusammen. Diese *wirtschaftliche* und *politische Konditionalität* wird unten nochmals aufgegriffen.

14.1.3. Entwicklungs-Strategien

Sowohl die Integrations- als auch die Abkopplungstheorie propagierten beide eine gemeinsame Entwicklungsstrategie: die **Importsubstitution.** Statt bestimmte Güter gegen teure und knappe Devisen zu importieren, sollten sie durch einheimische Produktion ersetzt werden. Die Grundidee ist überzeugend, doch erwies sich in der Praxis, daß zum Aufbau entsprechender Industrien sich ein *Importbedarf* bei anderen Gütern ergab, der den Substitutionseffekt meist überkompensierte. Hinzu kommt als Problem die unzureichende Verfügbarkeit *komplementärer Produktionsfaktoren* im ‹Importland› (qualifizierte Arbeitskräfte, Infrastruktur, Verwaltungsapparate, Banken etc.). Reine Importsubstitutionsstrategien sind nicht erfolgreich gewesen. Hier liegt – ökonomisch gesehen – auch das zentrale Defizit der Abkopplungstheorie, einschließlich des Konzepts der *Süd-Süd-Beziehungen*: Womit sollen ökonomische Kapazitäten finanziert werden, wenn man sich von den devisenbringenden Exportmärkten im Norden zurückzieht und der Süden kein Äquivalent bieten kann?

Die Integrationstheorie fährt daher denn auch zweispurig: Integration in den Weltmarkt heißt zum einen *Importbeziehungen*, zum anderen insbesondere auch **Exportförderung**, um die entsprechenden Einnahmen zu erhalten. Daß dies nur sehr unvollkommen gelang und gelingt, steht auf einem anderen Blatt (das unten kommentiert wird).

Nachdem in der ersten Phase der Entwicklungszusammenarbeit die nachholende **Industrialisierung** im Vordergrund stand, wurde sie in der nächsten Phase überlagert von der **Grundbedürfnisstrategie**, um die Bedürfnisse der armen und ärmsten Bevölkerungsgruppen zu befriedigen; dies bedeutet insbesondere auch – aber nicht nur – eine Entwicklung der Landwirtschaft. Dabei wurde – und wird – das Prinzip der **‹Hilfe zur Selbsthilfe› verfolgt.** Diese überschneidet sich mit der gegenwärtig zentralen Strategie der **nachhaltigen Entwicklung**, ein Begriff, der sich nur schwer in einem Wort fassen läßt: Mit dem englischen **sustainable development** ist gemeint, daß der Entwicklungsprozeß sich selbst trägt, also kein Strohfeuer auslöst, sondern nachhaltig weitergeht. Parallel dazu wird nachhaltig/sustainable auch im Hinblick auf die *Ressourcennutzung* angewendet, indem kein Raubbau betrieben werden soll, sondern eine behutsam, dauerhaft mögliche, umweltschonende Entwicklung erfolgt.

14.2. Problemursachen

Die kontroverse Diskussion um die Ursachen des offensichtlichen ökonomischen Zurückbleibens der Entwicklungsländer hinter den Industrieländern haben zwar keine Übereinstimmung hinsichtlich Diagnose oder Therapie gebracht, aber doch einige wichtige ursächliche Faktoren herausgearbeitet. Diese lassen sich pauschal in externe und interne Ursachen unterteilen. Viele Aspekte hängen dabei gegenseitig voneinander ab.

14.2.1. Externe Ursachen

(1) Asymmetrische Handelsbeziehungen
Es gibt kein Entwicklungsland mit Leistungsbilanzüberschüssen – nebenbei: auch nur wenige Industrieländer–, wenn man von einigen Schwellen- und OPEC-Ländern in Ausnahmefällen absieht. Das bedeutet, daß die Exporterlöse nicht ausreichen, um die Importe zu finanzieren. Dies liegt – als Faktum – daran, daß die Entwicklungsländer vorrangig agrarische und mineralische Rohstoffe produzieren, während die Industrieländer industrielle Fertigwaren anbieten. Im

Abb. 14.2.1/1: Internationale Verschuldung

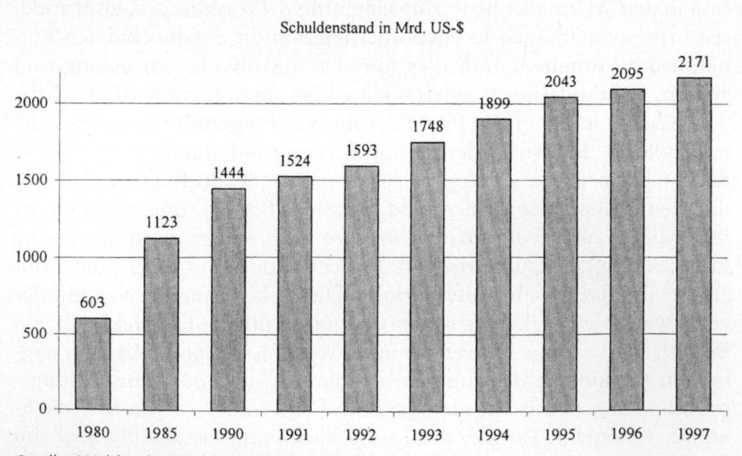

Quelle: Weltbank: World Development Indicators 1998

Kapitel 13 wurde bereits ausgeführt, daß sich das dafür ergebende Preisverhältnis – z.B. ausgedrückt in den *Terms-of-Trade* – für die Rohstofflieferanten sehr ungünstig darstellt.

(2) Verschuldung
Als Konsequenz ergibt sich für alle Entwicklungsländer wie für jedes Land mit (korrekt gesprochen) einem negativen Außenbeitrag die Frage, wie der Importüberschuß finanziert werden soll: Das Handelsbilanzdefizit kann nur in sehr wenigen Ländern durch Überschüsse in deren Dienstleistungsbilanz (sprich: Tourismus) partiell kompensiert werden; Übertragungen i.S.v. Entwicklungshilfe-Geschenken sind selten, Devisenreserven gibt es nicht, folglich bleibt nur die Finanzierung über Kapitalimporte, d.h. über internationale Verschuldung (Abb. 14.2.1/1 und 2). Dieses Problem stellt sich ganz analog für die ehemaligen Ostblockländer, und die internationale Verschuldung (die keine ‹Krise› mehr ist, weil sie für die internationalen Finanzmärkte – zumindest gegenwärtig – keine kritische Bedrohung darstellt) hat sich in ihrer zentralen Problematik schwerpunktmäßig vom Süden auf den Osten verlagert (Abb. 14.2.1/3).

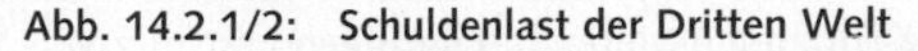

Abb. 14.2.1/2: Schuldenlast der Dritten Welt

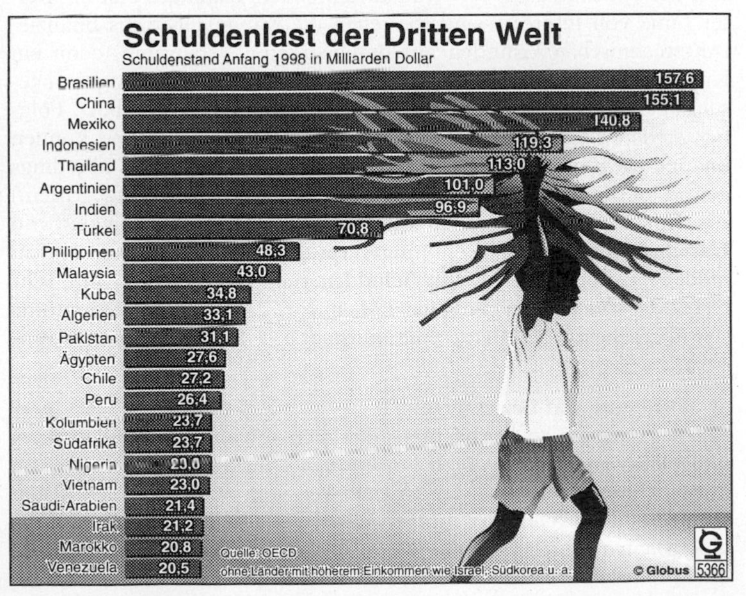

Abb. 14.2.1/3: Schuldenerlaß

Hohe Zinsen belasten Schuldnerländer

Schuldenerlaß für Polen und Ägypten

Zahlungsauschub für Marokko

Mexiko erläßt Nicaragua Schulden

Unbehagen über Schuldennachlaß

Major kündigt Schuldenerlaß an

„Kenia lehnt Mehrparteiensystem nicht ab“

Schuldenerlaß zugunsten Tropenwaldschutz mit Laos praktiziert

BIZ / Banken ziehen sich aus Problemregionen zurück — UdSSR in der Zahlungskrise

Die internationale Schuldenkrise verlagert sich immer mehr in die östlichen Länder

Brasilien zahlt wieder Zinsen

Von der Aufbringungsseite der Kredite her stellen sich dabei weniger Probleme – die internationalen Kapitalmärkte sind immens – als von der Bedienungsseite: Wenngleich vielfach **Tilgungen** erst in zweiter Linie von Interesse sind, bestehen die Kapitalgeber aus bilanzierungstechnischen Gründen auf der korrekten Verzinsung, denn ein Kredit, der nicht pünktlich verzinst wird, muß wertberichtigt (‹abgeschrieben›) werden, und das verschlechtert das Bilanzergebnis. Folglich stehen die Schuldnerländer unter massiver Zinslast und können knappe Devisen nicht für andere Zwecke verwenden. (Daß allerdings gewaltige Summen verschwendet werden, wird unten aufgegriffen.) Als Konsequenz ergibt sich immer wieder die Notwendigkeit von **Umschuldungen**, um die Zahlungsverpflichtungen zu strecken und zu mildern (Abb. 14.2.1/4). Ein **Schuldenerlaß** kommt dabei nur sehr restriktiv und in wenigen Einzelfällen vor, da er nur die Symptome (vorübergehend) beseitigt, ohne automatisch die Ursachen zu verändern.

(3) Ost- statt Süd-Beziehungen

Parallel dazu ist zu beobachten, daß sich sowohl die *Handelsbeziehungen* als auch die *Finanztransaktionen* – incl. der Gewährung von Entwicklungs-Krediten – tendenziell weg vom Süden auf den Osten verlagern. Aus Sicht der Industrieländer sind die ehemaligen Ostblockstaaten – incl. China! – offensichtlich sehr viel interessanter als die traditionellen Entwicklungsländer des Südens. Lediglich einige

Abb. 14.2.1/4: Umschuldungen

Umschuldungslösung für Brasilien beschlossen
750 Gläubigerbanken akzeptieren Neuregelung für 49 Milliarden Dollar

Schuldenerlaß für Phnom Penh

Schuldenerlaß für Äthiopien

Ecuador werden 45 Prozent Schulden erlassen
Abkommen mit privaten Gläubigerbanken / Finanzminister zuversichtlich

Schwellenländer werden zunehmend in die internationalen Handels- und Finanzbeziehungen einbezogen bzw. korrekter: Sie erschließen sich aus eigener Kraft bestimmte Märkte und verdrängen dabei durchaus Industrieländer aus etablierten Positionen. Für die Entwicklungsländer trocknen dadurch manche Finanzkanäle aus, während sie gleichzeitig – quasi aus dem eigenen Lager – mit neuer Konkurrenz auf den Weltmärkten zu kämpfen haben.

(4) Protektionismus
Die Bemühungen von Entwicklungsländern um eine Ausweitung oder Diversifizierung ihrer *Exporte* werden daher durch den massiven Protektionismus der Industrieländer behindert (Abb. 14.2.1/5) (vgl. u. a. Abschn. 13.7.1). Dies steht völlig außer Frage, und es ist ja auch nachvollziehbar: Die Summe der Salden aller Leistungsbilanzen muß weltweit prinzipiell Null ergeben, denn der Export eines Landes muß sich als Import eines anderen widerspiegeln – von bestimmten Erfassungs- und Bewertungsproblemen einmal abgesehen (Abschn. 5.2.2). Der internationale Handel ist saldentechnisch geschen – wie das Skatspiel – ein Nullsummenspiel: Was der eine gewinnt, müssen andere bezahlen. Gegenwärtig bezahlt der Süden.

Abb. 14.2.1/5: Exporthemmnisse

DRITTE WELT / Forderung nach Beseitigung von Einfuhrzöllen und Exportsubventionen

Kritik an der Wirtschaftspolitik der großen Industrienationen

Exportausfälle der Dritten Welt durch den Protektionismus der Industrieländer

Wenn folglich Länder, die bisher traditionell Leistungsbilanzdefizite aufwiesen, nun Leistungsbilanzüberschüsse oder geringere -defizite erwirtschaften, müssen logischerweise andere Länder – neu oder vermehrt – in Defizitsituationen geraten sein. In verschiedenen Zusammenhängen (u. a. Kap. 5, 13, 16) wurde ausgeführt, daß dies mit negativen Konsequenzen für Wachstum, Beschäftigung und Einkommen verbunden wäre bzw. ist. Kein Wunder, daß der Norden daran kein Interesse hat. Die Entwicklungsbemühungen des Südens sollen schon unterstützt werden, aber – machen wir uns da nichts vor – *nicht zuviel.* Unsere eigenen, egoistischen (wenngleich plausiblen) Interessen ziehen da eine Grenze.

14.2.2. Interne Ursachen

(1) Bevölkerungsexplosion
Wahrscheinlich *das* zentrale Problem vieler Entwicklungsländer ist das **Bevölkerungswachstum.** Abb. 14.2.2/1 u. 2 zeigen, daß sich das

Abb. 14.2.2/1: Bevölkerungswachstum in Tausend

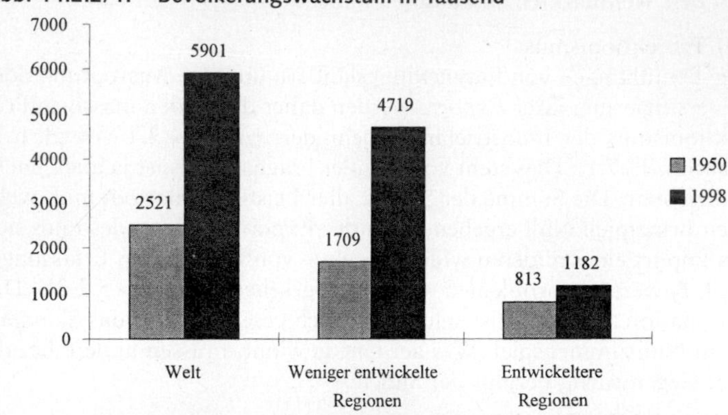

Quelle: Weltbank: World Development Indicators 1998

Die Weltbevölkerung wächst schneller denn je zuvor

ENTWICKLUNGSLÄNDER

Bevölkerungswachstum ist noch nicht gebremst

rapide Anwachsen der Weltbevölkerung fast ausschließlich in der *Dritten Welt* vollzieht, wobei Lateinamerika noch die geringsten Zuwachsraten aufweist. Die Weltbevölkerung von heute (1999) fast 6 Mrd. wird bis zum Jahr 2050 – also in etwa 2 Generationen – auf wahrscheinlich 8,5 bis 9 Mrd. Menschen anwachsen. Im Jahr 2050 wird Afrikas Anteil an der Weltbevölkerung bei ca. 20% liegen, Europas bei ca. 7% (1950 waren es – umgekehrt 9% bzw. 16%). Wenn man als ökonomischen Indikator das Sozialprodukt oder Volkseinkommen pro Kopf akzeptiert, dann muß der Zähler dieses Quotienten (Volkseinkommen) schneller steigen als der Nenner (Bevölkerung), wenn sich Wachstum ergeben soll. Dies gelingt meist nicht: Die Bevölkerung nimmt zu schnell zu, als daß die ökonomische Entwicklung Schritt halten könnte: Nahrung, Unterkunft, Bildungsmöglichkeiten, ärztliche Versorgung etc. reichen nicht. Warum das so ist, kann hier nicht diskutiert werden, doch hat die Bevölkerungsexplosion u. a. ökonomische, soziale, religiöse und politische *Ursachen* in den Entwicklungsländern. Die *Auswirkungen* dieser gravierenden Veränderungen werden aber nicht auf die Länder ‹weit weg› in der Dritten Welt beschränkt bleiben: Gewaltige und gewalttätige Konflikte und massive Wanderungsbewegungen werden die Folge sein; in vielen Regionen sind sie bereits beobachtbar.

Abb. 14.2.2/2: Erwartete Entwicklung der Bevölkerung ausgewählter Länder in Mio. (mittlere Prognose)

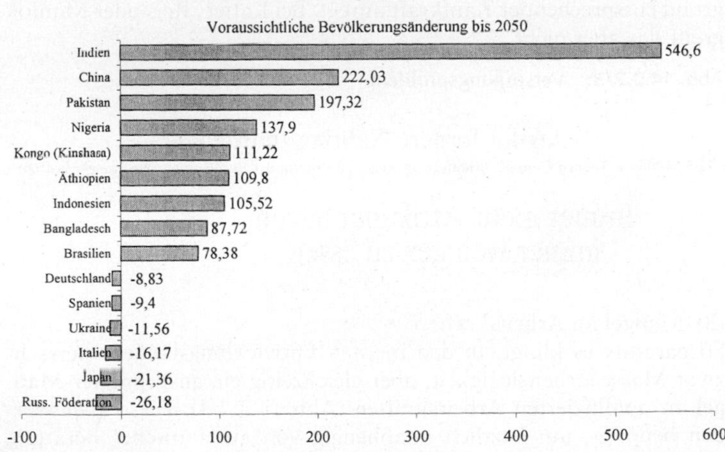

Quelle: United Nations, Population Division, Department of Economic and Social Affairs: Population (in thousands) for the countries of the world, 1998

(2) Unzureichende Nahrungsmittelproduktion
In vielen Entwicklungsländern müssen Nahrungsmittel importiert werden. Dies blockiert Finanzkapital für andere Verwendungszwecke. Ein Grund dafür ist in vielen Fällen, daß statt Nahrungsmitteln für die interne Versorgung sog. *cash crops* angebaut werden, die sich auf dem Weltmarkt gegen Devisen verkaufen lassen (Baumwolle, Kaffee, Bananen, Tabak etc.), die man nur leider nicht essen kann. Wenn dann die Exporterlöse aus welchen Gründen auch immer zurückgehen (Mißernten, Preisverfall, Bürgerkrieg), ist die Importfinanzierung bedroht (neue Verschuldung?) oder es kommt zu Versorgungsproblemen, um es allgemein auszudrücken (Abb. 14.2.2/3). Unbestritten haben ‹nördliche› Einflüsse dazu beigetragen, daß die Exportstruktur vieler Entwicklungsländer sich auf *cash crops* konzentriert hat, doch könnte man dem landesintern durchaus entgegenwirken, wenn man wollte; vgl. unten (4) und (6). Die einseitige Ausrichtung auf wenige Rohstoffe behindert auch den Süd-Süd-Handel: Was sollen Uganda und Tansania sich gegenseitig liefern? Kaffee? oder in Zentralamerika: Bananen? oder gegenseitig Baumwolle? Die Produktionsstrukturen sind nicht *komplementär,* so daß die Länder tatsächlich ‹tauschen› können, wie es das Grundprinzip der internationalen Arbeitsteilung postuliert, sie sind *substitutiv*. Und substitutive Arbeitsteilung funktioniert nur auf höherem Niveau, wie beim Automobilhandel zwischen Frankreich, Italien oder Deutschland, weil die ausländische Konkurrenz dort zu Produktivitätsverbesserungen vor dem Hintergrund entsprechender Kaufkraft anregt. Bei Kaffee, Reis oder Maniok greift das aber nicht.

Abb. 14.2.2/3: Versorgungsproblem

Afrika fordert Nahrungsmittelhilfe

12,5 Millionen Tonnen Getreide benötigt / In Kenia 20 Prozent der Bevölkerung vom Hunger bedroht

Immer mehr Afrikaner haben immer weniger zu essen

(3) Mangel an Arbeitskräften
So paradox es klingt: In den meisten Entwicklungsländern herrscht zwar Massenarbeitslosigkeit, aber gleichzeitig ein ausgeprägter **Mangel** an qualifizierten **Arbeitskräften** (Abb. 14.2.2/4). Diese aber werden benötigt, um letztlich unabhängig von ausländischer Beratung und Hilfestellung Entwicklungsprozesse voranzutreiben. Die Vernachlässigung der beruflichen und allgemeinen **Bildungspolitik** ist –

Abb. 14.2.2/4: Arbeitskräftemangel

In den Entwicklungsländern fehlt es immer noch an Fachkräften

heute – wohl kaum im Sinne der Dependenztheorie den ehemaligen Kolonialmächten anzulasten, obgleich gewisse historisch bedingte Verzerrungen schon erkennbar sind, aber auch diesen könnte man entgegenwirken.

(4) Mißmanagement und Korruption
Der Mangel an qualifizierten Arbeitskräften geht meist einher mit einer *unzureichenden Führungs- und Verwaltungseffizienz.* Entwicklungsanstrengungen nicht nur auf privater, sondern auch auf staatlicher Ebene verpuffen oft aufgrund einer bremsenden, nicht selten blockierenden **institutionellen Infrastruktur**. Schlüsselpositionen in Politik, Verwaltung und Wirtschaft werden oft nur mit ‹eigenen› Leuten besetzt, die keinesfalls immer dafür qualifiziert sind («Vetternwirtschaft»; dies ist allerdings nicht nur in Entwicklungsländern zu beobachten). Administrative Prozesse laufen noch langsamer als ‹bei uns› und wenn überhaupt, dann nur mit Hilfe von Schmiergeldern. (Angesichts der meist sehr niedrigen Löhne im öffentlichen Dienst und dem oft extremen Reichtum der Oberschicht kann man dafür sogar teilweise Verständnis haben.) Politische und ökonomische Entscheidungen lassen oft die Sensibilität für die wirklich drängenden Probleme der Bevölkerung vermissen; Prestigebauten und Fehlinvestitionen sind leider keine Seltenheit, auch wenn ihre Häufigkeit in der Presse oft übertrieben sind.

Als Folge ergibt sich, daß auch die **materielle Infrastruktur** ineffizient geplant wird und bestehende Einrichtungen verrotten – niemand fühlt sich verantwortlich. Straßen und Eisenbahnen sind meist zentral auf die Hauptstadt oder die Hafenstädte gerichtet; Querverbindungen im Land oder zu Nachbarländern sind nur selten gut ausgebaut; Gütertransporte dauern ewig. Wenn nicht holländische, deutsche, amerikanische oder japanische Hilfe eine Straße finanziert und baut, erfolgen auch keine Verbesserungen, aber dies hängt auch stark von den Faktoren (5) und (6) ab. Folgerichtig gibt es meist einige wenige relativ entwickelte Regionen, in denen sich auch die politische und wirtschaftliche Macht konzentriert, während das Hinterland relativ schwach entwickelt ist (**regionaler Dualismus**). Parallel dazu wenden nur die wenigen Entwicklungszentren moderne Technologien an, während ansonsten mit oft unproduktiven, traditionellen Technologien und Methoden gearbeitet wird (**technologischer Dualismus**).

(5) Interne Konflikte
Die Entwicklungsbemühungen werden in vielen Ländern dadurch behindert, teilweise zunichte gemacht, daß interne, teilweise auch zwischenstaatliche **Konflikte** eine systematische Wirtschafts- und Entwicklungspolitik verhindern. Die bezieht sich auf ethnische, religiöse und politische Konflikte, die teils friedlich (aber lähmend), teils gewaltsam ausgetragen werden (Abb. 14.2.2/5). Mit der ‹friedlichen Lähmung› ist insbesondere die eben angesprochene Ineffizienz gemeint. Neben den dadurch verhinderten Wachstumschancen wird für den entsprechenden, konfliktbezogenen Kontrollapparat viel Geld aufgewendet (Polizei, Militär), das dann für andere Zwecke nicht zur Verfügung steht.

Bruderkriege in Afrika

Schwere Unruhen in Ost-Timor

Moçambiques Nachbarn drohen mit militärischer Intervention

Abb. 14.2.2/5: Interne Konflikte

(6) Unzureichende Eigenverantwortung
In der 1974 von der Vollversammlung der Vereinten Nationen verabschiedeten *Charta der wirtschaftlichen Rechte und Pflichten der Staaten* heißt es unter anderem:

«Jeder Staat ist in erster Linie selbst dafür verantwortlich, die wirtschaftliche, soziale und kulturelle Entwicklung seines Volkes zu fördern».

Mit ‹Staat› kann sinnvollerweise nur die jeweils verantwortliche Staatsführung gemeint sein. Sehr oft kann man die nicht zu bestreitende Feststellung treffen, daß die Führungsschicht eines Landes (unlängst habe ich den zynischen Ausdruck *creamy layer* gehört – Fettschicht wie auf der Milch) herzlich wenig Interesse daran hat, die Situation in ihrem eigenen Lande zu verbessern, denn dies würde Veränderung bedeuten: Die meist im Verhältnis zur Masse der lokalen Bevölkerung und auch nach westlichen Standards extrem reiche (und meist dünne) Oberschicht lebt prächtig (**sozialer Dualismus**), wenngleich nicht immer in Frieden. Würde man dem Druck von unten nachgeben, müßten etablierte Positionen und Pfründe aufgegeben werden. Wer will das schon? (Abb. 14.2.2/6).

Abb. 14.2.2/6: Unverantwortliche Staatsführung

In Burma profitieren nur ganz wenige von neuem Wohlstand, der Rest ist ärmer denn je und unterdrückt

„Nigeria ist einer der korruptesten und untüchtigsten Landstriche unter der Sonne"

Ruchlose Eliten

Auch untereinander ist die Strategie eher Konfliktvermeidung: Es wäre ökonomisch durchaus plausibel, eben diese Oberschicht verstärkt zur Finanzierung der landesinternen Entwicklungsbedürfnisse heranzuziehen, indem eine entsprechende Steuerpolitik, Maßnahmen gegen Kapitalflucht, Abbau von Pfründen oder gar eine Landreform versucht würden. Die Politiker, die das durchsetzen müßten, werden jedoch meist von genau denjenigen ins Amt gebracht und dort gehalten, denen sie dann zu Leibe rücken müßten. Wer sägt sich schon den eigenen Ast ab?

Besonders extrem ist die fehlende Eigenverantwortung in vielen **Diktaturen** zu beobachten. Von einigen Potentaten sagt man wohl nicht zu Unrecht, daß ihr privates Vermögen ausreicht, um die Auslandsschulden des Landes auf einen Schlag zu bezahlen. Da auch gestürzte und verjagte Diktatoren damit rechnen dürfen, daß sie im Ausland *Asyl* erhalten und dort unbehelligt und ungeniert auf ihr Auslandsvermögen zurückgreifen können, ist es beobachtbare Politik, daß sich diejenigen, die politische Machtpositionen innehaben, während ihrer Amtszeit so schnell und so viel mit Kapital vollsaugen, wie es nur geht, denn vielleicht geht es ja nicht lange. Dies stößt interessanterweise manchmal bei der betroffenen Bevölkerung durchaus auf Verständnis: Ein Politiker, der es nicht versteht, reich zu werden, ist eben z. B. auch als Minister unfähig. Daher fehlt den Regierungen oft jegliches Band zur Bevölkerung; Behörden und Regierungsvertreter werden als inkompetente Besatzungsmacht empfunden; man spricht von *(internem)* afrikanischem, asiatischem oder lateinamerikanischem *Kolonialismus*.

Und vor diesem Hintergrund ist es ja auch nicht erstaunlich, daß die *creamy layers* wenig Interesse haben, das **Bildungssystem** zu reformieren, um sich die Gegner von morgen auszubilden, oder das **politische System** (Parteienbildung, Wahlen), um sehr sicher abgewählt zu werden. Was aber viel bedenklicher ist, ist die Tatsache, daß von außen nur selten Druck gemacht wird, diese ja nicht unbekannten Verhältnisse zu verändern, welche die Entwicklung blockieren.

14.3. Politik der Entwicklungszusammenarbeit

Entwicklungszusammenarbeit vollzieht sich auf vielen Ebenen – im staatlichen, quasi-staatlichen oder privaten Bereich, im Großen wie im Kleinen, spektakulär oder bescheiden. Staatliche Entwicklungspolitik aber ist offensichtlich anderen Zielsetzungen verpflichtet als kirchliche, politische oder sonstige private Aktivitäten. Die offizielle Entwicklungspolitik ist eingebettet in denselben Zielrahmen, an dem sich auch die nationale Wirtschaftspolitik orientiert. Diese Erkenntnis zu ignorieren hieße, den Blick vor der Realität zu verschließen – unabhängig davon, ob man dies für richtig oder falsch hält.

Eine nüchterne Tatsache ist hingegen, daß die öffentliche Entwicklungshilfe in den meisten Ländern deutlich hinter den eigenen Zielsetzungen zurückbleibt. Nach einer allgemein akzeptierten UNO-Resolution, die bei der Entwicklungskonferenz 1992 in Rio de Janeiro nochmals bekräftigt wurde, sollen (und wollen?) die Industrieländer jährlich 0,7% ihres Bruttoinlandsprodukts an öffentlicher Entwicklungshilfe leisten (Abb. 14.3/1) – vorsichtigerweise wiederum ohne Festlegung eines Zeitrahmens für die Einhaltung dieses Versprechens. Abb. 14.3/2 macht deutlich, daß dieses Ziel von ganzen vier Ländern erfüllt wird. Reiche Länder wie die Bundesrepublik, die USA, Japan oder die Schweiz bleiben erheblich hinter dieser Marke zurück. In den meisten dieser Länder waren die Entwicklungshilfeleistungen prozentual zum Sozialprodukt in den letzten Jahren rückläufig. Allerdings ist zu berücksichtigen, daß die absoluten Zahlen ganz andere Dimensionen setzen: So bedeuten beispielsweise die 0,08% im Falle der USA 6168 Mio. Dollar, die 0,28% im Falle der Bundesrepublik 5913 Mio. Dollar und die 0,97% im Falle Dänemarks 1635 Mio. Dollar. Die Entwicklungshilfeleistungen umfassen dabei sowohl die *bilateralen*

Abb. 14.3/1: Entwicklungshilfe-Ziel

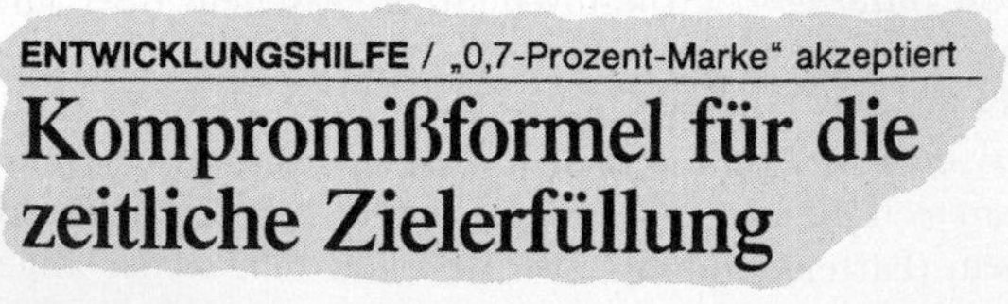

ENTWICKLUNGSHILFE / „0,7-Prozent-Marke" akzeptiert

Kompromißformel für die zeitliche Zielerfüllung

Leistungen direkt an einzelne Empfängerländer als auch die *multilateralen* Leistungen, die über internationale Organisationen in Entwicklungsländer fließen. Vielfach wird zudem mit Zahlen operiert, in die die *privaten* Entwicklungshilfeleistungen mit einbezogen werden, um optisch näher an die 0,7%-Marke heranzukommen oder sie gar zu «erfüllen». Angesichts interner Probleme ist es (aus Sicht des Autors: bedauerlicherweise) auch (innenpolitisch) unrealistisch, eine massive Ausweitung der öffentlichen Entwicklungsleistungen zu erwarten. Dies gilt insbesondere vor dem Hintergrund der Umstrukturierungen in Osteuropa. Die Befürchtungen der Dritten Welt, daß nach dem Zerfall des Ostblocks die Entwicklungshilfeleistungen des Westens vom Süden in den Osten umgelenkt werden, sind sicherlich realistisch. Verglichen mit dem Entwicklungspotential Osteuropas sind die Entwicklungserfolge z. B. Afrikas deprimierend (vgl. auch unten). Viele Staaten sind finanziell stark von der Entwicklungshilfe abhängig. Nach OECD- und Weltbank-Angaben wurden 1991 in Mocambique 84% des Bruttoinlandsprodukts aus Entwicklungshilfegeldern (1996 60%)[1] finanziert, in Nicaragua sind es 57%, in Guinea Bissau 68%,

Abb. 14.3/2: Entwicklungshilfe der Industrieländer

	Öffentliche Leistungen 1993		Öffentliche Leistungen 1996	
	in Mill.US-$	in % des BSP	in Mrd.US-$	in % des BSP
USA	11,3	0,14	9,3	0,74
Japan	9,0	0,26	9,4	0,82
Frankreich	7,9	0,63	7,5	1,19
Deutschland	6,8	0,36	7,6	0,91
Italien	2,9	0,30	2,4	0,39
Großbritannien	2,9	0,31	3,2	1,87
Niederlande	2,5	0,81	3,2	2,38
Schweden	1,7	0,97	2,0	0,84
Dänemark	1,3	1,03	1,8	1,15
Spanien	1,3	0,27	1,3	0,74
Norwegen	1,2	1,01	1,3	1,09
Schweiz	0,8	0,32	1,0	0,53
Österreich	0,5	0,30	0,6	0,82
Portugal	0,3	0,30	0,2	0,89
Irland	0,1	0,19	0,2	0,64
	Σ 50,5		Σ 50,8	

Quelle: OECD; Statistisches Bundesamt

[1] Weltbank: World Development Indicators 1998.

in Ruanda ist der Anteil kriegsbedingt von 1991 bis 1996 von 20 auf 51% angestiegen, in sehr vielen Staaten Afrikas und Lateinamerikas 8–10%, in einigen mehr. Ein sensibler Aspekt dabei sind die **Rüstungsausgaben**, die in manchen Entwicklungsländern den Staatshaushalt in hohem Maße beanspruchen und die Frage nach der sinnvollen Verwendung von Mitteln aufwerfen, die letztlich vor humanitärem Hintergrund gewährt werden.

Unbestritten ist, daß **Entwicklungshilfe** angesichts unbeschreiblicher Armut, in der große Bevölkerungsteile in Entwicklungsländern leben müssen, unverzichtbar ist, auch wenn den in dieser Hinsicht Engagierten gelegentlich Ratlosigkeit und Resignation befällt. Ebenso einleuchtend sollte aber auch sein, daß Entwicklungs**zusammenarbeit** sich auch an – mittelbar oder unmittelbar – eigenen Interessen orientieren muß. Entwicklungspolitik ist in weiten Bereichen auch ökonomische Außenpolitik, auch wenn dies gelegentlich blauäugig verneint wird.

14.3.1. Internationale Entwicklungspolitik

Internationale Entwicklungspolitik – die **multilaterale Entwicklungszusammenarbeit** – wird von einer Vielzahl von Institutionen der UN-Familie getragen: dem allgemeinen Entwicklungsprogramm der UN (UNDP), der FAO (Landwirtschaft und Ernährung), der ILO (Arbeit), der WHO (Gesundheit), der UNESCO (Kultur), insbesondere auch von der Weltbank und ihren ‹Töchtern› IDA und IFC (in Zusammenarbeit mit dem Internationalen Währungsfonds, der allerdings *de jure* keine Entwicklungsaufgaben verfolgt), den regionalen Entwicklungsbanken für Lateinamerika, Asien oder Afrika, etc. etc. Es gibt *sehr* viele internationale Entwicklungsinstitutionen, deren Budgets von allen Mitgliedsländern finanziert werden, also symbolisch auch von den primär nutznießenden Entwicklungsländern, vor allem aber durch die Industrieländer.

Es dürfte nicht allzu falsch sein, zu behaupten, daß es daher keine übergeordneten internationalen oder supranationalen Interessen gibt, sondern daß die nationalen Interessen der Geberländer die Entwicklungspolitik der internationalen Institutionen nachhaltig beeinflussen. Zwar entwickeln diese durchaus ein Eigenleben, aber letztlich sind auch sie in ihrer Existenz auf die Finanzierungsleistungen angewiesen; die USA haben so manche Institution durch Zurückhalten der Finanzierungsbeiträge unter Druck gesetzt.

Weil sie so oft im Vordergrund steht, sind ein paar Bemerkungen zur Weltbankpolitik angebracht. Die **Weltbank** fördert durch entsprechende Kredite, denen oft auch **IWF**- und andere Kredite folgen, sog. **Strukturanpassungsprogramme** (SAP). Um die Kredite zu erhalten, müssen bestimmte Bedingungen erfüllt werden (sog. **Konditionalität**). Diese umfassen auf der Maßnahmenseite meist eine Abwertung der Inlandswährung (um die Exporte anzuregen und die Importe zu reduzieren), eine allgemeine Handelsliberalisierung (Abbau von Zöllen und Exporthemmnissen), um die Integration in die Weltmärkte zu fördern, auch in anderere Hinsicht Liberalisierung (Privatisierung von Staatsunternehmen, Förderung der Privatwirtschaft), ferner eine Sanierung des Staatshaushalts durch Streichung von Subventionen (oft bei Grundnahrungsmitteln, Medikamenten oder im öffentlichen Transportwesen) und andere Kürzungen von Regierungsausgaben (Entlassungen im öffentlichen Dienst), u. a. m.

Ohne dies hier im einzelnen auszuführen, ist festzuhalten, daß solche Programme tendenziell die armen Bevölkerungsgruppen deutlich stärker belasten als die reichen (wenn überhaupt), denn sie sind mit oft massiven Preissteigerungen, Versorgungsengpässen und Verlust von Arbeitsplätzen verbunden. IWF und Weltbank sind daher in Entwicklungsländern oder entsprechend in osteuropäischen Ländern selten sonderlich beliebt, auch wenn SAP's *makroökonomisch* durchaus *richtig* sind (Abb. 14.3.1/1). Sie treffen aber *mikroökonomisch* die *Falschen*: Von einer Belastung der Vielbesitzenden, die der der Wenig- oder Nichtbesitzenden proportional wäre, kann keine Rede sein (dieses Phänomen ist allerdings auch in Industrieländern beobachtbar). Konsequente Steuerpolitik, Landreformen, Kürzung der Militärausgaben oder Reform des politischen Systems stehen nicht im Sanierungs-Standardprogrammpaket der Weltbank (Abb. 14.3.1/2).

Natürlich kann sich ein Kreditgeber wie die Weltbank – so wie jeder andere auch – formal hinter die Wahrung der Souveränität des Neh-

Abb. 14.3.1/1: Negative soziale Folgen

ALGERIEN / Schocktherapie fordert Opposition heraus

Neuer Regierungschef muß das IWF-Paket durchsetzen

Konditionalität sorgt für böses Blut

Auf IWF-Kurs mit sozialen Sprengsätzen

Abb. 14.3.1/2: «Anpassung»

«Wir müssen den Gürtel eben etwas enger schnallen»

Frankfurter Rundschau, 14. 4. 1975

merlandes zurückziehen: Weltbank und IWF machen nur *Empfehlungen,* die man ja nicht annehmen muß (allerdings gibt es dann auch kein Geld ...). Wichtiger dürfte wohl sein, daß die nationalen Kapitalgeber der internationalen Institutionen eigene Interessen in wirtschaftlicher und politischer Hinsicht haben.

Erst seit wenigen Jahren verfolgt die Weltbank ein Konzept, das mit *Good Governance* i. S. v. ‹guter, ordentlicher oder effizienter Regierungspolitik› bezeichnet wird (Abb. 14.3.1/3): Die Art und Weise, wie der Staat seine Macht im Umgang mit den wirtschaftlichen Ressourcen eines Landes ausübt, entscheidet maßgeblich über den Erfolg des wirtschaftlichen Entwicklungsprozesses. Schlechte Regierungspolitik und Staatsversagen be- oder verhindert die Entwicklung, unabhängig

Abb. 14.3.1/3: Good Governance

Weltbank: Gute Regierungspolitik ist wichtiger als Hilfszusagen

Transparenter Ordnungsrahmen gefordert / „Stille Revolution" auch in der Bank / „Governance"-Bericht

von der Höhe ausländischer Unterstützung. Nachdem dies viele Jahre tabu war, tauchen neuerdings in den Empfehlungen von IWF/Weltbank auch legislative Reformen, die Schaffung eines neuen Rechtssystems und Maßnahmen gegen Korruption auf, ferner der Abbau staatlicher Eingriffe in den Wirtschaftsprozeß und die Einbeziehung der Öffentlichkeit in die Anpassungs- und Entwicklungsarbeit. Hier schlägt sich wohl doch im Ansatz die massive Kritik nieder, die den internationalen Organisationen vor allem aus engagierten westlichen Bevölkerungskreisen und aus den betroffenen Ländern entgegengebracht wurde. Solche nicht direkt ökonomische, sondern **politische Konditionalität** kann wohl auch eher im Rahmen der internationalen als der nationalen Entwicklungszusammenarbeit formuliert werden, obgleich sich sicherlich die nationalen Interessen auf der internationalen Ebene widerspiegeln. Für die herrschenden Schichten in manchem Entwicklungsland stellt politische Konditionalität eine schwere Bedrohung dar.

In vielen der ärmsten Länder haben sich die Verschuldungsprobleme in den letzten Jahren stark vergrößert, von 1980 bis heute hat sich ihre Auslandsverschuldung trotz bereits erfolgter Umschuldungen und Forderungserlaß vervierfacht. Diese Länder in Afrika, Asien und Lateinamerika (**HIPC**, *heavily indebted poor countries*) haben ein niedriges Pro-Kopf-Einkommen, sind überschuldet und haben einen hohen Schuldendienst zu leisten. Der Gegenwartswert ihrer Auslandsverschuldung entspricht wertmäßig mehr als 80% ihres BIP. 1995 betrug die Auslandsverschuldung dieser etwa vierzig Länder im Durchschnitt 456%, z.T. bis zu 1000% und der Schuldendienst fast 25% ihrer Exporte (zum Vergleich: Die Verschuldung der übrigen Entwicklungsländer beträgt durchschnittlich 130% der Exporte, der Schuldendienst 17,5%). Als langfristig tragbar gilt allgemein eine Verschuldung von 200–250% und ein Schuldendienst von 15–20% der Exporte. Diese Länder leiden häufig unter Armut, Hunger, Bürgerkrieg, Korruption, krassen Einkommensunterschieden und einer stagnierenden Wirtschaftsentwicklung (geringes Wirtschaftswachstum, geringe Partizipation an der zunehmenden Ausweitung des Welthandels und Integration der Weltwirtschaft). Die Bereitschaft zu durchgreifenden Reformen ist zwar gering, allerdings hat die Konditionalität der Geberländer zu vermehrten Reformen geführt.

Ende 1996 haben IWF und Weltbank die sog. **HIPC-Schuldeninitiative** für die hochverschuldeten ärmsten Entwicklungsländer geschaffen. Diese umfaßt zwei Phasen von je drei Jahren. In der ersten Phase verpflichtet sich das Entwicklungsland, ein von den beiden internationalen Organisationen unterstütztes Anpassungsprogramm durchzuführen. Während dieser Zeit erhält es dann weitere finanzielle Mittel zu Vorzugsbedingungen und einen Nachlaß bei laufendem Schuldendienst von bis zu 67% (sog. *Neapel-Kondition*, die 1994 im Rahmen des *Pariser Klubs* – Gremium öffentlicher Kreditgeber – vereinbarte Reduzierung des Gegenwartswerts der Verschuldung um 67%). Verlief das Anpassungsprogramm erfolgreich, wird in Abhängigkeit von der am Ende der zweiten Phase vermutlich übrigbleibenden Auslandsverschuldung darüber entschieden, ob das Land von den besonderen Hilfsmaßnahmen des HIPC-Programms profitieren soll. Den Ländern, die trotz sechs Jahren erfolgreicher Anpassungsprogramme ihre Auslandsverschuldung nicht auf ein langfristig vertretbares Maß zurückfahren können, werden während der zweiten Phase weitere Erleichterungen beim laufenden Schuldendienst gewährt (bis zu einer Verringerung des Gegenwartswerts der Auslandsschulden von 80%). Am Ende des erfolgreichen Anpassungsprogramms werden dann die Schulden von den Gläubigern so weit reduziert, daß ein tragfähiger Schuldenstand verbleibt.[2]

14.3.2. Nationale Entwicklungspolitik

Nationale Entwicklungspolitik vollzieht sich zum einen direkt durch die bilaterale Entwicklungszusammenarbeit (EZ), entweder als finanzielle Zusammenarbeit (FZ) (also Kreditvergabe) oder als technische Zusammenarbeit (TZ) in Form von Beratung, Aus- und Fortbildung, zum anderen indirekt über die internationalen Institutionen. Diese Ansätze sollen sich natürlich nicht widersprechen.

Völlig unbestritten ist, daß EZ – national wie international – eine sehr starke *moralische, humanitäre Komponente* hat und daß die in der EZ Tätigen meist ein sehr ausgeprägtes Bewußtsein haben, das auf persönliches Engagement, Unterstützung und Hilfe ausgerichtet

Abb. 14.3.2/1: Entwicklungshilfe-Erfolge

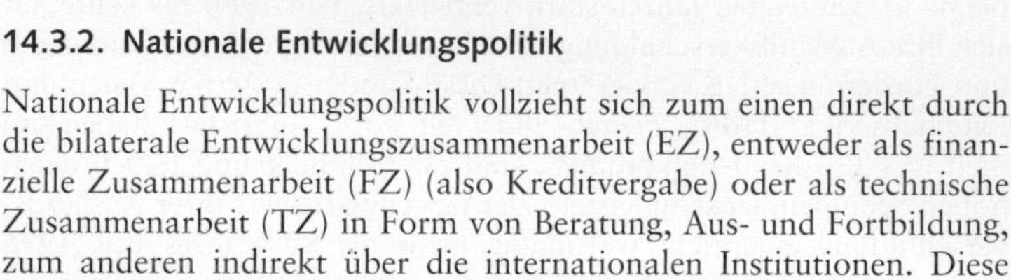

KfW: Drei Viertel unserer Entwicklungshilfe ist erfolgreich

112 abgeschlossene Finanzhilfeprojekte ausgewertet / Als „völlig gescheitert" gelten nur 5 der Vorhaben

BMZ widerspricht der Kritik durch NROs

[2] Weltbank 1998; IWF 1998; Tietmeyer, Hans: Ein genereller Schuldenerlaß für die ärmsten Entwicklungsländer? Bundesbank, Auszüge aus Presseartikeln Nr. 7, 1. 2. 1999, S. 1–6.

Abb. 14.3.2/2: Entwicklungshilfe I

Deutsche Kapitalhilfe für Dritte Welt / Über Aufträge

84 Prozent fließen zurück

„Entwicklungshilfe dient Arbeitsplätzen"

Staatssekretär Köhler erläutert Entwicklungshilfepolitik der Bundesregierung

Entwicklungshilfe schafft mehr Aufträge für die Wirtschaft

Rückfluß der Mittel zu 86 Prozent / Lieferbindung wirkt sich aus / Zwei Drittel nach Afrika

ist (Abb. 14.3.2/1). Dennoch stehen hinter dem Einsatz nationaler Steuermittel für eben diese Maßnahmen durchaus auch ökonomischer Interessen der Geberländer. Zum einen stellt ein sich ökonomisch entwickelndes Land einen Absatzmarkt dar für die eigenen Exportgüter, zum anderen läßt sich vielleicht auch der Import aus diesen Ländern effizienter und besser gestalten. Die als EZ/FZ eingesetzten Mittel fließen zu großen Teilen – auch mit indirekter Unterstützung durch TZ – als Exportaufträge zurück in die Geberländer und entfalten dort Beschäftigungs- und Einkommenseffekte (Abb. 14.3.2/2 u. 3), obgleich offiziell eine sog. Lieferbedingung verpönt ist, also die Nebenabrede, daß die öffentlichen Entwicklungshilfemittel nur im Land des Gebers ausgegeben werden dürfen. Bestimmte Sachzwänge lassen jedoch oft gar keine Alternative... Eine konsequente Lieferbindung wäre auch unklug, denn die – ungebundenen – Mittel aus anderen Geberländern und aus der multilateralen EZ sollen ja ihren Weg auch möglichst – in diesem Fall – als Aufträge nach Deutschland finden.

Aber es gibt auch andere Möglichkeiten: Beispielsweise nimmt in Deutschland die Kreditanstalt für Wiederaufbau (KfW) am Kapitalmarkt Mittel auf und gibt sie zusammen mit staatlichen Geldern als Entwicklungskredite für konkrete Projekte und Programme zu günstigen Konditionen – mit Lieferbindung – weiter. Dadurch sollen insbesondere Aufträge aus Schwellenländern hereingeholt werden, die grundsätzlich keine Entwicklungshilfe mehr erhalten würden, aber die

Abb. 14.3.2/3: Entwicklungshilfe II

WELTBANK / Deutsche Unternehmen schneiden gut ab

Zunahme bei Lieferungen in die Entwicklungsländer

Bonn mischt Kapitalmarktmittel mit Entwicklungshilfe

Neues Finanzierungsinstrument für Infrastrukturprojekte / Aufträge für die deutsche Industrie erhofft

Auftragsvergabe von einer günstigen Finanzierung abhängig machen. Dieses Instrument wird beiden Seiten gerecht und verstößt gegen das ‹Verbot› der Lieferbindung: Lieferbindung bedeutet erst Geld, dann Auftrag. Hier gilt der Verfahrensgrundsatz, daß die Entwicklungsländer die Kapitalhilfegelder für konzipierte Projekte beantragen. Die KfW trifft nur die Auswahl, welchen Anträgen stattgegeben wird. Andererseits gibt es OECD-intern eine Absprache, solche Mischfinanzierungen nicht vorzunehmen, um einen gegenseitigen Subventionswettbewerb zu vermeiden.

Je stabiler sich die Entwicklung vollzieht, desto besser. Internationale *Sicherheitspolitik* ist in aller Regel kein Selbstzweck, sondern sichert ökonomische Interessen: Im Frieden läßt sich besser wirtschaften und somit besser leben. Aus der Sicht des ökonomischen Interesses der Geber ist die Frage der **politischen Struktur** in den Nehmerländern sekundär. So wird international Handel mit Ländern getrieben, die man politisch eher ächten möchte: Die USA haben z. B. die Vergabe des **Meistbegünstigungsprinzips** an China, das sie ursprünglich an Verbesserungen bei der Beachtung der Menschenrechte knüpfen wollten, aus ökonomischem Interesse bedingungslos vergeben (und haben dies auch klipp und klar zugegeben). Eine Kopplung von Kreditvergabe und nicht direkt ökonomischen Aspekten wie Menschenrechten und Umweltschutz erfolgt nicht, wenn im konkreten Fall wirtschaftliche Interessen bedroht sind. (Ein nur verbal gemeintes Junktim steht dem ja nicht im Wege).

Daher kann auch davon ausgegangen werden, daß es in vielen Fällen seitens des westlichen Auslands unproblematischer ist, mit *stabilen Diktaturen* zu kooperieren als mit *labilen Demokratien,* bei denen man heute nicht weiß, wie sich die Regierung von morgen zusammensetzt und welche Ziele sie verfolgt. Anders läßt sich nicht erklären, daß vom demokratischen Standpunkt her sehr bedenkliche Regime seitens westlicher Staaten offensichtlich *stabilisiert* werden, wenn sie in Schwierigkeiten geraten. Die Interessen der Bevölkerung in diesen Ländern stehen dabei keinesfalls im Vordergrund.

14.4. Perspektiven der Entwicklungspolitik

Wenn man die drei Entwicklungsländer-Kontinente pauschal betrachtet, ergibt sich eine eindeutige Reihung: Asien weist klare und zunehmende Entwicklungserfolge auf, wenngleich die «Asienkrise» seit 1998 beträchtliche Rückschläge gebracht hat. Im südostasiatischpazifischen Raum liegen die meisten Schwellenländer. Mit einigem Abstand folgt Lateinamerika, dessen große Länder (Brasilien, Argentinien) durchaus als Industrieländer zu werten sind. In Zentralamerika hat Mexiko den Gruppenwechsel geschafft und ist 1994 als erstes Entwicklungsland in die OECD, den Industrieländerclub, aufgenommen worden. Der dann folgende Abstand zu Afrika ist immens. Afrika wird von manchem als ‹verlorener›, als ‹sterbender› Kontinent angesehen; das ist sicherlich ebenso polemisch übertrieben wie «Die Zukunft ist schwarz». Das ist aber wenigstens doppeldeutig und läßt die Perspektive einer eigenständigen Bestimmung offen. Unbestreitbar ist aber leider, daß Afrika die meisten LLDC, d.h. die meisten der allerärmsten Länder stellt. Ein Kommentator sagt dazu, in Afrika seien die Uhren nicht stehengeblieben, sondern gehen zurück. Gefährlich ist insbesondere, daß sich die Bevölkerung daran gewöhnt hat. Wenn etwas bewegt werden soll, dann erfordert es ausländische Hilfe. Bleibt diese aus, geschieht nichts (mehr). Die eigentlichen Konkurrenten der Entwicklungsländer sind die **Schwellenländer**. Diese besetzen heute Marktpositionen, welche die Industrieländer widerstrebend räumen müssen. Und sie sind in ihrer ökonomischen Expansion kaum weniger aggressiv als die ‹alten› Industrieländer. Zwar werden die Entwicklungsländer von diesen aufstrebenden Ländern kaum massive Unterstützung erhoffen dürfen, denn dann verstehen diese sich im Zweifel wieder selbst als (noch) Entwicklungsländer, aber die Schwellenländer und das Neu-Industrieland Japan haben gezeigt, daß und wie die Phalanx der Industrieländer zu durchbrechen ist. Entwicklung ist ein dynamischer Prozeß. Die durch die Schwellenländer realisierten Chancen bedeuten keineswegs, daß damit der Vorrat der zur Verfügung stehenden Entwicklungsmöglichkeiten aufgebraucht wäre. Die Chancen der heutigen Entwicklungsländer liegen im Aufspüren anderer Ansätze, aber sie dürfen nicht erwarten, daß sie ihnen auf einem Tablett serviert werden.

Es ist im Rahmen dieser Einführung in die (nationale) Wirtschaftspolitik nicht möglich, den internationalen und insbesondere den entwicklungspolitischen Aspekten insgesamt gerecht zu werden. Für Themenkreise wie die internationale Wirtschafts- und Währungsordnung, Handelsstrukturen, Ursachen für die Situation der Entwicklungsländer, Probleme unterschiedlicher Entwicklungsstrategien, internationale Verschuldungskrise usw. muß der interessierte Leser auf weiterführende Literatur verwiesen werden (einige Hinweise finden sich in den Literaturangaben zu diesem Kapitel). Dennoch sollte – auch vor dem Hintergrund der vorangehenden Kapitel – eines deutlich werden: Nationale Wirtschaftspolitik kann nicht losgelöst von internationalen Zusammenhängen betrachtet werden, ebenso wie die weltwirtschaftlichen Aktivitäten eines Landes im Kontext mit seinen nationalen Interessen gesehen werden müssen. Die Aufgeschlossenheit für weltwirtschaftliche Verflechtungen ist unabdingbare Voraussetzung für die Fähigkeit, nationale Wirtschaftspolitik zu bewerten.

V. Teil: Besondere Probleme der Wirtschaftspolitik

15. Realisierung wirtschaftspolitischer Maßnahmen

15.1. Diagnose und Dosierung

Wirtschaftspolitik bedeutet Ziele setzen und Maßnahmen ergreifen, die das wirtschaftliche Geschehen in einer Volkswirtschaft zielkonform regeln und beeinflussen sollen. Dazu ist es erforderlich, sich ein aktuelles Bild über die wirtschaftliche Lage und ihre zukünftige Entwicklung zu machen. Die Effizienz wirtschaftspolitischer Maßnahmen hängt einmal davon ab, ob sie geeignet sind, das angestrebte Ziel zu verwirklichen, d. h. Ziel und Mittel müssen sachlich miteinander vereinbar (kompatibel) sein. Dies ist ein **Diagnoseproblem** und behinhaltet auch eine bestimmte theoretische Festlegung, da offensichtlich – wie im Kap. 9 dargelegt – ein und dasselbe Problem je nach der gewählten wirtschaftspolitischen Konzeption sehr unterschiedliche Maßnahmen bedeuten kann. Empirische Tests behaupteter Ursache-Wirkungs-Zusammenhänge können dazu beitragen, ökonomische Theorien zu erhärten oder zu widerlegen. Allerdings muß die Tatsache berücksichtigt werden, daß ökonomische Theorien kein umfassendes Bild der wirtschaftlichen Lage abgeben können, da diese nicht alle Einflußfaktoren berücksichtigen. Vielmehr werden häufig einige Einflußfaktoren konstant gesetzt («ceteris paribus»), um einen Sachverhalt zu quantifizieren. Ein weiteres Problem der Diagnose besteht darin, daß die statistischen Informationen, die für Diagnosen herangezogen werden, zum Teil unzureichend und häufig geschätzt sind. So gibt es beispielsweise für den deutschen Außenhandel seit Beginn des EG-Binnenhandels nur sehr unzuverlässige Zahlen, da Ein- und Ausfuhren nicht mehr mit Zollpapieren erfaßt werden. Die Bundesbank weist diese Zahlen daher in ihren Monatsberichten als «mit großer Unsicherheit behaftet» aus. Da sich aber wirtschaftspolitische Maßnahmen auf statistische Daten stützen müssen, kann eine fehlerhafte Diagnose zu einem fehlerhaften Einsatz des wirtschaftspolitischen Instruments führen.

Daraus ergibt sich ein **Dosierungsproblem**, indem festzulegen ist, in welchem Ausmaß eine als theorie- bzw. zielkonform betrachtete Maßnahme einzusetzen ist. Beispielsweise muß bei einer Anhebung der Leitzinsen durch die EZB der konkrete Prozentsatz der Änderung bestimmt werden.

15.2. Verzögerungen

15.2.1. «Lags»

Zwischen Auftreten eines Problems und Wirksamwerden entgegengerichteter Maßnahmen liegt ein – zum Teil beträchtlicher – Zeitraum, der sich aus verschiedenen zeitlichen Verzögerungen (‹**lags**›) zusammensetzt. Die erste Verzögerung besteht darin, daß ein auftretendes Problem nicht sofort erkannt wird, sondern erst, nachdem es eine gewisse Größenordnung angenommen und damit eine Erkenntnisschwelle überschritten hat (**Erkenntnis-lag**). Daran schließt sich der **Entscheidungs-lag** an, da die Entscheidung über Art und Umfang der geeigneten Maßnahme – z. B. aufgrund parlamentarischer Verfahrensvorschriften – gleichfalls Zeit erfordert. Drittens ergibt sich ein **Durchführungs-lag**, indem die beschlossenen Maßnahmen seitens der zuständigen Behörden bzw. Institutionen angewendet werden müssen. Viertens tritt ein **Wirkungs-lag** zwischen Ausführung und ‹Greifen› einer Maßnahme ein, gefolgt wiederum von einem Kontroll- bzw. erneutem **Erkenntnis-lag** hinsichtlich des Feststellens bzw. der Erfassung der Wirkung.

15.2.2. Prognosen und Indikatoren

Die Erkenntnisverzögerung soll durch ständige Beobachtung des Wirtschaftsprozesses, insbesondere von **Frühindikatoren** (vgl. Abschn. 2.3.2 und Abb. 15.2.2/1), soweit wie möglich abgekürzt werden. Die Erkenntnisverzögerung hängt somit auch von den Methoden und Intervallen der Informationsgewinnung ab. Hierzu zählt auch der Versuch, Vorhersagen über die wahrscheinliche Entwicklung zu machen, um auf der Basis solcher Prognosen Maßnahmen vorbereiten zu können. Die Praxis lehrt dabei, daß der Wert von Prognosen von der Gültigkeit ihrer Annahmen abhängt. Besondere Prognoseprobleme stellen die Erfaßbarkeit der Wirkungen einzelner Maßnahmen

Abb. 15.2.2/1: Frühindikator

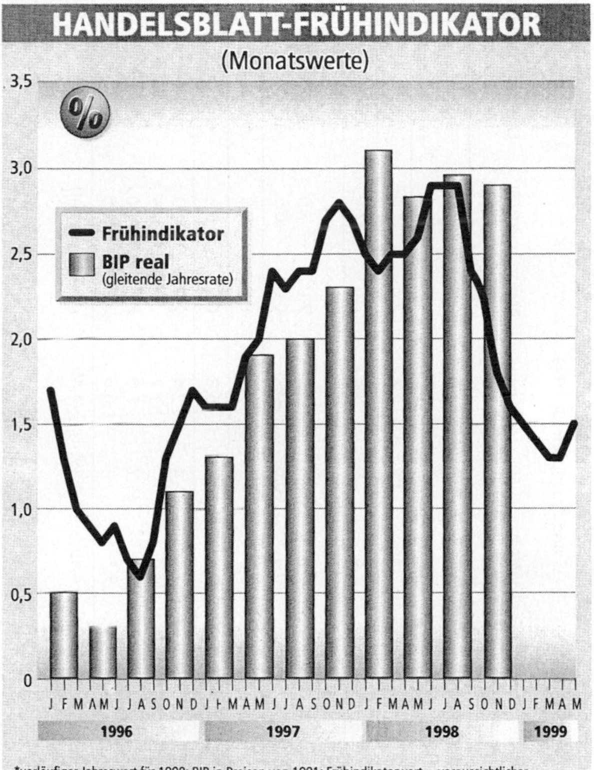

und ihre Abgrenzung gegenüber anderen Faktoren dar. Dies gilt in qualitativer wie quantitativer Hinsicht. Außerordentliche Störfaktoren verringern die Treffsicherheit von Prognosen dabei erheblich. Inwieweit prognostizierte und tatsächlich eingetroffene Größen in der Wirklichkeit voneinander abweichen können, veranschaulicht Abb. 15.2.2/2.

Viele Faktoren sind kaum verläßlich vorauszusagen, wie z. B. die Entwicklung eines flexiblen Wechselkurses (Abb. 15.2.2/3). Wenn die Bedingung «unter der Voraussetzung, daß ...» aber nicht erfüllt wird, erweist sich die Prognose als unzutreffend. Die Unsicherheit über die Zukunft birgt die Gefahr in sich, vage Prognosen zu stimulieren. Wer

Abb. 15.2.2/2: Prognose und Wirklichkeit 1998

Erwartete und **tatsächliche** Veränderungen in Deutschland gegenüber dem Vorjahr in Prozent

		Wirklichkeit ... 1998[1])	**... und Prognosen für 1998**								
			Sachverständige[2])	Ifo-Institut[3])	HWWA[4])	IfW[5])	Gewerkschaften[6])	IW[7])	RWI[8])	DIV[9])	Gemein.-Gutachten[10])
Wirtschaftswachstum (BSP, real)		**2,75**	3,0	2,6	2,8	2,8	2,5	3,0	3,0	2,5	2,8
Preise (Lebenshaltung)		**1,0**	2,0	2,2	2,2	2,2	1,8	2,0	2,0	2,0	1,9
Privater Verbrauch (real)		**1,5**	2,0	1,8	1,8	2,0	1,8	2,0	2,0	0,9	2,0
Investitionen (brutto, real)		**1,0**	1,75	1,7	2,9	2,9	–	–	–	2,2	2,6
Ausrüstungen		**8,0**	5,0	6,5	7,0	6,5	6,2	7,0	7,0	6,2	6,5
Bauten		**–3,75**	–0,5	–1,6	–0,0	–0,5	–0,8	–0,0	–0,5	–1,3	–0,2
Exporte (real)		**7,0**	9,25	7,3	9,5	9,1	7,6	8,5	9,0	9,0	8,0
Importe (real)		**6,5**	5,0	5,4	7,5	6,7	5,8	6,5	5,5	4,4	5,9
Einkommen aus	brutto	**1,5**	1,75	2,2	2,1	1,4	2,4	2,5	2,0	1,5	2,0
Arbeitnehmertätigkeit	netto	**1,75**	0,5	2,2	0,0	–	1,7	–	1,5	1,4	1,7
Unternehmertätigkeit	brutto	**9,75**	12,0	8,4	9,2	11,7	7,0	8,0	11,0	9,9	9,0
und Vermögen	netto	**8,0**	12,75	7,9	9,1	–	6,6	–	11,5	9,2	8,5
Arbeitslose in Millionen (Jahresdurchschnitt)		**4,27**	4,45	4,45	4,45	4,49	4,45	4,34	4,40	4,51	4,42

[1]) Schätzungen des DIW; [2]) Jahresgutachten des Sachverständigenrates; [3]) Ifo-Institut für Wirtschaftsforschung, München; [4]) HWWA-Institut Wirtschaftsforschung, Hamburg; [5]) Institut für Weltwirtschaft, Kiel; [6]) Wirtschafts- und Sozialwissenschaftliches Institut in der Hans-Böckler-Stiftung, Düsseldorf; [7]) Institut der deutschen Wirtschaft, Köln; [8]) Rheinisch-Westfälisches Institut für Wirtschaftsforschung, Essen; [9]) Deutsches Institut für Wirtschaftsforschung, Berlin; [10]) Gemeinschaftsgutachten der Arbeitsgemeinschaft deutscher wirtschaftswissenschaftlicher Forschungsinstitute

Quelle: Die Zeit v. 22. 9. 98

Abb. 15.2.2/3: Kursprognose

Der Analyst HANDELSBLATT: Bensch

behauptet, daß morgen ‹Wetter› sei, hat sicher recht, aber eine solche Prognose ist sinnlos. Je präziser andererseits die Aussagen sein sollen, desto unsicherer ist ihr Eintreffen.

Leider gibt es aber nicht selten ausgesprochen gegensätzliche Prognosen im Zusammenhang mit ein und demselben Problem, da einmal unterschiedliche Annahmen, Methoden und Daten verwendet werden, zum anderen aber auch in die Problemanalyse normative Elemente einfließen, sei es im Hinblick auf die eigene Interessenlage, sei es hinsichtlich der zugrundeliegenden optimistischen oder pessimistischen Einstellung. Abb. 15.2.2/4 verdeutlicht beispielhaft den Spielraum, der sich insgesamt ergeben kann. Abb. 15.2.2/5 gibt einen Einblick in Prognosetechniken.

Die seriöseste Prognose kann allerdings nicht besser sein als das Datenmaterial, das ihr zugrunde liegt. Viele Zahlen, die den Statistischen Landesämtern oder dem Statistischen Bundesamt (ein schöner Versprecher dazu war: Buddhistisches Standesamt ...) zugehen, sind unvollständig, teilweise veraltet, teilweise ungenau, wenn nicht sogar

Abb. 15.2.2/4: Wirtschaftsprognose für 1999

Die erwarteten Veränderungen in Deutschland gegenüber dem vergangenen Jahr in Prozent nach Vorhersage wissenschaftlicher Forschungsinstitute und anderer Prognostiker

		Sachverständige[1])	Ifo-Institut[2])	HWWA[3])	IfW[4])	Gewerkschaften[5])	IW[6])	RWI[7])	DIV[8])	Gemein.-Gutachten[9])
Wirtschaftswachstum (BSP, real)		2,0	1,7	2,1	2,3	1,9	2,0	2,8	1,4	2,3
Preise (Lebenshaltung)		1,75	1,2	1,5	1,2	1,5	1,5	1,3	1,2	1,2
Privater Verbrauch (real)		2,25	2,0	2,4	2,8	2,5	2,25	2,2	2,2	2,1
Investitionen (brutto, real)		2,75	1,8	–	2,7	–	–	–	1,0	3,3
Ausrüstungen		5,5	3,5	4,5	5,0	4,5	5,0	7,8	2,5	5,8
Bauten		0,75	0,4	1,6	0,8	1,5	1,0	1,8	–0,1	1,3
Exporte (real)		4,75	4,0	2,6	2,3	4,5	5,0	5,2	–1,1	4,8
Importe (real)		4,75	4,1	3,0	4,0	5,0	5,0	4,8	0,9	4,8
Einkommen aus	brutto	2,5	3,0	2,8	3,8	2,7	3,0	3,2	2,3	3,1
Arbeitnehmertätigkeit	netto	3,5	–0,6	3,7	–	3,8	–	3,7	2,8	2,5
Unternehmertätigkeit	brutto	3,0	3,0	3,0	4,1	3,9	5,0	3,8	3,4	3,9
und Vermögen	netto	2,0	0,4	1,1	–	2,8	–	2,1	2,0	2,1
Arbeitslose in Millionen (Jahresdurchschnitt)		4,12	4,04	4,10	3,93	4,10	4,06	4,00	4,18	4,07

[1]) Jahresgutachten des Sachverständigenrates; [2]) Ifo-Institut für Wirtschaftsforschung, München; [3]) HWWA-Institut Wirtschaftsforschung, Hamburg; [4]) Institut für Weltwirtschaft, Kiel; [5]) Wirtschafts- und Sozialwissenschaftliches Institut in der Hans-Böckler-Stiftung, Düsseldorf; [6]) Institut der deutschen Wirtschaft, Köln; [7]) Rheinisch-Westfälisches Institut für Wirtschaftsforschung, Essen; [8]) Deutsches Institut für Wirtschaftsforschung, Berlin; [9]) Gemeinschaftsgutachten der Arbeitsgemeinschaft deutscher wirtschaftswissenschaftlicher Forschungsinstitute

Quelle: Die Zeit 22. 12. 98

Abb. 15.2.2/5: Prognosetechniken

Bericht von der Frankfurter Börse im ZDF-Mittagsmagazin am 6. Dezember: «Prognosen sind dann besonders schwierig, wenn sie die Zukunft betreffen.»

Die Qualität eines Volkswirts erkennt man daran, ob er in der Lage ist, auch aus einer falschen Statistik die richtigen Schlüsse zu ziehen.

Helmut Schlesinger
Präsident der Deutschen Bundesbank

Ich traue nie einer Statistik, die ich nicht selbst gefälscht habe.

Winston Churchill

«Die Ursache von Problemen sind Lösungen.»

Thüringens Finanzminister Zeh (CDU), von Beruf «Problemanalytiker», über die Schwierigkeit, Entscheidungen zu treffen.

Lüge und Statistik gehören für viele zusammen, seit Benjamin Disraeli den berühmten Satz prägte: «Es gibt drei Arten von Lügen. Lügen, verdammte Lügen und Statistik.» Mit der Statistik, so ein beliebter Spruch, läßt sich nämlich alles beweisen – auch das Gegenteil. Der Literaturkritiker Marcel Reich-Ranicki hat diese harsche Kritik ins Positive verkehrt: «Mit Statistik kann man alles beweisen, sogar die Wahrheit. Also bin ich für Statistik.»
Ich denke bei «Statistik» an den Jäger, der an einem Hasen beim erstenmal knapp links vorbeischoß und beim zweitenmal knapp rechts vorbei. Im statistischen Durchschnitt ergäbe dies einen toten Hasen.

Franz Steinkühler
ehemaliger Vorsitzender der IG Metall

Quelle: FAZ, Spiegel

falsch. Viele Daten können nur ungenau geschätzt werden (vgl. Abschn. 5.2 zur Zahlungsbilanzstatistik); insbesondere seit Realisierung des Binnenmarktes ab 1. 1. 93, wodurch sämtliche (internen) warenbezogenen Grenzabfertigungen entfallen sind, sind die Daten «mit großer Unsicherheit behaftet» (Zitat Deutsche Bundesbank): Statt der amtlichen Zollpapiere sind nun von den Unternehmen statistische Meldescheine zu erstellen (sog. **IntraStat**-Meldungen). Daß dabei vielleicht nicht immer mit Akribie vorgegangen wird, kann man getrost vermuten.

Die amtlichen statistischen Daten werden immer wieder von Fachleuten kritisiert, sie seien nicht zuverläßlich, zu wenig zeitnah und zu teuer. Zudem wird bemängelt, daß viele Zahlen gar nicht verfügbar sind (beispielsweise gibt es kaum brauchbare Daten zur personellen

Einkommens- und Vermögensverteilung), während andere, mit großem Aufwand prodizierte Zahlen schlicht überflüssig sind: «Hat ein Statistiker einmal eine Zeitreihe angelegt, will er sich nie wieder von ihr trennen» (Wirtschaftswoche 32/96:19). Aus den amtlichen Daten leiten sich aber wirtschaftspolitische und unternehmerische Entscheidungen ab. Je weniger aktuell und verläßlich die Daten sind, desto dünner wird diese Entscheidungsgrundlage und desto größer ist die Gefahr falscher Entscheidungen. Dabei verwenden die Entscheidungsträger aber unterschiedliche Daten. **Unbereinigte Daten** reagieren stark auf aktuelle, teilweise außerordentliche Einflüsse. Diese können nur durch die Aufbereitung in **saisonbereinigte** Zahlen herausgefiltert werden. Vielfach ist auch eine **Kalenderbereinigung** erforderlich, wenn man Zeiträume mit unterschiedlich vielen Arbeits- bzw. Feiertagen vergleicht, beispielsweise bei Wachstumsdaten für das Bruttoinlandsprodukt.

Das Datenproblem besteht in erhöhtem Maße für ‹automatische› Entscheidungen, die sich an die Veränderung bestimmter Indikatoren knüpfen. Der nächste Abschnitt geht darauf ein.

15.2.3. Regelmechanismen

Der Entscheidungsprozeß ist im Rahmen der Finanzpolitik komplizierter und zeitraubender als seitens der Bundesbank in der Geldpolitik. Je länger aber die Entscheidungsverzögerung ist, desto größer ist die Wahrscheinlichkeit, daß sich zwischenzeitlich auch die Voraussetzungen von Prognosen und Wirkungsanalysen verändern. Es liegt also auch im Interesse der Entscheidenden, die Verzögerungen (‹lags›) so kurz wie möglich zu halten. Da viele wirtschaftspolitische Entscheidungen politisch brisant sind – z. B. war die Diskussion um eine DM-Aufwertung 1969 beherrschendes Wahlkampfthema –, gibt es Vorschläge, solche Ermessensentscheidungen durch die Einführung von **Regelmechanismen** zu entpolitisieren. Sofern sich bestimmte Indizes verändern, würden automatisch ohne weiteren Entscheidungsprozeß bestimmte Maßnahmen zu ergreifen sein. Folglich würde ein Ausnutzen diskretionärer Spielräume, sog. Fall-zu-Fall-Entscheidungen, verhindert und eine gesamtwirtschaftliche Ineffizienz vermieden werden. In ihrer extremsten Form würden Regelmechanismen keine Ausnahmen zulassen. Dem Mißbrauch – beispielsweise durch Wiederwahl- und/oder Ideologieinteressen – wären damit absolute Grenzen gesetzt.

Die in Italien in der Vergangenheit übliche automatische Lohnanpassung an die Inflationsentwicklung (‹scala mobile›) war ein Beispiel für eine solche Regelbildung. Ansätze fanden sich auch im Europäischen Währungssystem mit seinem ‹Frühwarnsystem› zur Erkennung von Wechselkursabweichungen, woran sich eine Eingreifverpflichtung der Notenbank anschloß, wie überhaupt flexible Wechselkurse ein hervorragendes Beispiel für automatisches Anpassen auf veränderte Situationen sind.

Die Problematik von Regelmechanismen besteht darin, geeignete Indikationen auszuwählen und Ziel-Mittel-Reaktionen festzulegen, mit denen das Eingreifen von Maßnahmen determiniert wird. Dies ist bisher nicht mit hinreichender Präzision gelungen. Insbesondere muß ausgeschlossen sein, daß bereits aufgrund zufälliger oder zeitlich begrenzter Störungen längerfristig wirkende Maßnahmen ergriffen werden, die damit ‹über das Ziel hinausschießen›. Somit ist eine gewisse ‹**Handsteuerung**› unabdingbar. Hinzu kommt – und dies dürfte ein entscheidender Punkt sein –, daß zwar durch Automatismen auch unpopuläre Maßnahmen ohne Entscheidungsverzögerung ergriffen würden, daß aber andererseits der Ermessens- und Entscheidungsspielraum der Politiker deutlich eingeschränkt würde.

Entscheidungs- und Durchführungslags können durch Verlagerung von Kompetenzen verkürzt werden. Dies gilt einmal für Dezentralisierung und Delegation von Entscheidungsmacht, aber auch für Kompetenzverlagerung von gesetzgebenden zu ausführenden Organen. Die oben im Abschnitt 10.4.2 skizzierten Befugnisse der Bundesregierung sind hierfür Beispiele.

Und schließlich kommt noch die Verzögerung zwischen Ausführung einer Maßnahme und ihren Wirkungen hinzu. Eine ‹richtige› Wirtschaftspolitik setzt damit voraus, daß die Wirkungsverzögerungen bestimmter Maßnahmen bekannt sind, und dies gilt insbesondere auch hinsichtlich der ‹richtigen› Dosierung von Maßnahmen.

15.2.4. Geld- und Finanzpolitik

Geldpolitische Maßnahmen zeigen längere Wirkungsverzögerungen als finanzpolitische, da die Geld- und Kreditpolitik die Nachfrage nur indirekt über die Geldmenge bzw. den Zins beeinflußt. Nach *M. Friedman* ist davon auszugehen, daß sich Geldmengenveränderungen mit einer Verzögerung von 12 Monaten (Dämpfung) bis 18 Monaten (Anregung) auf die wirtschaftliche Entwicklung auswirken. Geldmengenschwankungen wirken aufgrund dieser extrem langen Verzögerung daher eher destabilisierend als stabilisierend, weshalb seitens der sog. Monetaristen eine Verstetigung der Geldmengenentwicklung gefordert wird (vgl. Abschn. 9.4).

Die Bundesbank und die EZB lehnen sich an dieses Konzept an, indem sie für die Zukunft jeweils einen Wachstumskorridor der Geldmenge festlegen und durch ihre Instrumente versuchen, die tatsächliche Geldmengenentwicklung innerhalb der vorgeplanten Grenzen zu beeinflussen. Dabei wird unterstellt, daß das Sozialprodukt eine abhängige Größe ist, die auf Veränderungen der Geldmenge – bzw. präziser: der Wachstumsrate der Geldmenge – reagiert. Dieses Kausalitätstheorem ist umstritten, ist aber nach heutigem Erkenntnisstand zumindest als plausibel anzusehen.

Neuere Lag-Studien lassen allerdings deutlich kürzere Verzögerungen annehmen, als sie von Friedman ermittelt wurden. Je nach Abgrenzung der Geldmenge (M_1 bzw. M_2) ist die Wirkungsverzögerung geldpolitischer Maßnahmen auf das Sozialprodukt mit 3–9 Monaten anzunehmen.

Für die Finanzpolitik ist es noch schwerer, eine allgemeine Aussage über die zeitliche Wirkungsverzögerung zu machen, da diese von der Art der Maßnahme abhängt. So wird eine Erhöhung der Staatsausgaben zur Konjunkturanregung schneller wirken als eine Senkung von Steuern mit gleichem Ziel.

Tendenziell läßt sich verallgemeinern, daß die Wirkungsverzögerung der Geldpolitik größer ist als die der Finanzpolitik, während umgekehrt die Entscheidungs- und Durchführungsverzögerung der Geldpolitik bedeutend kürzer ist.

Außer im Hinblick auf unterschiedliche zeitliche Verzögerungen unterscheiden sich Geld- und Finanzpolitik auch in einem anderen Aspekt. Während die Geldpolitik auf den Wirtschaftsprozeß nur auf dem Umwewg über Geldmenge bzw. Zinsniveau einwirken kann, verändern finanzpolitische Maßnahmen direkt und unmittelbar die Nachfragestruktur. Die Geldpolitik kann man in ihrer Wirkungsweise auch mit einem Bindfaden vergleichen, den man zwar ziehen, nicht aber schieben kann. Dies soll bedeuten, daß die Zentralbank zwar relativ wirkungsvoll eine restriktive Geld- bzw. Zinspolitik verfolgen kann, daß aber die anregenden Effekte nur indirekt und daher weniger zwingend sind: Ob z. B. sinkende Zinsen zu erhöhter Nachfrage führen, kann allenfalls gehofft werden. Der Volksmund hat dieses Problem in dem Gleichnis von dem Pferd verewigt, das man zwar zur Tränke führen kann, aber es entscheidet selbst, ob es säuft oder nicht.

Was die Finanzpolitik anbelangt, so kann sie sicher direkt und unmittelbar anregend wirken, wodurch auch die bisherige Tendenz (mit) erklärt wird, daß die Staatsausgaben im Bedarfsfall mit konjunkturpolitischen Begründungen beträchtlich ausgeweitet wurden. Eine Konjunkturdämpfung mit finanzpolitischen Mitteln würde aber entweder Steuererhöhung oder Ausgabenkürzung bedeuten – und beides sind Maßnahmen, welche die wirtschaftspolitisch Verantwortlichen beim Wähler nicht unbedingt beliebter machen. So laßt sich verallgemeinernd konstatieren, daß zur Konjunkturbelebung der Rückgriff auf finanzpolitische Maßnahmen leichter fällt als zur Konjunkturdämpfung, die eher durch geld- und kreditpolitische Restriktionen gekennzeichnet ist.

15.3. Handlungsspielraum

Die keynesianische Wirtschaftstheorie postulierte, daß ökonomischen Störungen, die sich entgegen der Auffassung der klassischen Theorie nicht durch die Wirksamkeit der Marktkräfte von selbst lösen, mit staatlichen Maßnahmen entgegengewirkt werden kann. Abgesehen von den im vorangehenden Abschnitt angesprochenen Diagnose-, Prognose- und Verzögerungsproblemen wird der Handlungsspielraum nationaler Wirtschaftspolitik auch durch internationale Aspekte begrenzt.

Zum einen gilt dies hinsichtlich politischer Verflechtungen, die dazu führen, daß bestimmte, als richtig erkannte Maßnahmen nicht durchgeführt werden können. So kam es beispielsweise innerhalb der **Europäischen Union** immer wieder vor, daß ein einzelnes Land sich der kollektiven gemeinsamen Meinung der übrigen Mitglieder widersetzen konnte. Möglicherweise ließe sich dies im obigen Sinn als Entscheidungsverzögerung interpretieren, denn in der Regel wurde in meist mühsamen Verhandlungen letztlich doch ein Kompromiß gefunden. Andere Maßnahmen jedoch unterbleiben gänzlich oder erfordern einen sehr langfristigen Zeithorizont, wie beispielsweise im Bereich des internationalen Umweltschutzes.

Aber auch in weniger politischer als deutlicher ökonomischer Hinsicht werden nationale wirtschaftspolitische Maßnahmen durch externe Einflüsse begrenzt. Wie dargestellt, hängt die nationale Konjunkturentwicklung von der konjunkturellen Entwicklung wichtiger Partnerländer ab. Mit isolierten nationalen Maßnahmen wird ein Land sich kaum oder allenfalls in Teilbereichen gegen die Tendenzen der **Weltkonjunktur** stemmen können. Hierzu sind abgestimmte Verhaltensweisen erforderlich, wie sie immer wieder auf «Wirtschaftsgipfeltreffen» angestrebt werden.

Ein wichtiger Aspekt ist dabei auch die Entwicklung der **Wechselkurse**. Wie dargelegt, wird ein sehr großer Teil der Handels- und Finanzbeziehungen in Dollar abgewickelt (vgl. oben Abschn. 12.1), aber auch andere Währungen wie der japanische Yen, das englische Pfund oder der Schweizer Franken üben nachhaltige Einflüsse auf die außenwirtschaftlichen Beziehungen aus. Auch hier kann durch abgestimmtes Verhalten auch bei formal flexiblen Wechselkursen manches erreicht werden, wie die erfolgte gezielte Abwertung des US-Dollars ab 1985 belegt. In keinem Fall aber könnte z. B. die Europäische Zentralbank allein, ohne Unterstützung wichtiger anderer Zentralbanken bzw. anderer Regierungen, den Kurs des Dollars signifikant und auf Dauer beeinflussen. Bei festen Wechselkursen wie bis 1992 im Europäischen Währungssystem (EWS) ist wiederum eine Einigung aller beteiligten Länder erforderlich, wobei aus der Sicht einzelner Regierungen jeweils Kompromisse geschlossen und Zugeständnisse an andere Länder gemacht werden müssen.

Insgesamt dürften diese Beispiele verdeutlichen, daß sich modelltheoretische Ursachen-Wirkungs-Beziehungen für sog. geschlossene Volkswirtschaften ohne Außenbeziehungen kaum auf offene Volkswirtschaften mit starken internationalen Verflechtungen übertragen lassen. Zwar soll damit keinesfalls gesagt sein, daß die keynesianische Wirtschaftstheorie dies versucht hätte; ganz sicher nicht. Zweifellos aber waren die **außenwirtschaftlichen Interdependenzen** der Weltwirtschaft (beispielsweise gemessen am Anteil der Im- und Exporte an den Sozialprodukten), vor deren Hintergrund Keynes im Jahre 1936 seine Theorien präsentierte, erheblich schwächer als heute, und von der Intensität zwischenstaatlicher ökonomischer Integration wie heute innerhalb der Europäischen Union konnte keine Rede sein. Der Handlungsspielraum nationaler Wirtschaftspolitik wird in der Gegenwart deutlicher als früher durch internationale Verflechtungen beeinflußt.

Faßt man alle Teil-Verzögerungen zusammen, so wird deutlich, daß ein erkanntes Problem möglicherweise durch eine Maßnahme angegangen wird, deren verzögerte Wirkung dazu führen kann, daß das Problem noch verschärft wird. Werden beispielsweise in der konjunkturellen Boom-Phase restriktive Maßnahmen getroffen, so mögen diese erst richtig bremsend wirken, wenn die Konjunktur den oberen Wendepunkt bereits überschritten hat und rezessive Tendenzen zeigt. In diesem Falle müßten die gerade angezogenen Bremsen wieder gelöst werden (**Stop-and-Go-Politik**). Das Lag-Problem ist ein bedeutsames Hindernis für die Wirksamkeit einer antizyklisch ausgerichteten Wirtschaftspolitik. Der Einbau von Regelmechanismen könnte den Handlungslag (insbesondere der Finanzpolitik) durchaus verringern, doch werden die angesprochenen Probleme einer regelgebundenen Konjunkturpolitik dadurch nicht aufgehoben.

16. Zielkonflikte

Bei der Behandlung der verschiedenen wirtschaftspolitischen Ziele und Instrumente ist mehrfach angeklungen, daß die Verfolgung eines Ziels die Verwirklichung eines anderen in Frage stellen kann. Die Ziele des Stabilitätsgesetzes stellen in ihrer Gesamtheit eine Konstellation dar, die man als **Magisches Viereck** bezeichnet. In der Geschichte der Bundesrepublik ist es bisher noch in keinem Jahr gelungen – und dies gilt auch für andere Länder mit analogen wirtschaftspolitischen Zielsetzungen – alle vier Ziele gleichzeitig zu verwirklichen (Abb. 16/1). Jeweils drei Ziele sind miteinander kompatibel, da jeweils vierte aber wird bedroht. Einige Beispiele sollen dies verdeutlichen.

Abb. 16/1: Magisches Viereck: Alle Ziele verfehlt

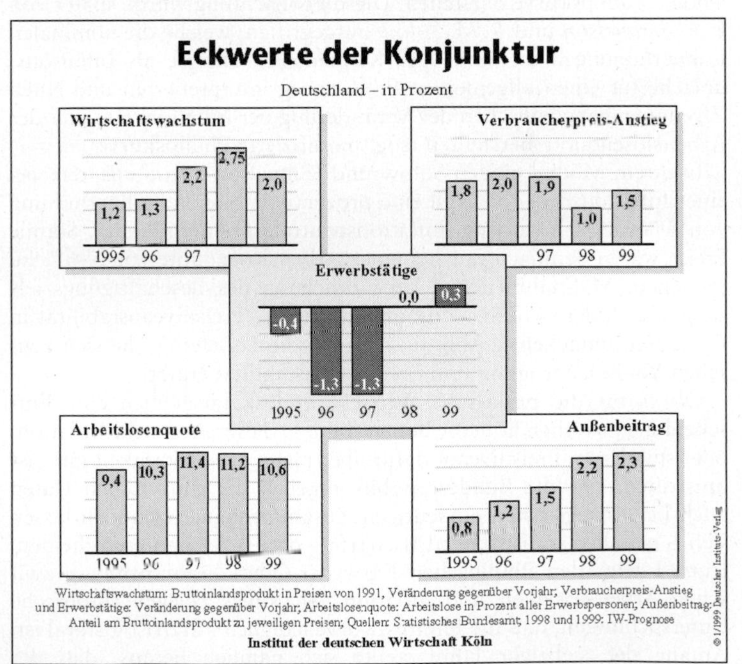

16.1. Phillipskurve und Stagflation

Von den vier Zielen des Stabilitätsgesetzes rivalisieren insbesondere die Preisniveaustabilität und der hohe Beschäftigungsstand miteinander. Nachfragebelebende Maßnahmen zur Erhöhung der Beschäftigung können in einigen Sektoren auf Kapazitätsengpässe stoßen und inflationäre Kräfte freisetzen, sei es im Sinne von Nachfragesog- oder von Geldmengeneffekten. Nachfragedämpfende Maßnahmen zur Abschwächung eines Preisauftriebs wiederum können in einzelnen Bereichen Arbeitslosigkeit auslösen. Der grundsätzliche Gegensatz zwischen den beiden Zielen ist erstmals 1958 von dem englischen Statistiker *A. W. Phillips* untersucht worden. Er kam zu dem Ergebnis, daß eine geringe Arbeitslosenquote mit hohen Lohnsteigerungen und umgekehrt: geringe Lohnsteigerungen mit hoher Arbeitslosigkeit einhergingen. Demnach können in Zeiten hoher Beschäftigung auch hohe Lohnforderungen durchgesetzt werden, während in Zeiten starker Arbeitslosigkeit nur geringe Lohnerhöhungen möglich wären. Dies läßt sich graphisch als – von links oben nach rechts unten fallende – **Phillipskurve** darstellen. Diese Beobachtung wurde später von *P. A. Samuelson* und *R. M. Solow* aufgegriffen, welche die nominalen Lohnerhöhungen im Sinne der Kostendruck-Theorie als Inflationsursache für einen allgemeinen Preisanstieg interpretierten und einen Zusammenhang zwischen der Veränderung der Inflationsrate und der Arbeitslosenquote herstellten (sog. **modifizierte Phillipskurve**).

In ihrem Modell gingen Solow und Samuelson davon aus, daß bei einer Inflationsrate von Null eine prozentuale Nominallohnerhöhung von 3% möglich sei (sog. inflationsneutrale Lohnerhöhung). Stabile Preise wären demnach nur bei einer Arbeitslosenquote von 5–6% zu erreichen. Maßnahmen zur Verwirklichung des Beschäftigungsziels stellen nach dem Phillips-Zusammenhang die Preisniveaustabilität in Frage und umgekehrt. Abb. 16.1/1 zeigt die Beziehung, die sich zwischen Vollbeschäftigung und Preisniveaustabilität ergibt:

Ob es für die praktische Wirtschaftpolitik tatsächlich eine Entscheidung zwischen höherer Beschäftigung, dafür aber mehr Inflation, oder stabilerem Preisniveau, dafür aber mehr Arbeitslosigkeit gibt, ist umstritten. Für die Bundesrepublik ergeben die empirischen Daten auch keineswegs einen eindeutigen Zusammenhang. Dennoch lassen sich – bei aller statistischer Unschärfe – drei Bereiche unterscheiden. Kurve I zeigt den Phillipschen Entweder-Oder-Zusammenhang zwischen Arbeitslosigkeit und Inflation. Allerdings belegen empirische Untersuchungen, daß die Phillips-Kurve lediglich kurzfristig stabil ist. Anfang der siebziger Jahre stellte sich nämlich heraus, daß der

Abb. 16.1/1: Phillips-Kurve (für Deutschland)

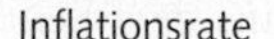

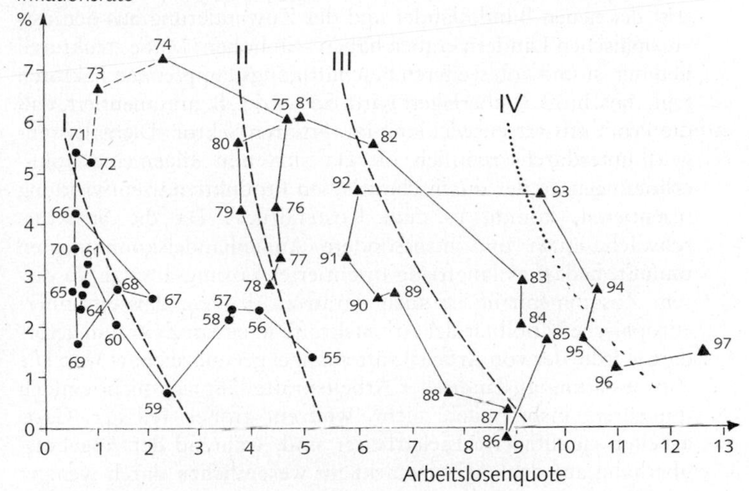

Zusammenhang zwischen Arbeitslosenrate und Inflationsrate nicht mehr gegeben war (Kurven II und III). Vielmehr beobachtete man das gleichzeitige Auftreten von hoher Arbeitslosigkeit und relativ hohen Inflationsraten – also nicht «entweder-oder», sondern «weder-noch», ein Zustand, der als **Stagflation** (Stagnation plus Inflation) bezeichnet wird. Kurve III verdeutlicht im Vergleich mit II, daß sich das Stagflationsproblem tendenziell verschärft. Der Begriff ist in diesem Zusammenhang sprachlich nicht ganz einleuchtend. Das gleichzeitige Auftreten von Inflation plus Arbeitslosigkeit geht in der Praxis der Bundesrepublik einher mit Wachstum des Sozialprodukts; so gesehen kann also von Stagnation keine Rede sein. Andererseits würde sich eine Abschwächung des Wachstums oder gar eine Stagnation – bei wachsender Bevölkerung und/oder arbeitsparendem technischen Fortschritt – in zunehmender Arbeitslosigkeit auswirken. Der Stagflations-Begriff wird hier also als Beschreibung eines Zustands verwendet, in dem zwei wichtige wirtschaftspolitische Ziele – hoher Beschäftigungstand und Preisniveaustabilität – gleichzeitig nicht erreicht werden.

Für das Stagflationsphänomen werden verschiedene Erklärungen angeboten, deren hauptsächlicher Mangel – um dies vorwegzunehmen – darin liegt, daß sie jeweils von nur einer zentralen Ursache ausgehen.

(1) Zunächst wird argumentiert, daß die (gegenwärtige) Arbeitslosigkeit – unabhängig von den Auswirkungen, die sich aus dem Beitritt der neuen Bundesländer und der Zuwanderung aus den osteuropäischen Ländern ergben haben – in hohem Maße strukturell bedingt ist und von weiteren beschäftigungsdämpfenden Faktoren (vgl. Abschn. 3.3) überlagert wird. So wird z. B. argumentiert, daß die Produktivitätsentwicklung im tertiären Sektor (Dienstleistungen) unterdurchschnittlich ist. Da sich nun allgemeine Lohnerhöhungen an der durchschnittlichen Produktivitätsentwicklung orientieren, kommt es zum Kostendruck. Da die Strukturschwäche auch und insbesondere Außenhandelskomponenten umfaßt, bedarf es langfristig orientierter Lösungsansätze. In diesem Zusammenhang ist auch daran zu denken, daß die innereuropäische Mobilität der Arbeitskräfte in einem Zeitraum gefördert wurde, der von Arbeitskräftemangel gekennzeichnet war. Die Zuwanderung ausländischer Arbeitskräfte läßt sich nicht einfach umkehren, insbesondere nicht, weil ein großer Teil der ‹Gastarbeiter› qualifizierte Facharbeiter sind, während der Angebotsüberhang auf dem Arbeitsmarkt im wesentlichen durch weniger qualifizierte Arbeitskräfte verursacht wird. Die zusätzlichen Effekte durch die «Öffnung» nach Osten sind bereits mehrfach angesprochen worden.

(2) Der Arbeitsmarkt dient auch in anderer Hinsicht als Stagflationserklärung. Die historisch gewachsenen Tarifverhandlungsstrukturen zeigten, daß die Löhne nicht nach unten flexibel sind. Die Arbeitslosigkeit baut sich – bei anhaltendem Lohnkostendruck – somit nicht über sinkende Löhne ab. Allerdings ist zu beachten, daß in Zeiten großer Beschäftigungsprobleme die Verhandlungsmacht der Gewerkschaften geschwächt ist, so daß Nominallohnabschlüsse getätigt werden, die unter Berücksichtigung der Inflationsrate und der Steuerprogression faktisch gerade einen Inflationsausgleich oder gar eine Reallohnkürzung bedeuten.

Darüberhinaus zeigt sich, daß es faktisch bei jedem Lohn- und Beschäftigungsniveau eine Tendenz zur Lohnsteigerung und Inflation gibt (autonome Lohninflation). Ob die Arbeitslosigkeit nun hoch oder niedrig ist, spielt bei der Lohnbildung lediglich eine untergeordnete Rolle. Bei der Stellenbewerbung konkurrieren schließlich nicht nur Arbeitslose untereinander, sondern sie stehen auch im Wettbewerb mit bereits Beschäftigten. Da ein Unternehmen in der Regel Beschäftigten den Vorzug gibt, üben Arbeitslose– und insbesondere Langzeitarbeitslose – keinen größeren Lohnbildungseffekt aus, der auch zu einem Preiseffekt führt. Für einen zu besetzenden Posten in einem Unternehmen kann sich daher die Lohnbildung nur an der Anzahl der Beschäftigten orientieren. Bei einer Ausweitung der Beschäftigung steigen die Chancen der Beschäftigten auf einen besser bezahlten Arbeitsplatz, was zu einem starken Druck auf die Lohnbildung führt und die Unternehmen veranlaßt, ihre Löhne so konkurrenzfähig zu machen, daß die Beschäftigten nicht bereit sind, die Unternehmung zu verlassen. Bei einer Einschränkung der Beschäftigung verhält es sich genau anders herum: Ein großes Angebot von Beschäftigten steht einer geringen Zahl zu besetzender Stellen gegenüber, wodurch die Löhne sinken. In beiden Fällen ist jedoch die Lohnbildung von der Höhe bzw. Änderung der Beschäftigung und nicht von der Höhe der Arbeitslosigkeit abhängig.

(3) Die dritte Stagflationserklärung betrifft einen ordnungspolitischen Aspekt. Mit zunehmender Unternehmenskonzentration und damit abnehmendem Wettbewerbsdruck wächst die Anbieter-Marktmacht. Dadurch wird es möglich, Absatzeinbußen durch Preiserhöhungen zu kompensieren, so daß sich im Ergebnis die Erlössituation nicht verschlechtert. (Ein Einzelbeispiel ist, daß 1974 die Automobilindustrie in der Bundesrepublik bei sinkendem Absatz nicht die Preise senkte, sondern erhöhte.) Empirische Untersuchungen zeigen einen statistisch engen Zusammenhang zwischen Stagflation und abnehmender Wettbewerbsintensität. Der Konzentrationsprozeß kann auch durch wirtschaftspolitische Maßnahmen gefördert werden, die im Grunde darauf abstellen, den inflationären Preisauftrieb durch restriktive Geld- und Kreditpolitik zu bremsen. Großen Unternehmen – vor allem transnationalen – ist es leichter möglich, derartige Restriktionen zu umgehen oder zu ertragen als kleineren Unternehmen. Die Konzentration kann auch dergestalt sein, daß sich Unternehmen, ohne direkte Preisabsprache, an ein einmal eingestelltes Preisverhältnis halten (sog. **tacit agreement**).

(4) Mit der ordnungspolitischen Erklärung und dem Argument nach unten inflexibler Lohnstrukturen überschneidet sich auch das Argument, daß Stagflation durch anhaltende Verteilungskämpfe zwischen Gewerkschaften und Unternehmern bedingt wird. Jede Seite wird versuchen, aus ihrer Sicht ungünstige Verschiebungen von Lohn- und Gewinnquoten wieder wettzumachen, was je nach konjunktureller Lage einmal den Gewerkschaften, einmal den Unternehmern leichterfällt, wodurch sich die Preis-Lohn-Preis-etc.-Spirale ständig weiterdreht.

(5) Die Kosten- bzw. Gewinndruckerklärung muß aber ergänzt wer-

den durch den Hinweis auf die Tatsache, daß ein großer Teil der Preise von staatlichen Vorschriften beeinflußt wird, sei es unmittelbar als Preis für staatliche Leistungen bzw. als staatlich festgesetzte oder genehmigte Preise, Gebühren und Tarife, sei es mittelbar über Verbrauchsteuern (‹**administrative Inflation**›) (vgl. Abschn. 4.3.3).

(6) Schließlich sei noch die außenwirtschaftliche Argumentation erwähnt. Danach führt importierter Kostendruck – beispielhaft belegt durch die Ölpreiserhöhungen – bei sich verschärfenden Beschäftigungsproblemen zu anhaltendem Preisauftrieb. In der Bundesrepublik hat die damalige Freigabe des DM-Kurses mit den anschließenden Aufwertungswirkungen dazu geführt, daß der importierte Kostendruck sich in Grenzen hielt, hat aber andererseits die Lage der exportorientierten Industrien erschwert.

Der in Phillips-Kurven ausgedrückte Zielkonflikt zwischen Bekämpfung von Inflation und Arbeitslosigkeit ist vom Grundsatz her plausibel. Dennoch kann die Phillipskurve – weder in der ursprünglichen noch in der modifizierten Version – nicht als praktikable Grundlage für wirtschaftspolitische Entscheidungen angesehen werden. Insbesondere kann der statistische Zusammenhang nicht so interpretiert werden, daß je nach Wahl alternative Kombinationen von Arbeitslosenquote und Inflationsrate zur Auswahl stünden, zumal – wie bereits erwähnt – die Phillips-Kurven langfristig instabil und damit als Grundlage für wirtschaftspolitische Entscheidungen zumindest zweifelhaft sind. Wirtschaftspolitische Maßnahmen, sei es zur Bekämpfung der Inflation oder der Arbeitslosigkeit, können kurz- oder langfristig völlig andere Auswirkungen nach sich ziehen. Eine derart vielschichtige Problematik wie die Stagflation läßt sich nicht einfach zu einem zweidimensionalen Zusammenhang verdichten.

Das Stagflationsproblem ist jüngeren Datums. Wie oben Abb. 16.1/1 zeigt, liegt die Trennlinie zwischen dem ursprünglichen Phillips-Zusammenhang und der Stagflationskurve etwa um 1973/74, im Zeitraum der ersten Ölkrise.

Dies unterstützt die These, daß bei Stagflation vorrangig **angebotsinduzierte** Inflationsursachen zum Tragen kommen. Dies gilt unabhängig davon, ob man nun hausgemachten Kostendruck, wettbewerbs- oder verteilungsbedingten Gewinndruck oder importierten Kostendruck in den Vordergrund rückt. Während im früheren Phillipsbereich zunehmende Arbeitslosigkeit wegen der abnehmenden Möglichkeiten, Lohnerhöhungen durchzusetzen (etwa in der Rezession 1967), zu abnehmendem Lohnkostenauftrieb, aber auch gedämpfter Einkommensentwicklung führte, kann in der Stagflationssituation die abnehmende Beschäftigung keine analogen Preisdämpfungstendenzen freisetzen: Der importierte Kostendruck hält die Inflationsrat auf hohem Niveau, während gleichzeitig die Arbeitslosigkeit zunimmt.

Dies wiederum stützt die Argumentation der Befürworter angebotsorientierter Wirtschaftspolitik, denn eine Stagflation stellt nachfrageorientierte Konjunkturpolitik vor ein **Dilemma:** Da die Inflation bei hoher Arbeitslosigkeit und Sättigungserscheinungen auf vielen Konsumgütermärkten nicht nachfragebedingt sein kann, kann eine Nachfragedämpfung auch nicht die erwünschte Preisberuhigung, sondern nur zusätzliche Beschäftigungsprobleme bringen. Wird umgekehrt versucht, die Beschäftigung über eine Nachfrageausweitung anzuregen, kann bestehender Kostendruck durch sektorale Nachfragesogimpulse verstärkt werden. Damit stellt sich der bekannte Phillips-Zusammenhang wieder ein, nur auf höherem Niveau.

Konsequenterweise fordern Angebots-Theoretiker (vgl. Kap. 9) insbesondere wettbewerbsfördernde Maßnahmen und Verminderung des Kostendrucks durch Abbau hemmender staatlicher Reglementierungen, auch steuerlicher Art. Ihrer Meinung nach ist die Phillipskurve nicht geneigt, was ja eine gegenseitige Austauschbarkeit (‹**trade off**›) zwischen Inflation und Arbeitslosigkeit nahelegen würde, sondern *steht* (zumindest langfristig) *senkrecht*. Dies bedeutet, daß jeder Versuch, durch nachfrageorientierte Wirtschaftspolitik Arbeitslosigkeit abzubauen, von vornherein zum Scheitern verurteilt wäre und lediglich zu höherer Inflation fuhre. Nur durch angebotsorientierte Maßnahmen könne die Arbeitslosigkeit verringert, d.h. graphisch: die Phillipskurve nach links verrückt werden.

Betrachtet man nun die Kombination von Arbeitslosenquote und Inflationsrate seit 1982/83 (Kurve III in Abb. 16.1/1), so ist festzustellen, daß sich die Phillipskurve erneut nach rechts verschoben hat, obwohl keine angebotsinduzierten Ursachen vorlagen. Vielmehr sind in diesem Zeitraum beispielsweise viele Rohstoffpreise sogar gesunken. Eine Ursache für diese Verschiebung dürfte durch die Entwicklung der Arbeitslosigkeit determiniert sein. Die zunehmende Anzahl Langzeitarbeitsloser – immerhin waren 1983 28,5% der Arbeitslosen insgesamt ein Jahr und länger arbeitslos, im Vergleich zu 1975, als lediglich 9,6% länger als ein Jahr arbeitslos waren – übt im Phillipsschen Modell jedoch keinen Einfluß auf die Lohnwachstumsrate aus, da Langzeitarbeitslose aufgrund ihrer schwierigen Vermittelbarkeit nicht mit anderen Arbeitsanbietern im Wettbewerb stehen. Folglich verschiebt sich die Phillips-Kurve bei stabiler Inflationsrate nach rechts. Dieser Entwicklung ist ebenfalls nur durch angebotsorientierte

Maßnahmen im Rahmen einer expansiven Stabilisierungspolitik beizukommen.

16.2. Weitere Zielkonflikte

Auch zwischen anderen Zielkombinationen bestehen Konflikte. Sofern die Inlandsinflation die des Auslands übertrifft, wird sich – wie in Abschn. 5.3 ausgeführt – bei fixen Wechselkursen eine Tendenz zu einem Leistungsbilanzdefizit ergeben. Dies wiederum bedeutet eine Abschwächung der Inlandsnachfrage mit entsprechenden Gefahren für die Beschäftigung. Sofern die ursächliche Inflation nachfrageinduziert ist, wird der Rückgang der Beschäftigung zu einem Versiegen der Inflationsquelle beitragen. Handelt es sich aber um eine angebotsinduzierte Inflation, kann sich eine Stagflationssituation ergeben.

Umgekehrt kann bei fixen Wechselkursen eine konsequente Preisstabilisierungpolitik dazu führen, daß Leistungsbilanzüberschüsse das außenwirtschaftliche Gleichgewicht gefährden. Sofern keine entsprechenden Kapitalexporte entgegenstehen, können sich inflationäre Geldmengen- und Nachfragesogeffekte ergeben. Sofern andererseits eine Geldmengen- bzw. Nachfrageausweitung durch restriktive Maßnahmen eingedämmt werden soll, kann sich dies negativ auf Wachstum und Beschäftigung auswirken.

Die Beeinträchtigung binnenorientierter Konjunkturpolitik durch außenwirtschaftliche Einflüsse kann – wie unschwer zu erkennen ist – nur bei festen Wechselkursen in vollem Umfang auftreten. Sofern diese – z. B. aus integrations**politischen** Gründen wie innerhalb der Europäischen Währungsunion – beibehalten werden sollen, besteht eine Tendenz zur Einengung des Freihandels durch handelsbeschränkende Maßnahmen. Sollen aber sowohl Freihandel als auch binnenwirtschaftlich autonome Konjunkturpolitik verfolgt werden, sind feste Wechselkurse von ständigen Änderungszwängen in Frage gestellt, wie die wiederholten Wechselkursänderungen des Euro gegenüber dem Dollar, aber auch früher im Europäischen Währungssystem belegen. Freihandel, autonome nationale Wirtschaftspolitik und feste Wechselkurse stellen somit gleichfalls ein **Magisches Dreieck** dar, bei dem die Verfolgung zweier dieser Ziele das jeweils dritte bedroht. Andererseits besteht zwischen ihnen teilweise auch **Zielharmonie**, z. B. zwischen dem Wachstums- und dem Beschäftigungsziel. Werden weitere wirtschaftspolitische Ziele in die Betrachtung einbezogen, erhöht sich das Konfliktpotential wiederum: Konjunkturanregende Maßnahmen wie eine Investitionsförderung im Sinne angebotsorientierter

Politik oder erhöhte investive Staatsausgaben oder Steuersenkungen im Sinne nachfrageorientierter Politik richten sich zunächst auf den Unternehmensbereich mit entsprechenden Gewinnzuwächsen. Dies kann eine Verschiebung der Einkommensverteilung zugunsten der Gewinnquote und zulasten der Lohnquote bedeuten. Analoges gilt für eine konjunkturdämpfende Steuererhöhung (**Konjunkturzuschlag**), da diese aufgrund des Quellenabzugs zunächst die Lohneinkommen und nur mit Verzögerung die Einkommen der Selbständigen betrifft.

Auch zwischen Finanz- (d.h. Konjunktur-) und Fiskalpolitik bestehen Spannungen. Die erfolgte Mehrwertsteuererhöhung auf 16% hatte eindeutig fiskalische Gründe, d.h. sie diente der Erhöhung der Staatseinnahmen. Die kaufkraftabschöpfende Wirkung begünstigte jedoch keineswegs beschäftigungspolitische Überlegungen, ebensowenig wie der implizierte Kostendruckeffekt sich günstig auf das Preisniveau auswirkte.

Und auch zwischen Beschäftigungs- und Wachstumspolitik auf der einen und dem Umweltschutz auf der anderen Seite besteht ein teils latentes, teils offenes Spannungsverhältnis, indem forciertes Wachstum mit umweltbelastenden und umweltschädigenden Nebenwirkungen einhergehen kann, so daß umgekehrt die Berücksichtigung umweltpolitischer Gesichtspunkte den Verzicht auf bestimmte Maßnahmen erfordern kann (z.B. Bau einer Autobahn durch ein Waldgebiet), was – *ceteris paribus* – Auftragseinbußen im Straßenbau bedeutet. Natürlich können die entsprechenden Mittel auch an anderer Stelle einkommens- und beschäftigungswirksam eingesetzt werden, und ebenso ist zu berücksichtigen, daß Umweltschutzmaßnahmen selbst mit Einkommens- und Beschäftigungseffekten einhergehen (vgl. Kap. 7).

Die umrißhafte Darstellung von Zielkonflikten dürfte deutlich machen, daß das Einsetzen wirtschaftspolitischer Maßnahmen eine Gratwanderung hinsichtlich der Verfolgung alternativer Ziele darstellt. Das Abwägen zwischen angestrebten Effekten einerseits und unerwünschten Nebeneffekten andererseits ist eine **politische Frage**, bei der die ökonomische Theorie allenfalls Hilfestellung leisten, die aber nicht theoretisch beantwortet werden kann. Der Stoßseufzer von Politikern ist bekannt, die sich darüber beklagen, daß ihre ökonomischen Ratgeber ihre Empfehlungen mit «einerseits/andererseits» schmücken und den Politikern die Entscheidung überlassen (müssen) (Abb. 16.2/1).

Auch die Europäische Zentralbank sieht sich vor dieses Abwägungsproblem gestellt. Auf der einen Seite mag von ihr gefordert werden, daß sie zur Konjunkturanregung zinssenkende Maßnahmen

Abb. 16.2/1: Prognose-Effizienz

Quelle: Ivan Steiger, Frankfurter Allgemeine Zeitung v. 23.01.97

ergreift. Andererseits würde dies aber die Zinsspanne z. B. gegenüber den USA verringern und damit die Kapitalanlage im Ausland und somit die Nachfrage nach Dollars anregen, was zwar durchaus einen (abwertungsbedingten) positiven Effekt auf die Exportnachfrage haben dürfte, aber bei preisunelastischer Importnachfrage, insbesondere bei Rohöl, einen ebenfalls abwertungsbedingten, aber negativen Kostendruckeffekt für die Preisniveauentwickung hätte. Abgesehen von krassen Fehlern (die im übrigen höchst selten sind) kann man bei wirtschaftspolitischen Entscheidungen nie falsch oder richtig sagen, sondern allenfalls, ob sie der eigenen Meinung bzw. den eigenen Interessen entsprechen oder nicht.

Schlußwort

Das vorliegende Lehrbuch ist eine Einführung. Es behandelt eine Vielzahl von Themen und Problemen im Zusammenhang mit «Wirtschaftspolitik», ohne daß dabei der Anspruch erhoben werden könnte und sollte, daß alle relevanten Gesichtspunkte erschöpfend behandelt würden. Viele Aspekte konnten nur angerissen werden; eine umfassendere oder vertiefende Darstellung würde den Rahmen eines Taschenbuchs sprengen. Es wird auch deutlich geworden sein, daß dabei bestimmte, eher technische Aspekte ‹griffiger› darzustellen sind als wirtschafts‹politische› Konzepte, bei denen Werturteile und Meinungen eine starke Rolle spielen. Eine erschöpfende Diskussion bestimmter Politikbereiche, beispielsweise von Beschäftigungsproblemen oder der Strukturpolitik, würde jeweils ein eigenes Buch füllen. So mancher Aspekt mußte folglich einfach ausgelassen werden.

Dies gilt auch hinsichtlich der Berücksichtigung theoretischer Grundlagen. Obgleich der Hinweis auf weitere (eigene) Publikationen gelegentlich als penetrante Eigenwerbung mißverstanden wird, möchte ich auf meine bereits im Abschn. 0 angeführten vier Lehrbücher *Volkswirtschaftslehre, Außenwirtschaft für Unternehmen,* das *Arbeitsbuch Volkswirtschaftslehre/Wirtschaftspolitik* sowie *Internationale Wirtschaftsorganisationen* verweisen, welche den vorliegenden Band inhaltlich ergänzen, u. a. im Hinblick auf Wettbewerbspolitik (Marktformen und Verhaltensweisen, Konzentration und Kartellrecht), Agrarpolitik (Marktordnungen im EG-Binnenmarkt, Agrarpreissysteme, Überschußprobleme), Berechnung, Interpretation und Kritik des Sozialprodukts, Geldkreislauf (Geldarten, Geldschöpfung, Geldumlauf), Marktpreisbildung, staatliche Beeinflussung des Preisbildungsprozesses (Preisstops und Lohnstops), internationale Rahmenbedingungen der Wirtschaftspolitik (Europäische Integration, EWWU, EU-Institutionen, OECD, GATT-Vertrag, WTO, IWF, Weltbank, andere internationale Institutionen, Organisationen und Abkommen), Risiken und Riskoabsicherung im Welthandel, und vieles mehr. Hinzu kommt der Band *Umweltpolitik*, welcher eine ausführliche Diskussion der in Kap. 7 nur angerissenen Problematik anbietet.

Wenn es dem Autor gelungen ist, das allgemeine Interesse und Verständnis des Lesers für wirtschaftspolitische und volkswirtschaftliche Fragen zu stärken, hat das vorliegende Buch seinen Zweck erfüllt. Hinsichtlich der Ergänzung und Vertiefung einzelner Themenbereiche können für den interessierten Leser dabei auch die anschließenden Literaturhinweise hilfreich sein.

Vertiefende und ergänzende Literatur

Zu Kapitel 1: Allgemeine Literatur zur Wirtschaftspolitik (s. auch Kapitel 9)

Apolte, Thomas: Die ökonomische Konstitution eines föderalen Systems: dezentrale Wirtschaftspolitik zwischen Kooperation und institutionellem Wettbewerb, Tübingen 1999

Ashauer, Gunter: Wirtschaftsordnung und Wirtschaftspolitik, Reihe Grundwissen Bankwirtschaft, Bd. 13, Stuttgart 1999

Bartling, Hartwig; Luzius, Franz: Grundzüge der Volkswirtschaftslehre, Einführung in die Wirtschaftstheorie und Wirtschaftspolitik, 12. verb. u. erg. Aufl., München 1998

Ebert, Werner: Wirtschaftspolitik aus evolutorischer Perspektive, Hamburg 1999

Erlei, Mathias et al. (Hrsg.): Beiträge zur angewandten Wirtschaftstheorie: Manfred Borchert zum 60. Geburtstag, Regensburg 1999

Floren, Franz J. (Hrsg.): Wirtschaftspolitik im Zeichen der Globalisierung, Paderborn 1998

Fontys Hogescholen Venlo; Otto F. Bode (Hrsg.): Systemtheoretische Überlegungen zum Verhältnis von Wirtschaft und Politik: Luhmanns Konzept und seine exemplarische Anwendung auf Fragen wirtschaftspolitischer Steuerungsmöglichkeiten, Marburg 1999

Fritsch, Michael; Wein, Thomas; Ewers, Hans-Jürgen: Marktversagen und Wirtschaftspolitik: mikroökonomische Grundlagen staatlichen Handelns, München 1999

Generalsekretariat des Rates der Europäischen Union (Hrsg.): Der Euro und die Wirtschaftspolitik, Luxemburg 1999

Granados, Gilberto; Gurgsdies, Erik: Lern- und Arbeitsbuch Ökonomie, vollst. überarb. und aktualisierte Neuausg., Bonn 1999

Hentschel, Volker: Ludwig Erhard, die «soziale Marktwirtschaft» und das Wirtschaftswunder: historisches Lehrstück oder Mythos?, Bonn 1998

Hesse, Helmut; Welzel, Peter (Hrsg.): Wirtschaftspolitik zwischen gesellschaftlichen Ansprüchen und ökonomischen Grenzen, Festschrift für Reinhard Blum zum 65. Geburtstag, Göttingen 1998

Klemmer, Paul (Hrsg.): Handbuch Europäische Wirtschaftspolitik, München 1998

Klump, Rainer: Einführung in die Wirtschaftspolitik: theoretische Grundlagen und Anwendungsbeispiele, 3., überarb. Aufl., München 1998

May, Hermann: Wirtschaftsbürger-Taschenbuch: wirtschaftliches und rechtliches Grundwissen, München 2000

Zu Kapitel 2 und 3: Wachstum und Beschäftigung

Arbeitsgemeinschaft für Wissenschaftliche Wirtschaftspolitik (Hrsg.): Europäische Beschäftigungspolitik in der Arbeitswelt 2000: zeitgemäße wirtschaftspolitische Maßnahmen zur wirkungsvollen Bekämpfung von Arbeitslosigkeit, Wien 1999

Barro, Robert J.; Sala-i-Martin, Xavier: Wirtschaftswachstum, München 1998

Bußmann, Ludwig (Hrsg.): Vollbeschäftigung und Tertiarisierung (Drei-Sektoren-Hypothese), Berlin 1999

Deutsches Institut für Wirtschaftsforschung (Hrsg.): Wirtschaft ohne Wachstum?: Denkanstöße – Handlungskonzepte – Strategien, Wiesbaden 1999

Flemmig, Jörg: Neuere Ansätze zur Erklärung unfreiwilliger Arbeitslosigkeit bei Inflation seit der neoklassischen Synthese, Marburg 1999

Gérard, Jean-Pierre: Employment, interest & profitability, London 1999

Giarini, Orio; Liedtke, Patrick M.: Wie wir arbeiten werden: der neue Bericht an den Club of Rome, 4. Aufl., Hamburg 1998

Gmelch, Andreas; Raehlmann, Irene (Hrsg.): Beschäftigungsperspektiven 2000, Bamberg 1997

Grunheid, Evelyn; Hohn, Charlotte (Hrsg.): Demographische Alterung und Wirtschaftswachstum, Opladen 1999

Jungblut, Stefan: Wachstumsdynamik und Beschäftigung, Tübingen 1999

Kalckreuth, Ulf von: Wachstum und soziale Integration in dualistischen Volkswirtschaften, Frankfurt/Main 1999

Kromphardt, Jürgen: Lohnbildung und Beschäftigung, Stuttgart 1999

Landmann, Oliver; Jerger, Jürgen: Beschäftigungstheorie, Berlin und Heidelberg 1999

Linden, Marc von der: Gesamtwirtschaftliche Arbeitslosigkeit und Dispersion, Baden-Baden 1999

Rojas, Mauricio: Millennium doom: fallacies about the end of work, London 1999

Schlag, Carsten-Henning: Die Bedeutung der öffentlichen Infrastruktur für das Wachstum der Wirtschaft in Deutschland, Frankfurt/Main 1999

Stamer, Manfred: Strukturwandel und wirtschaftliche Entwicklung in Deutschland, den USA und Japan, Aachen 1999

Zu Kapitel 4: Preisniveaustabilität

Endler, Jan: Europäische Zentralbank und Preisstabilität: eine juristische und ökonomische Untersuchung der institutionellen Vorkehrungen des Vertrages von Maastricht zur Gewährleistung, Stuttgart 1998

Heubes, Jürgen: Makroökonomie: Vollbeschäftigung, Preisniveaustabilität, außenwirtschaftliches Gleichgewicht, stetiges Wirtschaftswachstum, München 1999

Hoffmann, Johannes: Probleme der Inflationsmessung in Deutschland, Frankfurt/Main 1998

Issing, Otmar: Stabiles Geld – Fundament der sozialen Marktwirtschaft, Ulm 1999

Janssen, Ole: Einfluß elektronischer Geldbörsen auf den Zusammenhang zwischen Umlaufgeschwindigkeit des Geldes, Geldmenge und Preisniveau, Greifswald 1998

Mikoleizik, Andreas: Geldverfassung und Geltwertstabilität, Marburg 1998

Schmücker, Julia: Erfolgreiche Stabilisierungspolitik nach einer grossen Offenen Inflation, o. O. 1998

Setterfield, Mark; Cornwall, John (Hrsg.): Growth, employment and inflation, Basingstoke 1999

Wray, L. Randall: Understanding modern money: the key to full employment and price stability, Cheltenham 1998

Zu Kapitel 5: Außenwirtschaftliches Gleichgewicht

Clostermann, Jörg: Der Einfluß des Wechselkurses auf die deutsche Handelsbilanz, Frankfurt/Main 1996

Heubes, Jürgen: Makroökonomie: Vollbeschäftigung, Preisniveaustabilität, außenwirtschaftliches Gleichgewicht, stetiges Wirtschaftswachstum, München 1999

Isard, Peter: Exchange rate assessment: extensions of the macroeconomic balance approach, Washington 1998

Krugman, Paul: Die große Rezession: was zu tun ist, damit die Weltwirtschaft nicht kippt, Frankfurt/Main 1999

Rübesamen, Dirk: Technischer Fortschritt, Wirtschaftsstruktur und Leistungsbilanzentwicklung, Berlin 1998

Utecht, Torsten: Komplementäre Leistungs- und Kapitalbilanzsalden: ein Beitrag zur Interdependenz von Leistungs- und Kapitalbilanz, Berlin 1999

Weizsäcker, Carl Christian von: Logik der Globalisierung, Göttingen 1999

Zu Kapitel 6: Verteilung

Bedau, Klaus-Dietrich: Auswertung von Statistiken über die Vermögensverteilung in Deutschland, Berlin 1998

Busch, Berthold (Hrsg.): Verdienst, Vermögen und Verteilung: Reichtumsbericht Deutschland, Köln 1998

Fachinger, Uwe: Die Verteilung der Vermögen privater Haushalte: einige konzeptionelle Anmerkungen sowie empirische Befunde für die Bundesrepublik Deutschland, Bremen 1998

Gahlen, Bernhard (Hrsg.): Verteilungsprobleme der Gegenwart: Diagnose und Therapie, Tübingen 1998

Hengsbach, Friedhelm; Möhring-Hesse, Matthias: Aus der Schieflage heraus: demokratische Verteilung von Reichtum und Arbeit, Bonn 1999

Heni, Ulrich: Vermögenswertänderungen und deren Verteilungswirkungen, Pfaffenweiler 1998

Kleiber, Christian: Halbordnungen von Einkommensverteilungen, o. O. 1998
Methfessel, Klaus; Winterberg, Jörg M.: Der Preis der Gleichheit: wie Deutschland die Chancen der Globalisierung verspielt, Düsseldorf 1998
Slottje, Daniel J. (Hrsg.): Advances in econometrics, income distribution and acientific methodology, Heidelberg 1999
Statistisches Bundesamt (Hrsg.): Einkommen und Vermögen in Deutschland – Messung und Analyse, Stuttgart 1998
Tanzi, Vito (Hrsg.): Economic policy & equity, Washington 1999
Volkert, Jürgen: Existenzsicherung in der marktwirtschaftlichen Demokratie: normativer Anspruch ökonomische Rationalität und sozialpolitische, Heidelberg 1998
Weizsäcker, Carl Christian von: Wirtschaftliche Effizienz und gerechte Verteilung, Opladen 1999

Zu Kapitel 7: Umweltschutz

Bartmann, Hermann; John, Klaus-Dieter (Hrsg.): Umwelt, Beschäftigung und Zukunft der Wachstumsgesellschaften: Beiträge zum 6. und 7. Mainzer Umweltsymposium, Wiesbaden 1998
Binder, Klaus Georg: Grundzüge der Umweltökonomie, München 1999
Binder, Klaus Georg; Mauner, Alfred (Hrsg.): Ökonomie und Ökologie: Festschrift für Joachim Klaus zum 65. Geburtstag, Berlin 1999
Brune, Wolfgang: Energie, Umwelt und Wirtschaft: Visionen statt Illusionen, Stuttgart 1999
Bruns, Heike: Akteure der Umweltpolitik: die Organisation der staatlichen Umweltadministration auf Bundesebene als Rechtsproblem, Frankfurt/Main 1999
Feess, Eberhard: Umweltökonomie und Umweltpolitik, München 1998
Hansmann, Karl-Werner (Hrsg.): Umweltorientierte Betriebswirtschaftslehre: eine Einführung, Wiesbaden 1998
Hartwig, Henning: Das Verhältnis von Werbung und Umwelt und seine wettbewerbsrechtlichen Grenzen, Berlin 1999
Janicke, Martin; Kunig, Philip; Stitzel, Michael: Lern- und Arbeitsbuch Umweltpolitik: Politik, Recht und Management des Umweltschutzes in Staat und Unternehmen, Bonn 1999
Jens, Uwe: Ökologieorientierte Wirtschaftspolitik; München 1998
Kahlenborn, Walter; Kraack, Michael; Carius, Alexander: Tourismus- und Umweltpolitik: ein politisches Spannungsfeld, Berlin 1999
Klemmer, Paul (Hrsg.): Innovationen und Umwelt: Fallstudien zum Anpassungsverhalten in Wirtschaft und Gesellschaft, Berlin 1999
Klemmer, Paul; Lehr, Ulrike; Lobbe, Klaus: Umweltinnovationen: Anreize und Hemmnisse, Berlin 1999
Kreuzburg, Joachim: Ökonomisches Effizienzkriterium und umweltpolitische Zielbestimmung, Marburg 1999
Langner, Frank Stephan: Von der Umweltökonomie zur ökologischen Ökonomie: zur Notwendigkeit eines Paradigmenwechsels, Frankfurt (Oder) 1998

Leining, Michael: Dezentrale Lösungsansätze in der Umweltpolitik: eine wirtschaftstheoretische Analyse deutscher und amerikanischer umweltpolitischer Instrumente, Frankfurt/Main 1998

Letzgus, Oliver: Die Ökonomie internationalen Umweltschutzes, Frankfurt/Main 1999

Linneweber, Volker; Kals, Elisabeth (Hrsg.): Umweltgerechtes Handeln: Barrieren und Brücken, Berlin 1999

Ludolph, Franz-Joachim: Umweltökonomie, Haan-Gruiten 1998

Michaelis, Peter; Stahler, Frank (Hrsg.): Recent policy issues in environmental and resource economics, Heidelberg 1998

Schmidt, Tobias F. N.: Integrierte Bewertung umweltpolitischer Strategien in Europa: Methoden, eine AGE-Modellentwicklung und, Heidelberg 1999

Siebert, Horst: Economics of the environment: theory and policy, Berlin 1998

Watzold, Frank: Umweltökonomische Konzeptionen bei ökologischer Unsicherheit, Berlin 1998

Wissenschaftlicher Beirat der Bundesregierung «Globale Umweltveränderungen» (Hrsg.): Welt im Wandel: Strategien zur Bewältigung globaler Umweltrisiken, Berlin 1999

Zu Kapitel 9: Wirtschaftspolitische Konzeptionen (s. auch Kapitel 1)

Behrend, Rainer: Inkonsistente Darstellungen der Keynesianischen Theorie: eine Auseinandersetzung mit der Kritik und dem Lösungsvorschlag von Felderer, Hamburg 1999

Bellebaum, Alfred (Hrsg.): Ökonomie und Glück: Beiträge zu einer Wirtschaftslehre des guten Lebens, Opladen 1999

Buchanan, James M.; Monissen, Bettina (Hrsg.): The economists' vision: essays in modern economic perspektives, Frankfurt/Main 1998

Burchardt, Hans-Jürgen: Kuba – im Herbst des Patriarchen, Stuttgart 1999

Erlei, Mathias (Hrsg.): Beiträge zur angewandten Wirtschaftstheorie: Manfred Borchert zum 60. Geburtstag, Regensburg 1999

Friedman, David: Der ökonomische Code: wie wirtschaftliches Denken unser Handeln bestimmt, Frankfurt/Main 1999

Hallwirth, Volker: Und Keynes hatte doch recht: eine neue Politik für Vollbeschäftigung, Frankfurt/Main 1998

Helmstädter, Ernst: Gerechtigkeit und Fairneß in Wirtschaft und Gesellschaft, Opladen 1999

Käufer, Erich: Spiegelungen wirtschaftlichen Denkens im Mittelalter, Innsbruck 1998

Kesting, Stefan: Diskurs und Macht: ein Beitrag zur ökonomischen Handlungstheorie, Pfaffenweiler 1999

Kolowski, Peter (Hrsg.): Sociobiology and bioeconomic: the theory of evolution in biological and economic theory, Berlin 1999

Krause, Günter: Wirtschaftstheorie in der DDR, Marburg 1998

Kurz, Heinz D.: Ökonomisches Denken in klassischer Tradition: Aufsätze zur Wirtschaftstheorie und Theoriegeschichte, Marburg 1998

Lockes, John; Priddat, Birger P.: Theologie, Ökonomie, Macht: eine Rekonstruktion der Ökonomie, Marburg 1998

Reuter, Norbert: Wachstumseuphorie und Verteilungsrealität: wirtschaftspolitische Leitbilder zwischen Gestern und Morgen, Marburg 1998

Ritzmann, Franz: Wirtschaftswissenschaft als Hobby und Beruf: Aufsätze aus vier Jahrzehnten, Chur 1999

Schefczyk, Michael: Personen und Präferenzen, Marburg 1999

Schlotmann, Olaf: Die deutsche Zeitstruktur der Zinssätze im Lichte der Wicksellschen Kredittheorie, Frankfurt/Main 1998

Schmidt, Johannes: Wachstum und Verteilung in der Geldwirtschaft: das wissenschaftliche Werk Erich Preisers (1900–1967), Marburg 1998

Vollgraf, Carl-Erich (Hrsg.): Geschichtserkenntnis und kritische Ökonomie, Berlin 1999

Weidkuhn, Peter: Reizwort Marktwirtschaft: Elemente einer Kulturanthropologie des Marktes, Frankfurt/Main 1998

Wohlmann, Monika: Der nominale Wechselkurs als Stabilitätsanker: die Erfahrungen Argentiniens, Frankfurt/Main 1998

Zu Kapitel 10: Finanzpolitik

Ahlgrimm, Christine: Neugestaltung des öffentlichen Haushaltswesens auf der Grundlage des Ressourcenverbrauchs, Baden-Baden 1999

Arni, Jean-Louis; Gangguillet, Gilbert (Hrsg.): Instilltutionelle und finanzpolitische Probleme im Bundesstaat: Festschrift für Peter Bohley zum 67. Geburtstag, Chur 1999

Beckmann, Klaus: Analytische Grundlagen einer Finanzverfassung: Regelbegründungen und Regelbindungsprobleme aus finanzwissenschaftlicher Perspektive, Frankfurt/Main 1998

Behrens, Petra: Euro-Föderalismus: ökonomische Perspektiven einer neuen europäischen Regionalpolitik, Glienicke bei Berlin 1997

Beirat für Wirtschafts- und Sozialfragen (Hrsg.): Verbesserte Spielregeln für den Bundeshaushalt: Verfahrensvorschläge zur Budgetsteuerung, Korneuburg 1998

Busch, Berthold: Zur künftigen Finanzierung der Europäischen Union, Köln 1998

Delmas-Marty, Mireille (Hrsg.): Corpus Juris der strafrechtlichen Regelungen zum Schutz der finanziellen Interessen der Europäischen Union, Köln 1998

Demmel, Roland: Fiscal policy, public debt and the term structure of interest rates: a stochastic general equilibrium macroeconomic analysis in continuous time, o. O. 1998

Fottinger, Wolfgang: Fiskaldisziplin in der Wirtschafts- und Währungsunion, Frankfurt/Main 1998

Henneke, Hans-Günter: Die Kommunen in der Finanzverfassung des Bundes und der Länder, Wiesbaden 1998

Ders.: Landesfinanzpolitik und Verfassungsrecht: Gestaltungsspielräume und Bindungen – dargestellt am Beispiel Niedersachsens, Heidelberg 1998

Hesse, Helmut; Keppler, Horst; Schuseil, Andreas: Theoretische Grundlagen der «fiscal policy», München 1998

Hodl, Erich; Weida, Andreas: Die Wirtschaftspolitik der Europäischen Union: Ansatzpunkte und Alternativen fiskalpolitischer Steuerung, Frankfurt/Main 1999

Jarass, Hans D.: Nichtsteuerliche Abgaben und lenkende Steuern unter dem Grundgesetz: eine systematische Darstellung verfassungsrechtlicher Probleme mit Anwendungsfallen aus dem Bereich der Umweltabgaben, Köln 1999

Klages, Wolfgang: Staat auf Sparkurs: die erfolgreiche Sanierung des US-Haushalts (1981–1997), Frankfurt/Main 1998

Leisner, Anna: Die Leistungsfähigkeit des Staates: verfassungsrechtliche Grenze der Staatsleistungen?, Berlin 1998

Rolfink, Armin: Die Akzeptanz staatlicher Finanzierungsinstrumente: eine empirische Untersuchung der Bürgerpräferenzen, Frankfurt/Main 1999

Schlegelmilch, Kai (Hrsg.): Green budget reform in Europe: countries at the forefront, Berlin 1999

Waldhoff, Christian; Vogel, Klaus: Grundlagen des Finanzverfassungsrechts: Sonderausgabe des Bonner Kommentars zum Grundgesetz (Vorbemerkungen zu Art. 104a bis 115 GG), Heidelberg 1999

Wildasin, David E.: Factor mobility and fiscal policy in the EU: policy issues and analyticalapproaches, Mannheim 1999

Wohrmann, Don I. Asoka: Fiscal policy in human capital endogenous growth models, Berlin 1998

Wolff, Jessica de: The political economy of fiscal decisions: the strategic role of public debt, Heidelberg 1998

Zeppenfeld, Burkhard: Handlungsspielräume städtischer Finanzpolitik: staatliche Vorgaben und kommunales Interesse in Bochum und Münster, Essen 1999

Zu Kapitel 11: Geldpolitik

Alecke, Björn: Deutsche Geldpolitik in der Ära Bretton Woods, Münster 1999

Baltensperger, Ernst (Hrsg.): Transmissionsmechanismen der Geldpolitik, Berlin 1999

Borchert, Manfred: Geld und Kredit – Einführung in die Geldtheorie und Geldpolitik, München 1999

Brockmann, Heiner: Zur Ausgestaltung des geldpolitischen Instrumentariums bei Unvollkommenheiten auf den Fianzmärkten, Göttingen 1999

Duwendag, D. et al.: Geldtheorie und Geldpolitik in Europa: eine problemorientierte Einführung mit einem Kompendium monetärer Fachbegriffe, Berlin 1999

Gleiner, Werner: Notwendigkeit, Charakteristika und Wirksamkeit einer heuristischen Geldpolitik: Theorie und Empirie, Stuttgart 1999

Gro, Alexandra: Aufbruch in ein neues Währungszeitalter: deutsch-französische Währungsbeziehungen zwischen internationalen, europäischen und nationalen, Opladen 1999
Hesse, Helmut; Naujokat, Anja: Zur Rolle der Geldpolitik in einem Bündnis für Arbeit [Festvortrag anlässlich der Jahresfeier der Akademie der Wissenschaften und der Literatur, Mainz, am 6. November 1998], Stuttgart 1999
Jeitziner, Bruno: Political economy of the Swiss National Bank, Heidelberg 1999
Jerger, Jürgen: Nachfragesteuerung, Lohnbildung und Beschäftigung, Tübingen 1999
Marshall, Matt: Die Europäische Zentralbank und der Aufstieg Europas zur führenden Wirtschaftsmacht, München 1999
Schachter, Andrea: Die geldpolitische Konzeption und das Steuerungsverfahren der Deutschen Bundesbank: Implikationen für die Europäische Zentralbank, Tübingen 1999
Schmid, Hans: Geld, Kredit und Banken: ein modernes Lehrbuch für Unterricht und Selbststudium, Bern 1999
Schulz, Holger: Indexgebundene Einlösepflicht als Element einer europäischen Notenbankverfassung auf der Basis einer Public-choice-Analyse, Frankfurt 1999
Stadermann, Hans-Joachim: Der Streit um gutes Geld in Vergangenheit und Gegenwart, Tübingen 1999
Weltecke, Ernst; Simmert, Diethard B.: Die Europäische Zentralbank: europäische Geldpolitik im Spannungsfeld zwischen Wirtschaft und Politik, Stuttgart 1999

Zu Kapitel 12: Währungspolitik

Fischer, Christian: Glaubwürdigkeit in der Währungspolitik: die Strategie der einseitig festen Wechselkursanbindung in Österreich, den Niederlanden und Belgien, Marburg 1997
Galahn, Gunbritt: Die Deutsche Bundesbank im Prozess der europäischen Währungsintegration: rechtliche und währungspolitische Fragen aus deutscher Sicht, Berlin 1996
Hofbauer, Ernst: Das war der Schilling: eine Erfolgsgeschichte mit Hindernissen, Wien 1998
Jochimsen, Reimut; Gemper, Bodo B. (Hrsg.): Aktuelle Fragen der Geld- und Währungspolitik: Festvortrag des Präsidenten der Landeszentralbank in Nordrhein-Westfalen, Lohmar 1999
Kramer, Stefan: Die Wirkung einer Internationalisierung des Yen auf die japanischen Finanzmärkte, die japanische Geldpolitik und die Usancen der Fakturierung, Frankfurt/Main 1999
Loureiro, Joao: Monetary policy in the European monetary system: a critical appraisal, Berlin 1996
Modery, Wolfgang: Internationale währungspolitische Arrangements auf dem Prüfstand ökonomischer Effizienz, Frankfurt/Main 1996

Schmidhuber, Peter M.: Geldmarktpolitik und europäischer Währungspolitik: die Geldpolitik in der dritten Stufe der Wirtschafts- und Währungsunion, Regensburg 1996

Schroiff, Günter: Der Euro – Treibsatz zur politischen Union oder Vehikel zum wirtschaftlichen und nationalistischen Chaos, Gelnhausen 1998

Siebert, Horst (Hrsg.): Monetary policy in an integrated world economy, Tübingen

Stadermann, Hans-Joachim; Steiger, Otto: Herausforderung der Geldwirtschaft: Theorie und Praxis währungspolitischer Ereignisse, Marburg 1999

Tietmeyer, Hans: Währungspolitik und europäische Integration [Vortrag vom 13. Oktober 1997], Heidelberg 1998

Voce Streile, Cristina: Aktuelle und potentielle Relevanz des Ecu im Rahmen der zweiten Stufe der EWU, Aachen 1998

Willms, Manfred: Internationale Währungspolitik, München 1995

Zu Kapitel 13 u. 14: Außenhandels- und Entwicklungspolitik

Andersen, Uwe (Hrsg.): Entwicklung der Entwicklungspolitik, Schwalbach/Taunus 1999

Bundesministerium für Wirtschaftliche Zusammenarbeit und Entwicklung (Hrsg.): Die Auswirkungen der Entwicklungszusammenarbeit auf den Wirtschaftsstandort Deutschland, München 1999

Deutsch, Klaus Günther: The politics of freer trade in Europe: three-level games in the common commercial policy of the EU, 1985–1997, Münster 1999

Deutscher, Eckhard: Zukunftsfähige Entwicklungspolitik: Standpunkte und Strategien, Unkel/Rhein 1998

Gandolfo, Giancarlo: International trade theory and policy, Berlin 1998

Ganguly, Rajana; Allen Neil Walter (Hrsg.): International environmental agreements: challenges and opportunities, New Delhi 1998

Haas, Daniel: Mit Sozialklauseln gegen Kinderarbeit?: das Beispiel der indischen Teppichproduktion, Münster 1998

Jonietz, Tanja: Technologieinduzierte Aspekte des weltwirtschaftlichen Strukturwandels: dargestellt am Beispiel der lateinamerikanischen Schwellenländer, Frankfurt/Main 1999

Mayer, Otto G.; Scharrer, Hans-Eckart: Transatlantic relations in a global economy, Baden-Baden 1999

Nohlen, Dieter (Hrsg.): Lexikon Dritte Welt: Länder, Organisationen, Theorien, Begriffe, Personen, Reinbek bei Hamburg 1998

Nunnenkamp, Peter: Wirtschaftliche Aufholprozesse und «Globalisierungskrisen» in Entwicklungsländern, Implikationen für die nationale Wirtschaftspolitik und den globalen Ordnungsrahmen, Kiel 1998

Pinger, Winfried (Hrsg.): Armutsbekämpfung: eine Herausforderung für die deutsche Entwicklungspolitik, Unkel/Rhein 1998

Scherrer, Christoph; Greven, Thomas; Frank, Volker: Sozialklauseln: Arbeiterrechte im Welthandel, Münster 1998

Schmidt, Uwe: Wirtschaftstransformation und Außenhandel in Vietnam: Erschließung von Exportmärkten für Primärenergieträger, Baden-Baden 1999

Schoppenthau, Philip von: Die Europäische Union als Akteur der internationalen Handelspolitik: die Verhandlungen der GATT-Uruguay-Runde, Wiesbaden 1999

Sottoli, Susana: Sozialpolitik und entwicklungspolitischer Wandel in Lateinamerika: Konzepte und Reformen im Vergleich, Opladen 1999

Wohlmuth, Karl: Good governance and economic development, Münster 1999

Wolfensohn, James D.: Wirtschaftspolitik und nachhaltige Entwicklung, Vortrag vom 19. November 1997 in der Friedrich-Ebert-Stiftung, Bonn 1998

Wolff, Jürgen H.: Entwicklungspolitik – Entwicklungsländer: Fakten – Erfahrungen – Lehren, München 1998

Zu Kapitel 15 u. 16: Besondere Probleme

Jossa, Bruno; Musella, Marco: Inflation, unemployment and money: interpretations of the Phillips curve, Cheltenham 1998

Kiefer, David: Macroeconomic policy and public choice, Berlin 1999

Langer, Thomas: Monopole als Handlungsinstrumente der öffentlichen Hand, Berlin 1998

Oppenländer, Karl H. (Hrsg.): Konjunkturindikatoren – Fakten, Analysen, Verwendung, 2. durchges. Aufl., München 1996

Pätzold, Jürgen: Stabilisierungspolitik: Grundlagen der nachfrage- und angebotsorientierten Wirtschaftspolitik, Bern 1998

Prinz, Aloys: Stabilisierungspolitik - theoretische Grundlagen und strategische Konzepte, München 1999

Rohm-Goldman, Wendy: Die Microsoft-Akte: der geheime Fall Bill Gates, München 1998

Rugemer, Werner: Grüezi! Bei welchen Verbrechen dürfen wir behilflich sein: die Schweiz als logistisches Zentrum der internationalen Wirtschaftskriminalität, Heilbronn 1999

Tichy, Günther: Konjunkturpolitik: quantitative Stabilisierungspolitik bei Unsicherheit, Berlin 1999

Wagner, Helmut: Stabilitätspolitik: theoretische Grundlagen und institutionelle Alternativen, München 1998

Wyss, Eva: Kriminalität als Bestandteil der Wirtschaft, Pfaffenweiler 1999

Register

A

Abbau
– von Devisenreserven 448
– von Überstunden 134
Abgaben- 328
– erhöhungen 141
– quote 295 f.
abgeleitete Rechtsquellen 34 f.
Abhängigkeit, Import- 494
Abhängigkeiten 76
Abkommen, Umsetzung der 591 f.
Abkopplungstheorie 607
Ablaufpolitik 265 f.
ABM 96, 137, 141
Abschöpfungen 532, 573
Abschwung 51
Absorptionspotential 603
Abweichungsschwelle 466
Abwertung 174, 439
– der Inlandswährung 221
– DM- 212
administrative Inflation 648
administrativer Aufwand 560
administrierte Preise 170 f.
Agrarpolitik, EU- 318 f.
Agrar-
– subventionen 342
– Wechselkurse 489
AKP-Länder 517 f.
Aktion, Konzertierte 19, 312
aktive
– Geldschöpfung 368
– Veredelung 199 f.
aktiver Finanzausgleich 313
Aktivitäten, privatwirtschaftliche 559
Akzelerator- 65
– effekte 68
– prozesse 267
Allgemeines Präferenzsystem 571
allgemeines Völkerrecht 21
Allokation, Verzerrung der 184 f.
Allokationsprozeß 184
amerikanisches Verfahren 385
amtliche Währungsreserven 217
Analyse, Kosten-Nutzen- 322
andere Wechselkurse 434
angebotsinduzierte Inflationsursachen 161, 648
Angebotslücken 111
– hausgemachte 175
– importierte 175 f.
– Inflation 161, 175 f.
angebotsorientierte
– Grundposition 268
– Wirtschaftstheorie 105
Angebotspolitik 499
Angebotsschocks 267 f.
Angebotstheorie 70, 268 f.
– Probleme der 271 f.
angemessenes Wachstum 45 f.
Ankaufskurs 403
Ankerwährung 418
Anlagemedium 462
Annahmen 77
Anpassen 542 f.
Anpassungshilfen 341
Ansatzpunkte
– finanzpolitische 320 ff.
– fiskalpolitische 320 ff.
Anschaffungswertprinzip 182
Anspruchshaltung 298
Antarktisvertrag 247
Anti-Dumping-Zoll 532, 537
antizyklisch 287
antizyklische
– Haushaltsgestaltung 321
– Wirtschaftspolitik 19
– Finanzausgleiche 286
APS 571
Arbeit 43 f., 507
– Bündnis für 141 f.

Arbeits- und Sozialverfassung 15
Arbeits-
beschaffungsmaßnahmen 96, 137, 141
– einkommensquote 232
– entgelt 110
– kräfte 94
– kräften, Mangel an 616 f.
– kreis Steuerschätzung 310
– lose 89, 94
– losenquote 86, 93
– losenquote, Berechnung der 93
– losenstatistik 93
– losenunterstützung 114
– losigkeit 4, 91 f., 186, 277, 327
– losigkeit, friktionelle 107 f.
– losigkeit, konjunkturelle 104 f.
– losigkeit, offene 96
– losigkeit, Perspektiven der 118 ff.
– losigkeit, saisonale 106 f.
– losigkeit, strukturelle 100 f.
– losigkeit, technologische 102
– losigkeit, Ursachen von 100 ff.
– losigkeit, verdeckte 96
– losigkeit, versteckte 43, 96
– markt, Zweiter 137 f.
– marktausgaben 114
– marktpolitik 137 ff.
– potential 86
– produktivität 132 f., 251, 512
– vermittlung 139 f.
– vermittlung, private 140 f.
– verträge, Befristung der 136
– zeit, jährliche 132
– zeit, tägliche 132
– zeit, wöchentliche 132
– zeiten, Flexibilisierung der 134
– zeitpolitik 132 ff.
Arbitrage 421
Arbitragen, Kurs- 406
Artenschutzabkommen 247
ASEAN-4 82
Asienkrise 82 ff.
Assoziationsabkommen 575
asymmetrische Handelsbeziehungen 610 f.
Aufbau der Zahlungsbilanz 194 f.
Aufgaben
der Europäischen Zentralbank 364 f.
– verteilung 312 f.
Aufschwung 51
Auftragsprogramme, öffentliche 280
Aufwand, administrativer 560
Aufwertung 540
– DM- 214, 441
Ausführungsverordnungen 31
Ausgaben-
– politik 320
– quote 291 f., 295
Ausgeglichenheit 305 f.
Ausgleichsfonds 601
– Steinkohleersatz 307
Ausgleichsmechanismen 599 ff.
Ausgleichsposten 204
Ausgleichszölle 532, 537
Ausland, Netto-Faktoreinkommen gegenüber dem 39
Auslandsposition 197, 204 f.
– der Bundesbank 198
Auslandsstatus der Kreditinstitute 200
Auslandszahlungsverkehr 200
Auslastung des Produktionspotentials 87
Auslastungseffekt 40
Ausrichtung, demokratische 594
Ausschlußprinzip 4, 243, 290
Ausschöpfung des Steuerpotentials 332
Ausschuß für Kreditfragen 311 f.
Außenbeitrag 208
– zum BIP 195 f.
Außenhandel 194, 196, 420
– Gründe für 506 f.
Außenhandelspolitik 490 ff., 503 f.
– Instrumente der 529 ff.
– Ziele der 497 ff.
außenhandelspolitische Konzeptionen 498 ff.
Außenhandelsrecht 522 ff.
– der EU 527 ff.
Außenhandelsstatistik 198
Außenhandelstheorie 520 ff.

Außenpolitik 503 f.
außenwirtschaftliche
– Interdependenzen 642
– Gleichgewicht 194 ff., 210
Außenwirtschaftsgesetz 60, 359, 528, 538
Außenwirtschaftsrecht, nationales 528
Außenwirtschaftsverordnung 528
Aussperrungen 116
Ausweitung der Staatsausgaben 163
Autarkie 499
– zustand 520
autonome Positionen 217
autozentrierte Entwicklung 607
AWG 528, 538

B

Bandbreite 429, 451
Bank
– der Banken 364
– für internationalen Zahlungsausgleich 364
Banken des Staates 364
Bankplätze 362
Bargeld 366
Bargeldbedarf 368
Barreserve 368
Basisjahr 40, 153
Basler Müllabkommen 247
BbankG 358
Bedarfs-
– deckungsfunktion 285
– zuweisungen 318
Befristung von Arbeitsverträgen 136
begrenzende Faktoren 89
Beistandssystem 467
Beiträge 328
Beitrittsverträge 30
Bemessungsgrundlage 328
bereinigte Lohnquote 228 f.
Beschäftigung 444, 487, 555
Beschäftigungs-
– einbußen 186
– programme 267, 277 f., 327
– schwelle 123
– situation 186
– stand, hoher 86 ff.
– struktur 232
Beschlüsse 33
besondere Probleme der Wirtschaftspolitik 631 ff.
Bestimmung des Produktionspotentials 89 f.
Bevölkerungs-
– explosion 614 ff.
– wachstum 163, 614
BHO 302
BIC 408
bilaterale
– Freihandelsabkommen 548
– Geschäfte 383 ff.
– Leitkurse 461
Bildung 251 f.
Bildungs-
– politik 251, 616 f.
– system 619
Billiglohnländer 511
Bindung
– sachliche 306
– zeitliche 306
Binnenmarkt 470, 580
– Gemeinsamer 24
Binnennachfrage 129 f.
BIP 39 f., 51
– Außenbeitrag zum 195 f.
BIP-Deflator 159
BIZ 364
Blockbildung, regionale 545 f.
Blockflaoten 432 ff., 447, 459
Boden 43 f.
Bodensatz 108
brain drain 252
Branchen-Exportquoten 495
Brechtsches Gesetz 296
Bretton Woods 60, 429, 500
Briefkurs 403
Brutto-
– einkommen 296
– inlandsprodukt 39 f., 159
– inlandsprodukt, reales 51

– lohnquote 229 f.
– Neuverschuldung 345
– Primärverteilung 237
– prinzip 306
– sozialprodukt 39, 196
– sozialprodukt, reales 51
– vermögen 240
BSP 51
Buchführung
– kameralistische 255
– kreative 476
Buchgeld 366
Buchungsbeispiele 206 f.
Buchungsprinzipien 202 f.
Budget 285
Budgetbelastungen 114
Budgeting, Performance 322
Budgetkonzepte 321 ff.
Budgetpolitik 286
– formelgesteuerte 286
– klassische 286
Bund der Steuerzahler 333
Bundesaufsichtsamt für das Kreditwesen 365
Bundesbank 274, 343
– Auslandsposition der 198
– Netto-Auslandsposition der 200
Bundesbankgesetz 358
Bundesbankgewinn 343
Bundeshaushalts, Entstehung des 302 f.
Bundeshaushaltsordnung 302
Bundesobligationen 348
Bundestag 22 f., 36
Bündnis für Arbeit 141 f.

C

C.i.f. 201
Call-Option 416
CES-Funktion 78
ceteris-paribus-Bedingung 187
CFA, Franc- 454
CFP, Franc- 456
cif-fob-Diskrepanz 201
Coase-Theorem 244
Cobb-Douglas-Funktion 78
COMECON 16
– Länder 149
commitment, politisches 593 f.
cost, insurance, freight 201
Council for Mutual Economic Cooperation 16
Cross Rates 408
crowding out 352

D

Datenerhebung 155 f.
debt management 349
Deckungsfähigkeit 306
defensive Kosten 243
deficit spending 258, 279, 287, 321, 333 f.
Deflation 144, 146
deflatorische Preislücke 168
Demokratie 16
demokratische Ausrichtung 594
Dependenztheorie 499, 607
Deport 413 f.
Depression 53
Deregulierung 269
derivativer Produktionsfaktor 44
Desintegration 596
Deutsche Einheit, Fonds 307
Devisen-
– bewirtschaftung 538
– bilanz, Saldo der 216 f.
– handel 408 ff.
– kurs 403
– markt 402 ff.
– optionen 416
– optionsgeschäfte 415 f.
– optionsmärkte 418
– reserven 198
– reserven, Abbau von 448
– swaps 382
Dezemberfieber 342
dezentrale Staatsstruktur 594
Dezentralisierung 313
Diagnose 631
– problem 631
Dienstleistungsbilanz 194 f.

Differenzen 597 f.
– politische 598
Diktatur 16, 619
Dilemma, Stagflations- 61
Direktausleihungen 347
direkte
– Steuern 314, 328
– Transfers 225
Direkt-
– entgelte 124
– investitionen 17, 121, 196, 216, 268, 281, 569
Direktorium 359, 361
Diskontsatz 382
– Re- 382
Diskriminierung, Nicht- 524
Disparitäten 597 f.
– ökonomische 597 f.
Dissoziationstheorie 607
DM, Einführung der 143
DM-
– Abwertung 212
– Aufwertung 214, 441
– Konvertibilität 324
Dollar-Dominanz 416 ff.
Dollars, Geschichte des 419 f.
Dominanz, Dollar- 416 ff.
Dosierung 631
Dosierungsproblem 632
Dreieck, Magisches 650
dritte Lesung 302
Drittländer 567
Drittlandsberührung 484
Drittlandszölle 573 f.
Dualismus
– regionaler 617
– sozialer 618
– technologischer 617
Dumping 536 ff.
– abwehr 536 f.
– preise 507
Durchführungsverordnungen 31, 35
dynamische Effekte 556 ff.

E

EAG 30
Ebene
– Makro- 267
– Mikro- 267
– staatliche 569
Eckdaten 312
ECOFIN 478
ECU 459, 461 ff.
– Leitkurs 461
EEA 24, 580
Effekt,
– Einkommens- 78
– J-Kurven 445
– Kapazitäts- 78
– Strohfeuer- 65
Effekte
– Akzelerator- 68
– dynamische 556 ff.
– externe 244, 277
– negative 541
– negative externe 259
– positive externe 259
– statische 552 ff.
effektive Protektion 560
EG-
– Entscheidungen 32 f.
– Richtlinien 31 f.
– Verordnungen 30 f.
Eigengeschäfte 406
Eigenschaften von Produktionsfaktoren 77
Eigentumsrechte, Theorie der 277
Eigenverantwortung 608
– unzureichende 618
Einflußfaktoren 420 f.
Einführung
– der DM 143
– des Euro 143
eingebaute Stabilisatoren 286
Eingreifverpflichtung der Notenbanken 430
Einheit 306
Einheitliche Europäische Akte 24, 30, 580
Einheitspapier 198
Einkommen, verfügbare 231
Einkommens- und Verbrauchsstichproben 158

Einkommens- und Vermögensverteilung, Verzerrung der 183
Einkommens, Kaufkraft des 425 f.
Einkommens-
– effekt 78, 129, 163
– entstehung 39
– klassen 236
– kürzung 136
– verteilung 224, 239
Einlagenfazilitäten 388
Einnahmen der Staatshaushalte 560 f.
Einnahmepolitik 320
Einsteigertarife 131 f.
Einzelveranschlagung 306
Elastizitäten 445 ff.
Elastizitäts-Pessimismus 445
Emissionsrechte 249
Empfehlungen 33
Endnachfrage, volkswirtschaftliche 69, 75
endogene Konjunkturtheorien 64
endogener technischer Fortschritt 78, 252
Entschädigungsfonds 307
Entstehung des Bundeshaushalts 302 f.
Entwicklung
– autozentrierte 607
– nachhaltige 48, 609
Entwicklungen im Welthandel 498 ff.
Entwicklungs-
– länder 17, 242, 277, 605
– niveau 588 ff.
– philosophien 606 ff.
– politik 604 ff.
– politik, nationale 626 ff.
– politik, Perspektiven der 628 ff.
– strategien 609 f.
– zusammenarbeit 620 ff.
– zusammenarbeit, internationale 622 ff.
– zusammenarbeit, multilaterale 622 ff.
Entwurf des Haushaltsplans 302
Eonia 391
Erblastentilgungsfonds 307
Erdatmosphäre 247
Erfolgsbedingungen der Integration 592 f.
Ergänzungen zum Warenverkehr 194, 200
Ergänzungs-
– abgabe 141
– haushalt 304
– zuweisungen 317
Erhaltungshilfen 341
Erhöhung des nachfragewirksamen Einkommens 163
Erklärungen 33
Erlaß 35
ERP 16, 262, 307
– Sondervermögen 262, 307
Ersatzwährungen 190
Erscheinungsformen der Inflation 145 ff.
Erstattungen 573
erste Lesung 302
Ertragsgesetz 78
Erwartungen 420
Erweiterter Rat der EZB 361
Erweiterung, Süd- 579
Erwerbs- und Vermögenseinkommen 195
Erwerbspersonen 94
Erwerbstätige 94
ESZB 356 f.
EU
– Außenhandelsrecht der 527 ff.
– Statistisches Amt der 94
– Wirtschafts- und Finanzrat der 478
– Agrarmarkt-Protektion 534 ff.
– Agrarpolitik 318 f.
– Marktordnungen 340
– Verordnungen 30
EuGH 29
EURATOM 30
Euribor 391
Euro
– Overnight Index Average 391
– Einführung des 143
– Wert des 486
– Dollar-Markt 395
– Land 356

– Libor 395
– Märkte 394
Europäische
– Atomgemeinschaft 30
– Gemeinschaft für Kohle und Stahl 24, 30
– Gemeinschaften 26
– Gemeinschaften, Statistisches Amt der 159
– Integration 23 f.
– Union 21, 26, 36, 501, 641
– Union, Vertrag über die 7
– Währungsunion 141, 402, 469 ff.
– Wirtschafts- und Währungsunion 469
– Wirtschaftsgemeinschaft 24, 30, 59
– Zentralbank 160, 275, 356 f., 359 ff.
– Zentralbank, Aufgaben der 364 f.
– Zentralbank, Rat der 144
Europäischen Zentralbank, Gewinne der 398 ff.
Europäischer
– Gerichtshof 29, 32
– Leitzins 381
– Rat 470
– Rat der Staats- und Regierungschefs 358
– Wirtschaftsraum 26
Europäischer Wirtschaftsraum 501
Europäisches
– System der Zentralbanken 356 f.
– Währungssystem 221 f., 429, 458 ff.
– Währungssystem II 432 ff.
European
– Currency Unit 461 ff.
– Interbank Offered Rate 391
– Recovery Programme 16, 262, 307
Eurostat 94
Eurosteuer 477
Euro-Währungsraum 160
EUV 24
EVS 158
EWG 24
EWG-Vertrag 6, 24, 30
EWR 26
EWS I 458 ff.
EWS II 432 ff.
EWU 469
EWWU 469
exogene Konjunkturtheorien 64
exogener technischer Fortschritt 78
Export 440
– indirekter 518
Export-
– förderung 529, 609
– kontrollen 528
– motive 516 ff.
– preiseffekt 176
– quoten, Branchen- 495
– subventionen 536 ff.
– überschuß 210
externe
– Effekte 244, 277
– Effekte, negative 259
– Effekte, positive 259
– Ursachen 610 ff.
– Verschuldung 353, 555
EZB 160
– Erweiterter Rat der 361
– Unabhängigkeit der 169
– Gewinn 399
– Grundkapital 399
EZB-Rat 144, 360, 399

F

F.o.b. 200 f.
faktische Wechselkursunion 452 f.
Faktoren, begrenzende 89
– Eigenschaften von Produktions- 77
– handelsbehindernde 596
– Produktions- 76
– psychologische 423
Faktor-
– kosten, Nettosozialprodukt zu 130
– mobilität 579
– preisausgleich 511
– produktivitäten 510
– Proportionen-Theorem 510 ff.

Falschgeld 479
Fazilitäten, ständige 385 ff.
Fehlallokation 243
fehlende Produktionsfaktoren 506 f.
Feinsteuerungsoperationen 382 f.
Finanzaktiva 388
Finanzausgleich 312 f.
– aktiver 313
– antizyklischer 286
– horizontaler 315
– kommunaler 317 f.
– sekundärer horizontaler 316
Finanzausgleichs
– Reform des 319 f.
– System des 313 f.
finanzielle Zusammenarbeit 626
Finanzierungen 484 f.
Finanzierungssaldo 196
Finanzkraft 315 f.
Finanzplanung, mittelfristige 60, 308 f.
Finanzplanungsrat 310
Finanzpolitik 6, 272, 283 f., 320, 639 ff.
finanzpolitische
– Maßnahmen 143
– Ansatzpunkte 320 ff.
Finanztransfer 220 f.
Finanzverfassung 14
Fiskalismus 272 f.
Fiskalisten 266, 273
Fiskalpolitik 283 f., 320
– im Mittelalter 288 ff.
fiskalpolitische Ansatzpunkte 320 ff.
Fiskalzölle 530
fixe Wechselkurse 212, 222, 428 f., 435, 447 f.
Fixing 405, 408
Fixingkurs 410
Flexibilisierung der Arbeitszeiten 134
flexible Wechselkurse 178, 212, 222, 427 f., 488 f.
Floating 60
Flucht in die Sachwerte 182 f.
Fluchtgelder 216
Fluktuationsarbeitslosigkeit 107
Folgen
– der Inflation 178 ff.
– der Protektion 539 ff.
Fonds Deutsche Einheit 307
Fontänentheorie 353
Förderung des Mittelstandes 280
Forderungen 442
formelgesteuerte Budgetpolitik 286
Formen, Integrations- 451 ff.
Forschung 251 f.
Forschungspolitik 251
Fortschritt
– endogener technischer 78, 252
– exogener technischer 78
– Harrod-neutraler technischer 78
– Hicks-neutraler technischer 78
– Solow-neutraler technischer 78
– technischer 42, 44, 57
Frage, politische 651
Franc-
– CFA 454
– CFP 456
– Zone 452, 454 f.
free on board 200 f.
Freiburger Schule 262
Freie
– Liquiditätsreserven 377
– Marktwirtschaft 13
Freihandel 498, 567
Freihandels-
– abkommen, bilaterale 548
– abkommen, inter-regionale 550 f.
– ansätze, inter-regionale 550 f.
– postulat 567 ff.
– zone 577 f.
Fremdwährungsgeschäfte 394
friktionelle Arbeitslosigkeit 107 f.
Frühindikatoren 72 ff., 632
fünfter Kondratieff-Zyklus 85
Funktion,
– CES- 78
– Cobb-Douglas 76, 78
– Produktions- 76, 78
funktionelle Verteilung 226 f., 234
Fusionsvertrag 24

G

galoppierende Inflation 145 f.
GATT 247, 498 ff.
– Verhandlungen 342
– Vertrag 22, 36, 507
Gebühren 328
Gefahren der Staatsverschuldung 355 f.
Gegenseitigkeit 524
Gehalt 110
Geld-
– beschaffung 392
– funktionen 188
– haltungssektor 369
– kurs 403
– markt 390 ff.
– märkte, Offshore- 395
– marktfondsanteile 370 f.
– menge 70, 274, 365 ff., 448
– menge, Gleichgewichts- 169
– mengeneffekt, importierter 169
– mengen-Inflation 165 f.
– mengen-Inflation, monetäre 161
– mengenkonzepte 369 ff.
– mengenpolitik 373
– mengenwachstum 374
– politik 272, 356 ff., 639 ff.
– politik, Perspektiven der 401
– politik, potentialorientierte 374
geldpolitische
– Strategien 372 ff.
– Zielsetzungen 372 f.
geldpolitisches Instrumentarium 378 ff.
Geld-
– schöpfung 365 ff.
– schöpfung, aktive 368
– schöpfung, passive 367 f.
– schöpfungssektor 369
– surrogate 190
– verfassung 14, 356 f.
– wertstabilität 372
gelenkte Marktwirtschaft 19, 284
Gemeindeanteil der Gemeinschaftssteuern 318
Gemeinden 318
Gemeinlastprinzip 244
gemeinsame Zollpolitik 578
Gemeinsamer Binnenmarkt 24
Gemeinsamer Markt 579 f.
Gemeinschaften, Europäische 26
Gemeinschaftsrecht 21, 23 f., 28, 30 ff.
– primäres 24, 30 f.
– sekundäres 30 f., 36
– supranationales 11
Gemeinschaftssteuern, Gemeindeanteil der 318
gemischte
– Wirtschaftsordnung 16
– Zölle 532
Gerichtshof
– Europäischer 29
– Internationaler 22 f.
Gesamtdeckungsprinzip 300, 306
Gesamtplan 303 f.
Gesamtrechnung, Volkswirtschaftliche 477
gesamtwirtschaftliche
– Instabilitäten 4
– Perspektiven 485 f.
gesamtwirtschaftliches Gleichgewicht 287
Geschäfte, bilaterale 383 ff.
Geschäfts-
– bankengeld 367
– bankensystem 359 ff., 365
– politik 362
Geschichte des Dollars 419 f.
Gesetz zur Förderung der Stabilität und des Wachstums der Wirtschaft 6, 38
Gesetz, Brechtsches 296
gespaltene Wechselkurse 434 f.
Gewicht, politisches 565
Gewinn 398
– EZB- 399
Gewinndruck-Inflation 173
Gewinne der Europäischen Zentralbank 398 ff.
Gewinneinkommen 232
Gewinnquote 227 f., 271
Gewohnheitsrecht 21

Gini-Koeffizient 237
Giralgeld 366
Glattstellungen 406
Gleichgewicht
– außenwirtschaftliches 194 ff., 210
– gesamtwirtschaftliches 287
Gleichgewichts-
– Geldmenge 169
– Preisniveau 168
– Wechselkurs 428
Globalisierung 103
Globalsteuerung 19, 264, 266, 284
Gold- und Devisenbilanz 197
Gold-Devisen-Standard 500
Gold-
– kernwährung 190
– reserven 432
– standard 500
Good Governance 624
Grenz-Nutzenschule 256
Grenzverkehr 27
Grobstruktur des Welthandels 491 f.
Grund-
– bedürfnisstrategie 609
– bilanz 222
Gründe
– für Außenhandel 506 f.
– für Wachstum 39
– integrationspolitische 650
Grund-
– freiheiten 26
– gesetz 14, 18
– kapital, EZB- 399
– position, angebotsorientierte 268
– position, nachfrageorientierte 266
Gründungsverträge 24, 30
Grundverordnungen 31
grüne Paritäten 489
Gut, öffentliches 243
Güter
– öffentliche 290 f
– private 290 f.
– Ricardo- 510
Güter-
– handel 216
– mobilität 579
Gütern, Nichtverfügbarkeit von 506 f.
güterwirtschaftliche Theorien 64 f.

H

Hamsterkäufe 163
Handel,
– illegaler 559
– inter-sektoraler 508
– intra-sektoraler 508
– strategischer 505
– Süd-Süd- 491
Handels, Theorie des internationalen 520 f.
Handels-
– abkommen 22, 569
– ablenkung 555
– beziehungen, asymmetrische 610 f.
– beziehungen, Struktur internationaler 508
– bilanz 194
– boykott 504
– embargo 504
– hemmnisse, nicht-tarifäre 502, 533 f.
– umlenkung 542 f., 555
– verflechtungen, internationale 491 ff.
Händlernoten 412
Handlungs-
– felder, wirtschaftspolitische 8
– spielraum 641 f.
Harmonie, politische 594
Harmonieprinzip 257
Harmonisierter Verbraucherpreisindex 160, 372
Harmonisierung 558
Harrod-neutraler technischer Fortschritt 78
Hauptrefinanzierungsgeschäfte 381
hausgemachte
– Angebotslücken 175
– Inflation 161
– Nachfrageerhöhungen 163
Haushalt 323 f.
– konjunkturneutraler 321

Haushalts-
– defizit 338
– führung, vorläufige 304 f.
– gestaltung, antizyklische 321
– grundsätze 306 f.
– grundsätzegesetz 302
– klarheit 305
– plans, Entwurf des 302
– planung 299 f.
– struktur 300 f.
– wahrheit 305
heavily indebted poor countries 625
Heterogenität 594
HGrG 302
Hicks-neutraler technischer Fortschritt 78
Hilfe
– technische 17
– zur Selbsthilfe 609
HIPC 625
– Schuldeninitiative 625
Hoch-
– inflation 146
– konjunktur 51
Höchstpreise 148 f.
Hochzinspolitik 272
Hoheitsrechte 22
hoher Beschäftigungsstand 86 ff.
holländisches Verfahren 385
horizontale Steuerverteilung 315
horizontaler
– Finanzausgleich 315
– Finanzausgleich, sekundärer 316
Humankapital 251
HVPI 160, 372
Hyperinflation 146, 188 ff.

I

IGH 22 f.
illegaler Handel 559
ILO 94
Imperialismustheorie 499
Import-
– abhängigkeit 494, 514 ff.
– behinderungen 529
– druck 212
importierte
– Angebotslücken 175 f.
– Inflation 161, 213
– Kostendruckinflation 173 f.
– Nachfragesogeffekte 163
importierter Geldmengeneffekt 169
Import-
– konkurrenz 514 ff.
– preiseffekt 174
– quote 492
– raum 540
Impulse, inflationäre 213
Index-
– arten 154 f.
– haushalt 154
Indexierung 190
Indikatoren 145, 632 f.
– Früh- 72 ff.
– Konjunktur- 71 f.
– Präsenz- 72 ff.
– soziale 48
– Spät- 72 ff.
Indikator-Gruppen 72 f.
indirekte Steuern 314, 328 f.
indirekter Export 518
Industrialisierung 609
Industrie-
– flucht 130
– politik 279 f., 505
Inflation 4, 143 ff., 277
– administrative 648
– Angebotslücken- 161, 175 f.
– Erscheinungsformen der 145 ff.
– Folgen der 178 ff.
– galoppierende 145 f.
– Geldmengen- 165 f.
– Gewinndruck- 173
– hausgemachte 161
– importierte 161, 213
– Kassenhaltungs- 167
– Kostendruck- 161, 170 ff.
– kreditinduzierte 351
– Messung der 151 f.
– monetäre Geldmengen- 161
– Nachfragesog- 161

– offene 148 f.
– schleichende 145 f.
– Struktur- 173
– trabende 145 f.
– Ursachen der 161 ff.
– verdeckte 148 f.
– Verteilungs- 172 f.
inflationäre
– Impulse 213
– Kräfte 444
inflationsbedingter Kaufkraftverlust 178
Inflations-
– druck 441
– impulse 161
– quellen 177 f.
– rate 474
– raten, unterschiedliche 421
– schub 487
– ursachen 161 ff.
– ursachen, angebotsinduzierte 161, 648
inflatorische Preislücke 168
Infrastruktur,
– institutionelle 617
– soziale 298
Infrastrukturinvestitionen, öffentliche 280
Inländer-
– (gleich)behandlung 524, 558
– konzept 39
Inlands-
– konzept 39
– nachfrage 159
– produkt, nominales 40 f.
– produkts, Wachstumsrate des 52
– währung, Abwertung der 221
innere Konvertibilität 437
Ins 473
– Pre- 473
Instabilitäten, gesamtwirtschaftliche 4
institutionelle
– Infrastruktur 617
– Kapazitäten 601 f.
Instrumentarium
– geldpolitisches 378 ff.
– wirtschaftspolitisches 283 ff.
Instrumente 5
– der Außenhandelspolitik 529 ff.
Integration 544 ff.
– Erfolgsbedingungen der 592 f.
– Europäische 23 f.
– Motive der regionalen 587 ff.
– politische 24
Integrations-
– bestrebungen 450
– formen 451 ff., 569 ff.
– partner 588 ff.
– politische Gründe 650
– strategien 450 ff.
– stufen 470 ff.
– tiefe 590 ff.
– typen 568
Interbankenhandel 390
Interdependenzen, außenwirtschaftliche 642
Interimsabkommen 575 f.
International Bank Indentifier Code 408
internationale
– Entwicklungspolitik 622 ff.
– Handelsverflechtungen 491 ff.
– Umverteilung 318
internationalen Handels, Theorie des 520 f.
Internationaler
– Gerichtshof 22 f.
– Preiszusammenhang 174
– Umweltschutz 247 ff.
– Währungsfonds 364, 458, 517
Internationales Arbeitsamt der Vereinten Nationen 94
internationales Recht 21, 35 f., 522
interne
– Konflikte 618
– Ursachen 614 ff.
– Verschuldung 353
inter-regionale
– Freihandelsabkommen 550 f.
– Freihandelsansätze 550 f.
inter-sektoraler Handel 508
Intervention, intra-marginale 466

Interventionen 465
– staatliche 264 f.
interventionistische Marktwirtschaft 284
Interventions-
– mechanismus 463 ff.
– punkte 430
– stellen 489
– system 459
intra-marginale Intervention 466
intra-sektoraler Handel 508
IntraStat 198, 637
Investition 44, 343
Investitionen 65, 163
– unrentable 342 f.
Investitions-
– prämien 278
– ströme 557
– zulagen 279
IS/LM-Kurven 259
IWF 364, 458, 500, 623

J

Jahres-
– projektion 312
– wirtschaftsbericht 312
jährliche Arbeitszeit 132
Jährlichkeit 305
J-Kurve 445 ff.
jobless growth 46 f., 327
Joint Venture 569
Juglar-Zyklen 55
Julius-Turm 326

K

kalkulatorische Schadenskosten 243
kalkulatorischer Unternehmerlohn 232
Kalkulierbarkeit 447
kalte Progression 184
Kameralismus 255
kameralistische Buchführung 255
Kapazitäten, institutionelle 601 f.
Kapazitäts-
– auslastung 86 f.
– effekt 40, 163
Kapital 43 f.
Kapital-
– anlagen, spekulative 216
– bilanz 196 f., 211
– bildung 43 f.
– flucht 169, 185, 216
– hilfe 17
– märkte, Offshore- 397
– stock 86
– verkehr 422
kardinale Nutzentheorie 42
Kassa-
– geschäfte 413 ff.
– kurse 408, 413
– märkte 418
Kassen-
– haltungsdauer 167
– haltungsinflation 167
– verstärkungskredite 336
Katheder-Sozialismus 256
Kaufkraft
– des Einkommens 425 f.
– Verlust der 178
Kaufkraft-
– aspekt 129
– paritäten-Theorie 425
– verlust 130 f.
– verlust, inflationsbedingter 178
keynesianische Wachstumstheorie 79
KfW 262, 294, 307, 627
Kitchin-Zyklen 55
klassischer Liberalismus 257
Klassik, Neo- 256
klassisch, neo- 499
klassisches Budgetprinzip 286
Klausel, opt-out- 469
Klimaerwärmung 241
Kombilöhne 141
kommunaler Finanzausgleich 317 f.
komparative Kostenvorteile 513
Kompensationen 563
Kompensations-
– systeme 600
– verhandlungen 562

kompensatorische Kosten 243
Kompetenzbereich, staatlicher 12
komplementär 77
komplementäre Strukturen 508
komplementäre Wirtschaftsbeziehungen 595
Konditionalität 623
– politische 625
Kondratieff-Zyklus 55
– fünfter 85
– sechster 85
Konflikt, Nord-Süd- 605
Konflikte, interne 618
Konjunktur 38 f., 50 f., 69, 277
Konjunktur-
– ausgleichsrücklage 287, 326
– beeinflussung 285
– erläuterungen 69 f.
– indikatoren 71 f.
– politik 40, 66 f.
– prognose 75
– programme 277 f.
– rat 311
– schwankungen 50 f., 104
– spritzen 65, 327
– theorie 76
– theorien 62 ff.
– theorien, endogene 64
– theorien, exogene 64
– theorien, psychologische 70
– zuschlag 325 f., 651
– zyklus 51 f., 57 f.
Konkurrenz, vollständige 110 f., 257
Konsum 343
konsumptive Lohnersatzleistungen 114
Konsum-
– quote 65
– verzicht 44
Kontoführung 482 f.
Konvergenz-
– kriterien 454 ff., 473 ff., 485
– theorie 15
Konvertibilität 59, 538
– der Währung 437 ff.
– DM- 324
– innere 437
Konzeptionen
– außenhandelspolitische 498 ff.
– wirtschaftspolitische 255 ff.
Konzertierte Aktion 19, 312
Kooperation 544 ff.
– Süd-Süd- 607
Kooperationsabkommen 569
Kooperationsprinzip 244
Koordinierung 569
Korea-Krieg 59
Körperschaftsteuer 316
Korruption 617 f.
Kosten
– defensive 243
– kompensatorische 243
– druck-Inflation 161, 170 ff.
– druck-Inflation, importierte 173 f.
– effekt 129
– Nutzen-Analyse 322
– unterschiede 509
– vorteile 520
– vorteile, komparative 513
– vorteile, Theorie komparativer 510
Kräfte, inflationäre 444
kreative Buchführung 476
Kredit, Roll-Over- 397
Kredit-
– abwicklungsfonds 307
– anstalt für Wiederaufbau 262, 294, 307, 627
– aufnahme 308
– beziehungen 217
– bilanz 216 f.
– fragen, Ausschuß für 311 f.
– gläubiger 354
– induzierte Inflation 351
– institute, Auslandsstatus der 200
– Management 349
– märkte, Offshore- 397
– plafonds 350
– politik 356 ff.
– system 459, 467 f.
– verkehr 197
– wesen, Bundesaufsichtsamt für das 365
Krieg, Korea- 59

Krise 51
– Asien- 82 ff.
– Währungs- 60
Krisen, politische 422 f.
Krisentheorie 70
Krönungstheorie 451
Kundengeschäfte 406
Kündigungsschutzbestimmungen 136
Kurs-
– arbitrage 406, 421, 433
– spekulation 407, 420 f.
– verfall 438
Kurve, J- 445 ff.
Kurven, IS/LM- 259
Kurzarbeit 134

L

Ladenschluß 282
Lafferkurve 331
Lagerverkehr 194
Lags 632
laissez-faire-Wirtschaft 18, 257, 284
Länder
– AKP- 517 f.
– OPEC- 605
– und Gebiete, überseeische 456
Landeszentralbanken 362
längerfristige Refinanzierungsgeschäfte 382
laufende Übertragungen 196
LDC 605
Least Developed Countries 605
Lebens, Qualität des 253
Lebens-
– arbeitszeit 132
– haltungskosten 151, 159
– qualität 48
– standard, Pro-Kopf- 42
Legislation, Sunset 322
Leistungen, unsichtbare 196
Leistungsbilanz 196, 354
– Saldo der 208 f.
– Verbesserung der 444
– Wirkungen auf die 440 f.
Leistungsbilanz-
– defizit 555
– überschuß 213 f.
Leitkurs 429, 451
– ECU- 461
Leitkurse 461
– bilaterale 461
Leitkurswährung 462
Leitwährung 447
Leitzins, Europäischer 381
Leitzinsen 390 ff.
Lerneffekte 557
Less Developed Countries 605
Lesung
– dritte 302
– erste 302
– zweite 302
liberal, neo- 499
Liberale
– Neo- 262
– Ordo- 262
Liberalisierung 524, 559, 600
Liberalismus 256, 263
– klassischer 257
Libor 395
– Euro- 395
Liefer- und Zahlungsbedingungen 484 f.
Liquiditäts-
– effekt 169
– politik 377
– reserven, freie 377
– reserven, primäre 377
– reserven, sekundäre 377
LLDC 605
Lobbyisten 9
Lohn 110
Lohn-
– und Gehaltszahlungen 483
– einkommen 129 f.
– erhöhung 134, 163
– ersatzleistungen, konsumptive 114
– kosten 123 f., 511
– kostenzuschüsse 141
– lag 183
– Lohn-Spirale 173
– nebenkosten 124, 281
– pause 131
– politik 123 ff.

– Preis-Spirale 130, 171
– quote 227 f., 271
– quote, bereinigte 228 f.
– quote, unbereinigte 228 f.
– senkung, reale 112
– steuer 316
– stückkosten 124
– stückkostenentwicklung 127 f.
– stückkostenniveau 127
– zusatzkosten 124, 135
Lomé-Vertrag 36, 517
London Interbank Offered Rate 395
Lorenzkurve 234

M

M1 370, 374
M2 370, 374, 390
M3 370, 374
Maastricht, Vertrag von 7, 24, 30, 280, 357
Machtstruktur 565
Magisches
– Dreieck 650
– Viereck 6, 250 f., 643
Makro-Ebene 267
makroökonomisch 12
makroökonomische
– Rahmenbedingungen 596 f.
– Stabilität 557
Management, Kredit- 349
Mangel an Arbeitskräften 616 f.
Markt,
– Euro- 394
– Euro-Dollar- 395
– Gemeinsamer 579 f.
– Offshore- 394 ff.
– Xeno- 394
Marktes, Selbstheilungskräfte des 275 f.
Markt
konformität 343
– ordnung 19
– ordnungen, EU- 340
– preis 257
– strukturen, polypolistische 111
– versagen 243, 259
– wertprinzip 399
– wirtschaft 15
– wirtschaft, freie 13
– wirtschaft, gelenkte 19, 284
– wirtschaft, interventionistische 284
– wirtschaft, reine 18
– wirtschaft, soziale 18, 260 ff., 284
marktwirtschaftliche Strukturen 501
Marshall-Plan 16, 262, 307
Maßnahmen
– finanzpolitische 143
– nichtstaatliche 12
– Realisierung wirtschaftspolitischer 631 f.
– staatliche 12
Meistbegünstigung 524, 571
Mengenwechselkurs 403
Merkantilismus 499
Messung der Inflation 151 f.
MFI-Sektor 369
MFN-Zölle 573 f.
MiFriFi 60, 308 f.
Mikro-Ebene 267
mikroökonomisch 12
Mindest
– lohn 110 ff.
– reserven 368 f., 388 ff.
Ministerium für internationalen Handel und Industrie 505
misalignments 449
Mischfinanzierung 318
Mißmanagement 617 f.
MITI 505
Mittelalter, Fiskalpolitik im 288 ff.
mittelfristige Finanzplanung 60, 308 f.
Mittelkurs 405
Mittelstandes, Förderung des 280
Modernisierungstheorie 606 f.
modifizierte Phillipskurve 644
monetäre
– Geldmengen-Inflation 161
– Theorien 64 f.
Monetarismus 272 f.
– Probleme des 274

Monetaristen 167, 266, 273
monokausal 70
Monokulturen 516
Montanunion 24
Montanunions-Vertrag 30
Most Favoured Nations Principle 573 f.
Motive der regionalen Integration 587 ff.
Müllabkommen, Basler 247
Müll-
– export 242 f.
– probleme 242
multilaterale Entwicklungspolitik 622 ff.
multiple Wechselkurse 435
Multiplikator 65
– prozesse 267
Münzen 479
Münz-
– gesetz 359
– regal 168 f., 367

N

Nachfrage-
– erhöhungen, hausgemachte 163
– lücken 111
– sogeffekte, importierte 163
– sog-Inflation 161
– überhang 111
nachfragewirksames Einkommen, Erhöhung des 163
nachhaltige Entwicklung 48, 609
nachhaltiges Wachstum 46
Nachtragshaushalt 304
Nachtwächterstaat 18
Nahrungsmittelproduktion, unzureichende 616
nationale
– Entwicklungspolitik 626 ff.
– Wirtschaftsziele 504
nationales
– Außenwirtschaftsrecht 528
– Recht 21, 28, 34 ff., 522
Navigationsakte 255
Nebenhaushalte 306 f.
Negative
– Effekte 541
– externe Effekte 259
negatives Wachstum 51
Neo-
– Klassik 79, 256, 499
– Liberale 262, 499
– Protektionismus 502
Netto-
– Auslandsposition der Bundesbank 200
– Faktoreinkommen gegenüber dem Ausland 39
– kreditaufnahme 346
– lohnquote 229 f.
– Neuverschuldung 345
– sozialprodukt zu Faktorkosten 130
– vermögen 240
– wertschöpfung 131
Neue Wachstumstheorie 76 f., 80, 251 f.
Neuverschuldung 345, 474
– Brutto- 345
– Netto- 345
NFE 39
nicht aufgegliederte Transaktionen, Saldo der statistisch 204
Nicht-
– Diskriminierung 524
– MFI-Sektor 367
nichtstaatliche Maßnahmen 12
nicht-tarifäre
– Handelshemmnisse 502, 533 f.
– Protektion 530, 533 ff.
Nichtverfügbarkeit von Gütern 506 f.
Niederstwertprinzip 204. 398
nominale Zinsen 179 f.
nominales Inlandsprodukt 40 f.
Nominallohn 112
Non-Affektations-Prinzip 300, 306
Nonflation 146
nordische Wälder 242
Nord-Süd-Konflikt 605
Notenbank 364, 422
– Eingreifverpflichtung der 430

Notenkurs 403
Notwendigkeit 305
Nullrunde 131
Null-Wachstum 48, 51
Nutzenschule, Grenz- 256
Nutzentheorie, kardinale 42

O

OECD 224, 262
Offene
– Arbeitslosigkeit 96
– Inflation 148 f.
– Stellen 105
offener Regionalismus 548 f.
Offenmarkt-
– geschäfte 378 f.
– marktpolitik 348
öffentliche
– Auftragsprogramme 280
– Güter 290 f.
– Infrastrukturinvestitionen 280
– Verschuldung 337
– Verschwendung 333 f.
öffentliches Gut 243
Öffentlichkeit 304
Offshore-
– Geldmärkte 395
– Kapitalmärkte 397
– Kreditmärkte 397
– Märkte 394 ff.
Öko-Labelling 245
ökologische Steuerreform 245
ökonomische
– Disparitäten 597 f.
– Rahmenbedingungen 595
Öko-
– Protektionismus 246
– Steuern 244
Ölkrise 60
OPEC-Länder 605
Operationen, strukturelle 383
Opportunitätskosten 114
Option
– Call- 416
– Put- 416
opt-out-Klausel 469
Ordnungspolitik 265 f.
Ordo-Liberale 262
Organe der EU 26
Organization for European Cooperation and Development 262
Organization for European Economic Cooperation 262
Ostblock 16
Osterweiterung 25
Outright-Geschäfte 415
Outs 473
OWR 453 f.
Ozonloch 241

P

Panels 158
Parafisci 9
Parallel
– politik 286
– währung 191, 436
Paraphierung 35
Pariser Vertrag 24, 30
Parität 428
Paritäten, grüne 489
Paritätsklausel 524
Partnerschaft, Transatlantische 550
passive
– Geldschöpfung 367 f.
passive Veredelung 121, 199, 268, 281, 516
Pensionsgeschäft 381
Performance Budgeting 322
Personalzusatzkosten 512
personelle Verteilung 226, 234 f.
Perspektiven
– der Arbeitslosigkeit 118 ff.
– der Entwicklungspolitik 628 ff.
– der Geldpolitik 401
– gesamtwirtschaftliche 485 f.
– wachstumspolitische 85
Pessimismus, Elastizitäts- 445
Pfandpools 388
Phillipskurve 644 ff.
– modifizierte 644

Philosophien, Entwicklungs- 606 ff.
Pigou-Steuern 244
Plan, Marshall- 262
Planning-Programming-Budgeting-System 322 f.
Policy Mix 272
Politik, Stop-and-go- 268, 377, 642
politische
– Differenzen 598
– Frage 651
– Harmonie 594
– Integration 24
– Konditionalität 625
– Krisen 422 f.
– Stabilität 192, 565
– Union 582 f.
politische Willensbildung 5
– Zusammenarbeit 564 f.
politisches
– commitment 593 f.
– Gewicht 565
– System 619 f.
polluter pays-Prinzip 244
Polypol 257 f.
polypolistische Marktstrukturen 111
Positionen, autonome 217
positive externe Effekte 259
potentialorientierte Geldpolitik 374
PPBS 322 f.
PPP 244
Präferenzabkommen 571
Präferenzen 258
Präferenzsystem, Allgemeines 571
Präsenzindikatoren 72 ff.
Pre-Ins 473
Preisbildung 110 f.
Preise
– administrierte 170 f.
– relative 184
Preis-
– index 151 f.
– indizes, verschiedene 154 f.
– Lohn-Spirale 130
– lücke 168
– lücke, deflatorische 168
– lücke, inflatorische 168
– niveau, Gleichgewichts- 168
– niveaus, Stabilität des 143 ff.
– repräsentanten 155
– senkungen 111
– stabilität 143 f.
– steigerungen 111
– unterschiede 509
– wechselkurs 402
– zusammenhang, internationaler 174
primäre Liquiditätsreserven 377
primäres Gemeinschaftsrecht 24, 30
Primärverteilung 224, 230 f.
– Brutto- 237
Prinzip
– Non-Affektations- 300
– polluter pays- 244
private
– Arbeitsvermittlung 140 f.
– Güter 290 f.
privatwirtschaftliche Aktivitäten 559
Problem, Stagflations- 267
Probleme
– der Angebotstheorie 271 f.
– der Wirtschaftspolitik, besondere 631 ff.
– des Monetarismus 274
Produktions-
– ausfälle, temporäre 506
– faktor 507
– faktor, derivativer 44
– faktoren 43 f., 76, 226
– faktoren, Eigenschaften von 77
– faktoren, fehlende 506 f.
– funktion 76, 78
– potential 40, 45, 51, 86, 140, 266
– potentials, Auslastung des 87
– potentials, Bestimmung des 89 f.
Produktivitäts-
– fortschritt 134
– hilfen 341
Produktivvermögen 240
Produkt-Zyklen-These 513
Prognose 76, 632 f.
Programm, STABEX- 518
Progression, kalte 184
Prohibitiv-
– steuer 329

– zoll 532
Pro-Kopf-Lebensstandard 42
Property Rights 277
Protektion 529 f.
– effektive 560
– EU-Agrarmarkt 534 ff.
– Folgen der 539 ff.
– nicht-tarifäre 530, 533 ff.
– tarifäre 530
Protektionismus 613 f.
– Neo- 502
– Öko- 246
– verdeckter 502
– Wechselkurs- 538
Protektionisten 567
psychologische
– Faktoren 423
– Konjunkturtheorien 70
Put-Option 416

Q

Qualität des Lebens 253
qualitatives Wachstum 47 f., 79 f.
Quantitätstheorie 165, 274
quasi-fixe Wechselkurse 435
Quasi-Geld 369
Quellenabzug 330
Quellentheorie 353

R

Rabattgewährung 282
Rahmenbedingungen
– makroökonomische 596 f.
– ökonomische 595
– rechtliche 498
Rat
– der Europäischen Zentralbank 144
– der EZB, Erweiterter 361
– der Staats- und Regierungschefs, Europäischer 358
– Europäischer 470
– EZB- 360, 399
– für Gegenseitige Wirtschaftshilfe 16
Ratifikation 35 f.
Ratifizierung 36
Rationalisierungsmaßnahmen 105
Reagnomics 270
Reaktionsgeschwindigkeit 258
reale
– Lohnsenkung 112
– Zinsen 179 f.
reales
– Bruttoinlandsprodukt 51
– Bruttosozialprodukt 51
realignments 467
Realisierung wirtschaftspolitischer Maßnahmen 631 f.
Real-
– lohn 112
– transfer 220 f.
Recheneinheit 190
Rechengröße 462
Recht
– internationales 21, 35 f., 522
– nationales 21, 28, 34 ff., 522
– supranationales 21, 28, 522
rechtliche Rahmenbedingungen 498
Rechts-
– ebenen 21, 522
– gemeinschaft 593
– kreise 34
– quellen, abgeleitete 34 f.
– quellen, ursprüngliche 34
– verordnungen 34 f.
Recycling 48
Re-Diskontsatz 382
Referenzkurs 410
Refinanzierungsgeschäfte, längerfristige 382
Reform
– des Finanzausgleichs 319 f.
– Währungs- 59
Reformstaaten 17, 501
Regelmechanismen 257, 435, 638 f.
Regenwälder, tropische 242
regionale
– Blockbildung 545 f.
– Strukturpolitik 253
– Ziele 253 f.
regionaler Dualismus 617

regionales Wachstum 48 f.
Regionalisierung 501
Regionalismus, offener 548 f.
reine Marktwirtschaft 18
Reisetätigkeit 210
relative Preise 184
Rentenpapiere 349
Repartierung 384 f.
Report 413 f.
Reserve, Stille 96
Reservemedium 462
Ressourcenverknappung 46
Retorsionszoll 532
Rezession 4, 51
Reziprozität 524
RGW 16
Ricardo-Güter 510
Risikostreuung 516
Rolle des Staates 275 f.
Roll-Over-Kredit 397
Römische Verträge 24, 30
Rückware 194

S

sachliche Bindung 306
Sachverständigenrat 224, 232, 312, 324
Sachwerte, Flucht in die 182 f.
saisonale
– Arbeitslosigkeit 106 f.
– Schwankungen 55
Saldenbildung 206 f.
Saldo
– der Devisenbilanz 216 f.
– der Leistungsbilanz 208 f.
– der statistisch nicht aufgegliederten Transaktionen 204
SAP 623
Schadenskosten, kalkulatorische 243
Schatten-
– haushalte 306 f.
– währung 191
– wirtschaft 110, 185, 269, 477
Schatzanweisungen 348
– unverzinsliche 348
– verzinsliche 348
Schatzbriefe 348
Schätzungen 76
Schatzwechsel 347
Scheidemünzen 367
Schengener Durchgangs-Überwachungsabkommen 26
schleichende Inflation 145 f.
Schlüsselzuweisungen 318
Schmuggel 201
Schnelltender 385
Schubladenprojekte 309 f.
Schulden-
– berg 338
– deckel 326, 350
– dienst 342
– erlaß 612
– hügel 338
– initiative, HIPC- 625
– last 338
– politik 320
– stand 473 f.
Schuldscheindarlehen 349
Schuldverschreibungen 383
Schwankungen
– saisonale 55
– zufällige 55
Schwarz-
– buch 333
– markt 110, 148, 188
Schwellenländer 60, 211, 281, 605, 629
630-DM-Jobs 132
sechster Kondratieff-Zyklus 85
Seerechtskonvention, UN- 22
Seigniorage 367
Sektor
– MFI- 369
– Nicht-MFI 369
– tertiärer 123
sektorale Ziele 253 f.
sektorales Wachstum 48 f.
sekundäre Liquiditätsreserven 377
sekundärer horizontaler Finanzausgleich 316
sekundäres Gemeinschaftsrecht 30 f., 36

Sekundärverteilung 230 f., 237
Selbst-
– beschleunigung, Tendenz zur 183
– heilungskräfte des Marktes 275 f., 449
– hilfe, Hilfe zur 609
self reliance 607
Sichtkurs 407
Skalenerträge 557
Sockelarbeitslosigkeit 123
Solidaritätszuschlag 141
Solow-neutraler technischer Fortschritt 78
Sonderziehungsrechte 500
Sortenkurs 403
Souveränitäts-
– rechte 568
– verzicht 593
soziale
– Indikatoren 48
– Infrastruktur 298
Marktwirtschaft 18, 260 ff., 284
sozialer Dualismus 618
Sozialismus 256
– Katheder- 256
Sozialprodukt 39, 165
soziologische Veränderungen 560
sozioökonomische
– Verteilung 226
– Ziele 252 f.
Sparen 65
Sparsamkeit 305
Spätindikatoren 72 ff.
Spekulation 421
Spekulationen, Kurs- 407
spekulative Kapitalanlagen 216
Spezial-
– banken 365
– handel 199
spezifischer Zoll 532
Spirale
– Lohn-Lohn- 173
– Lohn-Preis 171
Spitzenbedarf 410
Spotgeschäfte 413
Staates
– Banken des 364
– Rolle des 275 f.
staatliche
– Ebene 569
– Interventionen 264 f.
– Maßnahmen 12
staatlicher Kompetenzbereich 12
Staats-
– ausgaben, Ausweitung der 163
– eingriffe 186
– finanzen 555
– haushalt 185, 299 ff., 398 ff.
– haushalte, Einnahmen der 560 f.
– investitionen 343
– konsum 339, 343
– quote 290 ff.
– struktur, dezentrale 594
– und Regierungschefs, Europäischer Rat der 358
– verschuldung 185, 267 f., 279, 335 ff.
STABEX-Programm 518
StabG 6, 38, 302
Stabilisatoren, eingebaute 286
Stabilität
– des Preisniveaus 143 ff.
– makroökonomische 557
– politische 192, 565
Stabilitäts-
– gesetz 6, 17, 19, 38, 52, 264, 266, 302, 323 ff.
– hypothese 257
– pakt 24
– ziele 6
Stagflation 176, 267, 644 ff.
Stagflations-
– Dilemma 61
– Problem 267
Standards, technische 562
Standardtender 385
ständige Fazilitäten 385 ff.
statische Effekte 552 ff.
statistisch nicht aufgegliederten Transaktionen, Saldo der 204
Statistisches Amt
– der EU 94
– der Europäischen Gemeinschaften 159

Steinkohleersatz, Ausgleichsfonds 307
Stellen, offene 105 f.
Stellungnahmen 33
Steuer-
– aufkommen 330 f.
– einholung 329
– einnahmen 332
– gegenstand 328
– gläubiger 328
– hinterziehung 329
Steuern
– direkte 314, 328
– indirekte 314, 328 f.
– Öko- 244
– Pigou- 244
Steuer-
– pflicht 328
– potentials, Ausschöpfung des 332
– quote 295
– reform, ökologische 245
– satz 328, 330 f.
– schätzung, Arbeitskreis 310
– schuldner 328
– senkungen 163
– struktur 312 f.
– systeme 564
– überwälzung 329
– vermeidung 329
– verteilung, horizontale 315
– verteilung, vertikale 313
– widerstand 331
– wirkungen 328
– zahler 354
– zahler, Bund der 333
Stichproben, Einkommens- und Verbrauchs- 158
Stille Reserve 96
Stillhalter 416
Stop-and-Go-Politik 268, 377, 642
Strategie, geldmengenorientierte 373 f.
Strategien
– geldpolitische 372 ff.
– Integrations- 450 ff.
strategische Überlegungen 602 ff.
strategischer Handel 505
Streik 116
Strohfeuereffekt 65, 278
Struktur
– der öffentlichen Verschuldung 344 f.
– internationaler Handelsbeziehungen 508
Struktur-
– anpassungsprogramme 271, 623
– bruch 103
strukturelle
– Arbeitslosigkeit 100 f.
– Operationen 383
– Ursachen 121
– Verschuldung 336
Strukturen
– komplementäre 508
– marktwirtschaftliche 501
Struktur-
– inflation 173
– politik 8, 49
– politik, regionale 253 f.
– wandel 43, 228, 280
Stückzoll 532
Stützungs-
– kauf 429, 466
– verkauf 448, 488
Subsidiaritätsprinzip 263, 313
Substanzverzehr 182
substitutionale Wirtschaftsbeziehungen 595 f.
substitutiv 77
Subventionen 5, 143, 339 f.
Sucharbeitslosigkeit 107
Süd-
– Erweiterung 579
– Süd-Handel 491
– Süd-Kooperation 607
supranationales
– Gemeinschaftsrecht 11
– Recht 21, 28, 522
Suset Legislation 322
sustainable development 609
Swap 414
– märkte 418
– satz 383 f., 414

System
– der Zentralbanken, Europäisches 356 f.
– des Finanzausgleichs 313 f.
– politisches 619 f.
SZR 500

T

tägliche Arbeitszeit 132
tarifäre Protektion 530
Tarif-
– autonomie 116
– konflikte 116 ff.
– löhne 130 f.
– öffnungsklauseln 132
Tausch-
– kosten 481
– mittelfunktion 188
technische
– Hilfe 17
– Standards 562
– Zusammenarbeit 626
technischer
– Fortschritt 42, 44, 57
– Fortschritt, endogener 78, 252
– Fortschritt, exogener 78
– Fortschritt, Harrod-neutraler 78
– Fortschritt, Hicks-neutraler 78
– Fortschritt, Solow-neutraler 78
Technologieimpulse 121
Technologien 556
Technologietransfer 557
technologische Arbeitslosigkeit 102
technologischer Dualismus 617
teilkonvertible Währung 437
Teilzeitarbeit 135
Telefonverkehr 409
temporäre Produktionsausfälle 506
Tendenz zur Selbstbeschleunigung 183
Tenderverfahren 383 f.
Termingeschäfte 413 ff., 422
Terminkurse 408, 413
Terms of Trade 444, 513 f.
tertiärer Sektor 123
Teuerungsrate 159
Theorem, Faktor-Proportionen 510 ff.
Theorie der Eigentumsrechte 277
Theorie
– des internationalen Handels 520 f.
– komparativer Kostenvorteile 510
– optimaler Währungsräume 453 f., 473
– Angebots- 70
– Kaufkraftparitäten- 425
– keynesianische Wachstums- 79
– Konjunktur- 76
– Krisen- 70
– Nachfrage- 70
– Neo-Klassische 79
– Neue Wachstums- 76 f., 80
– psychologische Konjunktur- 70
– Überinvestitions- 69
– Überspar- 70
– Unterkonsumptions- 70
– vent-for-surplus 507, 517
Theorien
– güterwirtschaftliche 64 f.
– Konjunktur 62 ff.
– monetäre 64 f.
– Wechselkurs- 425
These, Produkt-Zyklen- 513
Tigerstaaten 82 f.
Titel 304
Tourismus 242
trabende Inflation 145 f.
trade off 649
Transaktionen, Saldo der statistisch nicht aufgegliederten 204
Transaktionskasse 167
Transatlantische Partnerschaft 550
Transfer-
– bilanz 196
– einkommen 231
Transfers 600
– direkte 225
Transferzahlungen 114, 225 f., 292
Transformation 35
Transformationsländer 121
Transformationsstaaten 501
Treibhauseffekt 241 f., 247 ff.
Trend 54

Trennsystem 313
Trittbrettfahren 243, 290
Trittbrettfahrer 290
Tropenholzabkommen 247
tropische Regenwälder 242

U

Über-
– beschäftigung 87
– investitionstheorie 69
– legungen, strategische 602 ff.
– schußreserven 390
– seeische Länder und Gebiete 456
– spartheorie 70
– stunden, Abbau von 134
– tragbarkeit 306
– tragungen, laufende 196
– tragungsbilanz 196
– versorgung 507
– ziehungskredit 388
ÜLG 456
Umgehen 543
Umlageprinzip 5
Umlaufgeschwindigkeit des Geldes 165 f.
Umsatzsteuer 316
Umschuldungen 612
Umsetzung der Abkommen 591 f.
Umstellungstermin 483 f.
Umstrukturierung 596
Umverteilung, internationale 318
Umverteilungs-
– effekte 354
– funktion 285, 298
Umwelt-
– abgaben 245
– auflagen 245
– belastung 241 f.
– Dumping 246
– gefährdung 241
– haftungsrecht 245
– kosten 243
– politik 241
– probleme 246 f.
– schutz 241 ff.
– schutz, internationaler 247 ff.
– schutzmaßnahmen 43
– schutzziel 251
– standards 562
– zertifikate 245
Unabhängigkeit der EZB 169
unbereinigte Lohnquote 228 f.
UNCTAD 534
Ungleichheitsmaß 237
Union
– Europäische 26, 36, 501, 641
– politische 582 f.
United Nations International Labour Organization 94
Universalbanken 365
unrentable Investitionen 342 f.
UN-Seerechtskonvention 22
unsichtbare Leistungen 196
Unterbeschäftigung 87, 96
Unterbeschäftigungs-
– gleichgewicht 112
– situation 441
Unterkonsumptionstheorie 70
Unternehmenskooperation 569
Unternehmerlohn, kalkulatorischer 232
unterschiedliche
– Inflationsraten 421
– Zinsniveaus 421
unverzinsliche Schatzanweisungen 348
unzureichende
– Eigenverantwortung 618 f.
– Nahrungsmittelproduktion 616
Ursachen
– der Inflation 161 ff.
– der Staatsverschuldung 335 f.
– externe 610 ff.
– für Zahlungsbilanzstörungen 221 f.
– interne 614 ff.
– strukturelle 121
– von Arbeitslosigkeit 100 ff.
ursprüngliche Rechtsquellen 34
Ursprung 577
Ursprungs-
– kontrolle 578
– regeln 562

Uruguay-Runde 342, 507
U-Schätze 348

V

Vehikelwährung 418
vent-for-surplus-Theorie 507, 517
Veränderungen, soziologische 560
Verbesserung der Leistungsbilanz 444
Verbindlichkeiten 442
Verbraucher 487
Verbraucher-
– preise 562
– preisindex, Harmonisierter 160, 372
Verbundsystem 313
verdeckte
– Arbeitslosigkeit 96
– Inflation 148 f.
verdeckter Protektionismus 502
Verdrängungseffekte 139
Veredelung
– aktive 199
– passive 121, 199, 268, 281, 516
Vereinbarungen 33
Verfahren
– amerikanisches 385
– holländisches 385
Verfassungsorgane 12
verfügbare Einkommen 231
Vergelten 543
Vergeltungszoll 532
Verhandeln 543 f.
Verkaufskurs 403
Verlust der Kaufkraft 178
Vermögens-
– bildung 240
– übertragungen 196
– verteilung 239 f.
Verpflichtungsermächtigungen 305, 310
verschiedene Preisindizes 154 f.
Verschuldung 448, 611 ff.
– externe 353, 555
– interne 353
– öffentliche 337
– Struktur der öffentlichen 344 f.
– strukturelle 336
versteckte Arbeitslosigkeit 43, 96
Verteilung 222 f.
– funktionelle 226 f., 234
– personelle 226, 234 f.
– sozioökonomische 226
– Verzerrung der 183 f.
Verteilungs-
– inflation 172 f.
– komponente 130 f.
– politik 224
– wirkungen 564
– ziel 251
vertikale Steuerverteilung 313
Vertrag
– GATT- 507
– Lomé- 517
– Pariser 24
– über die Europäische Union 7, 24
– von Amsterdam 24
– von Maastricht 7, 24, 30, 280
Verträge, Römische 24
Vertrags-
– kontinuität 481 f.
– konvention, Wiener 22
Verursacherprinzip 244 f.
Verwaltungsakt 35
Verwaltungsvorschriften 35
Verwendungsrechnung 68, 75, 208
Verzerrung
– der Allokation 184 f.
– der Einkommens- und Vermögensverteilung 183
– der Verteilung 183 f.
verzinsliche Schatzanweisungen 348
Verzögerungen 632 ff.
VGR 477
Viereck, magisches 6, 250 f., 643
Vier-Tage-Woche 134
Völkerrecht, allgemeines 21
Völkervertragsrecht 21, 35 f.
Volkseinkommen 130, 230
volkswirtschaftliche
– Endnachfrage 69, 75
– Gesamtrechnung 477

Vollbeschäftigung 87, 113, 252
Vollbeschäftigungsgleichgewicht 113
vollständige Konkurrenz 110 f., 257 f.
Vollständigkeit 305 f.
Vollzeitarbeit 96
Voranschläge 302
Vorherigkeit 305
vorläufige Haushaltsführung 304 f.
Vorratsplanung 309 f.
Vorruhestand 96
Vorsorgeprinzip 244

W

Wachstum 43 f., 69, 277
– angemessenes 45 f.
– Gründe für 39
– nachhaltiges 46
– negatives 51
– Null- 48, 51
– qualitatives 47 f., 79 f.
– regionales 48 f.
– sektorales 48 f.
Wachstums-
– Dreiecke 551
– indikatoren 39
– politik 40, 44, 66 f.
– rate 50
– rate des Inlandsprodukts 52
– theorie, keynesianische 79
– theorie, Neue 76 f., 80, 251 f.
– verlust 353
Währung 401 f.
– Konvertibilität der 437 ff.
– teilkonvertible 437 f.
Währungs-
– bank 364
– einheit 459
– fonds, Internationaler 364, 458
– integration 447 ff.
– krise 60
– politik 401 ff.
– raum, Euro- 160
– reform 59, 146, 191 f., 262, 438 f.
– reserven 398, 432
– reserven, amtliche 217
– stabilität 402, 474 ff.
– system, Europäisches 221 f., 429, 458 ff.
– system II, Europäisches 432 ff.
– union 24 f., 361, 452 f., 582 f.
– union, Europäische 141, 402, 469 ff.
Wälder, nordische 242
Waren-
– export 518
– korb 151 f.
– verkehr, Ergänzungen zum 194, 200
Wechselkurs 185, 201, 212, 402, 555
– änderungen 439 ff.
– begriffe 402 ff.
– bildung 420 ff.
– Gleichgewichts- 428
Wechselkurse 214, 641
– Agrar- 489
– andere 434
– fixe 212, 222, 428 f., 435, 447 f.
– flexible 178, 212 f., 222, 427 f., 448 f.
– gespaltene 434 f.
– multiple 435
– quasi-fixe 435
Wechselkurs-
– entwicklungen 277
– politik 221, 401 ff.
– Protektionismus 538
– reaktionen 556
– systeme 427 ff.
– Theorien 425 f.
– union 452 f.
– union, faktische 452 f.
– verbund 451
Weltbank 500, 622
Welthandel, Entwicklungen im 498 ff.
Welthandels, Grobstruktur des 491 f.
Welthandelskonferenz 534
Weltkonjunktur 641
Weltwirtschaftskrise 118
Wert des Euro 486
Wertaufbewahrungsfunktion 188

Wertpapier-
– handel 216
– pensionsgeschäfte 381 f.
Wertsicherungsklauseln 171
Wettbewerb 486
Wettbewerbs-
– chancen 442
– druck 560
– politik 8
– verfassung 15
Wiederbeschaffungswert 182
Wiedervereinigung 277
Wiener Vertragskonvention 22
Willensbildung, politische 5
Willensbildungsprozeß 8
windfall profits 174
Wirkungen 76
– auf die Leistungsbilanz 440 f.
Wirtschaft, laissez-faire- 257, 284
Wirtschaftlichkeit 305
Wirtschafts-
– beziehungen, komplementäre 595
– beziehungen, substitutionale 595 f.
– gemeinschaft 581 f.
– gemeinschaft, Europäische 24, 59
– ordnung 4, 13
– und Finanzrat der EU 478
– und Währungsunion, Europäische 469
– ordnung, gemischte 16
– politik 4
– politik, antizyklische 19
– politik, besondere Probleme der 631 ff.
– politik, Zielsetzung der 250 ff.
wirtschaftspolitische
– Handlungsfelder 8
– Konzeptionen 255 ff.
– Zielsetzungen 5, 37 ff.
wirtschaftspolitisches
– Instrumentarium 283 ff.
– Ziel 144
Wirtschafts-
– raum, Europäischer 26, 501
– rechnungen 158
– strukturen 595 f.
– system 13
– theorie, angebotsorientierte 105
– verfassung 14
– wachstum 38 f.
– ziele, nationale 504
wöchentliche Arbeitszeit 132
Wohlstandsarbeitslosigkeit 108
WTO 498

X

Xeno-Märkte 394

Z

Zahlungs-
– ausgleich, Bank für internationalen 364
– bilanz, Aufbau der 194 f.
– bilanzreaktionen 556
– bilanzstatistik 198
– bilanzstörungen, Ursachen für 221 f.
– mittel 462
Zeitdifferenz 201
zeitliche Bindung 306
Zentralbank
– Europäische 160, 275, 356 f., 359 ff.
– Rat der Europäischen 144
Zentralbanken, Europäisches System der 356 f.
Zentralbank-
– geld 365 f.
– geldmenge 366 f.
– rat 361
Zentralverwaltungswirtschaft 13, 15
Zero-Base-Budgeting 321 f.
Ziel, wirtschaftspolitisches 144
Ziele
– der Außenhandelspolitik 497 ff.
– regionale 253 f.
– sektorale 253 f.
– sozio-ökonomische 252 f.
Ziel-
– harmonie 650

– konflikt 38, 473, 643 ff.
– korridor 275
Zielsetzung
– der Wirtschaftspolitik 250 ff.
– geldpolitische 372 f.
– wirtschaftspolitische 5, 37 ff.
Zinsarbitragen 406
Zinsen
– nominale 179 f.
– reale 179 f.
Zins-
– kanal 392 ff.
– niveau 474
– niveaus, unterschiedliche 421
– obergrenze 392
– paritätentheorie 426
– politik 221, 376 f.
– robustheit 352
– senkungen 163
– struktur 391 f.
– untergrenze 392
– unterschiede 413
– zahlungen 201
Zoll
– Anti-Dumping- 532, 537
– spezifischer
Zoll-
– anschlüsse 581
– arten 531 ff.
– ausschluß 581
Zölle 328, 330
– gemischte 532
– MFN- 573 f.
Zoll-
– gebietsfiktion 581
– politik, gemeinsame 578
– union 25, 578
– verfahren 561 f.
– zwecke 530 f.
Zone, Franc- 452, 454 f.
zufällige Schwankungen 55
Zumutbarkeitsgrenzen 139 f.
Zusammenarbeit
– finanzielle 626
– politische 564 f.
– technische 626
Zustimmungsgesetz 36
Zuweisungssystem 313
Zwangssparen 184
zweite Lesung 302
Zweiter Arbeitsmarkt 137 f.
Zweitwährung 191
Zyklen 54 f.
– Juglar- 55
– Kitchin- 55
– Kondratieff- 55
Zyklus
– fünfter Kondratieff- 85
– sechster Kondratieff- 85

Vom selben Autor sind erschienen:

Internationale Wirtschaftsorganisationen

Volkswirtschaftslehre

Arbeitsbuch Volkswirtschaftslehre/Wirtschaftspolitik